WALTHER VON DER VOGELWEIDE

WEGE DER FORSCHUNG

BAND CXII

1971

WISSENSCHAFTLICHE BUCHGESELLSCHAFT

DARMSTADT

WALTHER VON DER VOGELWEIDE

Herausgegeben von

SIEGFRIED BEYSCHLAG

1971

WISSENSCHAFTLICHE BUCHGESELLSCHAFT

DARMSTADT

wb Bestellnummer: 3503
Schrift: Linotype Garamond, 9/11

Satz: Maschinensetzerei Janß, Pfungstadt
Druck: Wissenschaftliche Buchgesellschaft, Darmstadt
Einband: C. Fikentscher, Darmstadt
Printed in Germany

ISBN 3-534-03503-8

INHALT

VORWORT

Die unübersehbare Literatur zu Walther von der Vogelweide nötigt zu einer strengen Auslese (die freilich bereits bis an die oberste Grenze der Umfangsmöglichkeit geht). Der Zielsetzung der „Wege der Forschung" entsprechend hat sie vor allem die Wegrichtungen der Erforschung Walthers anzudeuten und dies nach Möglichkeit vor allem an Hand von vollständig publizierbaren Aufsätzen, nur ausnahmsweise mittels Auszügen aus selbständigen Abhandlungen zu vollziehen.

So sind unter beiden Gesichtspunkten grundsätzlich die jeweils ersten Behandlungen eines bestimmten Themas ausgewählt, welche die Forschungsrichtung abstecken. Auf die Wiedergabe weiterführender Debatte mußte Verzicht geleistet werden.

Die dargebotenen Beiträge sind in der Reihenfolge ihres Erscheinens geordnet; hierin mag sich zugleich ein Stück Forschungsgeschichte dokumentieren: wann bestimmte Themen entscheidend angegangen worden sind. Freilich muß dabei berücksichtigt werden, daß wesentliche Knotenpunkte aus Grundsatz und Raummangel nicht erscheinen, da sie in umfassenden selbständigen Publikationen niedergelegt sind und hieraus nur unsichtbar zugegen sein können. Das sind die Forschungen Burdachs[1], die durch vier Jahr-

[1] Konrad Burdach,

a) Walther von der Vogelweide. Philologische und historische Forschungen I. Leipzig 1900.

b) Einleitung der Vorlesung über Walther von der Vogelweide an der Berliner Universität (1902) in: Vorspiel I. 1. Halle 1925, 8—19.

c) Reinmar der Alte und Walther von der Vogelweide.
Ein Beitrag zur Geschichte des Minnesangs. Leipzig 1880 — Zweite, berichtigte Auflage, mit ergänzenden Aufsätzen über die altdeutsche Lyrik. Halle 1928. Hierin:
Zum zweiten Reichsspruch Walthers von der Vogelweide (1902), S. 319—342;

zehnte die Erschließung Walthers begleitet haben. Von ihnen werden nur die Abhandlung über den mythischen und den geschichtlichen Walther als Loslösung von der populären bürgerlich-romantischen Sicht des 19. Jh.s und Wegweisung für das jetzige, sowie der nicht mehr von Kraus' Untersuchungen zu Walther erfaßte Aufsatz über „Walthers Aufruf zum Kreuzzug Kaiser Friedrichs II." vom Jahr 1935 gebracht. Als gegenwärtig vorausgesetzt werden weiter die abschließenden Darlegungen von Wilmanns-Michels[2] und von Schönbach-Schneider[3] wie nicht minder die Untersuchungen von Carl von Kraus zum Verhältnis Reinmars und Walthers und vor allem zu Walthers Gesamtwerk von 1935[4]; an ihnen richtet sich seither die Forschung aus. Von Kraus erscheint demzufolge nur der Beitrag „Über Walthers Lied ›Ir reinen wîp, ir

Walthers Palinodie (1903), S. 343;
Der heilige Speer des Söldners und der wahre Ritter bei Walther von der Vogelweide (1903), S. 344—356.

d) Walther von der Vogelweide und der vierte Kreuzzug, Historische Zeitschrift 145 (1931), S. 19—45.
e) Der mittelalterliche Streit um das Imperium in den Gedichten Walthers von der Vogelweide, Deutsche Vierteljahresschrift 13 (1935), S. 509 bis 562.
f) Der gute Klausner Walthers von der Vogelweide als Typus unpolitischer christlicher Frömmigkeit, ZfdPh 60 (1935), S. 313—330.
g) Der Kampf Walthers von der Vogelweide gegen Innozenz III. und gegen das vierte Lateranische Konzil, Zs. f. Kirchengeschichte 55 (1936), S. 445—522.

[2] Wilhelm Wilmanns, Walther von der Vogelweide, herausgegeben und erklärt. Vierte, vollständig umgearbeitete Auflage, besorgt von Victor Michels, 2 Bde. Halle 1924.

[3] Anton Emanuel Schönbach, Walther von der Vogelweide. Ein Dichterleben. 4. Aufl., bearb. von Hermann Schneider. Berlin 1923.

[4] Carl von Kraus;
a) Die Lieder Reinmars des Alten. Abhh. d. Bayer. Akad. d. Wiss., philos.-philol. u. hist. Kl. Bd. 30, Abh. 4.6.7. München 1919 (Teil III: Reinmar und Walther).
b) Walther von der Vogelweide. Untersuchungen. Berlin und Leipzig 1935. ²1966.

werden man‹“, auf den v. Kraus in den Untersuchungen lediglich verweist. Ebenso muß man sich die selbständigen und die in „Dichtung und Sprache des Mittelalters“ (1963) gesammelten Abhandlungen von Friedrich Maurer zu den religiösen und den politischen Liedern Walthers gegenwärtig halten[5].

Auch das letzte Ziel, die Erarbeitung einer Gesamtsicht Walthers, welche die Forschergenerationen von Anfang an begleitet hat, muß auf eine Repräsentanz in diesem Band verzichten, wie z. B. Hans Naumanns vieldiskutiertes „George-Bild“ Walthers von 1930[6], Helmut de Boors Porträt in den „Großen Deutschen“ (1956)[7] und der herausfordernd-konträre Entwurf Wapnewskis als Nachwort seiner Walther-Ausgabe ab 1962[8]. — In Abstimmung mit anderen Publikationen der „Wege der Forschung“ wird z. B. Plenios grundlegende metrische Studie über die Palinodie in einem eigenen Plenio-Band „Bausteine zur altdeutschen Strophik“ zugänglich sein; was an Walther zum „ritterlichen Tugendsystem“ erörtert worden ist, findet seinen Platz in dem Band „Ritterliches Tugendsystem“, die Diskussion zum Problem „Spruch“ in „Mittelhochdeutsche Spruchdichtung“.

Von diesen Einschränkungen abgesehen bietet sich die auszubreitende Forschung unter bestimmten Aspekten dar. Zuerst als die unabdingbare Grundlegung des Textes, die an Karl Lachmann und den grundsätzlichen Ausführungen Krachers deutlich werden soll,

[5] Friedrich Maurer,
a) Die politischen Lieder Walthers von der Vogelweide. Tübingen 1954. ²1964.
b) Dichtung und Sprache des Mittelalters. Gesammelte Aufsätze. Bern/München 1963.

[6] Hans Naumann, Das Bild Walthers von der Vogelweide (1930) in: H. N. Wandlung und Erfüllung. Stuttgart ²1934. Gekürzt auch in ZfDkunde 1930, S. 305—316.

[7] Helmut de Boor, Walther von der Vogelweide, etwa 1170—1230. In: Die großen Deutschen. Deutsche Biographie 1. Berlin 1956, S. 114—129.

[8] Peter Wapnewski, Walther von der Vogelweide. Gedichte. Mittelhochdeutscher Text und Übertragung. Ausgewählt und übersetzt. Fischer Bücherei 732. Frankfurt a. M./Hamburg ⁶1968.

abgesehen von all den wiederkehrenden Erörterungen in den vor allem interpretatorischen Abhandlungen.

Die große Fülle repräsentiert das unermüdliche Mühen um die Erschließung von Walthers Werk in Einzelinterpretation und zusammenfassender Schau seiner Dichtungen, von Simrocks zukunftsträchtiger Definition des „Spruches", vom Ursprung der Walther-Reinmar-Fehde (an Nordmeyer und Hermann Schneider gezeigt) mit dem Abschied von Wien (Beyschlag) zu den metrisch-musikalischen Fragen, wie sie Gennrich und K. H. Schirmer aufgeworfen haben u. u. a. Ursula Aarburg interpretierend weitergeführt hat. Von dem Schlüsselgedicht im Berührungsbereich von „niederer" und „hoher Minne": ›Aller werdekeit ein füegerinne‹ (Beyschlag) geht es zu den zentralen politischen Sprüchen des Otten- (Hatto) und Reichstones (Kienast), zu sonstigen Sprüchen mit dem 1. Atzespruch (K. K. Klein) und verwandten (Halbach, Spaarnay), zur besonderen Frage von Walthers Gesprächen (Frings) und neben einem Zentrum der Mädchenlieder (Wapnewskis „Traumliebe") zum Leich (Grünanger, Huisman mit den Problemen der Zahlensymbolik). Als Beispiel der Beziehungen Walthers zu anderen Lyrikern dienen die „Berührungen zwischen Walthers und Neidharts Liedern" (Wiessner). Zum Spätwerk führen der Streit mit Thomasin (K. K. Klein), „Alterston" (Jungbluth), die „Elegie" (Wehrli). Als zeitlich letzte Abhandlung schließt Willsons „Ordo of love" den Reigen.

Schon diese Titel repräsentieren eine Fülle von Problemen und Lösungsversuchen, aber mit Nachdruck soll vor Augen gehalten werden, daß auch diese Vielzahl von Abhandlungen nur eine beschränkte Auslese darstellt, nur *Beispiele, wie* Fragen mittelalterlicher Literatur, Fragen Walthers, zu lösen versucht worden sind. Wer sich jeweils — und dies sei zumal für Beginner betont — nicht nur rasch und exemplarisch über Walther orientieren, sondern an bestimmten Punkten bis an die Front der augenblicklichen Forschung vordringen will, der muß über diesen Band hinaus sich selbst die Gesamtheit aller einschlägigen, vor allem der jeweils weiterführenden Erörterungen nach wie vor zusammentragen.

Die „Bibliographie zu Walther von der Vogelweide" von Manfred Günter Scholz (als 4. Heft der „Bibliographien zur deutschen

Literatur des Mittelalters", hrsg. v. Ulrich Pretzel und Wolfgang Bachofer, Berlin 1969) ebnet hierfür den Weg. Sie erübrigt auch eine ja doch nur auf ein subjektives Minimum beschränkte eigene Literaturauswahl für diesen Band.

Bei der Auswahl der Abhandlungen bin ich einigen Fachkollegen für bereitwillige Vorschläge verbindlichsten Dank schuldig. Es sind die Herren Kurt Herbert Halbach, Alfred Kracher, Friedrich Maurer und Peter Wapnewski. Das Dargebotene stellt die Quintessenz aus ihren und meinen Vorstellungen im Rahmen des zur Verfügung stehenden Raumes dar.

Erlangen Siegfried Beyschlag

Die Gedichte Walthers von der Vogelweide. Hrsg. von Karl Lachmann. Berlin (Reimer) 1827, S. III—XII, S. 127, 160, 161, 185, 193, 204, 206, 207, 209.

VORREDE UND EINLEITENDE ANMERKUNGEN ZUR WALTHER-AUSGABE VON 1827

Von Karl Lachmann

Vorrede

Den reichsten und vielseitigsten unter den liederdichtern des dreizehnten jahrhunderts in würdiger gestalt wieder erscheinen zu lassen hatte ich schon im jahr 1816 mit ernsthafter arbeit anstalt gemacht, damahls in verbindung mit K. Köpke, der nun leider schon lange der theilnahme an erforschung des deutschen alterthums entsagt hat. vorläufige proben gab Köpke in herrn Büschings wöchentlichen nachrichten 4, 12—18 (1818), ich in meiner auswahl s. 178—203 (1820). wohl das zurücktreten des mitarbeiters, aber nicht die verzögerung hat meinem unternehmen geschadet: denn ich habe mich indessen bestrebt die neuen und noch immer wunderbar scheinenden entdeckungen J. Grimms nicht ungenutzt vorüber gehen zu lassen, bin auch wohl selbst fortgeschritten, und die aufmerksamkeit der empfänglichen ist aufs neue geweckt worden durch L. Uhlands eben so lebendige als genaue schilderung Walthers (1822). so kommt meine ausgabe jetzt, da ich alle gewünschten hülfsmittel beisammen habe, nicht unvorbereitet. ich habe sie mit frischem eifer und mit der grösten lust vollendet, indem mich Beneckens, J. und W. Grimms und Uhlands freundschaftliche theilnahme ganz glücklich machte, mit der sie, mühe und zeit nicht sparend, alles was mir nützlich sein konnte, abschriften, nachweisungen und selbsterforschtes, ohne rückhalt beisteuerten. diese freunde begehren sonst keinen dank, als daß ich alles aufs beste gebraucht haben möge: urtheilen sie selbst ob es geschehen ist. sie wissen am besten wo sie geholfen haben, wenn ich auch ihre namen nicht jedesmahl nennen konnte.

Die wichtigsten quellen sind die alten sammlungen von Walthers liedern.

A. die heidelbergische handschrift n. 357 enthält von bl. 5 rückw. bis bl. 13 rückw. 151 strophen Walthers von der Vogelweide. sie ist unstreitig im dreizehnten jahrhundert sehr schön aber nicht genau geschrieben. sie bezeichnet die anfänge der lieder auf dem rande mit § — für uns eben so unwichtig als die blauen und rothen anfangsbuchstaben in C.

B. die liederhandschrift aus dem kloster Weingarten, jetzt in der königl. privatbibliothek zu Stutgart und vor einigen jahren neu gebunden und beschnitten, giebt 112 strophen s. 140—170. Uhland hat mir eine abschrift mitgetheilt, die er zum theil früher für sich, zum theil aber erst um meinetwillen genommen hat.

C. die handschrift zu Paris, die ohne grund so genannte manessische,[1] ist bei weitem die reichste, aber jünger als ABD, und nicht so gut daß eine buchstäbliche vergleichung von großem nutzen sein würde, weshalb ich mich gern mit dem gedruckten begnüge. doch habe ich genau verglichen 1) den abdruck in Bodmers sammlung von minnesingern (1758) 1, 101—142; 2) die auszüge in Bodmers proben der alten schwäbischen poesie (1748) s. 73—108. 270; 3) die von Benecke mir nachgewiesenen ersten anführungen daraus in Goldasts erster ausgabe des *Valerianus Cimelensis epis-*

[1] Es ist erweislich, daß die liedersammlungen in den handschriften ABC und einer vierten, von der herr von Nagler zwei blätter besitzt (das eine mit liedern Krafts von Toggenburg = 8—22 C, übereinstimmend auch in den blauen und rothen anfangsbuchstaben; das andere mit dem namen und wappen herrn Heinrichs von Stretelingen), zwar durchaus nicht in unmittelbarer verbindung mit einander stehn, aber theilweise aus denselben handschriften abgeschrieben sind, und daß, wie in den drei letzteren die orthographie auffallend übereinstimmt, sich alle vier durch schwäbische oder vielleicht noch mehr thurgäuische formen auszeichnen. allein ob die Manessen in Zürich ein liederbuch geschrieben oder schreiben lassen, davon wissen wir nichts: Johann Hadlaub sagt in der bekannten stelle (MS. 2, 187 [a]) nur, daß sie liederbücher sammelten. — Man vergleiche die bemerkungen des freiherrn J. von Laßberg im liedersaal 2, XLIII f., deren weiterer ausführung in seiner wichtigen ausgabe der handschrift B ich mit verlangen entgegen sehe.

copus (1601) s. 120. 151. 153—156; 4) die stellen bei Goldast zu den *paraeneticis* (1604); 5) die lesarten der abschrift zu Bremen, nicht nur die wichtigeren in Beneckens beiträgen (1810) s. 267. 280—282 abgedruckten, sondern alle die Benecke sich angemerkt und mir mitgetheilt hat; 6) die verbesserungen aus Raßmanns vergleichung der Pariser handschrift, in der jenaischen litteraturzeitung (1810) VII, 4, 159: aber die verschiedenheiten anzumerken wäre meistentheils unnütz gewesen. die zahl jeder strophe (es sind außer dem leich 447 und zwei auf dem rande; ob alle von einer hand geschrieben, erfährt man nirgend) habe ich wie die aus den anderen handschriften angegeben, d. h. hoffentlich richtig: wie sich Schobinger oder Goldast bei bezifferung der Pariser handschrift geirrt habe, wird niemand zu wissen wünschen.

D. die heidelbergische handschrift n. 350, sicher noch aus dem dreizehnten jahrhundert, liefert von bl. 38 rückw. an eine sammlung waltherischer lieder ohne seinen namen, die jedoch schon in der achtzehnten strophe mit der rückseite des 40sten blattes, aber mitten im quatern, abbricht.

E. die Würzburger handschrift, vor der mitte des vierzehnten jahrhunderts geschrieben, gewährt eine bedeutende menge, aber weil das ende der sammlung verloren ist, beinah nur liebeslieder, deren jedes zu anfang die rothe überschrift *walther* oder *her walther* oder *her walther von der vogelweide* führt. die sammlung fängt bl. 168 rückw. an, und endigt mit bl. 180 in der 212ten strophe und nach einer späteren nicht ganz richtigen bezifferung im 46sten liede. dann fehlen, wie auch Docen bemerkt hat, sieben folioblätter, die außer dem schlusse von Walthers liedern noch nach dem repertorium (vorn bl. 2) *ein getiht des Ruphermans* enthielten. mit bl. 181 folgen von derselben hand lieder Reimars des alten, von denen zufolge der erwähnten bezifferung elf ganze und ein theil des zwölften verloren ist.

F. in einer liederhandschrift zu Weimar von 150 quartblättern papier aus dem anfange des funfzehnten jahrhunderts enthält eine abtheilung (nach W. Grimms abschrift LXXXIIII) eine sammlung von 49 strophen Walthers ohne überschrift und namen.

Außer diesen sammlungen finden sich aber noch hier und da zerstreute strophen, alle ohne des dichters namen oder gar unter anderen. ich wünschte wohl sicher zu sein, daß mir nichts bedeutendes der art entgangen wäre.[2]

A. fünfundzwanzig unter den namen anderer dichter in A.

E. eine unter *hern Reymar* (335) in E bl. 188 rückw.

a. zehn strophen in einer liedersammlung, die von einem späteren der handschrift A angehängt worden ist, bl. 40. 41. 42.

b. drei in der zweiten liederreihe von Reimar dem alten (85—87) in der handschrift B s. 103. auch diese hat Uhland mir abgeschrieben.

e. ein gedicht in dem anhange, den E Reimars liedern beifügt, bl. 190. der Würzburger abschreiber hielt diesen anhang mit unrecht für gedichte Reimars und setzte jedem liede *her Reymar* vor.

k. der leich in der heidelbergischen handschrift 341 bl. 6 ff. herr professor Mone ist so gefällig gewesen für mich eine abschrift nehmen zu lassen. ohne zweifel enthält auch die Koloczaer handschrift dies gedicht, wahrscheinlich ohne bedeutende abweichungen.

l. eine strophe im frauendienst Ulrichs von Lichtenstein, nach Tiecks bearbeitung s. 119.

m. drei strophen in einer andern handschrift des dreizehnten jahrhunderts zu München, abgedruckt in Docens miscellaneen 2, 200. 202. 207.

n. eine strophe in einer handschrift der rathsbibliothek zu Leipzig. s. herrn v. d. Hagens litterar. grundriß s. 511. ich habe eine abschrift von Jac. Grimm.

o. eine in der pergamenthandschrift des Tristans auf der hiesigen königlichen bibliothek bl. 63 rückw. da herr de Groote in seiner beschreibung der handschrift s. LXIX nichts davon sagt, so wäre sie mir entgangen, wenn mich herr Wilhelm Wackernagel nicht aufmerksam gemacht hätte. n und o sind in niederrheinischer mundart.

x. y. stücke von zwei strophen in dem liede vom edeln Möringer. zwei abdrücke im Bragur, aus einem drucke von 1493 (8, 207) und einer handschrift von 1533 (3, 411. 412).

[2] Ich finde zu spät um noch erkundigung einzuziehn, daß ein Züricher Schwabenspiegel (s. Finsler in Falcks eranien zum deutschen recht, fortsetzung, zweite lieferung, Heidelberg 1826, s. 48) mit einem liede unter der überschrift *Herre walther* schließt.

Die anzahl der strophen und lieder zu vermehren habe ich nicht gestrebt. an eine vollständige sammlung ist doch nicht zu denken, so lange das von Eschenbach erwähnte gedicht fehlt,

Guoten tac, bœs unde guot:

unkritische vermehrungen aber könnten der sammlung nur einen zweifelhaften werth geben. so habe ich die meistens unbedeutenden zusätze in EF, die auch der sammler von C verschmähte oder noch nicht fand, als zum theil sicher unecht, zum theil verderbt, nur in die anmerkungen gesetzt. ferner habe ich folgende lieder übergangen, die zwar ein theil unserer quellen Walther zueignet, andere aber, wenn auch nicht immer mit allen strophen, anderen dichtern.

Werder gruoz von frowen munde 144 A, 11 F.
  wîlen frâget ich der mære 145 A, 13 F.
  sist vil guot, daz ich wol swüerę 146 A, 12 F.
Got in vier elementen 344 C. (MS. 1, 134)
  wer mac daz begrîfen 345 C.
  viur ist niht sô kreftec 346 C.
  wazzer hât natiure 347 C.
Liep, dû hâst mich gar gewert 445 C. (MS 1, 142)
  liep, dir sol niht wesen leit 446 C.
  liep, ich weiz dîns lobes mê 447 C.
Ich wil immer singen 20 E.
  si sint unverborgen 21 E.
  frowe, ich wil mit hulden 22 E.
  nieman sol daz rechen 23 E.
Wol ir, sist ein sælic wîp 40 F.
  owê tuon ich swes er gert 41 F.
  erst mir liep und lieber vil 42 F.
  ich wil tuon den willen sîn 43 F.
  solt er des geniezen niht 44 F.

denn daß diese lieder nicht Walther gehören, ist selbst äußerlich erweisbar aus sprachlichen und metrischen unregelmäßigkeiten in den versschlüssen, wie *hêrre: verre, elementen: erkenten, daz ich daz weiz sô sicherlich, swîge ab ich, jugende: tugende, schîn: sî, hân: gewan, sê* für *sehe.* aber auch folgende haben nicht Walthers eigenthümlichen charakter, und werden auch anderen zugeschrieben, zum theil mit überwiegenden zeugnissen.

Ich lebte ie nâch der liute sage 24 A, 355 C. (MS. 1, 135)
  ist daz mich dienest helfen sol 26 A, 357 C.
Hiute gebe ir got vil guoten tac 126 A, 34 E.
  si hat mich, dô ich jungest von ir schiet 127 A, 35 E.
  waz ob mich ein bote versûmet gar 128 A, 36 E.
  mir seit ein ellender bilgerîn 129 A, 33 E.
  mîner sinne ich halber dô vergaz 37 E.
Der welte vogt, des himels künec, ich lob iuch gerne 31 B.
Dir hât enboten, frowe guot 121 E.
  dû solt im, bote, mîn dienest sagen 122 E.
  dô ich der rede alrêrst began 123 E.
  swer giht daz minne sünde sî 124 E.
Sich huop ein ungefüeger zorn 138 E.
  zehant dô si versuonden sich 139 E.
  si gît uns immer freude vil 140 E.
  wan daz ich minneclichen tobe 141 E.
  ez wizzen alle liute niht 142 E.
Ich hân ein herze, daz mir sol 143 E.
  sol mir nû leit von ir geschehen 144 E.
  der ungezogenen ist sô vil 145 E.
  vil sælic man, gedenke mîn 146 E.
  die liebes wal und wehsel hânt 147 E.
Ich was ledec vor allen wîben 188 E, 38 F.
  man sagt mir, daz liute sterben 189 E, 39 F.
  wer hât ir gesaget mære 190 E.
  mir gât einez ime herzen 191 E.
  waz würre, daz si mich vernæme 192 E.

auch mehrere lieder, die außer EF keine handschrift hat und die man keinem andern dichter zuweisen kann, habe ich verworfen.

Jâ waz wirt der kleinen vogelîne 16 E.
  owê daz ich . . . . alsô verre 17 E.
  wil si wider si sô lange strîten 18 E.
  tumbe liute nement mich besunder 19 E.
Jârlanc sint die tage trüebe 88 E.
  sumer, dû hâst manege güete 89 E.
  winter, dû hâst lange nehte 90 E.

ligens ân angest unde warme 91 E.
wol bedorfte ich guoter sinne 92 E.
Wie hân ich vil unsælic man 106 E, 9 F.
wære ich bî ir tûsent jâr 107 E.
eines dinges prîse ich sie 108 E.
könde ich des geniezen iht 109 E.
frowe mîn, durch iuwer güete 10 F.

in diesen liedern findet man freiheiten am ende der verse, wie *daz lob ich, nehte* (nächte): *rehte, vervâ* in einem andern

Ich hân die zît 72 E.
swaz grüenes was 73 E.
als ez nû stât 74 F.
swer wîp wil sehen 75 E.
dâ mac ein man 76 E.
si sælic wîp 77 E.

weiß ich zwar dergleichen nicht nachzuweisen, aber es ist theils gewöhnlich theils albern. zwei ganz artige liederchen (42 A und 50 E) mögen hier eine stelle finden, nicht als gedichte von Walther, sondern damit sie nicht umkommen.

Jâ lige ich mit gedanken der alrebesten bî.
mirst leit daz ich si ie gesach, sol si mir fremede sîn.
ichn mac ir niut vergezzen deheine zît: sist guot;
und ist behuot:
des trûret mir der muot.
ir sult mir alle helfen klagen diu leit diu man mir[3] tuot.

Herzeliebez frouwelîn,
tuo an mir dîn êre:
dâ von solt du sælic sîn
hiut und immer mêre.
du solt machen
mich und manegen frô,
daz wir dich an lachen.
wol dir, [und] tuost alsô!
frouwe, du solt tragen

[3] *man an ir* A.

pfeller unde sîden,
daz si gar verzagen,
jene die uns dâ nîden;
und suln[4] als schône zieren dich,
daz du noch solt geweren mich.

Ueber die kritische behandlung der aufgenommenen lieder weiß ich nichts bedeutendes zu sagen, als was man in den anmerkungen finden wird. es sollte mich sehr freuen, wenn die gegenwärtige ausgabe für die echt kritische gelten könnte, die Docen schon 1809 (Museum f. altd. litt. u. kunst 1, 216) von der folgezeit hoffte. mögen nun diesem liederdichter bald andere nachfolgen, zunächst der von Docen längst verheißene Ulrich von Lichtenstein.

Einleitende Anmerkungen

I

Das erste buch begreift meistens politische gedichte, welche C in zwei gesonderte reihen ordnet, die eine von anfang bis zur 29sten strophe, die andre 291—343. nachträge aus einer andern sammlung, von der sich in A eine abschrift erhalten hat, finden sich in C zwischen 355 und 378, nach der ordnung von A und mit demselben text. In B findet man einen theil dieser lieder in anderer ordnung unter den nummern 1—39, und fünf strophen eines tons nachgetragen unter 108—112: von den eigenthümlichen der sammlung A hat sie keine. aus einerlei quelle haben B und C alle gemeinschaftlichen strophen von s. 8—18, und noch zwei, s. 31, 13—32: sonst überall sind sie verschieden. dort haben sie nur Eine stimme bei der untersuchung, die für jedes lied (aber nicht für jede lesart) muß besonders geführt werden, welche überlieferung die echteste sei. E hat aus dem ersten buche nur das einzige lied *Allerêrst lebe ich mir werde,* und aus der quelle dieser handschrift giebt C zwei strophen dazu auf dem rande, s. 16, 1. 22.

[4] das heißt wohl *suln wir.*

II

In den liedern des zweiten buchs (40—107 B, 126—239 C) ist zwischen B und C ihr gewöhnliches verhältniß: sie folgen beide derselben sammlung, bis auf kleine irrungen in gleicher ordnung, doch so daß die zahl der aufgenommenen lieder und gesetze in B weit geringer ist. ein lied (65, 25 = 101 B) überging C, weil sie es schon in die sammlung, die bei mir das dritte buch bildet, aufgenommen hatte. von den wenigen strophen, die C zwischen 355 und 378 aus der quelle von A nachliefert, findet man in B keine. E giebt den grösten theil dieses buches, aber mit zusätzen, die C nicht ohne grund verschmähte, falls sie sich schon in dem älteren exemplar der sammlung E, dessen sich C bediente, gefunden haben. gleich vor dem ersten liede hat sie folgende zwei strophen (192. 193):

Wölt der winter schier zer gan.
so liez ich alle min sorge die ich han.
anders hat er mir niht getan.
wenne daz er lenget den lieben wan.
mir sol ein fraude mitten in dem meyen enstan.
Ich wünsche daz der winter zerge.
wenne er en hat fraude niht me.
wenne kalten wint und dor zuo regen unde sne.
daz tuot den augen unsanfte we.
selic si guene laup unde cle.

und fügt diesen schluß hinzu (196):

Swaz mir nu wirret des wirt alles rat.
swie mir der muot bi der erden nu stat.
noch kummet die zit daz er in die sunnen gat.
tuot man daz man mir gelobet hat.
owe wie hohe denne min hertze stat.

eine parodie dieses liedes findet sich in Docens miscellaneen 2, 197.

III

In den ersten liedern dieses buchs s. 69—78, einige kleinigkeiten ausgenommen, stimmt A so genau mit C, daß beide eine gemeinschaftliche quelle voraussetzen lassen. in diesem verhältnisse stehn beide handschriften auch sonst öfter, aber in einer ganzen reihe von liedern nur hier 240—273 C und in den ergänzungen 339—343, 355—378 C. merkwürdig ist, daß zu der hier folgenden reihe C doch noch aus der quelle von A ergänzungen nachliefert 355—357, 369—373: diese strophen waren mithin wohl anders woher genommen, als die übrigen gemeinschaftlichen 240—243, 246—273. B enthält nichts von allen.

Die zweite abtheilung dieses buchs enthält eine reihe vermischter gedichte, die C 30—125 liefert und von denen man in B nichts findet, in E aber ein einziges lied, das vielleicht nicht einmahl echt ist. zwei töne, die doch auch B hat, 104. 124. 125. 363. 364. 112 bis 116 C, habe ich lieber ins erste und zweite buch setzen wollen, damit dort die verbreitetern lieder beisammen stünden.

A hängt der liedersammlung des truchsessen von S. Gallen zuerst drei gesetze Reimars von Zweter an (106—108). darauf folgen (109. 110) zwei strophen, von denen sonst eine Walther zugeschrieben wird und die andere sich auf jene bezieht (oben s. 30, 29—31, 12). unmittelbar dahinter stehen die folgenden (111—118), die gewiß Walthers nicht unwürdig sind. daß die letzte nicht von ihm ist, sieht jeder: Singenberg schreibt man sie vielleicht richtig zu, denn sie ist in seinem ton *Der ich diene und al dâ her gedienet hân* (72 A, 8 B, 8 C).

IV

Daß nur Eine strophe dieses buches von Walther sei, ist wenigstens äußerlich nicht zu beweisen. die alten sammlungen AB (D) haben nichts davon, kein anderer dichter erwähnt irgend eine stelle daraus.

Die nächst folgenden lieder setzt C (374—389) ans ende der nachträge, die aus einer A ähnlichen sammlung genommen sind: doch steht noch eine nachgeholte strophe (378=41, 5) dazwischen, und zwar nach den beiden liedern, die auch A gewährt, jedoch unter andern namen. ob diese in der A ähnlichen sammlung unter Walthers liedern standen, kann man bezweifeln, weil 378 C nicht sogleich an der rechten stelle (hinter 357 C), sondern erst später nachgetragen ist.

Hier folgen die lieder, die C von 390 an aus der sammlung, die uns in E erhalten ist, nachgetragen hat. ob auch 442—447 C dazu gehören, ist nicht ganz sicher, weil der handschrift E etwa vier blätter (70 strophen) am ende fehlen. ich habe die neuen strophen 442. 444 dahin gesetzt, wo B und C die dritte bedeutendere haben (2, s. 65 f.), 445—447 giebt C noch einmahl unter *meister Heinrich Teschler* (MS: 2, 90[a b]), dem sie weit eher gehören. noch habe ich 401—403 C = 42—44 E hier ausgelassen und dahin gestellt wo schon zwei gesetze davon standen (s. 70).

Gedichte Walthers von der Vogelweide. Übersetzt von Karl Simrock, erläutert von Karl Simrock und Wilhelm Wackernagel. 1. Teil. Berlin (Vereinsbuchhandlung) 1833, S. 175—176.

AUSZUG AUS DEN ERLÄUTERUNGEN ZUR WALTHER-AUSGABE VON 1833

Von Karl Simrock

Lieder und Sprüche

Unter den Liedertönen wird ein Unterschied bemerklich, der noch sehr der Beobachtung bedarf. Die Strophen mancher Töne hangen nämlich unter sich so wenig zusammen, und betreffen so verschiedene Gegenstände, daß jede ein selbständiges Gedicht zu bilden scheint. Gehören auch einzelne näher zusammen, so verhalten sie sich etwa wie eine Reihe Sonette über denselben Gegenstand. Solche Töne oder Strophen möchte man *Sprüche* nennen, ein Ausdruck, der bei Walther mehrmals vorkommt, und nicht wohl auf Anderes bezogen werden kann. Ihr Inhalt ist gewöhnlich politisch oder geistlich. Daß sie gesungen worden, ist allerdings wahrscheinlich, auch sind sie dem Gesetz der Dreitheiligkeit fast immer unterworfen; vielleicht wurden sie aber mehr recitativ oder parlando vorgetragen, so daß sie wohl als Sprüche bezeichnet werden konnten.

In einer andern Gattung von Tönen pflegen die sämmtlichen darin gedichteten Strophen nur ein einziges Gedicht auszumachen, wie das bei den Minneliedern fast immer der Fall ist. Gewöhnlich hat also jedes Minnelied seinen eigenen Ton, der sonst nie wiederkehrt, wodurch eben der große Reichthum an Tönen entsteht. Diese Gattung scheint die älteste, indem sie auf die Zeit deutet, wo Ton und Weise, Maaß und Melodie, noch auf das innigste verbunden waren. Man durfte sich nicht rühmen ein neues Lied gedichtet zu haben, wenn man nicht außer dem Wort auch Ton und Weise erfunden hatte. Sich fremder Töne zu bedienen, wurde noch späterhin fast als Diebstahl gerügt: es würde sich also selbst bestohlen haben, wer mehr als ein Lied nach derselben, obwohl ihm eigenthümlichen Weise gedichtet hätte. Dazu kommt, daß sich bei Reimar dem Alten fast nur Lieder finden, bei Walther aber schon ungefähr eben so viel Sprüche, während der noch jüngere Reimar von Zweter kaum Anderes als Sprüche gedichtet hat, und zwar alle in demselben (Frauen-Ehren-)Tone. Indessen hangen auch die Strophen desselben *Liedes* nicht immer so streng zusammen, als in unsern lyrischen Gedichten. Dies liegt theils daran, daß die dreigliedrigen Strophen schon ihrer Natur nach länger sein und mehr ein Ganzes bilden müssen, als unsere kurzathmigen Systeme; theils erklärt sich eben aus der Sitte, nicht wieder in demselben Tone zu dichten, die Neigung spätere Zusatzstrophen gelegentlich anzuhängen oder einzuschieben, sofern nur die Einheit des Liedes nicht gefährdet wurde. Von der andern Seite zeigt sich aber nicht selten eine Art innerer Verwandtschaft unter den gleichförmigen Sprüchen. Gewöhnlich beziehen sie sich auf dieselbe Zeit, denselben Herrn, oder gleichartige Verhältnisse. Unter den Waltherschen Tönen behandelt keiner so mannigfaltige und entlegene Gegenstände als der so oft wiederkehrende I, 45 [L. 35, 27]. In engern Grenzen, wenigstens der Zeit nach, bewegt sich der Ton I, 140 [L. 26, 3], welchen der Ton I, 141 [L. 10, 1] nach dem J. 1220 verdrängt zu haben scheint. In dem Tone II, 76 [L. 102, 15] sind *drei* unabhängige Sprüche gedichtet, die doch das Gemeinsame zeigen, daß sie alle drei gegen den Uebermuth junger Thoren eifern. Von noch andern Tönen finden sich *drei* Sprüche ohne auffallende innere Verwandtschaft, die aber bei näherer Untersuchung doch vielleicht nicht ganz fehlt. Es scheint, als seien wenigstens *drei* Sprüche zu einem Ganzen erforderlich gewesen.

Konrad Burdach, Vorspiel. Gesammelte Schriften zur Geschichte des deutschen Geistes. Erster Band, 1. Teil: Mittelalter (DVjS, Buchreihe, 1. Band, Max Niemeyer Verlag, Halle 1925), S. 334—400. Mit Genehmigung des Max Niemeyer Verlages Tübingen.
Erstmals erschienen in: Deutsche Rundschau 29, 1902, S. 38—65, S. 237—256.

DER MYTHISCHE UND DER GESCHICHTLICHE WALTHER[1]

Von Konrad Burdach

I

Wer einmal in der alten, an Wein und an Gästen reichen Stadt Bozen auf dem geräumigen Markte gestanden und in den tiefblauen Himmel geschaut hat, dem sind die Augen gewiß immer wieder angezogen worden von dem weißen Marmorbild in der Mitte, das auf schmalem Sockel fast überzierlich einen jugendlichen Mann in der ritterlichen Tracht des Mittelalters zeigt. Scheint es doch, als ob alles Licht, das in dem weitgeöffneten Bozener Talboden wie in einem ungeheuren sonnigen Rebengarten flimmert, über diese schmiegsame Gestalt zusammenströme, um sie mit blendendem Glanz von dem Firmament abzuheben, das als eine riesige, azurfarbene Glocke sich darüber wölbt.

Das ist Herr *Walther von der Vogelweide*, der fröhliche Sänger der Frauenschönheit und Frauenliebe, der tapfere Streiter für Kaiser und Reich, der Lobredner deutscher Ehre, deutscher Sitte und Tüchtigkeit, dem dort an der Südgrenze deutscher Sprache die Liebe seiner Stammesgenossen aus Deutschland und Österreich ein Denkmal errichtet hat.

Keinem zweiten Dichter unserer Vorzeit ward von der Volksgunst gleiche Auszeichnung beschieden. Beweist das nicht, daß er

[1] Nachstehende Betrachtungen sind, stark verkürzt, am 21. Febr. 1901 als Vortrag zum Besten des Frauenvereins in Halle gesprochen worden. Ein paar kleine Zusätze stammten aus späterer Zeit. Die Gesichtspunkte, aus denen hier Dichtung und Leben Walthers angeschaut werden, begründet und führt im einzelnen durch meine Biographie: ›Walther von der Vogelweide. Philologische und historische Forschungen‹ (Leipzig, Duncker & Humblot), deren erster Teil im Sommer 1900 erschien.

mit seiner Person und seinem Wort uns näher steht als irgendein anderer seiner Zeit? Daß er noch wie ein Gegenwärtiger unter uns lebt, gerühmt nicht bloß, sondern allen vertraut? Er, der noch heute die Deutschen Österreichs, die sich als seine näheren Landsleute fühlen, wie ein Bannerträger zusammenschart in dem schweren Ringen um die nationale Existenz, in der Brandung slavischer, italienischer und magyarischer Völkerwellen? Den man dort, wo deutsches und welsches Wesen aneinanderstoßen, gleichsam als einen Schutzgott deutscher Art im Bilde aufgestellt hat? Dessen bloßer Name in jenem Wetterwinkel wirkt wie ein Feuerzeichen der Sammlung, der Hoffnung, des Sieges? Er, dessen sechshundertjährige Zornworte gegen den Papst in Rom auch noch im Kampf des neuen deutschen Reiches wider Pius IX. so oft nachgesprochen wurden als schmetternde Sturmfanfaren? Dieser Mann, dieser Dichter — sollten wir ihn nicht in seinem Wollen und Wirken kennen und verstehen wie einen guten Kameraden im Streit des modernen Daseins?

Ich traue mich nicht, mit einem beherzten Ja zu antworten.

Der alte Meister wird als Vorkämpfer einer gerechten, einer großen Sache von vielen genannt, denen seine eigne Rede doch recht fremd ist. Ein gefährlich Ding, diese Wirkung geschichtlicher Erscheinungen auf die breiten Massen nachkommender Geschlechter! Vergangene Poesie, die für die späten Enkel einmal mit einer bestimmten, allgemein anerkannten Marke gestempelt worden ist, verliert ihre Stimme. Oder vielmehr man *hört* sie nicht mehr. Davor tritt als Schallfänger eine undurchlässige Wand: die allen geläufige Formel, die den klingenden Inhalt, die vibrierende Stimme der Seele erstickt. Man sieht nur noch das nationale, das politische Symbol, das sich über die lebendige wirkliche Erscheinung gelegt hat.

Dieser weiße Ritter auf dem Marktplatz von Bozen, so lichtumflossen, aber auch so individualitätslos in seinem Nachglanz Düsseldorfischer Romantik, er hat etwas *Mythisches* an sich.

Von der nationalen, politischen Bewegung des modernen Deutschlands, namentlich aber des heutigen Deutsch-Österreichs als Markwart, als getreuer Eckehart deutscher Sprache und Sitte aufgestellt, weist er zunächst hin auf jene Stätte, wo die aus landsmannschaftlichem Hochgefühl entsprungene *Tiroler Sage* ihm sein Heim bereitet hat.

Wenige Stunden den Eisackfluß aufwärts, über dem von Waidbruck nach Osten abbiegenden Grödnertal, liegen hoch auf Bergesabhang, im sogenannten Layener Ried, zwei Gehöfte, die noch jetzt den Namen *Zur Vogelweide* führen. Eins davon, das untere, gilt für sehr alt. Es schien sich durch gewisse auf ihm haftende Zehnten als alter Rittersitz zu kennzeichnen, und man glaubte, einen im 15. Jahrhundert urkundlich auftretenden Stephlein von Vogelwayd als den ritterlichen Besitzer und als Nachfahren des Dichters ansprechen zu dürfen. Man malte es sich mit freudiger Genugtuung aus: hier oben, wo der entzückte Blick über Gebirg und Täler der herrlichen Tiroler Welt schweift, hat die Wiege des Sängers gestanden, in dessen Liedern man die Pracht des deutschen Mais klingen hört. Allein vor kurzem ist auf Grund genauerer Durchforschung der alten Katasterbücher außer Zweifel gestellt worden: dieser Stephlein, der 1431 mit jenem Hof belehnt wurde, war ein freier *Bauer,* kein Ritter, und hieß wahrscheinlich ursprünglich Steffl Hüttaler; im Jahre 1414 hatte er, wie es scheint, den Hof gekauft, der sich auch früher nur in Besitz von *Bauern* befunden hatte, und änderte dann nach diesem Hof seinen Namen.

Das angebliche alte tirolische Rittergeschlecht von der Vogelweide löst sich also in Dunst auf.

Indessen selbst wenn es sich hätte nachweisen lassen, für die Abstammung Walthers wäre damit in den Augen der vorurteilslosen Wissenschaft noch nichts gewonnen gewesen. Nach seinem Beinamen ‘von der Vogelweide’ kann seine Familie überall da ansässig gewesen sein, wo es eine Vogelweide gab. Vogelweide hieß aber jeder Platz, an dem Vögel zu Jagdzwecken gehegt und gefüttert wurden, und solche Stellen, oft verbunden mit einem Hof, dem ein Dienstmann vorstand, lagen in der Nähe von adligen Herrensitzen allerorten in Deutschland. So können wir denn bald den Ortsnamen, bald den Geschlechtsnamen Vogelweide seit dem 14. Jahrhundert in Ober- und Niederösterreich, in Oberbayern, in der Steiermark, im schweizerischen Thurgau, in Frankfurt am Main, in Würzburg, im böhmischen Dux belegen. Jede dieser zahllosen Vogelweiden könnte, an sich betrachtet, die Unterlage zu dem Familiennamen Walthers geliefert haben.

Der Sänger, der in seinen Gedichten wiederholt so beweglich über seine Obdachlosigkeit und sein unstetes Wanderleben klagt, er bleibt demnach für uns ein Heimatloser: wir wissen nicht, wo er die Augen aufschlug und zuerst aus Welt und Leben die bunte Gestalten- und Farbenfülle einsog, die sich in seiner Poesie abspiegelt.

Der Heimatschein aber, den das Denkmal an der tirolischen Südgrenze deutscher Kultur ausgestellt hat, ist falsch. Das lichte Marmorbild in Bozen schiebt dem wirklichen, dem historischen Walther ein Traumbild unter. Es besteht die Gefahr, daß dieses Traumbild sich auch in die Auffassung von Walthers dichterischem Werk eindrängt.

Oft genug hat man in der Tat trügerische Spuren tirolischer Abkunft auch in seinen Gedichten entdecken wollen. Die wundervolle große Palinodie an der Wende seines Lebens, die aus der Klage über die verschwundenen Jahre den Aufblick gewinnt zu dem himmlischen Lohn der Kreuzfahrt, der ewigen Krone, hat moderne Sentimentalität hinabdrücken wollen zu einem elegischen Erguß über die Verwandlung der lange entbehrten und wehmütig wieder begrüßten tirolischen Heimat mit ihren Wäldern und Bergwassern.

Auf den gesamten Charakter des Dichters, der mit seiner Persönlichkeit wie mit seiner Kunst ein Kind des Mittelalters ist, wirft jenes Volksmonument von Heinrich Natters stilisierender Hand auf dem Bozener Markt einen mythologischen umfärbenden Dämmerschein. Je mehr das moderne nationale und politische Ideal, das seine Urheber in ihm verkörpern wollten, der allgemeinen Anschauung sich einprägt, desto weiter wird es die wahre, echte Poesie des geschichtlichen Walther in ihrer vieltönigen Mannigfaltigkeit von uns abrücken, desto sicherer entfremdet es uns deren ursprüngliche Kraft und wahren Sinn.

Auch die wissenschaftliche Forschung ist hiervon eine Zeitlang berührt worden. Man bemühte sich auch in ernsthaften Untersuchungen, den Dichter hinaufzuschrauben zu einem schöpferischen Führer der realen Politik seiner Zeit. Er sollte ein Reichsdienstmann gewesen sein, also dem Stande angehört haben, aus dem die höchsten Reichshofbeamten der staufischen Periode hervorgingen. Dann erfabelte man ihm eine verantwortungsvolle Vertrauensstellung neben dem Reichsverweser Engelbert oder eine Art Erzieherschaft und Vormundschaft über den jungen Heinrich, den Sohn Friedrichs II. Man dichtete ihm alle möglichen Beziehungen zu hohen und mächtigen Personen an. Und von anderer Seite wieder machte man ihn zu einer Art mittelalterlichem Luther oder Hutten, zu einem bewußten Reformator der entarteten Kirche, zu einem unkirchlichen Freigeist.

Solche naiv tendenziösen Auffassungen sind allerdings aus dem Bereich der wissenschaftlichen Forschung jetzt wohl endgültig verschwunden. Aber sie dauern fort in politischen nationalen Festreden und in Artikeln einer gewissen, aus patriotischen Gründen unbewußt die Geschichte fälschenden Presse. In den weiteren Kreisen des Publikums wirkt diese Beleuchtung des Dichters immer noch und nur zum Schaden der reinen Teilnahme an seiner Poesie. Seitdem sein Name ein nationalpolitisches Signal geworden ist, hat er wohl an Berühmtheit, aber haben seine Gedichte nicht an treuem und unbefangenem Verständnis, nicht an derjenigen Liebe gewonnen, die sie aus ihrem eigenen Kern und Wesen begreifen will.

Aber es sei: mein Argwohn mag unberechtigt sein, die Kenntnis der Poesie Walthers mag in der Tat doch unbefangener und tiefer sein, als meine zufälligen Erfahrungen es mir gezeigt haben; darin glaube ich mich nicht zu täuschen: seine Person und sein Leben behalten selbst für die hingebenden Leser seiner Gedichte, ja selbst für die gelehrten Forscher, die ihn zum Gegenstand ihrer Studien gemacht haben, etwas Schattenhaftes.

Wohl gewahren wir bei Walther mehr als bei irgendeinem andern mittelalterlichen Dichter ein lebhaftes, subjektives Element, eine selbständige große Individualität, ein leidenschaftliches, sonniges Temperament, eine nervöse Erregbarkeit und Eindrucksfähigkeit. Mit seinem neckischen Humor, mit dem Spiel seiner Anmut und Schalkhaftigkeit lacht er uns in das Herz. Wir sehen und fühlen: das ist ein ganzer, voller, warmer Mensch, dem die Zunge oft durchgeht mit der Besonnenheit. Er vermag, was den meisten Dichtern des Mittelalters versagt war, seinem poetischen Stoff aus dem eigenen Innern Gehalt und Form zu geben. In seinen Gedichten ist alles klar, scharf gegliedert, festumrissen, körperhaft und in den besten auch alles Bewegung und Leben, frisch und neugeboren, als stünde dahinter weder literarische noch soziale Tradition und Konvenienz.

Man hat deshalb wohl Walther geradezu *modern*, den einzig modernen unter allen mittelalterlichen Dichtern genannt. Man hat seine Dichtung, weil sie zum größeren Teil eine fortgesetzte persönliche Konfession momentaner Eindrücke zu sein scheint, der Dichtung Goethes, des persönlichsten aller modernen Poeten, an die Seite gesetzt.

Gewiß ist es nicht schwer, eine Art innerer Verwandtschaft zwischen diesen beiden großen deutschen Gelegenheitsdichtern festzustellen. Beide sind ja sonntägliche Menschen, beide naive Naturkinder der Poesie. Beiden eignet eine unvergleichliche Rezeptivität, das nahe intime Verhältnis zu den Schätzen volksmäßiger, plastischer Bildlichkeit der Rede, der leichte Fluß sangbaren, sprachlichen Ausdrucks. Es fehlt sogar nicht an auffallenden Anklängen in einzelnen Gedanken und ihrer stilistischen Einkleidung: wer scharf zusieht, kann durch manch überraschendes Beispiel derartige heimliche Verbindungsfäden zwischen den beiden aufdecken.

Historische Analogien nachdrücklich hervorzuheben bringt der wissenschaftlichen Erkenntnis den größten Nutzen. Meister der geschichtlichen und literaturgeschichtlichen Forschung, wie Gervinus, Mommsen, Wilhelm Scherer, haben das durch ihr glänzendes Vorbild bewährt. Aber das Aufsuchen und Durchführen historischer Analogien hat auch seine schweren Gefahren: an dem Vergleich Walthers und Goethes ist etwas Wahres; ernst genommen führt er jedoch gänzlich in die Irre, zum Mythos.

Vor mehr als zwanzig Jahren habe ich selbst versucht, Walthers Liebespoesie aus dem mythologischen Wahn der Schulweisheit heraus in das freie Licht realistischer, d. h. wahrhaft geschichtlicher Betrachtung zu rücken. Man hatte des Dichters bewegtes Herzensleben und seine vielstimmige Phantasie auf den Draht schematisch pedantischer Konstruktion ziehen und an zwei leere Phantome, ein jahrzehntelanges Minneverhältnis zu einer vornehmen Dame und eine einmalige kurze Liebschaft mit einem süßen Mädel, hängen wollen. Dagegen lehnte ich mich auf: für die Psychologie des Dichters und die Psychologie der poetisch abgespiegelten Liebe rief ich Goethes Beispiel zu Hilfe. Hier handelte es sich um das Ewige, Unwandelbare, den Kern echter poetischer Wahrheit, um das, was in aller großen Poesie zu allen Zeiten gleich ist. Aber ein verhängnisvoller Irrtum entsteht, wenn man den ganzen modernen Dichterbegriff auf Walther von der Vogelweide übertragen und an diesem Maßstab seine menschliche Größe, sein künstlerisches Verdienst messen will.

Dieser moderne Dichterbegriff übt leider eine gewisse Tyrannei aus über unser literarisches Urteil. Und dabei ist er selbst in den anderthalb Jahrhunderten, die seit seiner Geburt verflossen, tiefer Wandlung ausgesetzt gewesen. Klopstock hat ihn geschaffen, die Literaturrevolution des 18. Jahrhunderts auf den Schild ihrer Programme gehoben, Goethe hat ihn durch Bekenntnis und Tat bewährt. Aber Goethes Leben und innere Entwicklung ist zugleich ein zäher Kampf mit diesem Begriff, und seine menschliche und dichterische große Metamorphose wächst hervor aus dessen Überwindung.

Der moderne Dichterbegriff sieht in dem Dichter das singuläre geniale Subjekt, einsam, erhaben über der Menge, den König im Reiche des Geistes und der Seele, den Schöpfer einer neuen Welt, den originalen Verkünder höchster Menschheitsoffenbarung. Die Doktrin und die Poesie der deutschen Romantik, des Lord Byron und des jungen Deutschland hat diese Lehren und Ahnungen der Geniezeit sich angeeignet, weiter gebildet und auf die Spitze getrieben. Seit der Mitte des 19. Jahrhunderts erobert das romantisierte Dogma vom genialen Menschen alle Bereiche des geistigen Lebens: das künstlerische, das religiöse, das politische, das sittliche. Die Namen Ludwig Feuerbach, Max Stirner, Richard Wagner, Henrik Ibsen bezeichnen die Staffeln dieses Siegeszuges, der schließlich in dem Dysangelium vom Übermenschen und in der Neuromantik der Symbolisten an dem ehernen Grenzwall der Natur sich die Stirne zerschellt.

Goethe rettete sich aus dieser reißenden Fahrt in hartem Mühen an das feste Land. Sein ›Faust‹ dringt aus der Isoliertheit der Gelehrtenstube und aus dem Selbstgenuß magischer Natur- und

Weltbeherrschung auf die sturmumwehten Deiche der Nordsee, um von hier aus das tobende Element zu bekämpfen, in Ackerland zu verwandeln, und genießt im Vorgefühl gemeinnütziger Arbeit und des aufopfernden Zusammenwirkens mit einem freien Volk den höchsten Augenblick. Goethes eigene Lebensbahn ging in gleicher Richtung: in seinem Denken und Dichten, in seiner ganzen Existenz zeigt er, je höher er im Menschlichen wächst und emporsteigt, stufenweise die Überwindung der Isolierung des Ichs, des prometheischen Subjektivismus.

Der genialische Werther endet in Selbstmord. Aber den Titanismus des Prometheus korrigiert das Schlußwort der ›Pandora‹ aus dem Munde der Eos: „Die Götter laßt gewähren." Und Wilhelm Meister beschließt ein verworrenes Streben mit der menschlichen, dienenden Rolle des Arztes. Das Dämonische, wie Goethe sagt, das Titanische, wie wir bis vor kurzem sagten, den Übermenschen, wie die neue Narrengemeinde es nennt, abzustreifen, das Genie von seinem ikarischen Höhenflug auf die Erde hinabzurufen, danach trachtet Goethe seit seiner Reife unausgesetzt, das schärft er in immer neuen Konzeptionen ein, das will er der Nachwelt vererben als der Weisheit letzten Schluß.

Aber dieses Menschliche freilich wurzelt für ihn im *Persönlichen*. Und aus *seiner* Persönlichkeit vor allem quoll ihm seine Kunst. Sein eigenes Dasein, sein eigenes Innere hat er am liebsten gestaltet. Versagt war es ihm, das Leben einer Gesamtheit, einer Volksgemeinschaft, das öffentliche Leben des Staats darzustellen. Wie hat ihn die französische Revolution, wie hat ihn die Napoleonische Epoche im tiefsten erregt! Aber seine Poesie gibt davon nur flüchtige Reflexe wieder. Den großen politischen und sozialen Problemen seiner Zeit kann er nur beikommen durch das Medium des persönlichen Lebens, des Individuums und der Familie. Was er von ihnen zu sagen hat, geben, wenn man absieht von seinen verunglückten drei satirischen Revolutionsdramen, seinen Xenien und Epigrammen, die Heiratsgeschichten Dorotheens und der natürlichen Tochter: jenes im Idyll der deutschen Kleinstadt, dieses im Hofmilieu des deutschen Kleinstaats. Wo es dann galt, aus der Enge dieser Sphäre auf die Weltbühne zu schreiten, da stockte seine Arbeit: der großartige Entwurf bleibt kahles Schema, im günstigsten Fall entsteht ein gewaltiger Torso. Der Versuch, aus deutsch-französischer Wirklichkeit heraus ein in Straßburg lokalisiertes historisches Revolutionsdrama mit echter Zeitfarbe und bestimmtem Zeitkostüm zu schaffen, kommt über zwei Einleitungsszenen und ein mageres Szenar nicht hinaus. Vergeblich sucht sein ›Westöstlicher Diwan‹ die weltgeschichtliche Gestalt Napoleons in fernendem orientalischem Schleier zu fassen, in der Symbolik des Buches Timur. Das Buch brachte es nur auf ein Gedicht und verklang in dem Liebesnamen Suleika. „Laß den Weltenspiegel Alexandern!" „Du! nicht weiter, nicht zu Fremdem strebe! Singe mir!" — mit diesem Rat läßt er sich von Suleika selbst den Weltenspiegel entreißen und den Liebesspiegel in die Hand drücken.

Dieser Mahnruf, dem der Dichter in tiefer Selbsterkenntnis folgt, bezeichnet die Grenze seiner dichterischen Kraft aufs bündigste. Goethe ist, wie sehr er sich dem Subjektivismus der literarischen Revolution, der Romantik, des jungen Deutschland entgegenstemmte, der Poet des individuellen Daseins geblieben. Er ist schließlich doch nicht der greise Faust, dem die Musik der grabenden Spaten in der vermeintlichen Hand der dienenden Genossen die höchste Ergötzung bringt.

Soll Goethes Kunst, in ihren Schranken so groß und unerreichbar, nun wirklich allgemeines Paradigma für die Poesie sein? Soll, weil er den Weltenspiegel nicht zu halten vermochte, weil er ihn verwandelte in einen Spiegel des häuslichen, des individuellen Lebens, diese Begrenzung seines Könnens zu der normalen Eigenschaft des Dichters gestempelt werden? Soll insbesondere für die Gattung Lyrik, in der Goethe seine höchsten Leistungen schuf, nach seinem Beispiel nur der individualistische Stil zulässig sein? Darf politische Lyrik die Ereignisse des Tages, die Angelegenheiten des Volkes nur als Abglanz im Leben der Seele des einzelnen großen Menschen, des Führers, des Tonangebers auffangen? Soll sie, wo sie im eigenen Namen redet, immer auch nur Meinungen und Empfindungen aussprechen, die ihr Dichter geschaffen hat, die er seinem Publikum austeilt als ungeahntes, überraschendes, göttliches Geschenk?

Walthers Liebespoesie, mit der er seine Laufbahn am herzoglichen Hof zu Wien begann, zeigt selbst auf ihrem späteren künstlerischen Höhepunkt nur selten den Liebesspiegel im Sinne Goethes, noch weniger in der Art der großen romantischen Lyriker des 19. Jahrhunderts. Nur wenige seiner Lieder tönen das innerste Schwingen und Wogen eines liebenden Herzens mit der elementaren, seelenbewegenden Kraft reiner Lyrik voll und unmittelbar hervor. Nur wenige sind freier Erguß der letzten und tiefsten Heimlichkeit seines Gemüts. Die zartesten Blüten seiner Liebespoesie wachsen ihm nicht im Anger der subjektiven Konfession, des einsamen Selbstgesprächs, nicht in der Dämmerung träumender Gefühle und gemischter Stimmungstöne, sondern im Garten dramatisch-epischer Umpflanzung, im Lichte des Tages, das die Konturen schärft.

Dort wirkt seine erotische Dichtung am stärksten, wo er sein Gefühl aus dem eigenen Selbst in fremde Objekte projiziert. Das Liebesglück unter der Linde auf der Heide, im Tal der Waldlichtung, zu dem die Nachtigall ihr verschwiegenes Lied jubelte, läßt er das rotmundige, kußfröhliche Mädel, dem der Liebste den Kranz von wilden Rosen ins Haar gedrückt hatte, vor andern Leuten überselig ausplaudern. Das süße Beisammensein mit der Geliebten, der er einst beim Tanz den Kranz gereicht hatte, unter den herabrieselnden Blüten der Bäume, im schwellenden Gras, er rückt es doppelt in die Ferne, indem er es zurückschiebt in die Form epischer Erzählung und indem er dann schließlich die Wirklichkeit des Erzählten für einen bloßen Traum ausgibt. In einem seiner berühmtesten Lieder, in jenem glänzenden Gemälde der Herrlichkeiten eines Maimorgens, wo die Waldsänger konzertieren und in den Blumen die Taubrillanten blitzen, in jener farbenprächtigen Szene eines ritterlichen Frühlingsfestes, einer großen, glänzenden Hofgesellschaft, wo die Gepriesene bei ihrem Eintritt mit ihrer blendenden Schönheit all die andern geschmückten Frauen überstrahlt wie die aufgehende Sonne die verblassenden Sterne, klingt das eigene Herzensgefühl zu der Erwählten nur als leiser Unterton eines allgemeinen Hymnus auf edle weibliche Schönheit mit. Ein anderes Mal breitet er über seine Empfindung den durchsichtigen Schleier eines Dialogs, einer liebenswürdigen Konversation mit der Erkorenen über Wesen und Mittel wahrer höfischer Sitte und ritterlicher Werbung. Oder er verdichtet das Minnelied zu einem geistreichen Wortgeplänkel, in dem die Dame nach allen Regeln ritterlicher Galanterie und Liebesstrategie umworben, eingeengt, bestürmt wird, bis dann zuletzt ihr weiblicher Mutterwitz das immer straffer angezogene Netzwerk verliebter Logik zerreißt und die verfänglichen Konsequenzen des Anbeters mit schalkhaftem Auflachen ad absurdum führt.

Walther hat, wie ich mich vor vielen Jahren nachzuweisen bemüht habe, die lyrische Poesie seiner Zeit allerdings emanzipiert von erstarrender Tradition und Konvenienz. Er hat sie aus einer Gesellschaftslyrik zu einer mehr persönlichen Lyrik gemacht. Er, der in Wien am Hofe der Babenberger singen und sagen lernte, hat die blutleere Manier des höfischen Minnesangs, wie sie der Rheinländer Friedrich von Hausen, der hochgemute vornehme Vertraute der Staufer und des großen Ministers und Strategen, Erzbischof Christians von Mainz, in Wien der Elsässer Reinmar aus Hagenau, der Lehrer Walthers, geschaffen hatten, im Laufe seiner Entwicklung abgestreift.

Jene höfische Poesie hatte einem falschen Ideal von Zartheit nachstrebend, ihren einzigen Stoff gesucht und gefunden in dem nach allen Regeln ritterlicher Konvenienz durchgeführten *Minnedienst*, d. h. in dem unermüdlichen Werben um Huld und Neigung einer hochgestellten, verheirateten Frau und dem kunstvollen, diskreten Ausdruck aller jener schmachtenden, hoffenden, trauernden Sehnsucht, die das Trachten nach so fernem, so selten erreichbarem Ziel hervorruft. Auch diese Dichtung kannte das Motiv einer Isolierung des Dichters. Aber darin lag durchaus keine wirklich subjektivistische Auffassung oder, wenn sie ursprünglich darin steckt, wurde sie bald eine Maske, eine konventionelle Fiktion, die niemand ernst nahm: diese Vereinsamung des unglücklich liebenden Minnesängers, der klagt, von der Welt nicht verstanden zu werden, dieses Betonen unerhörter Liebespein, diese ewigen Antithesen zwischen dem treuen Poeten der Minne und der rohen Menge — das ward ein bloßes Requisit, um sich interessant zu machen. Auch hierin wurde die Darstellung bestimmt durch die Rücksicht auf den guten Ton der Gesellschaft, auf ihren Geschmack, der für das Spiel mit Begriffen und Worten eine Vorliebe hegte.

Wo die Frauen das literarische Szepter schwingen, verfeinert sich das Gefühl und wird beredt. Aber zugleich gerät es in Gefahr, sich zu überfeinern und in Zierlichkeit zu verflachen. Der Minnesang und Frauendienst an den Höfen des 12. und 13. Jahrhunderts ist ein Phänomen des gesellschaftlichen Lebens und der Konvenienz des poetischen Stils, wie es ähnlich wiederkehrt in den Prezieusen des Hotel Rambouillet, in den pietistischen und sentimentalen Konventikeln der 'schönen Seelen', in den ästhetischen Salons des romantischen Zeitalters.

Walther warf die Gewichte jener scholastischen Gefühlsanatomie, die Fesseln jener gebundenen Standespoesie fort. Er hat seine Liebeslyrik durchhaucht mit der Wahrheit des Erlebnisses und der Anschauung. Er hat den Kreis ihrer Motive erweitert, die Mittel ihrer Darstellung bereichert. Er hat sie natürlicher gemacht. Er hat vor allem, indem er als Erster gleichzeitig neben der ritterlichen Minnepoesie auch eine lehrhafte, eine politische Spruchdichtung in Pflege nahm, die *literarisch-soziale* Scheidewand zwischen ritterlicher und spielmännischer Lyrik niedergelegt. Er hat die Erbschaft der fahrenden Berufsdichter, die im Lob- und Scheltlied, in der Totenklage um einen Gönner, im Rätsel- oder Fabelgedicht, im kurzen geistlichen Lied, in anspruchslosen Gelegenheitsstrophen über Ereignisse von engster und ephemerer Bedeutung ihr bescheidenes Repertoire fanden, angetreten als ein Besitzer der ritterlichen höfischen Bildung und Kunst, aber auch als ein Schüler der *lateinischen*, poetischen Publizistik, wie sie die vagierenden Kleriker, vor allem der Archipoeta, der hinreißende Enkomiast Friedrich Barbarossas und seines gewaltigen Kanzlers, des antipapistischen Erzbischofs Rainald von Dassel, mit glänzender Fülle des Geistes und bewundernswertem formalem Geschick ausgebildet hatten.

Die alte gnomische Dichtung der deutschen Spielleute gestaltet Walther um, hebt sie auf eine höhere Stufe: er gibt ihr einen weiteren Rahmen, die Beziehung auf die *große* Politik, auf die Politik des Reiches, der Welt. Und er gibt ihr stärkere persönliche Akzente, das politische Selbstbewußtsein, die politische Überzeugung des Patrioten. Er, der zur Selbständigkeit gereifte Schüler Reinmars, des höfischen Minnesängers, wird selbst ein Nachfolger des alten anonymen fahrenden Dichters der Spervogelschen Schule und des anonymen Archipoeten in einer Person. Aber er redet nicht als ein Anonymus, sondern in eigenem Namen, dem sein Minnesang bereits Ruhm verliehen hatte.

Diese Entwicklung, die ich seinerzeit aus einer genauen stofflichen, stilistischen und metrischen Untersuchung der Poesie Walthers festzustellen versucht habe, brachte einen Fortschritt aus der Enge in die Weite, aus der Oberfläche in die Tiefe, aus der Gebundenheit traditioneller Modepoesie zur Freiheit, aus spintisierender, schematischer Gedankendichtung in das Tageslicht plastischer Darstellung, aus einem komplizierten sprachlichen Ausdruck zu einfachen, volkstümlichen Formen.

Aber gerade diese innere Metamorphose der Liebesdichtung Walthers und seine Begründung einer neuen politischen Spruchdichtung großen Stils nimmt ihm den *Liebesspiegel* aus der Hand, den ihm Beispiel und Lehre Friedrichs von Hausen, Reinmars und Hartmanns von Aue geschliffen hatten, und gibt ihm dafür den neuen großartigen *Weltenspiegel,* in dem er die Kämpfe dreier deutscher Könige mit dem gewaltigsten Papst, in dem er die Zerrüttung des unter dem Andringen neuer staatlicher Bildungen zusammenbrechenden Reiches, in dem er die Wirren und Sorgen der deutschen Kirche, die sittlichen Bedrängnisse der deutschen Nation auffassen sollte.

Der Dichter, der die Szenen dieser weltgeschichtlichen Kämpfe wagen durfte als Sprecher der öffentlichen Meinung abzubilden, auf dessen Urteil Tausende hörten und vertrauten, wie hätte seine Liebespoesie noch in der Sphäre des *einen* Gefühls, wie aber auch hätte sie ganz individuelles Bekenntnis, lyrischer Monolog, einsamer Seufzer bleiben können? Der Wortführer des nationalen Gewissens in dem gigantischen Drama des Streites um das Imperium, des Ringens zwischen der weltlichen und der geistlichen Macht, zwischen der Reichs- und der Fürstengewalt mußte auch seine Poesie, sowohl seine Lieder- als seine Spruchdichtung, dramatischer oder epischer, jedesfalls stofflicher, objektiver gestalten. Immer mehr überwiegt in ihr die *äußere Welt* das Innenleben des Dichters, immer fester gründet diese Lyrik sich auf Szene, Situation, Handlung. Je länger je mehr wendet sie sich an die *schauende* Phantasie mit Motiven, welche die *bildende Kunst* geschaffen oder doch wenigstens zur typischen Geltung ausgeprägt hatte. Denn sie will konkret, gegenständlich sein; sie will die geistige Welt in persönlicher Beleuchtung, aber in typischen, in allgemein faßbaren Formen zeigen. Sie will leicht und allgemein verstanden werden. Sie will eindringlich wirken, fortreißen, entflammen. Weit hinter dem Dichter liegt der künstlerische Stil seiner Tasso-Periode, des Dienstes als Hofdichter in Wien. Er ist nicht mehr der Amuseur einer preziösen Gesellschaft. Seine Poesie gibt sich offen als *Poesie der Mitteilung.* Das heißt: sie ist Poesie an und für ein hörendes Publikum. Sie betritt damit den Standpunkt, auf dem das Urphänomen aller *epischen* Dichtung steht: der Dichter gibt seinen Stoff, bewahrend, überliefernd, aber doch als freier Herr, als Gestaltender dem empfangenden Hörer. Er ist der Wissende, der alles sieht und vernimmt, der über Raum und Zeit erhaben alle Regungen eigner und fremder Brust, alles offene und geheime Wollen und Tun kennt und der mit dieser Allwissenheit einredet auf die Gesichter derer, die spannungsvoll erwartend und erregt an seinen Lippen hängen.

Das lebendige Verhältnis zum naiven großen Publikum, der wechselseitige Zusammenhang mit ihm — darauf ruht alle Eigenart, alle Kraft und alle Größe der Waltherschen Kunst. Dies stempelt sie zu einem echt mittelalterlichen Gewächs und rückt sie weit ab von der modernen Dichtung, von der Lyrik Goethes.

In Goethes Hand ward der Weltenspiegel, als er ihn zu ergreifen wagte, zum *Liebesspiegel.* Walthers Dichtung ist seit der Zeit seiner Reife ganz *Weltenspiegel,* auch da, wo sie bloß Liebesspiegel zu sein scheint. Sie entspringt dem Bedürfnis des Augenblicks, der Gelegenheit wie die Dichtung Goethes. Aber einem Bedürfnis, das dem Dichter und seinem gegenwärtigen wie seinem künftigen Hörerkreis unmittelbar und durchaus gemein ist. Wohl spricht sie in eigener Person, aber sie spricht nur das aus, was an Stimmungen und Wünschen allen im Herzen und auf den Lippen liegt, was an Erfahrungen jeder zu besitzen glaubt oder doch sogleich zu gewinnen für möglich hält. Sie will nicht neue Gedanken bringen, nichts Unerhörtes künden, nicht ungeahnte Tiefen der menschlichen Seele, singuläre Empfindungen entschleiern. Sie will nur, was unverlautbart, aber stark gefühlt im Publikum schlummert, aufwecken und es mit tausendstimmigem Widerhall durch die Lande rufen. Allein obzwar sie bloß Dolmetsch sein will, übertrifft sie die Kraft des Zauberers, der aus Steinen Gold macht: sie hat die göttliche Gabe, das Einfache, das Menschliche rein und voll im Glanz morgendlicher Schöne, mit dem funkelnden Reiz des ganz Persönlichen und des ganz Momentanen, mit der Frische des Neugeborenen vor die Sinne zu stellen. Sie singt gleich der Nachtigall, die mit jedem Frühling wiederkehrt: ein altes Lied, das immer neu scheint.

Dieser mittelalterliche Dichter — wohl ist auch er ein Genie, wohl redet er über große Dinge, über die Not des Reiches, der deutschen Kirche als ein Seher, der in die Abgründe und auf die Gipfel der Welt geschaut hat. Wohl hat sein Blick und sein Lachen die Unschuld und die Heiterkeit des Kindes, in der sich das Göttliche spiegelt, wenn er etwa das Spiel der Liebenden sich wünscht, die beseligt ihr Bildnis einander in den Augen suchen, oder an Strohhalmknoten gläubig Gewährung und Nichtgewährung abzählt. Aber er ist kein Einsamer. Er ist keine singuläre Natur. Er ist kein Zeitloser. Er hat ganz und gar nichts Dämonisches oder Titanisches. Er ist kein Übermensch. Mitten in der menschlichen Gesellschaft *seiner* Zeit wurzelt sein Liebeslied. Mitten in dem nationalen Empfinden bestimmter Personen und Parteien *seiner* Zeit haftet seine Spruchdichtung. In dieser entfaltet sich seine eigentlichste, seine unvergleichliche Größe: seine politische Poesie, an die selbst ein Alcaeus, ein Pindar nicht heranreicht.

II

Walther kann nur begriffen werden, wenn man ihn *geschichtlich*, d. h. ihn selbst inmitten seiner Hörer, für die und mit denen er lebte und schuf, kennt und versteht.

Was Goethe tiefsinnig für die Würdigung aller Poesie forderte, das gilt für die Schöpfungen dieses Dichters noch in ganz anderer, bedeutsamerer Weise: sie bleiben gleich gemalten Fensterscheiben dunkel und düster, wenn man sie vom Markt der Gegenwart aus betrachtet. Nur wer den Eingang in den großen Wunderbau, in die Kathedrale des mittelalterlichen Geisteslebens findet, wer von diesem Innern aus Walthers Poesie anschaut, dem wird sie farbig und helle, deutlich und lebendig in allen ihren Lichtern, in allen ihren Zügen menschlicher Wahrheit und Natur, in ihrer ganzen zauberhaften Schöne. Aber der Weg ist weit und schwierig: die Kirche ist längst verschüttet und unzugänglich. Selbst wer in ihr Wirrnis eindringen kann, vermag nur mit Mühe hier und dort durch ein einzelnes Bild der bunten Gläser die Sonne hindurchglänzen zu sehen.

Die wissenschaftliche Forschung der letzten Jahrzehnte, aufgebaut auf *Lachmanns* musterhafter Ausgabe, hat es erfolgreich versucht, den Weg in das Zentrum des gleichzeitigen Lebens zu bahnen, von dem aus des Dichters Schöpfungen allein begriffen werden können. Indessen noch bleibt unendlich viel zu leisten übrig. Noch sind manche seiner politischen Sprüche in ihren historischen Voraussetzungen ungenügend oder gar nicht aufgeklärt. Viel schlimmer steht es mit den rein lehrhaften Sprüchen, mit den Schelt- und Lobgedichten: nur bei wenigen vermögen wir ihren eigentlichen poetischen Lebenskern, das zugrunde liegende persönliche und zeitgeschichtliche Element, herauszufühlen, seltener noch es bestimmt nachzuweisen.

Zwei Fragen liegen uns für unsern geliebten Freund besonders am Herzen, wenn wir die Mythenwolke, die ihn verhüllt, durchdringen wollen. Die *eine*: wie stand sein politisches Wort da in seiner Zeit? Was galt es den Hörern? Den Gönnern und der großen Masse? Welche gesellschaftliche Schätzung verschaffte es dem Dichter? Und die *andere* Frage: wie lautet das *literarische* Urteil der Zeitgenossen über seine Kunst? Welches persönliche Verhältnis hatte er zu anderen großen Meistern der Poesie vor ihm und neben ihm?

Keine Chronik, keine formelle Urkunde des Mittelalters nennt Walthers Namen. Den tödlichen Sturz des Minnesängers Friedrich von Hausen auf dem Kreuzzug von 1190 melden mehrere gleichzeitige Annalen, aber auch seiner gedenken sie nur als eines tapferen Ritters, als eines Freundes des Kaisers; seine Eigenschaft als Dichter scheint ihnen der Erwähnung nicht wert. Das Schweigen über Walther darf man also nicht als ein Zeichen der geringen Macht seiner Dichtung ansehen: die ungeheure Wirkung seiner Spruchpoesie verbürgt die aus Bewunderung und Zorn gemischte Polemik, die der päpstlich gesinnte Italiener Tommasino dei Cerchiari gegen Walthers Angriff auf Innozenz III. führte. Eher könnte man eine Geringschätzung der Poesie in deutscher Sprache aus jenem Schweigen der lateinisch schreibenden geistlichen Historiographen folgern. Aber Friedrich von Hausen, der dem großen Erzbischof Christian von Mainz, Barbarossas glänzendem Feldherrn und Staatsmann, nahe stand, hat bei diesem, der ganz wie ein Weltmann in verfeinertem Lebensgenuß lebte, oder bei dem Kaiser selbst, dessen Sohn Heinrich vielleicht Minnelieder in deutscher Sprache dichtete[2], für seine deutschen Verse gewiß Anerkennung gefunden. Der Grund, warum die mittelalterliche Geschichtschreibung von den deutschen Poeten nicht spricht, muß anderswo liegen. Sie arbeitet, wie fast alle mittelalterliche Wissenschaft und Kunst, nach einem festen, traditionellen Schema. Darin hatten wohl Beschlüsse und Taten, Kriege und Schlachten der Könige und Fürsten, Volkskrankheiten, Hungersnöte und Überschwemmung, Mirakel und Visionen, Erdbeben und Himmelserscheinungen ihren altererbten Platz. Da fand gelegentlich wohl auch ein frommes bildliches oder poetisches Kunstwerk einen schmalen Unterschlupf. Aber für weltlichen literarischen Ruhm hatten diese Berichterstatter noch kein Organ, vor allem aber noch kein phraseologisches Formular.

Walthers Leier hat drei deutschen Königen in ihren Kämpfen um die Existenz gedient. Er hat sich in Österreich, in Thüringen, in Meißen, in Kärnten, am Rhein Politik und persönliches Verhalten deutscher Reichsfürsten zu beraten, zu verwarnen, zu kritisieren, zu belobigen und zu verhöhnen herausgenommen. Der gefürchtete Streiter wider päpstliche Omnipotenz und kirchliche Entartung war zwei hohen geistlichen Höfen eng verbunden: dem Patriarchen von Aquileia, dem Erzbischof Engelbert von Köln. Vom ritterlichen Hofminnesänger in Wien bringt er es zum politischen Reichsherold, zum patriotischen Sittenprediger, zum poetischen Agenten für den Kreuzzug. An den Höfen sucht und findet er sein Publikum. Aber fortwährend hören wir ihn doch auch klagen über Neider, Klätscher, Verkehrer seines Sangs unter dem

[2] Doch s. meine Anmerkung zu Singer, Arab. u. europ. Poesie im Ma., Abhandl. d. Berlin. Akad. d. W. 1918, Nr. 13, S. 17.

Hofpersonal, über mißgünstige Rivalen unter den Kollegen, über andere fahrende Sänger, welche die Kunst schänden.

Literarische Gegensätze also haben ihm das Leben schwer gemacht neben all der Feindschaft, die ihm seine politische Dichtung einbringen mußte. Wie seine literarischen Gegner aussahen, verrät er uns zum Teil sehr deutlich selbst.

Dem Grafen von Katzenellenbogen wirft er voll Stolz und Ärger vor, daß er lieber „die Schnarrenzer aus Polen oder Rußland" als „die *hofeswerten* Meister" belohne. Das geht gegen die ungebildeteren Spielleute aus dem Norden und Osten Deutschlands, die der Österreicher für halbe Slaven ausgibt. Es ist derselbe Gegensatz, dem wenig später sein Schüler, der Schwabe Konrad Marner gegen den Niedersachsen Raumsland Ausdruck verleiht. Walther fühlt sich als ein edler, als ein höfischer Dichter unter den Fahrenden. Diese seine Lebensweise, die auf Gaben angewiesen ist, verbirgt er nicht. Aber mit köstlichem Humor weiß er über seine Stellung zu scherzen: in dem bekannten Lied auf das Kleid der Geliebten, ihre Reinheit, das einzige *getragene* Gewand, das er als Geschenk annehme, um das selbst der Kaiser Spielmann werden würde. In aller Armut also, über die Walther während seines Wanderlebens oft genug klagt, hat er, wie es scheint, erniedrigende Gaben immer verschmäht.

Im Jahre 1874 hat uns ein unerwarteter zufälliger Fund einen sicheren Einblick in Walthers materielle Existenz eröffnet. Man entdeckte damals im Archiv zu Cividale in Friaul acht Pergamentstreifen mit Rechnungen, die für *Bischof Wolfger von Passau* während zweier Reisen durch Bayern, Österreich, bis zur ungarischen Grenze und einer an die zweite sich anschließenden Reise nach Italien ausgestellt worden sind. Die Notizen umfassen die Zeit vom 22. September 1203 bis zur zweiten Hälfte des Januar 1204 und von Mitte März bis Ende Juli 1204. Nur teilweise sind es gleichzeitige Originalaufzeichnungen von Einnahmen und Ausgaben, im übrigen Reinschriften, die nach der Heimkehr zur genaueren Kontrolle der Rechnungsführung ein bischöflicher Beamter hergestellt hat.

In diesen Rechnungen findet sich die Eintragung, daß in Zeiselmauer an der Donau unweit Wien „dem Sänger Walther von der

Vogelweide fünf Solidi für einen Pelzmantel *(pro pellicio)*" gezahlt wurden. Es war — dies haben mühselige Untersuchungen, die zuletzt an den aus Italien nach Leipzig übersandten Manuskripten selbst angestellt worden sind, unwiderleglich ermittelt — am 12. November des Jahres 1203.

In diesen Reiserechnungen erscheint der Bischof als ein Mann, der sein Leben auf größtem Fuß führt und sich jeden weltlichen Luxus der damaligen Zeit verschafft. Überallhin begleitet ihn ein Troß von Beamten und Dienern, die für die Bäckerei, für den Vorrat an Wein, für die Küche zu sorgen haben. Als er die Donau hinab fährt nach Passau, ward für die paar Tage auf dem Schiffe eine regelrechte Küche installiert. Ein zahlreiches Personal sorgt für Obhut und Fütterung der mitziehenden Pferde, ein anderes für die Wartung der dressierten Falken. Denn der Bischof ist ein eifriger Freund der ritterlichen Beize und vernachlässigt dieses Vergnügen auch auf der Reise nicht. Bezieht er ein Nachtquartier, dann werden um beträchtliche Summen Blumen und Klee für ihn gekauft, den Estrich der Zimmer zu bestreuen. Selbstverständlich erscheinen unter den Ausgaben auch erhebliche Posten für Barbiere, die das Gesicht des gnädigsten Herrn und seiner geistlichen Begleitung hofgemäß zu glätten haben; hier und da macht er unterwegs Einkäufe, erwirbt ein zierliches Kunstwerk, z. B. ein geschnitztes Würfelspiel; oder ein edles Pferd. Aber keines seiner Interessen gleicht seiner Vorliebe für fahrende Dichter, Musikanten, Gaukler und Sängerinnen: die *istriones, ioculatores, mimi; gigarii* und *discantatores* (Sänger, die den kunstvollen zweistimmigen Gesang, den *discantus*, verstehen), die *ioculatores cum cultellis* (Messerwerfer); die leichtgeschürzten und leichtgesinnten *ioculatrices* und *puellae cantantes*. Scharenweise umschwirren sie ihn in Deutschland und fast mehr noch in Italien: in Rom, in Bologna, in Siena, in Sutri. Dazu gesellen sich die Lotterpfaffen, d. h. die vagierenden Kleriker, die dichtenden Vaganten. Deutsche, Italiener, Franzosen, selbst Griechen befinden sich in dieser bunten Versammlung wandernder Poeten und Künstler. Ihnen allen spendet des Bischofs stets wohlversehene und offene Reisekasse. Diese Leutchen kommen angeflogen wie die Motte zum Licht, aber sie verbrennen nicht darin: mit gefüllten Taschen flattern sie wieder von dannen.

Ist nun auch das für Walthers Pelzrock bestimmte Geschenk nur eine solche zufällige gelegentliche Spende, entsprungen bloß einer plötzlichen Eingebung, einen armen Teufel, der ein paar Tage mitzieht und dann wieder das Weite sucht, vor der Kälte zu schützen? Oder deutet es vielmehr auf eine dauerndere, geregeltere Beziehung?

Wenn mittelalterliche Fürsten reichlich Gaben austeilten, so verfuhren sie dabei keineswegs so ziellos und launenhaft, wie moderne Leser mittelhochdeutscher Dichtungen das wohl insgemein annehmen. Diese Freigebigkeit beruht überwiegend auf alten gewohnheitsrechtlichen Bestimmungen einer Kulturperiode, die soeben die ersten Schritte von der Naturalwirtschaft zur Geldwirtschaft gemacht hat und noch mitten im Prozeß des Übergangs von jener zu dieser begriffen ist. Noch wird alle Besoldung bemessen als Ablösung und Umwandlung einer *materiellen* Leistung. Die Lieferung von Pelzwerk ist eine bestimmte Form der naturwirtschaftlichen Löhnung von Dienstmannen, d. h. der zum persönlichen Hof- und Kriegsdienst verpflichteten Eigenleute eines Fürsten. Wer unter ihnen kein Lehngut von seinem Herrn als Äquivalent erhalten hatte, war nur auf Zeit und Kündigung verpflichtet, bei ihm auszuharren: vier Wochen bis zu einem Jahre. Erhielt er auch dann noch kein Dienstgut, so stand es in seinem Belieben, ob er weiter dienen oder den Dienst aufkündigen und sich einen neuen Herrn suchen wollte. Während der Ausübung persönlichen Hof- oder Kriegsdienstes erhielt jeder Dienstmann vom Herrn den Lebensunterhalt und gelegentlich auch Geschenke. Gesetzlich vorgeschrieben und fest geregelt, an bestimmte Termine geknüpft waren diese Geschenke im unbelehnten Dienst. Am ersten hohen Festtage seines Dienstjahres — das war ein verbreitetes Recht — bekam der ohne Lohn Dienende ein Geschenk in Pelzwerk.

Jene fünf Solidi für Walthers Pelzmantel sind am 12. November gebucht, d. h. einen Tag nach dem Fest des heiligen Martin. Offenbar ist also die Schenkung selbst vom Bischof Wolfger bereits am Martinstage ausgesprochen, der Geldbetrag dann erst am folgenden Tage angewiesen und ausgezahlt worden.

Das Fest des heiligen Martin war im Mittelalter eines der höchsten. Es war außerdem der Termin für die Ablieferung der Zinsen und Abgaben an die Herrenhöfe. Am Martinstag probierte man auch den neuen Wein und hielt den Martinstrunk und Martinsschmaus, den alte, uns erhaltene lustige Schlemmerliedlein lateinisch und deutsch verherrlichen. Bischof Wolfger führte auch auf Reisen vorsichtigerweise ein reich gegliedertes Küchen- und Schenkenpersonal mit sich. Wer mit ihm zog, brauchte nicht zu hungern und zu dursten. In Zeiselmauer, wo Walther den für ihn so einträglichen Martinstag des Jahres 1203 erlebte, hatte Wolfger eine bischöfliche Burg. Er war soeben von einem mehrtägigen Aufenthalt am Wiener Hofe dorthin gekommen, von dem Fest der Vermählung der griechischen Prinzessin Theodora Komnena mit dem Herzog Leopold von Österreich, der er die bischöfliche Weihe gegeben hatte. Es war ein Akt von hoher politischer Bedeutung für das Haus der Babenberger, dem Wolfger in politischer und persönlicher Freundschaft so nahe stand. In fröhlicher Hochzeitsstimmung beging man in Zeiselmauer am eigenen Herde das Martinsfest. Ort und Zeit waren aufs beste geeignet, den lebensfrohen Sänger, der ohne Zweifel gleichfalls die Hochzeit in Wien mitgemacht hatte, für alte und neue Lieder, für gesungene und erwartete zu belohnen. War ja doch das Leben des französischen Bischofs Martin längst als Typus bischöflicher Humanität und Leutseligkeit, Toleranz und Liberalität, die das Volk und die Häretiker in Schutz nimmt, romanhaft ausgebildet in zahlreichen viel gelesenen Legenden und verbreiteten Liedern. Hatte doch ein Menschenalter zuvor Walthers einziger kongenialer Vorläufer in der großen politischen Dichtung, der unter dem Namen Archipoeta lateinisch dichtende Vagant, den gewaltigen Kanzler Barbarossas, Erzbischof Rainald von Dassel, mit dreifachem Lob gefeiert: tapferer als Alexander, freundlicher und beliebter als David, freigebiger als der heilige Martin, der nach der Legende bekanntlich seinen Mantel zur Winterszeit mit einem Bettler geteilt hat, und dann seine Schmeichelei mit der greifbaren Nutzanwendung geschlossen: „Der Poet hat einen Mantel und einen Rock verdient.“

Der Archipoeta, den ersten staufischen Staatsminister Rainald von Dassel im Namen des heiligen Martin um einen Pelzmantel gegen die Winterkälte bittend, und Walther, vom Bischof Wolfger, dem einflußreichsten Ratgeber des staufischen Königs Philipp, am

Tage des heiligen Martin mit einem Pelzmantel beschenkt — das ist ein Parallelismus von förmlich schlagender symbolischer Kraft.

Denn wie Walther der überlegene Schüler des Archipoeta in der poetischen Publizistik, so Wolfger ein ebenbürtiger, wenn auch vorsichtigerer Nachfahr des stürmischen Rainald. Gleich diesem war er der hervorragendste Politiker der Zeit, der zielbewußteste Vertreter der weltlichen Staatsidee, der wirksamste Vorkämpfer für die Rechte und die Macht des deutschen Reiches, der langjährige Träger jener Politik, die der territorialen Selbständigkeit der deutschen Fürsten ein starkes Gegengewicht in der einheitlichen straffen Reichsgewalt über Italien schaffen wollte. An diplomatischem Geschick und an Erfolgen übertraf er Rainald von Dassel. Freilich half er sich über die schwierigsten Lagen hinweg durch zweideutiges Spiel dem Papst gegenüber oder auch durch unwürdiges Zurückweichen. Er war gewohnt, in der Vermittelung der Gegensätze zu seinem Ziele den Weg zu finden: durch friedlichen Ausgleich der miteinander ringenden kaiserlichen und päpstlichen Macht suchte er seiner äußeren Doppelstellung als deutscher Reichsfürst und als geistlicher Metropolitan der im Papsttum gipfelnden Kirche gerecht zu werden. Innerlich aber in seinem Herzen und an den entscheidenden Wendepunkten, wenn es zu handeln galt, hielt er auch mit der Tat als ergebener Diener fest zum Reich. Und er war ein reinlicherer Charakter als die beiden anderen leitenden Beamten der deutschen Reichspolitik, Konrad v. Querfurt, der Bischof von Hildesheim und Würzburg, und Konrad v. Speier, Bischof von Speier, die Vorsteher der königlichen Kanzlei. Mochte er in der Politik auch dafür sorgen, daß sein eigener Vorteil nicht zu kurz kam, immer hat er seinem königlichen Herrn ehrlich die Treue gehalten.

Wolfger besaß eine gelehrte Bildung: man verehrte ihn als Autorität des *kanonischen Rechts*. Ein deutscher Jurist, Eilbert von Bremen, hat ihm einen poetischen Abriß des kanonischen Prozesses mit schmeichelhaften Worten dediziert. Und der Bologneser Jurist und Lehrer der Rhetorik Boncompagno aus Florenz feierte ihn in seinen Lehrbüchern und Mustersammlungen als seinen Gönner. Ja es scheint, als spiegele sich in den Massen von Briefen über die Verhältnisse fahrender Sänger und Künstler, die er in seine Sammlung aufnimmt, die Liebhaberei des Patriarchen wider. Wolfger, der diesen seltsamen Lehrer lateinischer Beredsamkeit protegierte, galt selbst als Meister des lateinischen Stils und als geschickter geistlicher Redner. Wenn wir sehen, wie temperamentvoll er in einem amtlichen Schriftstück der mächtigen Commune Siena Mores beibringt, dann spüren wir in ihm den geborenen Diplomaten großen Stils, der, wo es not tut, das Diktat der Kanzlei durch den Atem seiner starken Individualität zu beleben weiß. Er, der unter Philipp wie unter Otto deutscher Reichslegat in Italien war, hat den nationalen Akzenten, die Innozenz mit dämonischer Berechnung in die italienische Aufstandsbewegung hineingeworfen, entschlossen und nachdrücklich den *Furor teutonicus,* das deutsche Kraftgefühl und den deutschen Stolz entgegengesetzt.

Als Walther am Martinsfest des Jahres 1203 die Summe für seinen Pelzrock empfing, fiel an ihn da nur ein dienstrechtliches Deputat? Stand er da in einem unbelehnten, kündbaren Ministerialitätsverhältnis zu dem Bischof von Passau? War jener historische Pelzmantel nicht das Zeichen eines soeben zum erstenmal geknüpften Dienstverhältnisses, sondern eines erneuten?

Es ist eine Vermutung, die sehr viel für sich hat.

Der Name seines bischöflichen Herrn und Gönners taucht in den uns erhaltenen Gedichten nirgends auf. Aber gleichwohl erscheint seine Person und sein Hof darin, nur mit ein paar Worten erwähnt, aber so, wie wir es erwarten: herzlich, warm, als zuverlässiger Hort und Schutz. In einem um 1210 entstandenen Spruch gesteht Walther, er fühle sich geborgen, solange er noch *drei Höfe* kenne, wo ihm ein guter Trunk Wein und eine summende Pfanne immer bereit seien. Als zweiten und dritten nennt er den Wiener Hof des Herzogs Leopold und den von dessen Oheim Herzog Heinrich von Mödling, als ersten, mithin als den vertrautesten und liebsten, den Hof des edlen *Patriarchen.* Das ist der Patriarch von Aquileia und — der Zusammenhang mit den beiden Babenbergern lehrt es — kein anderer als Wolfger, der alte Familienfreund des Babenbergischen Hauses, der, als Walther im Jahre 1203 in Wien und in Zeiselmauer sich bei ihm befand, bereits für das Patriarchat des heiligen Hermagoras auf den venetianischen Lagunen designiert worden war.

Der Spruch von den drei Höfen, das Zeugnis der Reiserechnungen und alle anderen Erwägungen im Verein erhärten: Walther muß sich lange Zeit Wolfger fest verbunden gefühlt haben.

Das bedeutet aber mehr als eine bloß persönliche Berührung. Der handelnde Politiker und der politische Publizist konnten nicht jahrelang zusammen gehen, falls sie nicht eine Gemeinsamkeit, mindestens eine nahe Verwandtschaft der politischen Grundanschauungen einte. Wolfger hat den drei deutschen Königen Philipp von Schwaben, Otto von Poitou, Friedrich II. treu und hingebungsvoll gedient. Genau wie Walther. Wolfgers leitendes politisches Prinzip war trotz aller notgedrungenen Winkelzüge: Kaiser ist der legitime Träger der deutschen Königskrone, und Kaiserrecht steht frei und unabhängig neben dem Recht des Papstes. Wiederum genau wie Walther. Wolfger hatte zu dem Hause der österreichischen Herzöge nahe Beziehungen, namentlich war er dem Herzog Friedrich, mit dem er zusammen ins Heilige Land zog, freundschaftlich verbunden. Abermals genau wie Walther, der ja dankbar diesen Babenberger als seinen Gönner dem ihm übelwollenden Leopold gegenüberstellt.

Und mehr noch: dieser Wolfger ist gerade in dem Augenblick nach Deutschland heimgekehrt, als Walther durch das Scheiden seines herzoglichen Gönners am österreichischen Hof den Halt verloren hatte. Sehr möglich, daß Wolfger, in dessen Diözese Walther, wenn nicht geboren, so doch sicherlich während der entscheidenden Entwicklungsjahre herangewachsen war, dem Dichter die Hand gereicht und den Weg an den königlichen Hof Philipps, zu einer Verbindung mit den Leitern der Reichskanzlei und mit den Reichshofbeamten geebnet hatte, als er in Wien entwurzelt, gebeugt und gedemütigt umherschlich mit dem schleppenden Gang, für den das Mittelalter den Schritt des Pfauen als Symbol nahm, und sich für den Wiener Hof Ersatz suchen mußte.

Am 30. Juni 1198 urkundete Wolfger, in dessen Armen der junge Friedrich von Österreich fern von der Heimat am 16. April gestorben war, bereits wieder in Passau. Ich vermute, daß er zusammen mit dem Grafen von Görz und Gardolf von Halberstadt, heimkehrend mit den sterblichen Resten des Herzogs, die in dem Kloster Heiligenkreuz bestattet wurden, durch Istrien zunächst nach Österreich gereist war. Nach Empfang der Todesnachricht und Vollziehung der Beisetzungsfeierlichkeiten begab sich dann Herzog Leopold an den Hof König Philipps nach Worms, um dem Staufer zu huldigen und von ihm die Anerkennung für die Sukzession im erledigten Herzogtum Österreich zu erlangen.

Noch früher als Wolfger, den die Erkrankung des jungen Babenbergers aufgehalten hatte, war der kaiserliche Hofkanzler *Konrad von Querfurt*, Bischof von Hildesheim, aus dem Orient zurückgeeilt. Er muß schon in der zweiten Hälfte des Mai am Hofe Philipps eingetroffen sein: denn schon am 21. Mai 1198 stellte er in Nordhausen eine Urkunde aus[3]. Er hatte sofort das Amt des Kanzlers und die Leitung der Regierungsgeschäfte an seiner Seite übernommen. Damals gewann Philipps Politik zielbewußte Entschlossenheit: es war die höchste Zeit, denn eben begann von den Niederlanden her der welfische Gegner seinen erfolgreichen Lauf.

Ob Wolfger schon im Juni 1198 persönlich den Hof Philipps besucht hat, wissen wir nicht; Beziehungen hat er damals gewiß schon mit ihm angeknüpft. Und das konnte Walther zugute kommen.

Am Hofe des Königs *Philipp von Schwaben*, des Sohnes Barbarossas, macht Walther die ersten Schritte seiner politischen Gelegenheitsdichtung. Der älteste datierbare Spruch, der berühmte Aufruf an die „deutsche Zunge", sich aus Unordnung, Verwirrung, inneren und äußeren Bedrängnissen herauszureißen und dem Staufer Philipp die Krone mit dem „Waisen" aufzusetzen, ist nicht, wie bisher angenommen wurde, eine Mahnung aus der Ferne, etwa noch aus Österreich, sondern, wie mir festzustellen gelungen ist, aus dem Zentrum der reichspolitischen Bewegung der staufischen Partei. Und wenn der Dichter von dieser Krönung Philipps die Wirkung erhofft, daß „die armen *Könige*" aufhören zu „dringen" und zurücktreten, daß „die zu hehren Zirkel" sich beugen werden, so bewegt er sich in dem Vorstellungskreis und der staatsrechtlichen Terminologie der staufischen *Reichskanzlei*.

[3] Es sind demnach meine Angaben über die Termine der Heimkehr Wolfgers und Konrads in meinem Buche ›Walther von der Vogelweide‹, Bd. I, S. 221 f., 289 (zu S. 56), 242 Anm. 1, zu berichtigen.

Diese „armen Könige" sind nicht, wie man bisher glaubte, die erfolglosen Thronprätendenten Herzog Bernhard von Sachsen und Berthold von Zähringen, die bereits im März 1198 freiwillig zurückgetreten waren, sondern der welfische Gegenkönig Otto, Herzog von Aquitanien und Graf von Poitou, und sein Oheim König Richard Löwenherz von England, der seines Neffen Wahl herbeigeführt und unterstützt hatte, daneben der über die Nordgrenze des Reichs eindringende König Knud von Dänemark, vielleicht auch der König Philipp August von Frankreich, der mit List und Verrat Unheil spann wider Deutschland.

Wir wissen, daß im Jahre 1162 Friedrich Barbarossa die zu einem Kongreß an die Saône entbotenen Könige des Abendlandes als „Könige der Provinzen" in öffentlicher Rede bezeichnete, daß sein Kanzler Rainald von Dassel, der Gönner der Vaganten, später fortfuhr, den König von Frankreich ein „Königlein" *(regulus)* zu nennen. Aber auch der königliche Notar Burchard, den wahrscheinlich Rainald von Dassel selbst in die Reichskanzlei eingeführt hat, nennt in einem *offiziösen* Gesandtschaftsbericht vom Jahre 1161 die Könige von Frankreich, Kastilien, Aragonien, Dänemark, Ungarn, ja auch den *Kaiser von Byzanz* „Königlein" *(reguli)*.

Diesen Ausdruck der Reichskanzlei bildete Walther nach. Und er begriff unter den *„armen Königen"* den zum König gewählten Otto als illegitimen Usurpator mit; genau so, wie das Wort *regulus* gleichfalls der staufischen Reichskanzlei nahe stehende italienische Dichter etwa zur selben Zeit von dem als sizilischer Thronprätendent auftretenden normannischen Königssohn Wilhelm III. und andere Quellen überhaupt für deutsche Gegenkönige brauchten.

Auch das „die Zirkel sind zu hehr" in Walthers Spruch stammt aus dem amtlichen Sprachgebrauch der Reichskanzlei.

Der Ausdruck ist bisher allgemein, auch leider noch von mir in meinem neuen Buch über Walther, irrig erklärt worden. Es sind nicht Herzogskronen oder gar Fürstenkronen gemeint. Im 12. Jahrhundert trug in Deutschland noch kein Herzog, geschweige ein anderer Reichsfürst, einen Zirkel, d. h. einen goldenen Stirnreif. Das einzige Zeugnis, das man dafür anführen konnte, war das angebliche größere Privileg für das Herzogtum Österreich, datiert vom Jahre 1156: aber dieses Privileg ist eine Fälschung des 14. Jahrhunderts[4]. Man hat also nicht zu übersetzen „die Fürsten sind zu mächtig“ (oder gar „zu stolz“), sondern: „die Zirkel sind zu hoch, zu erhaben“. Das ist ganz sinnlich vom Dichter gedacht, ganz im Einklang mit den *heraldischen* Lehren der staufischen Reichskanzlei.

Das Abzeichen der abendländischen Könige ist der offene Kronreif *(circulus)*: einen solchen trugen die französischen und englischen Könige ebenso wie der König von Dänemark und der König von Böhmen. Die Krone dagegen des römischen Kaisers enthielt außer dem Diadem, das sich um die Stirn legt, einen Bogen, der sich von vorn nach hinten über den Scheitel wölbt, früher statt dessen ein gekreuztes Bogenpaar. Das läßt sich aus den Kaiserporträts verschiedener Miniaturhandschriften, aus den Kaiserdarstellungen auf den deutschen Thronsiegeln, aus den Kaisermünzen, endlich auch aus einzelnen historischen Zeugnissen mit voller Sicherheit feststellen[5].

Die nationale Rivalität, der *imperialistische* Ehrgeiz der drei großen abendländischen Könige bemächtigte sich aber auch dieses Symbols. Seit dem Auftreten der Staufer, seitdem der *antike* Begriff des *Imperium Romanum,* unter dem Einfluß der neu erblühenden Studien des alten römischen Rechts auf der Universität Bologna, wieder stärker betont und als staatsrechtliche Macht benutzt wird,

[4] Die bildlichen Darstellungen Ottos II. von Brandenburg (1181 bis 1205) und Albrechts II. von Brandenburg (1204—1220) in der Berliner Siegesallee, die diesen Markgrafen um ihre Kopfbedeckung einen Kronenreif (Zirkel) mit Lilien- und Knopfornamenten legen, enthalten also, wie übrigens auch in der Behandlung der Gürtel, Anachronismen: sie setzen durchaus ungeschichtlich Insignien des 14. Jahrhunderts um zwei Jahrhunderte zu früh an, möglicherweise durch alte, aber nicht gleichzeitige Abbildungen verführt.

[5] Vgl. dazu meine Abhandlung ›Zum zweiten Reichsspruch Walthers von der Vogelweide‹, Sitzungsberichte der Berliner Akademie der Wissenschaften 1902, 24. Juli, S. 897—903 und mein Buch ›Rienzo und die geistige Wandlung seiner Zeit‹ (Vom Mittelalter zur Reformation Bd. II, 1), Berlin, Weidmannsche Buchhandlung 1913, S. 170 ff. 234—240. Gegenüber erhobenen Zweifeln verweise ich namentlich auf S. 234 f. (zweite Hälfte der Fußnote) und S. 238 f. (Zeugnis des Petrus Comestor).

gestaltet man die deutsche Kaiserkrone *möglichst hoch*, möglichst verschieden von den Kronen der gewöhnlichen Könige. Auf den Siegeln Barbarossas, Heinrichs VI. und Philipps erscheint die kaiserliche Krone mit einem sehr hoch gewölbten Bogen, über dem ein hohes Kreuz[6] steht, fast turmartig; und der um den Kopf in der horizontalen Ebene sich herumlegende Teil, das eigentliche Diadem, hat die Form eines *Oktogons*, das sich aus acht reich verzierten, hohen, oben abgerundeten Platten zusammensetzt. Aber auch die Könige von England und Frankreich suchen die Kraft ihres Reiches zur Anschauung zu bringen durch Vergrößerung der Ornamente ihrer Kronen: die Blätter und Speerspitzen (Lilien) wachsen in die Höhe, die Schwere der Krone wird bis zum Ungeheuerlichen gesteigert. Die Krone, mit der Richard Löwenherz sich krönen ließ, war so gewichtig, daß sie zwei Männer tragen mußten.

Der echten deutschen Kaiserkrone des staufischen Reichsschatzes, der Sage nach von Karl dem Großen stammend, mit dem magischen Edelstein, dem Waisen, den Herzog Ernst Otto dem Großen aus dem Orient heimgebracht haben und der aus dem Schatz Octavians stammen sollte, schrieb man die Kraft zu, das Imperium des Erdkreises bis nach Byzanz und Jerusalem, die Erbschaft Cäsars und der römischen Kaiser, zu verschaffen und zu sichern. Der zauberhafte Waise ist ein Teil des für die Kaiserkrone charakteristischen hohen Kronbügels: an dessen hinterem Ende ist er befestigt, steht also dem Gekrönten, wie Walther in seinem Spruch auf Philipps Krönung in Mainz sich äußert, „über seinem Nacken“.

Indem Walther diesen Waisen nennt, indem er ihn den Zirkeln, d. h. den *kreisrunden* Kronreifen, gegenüberstellt, weckt er vor dem Auge seiner Hörer sogleich das Bild derjenigen Besonderheiten, durch welche die Form der Kaiserkrone sich heraldisch und sozusagen staatsrechtlich von den Zirkeln, den Königskronen der armen, d. h. der Vasallenkönige, unterscheidet.

Diese Kaiserkrone entsprach in ihrer Form dem überweltlichen Abbild, das die von Barbarossa Karl dem Großen geweihte Lichterkrone in der Aachener Pfalzkapelle darstellte: beide, der Kron-

[6] Das Kreuz wirkt wie ein Teil der Krone, gehört aber zur Siegelumschrift.

leuchter in Aachen, der die Mauer und die Türme des himmlischen Jerusalem veranschaulicht, und die wirkliche Kaiserkrone Barbarossas und Heinrichs VI. haben nicht die Gestalt eines Zirkels, eines *Kreises*, sondern die eines *Oktogons*, dessen architektonische Gliederung sich auf der Grundform eines Quadrats aufbaut. Auch hierin drückt die mittelalterliche Symbolik einen tiefen Sinn, einen großen politischen Gedanken aus: nach der Apokalypse war das himmlische Jerusalem quadratisch angelegt. Demgemäß mußte auch das irdische Weltreich des christlichen Imperators in der Form des Quadrats oder einer Zusammensetzung von Quadraten sich ausdehnen. Denn das Weltregiment des Kaisertums ist nur das Vorspiel der dereinstigen Weltentsühnung und Weltversöhnung im himmlischen Kaiserreich Gottes, im neuen Jerusalem: die Krone des irdischen Weltkaisers deutet voraus auf die Krone und das Reich des überirdischen Weltkaisers Christus. Diese Symbolik — uns Modernen höchst fernliegend — war in den mittelalterlichen Geistern ganz lebendig. Jeden Zweifel zu zerstreuen, trägt die deutsche Kaiserkrone im Kronschatz zu Wien, die in ihrer fertigen Form dem 12. Jahrhundert angehört, wirklich die bildliche Darstellung der sogenannten *Maiestas domini:* Christus thronend mit dem Buch des Lebens in der Herrlichkeit, wie er nach dem alten Typus der bildenden Kunst wiederkehrt als Weltentsühner zum Jüngsten Gericht und zur Aufrichtung des neuen Jerusalem.

Diese erhabene Kaiserkrone soll — so ruft Walther nachdrucksvoll — das deutsche Volk selbst dem Staufer Philipp aufsetzen, ihn dadurch zum echten römischen Kaiser machen. Hiermit riet er aber zugleich, den eigentlich berechtigten Erben, Friedrich II., das von den Fürsten feierlich und in durchaus bindender Form zum König gewählte Kind, zu übergehen.

Als der Dichter diese gewaltsame Durchhauung des Knotens, diese Verletzung *persönlicher* legitimer Ansprüche zur Erhaltung des *Prinzips* der Legitimität des staufischen Geschlechts verlangte, war in Deutschland der Bürgerkrieg in vollem Gange, stürmten im Norden und Westen die ausländischen Könige auf das Reich ein.

Philipp war freilich in Thüringen schon im März von einem Teil der in Deutschland anwesenden Fürsten zum König gewählt worden, jedoch mit einer eigentümlichen Beschränkung seiner Macht. Zwar die Annahme, man habe bei dieser Gelegenheit für ihn die Würde eines *Reichsdefensors* geschaffen, beruht auf einem wunderlichen, längst widerlegten Mißverständnis einer ganz klaren Angabe des Chronisten Otto von St. Blasien. Aber nach dem übereinstimmenden Zeugnis verschiedener gleichzeitiger Gewährsmänner hatte jene Thüringer Teilwahl ihn nur zum König für eine bestimmte Zeit gewählt, nämlich bis zur Ankunft des legitimen Königs, des jungen Friedrich, in Deutschland. Es wäre — nach mittelalterlichem Rechtsbegriff — ein Königtum durch Prokuratur *(per procuratorem)* gewesen: ein politisch wie juristisch gleich problematischer Notbehelf. Immerhin konnte die unglückliche Lage der Dinge diesen Ausweg erklären. Die einflußreichsten deutschen Reichsfürsten, darunter die mit wichtigen *Prärogativen bei der Königswahl* ausgestatteten beiden, der Erzbischof von Mainz und der Pfalzgraf bei Rhein, ferner der Reichskanzler Konrad von Querfurt waren von Deutschland noch abwesend. Abwarten mußte da zunächst die Losung aller legitim Gesinnten sein. Erst als dann im Juni die Nachricht in Deutschland sich verbreitete, daß der fünfjährige Erbe des Reiches auf Betreiben seiner Mutter, der normannischen Konstanze, am 17. Mai zum König von Sizilien gekrönt und dieses sein Königtum zu einem Vasallenstaat des Papstes gemacht worden sei, daß ihm fortan die sizilische Kanzlei den früheren Titel 'der *Römer* und Siziliens König' entzogen hatte und ihn einfach 'König von Sizilien, dem Herzogtum Apulien und dem Fürstentum Capua' nannte, da mußten in Deutschland auch die Redlichsten von dem stellvertretenden Königtum auf Zeit abkommen und Philipp die volle, lebenslängliche Königsgewalt, zugleich das Kaisertum wünschen, zumal da gleichzeitig am Rhein die welfisch-englische Fronde gefährlich vorrückte: Otto war am 9. Juni in Köln zum König gekrönt worden, er bedrohte Aachen, um sich an der legitimen Krönungsstätte mit unechten — vielleicht englischen — Insignien krönen zu lassen.

In diesen Tagen — sicher vor dem 10. Juni — hatte nun, wie gesagt, der *Reichskanzler Konrad*, der soeben aus Palästina herbeigeeilt war, an Philipps Hof die Leitung der königlichen Kanzlei übernommen.

Im *Sinne* der Politik dieses Mannes hat Walther den Spruch von den Zirkeln der armen Könige und der den Waisen enthaltenden Krone der Weltherrschaft gedichtet. Wer Walthers Eintreten für die Sache Philipps richtig beurteilen will, muß *dieses Mannes* Person vor allen Dingen sich möglichst lebendig vergegenwärtigen und verständlich machen, die mit starker und erprobter Hand sofort alle Fäden der schwierigen Situation ergriff und während der nächsten drei Jahre festhielt.

Konrad stammte aus der Familie der Herren von Querfurt, die das Burggrafenamt von Magdeburg besaßen und mit den Staufern verschwägert waren. In der Domschule zu Hildesheim, die Einflüssen französischer Gelehrsamkeit geöffnet war, hatte er seine Bildung empfangen und seine Studien, wie es scheint, in Paris fortgesetzt, wo er mit dem späteren Papst Innozenz III. befreundet wurde, dem er dann als politischer Gegner so scharf entgegentreten sollte. Rasch stieg er empor. Im Jahre 1188 Hofkapellan Kaiser Friedrichs I., vereinigte er darauf als Propst in Goslar, bald auch in Magdeburg und Aachen einträgliche und einflußreiche Pfründen, bis er im März 1195 nach der Eroberung Siziliens von Heinrich VI. zum Hofkanzler ernannt wurde. Nun fiel ihm das Bistum Hildesheim zu, und jetzt erst endlich empfing er, der nur die niederen Weihen besaß, die Konsekration zum Priester. Gleich danach sandte ihn der Kaiser zum zweitenmal nach Italien und nunmehr mit nahezu unbeschränkter Vollmacht: unter dem Titel eines Reichslegaten für Italien und das Königreich Sizilien.

In diesem Amte hat Konrad bis zur Ankunft des Kaisers die ganze Halbinsel durchzogen, überall die Reichsgewalt sichernd oder wiederherstellend. Er war und blieb in Italien die rechte Hand der universellen Finanz- und Verwaltungspolitik des gewaltigen Barbarossasohnes, und auch als Feldherr diente er ihm im Verein mit den großen Reichsministerialen Markward von Anweiler, Heinrich von Kalden, Konrad von Ürslingen. Er hatte dort verwirklichen helfen, wie er voll Stolz seinem Freunde, dem Propst Hartbert, nach Hildesheim schrieb, was sie zusammen sonst nur in der Schule, in den Werken der alten Poeten gelesen hatten: das Imperium über den Erdkreis auszudehnen. Als dann der Kaiser selbst in Italien die Zügel ergriffen hatte, wird Konrad 1197 beauftragt, besonders in Apulien die Flotte für den geplanten Kreuzzug auszurüsten und auf ihr das Kreuzheer als Stellvertreter des Kaisers seinem Herrn voraus in den Orient zu führen.

Damals nahm er dorthin zwei Kronen (Zirkel) mit sich, um sie an Vasallenkönige, an *reguli*, an „arme Könige" zu verleihen: im Herbst 1197 krönte er auf Cypern, der Schwelle für die Eroberung des Ostens, im Namen des Kaisers König Amalrich, der die Herrschaft als Lehen von dem gefürchteten Staufer erbeten hatte; im Januar 1198, als er selbst in Beirut die Flotte schon wieder für die Heimfahrt rüsten mußte, ging statt seiner der Erzbischof Konrad von Mainz nach Armenien und krönte in der Kathedrale von Tarsus den König Leo, der fortan sein Königtum „von Gottes und des römischen Reiches Gnaden" führte. Der Fürst Boemund von Antiochien hatte sich schon 1190 als Lehensmann des römischen Kaisers bekannt. Es schienen in Wahrheit die Tage der Julier und Flavier wiedergekehrt. Der Herr der Rhomäer am Bosporus zitterte auf seinem morschen Thron: hatte doch der Reichsmarschall Heinrich von Kalden als Gesandter des deutschen Kaisers die Ansprüche der Normannen auf Epirus für deren Erben und Rechtsnachfolger erneuert und einen Tribut des griechischen Reiches für seinen Gebieter gefordert und durchgesetzt. Angsterfüllt sah der Usurpator Kaiser Alexios nun auch im Osten sein Imperium bestritten, seine Hegemonie verdunkelt und beeilte sich daher, dem neugekrönten König Leo von Armenien nun seinerseits eine Krone zu übersenden.

Wohl durfte sich der Vertreter und Wegbahner dieser Weltpolitik, der staufische Hofkanzler Konrad von Querfurt, zur Repräsentation der kaiserlichen Majestät mit einem Prunk umgeben, wie er sich für Könige ziemte, Zelte von nie gesehener Pracht und schwere Lasten goldenen und silbernen Tafelgeräts mit sich führen, in kostbare seidene Gewänder sich kleiden.

Dieser ehrgeizige, tatkräftige und verschlagene Mann, in allem Glanz und aller Üppigkeit weltlichen Wohllebens schwelgend, hatte, wie seine Feinde nach seinem Fall tadelnd bemerkten, gar nichts von einem nach innen gekehrten Geistlichen. Er war kein Asket, kein Diener der Gregorianischen Ideen, kein Werkzeug der hierarchischen Restauration, die Innozenz betrieb und so überwältigend durchführte. Aber auch er, sein Jugendfreund und dann sein leidenschaftlicher Widersacher, hat, als der Bruch längst erfolgt war, an Konrad die hohe Intelligenz und die tiefe gelehrte Bildung anerkannt.

Des Kaisers Kanzler, der Staatsmann und Feldherr, hatte in der Tat auch lebhafte Empfänglichkeit für die *idealen* Mächte des Lebens. Und nicht bloß scholastische Wissenschaft, kanonistische und legistische, theologische Erudition hatte er sich angeeignet, gleich so manchem seiner Zeitgenossen. Er hatte einen künstlerischen Zug, einen gewissen ästhetischen Sinn. Und hierin unterschied er sich von den meisten der mit ihm lebenden gelehrten Kirchenfürsten und Geistlichen Deutschlands.

Er besaß ein offenes Auge für die *landschaftlichen* Reize Italiens. Und er sah es an mit einer gewissen Ehrfurcht vor seiner geschichtlichen Vergangenheit, vor seinen Gräbern uralter Kultur. Vergil, Lucan, Ovid fortwährend im Gedächtnis und mit sicherem Treffen aus ihnen beziehungsvolle Worte zitierend, steht er zweifelnd und gedankenvoll vor dem wasserarmen Rubico, betrachtet er aufmerksam die Trümmer des heidnischen Fortunatempels in Fano, besucht er in Andacht Sulmona, die Geburtsstadt Ovids, die Stätte von Cannä, vor allem aber *Neapel*, die Stadt des großen Dichters und Zauberers Virgil, zu dessen Grabmal auf dem Posilip er wandert, mit ihrer an antiken Ruinen reichen Umgebung, den Ruinen der Thermen von Bajä und Puteoli, deren Bildwerke und Wandgemälde er beschaut.

Des staufischen Hofkanzlers Reisebrief öffnet uns einen Einblick in eine sonst fast immer verschlossene Region mittelalterlicher Seelen. Er steht unter dem Bann dieser vor Jahrhunderten blühenden Welt, deren Trümmer seine Füße stoßen. Sie ist ihm fremd und halb unheimlich. Er bemüht sich, auch ihr gegenüber die Selbständigkeit und Überlegenheit des Christen, des deutschen Kriegsmannes und Eroberers, des staufischen Imperialisten zu behaupten, dem Italien nur ein Schemel der Macht und seine Bewohner nur tückische Sklaven zu sein schienen. Daher wiederholt der Ton halber und ganzer Ironie. Aber diesen Spott übertönt deutlich das lebendige Interesse, die Bewunderung, die Freude an dem Glanz und an der Schönheit und an der Größe dieser versunkenen Kultur.

Sie erscheint ihm wie ein Märchen, das er nun plötzlich staunend erlebt. Wie ein Traum, der sich unerwartet erfüllt. Die irdischen Ortschaften des Landes und die Stätten der Götter- und Heldensage verschwimmen vor seinen geblendeten Augen in Eins. Die Gestalten der antiken Mythen wachsen ihm hier auf zu geschichtlichen Persönlichkeiten. Unter der südlichen Sonne, angesichts der südlichen Farbenfülle, rinnen ihm Phantasie und Wirklichkeit zusammen.

Konrad von Querfurt schöpfte seine Beschreibung, wie er selbst sagt, zum Teil aus den Erzählungen ihm nahe stehender Landeskundiger. Er denkt dabei hauptsächlich an den dichtenden Magister *Peter von Eboli*: einen gleichzeitigen Kollegen Walthers in der poetischen Publizistik.

Dieser italienische Kleriker, der außer poetischen auch medizinische Studien getrieben hatte, trat in den politischen Dienst des Hofkanzlers. Zur Verherrlichung des Kaisers, zur Unterstützung der deutschen Sache schrieb er 1195—1196 in lateinischen Distichen einen Panegyrikus auf Heinrich VI.: das ›Buch zu Ehren des Augustus‹. Hier werden die sizilischen Kämpfe der Jahre 1191 bis 1194 dargestellt: mit erstaunlicher Kenntnis des antiken episch-mythologischen Stilapparats, in engster Anlehnung an die Diktion des Vergil, Ovid, Lucan, vom Standpunkt eines unbedingten Imperialismus, mit raffiniertester Rhetorik des Schmeichelns. Kaiser Heinrich erscheint als Sonne, als Jupiter *(Jupiter tonans),* seine Gemahlin Konstanze als Juno oder auch als Schwester des Phöbus. Neben dem Kaiser werden namentlich sein *Kanzler* und außerdem die übrigen Führer der Reichsgewalt gepriesen: die *Reichsministerialen* Heinrich von Kalden, Markward von Anweiler. Die ganze staufische Dynastie erscheint in einer übermenschlichen Erhöhung. Der eben geborne Sohn und Erbe Heinrichs, Roger-Friedrich, heißt „die Zierde Italiens, der Sonnenglanz, der Sproß Jupiters“. Er wird ein glückliches, goldenes Zeitalter heraufführen, ein Reich des Friedens, darin der Adler mit den friedlichen Vögeln, der Löwe mit dem Stier, der Wolf mit den Schafen einträchtig beisammen leben, in dem aus einer Quelle Leopard und Hirsch, Ziege und Eber trinken, von der fruchtbeladenen Erde aber dem Menschen alle Gaben willig dargereicht werden. Das sind alles die *traditionellen*

Züge der chiliastisch-imperialistischen Phantasie vom letzten großen Weltkaiser und Weltversöhner, der dem Weltuntergang vorhergeht. Episodisch wird mehrmals Friedrich Barbarossa gefeiert, der sich durch das Heldentum seines Kreuzzugs Karl dem Großen — seinem wirklichen Vorbild — an die Seite stelle. Auch scheint Peter von Eboli noch ein besonderes Gedicht, das uns verloren ist, den ruhmvollen Taten Barbarossas gewidmet zu haben.

Schon das Loblied zu Ehren Heinrichs VI. bezieht sich wiederholt auf die Landschaft westlich von Neapel, die alten phlegräischen Gefilde, oder, wie sie im Mittelalter meist hieß, *Terra Laboris (Terra di Lavoro)*. Die hier seit alter Zeit tätigen vulkanischen Kräfte, deren Wirkungen in den zahlreichen Kraterseen, in den unterirdischen Grotten, in den aus der Tiefe hervorbrechenden heißen Gas- und Wasserquellen so lebhaft sich kundmachen, waren ihm wohlbekannt. Im Einklang mit antiken Anschauungen führte er sie zurück auf die dämonischen Vorgänge der Unterwelt und erblickte darin die Eruptionen aus den Straforten der gepeinigten Verdammten. In einem besonderen lateinischen Gedicht beschreibt er die Bäder von Bajä und Pozzuoli eingehend mit gelehrter medizinischer und naturwissenschaftlicher Kenntnis, mit entschiedener Beobachtungsgabe für die Erscheinungen der äußeren Welt und des Tierreichs. Und „zum Lobe des großen Cäsar" soll auch dieses ihm gewidmete Buch dienen.

Peter von Eboli ist sein Interesse für die Ruinen von Bajä und Puteoli, für die Bildsäulen und halb erloschenen Wandgemälde der antiken Bäder, für die antike Kultur überhaupt, das ihn zu einem Vorläufer des Cola di Rienzo macht, zugeflossen aus seinem politisch-staatsrechtlichen Standpunkt und aus seinem medizinisch-naturwissenschaftlichen Studium, das ihn auf arabische und weiter auf griechische Leistungen zurückwies. Der ghibellinische Imperialist und der Balneologe in ihm sind es, die aus dem engen Bann der traditionellen mittelalterlichen Schulpoesie sich erheben in die lichtere Sphäre einer Art von Protorenaissance.

Die *Schule von Bologna*, die dem Imperialismus der Salier und Staufer die Terminologie des römischen Cäsarenrechts lieferte, und die *Schule von Salerno*, die auf Naturbeobachtung und Naturbeschreibung und auf die Schätze althellenischer Naturwissenschaft zurückleitete, aber auch den künstlerischen Luxus altrömischer Thermen aufdeckte, sind die Quellen für den Hauptstrom der sogenannten staufischen Renaissance geworden, die unter Friedrich II. sich dann so glänzend entfaltete.

Welche Mächte in Peter von Eboli zusammenwirkten, zeigt seine merkwürdigste Konzeption: der ideale Kaiserpalast. Dieses Wundergebilde beschreiben die Verse zu Ehren des Augustus mit eigentümlichem Schweben zwischen Wahrheit und Phantasie, und eine Prachtminiatur der Originalhandschrift versucht es in gleichem Sinne abzubilden. Seine sechs Hallen schmücken prächtige Wandbilder aus der biblischen Geschichte und aus der Geschichte Friedrich Barbarossas. Wohl war es alte Tradition der mittelalterlichen Schulpoesie, die epische Darstellung durch breit ausgeführte Schilderungen von Palästen und ihren Kunstwerken, namentlich Gemälden, zu zieren, eine Tradition, die aus antiken Vorbildern, aus Vergil und aus dem Roman der jüngeren Sophistik stammt[7]. Aber in diese Tradition, die er übernimmt, träufelt er neues Blut: das Blut des Erlebnisses, der eigenen Beobachtung.

Hier, auf und unter dem Boden der Terra di Lavoro, wo er weilte, waren ja die *realen* Anlässe dieser spätantiken poetischen Manier lebendig geblieben, und Peter von Eboli konnte sie vor seinen Augen sehen, die künstlerisch geschmückten Wände, die er seinem dichterischen Phantasiegebäude gab. Konnte etwas die Sehnsucht und die Traumlust — die Urgefühle aller Renaissance — tiefer aufregen, stärker beflügeln als jenes ahnungsreiche Bild der antiken Vineta, der versunkenen, scheinbar im Grunde des Wassers schwimmenden Villen und Tempel mit ihren Säulen und Bildwerken? Und bedeutungsvoll im höchsten Maße: was Peter von Eboli so halb der Wirklichkeit, halb seinen Träumen nachschuf, hat im 14. Jahrhundert die aufblühende Frührenaissance in Italien wie in Böhmen ganz ähnlich durchgeführt: dichterische und künstlerische, porträtierende Verherrlichung gleichzeitiger Fürsten in einem weiten, genealogischen, teils dynastischen, teils universal-

[7] Vgl. dazu oben [in der eingangs zitierten Originalpublikation] S. 55 f. 152 ff. 155.

geschichtlichen Rahmen, der den Gefeierten und seine Ahnen anreiht an die Helden des Altertums und des Alten Testaments.

Der Hofkanzler Heinrichs VI. und Philipps von Schwaben, Konrad von Querfurt, war als Beschreiber italienischer Landschaft und Geschichte ohne Frage der Schüler Peters von Eboli. Aber ebenso gewiß war er in der politischen Auffassung dessen Lehrer. Und er selbst hat den Verfasser jenes imperialistischen illustrierten Panegyrikus bei Kaiser Heinrich eingeführt: das lehrt wiederum eine Miniatur der Originalhandschrift.

Himmelweit steht die zitatenträchtige antikisierende Höflingspoesie des welschen Klerikers ab von Walthers Sprüchen für das deutsche Kaisertum. Jedoch gemein ist beiden der universelle Imperialismus, der in dem mittelalterlich gewendeten römischen Staatsrecht wurzelt, gemein die Übereinstimmung mit den politischen Meinungen und Begriffen der Reichskanzlei und der obersten Reichshofbeamten, der leitenden Reichsministerialen.

Der Hofkanzler Konrad hatte Peters von Eboli Dichtung angeregt, belohnt, dem Kaiser empfohlen, weil sie in schwieriger Lage für die staufische Politik focht. Sollte derselbe Konrad jetzt bei seiner Heimkehr nach Deutschland, als es galt, vor allem das moralische Recht des Königtums Philipps und seinen Anspruch auf das Kaisertum durchzukämpfen, nicht auch das so viel größere, reinere, natürlichere und in die Weite wirkende Talent Walthers an sich gezogen haben? Sollte nicht er es wieder begünstigt haben, wenn dem Dichter, vielleicht von anderen staufisch gesinnten Politikern, die der Reichsregierung nahe standen, am Hofe des Königs eine feste Stellung bereitet wurde?

Wir können leider auf diese von mir zuerst aufgeworfenen Fragen vorläufig nur folgendes antworten: es ist recht wahrscheinlich, daß Walther seinen Spruch von den armen Königen und dem Waisen im Einverständnis mit den rücksichtslos wagenden Anschauungen der staufischen Reichshofbeamten, besonders aber der *Hofkanzlei*, gedichtet hat, und daß der Protonotar Konrad von Scharfenberg und der eben eingetroffene Hofkanzler Konrad von Querfurt den Anstoß dazu gegeben haben.

Der Spruch also — so viel ist gewiß —, den man bisher allgemein als einen denkwürdigen Protest gegen die territoriale Zersplitterung Deutschlands, gegen die Übergriffe seiner eigenen Fürsten auffaßte, ist vielmehr das erste monumentale literarische Zeugnis für den *nationalen* deutschen Gedanken und richtet seine Spitze gegen das *Ausland*, gegen die fremden Zungen. Freilich ist dieser Appell an das patriotische Gewissen ein Appell im mittelalterlichen Geist: im Geist des Universalismus, der den Staat nur als Weltreich und die nationale Größe nur als Beherrschung des Erdkreises sich vorzustellen weiß. Den modernen nationalen Patriotismus, den die konstruierende Geschichtsforschung des 19. Jahrhunderts so oft an den staufischen Kaisern tadelnd vermißt hat, kannte das ganze Zeitalter noch nicht.

Im Sinn und im Auftrag der Reichskanzlei dichtete Walther dann bei der Krönung Philipps zu Mainz am 8. September 1198 seinen zweiten Spruch von der Kaiserkrone: jetzt trägt sie „der süße Mann auf dem Haupt"; sie sitzt ihm, als wäre sie, die uralte Krone aus den Tagen Karls des Großen, eigens ihm vom Goldschmied angegossen. Der von ihr über dem Nacken des Königs aufleuchtende Strahl des Waisen soll allen Fürsten, die in bezug auf die zwiespältige Königswahl noch irre gehen, als Leitstern die richtige Fahrt weisen.

Fünfviertel Jahr später verbreitet ein dritter Spruch Walthers den Erfolg einer neuen politischen Demonstration des staufischen Reichskanzlers.

Am Weihnachtstage des Jahres 1199 hat Philipp zu Magdeburg im alten Dom mit der Kaiserkrone auf dem Haupte die heilige Messe gehört, umgeben von einem glänzenden Kreis seiner Anhänger. Er selbst erschien dem Dichter als ein dreifach legitimer Imperator: Bruder eines Weltkaisers, des gewaltigen Heinrich; Sohn eines Kaisers, des erhabenen Barbarossa; und selbst geweiht zum Kaiser durch sein *legitimes* deutsches Königtum. Hinter ihm schritt in der feierlichen Prozession mit leisem Schritt seine Gemahlin. Sehr auffallend nennt der Dichter sie, die Tochter des byzantinischen Kaisers Isaak Angelos, nur „eine hochgeborene *Königin*".

Das entspricht wieder genau dem Kurialstil der staufischen Reichskanzlei, für den der Kaiser von Konstantinopel immer nur *König* der Griechen hieß. Und es entspricht genau wieder auch dem staufischen Hofzeremoniell, wie es in Wirklichkeit bei jenem Festakt angewandt worden ist. Ein aus gleichzeitiger offizieller Quelle schöpfender Bericht des Chronisten Arnold von Lübeck meldet uns: Philipp sei an jenem Weihnachtstage zwar mit der hohen Bügelkrone gegangen; seine Gemahlin, die byzantinische Kaisertochter Irene, aber nur mit dem königlichen *Zirkel (circulata, non coronata).* So hatte es der von dem Kanzler Konrad tradierte Geist der Universalpolitik Heinrichs VI. bestimmt: die Ansprüche auf eine Oberhoheit über das Kaisertum von Konstantinopel waren keineswegs aufgegeben. Dort residierte nach staufischer Staatslehre nur ein König, ein Zirkelträger, ein *regulus.* Wenige Jahre zuvor hatte Peter von Eboli in jenem von Konrad inspirierten Panegyrikus auf den staufischen Augustus das erwähnte Idealbild eines phantastischen Kaiserpalastes geschaffen und von einem Miniaturmaler illustrieren lassen: in der Mitte eines von Säulenhallen umgebenen Hofes neben einer Quelle, der *Fons Arethuse,* thront der kaiserliche Kanzler Konrad und empfängt den Tribut, Schalen Goldes, welche der Araber und Inder kniend darbringen; in die einzelnen Bogen der Säulenhalle sind die Namen der beherrschten Länder geschrieben: an Friesland, Bayern, Österreich, Thüringen, Sachsen reihen sich *Böhmen,* Holstein, Pommern, Polen, Tuscien, Lombardei, Burgund, Ligurien, *Frankreich,* Lothringen, *England.*

Auch dies war von unmittelbarster Bedeutung, daß Walther die jugendschöne Gemahlin des Trägers der deutschen Kaiserkrone feiert als „Rose ohne Dorn, als Taube sonder Galle", d. h. mit den alten, allbekannten Beiworten der Jungfrau Maria. Ihren heimischen Namen, an dem auch die griechische Kaisersouveränität haftete, den Namen Irene, hatte die Besungene vertauscht mit dem neuen Namen Maria. Wann das geschah, ist uns nicht überliefert: man hat vermutet, bei der Krönung zu Mainz im Jahre 1198; jedesfalls will Walthers Spruch auf dieses Ereignis bedeutsam hinzielen.

Walther schließt seinen Spruch mit dem Preise des in Magdeburg von Thüringen und Sachsen geleisteten Hofdienstes, der allen Weisen habe wohl gefallen müssen.

Die Worte weisen triumphierend hin auf den Anschluß und zum Teil soeben erst vollzogenen Übertritt so vieler norddeutscher

Fürsten; vor allem des Landgrafen Hermann von Thüringen, des Markgrafen Dietrich von Meißen, des Herzogs Bernhard von Sachsen, der Bischöfe von Halberstadt, Osnabrück, des Erzbischofs von Bremen, des Erzbischofs von Magdeburg, der Grafen von Holstein, von Harzburg, Wernigerode, Mansfeld, Werder, Dassel, Ravensburg. Die Worte fertigen aber zugleich auch mit Hohn jene formalen Gründe ab, welche die Gegenpartei, die rheinischen Fürsten, gegen die Rechtsgültigkeit der Wahl aus dem Umstand herleiteten, daß sie, statt nach altem Brauch auf fränkischem Boden, im mitteldeutschen Osten und von nicht dazu legitimierten Fürsten vorgenommen worden sei. Eine gleichzeitige Beschreibung des Festes in der Geschichte der Halberstädter Bischöfe, die von einem Augenzeugen, vielleicht in offiziellem Auftrag, gemacht zu sein scheint und sicherlich von der staufischen Hofkanzlei inspiriert worden ist, stimmt im Gedankengang so sehr mit Walthers Spruch überein, daß ein Zusammenhang zwischen beiden sich nicht verkennen läßt. Der Halberstädter Bericht schließt: der Reichskanzler Konrad habe das alles so wirkungsvoll arrangiert. Das zeigt uns die Quelle, aus der die Übereinstimmung der beiden Schilderungen floß: die Weisungen, die der Leiter der Reichskanzlei direkt oder durch seine Beamten, wie den Protonotar Konrad von Scharfenberg, an die Publizisten und Annalisten hatte ergehen lassen.

III

Jene drei Sprüche Walthers von der echten Kaiserkrone aus dem Juni und dem September 1198 und aus dem Ende des Jahres 1199 sind denkwürdige Erzeugnisse mittelalterlicher offiziöser Publizistik. Sie sprechen zum erstenmal in deutscher Sprache, in der Sprache der Poesie, in der Sprache tiefer persönlicher Überzeugung den Gedanken des *nationalen Imperialismus* und den Gedanken der monarchistischen Legitimität aus.

Den Publizisten Walther hat damals nach seiner deutlichen Angabe „das Reich und die Krone an sich genommen“. Das heißt: er wurde eingereiht in das Hofpersonal, vielleicht unter die Bediensteten der Reichskanzlei.

In dieser Stellung verfaßte er seinen ersten *kirchenpolitischen* Spruch: er leitet den Ursprung des Thronstreites zwischen Philipp und Otto von römischen Intrigen, von der List der Kardinäle ab und hört in der Ferne (d. h. vielleicht in Italien) den frommen Klausner klagen über den irregeführten, jungen Papst. Mit dieser Berufung von den mit Schwert und Stola, mit weltlichen und geistlichen Waffen streitenden 'Pfaffen' an eine Idealgestalt echter christlicher Religion, an die ideale Kirche des Friedens und der zu Gott strebenden Andacht hat Walther, wie ich glaube, Partei ergriffen in der großen kirchlichen Reformbewegung seiner Zeit. Jener Klausner ist der poetische Typus der Regenerationsbestrebungen auf monachischer Grundlage, deren die Welt erschütternder Führer damals Joachim von Fiore, bald nachher Franz von Assisi war.

Nicht aus dem modernen Kulturkampf darf man Walthers hier beginnenden Kampf wider die Omnipotenz des Papstes beleuchten. Des Dichters Verhältnis zu den Anschauungen seines Gönners Wolfger muß man vielmehr im Auge behalten.

Zeitweise sieht man den Sänger mit dem Passauer Bischof Schulter an Schulter, immer aber mit ihm einig in den kirchenpolitischen Grundvoraussetzungen. Eben jener Spruch, der den frommen Klausner aufruft als Richter über den Krieg zwischen Pfaffen und Laien, ist die populäre, dichterische Paraphrase des gleichzeitigen amtlichen Protestes Philipps und seiner Anhänger gegen die Einmischung des Papstes in die deutsche Königswahl, gegen seine Bestätigung des Welfen Otto und die Bannung des staufischen Königs und seiner Partei. Dieses Aktenstück hat Wolfger mit unterzeichnet, er hat seinen Inhalt entscheidend mitbestimmt, mag auch die Formulierung einer anderen schärferen Feder der Reichskanzlei entstammen. Bischof Konrad von Hildesheim und Würzburg, der Reichskanzler, stand damals bereits heimlich im Lager der Gegner.

Es ist eine merkwürdige Fügung, daß dieses Manifest, eines der bedeutungsvollsten Dokumente für den Widerstand des mittelalterlichen Staatsrechts gegen die Eingriffe der römischen Kurie, seine amtliche Ausfertigung in *Halle* erfahren hat: auf derselben Stelle, wo im Zeitalter der Reformation jener Widerstand mit neuen Waffen durchgefochten wurde. Wem es Freude macht, sich vorzustellen, daß Walther fast genau vor 700 Jahren, im Januar 1202, leibhaft in dieser Stadt, auf der alten Burg an der Saale im Gefolge Philipps von Schwaben geweilt hat, der kann es tun im Einklang mit der geschichtlichen Wahrscheinlichkeit, denn diese spricht dafür, daß Walther damals den Hof Philipps noch nicht verlassen hatte.

Philipps Aufenthalt in Halle hing vermutlich zusammen mit den Feldzügen gegen Dänemark. Walther gibt in einem späteren trübseligen Überblick über düstere Welterfahrungen als nördlichste Grenze seiner Wanderungen die *Trave* an. Da er dorthin, auf den Schauplatz der dänischen Wirren, nur zwischen 1199 und 1202 gekommen sein kann, empfiehlt es sich, diesen Besuch zu verknüpfen mit Philipps Verweilen in Halle.

Kurz vorher, nach der Beschlußfassung über den genannten Protest auf dem Bamberger Hoftag, im Dezember des Jahres 1201, hatte Walther am Hof Philipps scharfe Anklagen ausgesprochen gegen die willkürliche Entscheidung der Doppelwahl im Mainzer Erzbistum durch den päpstlichen Legaten und damit den Aufruf zur Kreuzfahrt verknüpft: „Nun wachet! uns geht zu der Tag, vor dem wohl Angst haben muß ein jeder Christ, Jude, Heide." „Wohl auf denn zum heiligen Land! Hier hat man zu viel gelegen."

Das war die Konsequenz der imperialistischen staufischen Überzeugung, daß der Träger des Waisen auch den Erdkreis dem Christentum gewinnen, vor allem das Grab des himmlischen Königs den Ungläubigen entreißen müsse. Und es war sicherlich wieder ganz im Sinne Wolfgers.

Diese poetische Publizistik im Interesse der Reichspolitik, für die Sache Philipps, fand bald nachher ein Ende, ohne daß der Dichter durch ein Lehengut nach mittelalterlichen Begriffen dauernd an den Dienst des Königs gefesselt wurde. Da hat ihm Wolfger die Hand geboten: das lehrt das Geschenk für den Pelzmantel in Zeiselmauer.

Damals zog sich der Bischof von der aktiven Teilnahme an der Politik des Königs zurück. Er suchte in der Hoffnung auf das zur Erledigung kommende Patriarchat von Aquileia einen Ausgleich mit dem so scharf angegriffenen Papst. Und als er das Patriarchat wirklich errungen hatte, mußte er naturgemäß, gegebenen Zusicherungen folgend, sich noch mehr zurückhalten. In derselben Zeit etwa hat auch Walther auf die politische Publizistik im Reichsdienst verzichtet.

Walther tritt wieder auf den Plan gegen den Papst, als der Konflikt zwischen diesem und dem nach Philipps Ermordung allgemein anerkannten Otto ausgebrochen war. Im Jahre 1212 und im Frühjahr 1213 unternimmt er gegen die hierarchische Politik des großen Innozenz die leidenschaftlichsten Angriffe. Wie mag sich dazu wohl der Patriarch von Aquileia innerlich gestellt haben?

Wolfger hatte als *Reichslegat* schon 1205 und 1206 noch für Philipp, dann 1209 und 1210 noch entschiedener für Otto die territorialen und politischen Rechte des Reichs in Italien gegen die Herrschaftsansprüche des Papstes verfochten. Der früher genannte Boncompagno bringt in seinem Briefsteller ein Schreiben Wolfgers an den Papst, worin folgende Worte vorkommen: „Der Bogen der Legation ist nicht der meine, sondern des Reichs, den ich nicht spanne und nicht nachlasse, den ich aber mit allem Nachdruck so gespannt zu erhalten suche, wie ich ihn empfangen habe. Und diesen Bogen zu ergreifen, habt *Ihr selbst* mich *gelehrt,* denn gerade durch *Eure Befehle* bin ich *gezwungen* worden, *Otto Treue zu schwören.*"

Der Brief ist seinem Wortlaut nach nicht echt: in seinem Sinne ist er es zweifellos. Das beweisen die Taten Wolfgers in Italien, wo er die Reichsgewalt auch in Gebieten des sogenannten päpstlichen Patrimoniums rücksichtslos herstellt. Nun stimmt aber der Gedanke dieser Briefstelle höchst auffallend zu dem Vorwurf, den Walther gegen den Papst schleudert, nachdem er seinen früheren Günstling Otto gebannt hatte. Das Bild vom Bogen im Brief Wolfgers bei Boncompagno knüpft wörtlich an ein vom Papst selbst gebrauchtes Bild an. Dann wird ihm höhnisch seine Inkonsequenz, sein Widerspruch gegen sich selbst vor Augen gerückt: nur auf seinen Befehl habe man Otto Treue geschworen, die er jetzt zu brechen befehle. Genau ebenso erinnert auch Walthers Spruch den Papst, daß er die Treue für Otto erst geboten, daß er gesegnet habe, die er nun verfluche.

Indessen der Patriarch von Aquileia mochte so denken, wie sein italienischer Günstling Boncompagno und sein deutscher Günstling Walther es aussprachen; öffentlich bekennen durfte er sich nicht zu solchen Gedanken. Als Otto mit seinem Angriff gegen das von der Kurie abhängige Königreich Sizilien des jungen Staufers Friedrich den eben eidlich geschaffenen Rechtsboden verlassen und unabsehbare Verwicklungen heraufbeschworen hatte, zog sich Wolfger von jeder unmittelbaren sichtbaren Teilnahme an den Reichsgeschäften zurück. Aus der Ferne nur begleitete er jetzt die Schritte des Kaisers mit freundschaftlichem Rat. Auch die päpstliche Bannbulle, die alle Helfer und Begünstiger des Exkommunizierten selbst mit Amtsentsetzung und Exkommunikation bedrohte, hat ihn darin nicht beirrt.

Walther dagegen harrte in der öffentlichen Vertretung der Politik des Kaisers aus trotz allem. Ja, je bedenklicher die Lage, je anfechtbarer der Rechtsstandpunkt seines Herrn wurde, desto hitziger flammten die Anklagen des Dichters gegen Papst und Kurie empor. Sie erreichten ihren Höhepunkt in der Heptade von Sprüchen aus dem Frühjahr 1213.

Der Papst verfälsche die wahre apostolische Lehre. Wider göttliches Gebot reiße er das sogenannte Schlüsselrecht an sich, d. h. die Macht auf Erden und im Himmel zu lösen und zu binden, das doch *allen* Aposteln, nicht bloß Petrus, und der *Gesamtheit* ihrer Nachfolger, den *Bischöfen*, gebühre. Vom Teufel, mit dem er einen Pakt geschlossen habe, wie einst Simon Magus und der päpstliche Zauberer Gerbert-Silvester, besitze er ein schwarzes Buch, mit dem er seine Nigromantik treibe. Aus diesem Buch gewinnt er seine Angelruten aus Rohr *(sîniu rôr)*, durch die er Bischöfe und Reichsäbte fängt, seiner Interpretation des Schlüsselrechts, dem Dogma von der „Fülle der Gewalt", zuzustimmen. Hieraus fließen seine sündhaften Einnahmen. Gemeint sind die Briefe, welche Pfründen und Dispense verleihen, Ablaßhandel und Kirchensteuern privilegieren [8]. Und das schwarze Buch ist das von Innozenz zuerst als offiziell verbindlich eingeführte *Register der päpstlichen Dekretalen.* Mit seinen Kardinälen, den bevorzugten Bischöfen, baut er von den durch schwarze Kunst erworbenen Geldern prächtige Chordecken, die glänzende Mosaiken schmücken, für die römischen Basiliken, während der alte Fronaltar der deutschen Kirche ohne Dach bleibt,

[8] Das Wort *rôr* braucht Walther hier mit überaus boshaftem Witz in wortspielendem Doppelsinn: es weist zugleich hin auf die *Rollen*form der urkundlichen Ausfertigung jener päpstlichen Benefizien (Schenkungen und Verleihungen), der sogenannten *rotuli.*

dem Regen ausgesetzt. Die ausgesogenen dummen Deutschen fasten, indessen der arglistige Papst sie verhöhnt und mit seinen welschen Pfaffen die *Kreuzzugssteuern* für Hühner und Wein verpraßt.

Wer denkt dabei nicht an Luthers furchtbare Gewitterrede, der Papst sei der Antichrist? Gleichwohl wachsen Walthers Anklagen aus einem anderen Boden. Seine sieben Sprüche gegen die päpstliche Universalherrschaft sind ein Protest gegen die bevorstehenden Beschlüsse des *vierten Lateranischen Konzils*, und zwar ein Protest vom Boden der *deutschen Episkopalkirche*. Wenn er die deutschen Bischöfe und Äbte vor den Netzen und Angelrohren des Papstes warnt, so wendet er sich an diejenigen deutschen Bischöfe, die gegen die damals *eben erst aufsteigende* Macht des Kardinalkollegiums und den römischen Kurialismus, gegen die Ausschaltung der bischöflichen Gewalt aus dem hierarchischen System, gegen die absolute Souveränität des Papstes sich noch auflehnten. Walthers Spruchzyklus wider das Lateranische Konzil ist ein geschichtliches Zeugnis ersten Ranges für dieses Aufflackern des mittelalterlichen Episkopalismus, der dann noch einmal im 15. Jahrhundert auf den großen Konzilien vergeblich angefacht worden ist. Die Historiker sollten diese publizistische Kundgebung, welche die damaligen Kämpfe hell beleuchtet, ihrer Aufmerksamkeit nicht entgehen lassen.

Wolfger von Aquileia stand prinzipiell auf dem Boden dieser bischöflichen Opposition. Er war ein Gegner der konziliaren Tendenzen des Papstes: den für die Geschichte der Kirche so verhängnisvollen Beratungen auf dem Lateran, die den letzten Rest von bischöflicher Selbständigkeit in der Organisation des Metropolitanverbandes begraben sollten, gedachte er fern zu bleiben. Er entschuldigte sich mit seinem hohen Alter und der Schuldenlast des Patriarchats, die ihm in Wahrheit den Aufenthalt an der unersättlichen römischen Kurie unerschwingbar erscheinen lassen mochte. Dem erneuten Befehl des Papstes mußte er schließlich gezwungen folgen und sich doch zum Konzil nach Rom begeben.

In der Umgebung des Patriarchen, im Domkapitel von Aquileia dachte man aber ganz anders. Der Domherr Tommasino dei Cerchiari, der Dichter des ›Welschen Gastes‹, erhob bittere Vorwürfe gegen Walther, daß er durch seine maßlosen Beschuldigungen des Papstes alles Gute und Schöne, was er früher gesungen, ausgelöscht habe. Punkt für Punkt polemisiert er in einer ausführlichen Entgegnung wider Walthers Sprüche für den gebannten Otto.

Walther hatte das Wappen des welfischen Kaisers gerühmt und gewünscht, es möchte bald, nach Wiederherstellung des Friedens in Deutschland, als siegverheißendes *Heerzeichen* der neuen Kriegsexpedition gegen die Sarazenen voraneilen. Den Kreuzzug ersehnt der Dichter ganz aufrichtig und ohne Arg, im wirklichen Interesse seines Herrn als großartigste und wirkungsreichste Demonstration, aber auch als sicherstes Mittel zur Befestigung seiner Macht. Denn nach der — uns freilich höchst fremdartigen — politischen Auffassung des Mittelalters brachte erst die Eroberung des heiligen Grabes, die Befreiung und Beschirmung der Christen im Orient, die Unterwerfung der Ungläubigen dem kaiserlichen Imperium die wahre Krönung und Bewährung, die unantastbare Weihe. Dieser Erfolg im fernsten Osten könnte zugleich allein einen vollen Triumph über den erbitterten Rivalen im Wettstreit um das Weltregiment, den Papst, herbeiführen. Auf dem kaiserlichen Admiralschiff sollte — so muß man sich Walthers Worte gegenständlich vorstellen — der Adler des Imperators und der Löwe des kühnen Welfen hoch aufgerichtet als *Standarte,* wie wir sie aus den Beschreibungen der Schlacht bei Bouvines vom Jahre 1214 kennen, über das Meer gegen 'die Heidenschaft' dringen: ein doppeltes Wahrzeichen der kaiserlichen Herrschaft über den Erdkreis, das heißt der Stellvertretung (Vogtschaft) Gottes, aber auch ein Symbol jener Charaktereigenschaften, durch die Gewalt und Friede begründet wird, der Mannheit (Löwe) und der Großmut (Adler). Denn am äußersten Horizont all dieser überschwenglichen Phantasien des mittelalterlichen Imperialismus, der — um es nochmals zu sagen — die einzige Form des damaligen Patriotismus und Nationalgefühls war, und zu dem sich der Welfe Otto noch rückhaltloser bekennt als sein staufischer Vorgänger, taucht immer der Traum des Friedenskaisers, der Weltversöhnung auf.

Aus diesen die Zeit im tiefsten erfüllenden Ahnungen und Hoffnungen heraus ruft Walther dem gebannten Otto zu: „Stiftet in Deutschland Frieden mit der Strafe des Gesetzes, und *sühnet* dann die *ganze Christenheit,* auf daß die Heiden vor euch zittern.“ Aber er *antwortete* damit zugleich stolz und wahrhaft hinreißend — was bisher stets übersehen worden ist — auf die immer erneute Hauptanklage in den Droh- und Bannbullen des Papstes, die Otto zum Brecher des Weltfriedens, zum Störer des geplanten allgemeinen Kreuzzuges, zum europäischen Unruhestifter stempelten. In dem Augenblick, wo der eben gekrönte Kaiser durch die Exkommunikation das Imperium durch eine halb unterdrückte Verschwörung deutscher Fürsten auch die deutsche Königskrone zu verlieren schien, entfaltet Walther vor den Augen der Hörer ein glorreiches, strahlendes Banner unerschütterter, ruhiger, weltgebietender, sieghafter und friedenstiftender Kaiserherrlichkeit!

Politische Macht wird nicht durch das Schwert allein gesichert, und in den Zeiten der Krise hängt sie oft allein ab von den moralischen Imponderabilien. Niemals ist für eine wankende Stellung so überwältigend der moralische Eindruck, die Erregung der Phantasie, der Appell an die religiösen und nationalen Gefühle des Zeitalters ins Gefecht geführt worden als in Walthers politischen Sprüchen der Jahre 1212 und 1213.

Die Wirkung war eine ungeheure. Es sagt uns nicht bloß Tomasos zahlenmäßige Feststellung. Es sagt uns mehr noch seine sich unter den Streichen, die Walther ausgeteilt, förmlich windende Erwiderung. Wie lahm fällt gegen Walthers plastische, pathetische Symbolik des Italieners nörgelnde Parade aus! Das Wappenschild Ottos — drei Löwen und ein halber Adler — erscheint ihm als ein übles Sinnbild der Maßlosigkeit: drei Löwen, das sei zu viel; ein halber Adler, der nicht fliegen könne, sei zu wenig.

Der so redete, war ein Kanoniker. Nirgends sonst hatte Innozenz III. für seine Zentralisierung der Kirchenverfassung, für seine Durchführung des papalen Absolutismus, für seine Lahmlegung der bischöflichen Gewalt so gute Bundesgenossen als in den *Domkapiteln.* Aber der so sprach, war auch ein Italiener: mochte er von deutscher Bildung und Poesie abhängen, die Töne des *nationalen Hasses,* die Walther anschlug gegen den Papst und seine Kardinäle, konnte er unmöglich verwinden.

Walther stand an dem tragischen Wendepunkt der deutschen mittelalterlichen Geschichte. Er sah die Vorboten des Sturms, der das alte Kaiserreich zertrümmerte. Seine politische Dichtung von jenem ersten Spruch des Jahres 1198 auf die Krönung Philipps bis zu der großen Palinodie, mit der er im Jahre 1227 wirbt für den Kreuzzug Friedrichs II., für das erlösende Martyrium im Dienst der kaiserlichen westöstlichen Weltpolitik, ist eingetaucht in die Ahnung des Unterganges. Sie warnt, sie predigt, sie ermutigt. Sie redet in den Tönen der Satire, und je länger je mehr im Ton der Elegie. Und doch verliert sie niemals ganz die Hoffnung auf den Sieg der Mächte, die einem mittelalterlichen deutschen Patrioten als die idealen erscheinen mußten. Rings um ihn sanken die Säulen der deutschen Kaiserherrlichkeit, es wankte das Vaterland in seinen Grundfesten: der Dichter beharrt unerschütterlich, unwandelbar auf jenem Standpunkt politischer Überzeugung, den die großen staufischen Minister, den Wolfger von Passau und seine Parteigenossen geschaffen hatten.

Moderne Ideologen, die spekulativen Geschichtskonstrukteure des 19. Jahrhunderts, haben unermüdlich dem Dichter politischen Wankelmut vorgeworfen. Der mythische Walther, d. h. jene mit modernen Begriffen zurechtgestutzte Puppe, konnte diese Anklage vielleicht verdienen. Von dem wirklichen, dem geschichtlichen Walther *muß* sie abprallen.

Er war ein mittelalterlicher Mensch. Er war ein großer, ich meine — wenn man von den griechischen Dramatikern Äschylus, Aristophanes, Euripides und von Dante, wie billig, absieht — der größte politische Gelegenheitsdichter. Er war aber niemals der Leiter oder Schöpfer der politischen Bewegung. Er hat immer der Stimmung des Moments, eines bestimmten Publikums, bestimmter Gönner und Freunde das lösende Wort geliehen. Er hat wechselnde Fahrt gehabt. Aber er hat immer auf *ein* Ziel gesteuert. Er hörte die Stimmen des nationalen Gewissens seiner Zeit und ließ sie in seinen Gedichten reden. Den Dienst der Personen hat er öfter getauscht; die von Anbeginn seiner Laufbahn vertretene Sache des Kaisertums hat er niemals verleugnet. Um materiellen Vorteils willen hat er die unverlöschbaren Gebote der inneren Wahrhaftigkeit nie verletzt.

Allerdings hat man das Lob, das er bei der Heimkehr Kaiser Ottos aus Italien vor diesem nach der Beschwichtigung des drohenden Fürstenaufstandes der Treue des Markgrafen Dietrich von Meißen spendete, für bewußte Lüge erklärt: Dietrich habe damals bereits teilgenommen an der Verschwörung gegen den Kaiser, und Walther habe gegen besseres Wissen ihn als einen Engel der Treue hingestellt. Vor kurzem ist indessen nachgewiesen worden, daß die ganze Nachricht von Dietrichs Teilnahme an jener Fürstenverschwörung auf einer Verwechselung beruht: Dietrich konnte damals durchaus noch als Anhänger des Kaisers gelten.

Aber freilich, Walther war ein *Dichter*, kein Politiker. Phantasie und heißes Temperament haben die Dinge vor seinen Blicken oft verschoben, sein Urteil getrübt, seine Worte über Maß und Besonnenheit, über die Gerechtigkeit hinausgedrängt.

Ein Dichter, aber kein *moderner* Dichter, wie wir sahen. Wer im Mittelalter Dichten zu seinem Beruf machte, leistete damit nur eine bestimmte Art von Dienst. Auch ihm mußte die Stellung eines dauernden Ministerialitätsverhältnisses Lohn und Ziel sein. Die Grundlage eines solchen war das Lehengut. Solange Walther dieses nicht errang, war er mittelalterlicher Rechtsanschauung und Moral zufolge an seinen Herrn nicht gebunden, durfte er ihm den Dienst kündigen. Ohne Treubruch zu begehen, durfte er sich somit von Philipp und Otto lösen. Aber er hat Ottos Fahne noch aufrecht gehalten, als bereits fast alle seine Anhänger ihn verlassen hatten und zu dem jungen Staufer übergegangen waren. Als letzter beinahe folgte auch Walther ihrem Beispiel und schloß sich dem Manne an, der ihm, dem Süddeutschen, von vornherein sympathischer sein mußte als der Welfe. So wechselte er den Herrn. Aber er blieb im Dienst des Reiches: er blieb der Herold des Kaisergedankens, der deutschen Größe, der Selbständigkeit der deutschen Kirche, der Unabhängigkeit des Laienrechtes.

IV

Auf dem Hauptschauplatz der politischen Dichtung Walthers, da, wo sein Reichsdienst wurzelte, wo sein Minnesang entsprossen war, an den Höfen der drei deutschen Könige und der südostdeutschen Reichsfürsten in Österreich, Kärnten und Aquileia (Cividale) hat es Walther an literarischen Widersachern nicht gefehlt. Politische, soziale und nationale Gegnerschaft erwuchs ihm in seinem Bewunderer Tommasino dei Cerchiari. Künstlerische Gründe sind es, die ihn gegen die verstiegene Gedankenlyrik seines Lehrers Reinmar, wider die parodistisch-burleske Hofpoesie Neidharts von Reuenthal zu kämpfen zwangen. Und ungezählt war die Schar niederer Spielleute und Hofdichter, die ihm teils aus Brotneid, teils aus dichterischer Unfähigkeit dort in den Weg traten. Allein unvergleichlich anziehender und lehrreicher ist es, aufzuklären, welche Rolle Walther auf dem zweiten Schauplatz seines Lebens, im *mittleren Deutschland*, an den Höfen des Landgrafen Hermann von Thüringen und dessen Schwiegervaters, des Markgrafen Dietrich von Meißen, gespielt hat, dort, wo sich um die Wende des 12. und 13. Jahrhunderts die hervorragendsten Dichter des deutschen Mittelalters zu einem Kranze vereint hatten, dessen Erinnerung Sage, Lied und Kunst bis auf den heutigen Tag festhalten. Was galt Walther dort im Kreise der Gesellschaft und der ebenbürtigen Rivalen?

In dieser thüringisch-meißnischen Welt wehte eine andere Luft als am Königshof, als an den oberdeutschen, reichstreu gesinnten Fürstenhöfen. Durch persönliche Bande, durch politische Tradition, durch wirtschaftliche Interessen gravitierte dies Gebiet nach Nordwesten, nach dem Zentrum der welfisch-niederrheinischen Sphäre. Hier gedieh niemals so recht der Reichsgedanke, hier blühte wie nirgends der nackte Egoismus der nach territorialer Ausdehnung und Selbständigkeit trachtenden Fürstenpolitik. Landgraf Hermann, der Schirmherr so vieler großer und kleiner Dichtertalente, der hochgemute Freund eines lustigen und geschmückten Daseins, ist in einer wankelmütigen und habgierigen Zeit der Wankelmütigste und Habgierigste.

Walther hat sich wiederholt kürzere und längere Zeit am Hof des Landgrafen aufgehalten. Ja, er hat eine Weile förmlich zu seinem *Hofgesinde* gehört. Wie er am Hofe des Markgrafen Dietrich von Meißen noch den größten mittelalterlichen Minnesänger Heinrich von Morungen aus der Gegend von Sangerhausen kennen gelernt hat, so hat er Jahre hindurch auf der Wartburg bei Eisenach mit dem größten deutschen Epiker zusammengelebt, mit demjenigen, der ihm die Krone des Genies streitig macht: *Wolfram von Eschenbach*.

Es hat einen bestrickenden Reiz, sich dies Nebeneinander der beiden Großen in konkreten Zügen vorzustellen. Auch hier ist natürlich die mythenbildende Phantasie des Forschers und der Halbgelehrten geschäftig am Werk gewesen. Man hat sich das Bild eines künstlerischen, wechselseitigen Einflusses ausgemalt. Das widerspricht der geschichtlichen Wahrheit. Walther hat ein Tagelied in Wolframs Manier gedichtet und sonst gelegentlich vielleicht von ihm gelernt. Das ist alles. Im übrigen haben sich der in Thüringen eingewurzelte Nordgauische Bayer Wolfram und der in Österreich gereifte Walther mit Anerkennung, aber doch mit dem Gefühl eines gewissen literarischen und sozialen Gegensatzes gegenübergestanden, das sich nach dem Ton damaliger höfischer Geselligkeit in scherzhafte Formen kleidete.

Walthers erster Abstecher nach Thüringen vom Hofe Philipps aus mißglückte. Das Ergebnis ist ein ziemlich gereizter Spruch, der sich über das wüste Treiben auf der Wartburg beklagt. „Wer an den Ohren leidet, gehe nicht dorthin, er verliert sonst den Verstand. Ich habe mich in den Trubel gestürzt und mitgemacht, bis ich nicht mehr konnte. Es geht da zu wie im Taubenschlag, Tag und Nacht: Gäste ziehen ein, Gäste ziehen davon. Ein Wunder, daß dort überhaupt noch jemand sein Gehör hat. Der Landgraf ist so gesonnen, daß er Geld und Gut mit trutzigen Recken *(stolzen helden)* durchbringt, von denen jeder wohl ein Fechter *(kempfe)* heißen könnte. Ich kenne sein großartiges Wesen wohl: kostete ein Fuder Weins auch eine Million (im Original: *tûsent pfunt*), so ließe er doch niemals eines Ritters Becher leer stehen."

Was heißt das? Zunächst hat der Spruch, der dem Jahre 1198 oder 1199 angehört, eine politische Spitze. Der Landgraf Hermann hatte sich bei seiner Heimkehr aus Palästina Otto angeschlossen. Vergeblich hatte Philipp versucht, durch eine Gesandtschaft, die große Belehnungen in Aussicht stellte, den ewig Geldbedürftigen auf seine Seite zu ziehen und ihn wenigstens zu einer wohlwollenden Neutralität im ausbrechenden Bürgerkrieg zu bestimmen. Otto hatte erklären lassen, er werde dem Landgrafen alles, was Philipp versprochen hätte, doppelt auszahlen. Das wirkte und entschied. Aber die Freundschaft mit dem Welfen dauerte nur so lange, als der gezahlte Lohn reichte. Bald brauchte Hermann neue Mittel.

Es scheint auch, als habe Otto die Zuschußsumme nicht voll auszahlen können. Und nun, im August 1199, gelang es Philipp in der Tat, das Höchstgebot zu tun und den Landgrafen zu erkaufen: Otto hatte ihm Nordhausen verliehen; Philipp bestätigte ihm es jetzt und gab ihm noch obendrein die königlichen Städte Mühlhausen, Saalfeld, Orla und Schloß Ranis zu Lehen. Auf dieses Schachergeschäft spielt Walther an: allerdings die Geldnot des Landgrafen sehr verblümt andeutend als eine begreifliche Folge unendlicher Freigebigkeit.

Auch drei andere Sprüche desselben Tons haben offenbar die Thüringer Frage, die für Philipps im mitteldeutschen Osten begründetes Königtum eine brennende war, im Auge. Schon der Spruch auf die wohlpassende Krone dachte gewiß an den Landgrafen; ihm besonders galt jener Zuruf: „Wer nun in die Irre geht hinsichtlich des Königtums, der halte sich an den Polarstern über dem Nacken des legitimen Königs, den Waisen." Der Spruch auf das *Magdeburger Weihnachtsfest* des Jahres 1199 feiert dann den Übertritt des Thüringers. Dazwischen fällt das Gedicht, das über den Lärm der Wartburg scherzt, und ein anderes, mit diesem in Beziehung stehendes, das Philipp zu größerer und freudigerer Freigebigkeit anspornt. Dort spottet Walther, der Landgraf würde den Becher keines seiner Ritter jemals leer stehen lassen, auch wenn das Fuder Wein tausend Pfund kostete. Hier schärft er dem König ein, er solle lieber aus bereitem Herzen tausend Pfund verschenken, als widerwillig dreißigtausend.

Wir können nicht genau den Augenblick bestimmen, wann das gesagt ist. Vor der Gewinnung des Landgrafen oder als bereits seine Treue wieder wankte und sein Abfall von Philipp sich vorbereitete, da es galt, durch neue Opfer den Wankenden festzuhalten? Wir können leider auch nicht erraten, wann, in welchem Moment dieser wechselnden politischen Konstellation Walther seinen ersten Abstecher auf die Wartburg gemacht hat. Auch die eigentliche Tendenz des Scherzes entzieht sich unserer sicheren Erkenntnis. Sollte die Hyperbel von dem wilden Treiben am Thüringer Hof ausdrücken: dieser zügellose Verschwender ist nicht zu befriedigen; er ist nicht zu erkaufen mit erschwingbaren Beträgen? Oder vielmehr: um diesen Fürsten zu gewinnen, dessen Freigebigkeit alle

Grenzen überschreitet, sollte Philipp sein knauserndes Spenden, seine zögernde und halb widerwillige Art zu schenken vertauschen mit der großartigen Opferfähigkeit eines Saladin, eines Richard Löwenherz? Im ersten Fall spräche Walther vom Standpunkt Philipps mit einer Spitze gegen den Landgrafen, im zweiten Fall umgekehrt.

Wie dem auch sei: man empfindet in den neckenden Versen Walthers, daß das Leben an dem mitteldeutschen Hofe seinem Ideal höfischer Sitte oder genauer: dem seiner oberdeutschen Hörer nicht voll entsprach. Aber ich möchte es für möglich halten, noch genauer zu bestimmen, wogegen sich eigentlich diese Kritik richtete, warum Walther sich auf der Wartburg zunächst so unbehaglich fühlte und was es eigentlich ist, worüber er sich nachträglich — am Hofe Philipps — mokierte. Er scheint sich als Oberdeutscher, als Schüler des österreichischen Hofminnesängers Reinmar im Besitz einer überlegenen älteren Kultur gefühlt und deshalb auf den Thüringer Hof herabgesehen zu haben.

Das ist auffallend genug. Denn an diesem Thüringer Hof hatte doch zuerst, vor nicht langer Zeit, die neue höfische Romandichtung nach französischem Muster das entwickelte Ideal des modernsten und elegantesten Rittertums aufgestellt, von dort hatte die ›Eneide‹ des Maastrichters Heinrich von Veldeke als erstes Beispiel edler Erzähl- und Formkunst ihren Siegeszug durch Deutschland begonnen. Der Herr der Wartburg, den Walther als Becherfüller „stolzer Helden“ vorführt, hat dann selbst auch andere deutsche Dichter angeregt und in die Lage versetzt, der durch den Niederländer gebrochenen Bahn zu folgen: ihm verdankt Herborts von Fritzlar Nachdichtung des französischen Trojaromans von Benoit de S. More, ihm Albrechts von Halberstadt poetische Übertragung der ›Metamorphosen‹ des Ovid ihre Entstehung. Wir müssen also annehmen: in den zwei Jahrzehnten seit Heinrichs von Veldeke erster Wirkung hatte das literarische Leben des Südens und Südostens sich selbständig zu einer Höhe entwickelt, von der aus die epische Kunst des Niederländers und seiner Schule, zu der in gewissem Sinn auch sein Bewunderer Wolfram gerechnet werden muß, als eine überwundene Niederung erscheinen konnte. Der Elsässer *Reinmar* und der Schwabe *Hartmann von Aue* hatten dieses rasche

Aufsteigen herbeigeführt. Als ihr Schüler spricht Walther, wenn er sich im Jahre 1198 herausnimmt, über das Thüringer Hofpublikum die Nase zu rümpfen. Doch vergesse man nicht: bei den meisten literarischen Fehden, die sich auf dem Boden Deutschlands abgespielt haben, wirkte die instinktive blinde, grundlose landschaftliche Eifersüchtelei, spielten die alten Stammesgegensätze mit.

Indessen: hinter Walthers Spott steckt mehr als solch ein landschaftlicher Gegensatz. Die thüringische Hofgesellschaft charakterisiert er nicht bloß als laut und roh, als Raufbolde und Schlemmer. Nicht bloß Abweichungen der Lebensgewohnheiten und die fremde Landessitte bemäkelt er. Auch kann es nicht seine Meinung gewesen sein, die heimatliche Hofdichtung einfach als die kunstvollere und talentvollere deshalb über die thüringische erheben zu wollen, weil sie ihm eben die vertrautere war. Er charakterisiert diese thüringischen Ritter mit einem Beiwort, das ein bestimmtes *literarisches* Urteil ausspricht: er nennt sie *stolze helde.* Das war eine Lieblingsformel in der volkstümlichen Epik, im ›Nibelungenlied‹, aber auch in den Gedichten Wolframs. Hingegen die gewählte höfische Dichtung Oberdeutschlands vermied sie: für ihr Stilgefühl hatte der verbrauchte und darum sinkende Ausdruck schon einen etwas geringschätzigen Sinn bekommen.

Indem Walther diesen altfränkischen, nicht mehr eleganten Ausdruck so nachdrucksvoll, mit komischer Emphase, in seine Beschreibung der Thüringer Hofgesellschaft hineinwirft, stichelt er auf einen *literarischen* Gegensatz: einen Gegensatz des oberdeutschen und mitteldeutschen Kunststiles, der ober- und mitteldeutschen Dichtersprache.

Aber er geht noch weiter. Er stellt diese „stolzen Helden“ aus Thüringerland gar mit den gewerbsmäßigen Haudegen, den *„Kämpen“* oder *„Fechtern“*, auf eine Stufe, die für Geld, *bald hier, bald dort,* anderer Leute Ehrenhändel im Zweikampf ausfochten und mit fahrenden Sängern, Künstlern und Gauklern sich vielfach berührten und mischten[9]. Offenbar will er damit die alten Standes-

[9] Wir übersetzen vielleicht das mittelhochdeutsche Wort *kempfe* und seinen Begriff am treffendsten durch unser ‘Söldner’, dem gegenwärtig, seit dem weit verbreiteten Bestehen der allgemeinen Dienstpflicht des

gewohnheiten verspotten, an denen diese thüringischen Hofritter festhielten: die kriegerische Ausbildung und fortwährende Übung des Körpers.

Daneben muß man nun, gleichsam als selbstbewußtes Parteiprogramm der Gegenseite, Wolframs stolzes Bekenntnis halten. In einer hinter dem zweiten Buch seines Parzivalgedichts nachträglich eingeschobenen Selbstverteidigung gegen allerlei Angriffe — wir würden es heute bei einem modernen Autor eine Erwiderung auf die journalistische Kritik nennen und in dem Vorwort zu einer neuen Auflage finden — proklamiert er: *schildes ambet ist mîn art,* d. h. ritterlicher Kampf mit dem Speer und dem Schild ist mein Beruf. Nur durch männliche Kraft und ritterliche Tüchtigkeit im Turnier — erklärt er weiter — will er Ehre und Anerkennung erringen; vor allem auch die Frauenminne will er nur durch *Waffenleistungen* verdienen. Töricht nennt er die Dame, die ihm bloß um Sanges willen ihre Liebe schenkt. Sein literarischer Ehrgeiz steht für ihn erst in zweiter Linie. Diese Konfession würzt er aber mit einem verblümten, seinen Hörern indessen ganz gewiß sehr verständlichen und ungeheures Gelächter weckenden Ausfall gegen ein überschwengliches Minnelied Reinmars von Hagenau, des Lehrers Walthers.

Reinmar hatte alles Lob, das andere Minnesänger ihren Damen spendeten, mit dem Lob seiner Geliebten übertrumpfen, es, wie er in einem damals noch voll als Bild empfundenen, aus dem Schachspiel stammenden Ausdruck sagt, mattsetzen wollen. Walther selbst hatte dieses Lied seines Lehrers parodistisch zurückgewiesen: der liebende Gruß seiner Geliebten, d. h. freundliche Gewährung, sei mehr wert als die feierliche Osterschönheit der spröden Dame Reinmars, des Sängers der ewig unglücklichen Liebe. Reinmar hatte dann, seinerseits darauf wieder anspielend, erwidert. Es war eine Disputation der Minnescholastik, wie sie in verwandten, raffinierteren Erscheinungen der provenzalischen Troubadour-Streitgedichte

Volkes, ein etwas verächtlicher Sinn gewerbsmäßiger Käuflichkeit und Roheit anhaftet, während es im Mittelhochdeutschen davon noch völlig frei ist und auch auf hochstehende Ritter von vorbildlicher, vornehmer Männlichkeit, wie etwa den Königssohn Gahmuret, angewendet wird.

ihr Vorbild hatte. Wolfram wirft die Huldigung des einen wie des anderen als lahm beiseite: das echte Würfelspiel der Minne biete doch nur die *Ritterschaft*, die mit Speer und Schild den süßesten Sold erwerben will.

Und als Einleitung zu dieser geringschätzigen Ablehnung des theoretischen Frauendienstes der Minnesänger schickt er die Worte voraus: „Mit Unrecht hat man mich getadelt, daß ich nicht vor allen Frauen der ritterlichen Gesellschaft auf den Knien liege, wie die Minnesänger in ihren Liedern, daß ich die Frauen vielmehr nach ihrem Werte scheide; jede Frau von innerer Reinheit soll mich zum *Kämpen (kempfe)* ihres Lobes haben."

Zwischen diesem emphatischen Gebrauch des Worts 'Kämpe' und der spottenden Verwendung desselben in Walthers Scherzspruch über die Thüringer Haudegen muß ein Zusammenhang bestehen. Wer aber von den beiden hat hier die Häkelei angefangen: Walther oder Wolfram?

Jedesfalls hat das Geplänkel schon früher seinen Ursprung genommen. Bereits das 6. Buch des ›Parzival‹, das älter sein wird als jene eingeschobene Vorrede zwischen dem zweiten und dritten Buch, enthält einen Reflex davon.

Man kennt die berühmte Szene, wo Parzival vor drei Blutstropfen im Schnee in sehnsüchtige Liebesgedanken an seine verlassene Gemahlin versinkt und selbst durch die Schläge des vorwitzigen Keie nicht aus seiner Verzauberung geweckt wird. Da unterbricht Wolfram seine Erzählung durch einen neckischen Seitensprung gegen die Frau Minne. „Frau Minne! seht Euch nur vor: man wird *Euch* daraus einen Vorwurf machen: ein *Bauer* wenigstens — d. h. einer, der nicht gewohnt und nicht berechtigt ist, erlittenen Schimpf sofort mit den Waffen zu vergelten, ein Nicht-Ritter — spräche hier gewiß gleich: 'Meinem Herrn sei das getan'", d. h. als unfreier und unritterlicher Mann schlägt er nicht gleich zu, sondern fordert rechtliche Vertretung und Verfolgung der Beleidigung von seinem Herrn. Seltsam gesucht und frostig mutet uns diese Wendung an. Wir verstehen eben nicht die Anspielung, auf welcher der Witz beruht. Das thüringische Hofpublikum verstand sie aber sehr wohl. Denn sie kannte das *Lied Walthers*, welcher hier von Wolfram parodiert wird.

„Ich habe der Geliebten" — so hatte Walther gesungen — „durch mein Lob in meinen Liedern es bereitet, daß sie in aller Welt gerühmt wird, überall da nämlich, wo man meine Lieder, die ihr Lob enthalten, nachsingt. Trotzdem höhnt sie mich. Frau Minne! das sei *Euch getan.*" Statt also selbst Manns und Ritter genug zu sein — interpretiert Wolfram — sich gegen erlittene Unbill zu wehren, ruft der Minnesänger wie ein *Bauer* seinen Herrn, die Frau Minne, zur Hilfe und zur Sühne der empfangenen Beleidigung herbei. Wolfram nimmt das *poetische* Bild — das ist der Witz — ganz eigentlich, ernsthaft und zieht daraus die juristisch-sozialen Konsequenzen, die Walthers Äußerung als unschicklich und lächerlich erscheinen lassen.

Wolfram, der Ritter des Thüringer Hofes, nennt den süddeutschen Hofminnesänger Walther einen unwehrhaften *Bauer,* Walther umgekehrt charakterisiert die Ritter dieser Thüringer Hofgesellschaft: jeder von ihnen könnte recht gut ein 'Kämpe', ein Haudegen, ein Raufbold, ein Söldner sein. Und wiederum Wolfram rühmt sich unter allerlei Polemik gegen die Wortkünste der Minnesänger, mit Schild und Speer als 'ein *Kämpe*' des Lobes edler Frauen auftreten zu wollen. Niemand wird leugnen, daß zwischen all dem kontinuierliche Beziehungen walten. Zuerst hat sich wohl Wolfram an Walthers Lied, das die Minne zu Hilfe rief, gerieben. Dann diente ihm Walther in seinem Spruch über die wilde Ritterschaft auf der Wartburg, und Wolfram zahlt das unter weitergehenden Angriffen gegen den Minnesang in der eingeschobenen Selbstverteidigung heim.

Diese Spöttereien waren natürlich nicht schlimm gemeint. Aber eine kleine Dosis Bosheit und Geringschätzung steckte namentlich auf seiten Wolframs doch darin. Wolfram ironisierte die Auffassung, die im Minnesang herrschte, wonach der Liebende als Sklave der Minne und als blinder Verehrer aller Damen erscheint: die Überschwenglichkeit der minniglichen Galanterie, des lyrischen Frauenkultes will er treffen. Und es liegt noch mehr darin: der Minnesänger, der sich mit Versen wehrt und nährt, nicht gleich Wolfram Schildesamt übt, wird als nicht voll waffentüchtig, als nicht voll ritterlich mit parodistischer Übertreibung den Bauern gleich gestellt, während Walther diese Anschauungsweise als die eines junkerhaften Draufgängers und Säbelraßlers zurückwies. Wahrscheinlich berühren wir hier einen tatsächlichen gesellschaftlichen Unterschied der beiden Dichter: Walther, die größte Zeit seines Lebens ein fahrender Sänger gleich den Spielleuten, war schwerlich jemals in aller Form zum Ritter geweiht worden, er blieb wohl, wie so viele damals, immer nur im Stande der ritterlich lebenden Knappen.

Die Scharmützel zwischen den beiden Großen dauerten auch später fort. Wolframs Mütchen war noch nicht gekühlt.

Im Jahre 1204 oder 1205, als sein Verhältnis zum König Philipp und namentlich zu den Reichsministerialen, denen einst seine ersten großen politischen Sprüche gedient hatten, völlig erkaltet war, hatte Walther einen bitteren Spruch vom *griechischen Spießbraten* gedichtet. Darin motivierte er die blutigen byzantinischen Thronwirren der Jahre 1203 und 1204, in denen Philipps Schwiegervater Isaak Angelos und Schwager Alexios ihre eben wieder gewonnene Krone und ihr Leben einbüßten, mit ihrem Geiz und ihrem Wortbruch: sie hatten die ihren Beschützern, den lateinischen Kreuzfahrern, zugesagten Geldsummen, für die sich auch König Philipp mit verbürgt hatte, nicht voll ausgezahlt. Dafür braucht Walther das Bild eines Spießbratens, den man in zu dünnen Stücken zerschnitten und ausgeteilt habe. Er knüpft hieran die deutliche Anwendung auf die *deutschen* Verhältnisse: man solle den Köchen raten, die Stücke um Daumenbreite dicker zu machen; sonst werde ihr Herr, König Philipp, vielleicht ebenso vor die Tür müssen wie sein Schwiegervater in Griechenland.

Die *Köche*, die Walther hier so scharf zaust, das sind die Reichshofbeamten, die Reichsministerialen, die am staufischen Hof das Heft der Politik in Händen hatten; und als *Köche* werden sie bezeichnet, weil soeben — im Jahre 1202 — Philipp nach dem Beispiel französischer und niederländischer Fürstenhöfe ein neues Reichshofamt, das eines Hofküchenmeisters, eingeführt hatte. Den Anlaß dazu bot ein Prozeß, den die Familie der Reichsministerialen von Rothenburg mit dem Reichsministerialen Heinrich von Waldburg geführt hatte um das Anrecht auf das einträgliche und ehrenvolle oberste Hofamt des Truchsessen. Von diesem Truchsessenamt zweigte Philipp, um den Streit zu schlichten, damals das Amt eines

Küchenmeisters ab und verlieh dieses den Rothenburgern. Diese Rivalitäten und ihr Ausgleich hatten offenbar weithin Aufsehen erregt. Walther stand damals längst seinen einstigen Gönnern, den Reichsministerialen, die ihre Macht eigennützig und gewalttätig auf das Verwerflichste ausgebeutet hatten, feindlich gegenüber, und im Lager des Landgrafen Hermann von Thüringen, der gleich den übrigen Fürsten eifersüchtig auf jene höchste Klasse des Hofadels herabschaute.

Auch in unserem ›*Nibelungenlied*‹ hat der Vorgang einen Reflex gefunden. Es kennt am Hofe der burgundischen Könige in Worms auch einen Küchenmeister Rumolt im Range eines der obersten Hofbeamten. Offenbar kann dieser Rumolt erst, nachdem dies Amt am deutschen Königshof offiziell bestand, in das epische Personal eingefügt worden sein. Mit anderen Worten: was sich auch aus vielen anderen Gründen ergibt, erst bald nach 1202 ist die uns vorliegende Gestalt des ›Nibelungenliedes‹ entstanden. Über die Rolle, die Küchenmeister Rumolt im ›Nibelungenlied‹ spielt, über die Warnung, die er vor der Abreise des burgundischen Königs an den Hof Etzels ausspricht, hat sich Wolfram in seinem ›Parzival‹ mit Worten lustig gemacht, die eine viel umstrittene Handhabe geboten haben für die Chronologie der drei Redaktionen unseres ›Nibelungenliedes‹. Und auf Walthers Spruch von den knickrigen Reichsköchen, der in Thüringen, wo man gegen Philipp animos genug gestimmt war, zündend eingeschlagen haben muß, antwortete er mit köstlichem Humor in seinem ›Willehalm‹!

Den jungen Rennewart, der als Küchenjunge seiner unwürdige Dienste tun muß, weckt der *Küchenmeister* des Morgens dadurch aus dem Schlafe, daß er ihm mit einem glühenden Holzscheit seinen Bartflaum absengt. Der so beschimpfte Held springt auf, bindet mit Riesenkraft den Frevler an Händen und Füßen zusammen wie ein Schaf, wirft ihn so unter einen Kessel auf den umloderten Rost und streut über ihn statt Salzes Brände und Kohlen. Daran knüpft Wolfram nun, höchst abrupt und gewaltsam herbeigezogen, den Spaß: „Herr Vogelweide sang von einem Braten. *Dieser* Braten hier (der dicke Küchenmeister) war dick und lang. Davon wäre auch seine Dame satt geworden, der er beständig in seinen Liedern mit so treuer Verehrung huldigte.“

Unverkennbar ist dies alles eine *Parodie.* Sichtlich auch das komische Wortspiel mit dem Namen des Dichters: er nennt ihn nicht 'Herr Walther', wie ein andermal, wo er, scherzhaft in seinen Tadel über die zweifelhaften Elemente am Thüringer Hof einstimmend den Anfang eines uns verlorenen Waltherschen Liedes zitiert: „Guten Tag, gemischte Gesellschaft." Er nennt ihn hier mit seinem Zunamen, den ja auch Gottfried von Straßburg mit ausdeutendem Wortspiel verwendet hatte, und will dadurch allerlei komische Nebengedanken auslösen, wie etwa: „der sich nur von armseligen Vögeln nährt, der Besitzer eines Hofes, wo die Vögel satt werden, der einsam im Wald zusammen haust mit den Vögeln, *der* weiß freilich einen guten Fleischbraten und dicke Bratenstücke zu schätzen; denn er hat sie nötig." Walthers parabolischer Wunsch nach größeren Bratenportionen, vorgetragen in einem *politischen* Spruch, wird wieder im eigentlichen Wortsinn ausgelegt und mit dem ganz heterogenen Minnesang Walthers verknüpft, als wolle der getreue Minnesänger seine Angebetete damit versorgen, und dann der ausgehungerten Dame der geröstete fürchterliche Küchenmeister zur Stillung ihres ungeheuren Appetits empfohlen. Walther hatte einst nach seinem ersten Besuch der Wartburg sich belustigt über den Saus und Braus, den er da vorfand, über die ewig vollen Becher. Jetzt macht ihm von dorther Wolfram bemerkbar, wie er selbst nur als wehleidiger ausgehungerter Minnesänger, als Bewohner der Vogelweide und Genosse der gefiederten Brüder, die er so oft erwähnt, sich mehr als gebührlich aufrege über große Braten und sparsame Portionen.

Selbst hiermit war es dem Schalk, der Wolfram im Nacken saß, noch nicht genug.

Wir besitzen von Walther einen bisher völlig rätselhaften und daher ganz blaß wirkenden Spruch über einen tragikomischen Abstecher nach dem Kloster *Tegernsee.* Er hat, um dies Asyl müder und bedürftiger Wanderer kennen zu lernen, einen Umweg von mehr als einer Meile gemacht. Aber er ward bitter enttäuscht: er bekam dort bei Tisch nur Wasser, das heißt: Wasser zum Händewaschen vor der Mahlzeit und nachher beim Abschied, wohl auch Wasser zum Trinken. Die Hauptsache, der erwartete Wein, blieb aus: als „ein also Nasser", d. h. nur mit Wasser innerlich und äußerlich Begossener, mußte er von dannen ziehen. Das Ganze blieb für moderne Leser ohne Wirkung, weil ohne rechten Sinn. Niemand konnte ja den Klosterleuten von Tegernsee im Ernst zutrauen, daß sie selbst einen politischen Gegner — der Walther nicht einmal war — je hätten dursten lassen, wenn er als Gast zu ihnen kam.

Die Aufklärung des Witzes konnte ich durch den Nachweis eines bisher nicht beachteten Schriftstückes in einem Sammelkodex aus Tegernsee bringen. Darin befiehlt Kaiser Otto einem Grafen Otto, das Kloster Tegernsee wieder in den Besitz der ihm gewaltsam entzogenen Weinberge bei Bozen zu setzen, während später definitiv die Sache entschieden werden solle. Nach dem sonstigen Bestand des hier zusammengetragenen Kopialbuchs wie nach dem Inhalt und der Stilisierung dieses Erlasses kann der Kaiser Otto keiner der Ottonen sein. Gemeint ist vielmehr Otto von Poitou, der 1209 Kaiser wurde[10]. Der Graf Otto muß der oberbayrische Graf Otto von

[10] Die Beziehung des fraglichen Mandats auf Otto IV. war nicht *mein* Einfall, nicht die übereilte Vermutung eines an seinen Leisten zu verweisenden Germanisten. Vielmehr geht sie zurück auf die von Leibniz begründeten ›Origines Guelficae‹ und ist dann von einem zünftigen Grundwerk moderner geschichtlicher Quellenforschung, Böhmers ›Regesta imperii‹ Bd. V in der Neubearbeitung Julius Fickers (Innsbruck 1881 bis 1882, S. 138 Nr. 481) wiederholt, auch in das 1901 von dem Fachhistoriker Franz Wilhelm herrührende Register S. 2302 a und 2340 c ohne Widerspruch übernommen worden. Meine obige Ausführung ergänzte und rechtfertigte meine frühere Darstellung in meinem Buch über Walther von der Vogelweide (1, S. 76) und berücksichtigte bereits die aus Gründen der Diplomatik (Altertümlichkeit der Grußformel und des Grafentitels) erhobenen Einwände Wilhelm Erbens (Neues Archiv 1895 Bd. 20, S. 359—365, besonders S. 364 Anm.; dazu H. Breßlau, Jahresberichte der Geschichtswissenschaft, 19. Jahrg. 1896, IV, 146, 176). Der Bearbeiter des Registers und der Nachträge der Regesta imperii V hat sich durch diese Einwände nicht beeinflussen lassen. Ich habe sie erwogen. Aber sie erschienen mir nicht durchschlagend angesichts der Überlieferung und des Charakters und Stils jenes Briefs sowie der notorischen Unordnung in der Kanzlei Ottos IV. Möglicherweise ist dieser Brief überhaupt nur eine Stilübung, ein Musterbeispiel für den schulmäßigen Unterricht in der Poetik und Ars dictandi, dann wäre er allerdings nicht unmittelbar als

Vallei (am Mangfall) sein, der seit dem Jahre 1208, zusammen mit Herzog Ludwig von Bayern, blutige Fehde führte wider den Schirmvogt des Klosters Tegernsee, den Markgrafen Heinrich von Istrien, in Exekution der Reichsacht, die gegen diesen als vermeintlichen Mitschuldigen an der Ermordung Philipps von Schwaben verhängt war. Damals war das Kloster zehn Wochen lang belagert gewesen und furchtbar verwüstet worden. Im Jahre 1211 hatte eine neue Fehde zwischen dem Bischof Mangold von Passau, dem früheren Abt von Tegernsee, und dem bayrischen Pfalzgrafen Rapot von Ortenburg das Kloster in schwere Mitleidenschaft gezogen. Der alte, ängstlich gehütete und sorgfältig verwaltete Bozener Weingutsbesitz, den die Habsucht der benachbarten Großen so oft angetastet hatte, wurde in diesen Wirren dem Kloster entfremdet. Die Mönche wendeten sich, wie einst in gleicher Bedrängnis ihre Vorgänger an Barbarossa, an den welfischen Kaiser. Und dieser griff, wie jenes Tegernseer Diktamen lehrt, helfend ein, vielleicht im Mai des Jahres 1212 auf dem Nürnberger Hoftag, und milderte die Lage des Klosters, die durch den Schuldverdacht gegen seinen Vogt herbeigeführt worden war. Das hing wohl auch damit zusammen, daß mittlerweile der Vogt des Klosters, Heinrich von Istrien, seiner persönlichen Rehabilitation entgegenging. Wenn nun Kaiser Otto gerade der Weinnot der guten Mönche durch einen feierlichen Erlaß steuerte, so mag darüber bei Hofe wohl gescherzt worden

Zeugnis für die Datierung zu benutzen. — Meine *sachliche* Deutung des Scheltspruchs Walthers bleibt übrigens von diesem ganzen Problem unberührt. Sie findet ihre Bekräftigung in dem lateinischen Vagantengedicht ›De Goliardo et Episcopo‹ durch den Vers: *ablue, terge, sede, prande, bibe, terge, recede* (J. Grimms Kleinere Schriften Bd. 3, S. 83). Auf die Situation und die satirische Tendenz wirft Licht die verwandte Geschichte Boccaccios vom sogenannten 'Primas' der Vaganten und dem Abt von Clugny (Decamerone 1, 7) sowie die lebensvolle Schilderung mittelalterlicher vornehmer Bewirtungssitten im ›Piers plowman‹ des William Langland (ed. Skeat Oxford 1886, Vol. 1 S. 240—254, besonders S. 249 ff.), wonach nur dem an die *Herren-Tafel* aufgenommenen Gaste Handwasser vor und nach der Mahlzeit gereicht wird, während die gering geachteten Gäste, die niedrigen Spielleute, Lustigmacher und Bettler ohne diese Auszeichnung am tiefer stehenden Nebentisch oder draußen bleiben müssen.

sein. Walther jedesfalls wirft sich in dem fraglichen Spruch zum Anwalt des devastierten Klosters auf und mittelbar — was man wohl beachte — zum Ankläger der blindwütenden Rächer des Königsmordes, deren wildester der Reichsministerial Heinrich von Kalden gewesen war. Aber er verbirgt seine Verteidigung wie seinen Angriff in der scheinbar rein persönlichen lakonischen Beschwerde, daß er in dem ob seiner Gastfreiheit berühmten Hause des heiligen Quirin seinen Durst mit Wasser habe stillen müssen.

Dieser Gänsewein von Tegernsee und der vermißte Bozener Tropfen — das war nun Wasser auf des Witzbolds Wolfram Mühle. Sein literarischer Hauptwidersacher, *Gottfried von Straßburg,* hatte ihn in seinem Gedicht von ›Tristan und Isolde‹ grob wegen seiner Dunkelheit und barocken Einfälle als „hochsprüngigen Hasen" angefahren, er hatte dabei gleichzeitig die Schar der Minnesänger als *Nachtigallen* gemustert und, während er eben den Preis unter den Epikern dem ungenannten, aber deutlich charakterisierten Wolfram ausdrücklich versagt und Hartmann von Aue zuerkannt hatte, als Bannerträgerin und Leitefrau dieser Nachtigallen nach dem Tode Reinmars, der Nachtigall von Hagenau, die Nachtigall von der Vogelweide, Walther, proklamiert. Hier hakt nun Wolfram ein. In seinem ›Willehalm‹ wird dem fastenden Markgrafen von der Provence auf sein Begehren von seinem Gastgeber, einem Kaufmann, statt der zuerst aufgetischten Delikatessen und kostbaren Weine nur trockenes Brot und Wasser vorgesetzt. Von diesem Wasser sagt nun Wolfram schmunzelnd: „Ein Trinken, wovon die *Nachtigall* sich nährt, durch das ihr süßer Gesang edler ist, als ob sie all den Wein von Bozen tränke." Der Hieb saß: du Nachtigall von der Vogelweide, die du einst dich darüber aufgehalten hast, daß am Hof zu Thüringen keines Ritters Becher jemals leer stehe, die du dann gar in Tegernsee nicht mit Wasser zufrieden gewesen bist, sondern nach Bozener Wein verlangtest, scheinst ganz vergessen zu haben, daß der Stimme der Nachtigall reines Quellwasser allein zuträglich ist, daß der schmachtende Minnesänger sein inneres Feuer nur durch Wasser löschen darf[11].

[11] Man hat geleugnet, daß hier eine Anspielung auf Walther vorliege. Aber wie will man anders den tollen Gedankensprung von der

Wer je bei einem guten Tropfen Magdalener das Bozener Marmorbild Herrn Walthers angeschaut und ihm im Geiste zugetrunken hat, der wird sich freuen, nun doch eine Verbindung zwischen dem Sänger und der lieben südtirolischen Stadt hergestellt zu sehen. Mag Walther auch nicht in Tirol geboren sein, mag er Bozen selbst niemals betreten haben: den Bozener Wein, den wir heute so gern schlürfen, hat auch er gekannt und gewürdigt. Und mancher wackere Tourist, der heute, wenn er in Bozen rastet, vom Glase Roten ziemlich teilnahmslos aufblickt zu dem stillen, weißen Ritter und Sänger, der aus dem Dunkel der Nacht ihm entgegenleuchtet, würde sich angenehm gerührt fühlen, hörte er, daß der wirkliche Walther gleich ihm es für ein unerträgliches Übel erachtet hat, den Durst einer vom Wandern verstaubten Kehle, statt mit Bozener Wein, mit Wasser bekämpfen zu müssen.

In Wolframs unermüdliches Plänkeln mit Walther verflocht sich, wie bereits hervortrat, auch die Polemik wider seinen großen epischen Rivalen Gottfried von Straßburg. Und in der Tat, Walther und Gottfried ihrerseits trafen zusammen in einem verwandten Gefühl des Widerspruches der Art Wolframs gegenüber.

Die berühmte Karikatur des Wolframschen Stils in dem literarhistorischen Exkurs des ›Tristan‹ scheint mir noch niemals richtig gedeutet worden zu sein. Gottfried geißelt die bizarre Manier des Parzivaldichters, das liegt ja freilich auf der Hand. Aber auf welchen Vorwurf zielen die einzelnen Bilder, in die sich diese Kritik kleidet? Zunächst hätten die Ausleger niemals vergessen sollen: der unvergleichliche Wortkolorist, wenn er dem stürmischen Genie Wolframs dort das Lorbeerreis abspricht, kann die sein Urteil begründenden Vergleiche unmöglich erst durch eine Anleihe aus dem Prolog des ›Parzival‹ gewonnen haben. Gottfried schöpfte vielmehr aus zusammenhängender Lektüre und Kenntnis des Werkes, aus dem Totaleindruck größerer Abschnitte des Epos selbst, und jener Prolog des ›Parzival‹ ist, ganz oder doch sicher zu einem beträcht-

erzählten weinlosen Mahlzeit zur Nachtigall und zum Bozener erklären? Er wäre ohne Sinn und Witz, wenn er nicht eine den Hörern leicht erkenntliche persönliche Spritze enthielt.

lichen Teil, der vorher schon in einzelnen Büchern oder Gruppen von Büchern veröffentlichten Dichtung erst bei der späteren Gesamtausgabe, nach unseren Begriffen als eine polemisch-apologetische Vorrede des Autors, als *oratio pro domo*, vorgesetzt worden. Der „hochsprüngige Hase", dies Bild für Wolframs epischen Stil, rührt also aus Gottfrieds eigener Erfindung her. Wenn der Eingang des ›Parzival‹ ironisch erklärt, das die Idee der ganzen Dichtung aussprechende Anfangsgleichnis vom Weißen, Schwarzen und Elsterfarbenen werde vor dem Sinn der törichten Leser „herumtaumeln wie ein aufgescheuchter Hase", so ist das die *Antwort* auf das boshafte Hasenbild des Straßburger Kollegen. Aber was bedeuten die weiteren Bilder Gottfrieds?

Wolfram soll Leuten gleichstehen, „die mit den Ketten lügen und stumpfe Seelen betrügen, die wertlose Sachen den Kindern für Gold abgeben und aus ihrer scheinbaren Kleinodienbüchse falsche Perlen, die aus Staub hergestellt sind, ausschütten. Man hat geraten, Taschenspieler und ihre Kunststücke seien hier genannt. Gewiß nicht. Gottfried sucht, um die unsympathische Manier Wolframs zu bezeichnen, Analogien für das Abenteuerliche, Gesetzlose, Betrügerische, das er darin findet. Einen „Wilddieb der Märe" nennt er ihn sonst noch zweimal. Und hier vergleicht er ihn — man hat das bisher immer verkannt — mit Gaunern und lügenden, vorspiegelnden Bettlern.

Rotwelsche Quellen des 14. und 15. Jahrhunderts vermerken unter den verschiedenen Gaunerklassen eine, die ihr Gewerbe auf ganz seltsame Art betreibt: die Vertreter dieser Spezialität behaupten, in der Notwehr jemanden erstochen zu haben und zeigen die *Ketten*, mit denen sie infolgedessen — nach mittelalterlicher *Kirchenbuße* — geschlossen blieben, bis sie eine bestimmte, ihnen zum Loskauf auferlegte Strafsumme zusammengebracht hätten, die sie dann vor den Leichtgläubigen erbettelten; andere — sie hießen im Rotwelsch *Fopper* — lassen sich — wie *Büßende* — an eisernen *Ketten* führen, gebärden sich, als ob sie rasend seien und reißen sich die Kleider und Schleier vom Leibe, um die Leute zu rühren und ihnen Geld abzunehmen, indem sie etwa in der Ekstase wahrsagen; zu ihnen gesellen sich die *Blinden*, die gemalte Tafeln vor den Kirchen herumtragen und greuliche Lügen auftischen von angeblichen Pilgerfahrten nach Rom oder St. Jago di Compostella[12].

In diese Sphäre schwindelnder Landstreicher, abenteuernder Spitzbuben, geschmackloser Jahrmarktssänger, die durch plumpe Täuschungen und Lügen das Publikum an sich locken, aufs verwerflichste sein Gefühl irreführen und mißbrauchen, um ihm sein Geld abzujagen, die dabei selbst vor gauklerischer Verwendung des *kirchlichen* Bußapparats sich nicht scheuen, verweist Gottfried den genialischen Künder der Gralswunder. Er schätzt ihn damit viel feindseliger, viel niedriger ein, als wenn er ihn bloß mit Taschenspielern verglichen hätte, deren Kunststücke ja auf ehrliche Art täuschen, die weder Betrüger noch Diebe zu sein brauchen und die vor allem nur auf die äußeren Sinne, nicht auch auf die Seelen einwirken. Er stößt seinen großen Antipoden hinab in eine Kaste, die gewissermaßen noch zu den Dichtern gehört, aber zugleich ihren Abschaum bildet, da sie die phantasievolle Erfindung, das Haupt- und Grundwerkzeug aller Poesie, im Dienste des schmutzigen, betrügerischen Gelderwerbes schändet. Man beachte wohl: es handelt sich hier nicht um ein blödes Beschimpfen. Die wirklichen Eigenheiten der Kunst Wolframs sind scharf erfaßt und mit böswilliger, grenzenloser Übertreibung entstellend beleuchtet. Gottfrieds Zerrspiegel gibt die Seitensprünge und Abwege in Wolframs epischer Darstellungsart wieder als die ungesetzlichen Schliche und krummen Wege vagabundierender Beutelschneider; seinen Trieb zum Dunkeln, Rätselhaften, Fremdartigen, Überraschenden als obskurantischen Betrug, als Kniffe eines abgefeimten Hochstaplers; seinen Adlersflug zu den Höhen der Menschheit, zu den Mysterien der Religion und der Sittlichkeit, seine Verherrlichung des Heroismus der inneren Beständigkeit und des Heroismus der Entsagung als schlaue Spekulation auf die Wundersucht der Menge, auf ihre ge-

[12] Diese *Kettenträger* erscheinen, wie ich wohl zuerst gesehen habe, neben den *falschen Blinden* und allen andern Beutelschneidern auch in dem farbig bewegten Bilde, das Langlands ›Piers plowman‹ von den schwindelnden Landstreichern in England entwirft: s. darüber mein Buch ›Der Dichter des Ackermann aus Böhmen und seine Zeit‹ (Vom Mittelalter zur Reformation III, 2), S. 178 f. Anm. 3 (wo auch weitere Nachweise der rotwelschen Texte).

meinen Instinkte, auf ihren Geschmack am Krassen, Ungeheuerlichen, Grellfarbigen, als berechnende Fälschung und Aufschneiderei; seine drastische Ausdrucksweise, seine dem Volksepos und der Spielmannstechnik nahe bleibende lebendige Natürlichkeit des Stils und des Wortschatzes als plebejische Manier, als die pöbelhafte Vortragskunst jener armseligen Bänkelsänger, die zu rohen Jahrmarktsbildern, mit Stäben deutend, ihre Verslein grölen. Der Straßburger Dichter hat in den Wünschen und Leiden verlangender Herzen die Dämonen des menschlichen Schicksals erkannt: er ist bekanntlich ein *Mirakelspötter.* Was konnte ihm jene großartige Weltdichtung gelten, die in einen sonnigen, vielgestaltigen, buntschillernden Mikrokosmos voller und starker Menschheitsexistenz durch allen Kampf und alle Lebens- und Liebes- und Lachlust fortwährend hineintönen läßt den tiefen Urlaut der *Sehnsucht nach dem Wunder*?

Ich muß es mir hier versagen, die vollen Konsequenzen aus dieser neuen Erklärung der berühmten Tristanstelle zu ziehen. Nur eines möchte ich bemerken: jetzt erst rückt das zweimal gebrauchte Scheltwort „Wilddieb der Märe" *(der maere wilderaere)* in einen geschlossenen Zusammenhang, in eine einheitliche Vorstellungsreihe.

Gottfried stellt den Dichter des ›Parzival‹ zu den Wilderern, den gaunerischen Bettlern, den Jahrmarktssängern, den Landstreichern. Walther zählt ihn, verblümt zwar, zu den *Kämpen,* d. h. den gewerbsmäßigen Fechtern und Haudegen, die gleichfalls ohne festen Wohnsitz waren und von Landstreichern sich nicht immer unterschieden. Beide, der Straßburger wie der Österreicher, haben also, wenn auch nicht mit gleicher Entschiedenheit, die künstlerischen Mängel Wolframs in derselben Richtung gesucht: das Gewalttätige, Ungeregelte, Unhöfische, Hyperbolische, das Schwertklirrende, Überstürzte seiner Manier weckte ihren Widerspruch. Und sie haben beide diesen literarisch stilistischen Gegensatz ausgedrückt durch einen *sozialen*: sie verwiesen den Thüringer Hofepiker in jene Schicht, die außerhalb und unterhalb der guten, legitimen Gesellschaft der oberdeutschen Höfe stand.

Gottfrieds und Wolframs, der beiden großen Nebenbuhler, literarischer Konflikt war nicht frei von persönlicher Schärfe, Bitterkeit und Ungerechtigkeit, von gekränktem Ehrgeiz, und wohl auch nicht ganz frei von einer Regung des Neides. Den sachlichen, den künstlerischen Gegensatz verdunkeln hier die Übertreibungen menschlicher Schwäche und Leidenschaft. In dem Wettstreit zwischen dem Witze des Epikers Wolfram und des Lyrikers Walther, die ja im Ernst sich nicht als Rivalen fühlen konnten, treffen uns keine solchen Mißtöne: er bleibt in der Sphäre des lächelnden Spiels. Und doch und gerade darum und auch weil anderseits zwischen Walthers und Wolframs künstlerischer Entwicklung eine Verwandtschaft besteht, eröffnet ihr Scherzkrieg einen Einblick in den tiefen Hintergrund dieses Gegensatzes, der verwachsen ist mit dem Verlauf der mittelalterlichen Bildung, mit ewigen Fragen aller Bildung.

Wolfram, das ist der ritterliche Ministerial, der im vollen, formellen Besitz der Ritterwürde und aller ihrer gesellschaftlichen Privilegien, an die Scholle gebunden, aber Herr über ein wenn auch bescheidenes Dienstlehen, sich im Sinne der alten germanischen Standesbegriffe als ein Adliger fühlt, weil er mit seinem Arm, weil er mit *Schild und Speer* seinem Herrn und seiner Dame diente. In ihm lebt die altererbte Abneigung des deutschen Junkers gegen Pergament und Schriftstellerei, insbesondere gegen das minnigliche Tändeln mit weichen Gefühlen. Sein Epos soll ihm nur ja keiner für ein Buch halten. Seinen Ritterberuf schätzt er höher als die wenigen Minnelieder, die er selbst verfaßt hat. Er ist ein seßhafter Mensch. Er schlägt in Thüringen, nachdem er sich in der Welt umgesehen, für Lebenszeit Wurzel. Er ist in seiner gesellschaftlichen Stellung vollkommen fest, ein *beatus possidens.*

Walther, nachdem er vom Wiener Hof sich hatte lösen müssen, war und blieb ein gesellschaftlich Fordernder. Immer betrachtet er sich von Anfang an bis zuletzt als Lehrer wahren höfischen Wesens, echter Adelssitte. Er rechnet sich immer zu den Hoffähigen. Immer will seine Kunst adlig sein, immer den höheren und höchsten Gesellschaftskreisen dienen. Er ist gleich Wolfram ein Aristokrat.

Aber er ist es auf eine ganz andere Weise.

Wolfram entwirft ein Ideal der ritterlichen Tüchtigkeit, der Treue, der Beherztheit, der unzerstückelten Einheit der tapferen Persönlichkeit. Auch die weiblichen Gestalten, die er in bunter, echter Lebensfülle und Lebenswahrheit vor Augen stellt, sind ganze Wesen, aus *einem* Guß, ohne Bruch und ohne Falte, im Kern stark und gesund. Er ist eine *männliche* Natur, seine Poesie ein Abbild der *Vita activa.*

Walther stellt die Pflege der stilleren Tugenden in den Vordergrund: die sanfteren Mächte der Schönheit, der geklärten Form, der geläuterten Sitte, der Bildung des Herzens. Er predigt das Ideal eines inneren Adels, der sich über den Ständen erhebt. Er sieht in der Frau die lachende Blume des Lebens, die Schmückerin und Lichtspenderin in dem Dunkel des von Habsucht und Neid zerrissenen Daseins. Er zeichnet mit weicherem Stift, in leichterem Umriß, in fließenderen Farben. Er ist eine nervöse, eine *weibliche* Natur. Und er, der große politische Dichter des ungeheuren Weltkampfes, zeigt uns überall doch weniger das handelnde als das leidende Leben.

Walther und Wolfram sind polare Naturen. Aber sie sind Kinder derselben Zeit, derselben geistigen Atmosphäre. Über alle Gegensätze verbindet sie das künstlerisch Gemeinsame: die frische, offene Hingabe an das Leben, die echte realistische Gestaltungskraft, die Neigung zum Volkstümlichen und Natürlichen, die Weltfreudigkeit, die Abkehr von Askese und Hierarchie, die tiefe und menschlich freie Auffassung der Frauenliebe und der Religion. Und noch eins, was sie aus ihrer nationalen Gebundenheit zu Führern und Lehrern der Menschheit erhebt.

In Wolframs epischen Gedichten ist der fanatische Haß gegen die Andersgläubigen überwunden. Christen und Heiden finden sich in der neuen Weltkirche, die seine Kunst hervorzaubert, in dem idealen Rittertum.

Walther hat Deutschland durchzogen vom Rhein bis zur Elbe und bis zum Ungerland, von der Trave bis zur Mur, er hat die romantische Welt bis zur Seine und bis zum Po kennengelernt. Wohl findet er Tugend und reine Minne allein in deutschen Gauen, wohl weist er welsche Arglist heftig zurück, wohl ist er stolz auf das deutsche Weltimperium und wacht eifersüchtig über der Vorherrschaft des deutschen Kaisertums. Aber in seiner Seele leben die Gebote christlicher Humanität, die hinausreicht über einzelne Länder und Nationen. Er ist aufgeklärt, nicht freilich im Sinne der modernen Zeit, von der seine mittelalterliche Kirchlichkeit weit entfernt war, aber in der Gesinnung seines großen Zeitgenossen, des Kaisers Friedrich II.: „Christen, Juden, Heiden", die ganze Menschheit ohne Schranken der Religion und des Stammes — so verkünden seine köstlichen Worte — „dienen dem Herrn alles Wunders, dem Herrn des Lebens".

Das ist der edelste Ausdruck mittelalterlicher Toleranz im Zeitalter der Kreuzzüge. Einer Toleranz, von der ein Stück auch in Wolframs Dichtungen lebt. Der ursprüngliche echte Kern des Christentums ist in ihr beschlossen. Die großen und herrlichen hellenischen Dichter des Altertums, haben sie sich zu solch weitem und tiefem *Liebesbegriff* der Menschheit erhoben?

Diese Toleranz, die uns Walther, der mittelalterliche Mensch, ins Herz ruft, ist west-östlich gleich der Goethes und tönt wie ein Vorklang seiner heiligen Lehre.

Germanistische Forschungen. Festschrift anläßlich des 60semestrigen Stiftungsfestes des Wiener Akademischen Germanistenvereins. Wien 1925, S. 107—116.

ÜBER WALTHERS LIED ›IR REINEN WÎP, IR WERDEN MAN‹ (66, 21—68, 7)

Von Carl von Kraus

Ob überhaupt ein zusammenhängendes Lied vorliegt und in welcher Strophenfolge, ist eine noch nicht gelöste Frage. Schon die Handschriften reihen verschieden: Wenn man die Anordnung in BC mit I. II. III. IV. V bezeichnet, so bietet w^x I. II. V. III. IV, während A IV. V vor I. II. III stellt. Lachmann (Wackernagel, Paul) folgen BC, Pfeiffer reiht I. II. IV. V. III, Wilmanns[2] (in der Anm.) I. II. V. IV. III, ebenso Michels bei Wilmanns[3]. Auch über die Zusammengehörigkeit gegen die Meinungen auseinander: während Wackernagel (s. auch Rieger Zs. 46, 185) jede Strophe für sich druckt, hat Lachmann wenigstens I. II näher zusammengefaßt, Paul meint, daß die ersten drei Strophen vielleicht ein Lied bildeten, Pfeiffer stellt zwei Lieder her (I. II ›Am Lebensabend‹, IV. V. III ›Der Welt Lohn‹), Wilmanns erklärt: „Die Strophen stehen nicht in engem Zusammenhang, aber sie reihen sich doch zu fortlaufendem Vortrag aneinander"[1] und Plenio spricht von ganzen oder teilweisen „Strophenkreisen".[2]

Die richtige Reihung ergibt sich aus einer eindringenden Interpretation; sie zeigt zugleich, daß ein unteilbares, von einem einheitlichen Gedanken durchzogenes Lied vorliegt. In Str. I wendet sich der Dichter an die *werden* Männer, zu denen er ja selbst gehört (II 5): sie sollen ihm *êre* schenken wie die reinen Frauen *minnec-lîchen gruoz*, und beides noch reichlicher als zuvor; denn er hat durch vierzig oder mehr Jahre von *minne* gesungen und sie damit erfreut *(geil*, s. *ich hân ... manegen lîp gemachet frô, man unde*

[1] Michels bei Wilmanns[3] gibt den beiden ersten Strophen sowie jeder folgenden besondere Überschriften.

[2] Beiträge 42, 469 A. 2.

wîp IV 2), und er tut es jetzt nur mehr ihnen zur Freude, nicht, wie einst, auch sich selbst. So sei denn fortan die *hulde* der Guten der einzige Lohn für seine Liebeslieder.[3] — II. Dieses unermüdliche, in vierzigjährigem Dichten bewährte Streben, innerlich *wert* zu werden, gesellt ihn, mag er auch äußerlich niedrig stehn,[4] den *werden* zu, es stellt ihn nach seinem Maßstab[5] hoch. Wenn das die Niedriggesinnten erregt, kann das seinen Wert mindern? Im Gegenteil: die *werden*[6] schätzen ihn um so höher [wenn er, der äußerlich *nidere*, sich den Platz unter ihnen errungen hat]. Denn *diu wernde*[7] *wirde diust sô guot, daz man irz*[7] *hœchste lop sol geben.* Wer er

[3] *mîn minnesanc der diene iu dar* bezieht sich auf die bereits vorliegenden Lieder; auf künftige geht es nicht, denn solche will er ja nicht mehr dichten, s. Str. IV; vgl. 41, 25 *rüemære unde lügenære, swâ die sîn, den verbiute ich mînen sanc, und ist âne mînen danc, obs alsô vil geniezen mîn.*

[4] *an eine stabe gân* hat Burdach, Walther I 275 ff., sicherlich mit Recht als Zeichen der Erniedrigung (ohne Nebenbezug auf das Greisenalter) erklärt; s. auch Wallner Beitr. 33, 30 ff., der den *stap* als Symbol des Fahrenden deutet. Diese Verwendung fließt eben aus der weiteren Bedeutung des Stabes als Zeichen der Unseßhaftigkeit und Obdachlosigkeit, für die ein gutes Beispiel im Wolfdietrich A 223, 2 zu finden ist: *habe dir mîn fürsten ambet, lâ mich und ouch mîn wîp von allem mînem erbe mit einem stabe gân,* also als heimatloser Bettler. — Die Wendung *Lât mich ... gân* umschreibt ein einfaches „wenn“; ob dieses „wenn“ irreal oder real, darüber ist nichts ausgesagt, weshalb Burdach, Walther I 276, dem Michels bei Wilmanns[3] mit Recht zustimmt, Wilmanns' Einwände zurückweist; vgl. auch Walther selbst, 90, 1: *Lât mich zuo den frouwen gân: sô ist daz mîn aller meiste klage* (Schönbach-Schneider, S. 212).

[5] Das bedeutet *in mîner mâze.* So erklärt sich auch der Doppelsinn von *nider* ungezwungen: *swie nider ich sî* „niedrig nach dem Maßstab der Welt“; *daz müet die nideren:* „die nach meinem Maßstab niedrigen“. Zarnckes Änderung *nîdære* für *nideren,* die Michels in Wilmanns' Text aufgenommen hat, scheint mir entbehrlich.

[6] So ist zu lesen, s. u.

[7] So nach Wackernagels schöner, auf BC beruhender Besserung, die eigentlich nur eine verdeutlichende Schreibung ist, s. Roethe, Berliner SB. 1919, S. 797, und *ger(n)din* Portimunt (in meinem Übungsbuch) II d 30; vgl. Walther 105, 11 *nâch lange wernden êren;* 121, 22 *ein wernder trôst ze fröiden;* Hardegger HMS. 2, 136 a *wernder vröuden vrî.* — Bei seinem *wernde* denkt der Dichter wieder an seine vierzigjährige Kunstübung.

auch sei:[8] wenn er durch seine Lebensführung sich dem Ende gewachsen zeigt, der ist des Lobes am meisten würdig.[9] — Mit der *wernden wirde*, mit dem Begriff *guot* und mit dem Gedanken, daß beides nur dém zuerkannt werden kann, was sich bis zum *Ende* bewährt, ist das Thema für alles Folgende gegeben: von der *Welt* gilt all das nicht (III); vom *lîbe* auch nicht (IV); und von *des lîbes minne* gleichfalls nicht (V). — Die Durchführung im Einzelnen ist auch in diesen drei Strophen meisterhaft. Str. III.[10] Die *Welt* hat der Dichter kennen gelernt: sie ist *unstœte* (im Gegensatz zur *wâren minne*, die *ganze stœtekeit* besitzt, V 7), denn sie nimmt alles zurück, was sie gegeben hat,[11] und führt den Dichter, der in ihrem Dienste doch tausendfach den *lîp* und — was allzu viel war — auch die *sêle* aufs Spiel gesetzt hat, in seinem Alter am Narrenseil und lacht über seine Erbitterung. Aber wie sie gelohnt hat, soll auch ihr der Lohn werden. Der Tag ihres Verderbens bricht bald herein und nimmt ihr wieder, was sie uns genommen hat, und vernichtet sie obendrein im Feuer. So ist also die undankbare Welt nicht *guot*, und sie wird nicht *iemer wern*: sie *tuot dem ende niht rehte*. Das neue Thema von *lîp unde sêle* und die Erweiterung des alten Begriffes *ende* (II 12) auf das *ende* aller Dinge wird im folgenden fortgesponnen. — IV. Ich hatte mir ein schönes Gebilde erwählt: und wehe, daß ich es je erblickte und stets so viel zu ihm sprach.[12] Es hat Schönheit und Sprache verloren. Etwas Wunderbares wohnte in ihm (das ist die *sêle*, wie ja das *bilde* nur der *lîp* sein kann); das ist entschwebt, ich weiß nicht wohin: und so verstummte das Gebilde plötzlich, und seine Lilienrosenfarbe wurde so kerkerbleich, daß es

[8] *swer* zeigt, daß dem Dichter der Gedanke „ob äußerlich hoch oder niedrig" vorschwebt.

[9] Zu den von Wilmanns beigebrachten Stellen s. noch Frauenlob 399 *daz ende sagt volkomenheit der dinge ... ein winkelmez ist ende an allen sachen ... volkomen ende daz ist guot* usw.

[10] Der Eingang der Strophe (v. 1. 3) ist von Bruder Wernher HMS. II 233 genutzt: *ze dir* (o Welt) *ich nakket wart geborn, unt s c h e i d e ouch (wider) b l ô z v o n d i r : ein lînîn tuoch ... und anders niht gîstu ze l ô n e mir.*

[11] Vgl. Reimar von Zweter (Roethe) 91, 11.

[12] Damit meint der Dichter seinen *minnesanc.*

Duft und Glanz [13] verlor. — Also auch der *schœne lîp* der Geliebten [14] hat keine *stæte,* er *wert* nicht *iemer;* er *tuot dem ende* nicht *rehte.* Aber die *sêle,* die der Dichter schon in der vorhergehenden Strophe gegenüber dem *lîbe* vorangestellt hat (zum *lîbe* auch noch die *sêle* für die Welt aufs Spiel gesetzt zu haben, erscheint ihm rückblickend *gar ze vil*), nennt er hier ein *wunder:* mit ihr entschwindet, was ihn an der Geliebten entzückte. — Nun wendet sich Walther, von dieser schmerzlichen Erfahrung angeregt, an den *e i g e n e n lîp:* [15] „Wenn du, mein Gebilde, mich schon eingekerkert hältst,[16] so

[13] Man könnte *schîn* auch als „äußere Erscheinung“ fassen, wie bei Frauenlob Nr. 19, 16 *ach, blanker schîn, dîn wazzer daz ist worden lîn und jâmers swebel; êrst wirt ûz dîm schœnen bilde ein grûse;* Laufenberg, Spiegel (Lindqvist) 2029 ff. Codrus geht zuerst als König zu seinen Feinden, dann *in aines knechtes schîn,* wie auch Christus die Christenheit *in sîner verdahten menschait schîn* gerettet hat (dass. 2042); Rittertreue (Thoma) 806 sagt der gespenstige Ritter, der schon längst begraben war und durch dessen Erscheinung man hindurchgreifen kann, *ich bin eins armes vleisches schîn.* Gleichgesetzt wird *schîn* dem *lîbe* von Walth. 98, 9 *mîn schîn ist hie noch: sô ist îr daz herze mîn* (s. 13 *mîn lîp, mîn herze);* ebenso Brennenberg HMS. I 337 b *diu liebe hât daz herze mîn, dast mîn der beste teil, der stæte muoz bî ir belîben; sô trage ich lîbeshalp den schîn den liuten vor in ganzer schouwe.* Aber *smac unde schîn* sind doch wohl, wie schon Wilmanns sah, mit der *liljenrôsevarwe* zu verbinden: also Duft und Glanz wie bei der Rose und Lilie ist gemeint.

[14] Dieser ist das *bilde* v. 1—8, s. Rieger Zs. 46, 184; vgl. Walth. 67, 32. Die von ihm gegen alle anderen Deutungen vorgebrachten Einwände sind so schlagend, daß es nicht nötig ist, sie durch weitere zu vermehren. Schon allein die *liljenrôsevarwe* verbietet den Gedanken, der Dichter meine den eigenen Leib, s. Walther 28, 6 und 53, 35 ff.; ebenso der *smac,* s. 54, 13.

[15] S. Rieger a. a. O.

[16] *ob* „wenn schon“ wie Iw. 7363; Ottok. 20409. — Daß *mîn bilde* ein anderes als das *bilde* der Eingangszeilen ist, geht schon daraus hervor, daß dem ersten *bilde* das *wunder,* die Seele, bereits entschwebt ist *(daz fuor, ine weiz war),* während *s î n bilde* sie erst freigeben soll *(lâ mich ûz);* damit erledigt sich auch das Bedenken Michels' bei Wilmanns³. Die Seele im Kerker des Leibes: *mens resoluta terreno carcere* Boethius, Consolatio bei Notker (Piper) I 117, 21 und an den von Wilmanns verzeichneten Stellen.

gib mich einst so frei, daß wir uns wieder *freudig* zusammenfinden können: denn *daß* ich wieder in dich zurückkehre, ist unabwendbar.“ So schließt auch diese Strophe mit dem Gedanken an das Weltenende, an dem die Wiedervereinigung von Leib und Seele erfolgt. — V. Auf diese an seinen Leib gerichtete Ermahnung folgt nun der Wunsch für seine Seele, parallel im Ausdruck (*mîn bilde* = *mîn lîp* IV 9 und *Mîn sêle* V I). Wenn sie *wol gevert*, dann wird die am Schlusse der vorhergehenden Strophe ausgedrückte Hoffnung des Dichters erfüllt sein: *lîp* und *sêle* werden am Tage der Auferstehung[17] ihrer Wiedervereinigung *frô* werden können. Wie Walther den *lîp* anderer auf der Welt *frô* gemacht hat, so wünscht er, er hätte es auch verstanden,[18] für sich selbst zu sorgen (daß er im Jenseits *frô* werde). Aber wenn er *die minne des lîbes lobet* (bewußte Wiederaufnahme von *lop, lobelîch* II 10 f.), so schmerzt das die Seele; denn sie hält es für unwahr[19] und sinnlos und erkennt nur der *wâren minne* zu, daß sie vollkommene *stætekeit* besitzt (also *dem ende rehte tuot* II 12), *guot* ist (also = *diust sô guot* II 9) und *iemer wert* (also eine *wernde wirde* ist II 9). Darum, o Leib, gib die *minne* auf, die d i c h aufgibt (die also *unstæte* ist wie das *bilde* der Geliebten,[20] das denn auch er mit seiner *minne* verlassen hat, IV 1 ff.), und halte die *stæten minne w e r t* (weil sie *wernde w i r d e* besitzt II 9). Denn die *minne*, nach der dich verlangt hat, die ist nicht *visch unz an den grât*[21] (sie hat nicht *g a n z e stætekeit*, ist somit auch nicht *guot*).

Der Schluß greift also auf die Anfangsstrophen deutlich zurück, indem er den *minnesanc* wieder aufnimmt (V 5, s. I 11) und ihm die Richtung auf die himmlische Liebe gibt; indem er seine froh-

[17] Daß der Dichter an das Wohlergehen der *sêle* nach dem Tode denkt, erweist sein Gebrauch derselben Wendung im Nachruf auf Reimar (83, 13).

[18] *künde* ist Plusquamperfekt, s. die Beispiele bei Braune, Beiträge 25, 34 f.

[19] Eine *lüge*, weil der *lîp unstæte* ist, nicht *lange wert*, s. IV 4 ff.

[20] S. Walth. 95, 25 f. *in vant sô s t æ t e m i n n e nie, si wolte mich ê ich si lân;* vgl. Hartmann MF. 258, 24.

[21] Darin steckt die Schlußpointe: „Die Minne, nach der dich verlangt, hat etwas Fleischliches an sich.“ Daher wird auch die Jungfrau Maria im Lobgesang (Zs. 4, 65, 11) *ein visch unz ûf den grât* genannt.

machende Wirkung auf die Menschen erneut betont (V 2 f., s. I 9 f.); und indem er der wahren *minne* die höchste *wirde* zuerkennt: sie ist *guot,* sie *wert iemer* (V 26 f., s. II 9 ff.). Aus dieser Erkenntnis folgt für den Dichter zum Schlusse der Strophe die Absage an des *lîbes minne* und damit die Hinwendung zur himmlischen. Stellt man dagegen die beiden letzten Strophen mit allen Handschriften um oder trifft sonst eine andere Verteilung, so wird die Ordnung der Gedanken verwirrt, und der Abschluß entspricht in keiner Weise dem Anfang.[22]

Auch die *Textkritik* verdient besprochen zu werden, da das Fragment w^x noch keine eingehende Würdigung erfahren hat. Die Handschriften B und C beruhen hier auf einer Sammlung *BC.[23] Das erweist die Reihenfolge der vorhergehenden Töne wie die Anordnung der fünf Strophen. Auch die zahlreichen sicheren Fehler, die beiden Handschriften gemeinsam sind, ergeben dasselbe Resultat.[24] Das Bruchstück w^x dürfte dagegen aus der Sammlung *CE

[22] Auch der Dichter des dreistrophigen Bars in der Kolmarer Handschrift Nr. LXX hat Walthers Gedicht als eine Einheit empfunden, wie seine Entlehnungen zeigen: *Frou Welt* (s. III 1), *ich hân gedienet dir manc jâr dâ her des besten, daz ich kunde* (s. I 8 *als iemen sol*) *wol durch dîne ger, leich unde hovedœne ... reien, tenze, die nahtwîse schône* (s. *mîn minnesanc* I 11) ... *nu diene ein ander man dir auch wol vierzic jâr* (I 7) *umb solich gelt als mir dar umbe wirt ze lône* (s. lôn II 1). *Ich hân gedient dir vierzic jâr, du hêre: waz gîstu mir zu lône .., daz ich dich, Welt, niht lâzen wil? du lœzest mich* (vgl. V 9) ... *Ach Welt, ist in dann niht mê lônes worden, den keisern und den künigen, sô lâz ich den zorn* (s. III 8) ... *sô helf mir der der von der meide wart geborn und daz ich hie entrinne wol dem ungetriuwen orden* (vgl. V 1).

[23] Wilmanns² Einl. S. 8; Wilmanns³ S. 26.

[24] 66, 22 *man* fehlt; 66, 29. 30 *sîn ... mê(re)* unmetrisch; 66, 37 falsche Stellung der Sätze; 67, 12 *hatte* statt *hân;* 67, 16 *nu* fehlt, während sonst alle Verse Auftakt haben; 68, 4 *sî* gegen den Reim; 68, 5 *in dir* fehlt. Auch 67, 7 ist die syntaktisch glattere, aber metrisch unmögliche Lesart *denne swâ man* statt *swer so* falsch; das auch für unser Gefühl nach dem Komparativ nötige *denne* fehlt auch 93, 24 *in weiz niht daz ze fröiden hôher tüge,* [*denne*] *swenne ein wîp ... meinet den der ir wol lebt ze lobe,* wo Lachmann dem allerdings zu kurzen Vers durch die Änderung *denne swâ* aufhelfen will.

stammen; denn aus dieser Sammlung hat C im Nachtrag die Elegie 124, 1 bezogen,[25] und in w^{x} folgte unmittelbar auf die Elegie unser Lied. Da nun in E der Anfang der Elegie unmittelbar vor der Lücke von sieben Folioblättern steht und unser Lied in E fehlt, so ist es wohl wahrscheinlich, daß E so reihte wie w^{x}, daß also w^{x} aus jener Sammlung *CE floß.[26] Für eine Verwandtschaft von w mit A ergibt sich nirgends ein Anhalt, wohl aber tritt eine Beziehung zu BC zutage; denn *noch* (66, 24), wie A bietet, ist ausdrucksvoller als *nu* BCw: dafür, daß der Dichter für seine Lieder keinen Minnelohn mehr erhält, sondern alles der Gesellschaft zuteil wird, sollen sie ihm als Ersatz ihre Huld noch reichlicher spenden, weil sie ihm noch mehr zu Dank verpflichtet sind als zuvor. Auch 67, 18 ist *swaz* A nachdrücklicher als *daz* BCw. Die Handschrift A dagegen stellt einen besonderen Zweig der Überlieferung dar. Aus diesem Verhältnis ergibt sich, daß auf Seite von Aw gegen BC stets das Echte liegen muß. Dies trifft auch zu; Lachmann hat mit Recht gesetzt: *oder* 66, 27 (*unde* BC); *ichs* 66, 29 (*ich sin* BC); *enwirt mirs niht* 66, 30 [*ne wirts mir niht* w, *wirt mir sin niht me(re)*] BC; *sô bin ich doch, swie nider ich sî, der werden ein* 66, 37 (BC stellt den Satz mit *swie* voran); *nu* 67, 16 (fehlt BC); *benomen* 67, 18 (*genomen* BC);[27] *ie* 67, 34 (*ouch* BC); *wonte* 67, 36 (*was* BC). Dagegen muß 67, 33 *und* BC gestrichen und *ich ez* statt *ichz* geschrieben werden.[28] Ferner ergibt sich, daß niemals eine der Handschriften B oder C oder w gegen den Konsens der drei übrigen das Richtige bieten kann; und in der Tat sind all diese zahlreichen Sonderlesarten falsch.

Wo dagegen A für sich gegen BC oder gegen BCw steht, da können nur innere Gründe entscheiden. Solche sprechen offenkundig gegen A in folgenden Fällen: *vollecliche*n 66, 24; *wes* fehlt 66, 26; *der werden wirde ist* 67, 4 (s. o. S. 2); *in* 67, 5; *hovelicher*[29] 67, 6;

[25] Wilmanns Einl. S. 14, bzw. 31.

[26] Zs. 59, 326; anders Michels bei Wilmanns[3] S. 39, Anm. 1.

[27] Vgl. MF. 156, 3: *benomen* AE, *genomen* BC.

[28] So schon Wackernagel.

[29] So Wackernagel. Aber das Adjektiv paßt nicht zu dem Inhalt der folgenden Strophen: der weltlichen *minne* und dem Singen von ihr zu entsagen, ist wohl *lobelîch,* aber nicht *hovelîch.* Ferner spricht für *lobelîch* Walther 35, 5 *des lop was ganz, ez ist nâch tôde guot* und die Reminiszenz

rehte fehlt 67, 7; *wol gesehen* 67, 8; Wortstellung 67, 12; *dir* 67, 14; *Dú* 67, 20; *weiz* 67, 27; *ich* 67, 33; *verlorn* 68, 3; *sin* das. Hieher stelle ich auch (abweichend von Lachmann) *die biderben* 67, 3 (statt *die werden* BC);[30] denn wenn der Dichter sich an die *werden man* wendet (66, 21), sein stetes Streben nach *werdekeit* hervorhebt (66, 34) und sich, wie *nider* er auch sei, den *werden* zuzählt (66, 37), so erwartet man, daß auch dem Ärger der *nideren* die Auszeichnung der *werden* gegenübergestellt werde; das allzu deutliche *biderben* bringt ein drittes hinzu und stört das geistreiche Spiel mit den Bedeutungen „innerlich" und „äußerlich", weil es bei diesem Wort nicht wie bei *nider* und *wert* anwendbar ist. Zudem hatte A Grund, das *werden* zu ersetzen: weil sie im nächsten Vers fälschlich *der werden wirde* schreibt. Ferner verwerfe ich gegen A (und Lachmann) 67, 15 *ist mir daz zorn;* denn *und zurne ich daz* (BCw) veraltet im 13. Jahrhundert.[31] Dagegen ist A im Recht in folgenden Fällen: *hœhste* 67, 5 (*beste* BC ist platter und steht unschön neben dem vorhergehenden *guot*); *swer sô dem ende* 67, 7 (BC unmetrisch); *hân* 67, 12 (BC unmetrisch); *si* 67, 25 (*und* BC härter); *zuoz ime* 67, 34 (klingt besser als *zuo ime* BC); auch ist A 67, 2 mit *muot* dem Echten näher als BC mit dem unmetrischen *hassent.* Es verbleiben somit nur wenige Fälle, die bloß nach der Autorität der beiden Gruppen entschieden werden können: *alsô* A, *alsame* BC 67, 11; *gampel-* A, *gumpel-* BC 67, 14; *schœnez* A, *schœne* BCw 67, 32; *alder* A, *und* BCw 67, 34. Wenn man die Güte von A bedenkt, obwohl sie doch als einziger Repräsentant ihrer Klasse sowohl die Fehler der Klasse wie auch die eigenen in sich vereinigt, so wird man ihr die größere Autorität gegenüber BC(w) zusprechen und somit, wie Lachmann es tut, in diesen Fällen ihr folgen. Kreuzungen des

im Winsbeken (Wilmanns, Leben III 437; Wallner Beitr. 33, 29 A.): *ez ist ein lop ob allem lobe, der an dem ende rehte tuot;* vgl. sonst noch Walth. 83, 39. Auch MF. 179, 24 wird *lobelîchen* durch *hôfelich* (p) ersetzt.

[30] So Wackernagel.

[31] S. Bartsch, Untersuchungen über das Nibelungenlied, S. 209, wo mehrere Beispiele dafür, daß jüngere Schreiber der Konstruktion mit dem Akkusativ aus dem Wege gehen.

Verhältnisses treffen nur belanglose Orthographica: *han* AC, *habe* Bw 66, 36; *diu si* AB, *dú en si* Cw 67, 31. Im Ganzen ruht der Text unseres Liedes jedenfalls auf guter Grundlage.

Über den Bau der Strophe s. Hildebrand Zs. 38, 11 und Plenio Archiv 136, 21 A. 1. Die Responsion ist wenig kunstvoll: *-ar* I 10. 11 und IV 5. 7; *-eit* II 2. 3 und V 5. 7; *-ô* II 5 (Pause). 6 und IV 10. 11; grammatisch *ersehen* III 1 und *gesach* IV 2.

Aus diesen Darlegungen ergibt sich die folgende Anordnung und Gestalt des Textes:

I Ir reinen wîp, ir werden man, L. 66, 21
ez stêt alsô daz man mir muoz
êr unde minneclîchen gruoz
noch volleclîcher bieten an.
5 Des habet ir von schulden grœzer reht dan ê: 25
welt ir vernemen, ich sage iu wes
wol vierzec jâr hab ich gesungen oder mê
von minnen und als iemen sol.
Dô was ichs mit den andern geil:
10 nu enwirt mirs niht, ez wirt iu gar. 30
mîn minnesanc der diene iu dar,
und iuwer hulde sî mîn teil.

II Lât mich an eime stabe gân
und werben umbe werdekeit

I = 101 A, 103 B, 235 [243] C, 2 w^X (von *ere* Z. 3 an). *Ir rainú* BC. 2. *stat* BC. *man* fehlt BC. 4. *noch* A, *nu* BCw. *volleclichen* A. 5. *hab* C. *ir nuo (vo)n* w. *nu grosser rehte* B. 6. *wolt* A. *irz* w. *wes* fehlt A. 7. *oder* Aw, *unde* BC. 9. *ichs* w, *ich ez* A, *ich sin* BC. 10. *en* fehlt BC. *ne wirts mir* w. *mir sin niht me (mere* C) *es* BC. 11. *min* fehlt C. *minnen sang* BCw. *iu* fehlt w.

II = 102 A, 104 B, 236 [244] C, 3 w^X (aber nur Reste von Z. 1 sowie *vn̄* 2). La. w.

mit unverzageter arebeit, 35
als ich von kinde habe getân,
5 Sô bin ich doch, swie nider ich sî, der werden ein,
genuoc in mîner mâze hô. 67, 1
daz müet die nideren, ob mich daz iht swache? nein.
die werden hânt mich deste baz.
Diu wernde wirde diust sô guot,

10 daz man irz hœhste lop sol geben. 5
ezn wart nie lobelîcher leben,
swer sô dem ende rehte tuot.

III Welt, ich hân dînen lôn ersehen:
swaz dû mir gîst, daz nimest dû mir.
wir scheiden alle blôz von dir. 10
scham dich, sol mir alsô geschehen.
5 Ich hân lîp unde sêle (des was gar ze vil)
gewâget tûsentstunt dur dich:
nû bin ich alt und hâst mit mir dîn gampelspil:
und zurne ich daz, sô lachest dû. 15
Nû lache uns eine wîle noch:
10 dîn jâmertac wil schiere komen,
und nimet dir swazt uns hâst benomen,
und brennet dich dar umbe iedoch.

IV Ich hâte ein schœnez bilde erkorn: 67, 32
owê daz ich ez ie gesach
ald ie sô vil zuoz ime gesprach!
ez hât schœn unde rede verlorn. 35

4. *han* AC. 5. *Swie nider ich si so bin ich doch* BC. 6. *hoh* A, *hoch* BC. 7. *Muot daz die* A, *hassent das die* BC. 8. *werden* BC, *biderben* A. 9. *dú werde wirde* BC, *der werden wirde* A. *dú ist* BC, *ist* A. 10. *irs* C, *ir das* B, *in daz* A. *beste* BC. 11. *es* BC. *hovelicher* A. 12. *Denne swa man dem* BC. *rehte* fehlt A.

III = 103 A, 105 B, 237 [245] C, 6 w^x^ (von Z. 8 *zurn* an). *lon wol gesehen* A. 3. *alle nachent und blos* C. 4. *súl mir alsame* BC. 5. *ich hatte* BC. *Lip unde sele han ich des* A. 7. *din* BC, *dir* A. *gumpel spil* BC. 8. *Und zúrne ich das* BC, : : *zur(n) ich (da)z* w, *Ist mir daz zorn* A. 9. *nû* fehlt BC. *Nuo l(ach) unser eine wile ienoch* w, *Lache uns noch eine wile also* C. 10. *schier uns* w. 11. *datz* w, *swaz du* A, *das du* BC. *genomen* BC. 12. *dar umme noch* w.

IV = 100 A, 107 B, 239 [247] C, 5 w^x^ (bis Z. 7 *wart*). *schone* BCw. 2. *und owe* BC. *ichz* BCw, *ich* A. 3. *alder ie* A, *unt ie* w, *und ouch* BC. *zuo ime* BC, *mit im* w. 4. *daz hat nuo* w.

5 Dâ wonte ein wunder inne: daz fuor ine weiz war:
dâ von gesweic daz bilde iesâ. 68, 1
sîn liljerôsevarwe wart sô karkelvar,
daz ez verlôs smac unde schîn.
Mîn bilde, ob ich bekerkelt bin

10 in dir, sô lâ mich ûz alsô 5
daz wir ein ander vinden frô:
wan ich muoz aber wider in.

V Mîn sêle müeze wol gevarn! 67, 20
ich hân zer welte manegen lîp
gemachet frô, man unde wîp:
künd ich dar under mich bewarn!
5 Lobe ich des lîbes minne, deis der sêle leit:
si giht, ez sî ein lüge, ich tobe. 25
der wâren minne giht si ganzer stætekeit,
wie guot si sî, wies iemer wer.
Lîp, lâ die minne diu dich lât,
10 und habe die stæten minne wert:
mich dunket, der du hâst gegert, 30
diu sî niht visch unz an den grât.

5. *wonte* A, *wont* w, *was* BC. *wa* w. 6. *zuó ha(n)t untsweich* w. 7. *lilienrose* B, *lilien rose* C. *s(in) rose rot sin lylie wiz wart* : : w. *kackel* A, *karcher* B, *kranc* C. 8. *verlorn* A. *sin* A. 9. *bekerkelt bin* A, *gekærchet si* BC. 10. *in dir* A, fehlt BC.

V = 99A, 106 B, 238 [246] C, 4 w[x] (von Z. 11 *gegert* an). *Dú sele* A. 5. *deis*] *dc* AC, *das ist* B. 6. *si* A, *und* BC. 7. *weren* C. 8. *wies*] *weiz si* A, *wie si* B, *wie* C. *wert* B. 12. *dú en si* Cw. *vische* B.

The Journal of English and Germanic Philology 28, 1929, S. 203—214.

DER URSPRUNG DER REINMAR-WALTHER-FEHDE

Ein Problem der Textkritik[1]

Von HENRY W. NORDMEYER

Die Forschung über die Reinmar-Walther-Fehde, die für die Geschichte des Minnesangs so bedeutsam ist, beginnt mit Erich Schmidt. Dieser erkannte als erster in Reinmars Ton 196, 35 die Antwort auf Walthers bekannte Spottstrophen 111, 23. 32.[2] Seiner Ansicht haben sich andre Forscher mit mehr oder minder Zuversicht angeschlossen.[3] Doch ist es erst dem feinfühligen Carl von Kraus gelungen, sie voll auszuwerten, indem er die mannigfachen Fäden bloßlegte, die sich von fast jedem Verse der anerkannten Strophen zu den Waltherischen hinüberziehen.[4] Mag sein, daß er gelegentlich über das Ziel hinausschießt, während anderseits noch einiges nachzutragen bleibt. Im wesentlichen aber sind seine Darlegungen auch

[1] Dieser Aufsatz hat sich aus einer Fußnote zu einer größeren Arbeit entwickelt, die demnächst vorgelegt werden wird.

[2] Erich Schmidt, Reinmar von Hagenau und Heinrich von Rugge, QF. 4 (1874), S. 72.

[3] Lehfeld, PBB. 2 (1876), 381 [1]; Burdach, Reinmar der Alte und Walther von der Vogelweide, [1]Leipzig 1880, [2]Halle 1928, S. 150; ders., Vorspiel, I, 1, Halle 1925, S. 386 f.; Paul, Die Gedichte Walthers vdV., [5]Halle 1921, S. 92 (zu L. 111, 22); Wilmanns-Michels, Walther vdV., [4]Halle 1916 u. 1924, 1, IV, 48 u. zu 111, 23, auch 121, 2 f.; Streicher, ZfdPh. 24 (1892), 197 f.; Jantzen, Geschichte des deutschen Streitgedichts im Mittelalter, Germ. Abh. 13 (1896), 72, usw.

[4] Carl von Kraus, Die Lieder Reimars des Alten, München 1919, I, 24 f. u. III, 8 ff.; an Kraus anschließend Hermann Schneider in seiner Bearbeitung von Schönbachs Walther vdV., [4]Berlin 1923, S. 80 u. Anhang.

durch Halbach,[5] der sich zuletzt mit der Frage beschäftigt hat, keineswegs erschüttert worden.

Halbach meint, Reinmars Lied richte sich „nicht in erster Linie gegen Walther 111, 23," sondern gegen Wolframs erste Selbstverteidigung, vornehmlich Parzival 115, 5 ff.: *Sîn lop hinket ame spat, swer allen frouwen sprichet mat durch sîn eines frouwen.* Die Kraus'schen Anspielungen auf Walther möchte er auf nur eine Zeile (197, 11) beschränken. Warum die andern, ebenso greifbaren, belanglos wären, führt er nicht aus. Seine Ansicht in Hinblick auf Wolfram rechtfertigt er durch eine im Grunde willkürliche Chronologie, indem er fünf Jahre (!) zwischen Reinmars Liedern 159, 1 und 196, 35 verstreichen läßt,[6] und zwar wegen der einen Zeile 197, 4: *(Waz unmâze ist daz, ob ich des hân gesworn) daz si mir lieber sî dan elliu wîp?* in der er eine Erwidrung auf Parz. 115, 6 f. erblickt (s. o.). Aber wie an die zwanzig Parallelen aus MF. allein beweisen,[7] mochte sich Reinmar einer landläufigen Formel bedienen, ohne im entferntesten an Wolfram zu denken, ein Umstand, der

[5] Kurt Halbach, Walther vdV. und die Dichter von Minnesangs Frühling, Tüb. Germ. Arb. 3 (1927), S. 68 ff. u. Vorbemerkung zur Schlußtabelle.

[6] Halbach setzt Ton 196, 35, bei Kraus Nr. 15, ins Jahr 1203. Er geht davon aus, daß die ersten Bücher des ›Parzival‹ mitsamt der Selbstverteidigung 1198—99 entstanden seien, mit widerspruchsvollem Hinweis auf Wolff, ZfdA. 61 (1924), 182. Sollte die Selbstverteidigung ins Jahr 1201—2 und nach Thüringen gehören, so hält er das doch für gleichgültig, und zwar auf Grund seiner Ansicht von der Reinmar-Walther-Fehde. Er erkennt nämlich ganz richtig, daß zwischen Walther 53, 25, Kraus' Nr. 15 a, und Reinmars angeblicher Antwort darauf, 165, 10 = Nr. 16, ein Zusammenhang einfach nicht besteht. Dagegen scheint ihm der zwischen 165, 10 und Walther 56, 14 = Nr. 16 a völlig deutlich. Er schließt also, trotz Kraus' Warnung III, 13, daß die beiden letzten zeitlich zusammengehören, also in das Wiener Hochzeitsjahr 1203, in das er auch die folgenden Nummern 17—24 rückt. Nr. 15, also Ton 196, 35, wird bei dieser Gelegenheit mitgenommen einzig wegen der vermeintlichen Wolfram-Parallele. Die so entstehende Lücke in Reinmars Schaffen erklärt er (S. 67, vgl. S. 70) durch eine „Produktionspause", bzw. den Verlust „ganzer Serien" von Liederheften, ausgerechnet die Jahre 1198—1203 umfassend.

[7] ZfdA. 29 (1885), 157; vgl. Wilmanns 1, IV, 347 ff.

überhaupt nicht in Anschlag gebracht wird. Gefordert wurde ein solcher Ausdruck bei Reinmar gerade durch Thema und Stil der von Walther verspotteten Lieder 170, 1 und 159, 1. So gelangt Halbach zu dem doppelt überraschenden Schluß (S. 72), daß Reinmars *mat* 159, 9 „ihm durch Wolfram ‚verkêrt‘ worden war,“ unter geflissentlicher Nichtbeachtung von Walthers Trumpf 111, 31 *deist mates buoz*, der auch im Zitat (S. 69) ohne Punktierung fehlt. Folgerichtig heißt es dann weiter (S. 79), Reinmar „pflegte ja Walthers Parodien derben Stils mit Stillschweigen zu übergehen,“ womit Ton 196, 35 aus der Reinmar-Walther-Fehde glücklich ganz ausscheidet. Ein merkwürdiges Gemüt dieser Reinmar, der sich von drei Zeilen bei einem Epiker, der vielleicht nie in Wien gewesen, jedenfalls auch nach Halbach damals nicht in Wien war, zu einem heftigen Trutzlied hinreißen ließ, aber die zweistrophige Satire eines gefährlichen lyrischen Nebenbuhlers vornehm ignorierte! Weder mit der Logik noch den Ergebnissen dieser Schlußfolgerungen wird man sich befreunden können, einerlei wie man Reinmars Minnesang sonst beurteilt. Bleiben wir also bei Kraus und sehen die unmittelbarste Beziehung von Reinmar 196, 35 auf Walther 111, 23 als gesichert an.

Eine ganz andre Frage ist es, wie man sich Walthers Vorstoß gegen den älteren Dichter veranlaßt denken soll. War es ein Angriff? Ein Gegenangriff? Die Antwort hierauf dürfte unsre Ansicht vom Wesen beider Männer, von ihrem Verhältnis zueinander, vom Wesen ihrer Kunst und deren Entwicklung wesentlich mitbestimmen. Man sollte zunächst in Reinmars Lied 159, 1 suchen, demselben, dessen Ton der Gegner ja benutzte und das ihm den Hauptstoff zur Übung seines Witzes bot. Doch um die dort gegebenen Anhaltspunkte besser würdigen zu können, ist vor allem nötig, eine widersprechende Ansicht aus dem Wege zu räumen, die sich aus Lied 170, 1 herleiten läßt. Auf dieses, insbesondre Vers 170, 19, bezieht sich Walther bekanntlich 111, 25 f.: *Er giht, swenne er ein wîp ersiht, ... si sî sîn ôsterlîcher tac* (Wilmanns' Herstellung). Nun enthalten die letzten beiden Strophen von Reinmars Ton einen bösartigen Angriff auf einen Nebenbuhler, der, wie es scheint, den Dichter aus der Gesellschaft der Damen verdrängt hat, ohne diese zu unterhalten zu wissen. Es lag nahe, in diesem Nebenbuhler Walther zu erblicken, zumal wir von diesem sogar zwei Strophen haben, in Liedern aus seiner Wiener Zeit, in denen er sich selbst der Blödigkeit in Gegenwart der Geliebten anklagt, 115, 22 und 121, 24. Das hat denn zuerst Wilmanns getan (zu 115, 29), freilich noch mit aller Vorsicht, die spätre Gelehrte haben fallen lassen.[8] Man möchte sich heute in dieser Stellung noch besonders gestärkt fühlen durch die Ausgestaltung, die auch diese Theorie inzwischen durch Kraus erfahren hat (a. a. O., III, 5 ff.). Dieser wendet auch hier die Methode an, die seiner Liederordnung ja überhaupt zugrunde liegt, wo bessere Kriterien fehlen: die Nachweisung feiner und feinster Verfädelungen zwischen den einzelnen Tönen nach Wortlaut und Sinn. Im vorliegenden Fall wußte er drei Wendungen herauszufinden, mit denen Reinmar „das Ziel seines Angriffs zu bezeichnen" gesucht hätte. Es sind diese:

Walther 115, 23 ff.:	MF. 170, 26 ff.:
sô si mich mit ir *reden lât,*	maneger ... swîget allen einen tac
	und anders niemen sînen willen
sô hân ichs vergezzen.	*reden lât* ...
waz wolde ich dar gesezzen?	ob er dannen gienge *dâ er niht ze tuonne hât.*

Könnte man sicher sein, daß die fraglichen beiden Strophen in MF. tatsächlich von Reinmar sind, so ließe sich gegen diese Beweisführung Positives wenig einwenden. Im Gegenteil, wo eine so klare Wechselbeziehung wie die durch *ôsterlîcher tac* unwiderleglich feststeht, dürfte man in den Kraus'schen Parallelen die Zuverlässigkeit seiner Methode weitreichend bestätigt sehen. Man kommt auf diese Weise zu dem Schluß, den Kraus wie seine Vorgänger zieht, daß Reinmar selber den Streit vom Zaune gebrochen, vermutlich gereizt, in seiner Eitelkeit verletzt, durch die Erfolge des jüngern Sängers bei der Hofgesellschaft.

[8] So Schönbach, Walther vdV., ^{1}Berlin 1894, S. 70 (^{3}1910, S. 77), und Schneider, ^{4}1923, S. 79 f.; dieser auch in seiner Literaturgeschichte (1925), S. 402, und ebenso Halbach, S. 84. Zurückhaltender sind Ludwig Grimm, Wolfram von Eschenbach und die Zeitgenossen, Diss., Leipzig 1897, S. 25 f., und Vogt zu MF. 170, 1.

Nun wollen sich aber doch einige Bedenken einstellen. Daß Reinmar eitel gewesen oder doch eifersüchtig auf seinen Ruhm, kann man zugeben; geschmacklos, kaum. Die ersten drei Strophen von Ton 170, 1 bilden eine thematisch und stilistisch völlig geschlossene Einheit,[9] ein Loblied auf die unvergleichliche Erscheinung der Geliebten, das mit den Worten *si ist mîn ôsterlîcher tac* und Berufung auf den allwissenden Gott den eindrucksvollsten Abschluß erreicht.[10] Kein Wort von schmachtendem *trûren,* nur innigste Hingegebenheit und strahlendes Entzücken; selbst der *kumber* verwandelt sich in Freude, der Auserwählten dienen zu dürfen. Auch die Sprache edel und zugleich bezwingend natürlich, kein einziger irrealer Bedingungssatz darin. Klar und leicht strömen die Verse, noch überzeugender als in dem sonst nächstverwandten Ton 159, 1. Es gehört schon ein strammer Handschriftenglaube dazu, sich mit der Idee abzufinden, daß dieser Künstler gerade dieses Kunstwerk benutzt habe, um ohne jeden innern Zusammenhang in den Schlußstrophen über seinen Gegner herzufallen. Zwei Schmähstrophen finden wir da, die einem Hymnus voll gesteigertsten Lebensgefühls folgen wie ein Kladderadatsch, halb weinerlich, halb ärgerlich. Das Sprachmaterial ist in den Vers gequält, Vorstellungen und Ausdruck sind platt — ganz anders als die leichte Selbstironie der Waltherstrophe, aus der sie z. T. genommen sein sollen; der Rhythmus klappert. Aber der Bruch zeigt sich auch in der innern Einstellung. Denn das Ethos der ersten drei Strophen wird ja gerade durch die Ausschließlichkeit der Hingebung an die

[9] Auch für interstrophale Bindung durch verwandte Reime (s. Kraus) bleibt genug: *tage — trage; sagen — tragen; tac — mac.* Als Echtheitskriterium kann dgl. aber gemeinhin nicht gelten, denn gerade einem Interpolator mochte dieses Mittel, seine Zusätze einzuschweißen, geläufig sein; Fehlen solcher Bindungen konnte ihn sogar zu Ergänzungen reizen. Tat er anderseits seine Arbeit mechanisch, so stellten sich ähnliche Reime nur zu leicht von selbst ein.

[10] Ulrich von Liechtenstein hat ihn sich als solchen für sein I. Büchlein angeeignet, Frauendienst 56, 22 f., seine Dame die Entlehnung erkannt und verspottet, 60, 25 ff., wo Bechsteins Erklärung ganz daneben greift; mit *fremdem dinge* ist speziell Reinmars Lied gemeint (man beachte Frauendienst 59, 18 ff.).

Eine, Einzige bestimmt, während hier, 170, 26 ff., ein banales Interesse an vornehmer Damengesellschaft überhaupt hervorlugt. Man vergleiche die ganz ähnliche und doch ganz anders verwertete Situation in Str. 197, 36, wo Eifersucht auf *manegen guoten man* (!) echt Reinmarisch nur verwendet wird, um des Dichters Liebe anmutiger heraustreten zu lassen.

Daß die fünf Strophen aus einem Guß seien, wenn auch von Reinmar, wird man nach alledem kaum aufrechterhalten wollen — der Dichter hätte Neidhart heißen müssen. Doch kann man, ehe man zur Athetese schreitet, vielleicht noch auf andre Weise Rat schaffen. Da nun einmal Ton 170, 1 in der Fehde unzweifelhaft eine Rolle spielt, drängt sich ohne weiteres die Erklärung auf, die beiden letzten Strophen seien dem ursprünglichen Liede vom Dichter selber später angefügt worden. Ohne die Annahme einer besondern Herausforderung von seiten Walthers ginge es dann aber nicht ab, und darum, wer den Streit begonnen, oder weiter gefaßt: aus welchen Anlagen und Umständen heraus sich der Gegensatz zwischen den beiden Dichtern zuerst entwickelt, gerade darum dreht es sich ja. Eine derartige Herausforderung müßte natürlich vor das Spottlied 111, 23 fallen, denn wie Reinmar auf dieses tatsächlich reagiert, eben das hat uns Kraus an Ton 196, 35 gezeigt. Und wenn dieser Grund nicht genügt, so würde doch eine weitere Kraus'sche Parallele, MF. 170, 28: W. 111, 28 (*maneger . . . anders niemen* sînen willen *reden lât: wie wære uns andern liuten sô geschehen, solt wir im alle* sînes willen *jehen?*) jede fernere Hinausrückung der „Zusatzstrophen" verbieten. Doch etwas andres steht dieser Ansicht der Dinge entgegen. Das von Walther in Str. 115, 22 verwandte literarische Motiv ist auch im Minnesang weit verbreitet,[11] ja vom reifen Reinmar 164, 21 ff. selbst gebraucht worden. Ob es der junge Dichter nun aus Morungen hatte, wie Halbach (S. 56 f.) nach Wilmanns und Werner wahrscheinlich zu machen

[11] Vgl. Burdach, R. u. W., S. 122; Wilmanns, 1, 274 f. mit der Literatur in den Anmerkungen u. zu 121, 26 u. 115, 29; ferner Wechssler, Das Kulturproblem des Minnesangs, I, Halle, 1909, S. 259 ff., auch W. H. Moll, Über den Einfluß der lateinischen Vagantendichtung auf die Lyrik Walthers usw., Diss., Amsterdam 1925, S. 47 f.

weiß, oder wo sonst her,[12] in jedem Falle müßte stark befremden, daß es ihm Reinmar gerade in dieser Form vorgerückt hätte, denn mit dem Fluche über den glücklicheren Nebenbuhler, so gerad' heraus, erklärte er sich bei Hofe nur selber bankerott. Wollte er Walther mit dessen Strophe aufziehen, so hätte sich schon eine Handhabe geboten, wie gerade seine eignen Verse 164, 21 ff. zeigen, ... *daz ich* vor liebe *niht ensprach*: ihr fehlte die feingeschliffene galante Pointe. Und schließlich, wenn man all diese Erwägungen, die sich durchaus nicht auf einer Privatmeinung von Reinmars Kunst und Wesen aufbauen, beiseite schieben zu können meint, eins bleibt doch bestehen — die ungeheuerliche Abgeschmacktheit, an drei Liebesstrophen, die wirklich klingen, als stiegen sie aus dem Herzen hervor (vgl. 166, 14 f.), eine schmähsüchtige Vorlesung über Anstand und Sitte anzuhängen — als wäre Reinmar nicht Könner und Künstler genug gewesen, für dgl. einen eignen, neuen Ton zu erfinden, wie er in 196, 35 getan, soweit ihm sein Kunstideal unverhüllte Polemik überhaupt gestattet hätte.

Ja, aber die Handschriften, wird man einwenden und hie und da vielleicht glauben, damit den Trumpf auszuspielen. Nun also die Handschriften. Zum Glück hat uns Kraus gelehrt (von Sievers ganz zu schweigen), vor deren Autorität etwas weniger Respekt zu haben als z. B. noch Vogt, *vide* Ton 168, 30, mit das Miserabelste, was bis auf Kraus unter Reinmars Namen in MF. einhergelaufen, steht aber in b, C und E. Wie verhält es sich also in der Beziehung bei Ton 170, 1? Methodischerweise hätte danach zuerst gefragt werden müssen. Das ist nicht geschehen, gerade weil hier nebenbei gezeigt werden sollte, wie weit sich wohl ohne Durchprüfung der Lesarten, bzw. bei nur einmaliger Überlieferung des Liedes kommen lasse. Schon aus den Lesarten geht nämlich die Unechtheit der beiden letzten Strophen klipp und klar hervor. Das Lied steht ganz oder in Teilen in A, b, C und E. Mit A ist zunächst nicht viel anzufangen. Die inkriminierten Strophen fehlen darin allerdings ganz, anderseits aber auch Str. I, und während der Text sonst leidlich ist, erscheint im zweiten Abgesang eine gänzliche Neu-

[12] Schneider S. 79 hält es für Walthers eigne Erfindung, auf die er vielleicht recht stolz gewesen.

gestaltung. Wenn man Reinmars Wortlaut vergleicht, *daz versuochte ich unde ist wâr, ir kunde nie kein wîp geschaden ... also grôz als umbe ein hâr,* so ist das Motiv der Änderung augenfällig, denn jetzt lesen wir (mit geringer Normalisierung): *mit ir güete zaller zît. ir tugent diu zieret wol ein lant. dâ von diu guote nâhe an mînem herzen lît.* Mit andern Worten, die *unfuoge,* mit der der Dichter hier seine Dame auf Kosten aller andern verherrlicht hatte wie dann wieder in Str. 159, 1 (vgl. Vogt z. St.), wurde durch unverfängliche Redensarten beseitigt, unter Anlehnung an die folgende Strophe (*Swaz in allen landen ...*). Dagegen bieten b und C, die nur eine Quelle darstellen, einen guten Text für sämtliche fünf Strophen. Der von E wiederum, wo sich gleichfalls alle Strophen finden, ist nicht nur in geringern Punkten öfters verderbt, sondern hat auch Abgesang I und II auf seine Weise völlig entstellt, d. h. also ganz anders als A. Das textkritische Problem scheint daher sehr einfach: bC ist zugrunde zu legen, gelegentlich durch A berichtigt; E kommt nicht in Betracht. So sind die Herausgeber von Haupt bis Kraus denn auch verfahren; Pauls Vorschlag, in 170, 2 die Lesart von E einzusetzen, ist schon von Burdach (R. u. W., S. 214) mit ausreichenden Gründen zurückgewiesen worden.

Damit ist die Sache aber keineswegs erledigt. Die „entstellten“ Abgesänge in E lauten so: 170, 5—7, *doch* gespriche ich nimmer niht: *ich erkenne an ir die sinne, bin ich ir getriuwe, daz si mirz in den ougen siht* (Kraus' Herstellung, I, 23); 170, 12—14, *mîn* rede konde *ir niht geschaden, daz ist an mîme dienste schîn: dâ von bin ich .... überladen* (leicht zu emendieren). Wem möchte da nicht aufgehen, daß diese Verse nur im und durch den Zusammenhang mit den Schlußstrophen, und diese umgekehrt, zu interpretieren sind? Denn so schließt sich nun 170, 22 an: Si hât *leider* selten mîne *klagende* rede vernomen: *des muoz ich engelten.* nie kund *ich ir nâher komen,* und dann erst folgt der Ausfall gegen den Nebenbuhler, dem die Schuld an dem allzu einseitigen Liebesverhältnis, dieser notgedrungenen Anhimmelung von außerhalb der Hörweite gegeben wird. Das alles ist geistig, verslich und sprachlich aus einem Stück, und zum Überfluß finden sich verschiedene „Kraus'sche Parallelen,“ wie im Zitat angedeutet. Was den

Text in bC anlangt, so heißt das Ganze natürlich nichts andres, als daß Str. IV und V in deren Quelle aus *E nachgetragen wurden; nur hat sich der Kopist dabei nicht bemüßigt gefühlt, auch die ursprünglichen Abgesänge in I und II nach der neuen Vorlage abzuändern, ein vernünftiges, unsrer sonstigen Kenntnis vom Entstehen der Liederhandschriften durchaus gemäßes Verfahren. Umgekehrt wäre man bei Echtheit von Str. IV und V gezwungen zu glauben, ein Liebhaber im Besitz einer E-Quelle hätte den thematischen Bruch nach Str. III bemerkt und nun zur bessern Verbindung die echten Abgesänge entsprechend umgearbeitet. Der Mann hätte mehr Stilgefühl gehabt als Reinmar selbst, mehr Scharfsinn als Haupt und seine Nachfolger. Wäre aber sein Motiv nur das gleiche gewesen wie bei dem Bearbeiter von A, so hätte er doch wie dieser den ersten Abgesang unangetastet gelassen. Man muß also mindestens zugeben, daß das Lied in zwei Fassungen vorliegt: einer dreistrophigen und einer überarbeiteten fünfstrophigen. Jene haben wir, wenn auch verstümmelt, tatsächlich in A, wie gerade die selbständige Abänderung dort beweist, die den ganzen Vorgang aufdeckt, und nur sie wird um 1223 auch Ulrich von Liechtenstein gekannt haben (vgl. Anm. 10). Was MF. bietet, d. h. bC, ist eine Kontamination.

Nunmehr mag die Frage von neuem aufgeworfen werden: Könnte nicht die Überarbeitung von Reinmar selbst herrühren? Wenn ja, so stände damit eine „besondre Herausforderung von seiten Walthers" (s. o. S. 100) fest. Abgesehen von allen innern Gründen dagegen, die ja schon erörtert wurden und sich nun verschärfen, ist dies zu bedenken. Wie wir sahen, müßte die neue Fassung noch vor Walthers Spottlied 111, 23 fallen, wenn anders die Kraus'schen Parallelen, außer der handschriftlichen Beglaubigung die einzigen Echtheitskriterien, überhaupt etwas beweisen sollen. Dawider spricht zunächst die Einordnung in den „Zyklus". Der Dichter konnte nicht wohl in einem Liede, das gewiß in die Frühzeit des *dienstes* gehört, 173, 6 (bei Kraus Nr. 5) erzählen: *ich sprich iemer, swenne ich mac und ouch getar, ‚vrowe, wis genædic mir'* (vgl. 160, 23 f.), und nun z. B. unvermittelt behaupten: *doch gespriche ich nimmer niht,* oder *nie kund ich ir nâher komen* usw. Die ganze hier breit ausgeführte Situation, als habe die Dame keine Ahnung von der Schwärmerei ihres Sängers, ist der in Reinmars Liedern obwaltenden strikte entgegen, denn selbst 198, 2 f. schließt er sich von den zum Vortrag Zugelassenen ja keineswegs aus. Ferner: In der Überarbeitung ist die *unfuoge* 170, 13 f. gegen die andern Damen bei Hofe beseitigt, vielmehr wird ein Nebenbuhler derselben geziehen. Wäre Reinmar der Verfasser, der somit *pater peccavi* gesagt hätte, wie könnte er in Ton 159, 1 nach Walthers Ausdruck das *spil* von neuem *verbieten,* und zwar in noch viel höhern Tönen? Oder die Überarbeitung nach 159, 1 gesetzt, wie hätte ihn Walther noch immer gerade so angreifen können? Denn selbst für den erträumten Kußdiebstahl (Str. 159, 37) wäre nun schon Abbitte geleistet gewesen. Wir bekämen bestenfalls ein romanhaftes Hin und Her, das sich in Reinmars authentischer Antwort, Ton 196, 35, irgendwie hätte widerspiegeln müssen: wir finden dort nichts als gedämpften Trotz. Opfert man aber jene Parallelen, schiebt man die Überarbeitung in eine andre Periode von Reinmars Schaffen, so verliert sie für die Forschung fast jeden Sinn. Und selbst dann wäre noch immer ihr Sprachmaterial zu beanstanden. Von besondern Wendungen, die bei Reinmar auffallen müßten, seien nur zwei herausgegriffen: *daz si mirz in den ougen siht* und das Bild vom Minneleid als Last mit dem Reim *geschaden: überladen.* Man kann solchen Reim bei einem Lyriker freilich nicht zweimal verlangen. Das Merkwürdige ist, daß er zwar in der Epik schon früher, im Minnesang aber überhaupt erst beim Tugendhaften Schreiber auftaucht, MSH. 2, 148 b (6): *Lieb unt leide habent beide pfliht ûf mînen schaden; owê, leider, ich bin beider überladen.* Auch Neidhart wäre heranzuziehen, 94, 3 ff. und besonders 99, 15 f.: *Ich bin zweier schaden von ihr schulden überladen;* vielleicht auch Winsbeke 38, 4 f. und selbst Walther, wenn der auch *überladen* nicht braucht, wegen 50, 24 ff.: .... *ich bin ze vil geladen.*[13] Diese Anklänge aus so viel spätrer Zeit verlieren nicht an Bedeutung, wenn man sieht, daß Reinmars

[13] Man könnte auch auf Wolfram 5, 28 ff. verweisen und nun womöglich einen ganz komplizierten Zusammenhang ertüfteln, natürlich zugunsten von Reinmars Autorschaft der Überarbeitung. Vgl. etwa Singers Stellung, PBB. 44 (1920), 448 f., worüber ein andermal mehr.

Waise 170, 13 *ir kunde nie kein wîp geschaden*, zusammen mit 170, 7 ... *kumber den ich trage*, sie erst geweckt hat; gerade da offenbart sich die schnöde Mache.

Läßt man nun Reinmar als Urheber fallen, so erklärt sich der Sachverhalt einfach genug. Kraus (I, 23) vermerkt in 170, 25 *nie kund ich ir nâher komen* einen Rückweis auf das *gâhen zuo der liebe* 170, 1 f. In der Tat mag der Zudichter von diesem Motiv, das er platt räumlich verstand, ausgegangen sein, nachdem ihm die *unmâze* von 170, 13 f., die auch dem Bearbeiter von A Anstoß erregt, den Gedanken an eine völlige Neugestaltung nahegelegt hatte, denn die beiden letzten Strophen sind als von vornherein geplante Auffüllung zu betrachten. Nur ging dem Herrn bei 170, 25 der Stoff aus, bis sich als rettender Gedanke das Motiv des glücklicheren, aber unbegabten Nebenbuhlers anbot, mit der Möglichkeit den Belehrer zu spielen.[14] Wollte man umgekehrt dieses Motiv als das ursprüngliche ansehen, so käme man um eine autobiographische Deutung kaum herum. Einem solchen Gesellen aber die Einsicht zuzutrauen, daß er dann die voraufgehenden Strophen entsprechend zustutzen müsse, ist doch ein wenig zu viel verlangt.

Es heißt wissenschaftlich, alle nur erdenklichen Möglichkeiten der Lösung eines Problems auszuschöpfen, ehe man den letzten Schluß zieht. Das dürfte so ziemlich geschehen sein, was sich auch noch sagen ließe. Es ist selten, daß man ein textkritisches Problem so von allen Seiten beleuchten kann. Das Ganze ist ein Schulbeispiel, dessen Resultat Lachmann in einer zweizeiligen Anmerkung mitgeteilt hätte. Nun denn — Ton 170, 1, so wie ihn Reinmar geschaffen und gesungen, ist dreistrophig und enthält keine Spur einer Schmähung auf den jüngern Kollegen. Dazu paßt, daß sich Reinmar in dem ganzen Streit als unschuldig hinstellt, besonders feierlich in Str. 175, 22, die, wie schon Erich Schmidt gesehen (S. 53, vgl. Halbach S. 71), auf Walther geht. Auch der Umstand paßt dazu, daß Reinmar von eben diesem Lied 175, 38 als einer *kleinen rede* spricht, was Halbach (S. 71 f.) ohne eigentlichen Beweis gegen

[14] Übrigens ist 170, 34 wohl *mir* statt *ir* zu setzen, vgl. Bech zu Êrec 5927, Lexer I, 754. Der Sinn ist doch: „Gestattet mir, daß ich mich jetzt zurückziehe."

Kraus geltend macht. Von beidem ist noch anderwärts zu handeln. Für die Methode zeigt sich, daß Kraus'sche Parallelen, die wie die angeführten vorzugsweise mit tagtäglichen Worten und Wendungen arbeiten, einen schon gegebenen Zusammenhang allerdings scharf beleuchten können, sonst aber mit größter Vorsicht zu verwerten sind.

Anderseits schwindet für Skeptiker mit der Echtheit jener beiden Strophen auch die Nötigung, Walthers Angriff mit Ton 170, 1, auch 159, 1 in direkte ursächliche und zeitliche Verbindung zu bringen. Wer kombinationslüstern ist, könnte jetzt auf Stoschs alte Vermutung zurückgreifen,[15] wonach „die Parodie erst in Thüringen entstanden" wäre. Es ist nichts damit, Kraus behält recht. Schon jetzt läßt sich darüber dies sagen, und damit kommen wir zu unserm Thema zurück und sind eigentlich schon am Ende: In der Tat enthält Ton 170, 1 etwas, das, wie schon oft hervorgehoben, wohl geeignet war, das größte Ärgernis zu erregen, nämlich *unfuoge* im zweiten Abgesang.[16] Schon diese verdiente einen Verweis,[17] und als sich der Dichter in Str. 159, 1 noch überbot, da folgte die Züchtigung durch Walther. Kraus drückt durch Zusammenreihung der drei fraglichen Lieder nur die klaren Tatsachen aus. Ohne Zweifel enthielten die himmelhochpreisenden Verse 159, 5 ff. eine mehr als unschickliche Glosse über die *wîplîchen tugende* der andern Damen des Hofes, die nun durch Einbeziehung bestimmter Sänger gewiß wie ein hingeworfener Fehdehandschuh wirken mußte. Daß Reinmar dies vorausgesehn und gewollt, geht aus dem weitern Verlauf aber nicht hervor, wie noch im einzelnen zu zeigen sein wird. Mit andern Worten, wir kehren ganz einfach zu Erich Schmidt zurück, der schon 1874 schrieb (S. 44): „Reinmar hatte ... den Mund etwas zu voll genommen und Walther war die Gelegenheit, an ihm seinen Spott

[15] ZfdA. 27 (1883), 323[3].

[16] Ohne diese hätte man sich über den *ôsterlîchen tac* nicht empören können, der Ausdruck war geläufig genug (vgl. noch Schönbach, WSB. 141 [1899], II, 146). Walther griff ihn auf, weil er sofort das andre gemeinte Lied erkennen ließ und in der neuen Umgebung unfehlbar komisch wirken mußte. Reinmar dagegen, statt auf den Kern der Sache einzugehen, konnte sich nun 197, 4 hinter sein gutes Recht verschanzen.

[17] Vgl. Wilmanns 1, IV, 276 Schluß.

auszulassen, willkommen. . . . Walther selbst ist nur der Wortführer gegen Reinmar." Gerade dies letzte, mit Hinweis auf 111, 27 gesagt, verdient Hervorhebung. Keine Privatrache lag vor, der ein Reinmarischer faux pas als Deckmantel herhielt (welch merkwürdiges Zusammentreffen wäre das gewesen!), sondern der Protest einer nachgerade wohlformulierten öffentlichen Meinung, mindestens einer Partei. Daß Walthers Temperament und Veranlagung ihn geradezu beriefen, diesem Protest die unbarmherzigen Worte zu leihen, ist ein andrer Punkt, den nach Schmidt besonders Burdach herausgearbeitet hat,[18] und natürlich haben sich diese Ansichten, wenn auch hie und da mit allzu einseitiger Betonung, mit Recht durch die ganze Literatur behauptet. Im einzelnen auf das ursprüngliche Verhältnis der beiden Männer einzugehen, ein Problem, das zuerst Kraus wieder aufgeworfen, ist hier noch nicht der Ort. So aber war der Stein ins Rollen geraten, so war beiden Dichtern, zumal Walther, Gelegenheit gegeben, sich ihrer gegensätzlichen Eigenart auch künstlerisch bewußt zu werden und oft im Wettkampf miteinander ihr Jahrhundert zu beleuchten.

Nachwort 1968

An vier Stellen der vorliegenden Arbeit von 1929 wird auf spätere Veröffentlichungen der Vfs. vorausgedeutet. Diese sind zum größten Teil im folgenden Jahrzehnt erschienen. Die betr. bibliographischen Hinweise finden sich (mit andrer einschlägiger Literatur) in der ersten Fußnote zu des Vfs. Beitrag zu Corona: Studies in Celebration of the Eightieth Birthday of Samuel Singer, ed. by Arno Schirokauer and Wolfgang Paulsen, Durham, N. C., Duke University Press, 1941, S. 158—182: „Hohe Minne bei Reinmar von Hagenau, Minnesangs Frühling 176, 5." (Bei F. Maurer, Die „Pseudoreimare", Heidelberg 1966, S. 143, nicht genannt.)

Doch ist zu bemerken, daß derselbe Zudichter, dem MF 170, 22—35 angehören, auch sonst im Reinmar-Corpus mit ähnlicher Methode vielfach nachzuweisen ist, z. B. gehört ihm MF 165,

[18] R. u. W., S. 140 f., 151 u. ö.

37—166, 6. Zur Aufarbeitung des bereitliegenden reichlichen Materials bin ich durch allerlei Umstände beruflichen und persönlichen Ursprungs leider noch nicht gekommen. Ich hoffe aber, wenigstens das Wesentliche einer solchen Arbeit noch vorlegen zu können. Interessenten mögen mir schreiben.

Hendrik Sparnaay, Zur Sprache und Literatur des Mittelalters. Verzamelte opstellen ter gelegenheid van zijn zeventigste verjaarsdag aan de schrijver aangeboden door leerningen, oud-leerningen, collegas en frienden. Wolters-Noordhoff, Groningen 1961, S. 263—269.
Erstmals in: Neophilologus 19, 1934, S. 102—107.

ZU WALTHERS ›DRÎER SLAHTE SANC‹

Von HENDRIK SPARNAAY

Walthers Spruch 84, 22 lautet nach Aufnahme der von Lachmann vorgeschlagenen Textbesserungen:

> Ich traf dâ her vil rehte drîer slahte sanc,
> den hôhen und den nidern und den mittelswanc,
> daz mir die rederîchen ie gelîche[1] sagten danc.
> wem könd ich der drîer einen[2] nû ze dank gesingen?
> der hôhe der ist mir ze starc, der nider gar ze kranc,
> der mittel gar ze spaehe an disen twerhen dingen.
> nû hilf mir, edelr künneges rât, da enzwischen dringen,
> daz wir als ê[3] ein ungehazzet liet zesamene bringen.

[1] Vielleicht verdient *iegeslîches* (Wilmanns-Michels, Pfeiffer und Paul) den Vorzug. Die Hs. hat *iegesliche. Iegeslîches* wäre Gen. zu *sagten danc.*

[2] Statt des überlieferten *wie könd ich der drîer eime* stellt L zur Wahl: *die drîe ir eime* oder *wem könd ich der drîer einen.* Wilmanns-Michels und Paul lesen: *wie könd ich der drîer einen.*

[3] Hs. *alle.* Sämtliche Ausgaben sind L. — und schon Bodmer — gefolgt, nur Wilmanns schreibt *beide,* weil durch *als ê* Eingangssenkung entstehe. Das darf jedoch nicht entscheiden, denn auch die im selben Ton gedichtete Strophe 84, 14 hat Eingangssenkung in der letzten Zeile. Wenn man vollends noch die Schlußzeile des ersten Stollens berücksichtigt — es handelt sich um eine „gespaltene Weise" — so haben von den 11 zu diesem Ton gehörigen Strophen (6 stehen 84, 14 ff. und 5 jüngere 10, 1 ff.) nicht weniger als 10 in dieser Zeile Eingangssenkung. W. behandelt überhaupt und namentlich in den Sprucht önen den Auftakt ziemlich frei. — Gegen Wilmanns' Änderung ist weiter geltend zu machen, daß die Bindung *wir beide* für den Erzbischof und W. trotz des guten Einvernehmens zwischen ihnen und trotz W.'s Selbstgefühl dem wirklichen Verhältnis wohl kaum gerecht wird und daß W. sich an den *fürsten meister* nie in diesem Tone wendet.

Trotzdem die Erwähnung des *edeln küneges rât,* mit dem, wie Lachmann gleich erkannte, der von Kaiser Friedrich II. bei seiner Abreise nach Italien im September 1220 zum Reichsverweser eingesetzte Erzbischof Engelbert von Köln gemeint ist, uns eine feste Handhabe zur Deutung des Spruches an die Hand tut, bietet die Erklärung desselben manche Schwierigkeit. Nach der gewöhnlichen Auffassung, die man in den Ausgaben nachlesen mag, hätte W. den Erzbischof aufgefordert zusammen mit ihm ein Lied zu dichten und ihn zu beraten, in welcher der von ihm gepflegten Arten des Gesanges dies abzufassen sei. Über den Charakter dieser drei Stilarten, über den der Fechtkunst entnommenen Ausdruck *swanc,* über *spaehe,* die *twerhen dinge* und als *ê* geht man gemeinhin leicht hinweg. Nur *ungehazzet* hat Burdach[4] wirklich erklärt, indem er es auf Thomasin von Zerclaere bezog. Paul meint, es sei unmöglich, sich von den drei hier von W. unterschiedenen Arten des Gesanges eine genauere Vorstellung zu machen. Michels gibt an, dieser Unterschied sei noch nicht ergründet. Er denkt an die drei *genera dicendi* des Altertums und an die Vortragsweise der kirchlichen Gesänge. Viel näher liegt es jedoch, ehe man auf das Altertum zurückgreift, das für mittelalterliche Autoren immer eine unsichere Grundlage ist, zunächst zu erwägen, ob sich für W's *drîer slahte sanc* vielleicht aus den Schriften der Zeit selber eine Deutung beibringen lasse. Um so eher liegt hierzu Veranlassung vor, als nicht bezweifelt werden kann, daß W. eine gewisse gelehrte Bildung besaß. Burdach hat mit Recht vor allem aus W.'s Neigung zur dialektischen Gliederung geschlossen, daß der Dichter vermutlich den Trivial-Unterricht einer Klosterschule empfangen habe[5]. Das Trivium umfaßte Grammatik, Rhetorik und Dialektik und in der Rhetorik hat W. sicher auch die Regeln der Poetik studiert.

Die mittelalterlichen Stillehren sind uns jetzt in Farals Ausgabe[6] bequem zugänglich. In ihnen nun finden wir die Lehre von den drei

[4] Walther von der Vogelweide I, Leipzig 1900, S. 85.

[5] A. a. O., S. 28. N. Perquin S. J. hat Neoph. 14, 262 ff. wertvolle Zeugnisse beigebracht, die sogar auf eine theologische Schulung W.'s schließen ließen.

[6] Les arts poétiques du XIIe et du XIIIe siècle. Recherches et documents sur la technique littèraire du moyen âge, Paris 1923.

Stilarten im Anschluß an die Antike, aber in bewußt abweichender eigener Prägung, klar und an Beispielen erörtert. Sehr deutlich spricht Galfredus de Vinosalvo im ›Documentum de arte versificandi‹ sich aus, § 145:[7] *Sunt igitur tres styli, humilis, mediocris, grandiloquus. Et tales recipiunt appellationes styli ratione personarum vel rerum de quibus fit tractatus. Quando enim de generalibus*[8] *personis vel rebus tractatur, tunc est stylus grandiloquus; quando de humilibus, humilis; quando de mediocribus, mediocris. Quolibet stylo utitur Virgilius: in Bucolicis humili, in Georgicis mediocri, in Eneyde grandiloquo.* Diese Bezugnahme auf den Stand der Personen, die den Poetiken des 12. und 13. Jhs. eigentümlich ist, war eine Neuerung des medievalen Ständetums. In der auf Cicero (de orat. III, 55 § 212) fußenden Rhetorik des Herennius war einzig die Vortragsweise ausschlaggebend: *Sunt ... tria genera, quae genera nos figuras appellamus, in quibus omnis ratio non vitiosa consumitur: unam gravem, alteram mediocrem, tertiam extenuatam vocamus. Gravis est, quae constat ex verborum gravium magna et ornata constructione; mediocris est, que constat ex humiliore, neque tamen ex infima et pervulgatissima verborum dignitate; attenuata est, quae demissa est usque ad usitatissimam puri sermonis consuetudinem*[9]. Wenn die drei *genera* des Galfredus sich somit auch fraglos als die mittelalterlichen Repräsentanten der antiken Stilarten herausstellen, so tragen sie trotzdem durchaus eigenen Charakter. Was Galfredus klar ausspricht, findet sich in breiterer Darstellung in den andern Lehrbüchern wieder und es kann m. E. kaum einem Zweifel unterliegen, daß W., wo er im eigenen Schaffen die drei Stilarten unterscheidet, eben die Trennung der Poetiken im Auge hat. Damit ist nicht gesagt, daß W. etwa das ›Documentum‹ des Galfredus benutzt hätte, denn diese Lehrbücher sind schwer datierbar. Die ›Poetria‹, im Grunde nur eine andere Fassung des ›Documentum‹, wird von Faral zwischen 1208 und 1213 angesetzt[10]. Die ›Ars ver-

[7] Faral, a. a. O., S. 312.

[8] Mit Faral S. 87 ist statt *generalibus* wohl besser zu lesen *grandibus.*

[9] Faral, S. 86 ff. Vgl. auch Brinkmann, Zu Wesen und Form mittelalterlicher Dichtung, Halle 1928, S. 69 ff.

[10] A. a. O., S. 33.

sificatoria‹ des Matthäus de Vendôme war aber jedenfalls schon 1175 vorhanden[11].

Der Einfluß der mittellateinischen Stillehren auf die Lyrik sowohl wie auf die Epik steht außer allem Zweifel. An Zeugnissen der Dichter fehlt es nicht und der Erforschung des mittelalterlichen Stiles eröffnet sich hier ein Gebiet, das, mit gebührendem Fleiß durchackert und durchpflügt, gewiß eine reichere Ernte tragen wird als die Einbeziehung moderner Stilkategorien sie zeitigt. Trotz gelegentlicher erfolgreicher Vorstöße vor allem Ehrismanns und Burdachs und der frisch gewagten, als Pionierarbeit hoch einzuschätzenden Darstellung Brinkmanns muß hier noch sehr viel Arbeit geschehen[12]. Besser steht es um die Ergründung einer andern Stileigenschaft, über die die Poetiken zumeist in breiter Ausführlichkeit handeln, um die Erkenntnis des Stilschmuckes. Den *ornatus difficilis* und den *ornatus facilis* hat man längst in dem schweren und dem leichten Schmuck mittelhochdeutscher Dichter wiedererkannt[13]. Auch hier jedoch harrt noch manche Frage der Lösung.

Wenden wir uns zu Walthers Spruch zurück. Der Dichter trägt sich mit dem Gedanken an ein Lied *an disen twerhen dingen.* Zu diesem Lied wolle ihm aber keine der drei Stilarten, deren er sich sonst bediente, passend erscheinen. Die hohe ist ihm *ze starc,* die niedere *ze kranc,* während die mittlere *ze spaehe* wäre für das in Aussicht genommene Thema. Er geht daher den Erzbischof und Reichsverweser um seinen Rat an, damit der ihm helfe *da enzwischen dringen.* Was für ein Lied mag W. da geplant haben und was

[11] Faral, a. a. O., S. 14.

[12] Eine Arbeit z. B. wie die von Fr. Niclas, Untersuchung über Stil und Geschichte des Deutschen Tageliedes, Diss., Berlin 1928, hätte bei Heranziehung der ma. Stillehren ganz anders unterbaut werden können. — Vgl. aber neuerdings S. Sawicki, Gottfried von Straßburg und die Poetik des Mittelalters, Berlin 1932.

[13] Über den erstern vgl. besonders Singer, Wolframs Stil und der Stoff des Parzival (Wiener S. B., phil. hist. Kl. 180, 4), Wien 1916, über den letztern vor allem Ehrismanns Habilitationsschrift, Untersuchungen über das mhd. Gedicht von der Minneburg (PBB, 22, 257 ff.) und Dens., Studien über Rudolf von Ems (Heidelberger S. B., phil. hist. Kl. 1919, 8), Heidelberg 1919.

heißt *da enzwischen dringen*? Wollte der Dichter, wo keine der bekannten Stilarten ihm genügen konnte, eine neue erfinden, durch Vermischung sodann der drei sonst immer gepflegten? Da hat er, wenn er dies wirklich erwogen haben sollte, sich zweifellos das Gesetz seiner Schulpoetik erinnert, welches eine Mischung der Stilarten ausdrücklich verbot. *Considerandum est,* heißt es im ›Documentum‹, *ut stylum materiae non variemus, id est ut de grandiloquo stylo non descendamus ad humilem.* Und etwas weiter: *Sed et de humili stylo non ascendamus ad grandiloquum stylum; similiter nec de mediocri declinandum est ad alterutrum illorum ....*[14] Macht diese Erwägung uns schon sehr gespannt darauf, was für eine Art Lied W. denn zustande bringen wollte, unsere Neugier wächst noch, wenn wir uns die Worte mal ansehen, mit denen auch die mittlere Stilart abgelehnt wird. Diese ist dem Dichter *ze spaehe.*

Spaehe ist, wie Ehrismann nachgewiesen hat[15], im spätern Minnesang ein Kunstausdruck für die geblümte Rede. In ähnlicher Bedeutung aber gebrauchen auch bereits Dichter der Blütezeit das Wort, man vgl. wie Reimar seine Dame sagen läßt, 187, 25 (v. Kraus 33, V, 5)[16]:

sîn spaehiu rede in sol
lützel wider mich vervâhen.

[14] Faral, a. a. O., S. 315. Brinkmann, S. 70 glaubt, daß Vermischung der Stilarten im spätern Mittelalter gestattet, unter Umständen sogar geboten gewesen wäre und beruft sich auf die ›Poetria nova‹ des Galfredus v. 1224: *Plus saperet levitas gravium condita sapore.* Allein das Zitat bezieht sich, wie aus dem Zusammenhang (Faral, S. 235) hervorgeht, auf den rhetorischen Schmuck. Galfredus führt hier aus, daß die Figuren des *ornatus facilis* gelegentlich mit denen des *ornatus difficilis* vermischt werden dürfen. Wenn Brinkmann weiter hervorhebt, daß Übertragungen aus einer Stilart in die andere vorkommen können, so ist das eine andere Sache.

[15] PBB, 22, 323 ff.

[16] Das Lied ist eins von denen, die sich gegen W. richten, vgl. v. Kraus, Die Lieder Reimars des Alten (Abh. Bayr. Ak., phil. u. hist. Kl. XXX, 4, 6, 7), München 1919, III, 16 u. 18 und II, 24. Eine Beziehung auf unseren Spruch schließt die Chronologie selbstverständlich aus.

W. will also wohl sagen, daß sogar die Sprache des mittleren Stiles für das zu behandelnde Thema zu geziert, zu gehoben wäre. Hiermit erledigt sich m. E. Wilmanns' Vermutung[17], wonach W. hier auf ein Kreuzlied anspielte. Das müßte sodann nämlich das sog. ›Palästinalied‹ sein, 14, 38, gerade eine der erhabensten und berühmtesten Schöpfungen der Waltherschen Kunst[18], wofür der mittlere Stil sicher nicht *ze spaehe* gewesen wäre.

Vielleicht aber ist aus *spaehe* mehr zu schließen. W.'s frühere Sprüche gegen Papst Innozenz III. hatten bekanntlich den Unwillen des papsttreuen Domherrn Thomasin von Zerclaere erregt. Die höhnischen Worte W.'s, der den Papst sprechen läßt, 34, 10:

> ich hâns an mînen stoc gement, ir guot ist allez mîn:
> tiuschez silber vert in mînen welschen schrîn.

weist Thomasin in seinem Welschen Gast 11191 ff. zurück[19]:

> Nu wie hât sich der guote kneht
> an im gehandelt âne reht,
> der dâ sprach durch sînn hôhen muot[20]
> daz der bâbest wolt mit tiuschem guot
> vüllen sîn welhischez schrîn!

Auch sonst zeigt Thomasin sich als Gegner Walthers[21] und wo W. in unserem Spruch *ein ungehazzet liet* in Aussicht stellt, da ist mit

[17] Leben und Dichten Walthers von der Vogelweide I², Halle 1916, S. 153.

[18] Burdach lehnt, Walther I, S. 85, die Vermutung Wilmanns' kurz ab, wohl hauptsächlich, weil B. aus dem ›Palästinalied‹ schließt, daß W. selbst den Kreuzzug mitgemacht habe (vgl. S. 88) und das Lied nach ihm somit einige Jahre später angesetzt werden müßte.

[19] Hrsg. von H. Rückert, Quedlinburg u. Leipzig 1852.

[20] Vgl. zu dieser Stelle in anderem Zusammenhang A. Arnold, Studien über den Hohen Mut, Diss., Leipzig 1930, S. 29.

[21] Vgl. H. Teske, Thomasin von Zerclaere, Heidelberg 1933, besonders S. 194 ff. und Schönbach, Die Anfänge des deutschen Minnesangs, Graz 1898, S. 63 ff. Schönbachs Vermutung, daß Walther und Thomasin 10 Jahre im gemeinsamen Dienst beim Patriarchen Wolfger von Aquileja verbracht hätten, scheint wohl sehr gewagt.

Burdach (vgl. oben) sicher an seine Beziehungen zu Thomasin zu denken. Die Tage des Opferstockes (Ostern 1213) lagen, als W. seinen Spruch 84, 22 dichtete, schon um mehr als 10 Jahre zurück, aber aufs neue sah sich W. veranlaßt, den Papst zu bekämpfen. Honorius III. drängte den Kaiser immer eifriger zum Kreuzzug und wollte schließlich dessen Entschuldigungen nicht länger gelten lassen. W. steht wieder durchaus auf kaiserlicher Seite und weiß auch jetzt Thomasin unter seinen Gegnern.

Thomasin nun hat sich auch fleißig mit der Lehre der Stilarten beschäftigt[22]. Er hält für ein Werk wie das seinige den *stilus humilis* für angemessen:

W. G. 37 der zühte lêre gewant sol gar
von sîme gebote sîn einvar.

und scheint diesen Stil überhaupt — unter dem Einfluß Buoncompagnos?[23] — den andern vorzuziehen:

W. G. 9007 der kan Rhetoricâ garwe
der mit der einvaltic varwe
verwen sîne rede kan:
wizzet, daz er ist ein wîse man.

Die *spaehen* Worte dagegen lehnt er in seiner Einleitung (v. 45) ausdrücklich ab und dies führt mich auf die Vermutung, daß W. in seinem Spruche nicht bloß mit dem *ungehazzet liet* auf Th. zielt, sondern daß auch *spaehe* sich irgendwie auf diesen Gegner bezieht. Ehe wir dies weiter verfolgen, empfiehlt es sich aber, jene andere Frage wieder vorzunehmen, nl. was für ein Lied wollte W. denn dichten?

Es darf keiner der drei Stilarten angehören, während eine Mischung der Stilqualitäten, wie wir sahen, nicht in Frage kommen kann. Thomasin soll es nicht hassen können, obgleich er in politicis W.'s entschiedener Gegner ist. Der Erzbischof soll ihm bei der Abfassung helfen *als ê*, trotzdem wir von dessen dichterischer Tätig-

[22] Vgl. Teske, a. a. O., S. 140 ff.

[23] Vgl. über ihn und seine Beziehungen zu Aquileja Teske, S. 34 ff. über seinen Stil Brinkmann, S. 39 ff.

keit zusammen mit W. früher nie etwas erfuhren. Die Antwort auf unsere Frage kann nur lauten: es war gar kein Lied, was W. jetzt vor hatte! Er plante etwas ganz anderes, nämlich irgendeine politische Tat, einen schlauen Kniff vermutlich, wozu er Engelbert zu bestimmen hoffte und der den Gegnern, der Partei des Papstes also, zunächst verborgen bleiben sollte.

In diesem Lichte besehen, steckt der Spruch voll feiner, hämischer Bosheit. Zunächst im Eingang das der Fechtkunst entnommene Bild. Die drei Stilarten sind dem Dichter die dreierlei *swanc* des Schwertkampfes. Die *rederîchen,* das sind eigentlich die Rhetorici, die Kenner der Redekunst, hier also die Kenner des Kampfspiels, gestehen ihm zu, daß er sich auf das Spiel verstehe. Jetzt aber will er einen Streich führen, den sie noch nicht von ihm kennen, denn bei diesen *twerhen dingen,* den verzwickten, schiefen Verhältnissen der Gegenwart, gedenke er seine Waffen noch anders zu führen. Mit der Hilfe des Reichsverwesers wolle er den Gegnern mal einen Hieb versetzen, auf den die nicht gefaßt sind. Und dann die Pointe, die bei Walther niemals fehlen darf, gegen Thomasin: auch ich will jetzt wie du die *spaehen* Worte mal vermeiden und will dir ein Lied singen, das du nicht hassen kannst, eben natürlich — so sollen wir verstehen — weil du den Schaden schon haben wirst, ehe du mich als den Urheber kennst!

Welche Tat Walther im Sinne hatte, über welche Maßregel er sich mit dem Erzbischof beraten wollte, entzieht sich unserer Nachforschung, aber die Deutung des Spruches in diesem Sinne würde sich gut mit der von vielen geteilten Ansicht vertragen, wonach Walther in den zwanziger Jahren als politischer Agent des Kaisers tätig war.

Dichtung und Volkstum. Neue Folge des Euphorion, 36, 1935, S. 50—68.

WALTHERS AUFRUF ZUM KREUZZUG KAISER FRIEDRICHS II.

Von Konrad Burdach

Als vor mehr denn hundert Jahren (1827) die Gedichte Walthers von der Vogelweide zum erstenmal in gereinigter Gestalt und vollständig modernen Lesern vor Augen traten durch Karl Lachmanns kritische Ausgabe und Erläuterung, besprach Wilhelm Grimm dieses unvergängliche nationale Geschenk. Er knüpfte daran ein Urteil über den Sänger, dessen kirchenpolitische Verse in der staufischen Kaiserzeit weithin, auch außerhalb der deutschen Sprachgrenze, vernommen und bewundert oder bekämpft worden waren. „Er ist" — so urteilte Wilhelm Grimm — „Dichter in vollem Sinne des Wortes. Seine Stimme tönt mit in jenem großen Chor, der aus allen Zeiten uns entgegenschallt und niemals verstummen wird." Um die Ansicht zu widerlegen, daß die Dichtungen des deutschen Mittelalters „nur für die Geschichte der Sprache und poetischen Entwicklung Wert hätten, nicht aber wie die Erzeugnisse des klassischen Altertums an und für sich selbst den Geist reizen und beschäftigen könnten", griff Wilhelm Grimm „ohne lange Wahl" ein einziges Gedicht aus Lachmanns Sammlung der Lyrik Walthers heraus und fragte, „ob wohl das griechische Altertum ein Lied von der innigen und großartigen Gesinnung wie das letzte hier:

owê war sint verswunden alliu mîniu jâr! (124, 1 ff.)

von sich weisen würde? ob Epimenides' Klage edler lauten könne? und ob die römische Literatur etwas dagegenzustellen habe?" [1].

[1] Wilhelm Grimm, Göttingische gelehrte Anzeigen 1827, S. 2037 f. (= Kleinere Schriften 2. Bd. [1882], S. 395).

Mehr als drei Jahrzehnte später (1860) hat der greise Jacob Grimm in seiner Akademierede über das Alter jenes Lied Walthers „sein schönstes, echtestes“ genannt[2].

Dies hohe Lob aus dem Munde der Entdecker des Goldschatzes altdeutscher Dichtung, die zugleich mit universaler Kennerschaft die Weltpoesie aller Völker und Zeiten feinsinnig verstanden und mitempfanden, ward in der folgenden Zeit bis zum heutigen Tage voll bestätigt. Kaum ein anderes Gedicht Walthers ist weiten Kreisen so bekannt, wurde so oft übersetzt, nachgedichtet, nachgeahmt, so oft von der Wissenschaft kritisch und erläuternd behandelt. Aber man muß hinzusetzen: Kaum ein zweites ist so verschiedenartig gedeutet und so gründlich mißkannt worden wie dieses. Ja, man muß sagen: Über diesem Schwanenlied des greisen Sängers hat ein Unstern gewaltet seit seinem Entstehen. Es ist uns mit Verderbnissen seiner metrischen Form (der in Österreich heimischen Nibelungen-Langzeile) und des Inhalts überliefert[3].

So einstimmig das Gedicht bewundert wird, seine künstlerische Einheit ist nicht immer erkannt, sein starker, persönlicher Erlebniszug oft unrichtig gedeutet worden. Wilhelm Wackernagel[4] in den noch heute belehrenden Anmerkungen zu Simrocks Walther-Übersetzung nahm an, daß das Lied „in zwei wesentlich verschiedene Hälften zerfällt“. Er sah darin zwei unvereinbare Gedankenreihen. Die eine (nach Wackernagel Strophe 1 u. 2) beklagt, daß *diu welt ist allenhalben ungenâden vol* (124, 14) und daß *tanzen, singen . . . zergât mit sorgen gar* (124, 22), daß also die wahre höfische Zucht mit ihrem *hôhen muot* zu allgemeiner Freudelosigkeit verwildert sei. Diese Klage berührt sich mit anderen verwandten Gedichten

[2] Jacob Grimm, Kleinere Schriften 1. Bd., S. 196.

[3] Vgl. darüber die nach dem Vorgang von Wackernagel, Simrock, Bartsch, Hildebrand gegebenen Darlegungen von Kurt Plenio, Paul und Braunes Beiträge 42. Bd. (1917), S. 255—276; Carl von Kraus, Festschrift für Zwierzina 1924; Andreas Heusler, Deutsche Verslehre 2. Bd. (Berlin 1927), § 739. 752. — Unsicher bleiben trotz allen Heilungsversuchen Wortlaut und Sinn besonders des ersten und vollends des zweiten Verses der zweiten Strophe.

[4] Wilhelm Wackernagel in Simrocks Walther-Übersetzung. Berlin 1833, 2. Teil, S. 193 f.

Walthers (zum Beispiel *Owê dir, Welt, wie übel dû stêst!* 21, 10; *Wer zieret nû der êren sal?* 24, 3). Die andere Gedankenreihe „mahnt an die Eitelkeit aller irdischen Freude und vereinigt damit eine Aufforderung zum Kreuzzuge". Damit berühren sich vier Strophen Walthers (13, 5—32), die gleichfalls mit *Owê* beginnen und für den Kreuzzug Friedrichs II. Stimmung machen. Es schien darum Wackernagel „unmöglich, dies Lied als einiges und auf einmal gedichtetes aufzufassen". Er vermutete, daß die dritte Strophe unseres Gedichts die älteste und gleich nach jenen vier bisher nicht einhellig datierten, möglicherweise aber etwas früheren *Owê*-Strophen, also vielleicht schon im Jahre 1225 gesungen sei.

Der Zwiespalt der Gedanken läßt sich nicht leugnen; aber er entsteht schon, was Wackernagel übersah, durch die beiden Schlußverse der zweiten Strophe:

waz spriche ich tumber man durch mînen bœsen zorn?
swer dirre wünne volget, der hât jene dort verlorn,
iemer mêr ouwê.

Diese Verse bilden durch das Walther eigne Kunstmittel der Überraschung, dem oft seine früheren weltlichen Lieder scherzend schlagkräftige Wirkungen verdankt hatten, mit dem jähen Widerruf der Klage die Brücke zwischen der ersten und der dritten Strophe. Ist dem so, dann darf man aber nicht die letzte Strophe als ursprünglich selbständig und früher gedichtet abtrennen. Das ganze Lied in seinen drei dramatisch sich steigernden Strophen, die durch das als Anfangsakkord und als Refrain wiederkehrende *owê* stimmungsschwer verklammert sind, ist *ein einheitliches Kunstwerk*. Aber es bedarf der rechten Beleuchtung und der nur durch sie erreichbaren Einfühlung.

Der innige Seelenton des ganzen Liedes, vor allem der erschütternde *Einsatz des Anfangs*, haben moderne Herzen von jeher bewegt und bezaubert. Allein gerade hier lauert ein Fallstrick. Was Walther als mittelalterlicher Mensch, als frommer Patriot der staufischen Kaiserzeit, als Sprache nationaler und zugleich christlich-universaler Weltanschauung empfindet und seinen Hörern kündet, ist fest verwachsen im Gedanken- und Gefühlsbereich seiner Zeit. Hier hat nun schon Wackernagel sich dem Mißverstehen, das moderne Sentimentalität in die erste und zweite Strophe hineintrug, entgegengestellt und mit Recht die weitverbreitete, seit Uhlands Biographie[5] (1822) bis heute noch nicht ausgerottete Ansicht bestritten, Walther habe sie verfaßt, „da er nach langer Abwesenheit wieder in sein Geburtsland zurückkehrte und es so verändert fand, daß es ihm wie fremdes Land erschien". So hatte Simrock seiner Übersetzung des Gedichts die Überschrift „Heimkehr" vorgesetzt und sie in allen Auflagen seiner weit verbreiteten Arbeit wie auch in seiner Walther-Ausgabe (1870) beibehalten. Wackernagel dagegen erkannte gleich in den Eingangsversen der ersten Strophe richtig „eine bildliche uneigentliche Darstellung". Weil der Dichter nirgends Freude, überall nichts als Trauern sieht, „ist es ihm, als werde er aus einem Traume aufgestört, und es liege zwischen den Freuden seiner jungen Tage und dieser nicht abzuleugnenden freudelosen Gegenwart ein langer Schlaf, ja als seien jene fernen Freuden selber nur ein trügerisches Traumbild gewesen. So ist das Ganze eine schöne freie Anwendung jener alten Sage von Epimenides (Diogenes Laertius I, 110) und von den Siebenschläfern."

Damit war der Kern der ersten Strophe, ja, wie sich zeigen wird, des ganzen Liedes erfaßt. Allerdings erschüttert den Dichter der Gegensatz zwischen der Gegenwart und seinem *ganzen* früheren Leben, nicht bloß zwischen der Gegenwart und seinen „jungen Tagen". Der Hinweis auf das Epimenides-Motiv hatte vor Wackernagel schon das auch von ihm erwähnte Urteil Wilhelm Grimms gegeben, das ich oben mitteilte.

Gleichwohl blieb lange Zeit unser Lied die Quelle von allerlei luftigen biographischen Schlüssen. Namentlich die durch Franz Pfeiffer in Aufnahme gekommene Hypothese der Tiroler Heimat Walthers sog daraus Nahrung: Walther habe auf der Kreuzfahrt sein Geburtsland Tirol nach langer Abwesenheit wiedergesehen, da der Weg nach Italien, wo man sich einschiffte, durch Tirol führte, aber er habe es völlig verwandelt gefunden, und daß er es einst anders und schöner gesehen, sei ihm nun wie ein Traum der Jugend erschienen, aus dem er zu erwachen glaubte. In der Wehmut dieses

[5] Ludwig Uhland, Schriften zur Geschichte der Dichtung und Sage. 5. Bd. (Stuttgart 1870), S. 102.

Eindrucks habe er seine Klage über den Wechsel in der heimatlichen Landschaft und in der Gesinnung der Menschen erhoben.

Einen Nachhall solcher Auffassung kann man in Geibels Jugendgedicht ›Herbstklage‹ vernehmen:

> O weh, wie ist so rasch dahin
> Der grüne Sommer gegangen ...
> Mein Leben däucht mir als ein Traum,
> Den ich geträumet habe;
> Rechter Freude denk' ich kaum,
> Seitdem ich war ein Knabe.
> Tanz und Sang zergeht mit Gram ...
> Die Welt ward falsch und eitel Schein,
> Wie soll sie mir gefallen!
> An Bechers Rande blinkt der Wein,
> Doch drunten schwimmen die Gallen [6].

Die Anklänge an Walthers Lied hört man leicht. Aber ebenso auch, wie hier die Stimmung des Vorbilds ins Sentimentale verflüchtigt ist. Auf diesem modernisierenden Irrweg war es ein letzter folgerechter Schritt, die erste Strophe, die, wenn man sie aus dem Wiedersehen der lange entbehrten Heimat erklärt, den Zusammenhang mit den folgenden beiden Strophen einbüßt, als selbständiges Gedicht zu betrachten und zu verbreiten [7].

Erst viel später hat Friedrich Zarncke die eingewurzelte Fehldeutung bekämpft und ist mit seiner Klarstellung in wissenschaftlichen Kreisen auch eine Zeitlang durchgedrungen [8].

Angesichts der schmerzlichen Wandlung von Welt und Menschen stellt der Dichter, um das Unbegreifliche sich faßbar zu machen, in einer heftig auffahrenden Doppelfrage *zwei verschiedene Bilder* zur Auswahl: War sein ganzes Leben überhaupt ein Traum oder

[6] Emanuel Geibel, Juniuslieder. Stuttgart und Tübingen 1848, S. 41 f.

[7] Als solches erscheint sie in der reichen Sammlung ›Die schönsten deutschen Gedichte, Ein Hausbuch deutscher Lyrik von den Anfängen bis heut‹. Gesammelt von L. Goldscheider und T. Wiegler, Wien und Leipzig o. J. (1932), S. 20.

[8] Friedrich Zarncke, Zu Walthers Elegie. Beiträge 2. Bd. (1876), S. 574 ff.

war es Wirklichkeit? Er bejaht stillschweigend die zweite Frage und zieht daraus die Folgerung:

dar nâch[9] hân ich geslâfen und enweiz es niht (124, 4).

d. h. wenn dem so ist (daß mein Leben wirklich war), habe ich geschlafen, ohne es zu wissen, nun erst bin ich erwacht und merke, daß während meines Schlafes die Welt und die Menschen ungeahnt sich verändert haben. Nur dieses zweite Bild gibt die Grundlage für das ganze Gedicht. Wäre der Sinn der ersten Strophe, wie Uhland[10], Simrock in den späteren Auflagen seiner Übersetzung und neuerdings Wallner, Jellinek[11] und Meißner annehmen, nur der Gedanke: das Leben ist ein Traum — was an sich natürlich ein naheliegendes und schönes poetisches Motiv ist —, so müßte die Antwort auf die Frage

daz ich ie wânde daz (= daz ez) iht wære, was daz iht? (124, 3)

mit Nein gegeben werden, und das Folgende *(dar nâch* usw.) würde bedeuten: „Wenn mein Leben also unwirklich war, habe ich geschlafen und mein Leben nur geträumt." Bei dieser Erklärung bleibt vor allem schief: jetzt bin ich erwacht und mir ist unbekannt, was mir vordem *(hie vor)* kund *(kündic)* war (124, 5—6) wie meine eigne Hand. Nicht *hie vor,* sondern „was mir im Traum war kund" hätte es heißen müssen. Aber ein solches Traumbild mit der Wirk-

[9] Zarncke verstand das *dar nâch* rein temporal: nach der Zeit „jener früheren sympathischeren Eindrücke", nach dieser in Wirklichkeit gar nicht so fernen Zeit glaubt der Dichter lange geschlafen zu haben. Meißner (Ztschr. f. deutsches Altertum 63. Bd. [1926], S. 165) nennt diese Auffassung „trocken-rationalistisch", „prosaisch", „trivial". Sie ist aber die einzige *voll* befriedigende, die auch W. Grimm und Wackernagel hegten, die später Hermann Michel (1911) und Viktor Michels (1924) in ihrer Neubearbeitung der Walther-Ausgaben von Pfeiffer-Bartsch und Wilmanns annahmen. Nur muß man *dar nâch* als folgernd verstehen (= demnach, demgemäß, demzufolge).

[10] „Alles findet er (Walther) umgewandelt, er wird an der Wirklichkeit irre, ihm ist jetzt das Leben ein Traum" (Uhland, a. a. O., S. 102).

[11] Wallner, Beiträge 34. Bd. (1909), S. 184—193; Jellinek, ebenda 49. Bd. (1925), S. 473.

lichkeit in der Weise zu vergleichen, daß es als Vergangenheit zur Gegenwart in Gegensatz gestellt wird, ist nur einem verschwommenen Denken möglich, das man Walther nicht zutrauen darf. Auch würden die folgenden beiden Strophen dem widersprechen und auf einer ganz anderen Bewußtseinseinstellung ruhen. Denn sie setzen die volle Wirklichkeit der glücklichen Vergangenheit und der qualvollen Gegenwart voraus[12].

Die zweite Strophe führt in Wahrheit den Gedanken der ersten Strophe fort. Üble Vorzeichen (schlimmer „Angang") hatten den Dichter empfangen, der sich von langem Schlaf erwacht glaubt: verwildertes Feld, verwüsteter Wald, unfreundlicher Gruß von ehemaligen Freunden, kurz eine Welt *allenthalben ungenâden vol* (124, 14), d. h. voll von Unruhe und Feindseligkeit. Er hatte darum gemeint, daß ihm großes *ungelücke* (Mißgeschick) widerfahren würde. Nun tritt er in die höfische Gesellschaft wieder ein, und die üblen Vorzeichen steigern sich: die höfische Sitte ist verschwunden, es herrschen Roheit und Trübsinn; man hat sich dem einstigen Ideal hochgesinnter Freude entfremdet. Von Rom kamen schroffe Briefe *(unsenfte brieve)*, die Trauer auferlegen und Freude verbieten. Gemeint sind Verlautbarungen Gregors IX. gegen Kaiser Friedrich II., weil er den seit Jahren versprochenen Kreuzzug immer wieder aufgeschoben hatte (s. unten S. 131 ff.). *Herbst* ist es, die Vöglein sind verstummt aus Mitgefühl.

Da endlich gehen dem Dichter die Augen auf. Mit wildem Aufschrei widerruft er seine Klage über den Verlust höfischer Weltfreude. Er erkennt, daß wer irdische Wonne sucht, dadurch die himmlische einbüßt, und über ihn ist deshalb ein Weheruf zu er-

[12] Darum überzeugt auch nicht der von Meißner, a. a. O., S. 165, Anm. 4 als „treffend" gebilligte, von Michels (Walther-Ausgabe, S. 414) als „gänzlich verkehrt" verworfene Versuch Wallners (a. a. O., S. 188 bis 193), ausschließlich das (biblische) Bild „das Leben ist ein Traum" als Leitmotiv des Gedichts zu erweisen, zumal Wallner zwar löblicherweise, wie Zarncke, die Enttäuschung beim Wiedersehen der Heimat als Grundgedanken ablehnt — den Meißner, a. a. O., S. 165 f. leider aufs neue verteidigt —, aber Zarncke die Gleichsetzung von *leben* (124, 2) und Jugendzeit zuschreibt, die dieser mit keinem Wort ausgesprochen hatte.

heben. Darum wendet er sich in der *dritten Strophe* an die Ritter selbst, die Träger von Gott geweihter Waffen (s. unten S. 131):

ir tragent die liehten helme und manegen herten rinc,
dar zuo die vesten schilte und diu gewîhten swert (125, 2 f.),

richtet an sie seinen Werberuf, das Kreuz sich anzuheften, und verweist auf den durch die Kreuzfahrt zu erlangenden Ablaß, ganz im Sinne Kaiser Friedrichs II., der selbst schon am 5. März 1224 den Papst Honorius ermahnt hatte, für die Kreuzzugsteilnehmer „mit Ablässen nicht zu kargen" (s. Eduard Winkelmann, Kaiser Friedrich II., 1. Bd. [Leipzig 1889], S. 221. 224 f.). Walther schließt mit dem Wunsche, selbst trotz seiner Mittellosigkeit der Teilnahme an der Fahrt gewürdigt zu werden: nicht *huoben* (Lehengüter) noch *der hêrren golt* (Geld der Großen; 125, 6) erhofft er:

ich wolte selbe krône êweclîchen tragen (125, 7)

(nach der Überlieferung der Handschrift, die Lachmann hier durch eine unnötige Konjektur *[sælde]* verschlechtert hat, d. h., *er will selbst die Krone des ewigen Lebens gewinnen*).

Die Werbung für den Kreuzzug des Kaisers, Anlaß und Kern der poetischen Eingebung dieses Liedes, gestaltet der Künstler Walther als aus *besondern äußern* Eindrücken erwachsenes, *persönliches* Bekenntnis. Aber diese Eindrücke des Fremdseins einer einst vertrauten, verwandelten, unbeständigen, friedlosen Welt sind im Grunde dem Dichter, wie er voraussetzt oder durch seine Mahnung erstrebt, mehr oder weniger gemein mit seinen Hörern, insbesondere mit den Rittern. Die Worte: *liut unde lant darinne ich von kinde bin erzogen* (124, 7)[13] bezeichnen allgemein *das deutsche Vaterland*, also dasselbe, was in der ersten der kurz zuvor entstandenen stimmungsverwandten vier andern *Owê*-Strophen über den Kreuzzug Friedrichs II. durch *tiuschen landen* (13, 5) ausgedrückt ist. Das Gefühl der plötzlichen Entfremdung dieses Vaterlands in der ersten Strophe des vorliegenden Gedichts hat neben dem buchstäblichen zugleich

[13] Der von Lachmann und allen anderen Herausgebern statt des überlieferten sinnlosen *von kinde bin geborn* eingesetzte Text *von kinde bin erzogen* ist zweifelhaft. Der Handschrift näher stünde *bin gezogen*.

bildlichen Sinn: uraltes *religiöses Gleichnis* erfüllt der Genius des großen Dichters mit persönlichen Lebenszügen. Es birgt sich darin schon der Keim des Abschieds von der irdischen Umwelt: die zweite Strophe beklagt noch deren Verschlechterung, erkennt dann aber widerrufend ihre Richtigkeit, die dritte Strophe schwingt sich von der verabscheuten *irdischen Heimat empor zur himmlischen,* voll Sehnsucht nach Erlösung, nach der ewigen Krone im Paradies[13a].

Walther spricht hier in alten christlichen Bildern, sie stammen aus dem allbekannten Paulinischen Gleichnis (1. Korinth. 9, 24) von der *corona incorrupta,* dem Siegeskranz für den Agon, den christlichen Lebenskampf, der Krone des Martyriums, der „Krone des (wahren) Lebens". Die Vorstellung war im ganzen Mittelalter lebendig, durch Augustin, durch die Predigt, vor allem die Kreuzpredigt und die päpstlichen Kreuzzugsbullen verbreitet. Dem Martyrium allgemein gleichgestellt wurde der Tod auf der Kreuzfahrt.

Ein Zusatz soll diese Krone, diesen rîchen solt, den Walther gewinnen will, den er hoch erhebt über die weltlichen Kampfpreise, über den solt von Lehengütern und Gold, in ihrem unvergleichlichen Wert charakterisieren:

die mohte ein soldenære mit sîme sper bejagen (125, 8).

Man hatte diese Worte lange erklärt: „Diese himmlische Krone könnte auch ein gewöhnlicher, einfacher Fußsoldat, der nur einen Speer als Waffe führt, erwerben; also wohl auch ich." Indessen, diese Erklärung der überlieferten Worte ist unmöglich aus einem sachlichen Grunde doppelter Art.

Erstens: Sie beruht auf dem angenommenen Gegensatz: „Ritter mit dem Schwert" und „Söldner mit dem Speer". Ein solcher Gegen-

[13a] Theologisch gebunden erscheint das christliche Bild vom Paradies als der wahren Heimat in Otfrieds von Weißenburg Evangeliendichtung (I 18) und wurde auch da von moderner Forschung eine Zeitlang biographisch mißdeutet. Aber Walther gestaltet das alte Bild mit genialer Schöpferkraft zu einem Wirklichkeits-Drama persönlichen Erlebnisses von symbolischer Bedeutung.

satz ist aber nach den tatsächlichen militärischen Verhältnissen der Zeit des Gedichtes völlig ausgeschlossen. Weder war damals das Schwert die ausschließliche oder auch nur die charakteristische Waffe des Ritters noch der Speer die Waffe des gemeinen Fußsoldaten. Vielmehr war gerade umgekehrt seit dem zweiten Kreuzzug auch in Deutschland der Speer die eigentlich moderne Kampfwaffe des Ritters, die den Gebrauch des Schwertes eingeschränkt hatte. Beide, Schwert und Speer, sind fortan ritterliche Waffen und gelten gleichermaßen neben dem Schild als Symbole des Rittertums. Walther konnte also schon darum nicht den Speer als Attribut des nichtritterlichen Soldaten im Gegensatz zum Ritter verwenden. Er konnte es um so weniger, als die Fußsoldaten neben verschiedenen anderen Waffen stets auch das Schwert, freilich ohne Rittergurt, trugen.

Zweitens: Sachlich unmöglich ist der vorausgesetzte Gegensatz „Ritter mit dem Schwert“ und „Söldner mit dem Speer“ auch deshalb, weil er auf dem modernen Begriff des Söldners beruht, der für das 13. Jahrhundert schlechterdings nicht paßt. Soldtruppen gab es zu Walthers Zeit auch in Deutschland massenhaft. Einen großen, ja den militärisch entscheidenden Bestandteil dieser Soldtruppen machten aber die Ritter aus, schwererer oder leichterer Bewaffnung. Seit dem ausgehenden zwölften Jahrhundert trat oft genug selbst der höchststehende Ritter in Solddienst. Man denke an den Königssohn Gahmuret im ›Parzival‹, den *werden soldier.*

[Das Heer für den Kreuzzug von 1227, um den es sich hier handelt, konnte Kaiser Friedrich II. nur mit Hilfe von reichlichen Soldzahlungen zusammenbringen. Auch das Heer der Angreifer Konstantinopels im vierten Kreuzzug (1202—1204) bestand aus Söldnern. Für den Kreuzzug Friedrichs II. haben wir über die Werbungen, die seit 1226 in Deutschland stattfanden, genaue Nachrichten. In den dreizehn Jahre hingeschleppten Vorbereitungen spielte die Geldfrage, d. h. die Soldfrage eine aufdringliche Rolle. Schließlich wurde das schon von Innozenz III. 1213 in Aussicht genommene Unternehmen fast ganz allein eine Sache des Kaisers, deren Kosten er fast ganz trug. Aus den Erträgnissen der seit 1223 in Sizilien erhobenen Kreuzzugs-Reichssteuer versprach und verteilte der Kaiser durch seinen Bevollmächtigten, den Deutschordensmeister

Hermann von Salza[14], der zum Zweck des Werbegeschäfts Deutschland bereiste, Beihilfen zu Soldzahlungen an die deutschen Reichsfürsten: an den Herzog von Österreich 1000 Mark, den Landgrafen von Thüringen 4000 Mark. Am 1. Oktober 1226 sandte der Kaiser als Vortrapp aus Sizilien 250 Ritter ab, für die der Papst während des ersten, der Kaiser während des zweiten Jahres den Sold zahlte. Die Hauptmacht brachte Hermann von Salza im Laufe des Jahres 1227 aus der Ritterschaft Deutschlands zusammen: 700 Ritter[15].]

Walthers Aufruf an die deutschen Ritter ist im Grunde nichts als die poetische Fortsetzung des praktischen Werbegeschäfts Hermanns von Salza. Wenn er in dieser seiner poetischen Werbung, um die deutschen Ritter, die doch unter Annahme festbedungenen Soldes die Fahrt antreten sollten, für die heilige Sache zu entflammen, von einem speertragenden *soldenære* spricht, *kann er damit keinen nichtritterlichen Krieger den Rittern entgegensetzen.* Sie sollten ja selbst alle Söldner werden, und sie trugen ja selbst alle einen Speer.

Walther kontrastiert den *rîchen solt,* die Krone des Himmels einerseits und die Lehengüter und das Herrengold anderseits, also irdischen und himmlischen solt, irdisches und himmlisches stipendium, irdische und himmlische *militia.* Dem ganzen Mittelalter war

[14] Vgl. Eduard Winkelmann, Kaiser Friedrich II., 1. Bd., Leipzig 1889, S. 220. 229. 237 ff. 305 f. 312 ff. 322 Anm. 3. 324—341; Ernst Kantorowicz, Kaiser Friedrich der Zweite, Berlin, G. Bondi, 1927, S. 154—163 (dazu Ergänzungsband, ebenda 1931, S. 64 f.); Willy Cohn, Hermann von Salza, Breslau 1930 (= Abhandlungen d. Schlesischen Gesellschaft f. vaterländische Kultur, Geisteswissenschaftl. Reihe, 4. Heft), S. 49 f. 63—68. 77—81. 106 f. 110—118.

[15] Friedrichs II. Entschuldigungsschreiben an alle Fürsten des Erdkreises und Deutschlands vom 6. Dezember 1227 berichtet (Regesta imperii V Nr. 1715, Huillard-Bréholles, Historia diplomatica Friderici secundi III S. 42: *misimus magistrum domus Theotonicorum* [Hermann von Salza] *pro militibus solidandis* [für zu besoldende Ritter], *sed in optione sua potentem viros eligere strenuos et pro meritis personarum ad suam prudentiam stipendia polliceri.* Ebenda S. 45: *250 milites regni, quos anno preterito* [1226] *de pecunia ecclesie quietatos, sequenti anno* [1227] *ad solidos nostros* [mit unserem Sold] *ibi* [im Heil. Lande] *fecimus retineri.* Hermann von Salza sollte also nur rüstige Ritter auswählen und ihnen je nach ihrer Tüchtigkeit abgestuften *Sold* versprechen. — Bürger und Bauern

geläufig und aus altchristlicher Anschauung überkommen, das christliche Leben als einen Kriegsdienst im Solde des himmlischen Herrn zu bezeichnen. Die *pagani*, die Heiden, hießen ursprünglich so, weil sie an diesem Kriegsdienst nicht teilhatten, sozusagen Zivilisten waren.

Paulus nennt den christlichen Lebenskampf einen guten Kriegsdienst. Er verbietet dem Soldaten Gottes, sich in die Angelegenheiten der Welt zu verwickeln, er ruft dem Timotheus zu: *labora sicut bonus miles Christi Jesu. Nemo militans deo implicat se negotiis saecularibus* (ad Timotheum II, Kap. 2, 3 f.). Das übertrug die Kreuzpredigt des zwölften und dreizehnten Jahrhunderts auf den Kreuzritter: er wird der höchste Typus des *bonus miles Christi*, des „guten christlichen Ritters". Und auf dem Boden der Kreuzpredigt steht Walthers Gedicht.

In dem hier genannten *soldenære* mit dem *sper* muß *ein bekanntes christliches Vorbild für den miles caelestis*, für das *stipendium* dieser *milita* stecken, ein solches, das für den Kreuzzug eine besondere Bedeutung hat. Deswegen habe ich schon seit 1893 das überlieferte *möhte* mit geringfügiger Änderung in *mohte* verbessert und das zuerst 1903 in dem Auszug einer Akademieabhandlung andeutend begründet:

ich wolte selbe krône êweclichen tragen;
die mohte ein soldenære mit sime sper bejagen (125, 7 f.).

Das bedeutet: *„Die ewige Krone werde ich tragen, die jener bekannte Söldner mit seinem Speer erwerben konnte."* Das *ein* ist deiktisch[16] wie oft im Mittelhochdeutschen und auch bei Walther.

hatten am Kreuzzugssolde keinen Anteil, strömten aber trotzdem in Massen hinzu, aus England kamen angeblich 40 000 Kreuzfahrer, überwiegend Arme (Winkelmann I, 325; Bernh. Kugler, Gesch. der Kreuzzüge, Berlin 1880, S. 332). Italien, England und Deutschland stellten 1227/1228 den Hauptteil der Kreuzfahrer.

[16] Vgl. hierzu mein Buch Reinmar der Alte und Walther von der Vogelweide. Zweite Aufl., Halle 1928, S. 343. 345; Carl von Kraus hat in der Ztschr. f. deutsches Altert. 67. Bd. (1930), S. 1—22 diesen von Hildebrand und Braune entdeckten Gebrauch am sorgfältigsten beleuchtet. Nach seiner Auffassung soll man dieses *ein* „emphatisch" nennen.

Gemeint ist offensichtlich der römische *lancearius,* der nach dem Bericht des Johanneischen Evangeliums (19, 33—37) die Seite Christi mit seinem Speer öffnete: die mittelalterliche Metamorphose des Paulinischen *bonus miles Christi.* Durch Dogma, Liturgie und Predigt, durch Sage, Aberglauben und Dichtung war dieser Speersoldat, den man seit früher Zeit *Longinus* nannte, für die religiöse Phantasie eine allbekannte Gestalt von tiefster Bedeutung geworden. Er galt als Schöpfer der *sacramenta ecclesie* von Augustin bis zu Thomas von Aquino, weil sein Speerstich aus der Seite des Erlösers Blut und Wasser, die Symbole des Abendmahls und der Taufe, hervortrieb. Sein Speer wurde früh (bereits im vierten Jahrhundert) eine der höchsten christlichen Reliquien, um deren Schicksale die andächtige Mystik des Mittelalters einen Schleier sehnsuchtsvollen Geheimnisses wob.

Diese Lanze wurde ein Symbol für die Eroberung des Heiligen Landes, für den Sieg über die Sarazenen. Schon auf dem ersten Kreuzzuge führte die angeblich wiederentdeckte heilige Lanze des Kreuzigungssoldaten in Antiochia (1098) den Sieg und die Rettung der Christen herbei.

Walther bestätigt uns selbst diese Deutung durch sein Kreuzlied (14, 38 ff.). Hier erfüllt er den Wunsch, den das vorliegende Gedicht ausgesprochen hatte: „Wollte doch Gott mich würdigen, die *lieben reise über sê* (125, 9) anzutreten, dann würde ich singen ‚wol' (‚Heil!'), dann wollte ich die Krone des ewigen Lebens mir verdienen, die einst der Speersoldat im Heiligen Land gewann." In dem Kreuzlied dichtete er diesen verheißenen Lobgesang, scheinbar als persönliches, in Wahrheit als Dankgebet im Namen und für den gemeinsamen Gesang der Kreuzfahrer bei Eintritt in das Heilige Land: „Jetzt erst lebe ich in Würdigkeit, seitdem mein Auge das Heilige Land und die Erde der Wunder sieht (14, 38 ff.). . . . Heil dir *(wol dir), Speer,* Kreuz und Dornenkrone" (15, 18). Den Speer des Söldners feiert er also wieder als Symbol der siegreichen Kreuzfahrt und ihrer erlösenden Kraft, und an ihn richtet er, sich wörtlich beziehend auf das frühere Gedicht den darin angekündigten Jubelruf *wol!* (Heil!).

Dieser Söldner mit dem Speer war aber nach der christlichen Legende *zugleich der Typus religiöser Bekehrung,* weil er der erste durch Christus erweckte Heide war. Vom heidnisch-weltlichen Kriegsdienst geht er über zum christlichen Kriegsdienst und endet als Märtyrer.

In der volkstümlichen wie in der Kunstdichtung war die Gestalt dieses Speersöldners Longinus, den man mit dem am Kreuze Christi bekehrten Hauptmann (Matth. 27, 54; Mark. 15, 39) zusammenwarf und infolgedessen zum Ritter machte, längst eingebürgert. Zu Walthers Zeit glaubte man allgemein, daß er ursprünglich blind gewesen und durch das auf seine Augen herabträufelnde Blut des Erlösers erst sein Gesicht erhalten habe. Das verstand man natürlich mit der gewöhnlichen christlich-mittelalterlichen Mystik zugleich im geistlichen Sinn, in dem es auch wohl ursprünglich gemeint war: er war blind, nämlich verblendet durch das Heidentum, und er wurde sehend, als die Wunder der Kreuzigung seine Augen berührten. Das steht im Einklang mit alter biblischer Bildsprache. So wurde dieser Kriegsknecht mit dem Speer *eine Art mittelalterlicher Epimenides.* Und indem Walther am Schluß seines Gedichts ihn sich als Führer zum Sieg erwählt, knüpft er an das Epimenides-Motiv an, von dem sein Gedicht ausgeht. Auch er war blind, solange er den trügerischen Wonnen der Welt nachfolgte, wie der Speersöldner. Auch er wurde gleich diesem sehend, als er sich dem himmlischen Kriegsdienst zuwendete.

Zugleich aber erkennen wir wieder: nur scheinbar redet Walther in eignem Namen. Tatsächlich spricht er aus der Seele aller ritterlichen und auch aller nichtritterlichen Hörer, die das Kreuz genommen haben oder noch nehmen wollen. *Sie alle sollen nachstreben dem Beispiel des Speersoldaten,* der im Heiligen Lande zuerst die himmlische Krone sich erwarb, indem er von der *militia saecularis* überging zur *militia caelestis.* Ihnen allen soll er den Sieg im irdischen oder im geistlichen Sinne bringen.

Diese Auffassung läßt sich durch *drei* sozusagen *urkundliche Stützen* sichern.

Einmal, Walther erinnert die Ritter an ihre Pflicht und beruft sich auf *die Weihe ihrer Schwerter.* Er denkt dabei an den Inhalt der liturgischen Feier bei der Erhebung in den Ritterstand und an die Rolle, die in ihr der Speer des Söldners spielte. Die Segnung der ritterlichen Waffen (Lanze mit Fahne, Schwert und Schild) im kirchlichen Dienst des alten ›Ordo Romanus vulgatus‹[17] erinnert nämlich feierlich an jenen Speer und seinen Träger und stellt diesen als den ersten Typus des christlichen Kriegers hin, offenbar auf Grund der legendarischen Vorstellung, daß Longinus der erste christliche Ritter gewesen sei. Es heißt dort, da Gott gestattet habe, daß von einem Ritter die Seite seines für unser Heil gekreuzigten Sohnes, unseres Herrn Jesu Christi, von der Lanze durchbohrt wurde, so möge er auch durch den Namen dieses seines Sohnes die Lanze so weihen und segnen, daß ihr künftiger Träger sie unter seinem Schutz führe.

Indem Walther am Schluß sich seinerseits unter den Schutz stellt des Söldners mit der heiligen Lanze, knüpft er also nur an eine Vorstellung der liturgischen Ritterweihe an, auf die er selbst vorher die Ritter verwiesen hatte.

Die *zweite Stütze* meiner Erklärung ergibt sich aus der richtigen Deutung der *unsenften brieve her von Rôme* (124, 26), die nach Walthers Darstellung den Grund der allgemeinen Unfestlichkeit und Weltflucht bilden. Man hatte früher allgemein darunter die Bannbulle verstanden, die Papst Gregor IX. gegen Kaiser Friedrich schleuderte, weil er den eidlich gesetzten Termin der so oft versprochenen Kreuzfahrt wieder nicht eingehalten und angeblich mit Absicht die Ausführung des Kreuzzuges hintertrieben habe. Friedrich II. hatte selbst in seiner eidlichen Verpflichtung zu S. Germano sich als der Exkommunikation *eo ipso* verfallen erklärt, wenn er bis zum August 1227 die verheißenen Soldzahlungen nicht vollständig geleistet und den Kreuzzug mit der versprochenen Mannschaft und Ausrüstung nicht angetreten haben würde. Daraus zog Gregor sofort die Folgerung, als die schlimme Botschaft von der im Lager der Kreuzfahrer zu Brindisi ausgebrochenen furchtbaren Seuche, dem

[17] Ordo Romanus vulgatus, hrsg. von G. Cassander, Coloniae 1561; wiederholt von M. Hittorpius, De divinis officiis, Coloniae 1568 und in Maxima Bibliotheca veterum patrum ... tom. 13. Lugduni 1677, S. 657 ff. (Druckfehler 639). Es kann nicht daran gezweifelt werden, daß für das hier in Betracht kommende Stück (Hittorp S. 158 f.; Maxima Bibliotheca S. 745) eine alte und handschriftliche Quelle zugrunde liegt, die jedenfalls älter als das dreizehnte Jahrhundert ist. Wilhelm Erben, Schwertleite und Ritterschlag (Ztschr. f. historische Waffenkunde Bd. VIII, Heft 5/6 [1919]) berücksichtigt sie leider nicht.

Tode des Landgrafen von Thüringen, von der Erkrankung des Kaisers und der neuerlichen Verschiebung des Aufbruchs ihn erreichte: am 29. September verkündigte er in einer Predigt im Dom von Anagni, daß der Kaiser wegen seines Eidbruchs dem Bann verfallen sei (Winkelmann, a. a. O., 1. Bd., S. 334). Aber er hoffte doch noch auf einen Ausgleich und sandte selbst eine Gesandtschaft an ihn. Erst im November ließ er in Rom eine Provinzialsynode über die durch Bevollmächtigte des Kaisers gegen die Exkommunikation vorgebrachte Beschwerde durch Abstimmung entscheiden: sein Urteilsspruch ward bestätigt, und nun erst sprach er am 18. November in der Peterskirche die Bannung in feierlicher Form aus. Nachdem dann das Zerwürfnis zwischen Kaiser und Papst durch die immer stärker hineingezogenen rein politischen Gegensätze sich heillos verschlimmert hatte, erneuerte Gregor den Bann am 23. März 1228 im Lateran in verschärfter Form (Winkelmann, a. a. O., 2. Bd., Leipzig 1897, S. 5 ff.). Auf die erste Exkommunikation hat der Kaiser gar nicht öffentlich geantwortet; erst der römischen Bannung stellte er ein Manifest entgegen, das an Klarheit und Sicherheit nichts zu wünschen ließ.

Fiele Walthers Gedicht nach der offiziellen Bannung vom November 1227 oder gar nach der zweiten offiziellen Bannung vom Gründonnerstag 1228, dann sollte man eine viel kräftigere Bezeichnung dafür erwarten als jene euphemistisch verschleiernde: *unsenfte brieve.* Dieser Ausdruck bezieht sich offenbar vielmehr auf zwei aus Anagni datierte Rundschreiben, die der Papst am 1. Oktober 1227 an den Erzbischof von Magdeburg und die übrigen Prälaten Deutschlands sowie am 8. Oktober an die deutschen Fürsten verschickt hatte (Mon. German. Hist., Epistolae saeculi XIII, ed. Rodenberg I, S. 281 ff. Nr. 367. 371).

Diese beiden Briefe enthalten in der Tat rechte Hiobsposten in einem Ton, der aus pathetischer Klage und erbittertem Schelten gemischt ist: gleich Trauerglocken ruft der erste immer wieder zum Weinen und Wehklagen auf. Höchst wirkungsvoll schildert Gregor die Verheerungen der Seuche in Brindisi, die den Landgrafen von Thüringen und den Bischof von Augsburg dahingerafft hatte, das Elend und den Untergang der heimwärts Fliehenden, die Gefahr und Not der allein bereits in See gegangenen Teile des Heeres und der im Heiligen Lande bedrängten Christen und teilt dann mit, daß er zum Einschreiten gegen den Kaiser gezwungen gewesen sei. Er verlangt gleichzeitig die Publikation der Exkommunikation durch die deutsche Geistlichkeit. Er fordert aber auf, mit allen Kräften die weiteren Rüstungen zum Kreuzzug für das nächste Passagium, im Frühling, zu betreiben. Mitte Oktober wird der Inhalt dieser Briefe in Deutschland bekanntgeworden sein. Unter dem niederschmetternden Eindruck dieser Nachrichten ist das Gedicht Walthers entstanden, und zwar ganz im Sinne der Auffassung des durch den vermittelnden Deutschordensmeister Hermann von Salza beratenen Kaisers, der noch an eine Verständigung glaubte, und auch insoweit im Sinne der erschrockenen deutschen Reichsfürsten, als diese wie Herzog Leopold von Österreich, der Erzbischof Albrecht von Magdeburg, der Erzbischof von Salzburg, der Bischof von Bamberg die größte Zurückhaltung bewahrten, dabei auf der Seite des Kaisers blieben, ohne durch schroffes Parteinehmen für oder wider den Bruch zu erweitern (Winkelmann, a. a. O., 1. Bd., S. 512). Auch der Kaiser hatte sofort bei Einstellung des Kreuzzugs (September 1227) befohlen, daß für den nächsten Mai (1228) die Werbungen von Soldrittern fortzusetzen seien. In Österreich war im September 1227 der Erfolg der Werbungen so groß gewesen, daß der fromme, kreuzzugsbegeisterte Herzog Leopold, der *vir catholicus zelator*, wie ihn der Papst nannte, aus Sorge, es könnte sein Land durch das Abströmen der besten Ritter gar zu sehr seiner militärischen Verteidigungskraft beraubt werden, sich und all seinen Besitz unter den Schutz des Römischen Stuhls stellte, der ihm dann am 20. Oktober 1227 gewährt wurde mit der Angabe, daß dadurch die Kreuzzugsrüstung gefördert werden solle. Damals, Mitte Oktober, muß Walthers Gedicht entstanden sein, möglicherweise in einem gewissen Gegensatz zu den Wünschen des Herzogs, aber in Einklang mit den Absichten der Träger kaiserlicher Politik und den Anspornungen der Kreuzpredigt, vor allem aber mit der zum Ausgleich drängenden Haltung Hermanns von Salza.

Es gibt jedoch noch ein früheres, zuerst von mir in diesem Zusammenhang gestelltes Schreiben des Papstes Gregor IX. an den Kaiser, dessen Gedanken mit dem Gedicht Walthers sich aufs engste berühren. Es trägt das Datum des 22. Juli 1227 (Mon. Germ.

histor., Epistolae saeculi XIII 1. Bd. [1883] Nr. 365, S. 279) und enthält wenig mehr als zwei Monate vor der Bannung noch die letzte drohende Mahnung an den Kaiser, die siegreichen Adler *(victrices aquile),* die ihm von Gott verliehenen Banner *(vexilla)* des *intellectus* und *affectus,* der *cognitio* und *dilectio* nicht in den Staub zu werfen und sich nicht in den irdischen Vergnügungen *(voluptatibus terrenis),* nicht in Liebe zum Sinnlichen *(amor sensibilium)* zu verstricken, wodurch er unfähig würde, die seinen Fahnen folgende ganze christliche Miliz *(tota militia Christiana)* auf den Weg des Heils zu weisen. Um diese Mahnung tief dem Kaiser einzuprägen, will der Papst ihm mit eisernem Griffel die fünf kaiserlichen Insignien: das Kreuz, die Lanze, die Krone, das Zepter, den Reichsapfel, in sein Herz eingraben. *Die kaiserliche Reichslanze* beschreibt er nach Erwähnung der übrigen Reliquien ausführlichst in ihrer Herkunft und Bedeutung. Dabei sieht er in ihr, die allgemein als Lanze des ersten christlichen römischen Kaisers Konstantin galt, *den Speer, durch den der Söldner Longinus die Seite Christi öffnete.* Aus dieser Wunde habe Christus die Sakramente auch für die Erlösung des Kaisers hervorströmen lassen. Sie sei die enge Pforte, die auch ihn zum Leben führe, aus der eine bloße Flüssigkeit hervordrang, um auch im Kaiser stachelnden Schmerz und den Stachel wahrer Zerknirschung zu erzeugen; dieser Stachel öffne als Schlüssel auch ihm die Pforte des Paradieses, in die nur eine im Feuer der Liebe geläuterte Seele Eintritt finde. Dieser Brief des Papstes ist herausgewachsen aus Augustinischen und Bernhardischen Bildern, war für die Kreuzpredigt geschaffen und ist ohne Zweifel von dieser auch benutzt und weitergetragen worden.

Der Kultus der Heiligen Lanze, die das Symbol des christlichen Weltimperiums und seit dem ersten Kreuzzug auch das Symbol der Befreiung des Heiligen Grabes ist, leuchtete auch über dem kaiserlichen Kreuzzug. Friedrich II. führte nach seiner Vermählung mit Isabella, der Erbin des Königreichs Jerusalem (im Jahre 1225), den Titel „König von Jerusalem“. Am 18. März 1229, einen Tag nach seinem Einzug in Jerusalem, hat er, ein Gebannter, ohne kirchliche Feier mit eigener Hand eine goldene Krone vom Hochaltar der Grabeskirche genommen und sich aufs Haupt gesetzt. Hierdurch erst schien das Ziel seiner Kreuzfahrt erreicht: Befreiung und allgemeine Zugänglichmachung des Heiligen Grabes und Krönung zum König von Jerusalem in der Heiligen-Grabes-Kirche. Am selben Tage suchte er in zwei großartigen Friedensmanifesten den Papst zu versöhnen und den Weltfrieden herzustellen. So hatte er das Ideal des mittelalterlichen Weltkaisertums verwirklicht. Was er erreicht hatte, erschien wie ein Vorklang der Aufrichtung des neuen Jerusalems, das die Zeit von dem erwarteten größten und letzten Kaiser, dem Friedenskaiser, erhoffte. In dem deutschen Gedicht vom Antichrist (12. Jahrhundert) legt der fränkische König am Heiligen Grabe zu Jerusalem seine weltliche Gewalt, sein kaiserliches Gewand, die Reichslanze, die Krone nieder und entäußert sich so seiner Herrschaft. Alsbald kommt Christus mit den Passionsgeräten als Weltrichter, die Dornenkrone auf dem Haupt, vom Kreuz und von der Lanze des Söldners begleitet. Also: der irdische Kaiser hat die Lanze Konstantins, die Lanze der Weltherrschaft abgelegt, und sie verwandelt sich zurück in die Lanze, die einst dem Heiland tiefste Erniedrigung brachte und nun als Lanze des Weltrichters und Weltherrschers seine ewige Weltherrschaft aufrichtet[18].

Diese eschatologischen Erwartungen bestätigt das *dritte Zeugnis*, das meiner Erklärung des Gedichts als Stütze dient. Der Chronist Matthäus von Paris[19] erzählt, in der Johannisnacht (24. Juni) des

[18] Vgl. hierzu mein Buch ›Walther von der Vogelweide‹, 1. Teil, Leipzig 1900, S. 48—51. 62—65; meine Aufsätze ›Der mythische und der geschichtliche Walther‹ (jetzt ›Vorspiel. Gesammelte Schriften zur Geschichte des deutschen Geistes‹ I, 1, Halle/Saale 1925, S. 360 f. 363 f. 366. 377 f.); ›Der Judenspieß und die Longinussage‹ (ebenda, S. 183, 196 Anm. 1); ›Der Longinusspeer im eschatologischen Lichte‹ (ebenda, S. 243 f.). Über den staufischen Imperialismus vgl. mein Waltherbuch, a. a. O., S. 144—256; Reinmar und Walther², S. 319—325. 345—349; Rienzo und die geistige Wandlung seiner Zeit (Vom Mittelalter zur Reformation II 1), Berlin 1913—1928, Register s. v. Friedrich II., Imperialismus, Imperium; über Friedrichs II. Staatsmetaphysik und Renovatio-Idee s. E. Kantorowicz, a. a. O., S. 207—242. 402—415 (Ergänzungsband S. 80—109. 176—184, wo auch reiche Literaturangaben).

[19] Matthäus von Paris Chronik ad annum 1227 ed. Luard (= Rerum britanic. medii aevi scriptores Nr. 60, London 1876), vol. 3, S. 127.

Jahres 1227 — das war gerade der erste Versammlungstermin der Kreuzfahrer — habe ein englischer Kaufmann unweit von Uxbridge in einer Vision am Himmel *den von der Lanze durchbohrten Herrn* von Blut übergossen gesehen; sein Bericht davon sei erst auf Unglauben gestoßen, aber dann hätten sich ähnliche Visionen an vielen verschiedenen Orten beständig wiederholt, so daß niemand mehr zweifeln durfte. Bekanntlich trug Franz von Assisi unter den Wundmalen des Herrn an seinem Leibe auch die Seitenwunde, was damals, kurz vor und nach seiner Heiligsprechung die Gemüter in der ganzen Christenheit tief bewegte.

Indem Walther also den Söldner mit dem Speer auf den abschließenden Höhepunkt seines Gedichts stellte, führte er nur poetisch vor Augen, was die erregte religiöse Phantasie jener Tage leibhaftig zu sehen glaubte, und *gebrauchte ein ideales Siegessymbol,* das, allen verständlich, zugleich tief auf das Gefühl der Hörer wirkte und ihre Hoffnung auf den glücklichen Erfolg des Zuges mächtig steigerte.

Sein Gedicht aber ist *ein politisches,* im Dienste der imperialistischen Weltpolitik des Kaisers, derselben Politik, die Walther schon seit 1198 für König Philipp und nachher für Kaiser Otto verfochten hatte, also nicht ein Ausdruck zufälliger persönlicher Erlebnisse. Es ist gedichtet heraus aus der geängstigten Stimmung jener Oktoberwochen des Jahres 1227 und aus dem Bedürfnis, den halb erloschenen Enthusiasmus für die Kreuzfahrt wieder anzufachen.

Aber allerdings gibt es auch *ein persönliches Bekenntnis.* Der Dichter, der hier die tiefe und unbezwingliche Sehnsucht ausspricht, selbst als unkriegerischer Wallfahrer die Reise über das Meer mitzumachen und dort drüben an heiliger Stätte unter dem Schutz des nach der Legende von Blindheit geheilten, Blinde heilenden Speersöldners Longinus die Krone des ewigen Lebens auf das daseinssatte Haupt zu setzen, wendet sich ab von seiner Vergangenheit.

Dieses politische Kreuzzugsgedicht ist nicht eine „Elegie“, wie man es lange irrig genannt hat. Gibt es doch gerade einen Widerruf der Klage und den Ausblick auf einen künftigen Jubel. Es ist nicht nur ein Schwanengesang des Dichters, es ist eine tragische Palinodie eines wesentlichen Teils seines ganzen Lebens. Nicht nur der Welt sagte er darin ab, der seine Kunst so lange gedient hatte. Auch den Kampf gegen die Entartung der höfischen Sitte, die Klage über die Verrohung der ritterlichen Bildung und Dichtung, über die Zersetzung des Minnesangs, den Kampf für alle weltlichen Ideale seines Lebens widerruft er hier als eitles Mühn um nichtige Dinge. Allerdings erscheint Walthers politische Dichtung — wenn man sie als Ganzes betrachtet — überhaupt eingetaucht in die Ahnung des Untergangs der ritterlich-weltlichen Herrlichkeit.

Darum erschüttert dieses Gedicht, das uns fortreißt, das wir stets aufs neue bewundern müssen, doch mit einer kaum zu ertragenden Gewalt. In dem flammenden Ausflug des Dichters zu Gott hören wir das Klirren der zerbrechenden Harfe seines weltlichen Sangs, die er selbst von sich geworfen hat.

Doch zugleich rauscht ein neuer Luftstrom herein aus der geistigen Welt der Parzivaldichtung Wolframs: *die ideale Verklärung des „wahren Ritters"*, der allein auserwählt ist, die Wunder des heiligen, den Gral begleitenden Speers des Söldners Longinus zu schauen und zu begreifen. Der Tod in himmlischer Ritterschaft auf dem Kreuzzug ist der „reiche Sold", den Walther erhofft für sich und für die Gleichgesinnten. Das ist ihm der echte Gral, nach dem sein unruhvolles Leben bisher vergeblich gesucht hat[20]. Und soweit er sich abkehrt von seinem früheren Glauben an die Herrlichkeit höfischen Lebens, *dem vaterländischen Gedanken hält er die Treue:* der Kaiser bleibt ihm der von Gott gesetzte Herr auf Erden, der berufene Retter und Schützer der heiligen Stätten des christlichen Glaubens.

Aber den tiefsten Sinn dieses Gedichts enthüllt erst der Ausdruck *ich nôtic man* (125, 5): das Beiwort bezeichnet hier materielle, doch besonders auch seelische Not, und hinter dem „ich" steht hier ebenso wie in dem die geweihten Stätten des Heiligen Landes begrüßenden, nur wenig späteren Lied *Aller êrst lebe ich mir werde* (14, 38) ein „wir", d. h. die Gesamtheit aller Gleichgesinnten, die

[20] Vgl. dazu meinen Aufsatz ›Der heilige Speer des Söldners und der wahre Ritter bei Walther von der Vogelweide, Reinmar und Walther[2]‹ (1928), S. 349—353.

in gleicher Not sind[21]: damit entwächst Walthers Abschiedslied der ritterlichen Standesenge im Lebensideal Wolframs. Walthers Aufruf zur Kreuzfahrt stellt den *Speersöldner als Urbild* hin für den *bonus miles,* und zwar in vollem Einklang mit der Paulinischen und altchristlichen Anschauung, d. h. *für den christlichen Lebenskämpfer jeglichen Standes und Berufs*: für den vom Kirchenbann bedrohten Weltkaiser, wie es Gregors IX. briefliche Mahnung vom 22. Juli 1227 getan, für die Träger der geweihten Schwerter und für die Schar unkriegerischer, unbemittelter Wallfahrer, zu denen Walther selbst gehörte. So bewährt am Ende seines Schaffens dieses Gedicht nicht bloß in seiner Form, der nationalen Nibelungenzeile, sondern auch in seinem Inhalt nochmals das *volkhafte* Wesen seiner Kunst. Einst hatte er die Schranken des höfischen Minnesangs durchbrochen und in seiner gewandelten Liebespoesie wie in der neu eroberten Spruchdichtung erdgebundene Lebensnähe erreicht. Dieser Kreuzzugsaufruf wendete sich mit großartiger Freiheit an die *gesamte deutsche Nation* und feuerte sie an, ihrem heroischen Herrscher zu folgen.

Meine nachstehende Übersetzung sucht das Ergebnis meiner voraufgehenden Betrachtung zu gestalten und trifft auch für einige oben nicht besprochene textkritische Schwierigkeiten eine Entscheidung.

Oweh! wohin verschwunden sind alle meine Jahr!
Hab ich mein Leben geträumet? Oder ist es wahr?
Davon ich wähnt, es wäre, war das Wirklichkeit? ...
So hab ich denn verschlafen unwissentlich die Zeit!
Jetzt bin ich aufgewachet, und mir ist unbekannt,
Was ehedem mir kund war wie meine eigne Hand:
Das Land und seine Leute, von Kindheit an vertraut,
Sie sind mir nun so fremde, als hätt ichs nie geschaut;
Die meine Gespielen waren, die sind träg und alt;
Das Feld, es ist verwildert, verwüstet ist der Wald.
Einzig das Wasser fließt noch, wie es vormals floß.

[21] Man beachte:
uns sint unsenfte brieve her von Rôme komen
uns ist erloubet trûren und fröide gar benomen,
und besonders das *mich* neben *wir* in dem Vers:
daz müet mich inneclîchen (wir lebten ie vil wol).

Fürwahr. mir droht vom Unglück, ich fürchte, scharf Geschoß:
Grüßt mich doch mancher zögernd, der einst mich kannte gut.
Die Welt zeigt allenthalben unfreundlichen Mut.
Wenn ich bei mir gedenke an manchen Wonnen Tag,
Die alle mir zerronnen wie in das Meer ein Schlag —
Immerdar oweh!

Oweh wie blickt verdrossen die Jugend heute drein!
Der sonst auf täglich Neues ihr Sinnen stand allein,
Die kennt nun nichts als sorgen — weh! wie kam das so?
Wo in die Welt ich trete, da ist Niemand froh,
Das Tanzen und das Singen vergeht in Sorg und Leid:
Kein Christenmensch sah jemals so jammervolle Zeit.
Schaut an dem Haar der Damen gelöst des Schleiers Band;
Es tragen die stolzen Ritter bäurisches Gewand.
Uns sind unsanfte Briefe vom Papst aus Rom gekommen,
Die Trauer uns geboten und Freude streng benommen.
Das drückt mich tief darnieder, (wir lebten Glückes voll!)
Daß ich fortan in Weinen mein Lachen kehren soll.
Verstummen selbst die Vöglein im Wald vor unsrer Klage,
Kein Wunder ists, wenn schweigend auch ich darob verzage.
Doch nein! Was red ich töricht im Zorne böses Wort?
Wer Erden-Wonne suchet, verlor die ewige dort.
Immerdar oweh!

Oweh! Wie sind uns Gifte gereicht in Süßigkeit!
Ich sehe in dem Honig das gallenbittre Leid:
Die Welt ist schön von außen, lichtweiß, grün und rot,
Und innen schwarzer Farbe, finster wie der Tod.
Wen sie nun hat verleitet, der schau, wo Rettung sei:
Ihn macht geringe Buße von großer Sünde frei.
Daran gedenkt, ihr Ritter: es ist eure Pflicht!
Ihr tragt die Panzerringe, ihr tragt die Helme licht,
Ihr tragt die festen Schilde und das geweihte Schwert!
Wollte Gott, ich wäre des Siegtriumphes wert,
Dann wollt ich armer Mann verdienen reichen Sold.
Nicht mein ich Hufen Landes noch der Fürsten Gold:
Ich trüge selber Krone, die Kron im ewigen Heer,
Die einst am Kreuze Christi gewann des Söldners Speer.
Könnt ich die liebe Reise vollführen über See,
Dann wollt ich jubelnd singen: ‚Heil!‘ und nimmermehr oweh!
Nimmermehr oweh!

Zeitschrift für deutsches Altertum und deutsche Literatur 73, 1936, S. 165—174.

DREI WALTHERLIEDER

Von Hermann Schneider

Die Stärke der Walther-Untersuchungen von Carl von Kraus liegt in der eingehenden Zergliederung und Erörterung des einzelnen Liedes und der einzelnen Liedstelle. Man braucht Raum und Bewegungsfreiheit, wenn man ihm auf seinem eigenen Feld mit seinen eigenen Waffen begegnen will. Das Bedürfnis dazu wird sich, auf so umkämpftem Boden, auch bei dem einstellen, der im allgemeinen vor der Fülle seiner Ergebnisse die Waffen streckt und huldigen möchte, statt zu streiten. Daß dies der Fall auch des Unterzeichneten ist, zeigt die Besprechung von 'Untersuchungen' und Ausgabe, die der gleichzeitige Anzeiger bringt. Zu der manchmal erwünschten ernsthaften und eingehenden Auseinandersetzung mit Kraus bot sie keinen Raum. Daher waren die Herausgeber so freundlich, mir auch noch in der Zs. das Wort zu geben.[1]

Es soll hier einstweilen von drei Liedern die Rede sein, die ich anders ordnen, auslegen oder einreihen möchte, als Kraus tut, oder zu deren Erläuterung mir Wesentliches noch ungesagt scheint.

47, 36

Es ist das Lied mit der wichtigen *wîp-frouwe*-Strophe.

Beginnen wir mit ihr. Kraus hat ihre Auffassung wesentlich verändert durch eine seiner genialen Konjekturen, die einen Buchstaben betrifft: V. 49, 8 lautet jetzt *wîp sîn alle frouwen gar.* Die Untersuchungen verlangen danach ein Rufzeichen, in der Ausgabe fehlt es nun doch: leider, denn es hätte den von Kraus gewünschten Sinn verdeutlicht.

[1] [Gemeint ist die oben als Quelle zitierte Zeitschrift.]

'Weib muß immer der höchste Name der Frau sein und ehrt meiner Meinung nach mehr als Dame' — so beginnt die Strophe, und Walther macht sich anheischig, die Behauptung zu beweisen. 'Wenn eine unter den Damen sich ihres Weibseins schämt, die merke auf mein Lied und treffe dann ihre Wahl' (ob sie *wîp* oder *frouwe* sein will). Er hat Aufmerksamkeit erbeten und erklärt, er gebe zweierlei zur Wahl. Also wird er nun Feststellungen machen, die Begriffe *wîp* und *frouwe* zu umreißen zu suchen, aber noch nicht so bald seine Entscheidung fällen und nicht voreilig Partei nehmen. Schwerlich darf sich in diese dialektische Darlegung ein persönlicher Stoßseufzer einmengen; stünde es doch so, daß alle Frauen echt weiblich wären!'

Die logisch sehr scharf umzirkelte Antithesenreihe sieht vielmehr so aus: 'es gibt Damen, die unweiblich sind, unter Frauen *(wîp)* kann das natürlich nicht vorkommen. Das Wort Weib und ein weibliches Wesen sind beide etwas sehr Liebes. Mag es um die Damen bestellt sein, wie es will: Weiber sind sie allesamt.' Also eine Steigerung: 1. Die Dame kann unweiblich sein (wie allgemein zugestanden, eine Untugend). Das Weib nie. 2. Was für liebliche Vorstellungen erweckt das Wort Weib und die weibliche Erscheinung! (gemeint ist: was dem Manne eigentlich lieb und wert ist, liegt in dem Wort Weib — nicht in Dame). 3. Die Damen können sich wehren und sich so fein dünken, wie sie wollen — es gibt kein Entrinnen, sie sind doch einmal Weiber (dem Geschlechte nach).

Man darf unserer Auslegung nicht entgegenhalten, daß erster und letzter Vers der lehrhaften Darlegung sich hörbar widersprechen. Das gerade ist ja ihr größter dialektischer Vorzug. *Under frouwen sint unwîp* — so beginnt die Erörterung, *wîp sint alle frouwen gar* — schließt sie. Unvereinbare Gegensätze; ein reizvolles, in sich widerspruchsvolles Gedanken- und Wortspiel, und damit echter Walther.

Der Dichter zieht die Schlußfolgerung. 'Weib', das ist wirklich etwas Schönes und Liebes, so hat er gesagt. Das Wort Dame aber ist ein zweifelhaftes Lob (49, 9), und zwar nach zwei Seiten hin: es schließt das edle Weibsein nicht ohne weiteres ein und schützt nicht vor dem niederen (geschlechtsmäßigen) Weibsein. Also weg mit einem so zweideutigen Ausdruck. 'Weib' (im edlen Sinn), diese *Be*zeichnung ist für alle eine Auszeichnung.

Es fragt sich nun, wie diese geistvolle Strophe in das Gefüge des Liedes eingepaßt ist.

Kraus deutet zweifellos richtig die Zeile 48, 35 f. dahin, daß mit dem *kunnen* der Männer ihre Sangeskunst gemeint sei. Walther warnt die Damen: Hütet euch, daß wir nicht durch eine neue, schärfere Tonart unseres Gesanges an euch (und euerm *gelîchen*) Vergeltung üben! Daran schließt sich ungezwungen die Strophe, die beginnt: Früher habe ich *so* gesungen, wenn ich dafür nun keinen Lohn finde (48, 17), dann werde ich es anders machen. Mein Lob wird nicht mehr wie bisher den Damen *(frouwen)* gelten, sondern den *wîben* (49, 23).

Kein Zweifel, die Strophe 49, 12 (bei Kraus V) präludiert, bereitet erst den Boden für die Hauptstrophe 48, 38. Sie ist eine Parallel- und Schwesterstrophe zu 47, 25. Jene hat gezeigt, daß die Frauen Unrecht tun, indem sie die Männer nicht scheiden; *übel* und *guot* sind sie ihnen gleich lieb. Ehmals war es besser, da stellten die Damen hohe Ansprüche an den Herrn und an den Dichter. Heute fehlt ihnen das feine Scheidungsvermögen. Der Gedanke, der weiterführt, ist nun aber nicht: ihr habt nicht geschieden, um so mehr will ich scheiden — nämlich *wîp* und *frouwe* —, sondern im Gegenteil, Walther erklärt: wenn die Damen nicht mehr wählerisch sein wollen, dann werde ich es auch nicht sein und (wie jene ihre Gunst dem *übelen* neben dem *guoten* erweisen) mich nicht auf die *Damen* beschränken, sondern den *wîp* insgesamt meine Huldigung darbringen.

Die wirkliche Strophe V (d. i. 48, 38, die *wîp-frouwe*-Strophe) erhebt sich über Anlaß und Verstimmung des Augenblicks. Er ist den Damen ja nur scheinbar böse, will sie nur scheinbar herabsetzen, indem er sie mit allen *wîben* in einen Topf wirft; in Wahrheit kann er sie nicht höher ehren, als indem er sie *wîp* nennt, mit dem Namen, der sie alle krönt.

Der Zusammenhang der Strophen 3—5 (bei Kraus 3; 5; 4) scheint mir damit sichergestellt. Daß in dem ganzen 47, 36 ein Gedicht vorliegt, habe ich schon früher behauptet und finde mich mit Kraus in dieser Anschauung zusammen. Es gilt, den inneren Zusammenhalt aller fünf Strophen herzustellen.

Das Lied kämpft auf zwei Fronten. Seltsam, daß Kraus die

Zusammenhänge mit der Reimarfehde nicht recht anerkennen will. Das *ungefüege*, das am Anfang steht, nimmt gewiß Bezug auf das *gefüege* des Preisliedes, aber es ist überflüssig, mit Kraus zu vermuten, daß man dieses Selbstlob Walthers in übelwollenden Kreisen ins Gegenteil verkehrt und ihm hinterher *unfuoge* vorgeworfen habe. Denn wir kennen die Stelle und kennen den Gegner, dem diese Prägung entstammt. Reimars Wort: *Ungefüeger schimph bestêt mich alle tage* (197, 3) aus dem ersten Abschnitt der Fehde wirkt, wie ich früher gezeigt habe (s. Schönbach, W. v. d. Vogelweide[4], S. 211 f.), immer noch nach. Schon das *gefüege* des Preislieds ist eine Antwort darauf, jetzt wiederholt Walther den kränkenden Vorwurf ironisch. Das kann natürlich nur geschehen im Rahmen einer neuen Auseinandersetzung mit Reimar. Die erste Strophe wendet sich gegen ihn.

Es kann ja nur Reimar gemeint sein, wenn gesagt wird: man müsse sich mit den Frohen freuen und nur *durch die liute* (im Einklang mit dem Publikum) *sorgen* (trauern). Die egozentrische Subjektivität des Lyrikers, die damit verurteilt wird, ist ja Reimars, und er selbst klagt darüber, daß eingetreten ist, was nach Walther 48, 8 die natürliche Folge seines Verhaltens sein muß: daß man eines solchen Dichters überdrüssig wird.

Nun der Frontwechsel, der Walther mit einemmal (wenn auch unausgesprochen) auf Reimars Seite bringt: Reimars Geist ist jener Zeit und jenem Publikum offenbar gründlich verlorengegangen. Man wirbt nicht mehr *sô rehte minneclîche* (48, 11), was Reimar ja im höchsten Grad getan hatte. Der jetzige Zustand kann als *unfuoge* bezeichnet werden (17). Diese Unfuge von Strophe 2 hat mit der von 1 also nichts mehr zu tun, trotzdem jene den Blick auf diese zurücklenkt. Reimars Überempfindlichkeit hatte Walthers Lieder, die sich doch streng im Umkreis des hohen Minnesangs hielten, schon als *unfuoge* bezeichnet. Die wahre *unfuoge*, den wirklich unschicklichen und unwürdigen Zustand an einem Minnehof, sagt Walther, haben wir jetzt. Aber er wird ja hoffentlich nicht ewig dauern! (48, 20).

Walthers berühmte Weib-Frauenstrophe ist also eingebettet in ein weitblickendes Gesamtbild gesellschaftlicher und künstlerischer Zustände am Wiener Hof und kann nur aus ihnen heraus recht verstanden werden. Ton und Sitte sind herabgesunken. In der Dichtung scheint die Lage noch die alte: Reimar, der ja freilich in diesen Umkreis gar nicht hineinpaßt, steht Walther gegenüber. Eine literarische Richtung wird es wohl nicht sein, gegen die Walther ankämpft, wohl aber ist der gesunkene Sinn für das *minneclîche* Werben die Voraussetzung für den künftig von ihm zu beklagenden Niedergang des *hovelîchen* Singens das ja nicht nur *unfuoge*, sondern auch *ungefüege dœne* am Wiener Hofe zur Herrschaft bringen wird (64, 31).

Der Gedankengang der zwei ersten Strophen ist also im großen: Am Hof herrscht jetzt die Unfuge (gesellschaftlich betrachtet). Ich (zwar nach Reimar selbst ungefüge) habe immer (im Gegensatz zu Reimar) die Kunst verstanden, mich meinem Publikum anzupassen. Ist das Verhalten meiner Zuhörer *unminneclîche* (nicht mehr mit den Begriffen des hohen Minnesangs vereinbar), so werde ich auch meinen Sang danach einrichten.

Die Schuld für diesen schädlichen Zustand liegt beim weiblichen Geschlecht. Das feine Taktgefühl dafür, ob ein Herr *übel* oder *guot* ist, d. h. zu dem alten Ton steht oder sich auf die Seite der neuen *unfuoge* schlägt, geht den Frauen ab. Sie sind nicht wählerisch in ihren Gunstbezeugungen (im Sinn des hohen Minnesangs). Walther, als Mann und Sänger, will sich dafür rächen. Die Frauen, so erwartet man nach diesen Strophen, können sich auf eine herbe Kritik gefaßt machen.

Diese Kritik kommt, und kommt nicht. Die folgenden zwei Strophen geben sich den Anschein, Walthers Zuhörerinnen herabzuziehen. Aber nur das Eine müssen sie sich sagen lassen: in dem Augenblick, wo sie in ihrem Verhalten zur Herrenwelt den nötigen Takt vermissen lassen, ist die Berechtigung zu dem ständisch bedingten und eingeschränkten Frauenpreis verschwunden. Die Dame darf nicht mehr gepriesen werden, denn im eigentlichen Sinne gibt es sie nicht mehr. Zugehörigkeit zu der Schicht, die einstmals Hüterin auch des sittlichen Ideals gewesen ist, beweist nichts mehr für eigenen geistigen Adel. Die Frau als solche aber hat von Wertschätzung nichts eingebüßt. An der Idee, dem weiblichen Ideal, zu dem sich Walther bekennt, hat sich gar nichts geändert.

Das wird erwiesen durch die sicher nicht unabsichtliche, neuerliche Beziehung auf Reimar. Wenn *er* gesagt hatte, daß das *wîp sanfte ze nennen und ze erkennen* (wahrzunehmen) ist, deckt sich das genau mit Walthers Wort: *wîbes nam und wîbes lîp diu sint beide vil gehiure* (49, 5 f.). Und Reimars berühmtestes Wort, das Walther nach seinem eigenen späteren Bekenntnis, so ganz aus dem Herzen gesungen war: *sô wol dir wîp, wie reine ein name* — klingt zwiefach wieder in den Worten: *wîp muoz iemer sîn der wîbe hêrste name* und *wîp dêst ein name ders alle krœnet.*

Im Grunde ist der kühne Neuerer, der soviel Anstoß gibt, also im tiefsten Herzen konservativ. Innerlich hat sich bei ihm nichts gewandelt. Die Frau ist für ihn das hohe Bild, das sie war. Darin reicht er Reimar die Hand. Der alte Rivale freilich hat auch hier mehr den Gegensatz gehört als das Gemeinsame und Walther dafür gescholten. Den anwesenden Damen des Hofs hat er die unangenehme Wahrheit gesagt, daß sie nicht ohne weiteres Verkörperungen dieses Ideals seien, wie der alte Minnesang vorausgesetzt hatte. Ein Stück minnesingerische Fiktion ist dahin, sie mußte aufgegeben werden, damit das hohe Ideal selbst gewahrt bleiben konnte.

Diese Reihung und Deutung des Liedes setzen wir neben die Kraussche. Wenn es angelegen ist, über das Wortverständnis hinaus zum tieferen Sinne dessen vorzudringen, was Walther gemeint hat, *der merke disen sanc und kiese denne.*

MSF. 214, 34 etc. (Kraus S. 164/65)

Beim aufmerksamen Lesen dieses Liedes und der Erörterungen dazu (Untersuchungen S. 437 ff.) mischen sich auf seltsame Weise Zustimmung und Zweifel. Gewiß bilden die fünf von Kraus (nach Pauls unsicherem Vorangang) zusammengefügten Strophen in mancher Hinsicht eine Einheit. Übergänge und Verknüpfungen sind unverkennbar, und man kann dem Herausgeber zugestehen: wenn diese fünf Gesätze überhaupt ein Lied bilden sollen, dann nur in dieser Folge.

Die innere Bindung zwischen den Strophen (oder besser: zwischen den zwei Strophengruppen 12—345) ist nicht so fest und zwingend, wie wir es sonst bei Kraus und bei Walther gewöhnt sind. Hier jedenfalls hat der aufbauende Kritiker seinen Grundsatz nicht befolgt: ein Gedicht müsse aus sich selbst heraus erklärbar sein. Ein X, eine Unbekannte steht dahinter, deren Dasein und Vorangang allein das Lied verständlich machen könnte.

Im 2. Teil (Strophe 3—5) werden zwei Angaben über das Minneverhältnis gemacht, die im 1. Teil (Gespräch zwischen Dame und Boten) keine Bestätigung finden. Kraus sagt mit Recht S. 439 f.: der Dichter habe offenbar die Dame nach kurzer Bekanntschaft in einer 'Rede' besungen, sie habe ihn gut aufgenommen und ermutigt, dann aber ihren Sinn geändert; das die Voraussetzung für Str. 3. Sie muß dabei den Ausspruch getan haben, daß Minne Sünde sei — Voraussetzung für Str. 5.

Aber wo ist das geschehen, oder als geschehen berichtet? Ist es Walthers Art, innerhalb eines kleinen Minneromans stillschweigende Voraussetzungen zu machen, die man einfach glauben muß? Welchen Zweck hat der Dialog zwischen Dame und Bote (1—2), wenn die Sinnesänderung nicht praktisch vorgeführt, das Wort, an das die spätere Erörterung (3—5) anknüpft, nicht ausgesprochen wird? Ein Botengespräch wäre allerdings vonnöten, auf das der Monolog aufbauen könnte. Aber es müßte anders aussehen als Strophe 1 und 2. Vor allem ist ganz undenkbar, daß das Wort *daz minne sünde sî* aufgegriffen wird, ohne daß man es früher hat aussprechen hören. Eine solche Annahme würde das ganze kunstvolle Rückbeziehungsverfahren Walthers und damit das Reihungssystem des Erläuterers in Frage stellen.

Es bliebe die Möglichkeit eines verlorenen Gedichtes; wenn aber ein Zyklus vorliegt, aus dem ein Stück herausgebrochen ist, so fragt man sich, ob die Zusammengehörigkeit von 1, 2 und 3—5 wirklich so eng ist, daß sie ein Lied bilden? Zwei Dialoge müßten dann der Selbstbetrachtung 3—5 vorangegangen sein, und der erste in engerem Zusammenhang mit ihr gestanden haben als der zweite. Auf diesen, den wir allein haben, wird dem Anschein nach in 3—5 kein Bezug genommen. Der Liebhaber sagt nicht: 'Nun hat sie mich noch ein zweites Mal abgewiesen.' Ein verlorenes Botengespräch aber vorauszusetzen, das nur den ersten günstigen Entscheid enthielt, genügt nicht; denn in dem vermißten Gedicht fiel ja schon das entscheidende Wort der Abwehr: Minne sei Sünde.

Die Botschaft der Dame an den Werber oder das Gespräch zwischen Bote und Dame, das vorangehen sollte und in dem Monolog als vorangegangen vorausgesetzt wird, ist also nicht vorhanden; dafür ein anderes, nichtssagendes, das keine der für die Strophen 3—5 nötigen Bedingungen erfüllt. So möchte man Paul recht geben, der die fünf Strophen zusammenfaßt — und wieder trennt (s. Kraus S. 164, Apparat). Aber mit solchen halben Lösungen geben wir uns heute nicht mehr gerne zufrieden. Und außerdem scheint ihnen die Beobachtung im Wege zu stehen, daß beide Teile, genauer Strophe 2 und Strophe 5, enge Berührungen mit ein und demselben Reimargedicht aufweisen (Nr. 22 = 178, 1).

Gerade in der Einschätzung dieses Liedes und seines Verhältnisses zu Walther sehen wir aber den wunden Punkt der Krausschen Anschauung.

Nr. 22, ein Frauenmonolog und an einen Boten gerichtet, gehört künstlerisch gesehen in die allervorderste Reihe von Reimars Schaffen. Die herkömmliche Zeichnung der heimlich liebenden Frau ist nicht verlassen, auch hier hält sich der große Lyriker in den engsten Bahnen des Herkommens. Um so bewunderungswürdiger ist die seelische Bewegtheit, das Auf und Ab, das ständige sich Vorwagen und Zurückziehen, das Niederzwingen der heißen Leidenschaft und ihr verräterisches Aufzucken. In jeder Strophe streitet wider die Kühle heuchelnde und doch gefühlsüberströmende Gunstbezeugung die Angst vor der Wirklichkeit — nicht nur der f r e m d e n Liebe, sondern auch der eigenen; sie lehnt sich auf gegen die vermeintliche Zumutung, aber diese ist in Wahrheit Versuchung.

Das Lied verläuft so, daß nach einer programmatischen ersten Strophe (ich freue mich, wenn es ihm gut geht — aber er soll sehen, daß er es nicht mit mir verdirbt) gleich die Steigerung folgt: Fragt er, wie es mir geht, so sage ihm, ich sei fröhlich. — Halte ihn aber ab, an mich Zumutungen zu stellen. — Ich bin ihm von Herzen hold und sähe ihn lieber als das Tageslicht — aber das sollst du ihm lieber verschweigen.' Die erste Revocatio! Die dritte Strophe stößt wieder etwas vor: 'ich bin ihm hold; wenn er es treu mit mir meint, dann darfst du ihm alles sagen, was ihn erfreut, soweit es mit meiner Ehre vereinbart ist.' Von jetzt ab beginnt die Ablehnung zu überwiegen: 'Könntest du mir melden, daß er hierherkommen wolle, ich lohnte es dir immer. Aber dann soll er mich mit Reden verschonen, wie er sie schon an mich gerichtet hat. Warum bedrängt er mich mit dem, was doch nie geschehen kann?'

Die Dame erwidert also die Liebe des Ritters und vermag es nicht zu verschweigen. Aber was er ihr zugemutet hat — die körperliche Erfüllung — ist für sie undenkbar. Warum?

> Des er gert daz ist der tôt
> und verderbet manegen lîp;
> bleich und eteswenne rôt
> alsô verwet ez diu wîp.
> minne heizent ez die man,
> und möhte baz unminne sîn.
> wê im, ders alrêrst began!

Die Vereinigung der Liebenden, die der Ritter fordert, wäre für sie der Tod. Gewiß nicht aus physischen Gründen. Diese Frau ist keine jungfräuliche Natur, die sich dem Manne verschließt. Sie ist, im Minnesang selbstverständlich, verheiratet. Es ist auch nicht die Angst vor der Entdeckung, der *huote,* und vor dem erzürnten Mann, der ihr das Leben nehmen könnte, sondern Angst vor der Sünde. Hier klügelt keine minnedidaktische Dialektik über wahre und falsche Minne (Minne und Unminne), sondern es dreht sich um erlaubte und sündige Liebe. Ihre Gedanken dürfen zu dem Ritter gehen, seine letzten Wünsche zu erfüllen ginge ihr wider die Natur.

Das Lied endet, wie nach diesem starken Ausbruch des Abscheus und Widerstands selbstverständlich, mit einer zweiten, völligen Revocatio: 'Es ist mir leid, daß ich soviel davon gesprochen habe; soviel heimliche Not, wie ich jetzt trage, bin ich noch nicht gewohnt. Du sollst ihm gar nichts von dem sagen, was ich mit dir geredet habe.'

Dieses starke, leidenschaftliche und höchst persönliche Gedicht des reifsten Reimar also steht mit unserem Waltherlied in irgendeiner Beziehung. Der künstlerische Glaube an das Lied, zu dem wir uns bekannt haben, macht uns die Erklärung unannehmbar, die Kraus gegeben hat: Reimars Lied stamme von dem Frühgedicht Walthers ab. Daß MSF. 214, 34 ein solches ist, gesteht der Erklärer zu. Darin geben wir ihm unbedingt recht. Aber die Beziehung zu Reimar muß sich anders erklären.

Unser Gedicht setzt ein früheres voraus, in dem bestimmte Dinge ausgesprochen worden sind. Reimars Gedicht setzt nichts voraus als einen großen Lyriker und Seelenkündiger.

Ich zweifle nicht, daß Walther 217, 10: *swer giht, daz minne sünde sî* sich zurückbezieht auf das Wort der Reimarschen Dame: *des er dâ gert daz ist der tôt.* Wir haben gesehen, in welchem Sinne das gemeint ist: sie scheut die Sünde, die ihr der Liebhaber zumutet, und den ewigen Tod. Den Zusammenhang zwischen den beiden Worten: Minne ist Sünde, Minne ist der Tod — erschließt die Bibelstelle: Der Tod ist der Sünde Sold. Die Dame fährt bei Reimar fort: die Männer heißen es Minne — also ein schöner Name für etwas Unschönes — sie sollten es eher Unminne nennen (V. 5). Wenn dies Wort auch im Mund von Walthers Dame vorauszusetzen ist, dann verstehen wir den Schluß seines Liedes besser: wie das Wesen der Minne, so verkennt sie das der Unminne; Unminne ist die unwahre, untreue, unbeständige Liebe. Seine Liebe, versichert Walther im Namen seines Ritters, ist die echte, nicht die falsche. Er schiebt damit die ganze Auseinandersetzung auf eine andere Ebene; er wird zum Minnedidaktiker, dem Sünde und Strafe im Umkreis der Liebe fremde Begriffe sind, und der nur die Unterscheidung: wahre Minne, falsche Minne, kennt.

Das bringt uns zu der Frage, wie die beiden Gedichte überhaupt zueinander stehen. Bis jetzt wissen wir nur: Walthers letzte Strophe antwortet auf Reimars vorletzte und letzte.

Mir scheint, das Walthersche Lied muß, wenn man es überhaupt als Einheit auffassen will, als Ganzes auf Reimars Gedicht aufbauen und in gewissem Sinne antworten; aber nicht notwendig im gegnerischen Sinn.

Da ist natürlich vor allem nachzuprüfen, ob Reimars Nr. 22 die Voraussetzungen erfüllt, die wir an einen Vorläufer von Strophe 3 stellen müssen.

Eines jedenfalls, was Walther von dem Verhalten seiner Dame aussagt, stimmt vorzüglich: *zehant bestuonts ein ander muot* (217, 3). Das geschieht in Nr. 22 sogar öfter, wir waren Zeugen mehr als einer plötzlichen Revocatio und Umstimmung. Der Bote Reimars muß der Dame eine erste Botschaft in Form einer Rede überbracht haben, in der die Wünsche des Werbenden gleich bis zum

Äußersten gingen. Das entnehmen wir dem Reimarschen Gedicht. Bei Walther heißt es: Der Empfang, den meine erste Rede gefunden hat, schien mir sehr gut zu sein (217, 2). Auch das ist zutreffend. Die ersten Strophen lassen, wir sahen es schon, die Empfindung in einer Weise überströmen, deren sich die Dame später selbst schämt.

In einem Punkt allerdings scheint die Darstellung hier und dort verschieden. Bei Walther 217, 3 liest man: *unz si mich nâhen zir gewan.* Das läßt sich nur etwas gezwungen mit Reimar vereinigen; es scheint ein bewegtes Hin und Her der Beziehungen vorauszusetzen. Vielleicht aber ist mit dem 'nahe zu ihr gewinnen' nichts anderes gemeint als: zu einer weiteren Annäherung veranlassen. Dann würde das folgende *zehant bestuonts ein ander muot* sich nicht auf den Stimmungswechsel innerhalb des Reimarschen Lieds beziehen, sondern auf die erneute Ablehnung, die in Walthers eigener Botenszene zum Ausdruck kommt.

Walther hätte also Reimars Nr. 22 gut gekannt und daran angeknüpft. Die Frage, die er sich stellt, ist: wie entwickelt sich das Verhältnis weiter? Er beantwortet sie so: zunächst wird der Werbende es auf dem alten Weg nochmals mit der Dame versuchen. Er wird ihr einen Boten schicken. Er ist vorsichtiger geworden und reagiert ganz richtig auf das zugleich Anfeuernde und Abstoßende, das in der Botschaft der Dame lag. Er entbietet nur einen Sommer lang seinen Dienst, also weniger und bescheidener als vorher. Die Festung fällt vielleicht durch langsame Belagerung, nachdem sie sich auf den ersten Sturm nicht gegeben hat. Aber die Dame erkennt die Absicht. Sie verfährt zwar auf die alte Weise, beginnt mit einer liebenswürdigen Wendung und überzuckert so im voraus die übliche bittere Pille. Jene ist aber minder herzlich, diese noch herber als früher. Natürlich wirbt der Ritter auch jetzt wieder in der Hoffnung auf Lohn. Von diesem aber, läßt ihn die Dame wissen, kann niemals die Rede sein. Den warmen und sie selbst erschreckenden Äußerungen der Zuneigung in Reimars Gedicht stellt sie nun die kühle Antwort entgegen: *Ich bin im ein vil fremdez wîp.* So scheint ihm nichts übrigzubleiben, als ihrem Rat zu folgen: *er wende sînen stolzen lîp, dâ man im lône.*

Eine weitere Botschaft erfolgt nicht. Die Empfindungen des Ritters äußern sich im Selbstgespräch (Strophe 3—5). Er beurteilt ihr Verhalten, prüft sich selbst und stellt fest, daß er nicht von ihr losfinden kann und in seinem Innern immer ihr Eigen sein wird. Er mag die Hoffnung nicht aufgeben, daß sie seinen Kummer noch lindern wird. Er überlegt, wie ihre Ablehnung zu widerlegen sei. Natürlich kreist alles um den alten Mittelpunkt: um den Einwand der Dame, daß Minne Sünde sei. Ihn entkräftigt der Liebende für und vor sich selbst, mit den allbekannt dialektischen Waffen der Minnelehre. Hier besonders entsteht der Eindruck des Schülerhaften, Erlernten, der das Herkömmliche gegen den unerhört starken und selbständig gefaßten Einzelfall bei Reimar ausspielt, den Kodex gegen die Seelenregung. Wir glauben es gerne: das ist ganz früher Walther.

114, 23

Dieses Lied hat durch die Untersuchungen (S. 409 ff.) viel erwünschte Erhellung erfahren. Sicher hat Kraus (gegen so ziemlich alle Erklärer, darunter mich selbst) recht, wenn er es aus der Reihe der Jugenddichtungen streicht und in nahen Zusammenhang mit 51, 13 bringt. Es war also ein Irrtum, wenn man glaubte, den Dichter heranreifen zu sehen von dem zuerst etwas mageren und trockenen zu dem später farbig lebendigen Bild des Wettstreits zwischen Blumen und Klee (114, 13 gegen 51, 13). Das zeitliche Verhältnis ist umgekehrt, und die Knappheit in dem späteren Gedicht erklärt sich daraus, daß dieses nur das ältere zitiert. Soweit sind die Ergebnisse unumstößlich.

Die Frage, welcher zeitliche Abstand die beiden trennt, ist in den Untersuchungen nicht angegriffen worden. Sie läßt sich, meine ich, lösen, und damit gewinnt das Gedicht doch einen etwas anderen Sinn. 'Der Reif t a t den Vöglein so weh, daß sie nicht mehr sangen. J e t z t höre ich sie vergnügt wie früher, und die Heide ist auch ergrünt. Dort habe ich ja einmal Blumen und Klee streiten sehen, wer länger sei und habe der Geliebten diese Geschichte erzählt (nämlich von dem Wettstreit).' 'Der Winter hat uns durch Kälte und andere Not Leid zugefügt. Ich (glaubte diesem Leid zu erliegen und) dachte nicht, daß ich je wieder rote Blumen auf grüner Heide sehen werde. Wäre ich gestorben, das wäre ein Verlust für die wackeren Leute gewesen, die gerne getanzt und gesungen hätten.'

Der Wechsel der Tempora in der ersten Strophe ist bedeutungsvoll. Ich *höre* wiederum die Vögel, die Heide *ist* entsprungen, und dort *habe* ich gesehen und Kunde davon der Dame geschickt. Gewiß, die übersandte Botschaft liegt zeitlich zurück. Nur sie? Auch jetzt grünt die Heide, er könnte diesen Wettstreit jederzeit von neuem beobachten. Warum rückt er die Zeit, in der er es tat, so deutlich in die Vergangenheit? Ist es nicht überhaupt seltsam, daß in 114, 23 demselben Naturbild und derselben Jahreszeit genau die gleiche Stimmung abgewonnen wird, wie schon einmal in einem Liede während es doch sonst Minnesinger-(und überhaupt Lyriker-)brauch ist, dem gleichen Naturbild die entgegengesetzte Stimmung, der gleichen Stimmung das abgewandelte Naturbild zu gesellen?

Die Lage hat zwischen 51, 13 und hier nicht gewechselt, der Liebende ist keinen Schritt vorwärts gekommen. So bleibt nur die Lösung: das Naturbild ist es, das gewechselt hat, wenn es auch scheinbar dasselbe ist. Es hat sogar zweimal gewechselt: jener Sommer und ein neuer Winter sind darüber hingegangen, und noch immer ist die Lage die alte, noch immer ist der Werber unerhört.

Diese Auslegung empfiehlt sich auch deshalb, weil in 51, 13 der Winter überwunden ist. 114, 23 wird von ihm und seiner Härte noch viel gesprochen. Mag es noch früh im Jahre und mag seine Not unvergessen sein: auf jeden Fall müßte unser Lied doch ein paar Wochen später fallen als das erste, und es wäre seltsam, wenn die Winterplagen in noch größerer Sommernähe noch einmal ausgekramt würden.

So dagegen ist alles in Ordnung. Beim Anblick des *neuen* Frühlings kommt dem Dichter die Erinnerung an den alten, und es fällt ihm auf die Seele, daß er seither keinen Fortschritt gemacht hat. Er hat der Geliebten nichts Neues zu sagen, als eben, daß er ein weiteres Jahr umsonst gewartet habe. An sie selbst wendet er sich denn auch nicht, sondern an seine Zuhörer, deren Heilwünsche er sich erbittet.

So gewinnt auch in Strophe 2 der Winter und mit ihm die Todesnot, die den Dichter gestreift hat, ihre volle Bedeutung. Es ist nicht die Jahreszeit allein, die ihm zugesetzt hat, natürlich auch kein körperliches Leiden, wie manche glaubten, sondern die Liebeskrankheit. An ihr pflegt man zu sterben, nicht an den Winterstrapazen; durch diese wird man höchstens *verlegen als ein sû.*

Legt man 51, 13 und 114, 2 nebeneinander, so fällt der starke Abstand der Stimmung auf. Das erste Lied ist viel beschwingter und unbeschwerter und gar nicht gefühlvoll elegisch wie das zweite. Die Dame wird nicht übermäßig zart und achtungsvoll angefaßt. Ein paar Wochen vergebenen Harrens könnten rechtfertigen, daß das nächste Lied mehr in Moll gehalten ist. Nicht aber, daß das Leid als etwas bezeichnet wird, das ihn — über das erste hinaus — vom Winter ins Frühjahr begleitet hat.

Die Erklärung darüber, was für ein besonders *wünneclîcher tac* es ist, an dem das Lied verfaßt wird, bleiben die 'Untersuchungen' schuldig. Ist es ein beliebiger schöner Frühlings- oder schon Sommertag, dann verstehen wir nicht, warum gerade an ihm eine Entscheidung fallen, Unwiederbringliches auf dem Spiel stehen soll. Wir sagen: *diser wünneclîche tac* (114, 37) ist offenbar der erste Frühlingstag des neuen Jahres, an dem es dem Dichter geht wie jedermann: die Erinnerung an frühere erwacht. Jetzt erst wird das Gefühl des erfolglosen Werbens übermächtig und ringt ihm ein neues Lied ab. Und da ist die Empfindung erklärlich: wenn es auch heute nicht gelingt (wo die vor einem Jahr nicht ausgenützte glückliche Lage und Stimmung des ersten Frühlingstages wiederkehrt), dann ist in der Tat alles verloren.

Es erscheint uns also nicht haltbar, wenn Kraus S. 491 die beiden Lieder als 'etwa gleichzeitig' anspricht. Und wir schlagen damit eine Bresche in die III. Gruppe der Waltherlieder, die er a. a. O. aufbaut und mit unserem Gedicht (nach dem uncharakteristischen 110, 13) eröffnet.

Gehören unsere beiden Lieder denn aber überhaupt innerlich in diesen Umkreis? Man sollte meinen, als Walther den für ihn und sein Publikum ungewohnten Stoff: Niedere Minne zum ersten Male ergriff, muß sich das Neue dieser Liebesdichtung sehr deutlich ausgesprochen und abgehoben haben. Aber erst in 48, 25, dem nächstfolgenden Lied, ist das der Fall. Da läßt die Anrede *herzeliebez frouwelîn* keinen Zweifel mehr. Ist es glaubhaft, daß Walther als

Dichter der niederen Minne damit begonnen hat, das Mädchen mit der Anrede auszuzeichnen, die allein der Dame zukam, und auch ihr gegenüber in die grüblerische Schwermut zu verfallen, die aus 114, 23 spricht? Er wollte sich und den Minnesang nach allgemeiner Annahme ja gerade vom *trûren* befreien, als er den neuen Bezirk betrat.

Es ist wahr, der 'rote Mund' in 110, 13 und 51, 13 könnte auf das Mädchen niederen Standes weisen, und ebenso die Anrede mit du 51, 37. Aber das 'Ihr' und die 'frouwe' stehn hart daneben. Könnten da nicht vielleicht diese *du* und *ir*, der *rôte munt* und *diu frouwe*, zwei verschiedene Wesen sein? Mitten im schönsten Frühlingsbild taucht verlockend auch die Gestalt des ländlichen Mädchens auf. Ihr Lachen nimmt ihn gefangen. Daß er fürchtet, es möge ihm zum Schaden ausschlagen, beweist nicht, daß es sich eben doch um die ungnädige Dame handle. Die Werbung erinnert vielmehr sehr an 47, 13, wo auch die Furcht vor Schaden den Anfang seines Liebesverhältnisses in neuer Sphäre überschattet. In Strophe IV von 51, 13 würde also schon die kommende ländliche Geliebte der spröden Dame warnend entgegengestellt. Es ist das zum mindesten eine Möglichkeit, die man erwägen muß. Unser Lied wäre dann ein Beweis dafür, daß Walther zu gleicher Zeit in beiden Umkreisen als Dichter weilen kann. Wie sich an das neu angesponnene Verhältnis zu dem 'roten Mund' 51, 37 der ganze schöne Reigen der Lieder niederer Minne anschließt, so wird, nach Ablauf eines Jahres, auch dem hier als hoffnungslos bezeichneten Werben um die *frouwe* ein weiteres unlustiges Lied gewidmet. — So ist der Fragezeichen und Möglichkeiten kein Ende.

Zeitschrift für deutsches Altertum und deutsche Literatur 79, 1942, S. 24—48.

MELODIEN WALTHERS VON DER VOGELWEIDE

Von Friedrich Gennrich

Es ist erfreulich, daß sich allmählich auch in den Reihen der Germanisten die Einsicht Bahn bricht, daß die Erforschung der liedhaften Dichtung des deutschen Mittelalters nicht ohne Kenntnis und Berücksichtigung der Erkenntnisse aus dem Bereich der Musikwissenschaft möglich ist; denn das mhd. Lied ist — wie jedes Lied — letzten Endes weder eine rein textliche noch eine rein musikalische Angelegenheit, sondern eine bewußte Synthese im Gebiete dieser beiden Richtungen menschlichen Kunstwollens. Erfreulich ist deshalb, daß z. B. in der von C. von Kraus besorgten Neuauflage von ›Minnesangs Frühling‹ der früher eingenommene, mitunter recht einseitige, rein philologische, d. h. nur den Text berücksichtigende Standpunkt aufgegeben worden ist, daß man sich hier neueren Erkenntnissen nicht verschließt, daß gelegentlich die — von mir — erschlossenen Melodien mitgeteilt werden, wenn sie auch zu meinem Bedauern mitunter abgeändert worden sind.

Nun ist es leider um die Melodien zum älteren Minnesang recht schlecht bestellt: nur spärliche Reste sind uns noch erhalten, und diese verlangen zumeist einen mit der Musik des Mittelalters durchaus vertrauten Bearbeiter. Unter diesen Singweisen beanspruchen natürlich die Melodien der Waltherlieder besonderes Interesse, nicht nur weil einige von ihnen — wenn auch z. T. fragmentarisch — mit Originalnotation erhalten sind, sondern auch weil ihre Zahl im ganzen genommen verhältnismäßig groß ist.

Zunächst war man allerdings nur auf das in der Kolmarer Liederhandschrift[1] und in Puschmanns Singebuch[2] überlieferte

[1] P. Runge, Die Sangesweisen der Colmarer Handschrift und die Liederhandschrift Donaueschingen, Leipzig 1896.

[2] G. Münzer, Das Singebuch des Adam Puschmann nebst den Originalmelodien des M. Behaim und Hans Sachs, Leipzig 1906.

Melodienmaterial angewiesen. Es handelt sich hier um Walthermelodien, die von späteren Dichtern mit neuen Liedtexten versehen worden sind, also um Kontrafakta. Die Sachlage hört sich freilich einfacher an, als sie es in der Tat ist; denn weder die Walthertexte, deren Melodien zu den Kontrafakta benützt werden, wurden genannt, noch folgen die neuen Texte genauso wie früher die alten dem Gang der Melodie. Es sind also eine Reihe von Hindernissen aus dem Wege zu räumen, bevor man die Schätze heben kann. Diese Aufgabe ist nicht so leicht, und es kann deshalb nicht überraschen, daß die Forschung sich zunächst nur mit der 'Hofweise', mit dem leichtesten Fall, beschäftigt hat. Diese Weise wurde 1904 von R. von Kralik[3] und 1910 von R. Wustmann[4] bearbeitet.

Neuen Auftrieb erhielt die Forschung, als 1910 im Staatsarchiv von Münster Fragmente einer mhd. Liedersammlung gefunden wurden, durch die wir die Originalmelodie zu Walthers Palästinalied und Melodiebruchstücke zu zwei weiteren Waltherliedern kennenlernten. Und wenn auch R. Molitor die Melodien des Münsterer Fragmentes veröffentlichte[5], so blieb doch lange Zeit der Wunsch K. Plenios, der 1917 zusammenstellte, was an Walthermelodien noch vorhanden ist[6], nach einer Gesamtausgabe der Walthermelodien unerfüllt, bis vor kurzem C. Bützler die verdienstvolle Aufgabe übernahm[7]. Wenn es B. auch nicht gelungen ist, gleich aller Schwierigkeiten Herr zu werden, so gehört seine

[3] in J. Mantuani, Geschichte der Musik in Wien, Bd. I, Wien 1904, S. 299 ff.

[4] R. Wustmann, Die Hofweise Walthers von der Vogelweide, in der Festschrift zum 90. Geburtstage Rochus Freiherrn von Liliencron, Leipzig 1910, S. 440—463.

[5] R. Molitor, Die Lieder des Münsterischen Fragmentes, in Sammelbände der internationalen Musikgesellschaft Bd. 12 (1911), S. 475—500.

[6] K. Plenio, Die Überlieferung Waltherscher Melodien, PBBeitr. 42, 479—490.

[7] C. Bützler, Untersuchungen zu den Melodien Walthers von der Vogelweide, Jena 1940; vgl. E. Jammers in Deutsche Literaturzeitung 63, 209 ff. und H. Spanke im Anzeiger 60, 110 ff. Beide Besprechungen sind, was die musikalische Seite anbelangt, unzulänglich und mitunter irrig.

Arbeit doch in die Kategorie jener dankenswerten Bemühungen, die dem Lied sowohl in textlicher wie auch in musikalischer Hinsicht gerecht zu werden bestrebt sind, ganz abgesehen davon, daß hier nun das noch vorhandene Material an Melodien zusammengetragen und sichergestellt ist.

In den oben genannten Schwierigkeiten mannigfacher Art ist auch der Grund dafür zu sehen, daß die Aufgabe nicht schon früher in Angriff genommen worden war: man stand ihr zunächst ratlos gegenüber, denn das mhd. Melodienmaterial ist viel zu klein, als daß man mit seiner Hilfe in die zu lösenden Schwierigkeiten hätte eindringen können.

Auf Grund dieses Materials war weder die Frage der Rhythmik zu lösen, noch war es möglich, in die Formenwelt der mittelalterlichen Monodie einzudringen, noch war ein erschöpfendes Bild vom Wesen der Kontrafaktur zu gewinnen, noch konnte mit ihm eine musikalische Textkritik ins Leben gerufen werden, ja selbst zu einer Musikhandschriftenkunde reicht der Bestand nicht aus. Diese Wissenszweige der mittelalterlichen Musikforschung[8] sind aber mehr oder weniger beteiligt an der Lösung der bei der Gewinnung der Walthermelodien auftretenden Probleme.

Das Liedschaffen Walthers ist zeitgebunden, wenn er auch seine Zeitgenossen um vieles überragt; seine Kunst stellt einen Ausschnitt der Liedkunst um die Wende des 12. Jh.s zum 13. dar. Wir werden uns also das, was wir an der überreich dokumentierten Kunst des Trouvères und Troubadours sowie am mittellateinischen Lied dieser Zeit beobachten, bei der Lösung der Probleme, die die Überlieferung der Walthermelodien uns stellt, zunutze machen.

Es sind vor allem drei Fragen, die im Vordergrund der Forschung der Walthermelodien stehen: die Rhythmisierung der Liedmelodien des Münsterer Fragmentes, die Auswertung der Kontrafaktur und die Möglichkeit eines Ersatzes für verlorengegangene Walthermelodien. Zunächst gilt es, über die Rhythmisierung der

[8] Einen Ausschnitt aus den Bemühungen auf diesem Gebiet gibt meine Schrift: Die Straßburger Schule für Musikwissenschaft in ›Kleine Musikbücherei‹ Bd. III, Würzburg 1941 mit zahlreichen bibliographischen Nachweisen.

im Münsterer Fragment erhaltenen Walthermelodien Klarheit zu schaffen. Wohnt diesen Melodien ein binärer oder ein ternärer Rhythmus inne? Das ist der Kern des rhythmischen Problems. Ich hatte diese Melodien ternär übertragen, B. will sie binär deuten. Wir sind also gezwungen, uns mit B.s Argumentation auseinanderzusetzen.

B. braucht eine Basis für seine Erörterungen: er gewinnt sie durch eine kritische Durchleuchtung der fragmentarisch erhaltenen Walthermelodien des Münsterer Bruchstückes. Zu diesem Zwecke nimmt er Stellung zu einem umfangreichen Fragenkomplex, der mit den Melodiefragmenten in Zusammenhang gebracht wird. Es sei hier anerkennend erwähnt, daß ausgedehnte Anmerkungen, in denen manches Interessante, dem Leser gewiß nicht Unwichtige am Rande vermerkt wird, und die davon zeugen, daß der Vf. recht weite Umschau gehalten hat, in dankenswerter Weise den Text der eigentlichen Untersuchung entlasten. Leider zieht B. bei seiner Forschung die außerdeutsche Liedkunst gar nicht oder nur recht vereinzelt heran, so daß manche seiner Folgerungen — infolge der Beschränktheit des Materials — zweifelhaft, wenn nicht irrig sind.

So legt B. dem in dem Fragment zwischen den einzelnen Strophen von 14, 38 und 26, 3 mitunter auftretenden *idem* große Bedeutung bei. Nach B. soll es 'augenscheinlich den Sänger anweisen, die folgende Strophe auf dieselbe Melodie wie die vorhergehende zu singen'. Sollte man nicht annehmen dürfen, daß die Sänger — zumeist waren es Berufssänger — mit der Einrichtung einer Liederhandschrift vertraut waren? Eine derartige Verwendung des *idem* ist in der übrigen mittelalterlichen Liedliteratur nicht bekannt.

Was die Sänger aber oft nicht kannten, war der Name des Autors der Liedstrophen, besonders wenn es sich um eine Sammlung von authentischen und von Dritten nachgedichteten Strophen handelte, was bekanntlich in mhd. Liedersammlungen öfter der Fall ist. Wie auch in anderen Liederhandschriften dürfte sich das *idem* auf den am Anfang des Liedes in der Rubrik genannten Autor beziehen. Wenn aber aus dieser ziemlich belanglosen Angelegenheit die doch von vornherein selbstverständliche Forderung, 'daß sämtliche Textstrophen des jeweiligen Tones auf dieselbe Melodie gesungen wurden' hergeleitet und dann noch bemerkt wird, 'daß dieses so selbstverständlich erscheinende Prinzip in seiner Auswirkung bisher gänzlich unbeachtet geblieben ist', so dürfte hier doch wohl ein Irrtum vorliegen; denn ich kann mir nicht denken, daß ein ernst zu nehmender Liedforscher sich je lediglich auf die Berücksichtigung der ersten Strophe beschränken wird.

Eine weitere Frage, die das musikalische Gebiet zunächst gar nicht berührt, wird mehr oder weniger künstlich zu einem Kernproblem übersteigert: die Unterscheidung von 'Lied' und 'Spruch'. Zwar gelte die Einteilung der mhd. Lyrik in 'Lieder' und 'Sprüche' nach der Simrockschen Theorie insofern als überholt, als es 'eine gesprochene Lyrik' im Mittelalter nicht gegeben habe, aber von der Seite der Musik her bestehe sie doch wohl zu Recht. Für diese letzte Behauptung muß nun B. den Beweis antreten. Zu diesem Zweck greift er auf die Feststellung von Wilmanns zurück, wonach die mhd. Lyriker den Wörtern von der Form ◡́ × aus dem Wege gegangen wären, und knüpft an die von Heusler ausgesprochene Vermutung an, die diese Erscheinung mit dem Taktwechsel in Verbindung zu bringen versucht.

Nun handelt es sich aber bei der Wahrnehmung von Wilmanns nicht um eine keine Ausnahmen duldende Vorschrift, ganz abgesehen davon, daß sich eine reinliche Scheidung zwischen 'Liedern' und 'Sprüchen' gar nicht durchführen läßt; und dann wird man, so sehr man die Verdienste von Heusler um die Textmetrik der mhd. Lyrik auch anerkennt, vor den musikalischen Deutungen Heuslers doch warnen müssen, die nicht selten da einsetzen, wo die textmetrischen versagen und wo ihm die Flucht in die musikalische Sphäre als einzige Rettung übrigbleibt. B. macht diese recht schwankenden, anfechtbaren, wenn nicht irrigen Argumente zur Basis seiner weiteren Deduktion und gelangt daher zu fragwürdigen Resultaten. Aus den angeführten Prämissen folgert er, daß im Tripeltakt der Minnelieder der Grund dafür zu sehen sei, weshalb in diesem Bereich die Wörter von der Form ◡́ × verpönt seien. Anderseits würde in den 'Sprüchen' kein Unterschied zwischen –́ × und ◡́ × gemacht, was die meisten Germanisten dazu geführt hätte, einsilbige Taktfüllungen nur den 'Sprüchen', nicht aber den 'Minneliedern' zuzugestehen. Für B. kann das seinen Grund nur darin haben, daß der Spruchvers 'sich mit Erfolg der Alleinherrschaft des romanischen Jambenschrittes widersetzt' habe. Schließlich gipfelt B.s Erkenntnis in dem Satze: 'Der deutsche Singvers kann wegen der Gleichsetzung von –́ × und ◡́ × nur geradtaktig gewesen sein.'

Wie Heusler so überträgt B. textmetrische Beobachtungen und Erwägungen auf das musikalische Gebiet, das mit dem textlichen in dieser Hinsicht auch nicht das geringste zu tun hat. Die Musik, vor allem die mittelalterliche, denkt gar nicht daran, sich als Sklavin langer oder kurzer Vokale mißbrauchen zu lassen. Die langen und kurzen Töne in der Musik des 12. und 13. Jh.s folgen eigenen Gesetzen, nicht aber langen und kurzen Vokalen der Sprache. Eine solche Forderung würde bedeuten, daß der Komponist alle langen Vokale etwa mit 𝅗𝅥, die kurzen mit ♩ wiedergeben müßte, wodurch überhaupt keine melodisch ausgewogene Linie zustande kommen könnte. Für die Musik ist nicht die Länge oder Kürze der Vokale ausschlaggebend, sondern die mit den einzelnen Vokalen sich verbindenden phonetischen, d. h. akustischen Qualitäten. Für die Musik handelt es sich bei dem kurzen Vokal in *leben, gern* usw. und bei dem langen Vokal in *mêre, êre* usw. um zwei völlig verschiedene Laute, die in der bekannten phonetischen Lautschrift mit ε, bzw. e wiedergegeben werden. Eine Verwechslung beider Laute ist also ausgeschlossen, ob sie nun längeren oder kürzeren Tönen zugeordnet werden. Es ist daher nicht einzusehen, weshalb Verse mit der Mischung von Wörtern von der Form –́ × und ◡́ × unbedingt einen *geraden Takt* bedingen müssen; und daher ist B.s Nachweis der germanischen Geradtaktigkeit als nicht erbracht zu bezeichnen, denn auch B.s Berufung auf die Ausführungen Müller-Blattaus über die altgermanische Dichtung[9], denen keinerlei greifbares musikalisches Quellenmaterial zugrunde liegt, bringt ihn seinem Ziele keinen Schritt näher.

B. hat in diesem Punkte die Aufgabe zu leicht genommen, und wenn er mit Berufung auf P. Runge und H. Riemann, die zuerst den Grundsatz aufgestellt hätten, daß für den Rhythmus der

[9] J. Müller-Blattau, Musikalische Studien zur altgermanischen Dichtung, Deutsche Vierteljahresschrift für Literaturwiss. und Geistesgesch. 3, 536 ff.

Minnesängermelodien nur die Akzente und metrischen Füße des Textes maßgebend seien, weiter erklärt, 'die Rhythmik der Minnesängermelodien aus dem Metrum der Gedichte abzuleiten und alle anderen Deutungsversuche abzulehnen', so kann dieser Verzicht auf eine Auseinandersetzung mit Dritten uns in unserer Ansicht nur bestärken.

Nun ist aber der oben zitierte Grundsatz zuerst weder von P. Runge noch von H. Riemann ausgesprochen worden. Bereits 1838 hatte W. Fischer[10] den Satz geprägt, die Musik müsse unmittelbar das Metrum (des Textes) wiedergeben; und was Fischer damit meinte, zeigen eindeutig seine Übertragungen, z. B. die von Wizlavs Lied: *Die erde ist unsloßen* ...[11]. Es ist genau die Übertragungsmethode von Runge! 1854 konnte dann Rochus von Liliencron[12] diese Übertragungsweise methodisch weiter unterbauen. Was P. Runge 1896 als erster herausgefunden zu haben glaubte, ist also schon 1838, d. h. rund 60 Jahre vorher, ausgesprochen worden. Daß diese Erkenntnis sich als richtig erwiesen hat, unterliegt keinem Zweifel: sie ist bekanntlich auch die Grundlage der modalen Übertragungsweise. Aber von keinem der Vertreter dieser Übertragungsmethode ist der Musik Gewalt angetan worden; sie alle hatten nicht übersehen, daß die Musik ihre Eigengesetzlichkeit hat.

Man muß mit den vielseitigen Problemen der Übertragungsfragen der mal. Notation völlig vertraut sein, wenn man erfolgreich in den Streit der Meinungen eingreifen will. Es nützt nichts, ältere, in vielen Stücken durch die Forschung überholte Theorien wieder aufzugreifen, wenn man nicht die Möglichkeit hat, sie erfolgreich zu fördern. Wir begegnen bei B. z. T. längst überholten Ansichten über die Liedkunst des Mittelalters, wenn z. B. die 'Genialität' des biederen Adam de la Halle betont, wenn behauptet wird, daß die Minnesänger von dem um sie herum sich abspielenden Musikgeschehen kaum eine Ahnung gehabt (S. 10 und S. 62 Anm. 5) und in ihrer Beschränktheit die französischen Daktylen etwa so

[10] W. Fischer in HMS 4, 857.

[11] Ebenda Musik-Beilage Nr. 2.

[12] R. von Liliencron und W. Stade, Lieder und Sprüche, Weimar 1854, im Vorwort.

herübergenommen hätten, wie man sich heute etwa exotische Rhythmen zurechtgemacht habe. Auch in Hinsicht auf die Daktylen ist Heusler durchaus kein einwandfreier Gewährsmann.

Die Modaltheorie wird mit ein paar willkürlich aus dem Zusammenhang herausgerissenen Zitaten abgetan. Damit ist aber der berechtigte Anspruch, den die Modaltheorie auch im Gebiet des mhd. Liedes geltend zu machen hat, nicht aus der Welt geschafft, ja, nicht einmal eingeschränkt worden; denn letzten Endes verdankt der mhd. Liedvers der modalen Rhythmik seine Existenz. Die Ablehnung der choralen Interpretation, wie sie R. Molitor von den Melodien des Münsterer Fragmentes gegeben hat, bereitet keine großen Schwierigkeiten; B. hätte allerdings noch auf die bekannten Zeugnisse von Augustin über den Vortrag der Ambrosianischen Hymnen hinweisen können [13].

Diese Erörterungen allgemeiner Art dienen nun B. als Ausgangspunkt für die Behandlung der beiden Melodiefragmente. Fehlen des Enjambements neben Vorhandensein von klingendem Versschluß mit darauffolgendem Auftakt geben ihm Veranlassung, vom Text aus auf die Selbständigkeit der Zeilenmelodie zu schließen, ohne daß er diese Selbständigkeit mit den Mitteln, die die Musikwissenschaft zur Verfügung stellt, zu erweisen versuchte. Wenn nun von diesem Einzelfall aus die Selbständigkeit der Zeilenmelodie in Walthers 'Sprüchen' als germanisches Erbgut angesprochen wird, so muß demgegenüber darauf verwiesen werden, daß die 'Scheu vor dem Enjambement' das Charakteristikum des mittelalterlichen Liedes überhaupt ist und daß die 'Sprüche' Walthers diese Erscheinung durchaus nicht als Spezifikum buchen können, da die gesamte mittelalterliche Liedkunst in dieser Hinsicht dasselbe Verhalten zeigt.

Auf Grund der Taktfüllungstechnik der Sprüche und der Tatsache, daß Sprüche und Lieder in den Hss. untermischt überliefert werden, sieht B. sodann sich berechtigt, den Bereich der Sprüche

[13] Es sei auch am Rande vermerkt, daß die von B. zitierte Bedastelle in der ›Ars metrica‹ (hrsg. von H. Keil, Grammatici Latini, Bd. 7, Leipzig 1878, S. 258 f.) zu finden ist, und daß die Stelle des Aurelius Reomensis bei Gerbert, Scriptores Bd. I, 33 f. steht.

noch um das Tagelied zu erweitern. Das Minnelied sei, weil es der glatten romanischen Metrik zuneige, aus Frankreich eingeführt worden, während der Spruch und das Tagelied eine urdeutsche Dichtungsgattung darstellten, und letzteres von Walther aus dem Dunkel bloßen Vegetierens in die Sphäre einer literarischen Gattung erhoben worden sei. — Wie aber kommt es dann, daß wir viel ältere provenzalische Tagelieder, ja, eine lateinisch-provenzalische Alba mit Notation besitzen, die aus dem 10. Jh. stammen soll? Diese Lieder vertreten die Gattung bereits vor Walthers Auftreten. Wenn es schon gewagt erscheint, eine literarische Gattung von vornherein einem bestimmten rhythmischen Typus zuzuordnen, so wird man vollends nicht verstehen, daß alle diese rhythmischen Entscheidungen gewissermaßen a priori, d. h. ohne Berücksichtigung der musikalischen Substanz getroffen werden.

Meine Übertragung der beiden Melodiefragmente[14], die mit den einfachsten aber dem Geiste des Mittelalters entsprechenden Mitteln die Aufgabe ohne Zuhilfenahme von Fermaten und 'unrhythmischen Zeitzugaben' löst, vermag B. nicht zu erschüttern.

[14] F. Gennrich, Der deutsche Minnesang in seinem Verhältnis zur Troubadour- und Trouvère-Kunst, Zeitschrift für deutsche Bildung 2, 631.

Ob nun ein Begleitinstrument die Ausführung der Weise des mitunter textlosen Auftaktes übernahm oder ob die Töne auf das Ende der vorhergehenden Verszeile verteilt wurden, wie hier geschehen, — beide Möglichkeiten sind denkbar — läßt sich endgültig nicht entscheiden. Mit Recht aber sind die Ausführungen Hases über die instrumentale Ausführung der Liedmelismen von B. abgelehnt worden, und wenn er sich gegen die Art und Weise ausspricht, wie R. Molitor die ethisch-ästhetische Würdigung der Liedweise des Strophenliedes lediglich aus dem Text der ersten Strophe gewinnt, muß man ihm auch in diesem Punkte beipflichten.

Bei der Besprechung der einzigen vollständig erhaltenen Melodie des Münsterer Fragmentes, der Melodie des Palästinaliedes, findet nun das praktische Anwendung, was B. in den Voruntersuchungen behandelt hat, und es wird demgemäß die Frage aufgeworfen, ob die modale Übertragung im 2. Modus, wie sie von F. Ludwig, von mir und vielen anderen als zutreffend bezeichnet worden, wissenschaftlich haltbar ist. B. geht von der Charakteristik des 2. Modus, wie sie einst von Beck gegeben wurde, sich aber als irrig erwiesen hatte und verschiedentlich zurückgewiesen worden ist, aus, um im 2. Modus eine rhythmische Ausdeutung zu sehen, die wohl vorzüglich für französische Verhältnisse, keineswegs aber für deutsche geeignet sei. Sich auf Heusler stützend, führt er weiter aus, daß man zwischen hebungs- und senkungsfähigen und senkungsheischenden Silben unterscheiden müsse; zu den letzteren gehörten alle vorgeneigten Silben. Diese senkungsheischenden Silben

[15] Ebenda S. 631 f.

seien kurz und im Vers nicht dehnbar. 'Damit erleidet Ludwigs modale Interpretation am Beginn des Abgesanges

Schiffbruch'; denn die vorgeneigte Silbe *ge-* erscheint hier auf eine 𝅗𝅥 gedehnt.

Schiffbruch erleidet nicht die Ludwigsche Interpretation, wohl aber die Deduktion B.s, der versäumt, Sprechen und Singen auseinanderzuhalten. Auch hier wirkt sich aus, daß B. sich nicht der Mühe unterzieht, seine Behauptungen an musikalischem Material nachzuprüfen. Die Jenaer Lieder-Hs. z. B. hätte zu einer Nachprüfung Material in Hülle und Fülle geboten, und ein Blick in das Münsterer Fragment hätte B. von der Unhaltbarkeit seiner Behauptung überzeugen können, denn die Melodie des Liedes von Reinmar: *Daz eime wol gezogenen man* gibt der vorgeneigten Silbe *ge-* des Wortes *gezogenen* ein Melisma von nicht weniger als 11 Tönen. Diese 11 Töne wird auch B. nicht auf dem Werte ♩ unterbringen wollen; diese 11 Töne würden selbst für einen vollen Takt eine unerhörte Belastung darstellen. Für die Silbe *ge-* ist also nicht eine 𝅗𝅥 sondern zum mindesten eine 𝅗𝅥. nötig.

Wenn auch B. eine Strophe des Palästinaliedes herausgreift, in der fünf vorgeneigte Silben auf eine 𝅗𝅥 fallen, so kann auch das die Tatsache nicht aus der Welt schaffen, daß die mittelalterliche Musik über diese Silben sich keinerlei Kopfzerbrechen machte.

Nun sei aber der 2. Modus nicht nur aus textmetrischen Gründen abzulehnen, sondern auch schon darum, weil er ausgesprochen 'deutschfeindlich' sei. Diese 'Deutschfeindlichkeit' des 2. Modus — auch das zum Volkslied gewordene, weitverbreitete Mailied: *Der Mai ist gekommen* weist ihn auf — versucht B. wohl zu begründen, sein Beweismaterial bleibt jedoch dürftig; daß er kein Beispiel für den 2. Modus im mhd. Liedgut kennt, wie auch der Zufall, daß unter den von mir herausgegebenen 'Sieben Melodien zu mhd. Minneliedern'[16] sich kein Beispiel für den 2. Modus findet, bilden

[16] F. Gennrich, Sieben Melodien zu mittelhochdeutschen Minneliedern, Zeitschrift für Musikwissenschaft 7 (1924) 65—98.

kein Beweisargument für ein Fehlen überhaupt dieses Modus im mhd. Melodiengut und geben nicht die Berechtigung, den 2. Modus bei der Übertragung der Walthermelodie abzulehnen.

Wenn B. dann auch den 1. Modus für die Übertragung des Palästinaliedes ablehnt, so darf darauf hingewiesen werden, daß wohl niemand, der mit der Musik des Mittelalters vertraut ist, in diesem Fall jemals im 1. Modus übertragen würde. Diese Übertragung scheidet aber nicht aus, weil bei ihr vielleicht in größerem Umfang kurze, undehnbare Silben in der Hebung erscheinen könnten, sondern nur, weil die eigenartige Verteilung der Töne auf die beiden Takthälften eine derartige Interpretation eben ausschließt.

Sehr bald wird klar, wozu B. diese unmögliche Interpretation im ersten Modus gibt: sie soll die Ablehnung der modalen Interpretation begründen und die Notwendigkeit der Ablehnung demonstrieren. Seltsam genug wird dann eben diese Ablehnung der modalen Rhythmik als positiver Nachweis der binären Rhythmik der Melodie des Palästinaliedes gewertet.

Mit einer eigenartigen Feststellung der Selbständigkeit der einzelnen Melodiezeilen, die aus textlichen Erwägungen und der Ansicht gewonnen wird, daß 'dem Auftakt der nächsten Zeile keine Zeit im Schlußtakt der vorhergehenden Zeile eingeräumt' werden könne, schließt B. seine Betrachtungen über die Weise des Palästinaliedes ab, die jedoch auch an dieser Stelle die modale Interpretation nicht zu erschüttern, geschweige zu widerlegen vermocht haben. Diese Feststellungen genügten aber, meint er, die Melodie der Gruppe der 'Sprüche' zuzuweisen, und damit sei ferner der Nachweis erbracht, daß nicht nur die 'Sprüche' und das 'Tagelied', sondern auch die 'religiösen Lieder' Walthers in deutscher Tradition wurzeln[17].

[17] Unnötige Kurzformen wie *übr, da'r* usw. sind abzulehnen, da die entsprechenden Vollformen weder den Text- noch den Melodierhythmus irgendwie stören. Die Entscheidung aber, ob in der letzten Verszeile der ersten Strophe *menschlîchen* oder *mennischlîchen* zu lesen ist, kann auf Grund der Notation — die Hs. schreibt nämlich deutlich folgende Gruppen:

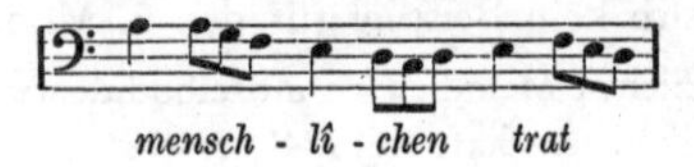

Alles was B. für seine Übertragung — wie sie in gleicher Gestalt bereits von Ludwig abgelehnt worden ist[18] — beibringt, kann einer Kritik nicht standhalten, so daß es immer wieder bei der modalen Übertragung, allerdings in einer Form, die dem Inhalt des Liedes angemessen ist: *Est enim cantus iste de delectabili materia et ardua . . . et ex omnibus longis et perfectis efficitur*[19]:

als der einzig möglichen verbleiben muß[20].

Nun ist allerdings die Überlieferung des Münsterer Fragmentes viel später aufgezeichnet, und man wird daher die Frage nach der

— nicht wie B. S. 33 mitteilt — nur dahin beantwortet werden, daß *men[i]schlîchen* zu lesen sein wird; doch weder die drei- noch die viersilbige Form stört die Übertragung, jedenfalls nicht die modale.

[18] Vgl. F. Ludwig in Adlers Handbuch der Musikgeschichte², Berlin (1930), 204.

[19] Joh. Wolf, Die Musiklehre des Johannes de Grocheo, in Sammelbände der internationalen Musikgesellschaft Bd. I (1899), S. 91.

[20] Das Vorkommen einer Binaria auf einem männlichen Reimwort ist etwas so Alltägliches durch die Kadenzformeln Bedingtes, und die gelegentliche Benützung des zweiten Tones dieser Binaria zur Unterbringung einer weiblichen Reimendung so häufig, daß dies Kriterium nicht ausreicht, um damit die Echtheit einer Melodie nachweisen zu können.

Authentizität dieser Melodie wohl verstehen. Zunächst liegt kein Grund vor, die Echtheit der Melodien des Münsterer Fragmentes anzuzweifeln. Wenn auch ein Nachprüfen in diesem Fall nicht möglich ist, so gibt es doch eine Reihe ähnlich gelagerter Fälle, aus denen sich ergibt, daß auch spätere Aufzeichnungen richtig überliefern.

Es wäre aber abwegig, wollte man in der Melismatik der melodisch so wunderbar ausgeglichenen Weise eine nachträgliche Kolorierung erblicken und etwa durch Beschneiden der Melismen eine 'Originalfassung' herstellen. In einer solchen Verstümmelung der Melodie könnte nur das Unvermögen zutage treten, das nicht zwischen Melismen zu unterscheiden vermag, die den Zweck der Kolorierung verfolgen, und solchen, die der Ausfluß der Equipolentiae, d. h. der notwendigen Aufspaltungen langer Notenwerte in der modalen Rhythmik, und daher konstituierende Bestandteile der Melodie eines Liedes sind. Diese Equipolentiae sind aber der sicherste Beweis für das Vorliegen modaler Rhythmik. In dieser Beziehung teilt Walthers Weise ihr Gefüge mit vielen uns einwandfrei überlieferten Melodien der gleichen Epoche, und was den Charakter[21] dieser Melismatik anbelangt: er unterscheidet sich in keiner Weise von der üblichen Liedmelismatik dieser Zeit.

Im 12. und 13. Jh. besteht noch kein Unterschied zwischen weltlicher und geistlicher Melodik: daß auf die Melodie der berühmten *Laetabundus*-Sequenz ein frisch fröhliches Trinklied gesungen, oder daß die Weise eines recht freien Liebesliedes oder einer anstößigen Pastourelle für ein ernstes geistliches Lied benutzt wurde, ist eine viel geübte Praxis.

[21] B. glaubt feststellen zu können, 'daß gerade sie (die Melismen) der Melodie den gregorianischen Charakter verleihen, der nach der ganzen Art der Textgestaltung und nach der Verwandtschaft mit Choralmelodien von ihrem Schöpfer beabsichtigt scheint'. Ganz abgesehen davon, daß der Ausdruck 'gregorianischer Charakter' viel zu vage ist, könnte man von der Melodie jedes andern Liedes dieser Epoche dasselbe mit dem gleichen Recht feststellen. Eine beabsichtigte Verwandtschaft mit liturgischen Melodien ließe sich nur dann annehmen, wenn die Weise Walthers sich etwa als Entlehnung aus der kirchlichen Hymnik herausstellen sollte; ich glaube aber, daß eine dahin gehende Untersuchung ergebnislos verlaufen würde.

Mit der Beantwortung der 2. Frage, mit der Rückgewinnung von Walthermelodien aus späteren Kontrafakta, betreten wir eines der interessantesten, der wichtigsten, aber auch der fruchtbarsten Gebiete der mittelalterlichen Liedforschung, ein Gebiet, das den Einsatz des erprobten Rüstzeuges der Forschung verlangt.

Bisher sind zwei Hss., die Kolmarer Liederhandschrift [22] und das Singebuch von Adam Puschmann [23], bekannt geworden, die Melodien als Waltherweisen bzw. Walthertöne bezeichnen, und es erwächst nun die Aufgabe, diese Melodien für die zugehörigen Walthertexte zurückzugewinnen.

Die in der Kolmarer Liederhandschrift überlieferte 'Hof- oder Wendelweise' wurde bereits von R. von Kralik [24] als Melodie zu Walthers Lied 25, 26 *Ob ieman spreche, der nû lebe* erkannt, dann wurde diese Melodie ganz ausführlich von R. Wustmann behandelt [25], und nun hat B. sich erneut dieser Weise gewidmet und versucht, auf neuen Wegen zum Ziele zu gelangen. Aber auch diese Lösung kann noch nicht befriedigen. Die bisherigen Bemühungen sind aus dem Stadium des Tastens noch nicht herausgekommen.

Es ist richtig erkannt worden, daß die 'Hof- und Wendelweise' die Melodie zu dem Walthertext 25, 26 birgt. Die Strukturformeln der beiden Lieder stimmen bis auf kleine Abweichungen völlig überein. Der Aufbau stellt sich wie folgt dar:

Kolmar: [26]

α	β	γ	δ_1	1. ε_1						
4a	4a	5b ◡	5d ◡	4d ◡		ζ	η	ϑ	ι	ϰ
α	β	γ		2. ε_2	δ_2	4g	4g	4e	4f ◡	4e
4a	4a	5b ◡		4e	5f ◡					

Walther:

4a	4a	5b ◡	4d ◡	4d ◡		4g ◡	4g ◡	4e	5f ◡	4e
4a	4a	5b ◡		4e	5f ◡					

[22] P. Runge a. a. O. S. 162—163.

[23] G. Münzer a. a. O. S. 17 und 42—43.

[24] siehe Anm. oben S. 1, Anm. 3.

[25] R. Wustmann a. a. O. S. 446—463.

[26] Die entfernte Ähnlichkeit von *β* und *γ* blieb unberücksichtigt. — Die Strukturformel, die B. S. 83 mitteilt, ist ungenau.

Die durch fetten Druck kenntlich gemachten Abweichungen gilt es nun zu klären. Zunächst hat V. 7 in der Kolmarer Fassung nur in der ersten Strophe 2 Silben mehr als der Walthertext. Dieser Umstand beweist, daß in diesem Vers in der Melodie kleine Veränderungen vorgenommen worden sind, die nun rückgängig gemacht werden müssen. Wenn Zusatzsilben unter einer Tonreihe unterzubringen waren, pflegte man einen längeren Notenwert in zwei kleinere Werte auf derselben Tonstufe aufzuspalten, oder man trennte die beiden Töne einer Binaria, indem man jedem Ton eine besondere Textsilbe unterlegte. Das letztere Verfahren konnte natürlich nur dann angewendet werden, wenn an der betreffenden Stelle eine Binaria zur Verfügung stand.

Der Dichter mußte sich in unserem Fall für das an erster Stelle genannte Verfahren entscheiden; das forderte nicht nur der Habitus der Melodie, sondern vor allem die Tonreihe von V. 10. Das zweite Verfahren konnte nicht in Frage kommen, weil das Profil der Waltherweise als syllabisch deklamierte Melodie keine 2 Binariae in einem Takt kennt. Zudem wäre eine dreimalige Wiederholung des Tones g eingetreten, wodurch die melodische Linie keineswegs gewonnen hätte.

Die Waltherweise dürfte also gelautet haben:

[27] Die Achtelnoten zeigen die Stelle an, an der die Zusatzsilben untergebracht wurden; die Noten an sich stellen keine Werte dar.

V. 11 und 12 des Kolmarer Textes haben männliche Reime im Gegensatz zu Walthers weiblichen Reimen. Der Kolmarer Text muß hier fehlerhaft sein, ganz abgesehen davon, daß der Schreiber in V. 11 den Reim *schon* in *fron*[28] verbessert — was ein reines Versehen sein kann, weil der Reim von V. 12 auch *schon* heißt. Das *schon* des V. 12 ist aber Adverb und muß daher unbedingt *schone* heißen, so daß dementsprechend in V. 11 auch *frone* gelesen werden muß. Damit erhalten die beiden Verse ihre richtige Form:

Die Richtigkeit dieser Konjektur wird durch die 2. und 3. Strophe bestätigt, wo die betreffenden Reime weiblich sind und *here* und *swere* bzw. *dachte* und *brachte* lauten.

Die größten Schwierigkeiten bietet V. 14; sie lassen sich nur durch Zuhilfenahme der musikalischen Textkritik überwinden. Die Hs. schreibt über dem Text:

Aus dieser Schreibung könnte die eigenartige Betonung *herlĭché* herausgelesen werden, was B. wohl auch annimmt. Wie der Reim *-liche* behandelt werden muß, ergibt sich einwandfrei aus dem in V. 10 stehenden Reim *lóbĕlíchĕ*; es ist in V. 14 also auch unbedingt *herlíchĕ* zu lesen. Widerspricht dem aber nicht die Notation?

Wie die übrigen Strophen des Kolmarer Liedes zeigen, muß der V. 14 jeder Strophe 10 Silben bzw. 5 Versfüße mit klingendem

[28] B. liest *ffron,* indem er irrtümlich den nach oben gehenden Schaft des *h* des ausgestrichenen *schon* als zweites *f* liest.

Ausgang haben. Es fehlt also wahrscheinlich vor *herliche* ein einsilbiges — bzw. zweisilbiges mit Vokal beginnendes — Wort; oder aber, was vielleicht noch wahrscheinlicher ist, die erste Silbe von *herliche* ist auf einen Takt zu dehnen. Wie dem auch sei, der Notenschreiber hat diese Lücke bzw. Eigenart übersehen, merkt aber am Ende der Verszeile, daß er eine Note zuviel hat und schreibt nun über *-che* als der letzten Silbe des Verses eine Ternaria — die sonst im ganzen Lied nicht vorkommt —, um alle Töne der Verszeile wenigstens untergebracht zu haben. Es liegt hier wieder eine jener Schreiber-Nachlässigkeiten vor, wie sie so häufig beim Übergang von einer Seite bzw. Spalte zur nächsten beobachtet werden können[29].

Es ist also in V. 14 zu lesen:

Schließlich ist in V. 13 der Hs. nach zu lesen:

so daß die Melodie der Kolmarer Liederhandschrift nun durchaus dem Waltherschen Lied entspricht und wie folgt lautet:

[29] vgl. F. Gennrich, Grundsätzliches zu den Troubadour- und Trouvère-Weisen, Zeitschrift für romanische Philologie 57, 31 ff.

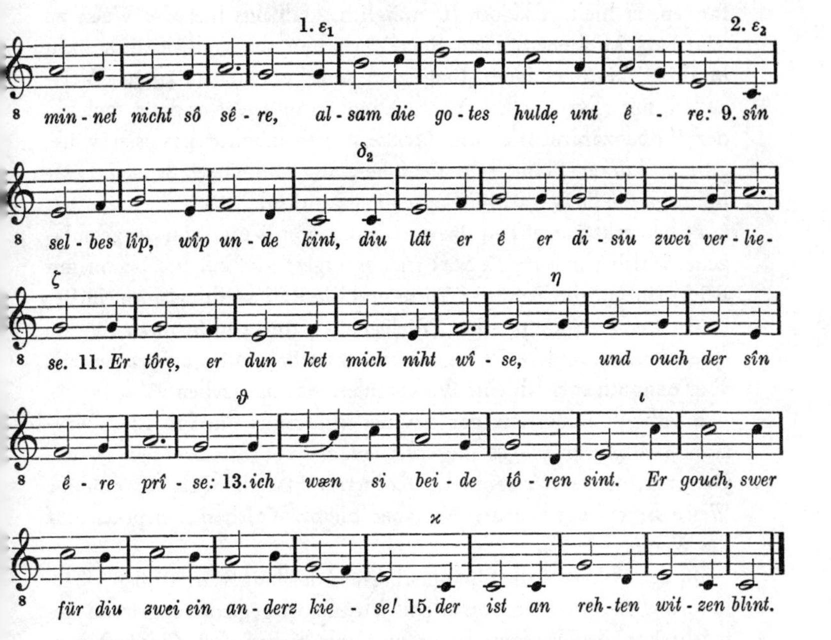

Die Ausführungen haben gezeigt, daß die Melodie eigentlich besser überliefert ist als der ihr unterlegte Text, und daß sich bei Emendation der Mängel des Textes die Walthermelodie, an deren Echtheit nicht gezweifelt werden kann, gewissermaßen von selbst ergibt. Walther wurzelt mit den melodischen Elementen seiner Weise nachweisbar[30] in heimischer Melodik; er versteht in wohl proportionierten Sätzen einen melodischen Gesamtbau zu errichten, der nicht nur Vertrautheit mit den technischen Mitteln der Liedkunst seiner Zeit verrät, sondern deren zweiter Teil eine solche mit den musikalischen Kunstmitteln der Sequenzen erkennen läßt. So stellt sich die eindrucksvolle, syllabisch deklamierte, feierliche Melodik der Hofweise würdig an die Seite des Palästinaliedes.

Mit der zweiten Walthermelodie der Kolmarer Liederhandschrift, mit *Her Walthers guldin wyse* wußte R. Wustmann nichts anzu-

[30] R. Wustmann a. a. O. S. 454 ff.

fangen, er hielt es jedoch für möglich, 'daß uns hier die Weise zu Walthers Minnelied 'Frau Stæte' erhalten sei, freilich auch nicht intakt[31]. Nach einigem Jonglieren mit verschieden langen Verszeilen, mit rhythmischen Verschiebungen und was anderes mehr in der 'Silbenzähltheorie' der Meistersinger möglich gewesen wäre, gibt er kurzer Hand sein Bemühen auf und überläßt den Leser inmitten dieser Betrachtungen seinem Schicksal.

B. bemerkt zutreffend dazu, daß das von Wustmann vorgeschlagene Waltherlied 96, 29 *Stæt ist ein angest und ein nôt* 'schon mit Rücksicht auf die Zahl der Verse und die Reimstellung' nicht in Betracht kommen könne, und 'Verlegenheit dürfe nicht dazu führen, eine gänzlich andere Weise als eine zerstörte oder umgearbeitete, aber dennoch eben als eine Walthermelodie auszugeben'[32].

B. schlägt seinerseits das neunte, allerdings unechte Lied Wolframs: *Maneger klaget die schœnen zît* vor; dieses Lied sei das Original, dessen Weise in der Kolmarer Hs. als Walthers güldene Weise bezeichnet wurde. Wo aber bleibt Walthers Anspruch auf die Weise?

B., der mehrfach die Unantastbarkeit der handschriftlichen Überlieferung betonte, sie vor allem Wustmann gegenüber geltend gemacht hat, beginnt nun leider ein Verschieben der Zäsurgrenzen, ein Zerstören des Reimgebäudes, ein Rückbilden, kurz eine Reihe von Manipulationen vermittels derer, gleichsam wie der Phönix aus der Asche, ein ganz neues, schöneres, zweckmäßigeres und logischeres Gebilde aus den Trümmern des alten hervorgehen soll. Der unechte Wolfram wird schließlich zu einem halbwegs echten Walther.

Demgegenüber ist zu sagen: Dem Bau[33] des Kolmarer Liedes:

α	β	γ	δ	ε	α	β	γ	ζ
3a ◡	3b ◡	3c	5d ◡		3w ◡	3d ◡	3c	cauda
α	β	γ						
3a ◡	3b ◡	3c						

[31] Ebenda S. 445 f.

[32] C. Bützler a. a. O. S. 53.

[33] Für die Aufbauformeln verweise ich auf meinen ›Grundriß einer Formenlehre des mittelalterlichen Liedes, Halle 1932.

kann der des unechten Wolframliedes

4a ◡	3b	5c	6d	4e	3e	5d
4a ◡	3b	5c				

nicht gleichgesetzt werden, und damit entfällt die Berechtigung der Übernahme der Melodie des Kolmarer Liedes für den unechten Wolfram. Ein Blick auf die Melodien von S. 50 und 62 zeigt im übrigen, daß hier zwei rhythmisch verschobene Gebilde vorliegen.

Müssen wir damit nun die Suche nach dem richtigen Text zu Walthers güldener Weise aufgeben? Keineswegs. Wenn die bisherigen Nachforschungen zu keinerlei Resultat geführt haben, so war daran in erster Linie das Ausgehn von irrigen Voraussetzungen und die mangelhafte Kenntnis der mittelalterlichen Liedkunst als solcher schuld. Man hielt Ausschau nach 10-zeiligen Liedern, während nur 11- bzw. 12-zeilige in Betracht kommen können.

Die Melodie des 12. und 13. Jh.s kennt noch keine Schlußmelismen, wie sie die Kolmarer Hs., aber auch nur an dieser Stelle, aufweist; sie kennt auch kein besonderes instrumentales Nachspiel in dieser Art. Daher kann das Melisma in der Kolmarer Hs. nur die Melodie zu einer ursprünglichen Textzeile sein. Der Aufbau des Kolmarer Liedes ist der des weitverbreiteten 'reduzierten Strophenlai', d. h. die Tonreihe der ersten drei Verszeilen wird für die drei folgenden wiederholt, worauf eine neue Tonreihe einsetzt, an die sich die Wiederholung der Melodie der ersten drei Verszeilen anschließt, und dann fügt die Kolmarer Hs. ganz unmißverständlich noch hinzu: *in fine erit cauda sic*[34], und es folgt alsdann ein achttöniges Melisma, das mit dem Reimwort der letzten Verszeile *engelschar* nichts zu tun hat. Zu der Reimsilbe *-schar* gehört die Note C, wie die Hs. das auch deutlich vermerkt. Dieser Ton ist nicht nur auf Grund des melodischen Grundrisses, sondern auch als Kadenzton unentbehrlich[35]. Man vergleiche zu dem Sachverhalt

[34] B. kennt offenbar die verbreitete und bekannte Formel nicht und korrigiert in: *in fine erit can[tan]da sic*.

[35] Bei B. fehlt der Ton C in allen Übertragungen.

das bei B. zwischen den Seiten 50/51 beigegebene Faksimile des Liedes.

Für den Aufbau dieser Melodie kann nur ein Lied Walthers in Betracht kommen, das Lied 88, 9 *Friuntlîchen lac.* Ohne die geringsten Eingriffe fügt sich der Liedtext der schönen Melodie:

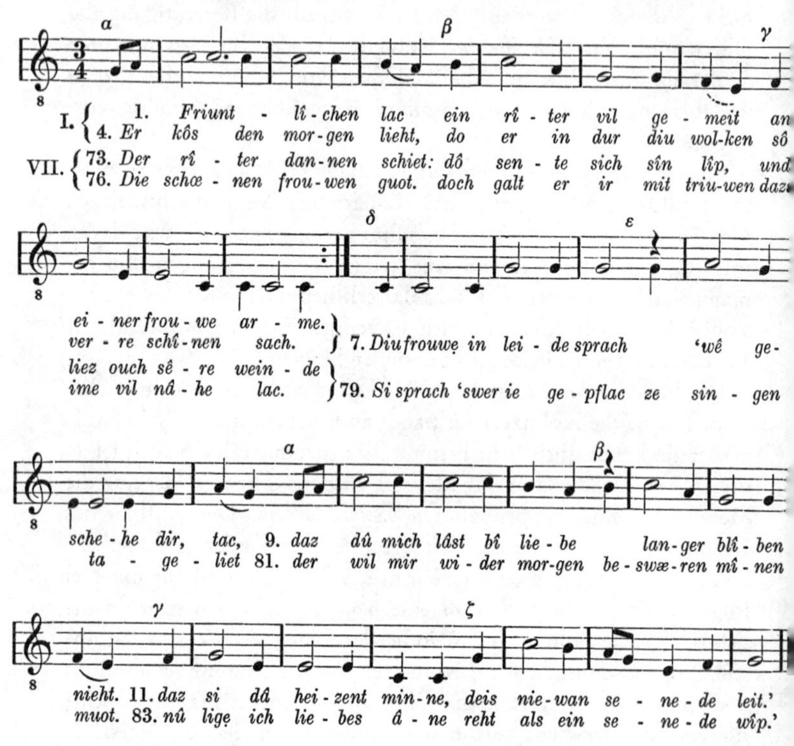

Was von der guten Überlieferung der Melodie bei der 'Hofweise' festgestellt werden konnte, trifft in noch höherem Maße bei dem 'güldenen Ton' zu. Der Kontrafaktor benötigte für seinen Liedtext die Melodie ohne die letzte Tonreihe ζ. Der Notenschreiber hätte also nicht nötig gehabt, die 'cauda' mitzuteilen, denn auch ohne diese cauda hätte das Lied einen Abschluß gehabt. Wenn er es trotzdem tut, so verrät er damit einen schönen Zug von Gewissenhaftigkeit und wohl auch Achtung vor der Waltherweise als Kunstwerk. Dem Notenschreiber war jedenfalls die Verstümmelung der Walthermelodie zuwider, und diesem Bewußtsein und dem Pflichtgefühl gegenüber der Tradition verdanken wir nun die Erhaltung der vollständigen Waltherweise, die den beiden anderen an melodischer Konzeption nicht nachsteht.

Es ist deshalb um so mehr zu bedauern, daß die Kolmarer Liederhandschrift Walthers *Gespalten wys* nicht mitteilt, wären wir doch dadurch in der Lage gewesen, die Kolmarer Überlieferung mit der des Münsterer Fragmentes zu vergleichen.

Neben der Kolmarer Liederhandschrift kommt das Singebuch von Adam Puschmann als Quelle für drei Walthertöne in Betracht, und zwar handelt es sich um die im Singebuch auf fol. 172 b ff. überlieferten Weisen: den 'langen Ton' auf fol. 172 b, den 'Kreuzton' auf fol. 174 a und den 'feinen Ton' auf fol. 175 a.

Schon R. Wustmann, der die Weise des 'feinen Tones' abdruckt[36], weil G. Münzer sie für zu unbedeutend und konventionell hielt und sie deshalb nicht mitteilt, hat die Melodie des Meistersingerliedes: *Das einundsechzigste caputt* als zu dem Waltherlied 11, 30 *Hêr keiser, sît ir willekomen* gehörig erkannt. In der Tat, der Walthertext paßt ausgezeichnet zu der Weise, und auch ihre Melismatik ist durchaus noch die des 12. und 13. Jh.s.

[36] R. Wustmann a. a. O. S. 444.

Die Reperkussionstöne dieser Melodie brauchen weder ein Zeichen höheren Alters noch ein solches der Abhängigkeit von liturgisch gebundener Musik zu sein. Jedenfalls kann aus einem zufälligen Auftreten des einen oder anderen Melismas eines Walthertones in diesem oder jenem Stück liturgischer Musik noch keine Abhängigkeit von dieser Musik gefolgert werden.

Dagegen besteht zwischen nicht liturgischer geistlicher und weltlicher Musik des Mittelalters kein Wesensunterschied. Walthers Weise unterscheidet sich in nichts von Sequenzmelodien seiner Zeit, und mit ihnen wird man sie — schon ihres Baues wegen — eher in Parallele setzen können als mit kultischer Musik. Es ist auch nicht einzusehen, weshalb infolge der in Walthers Lied vorliegenden Personen- und Zeitkritik die Weise des Liedes in einer 'irrationalen schwebenden Rhythmik' vorgetragen werden sollte. Wir besitzen einen analogen Fall in den Liedern des Fauvel, in denen Mißstände und Verfallserscheinungen der Zeit gegeißelt werden. Wenn nun hier, von Klerikern verfaßt, ein Rückgriff auf kultische Musik gemacht worden wäre, so wäre das in diesem Gremium verständlich; doch ist nichts davon zu finden. Die Weisen sind in bester Mensuralnotation aufgezeichnet, so daß ein Zweifel an ihrer rhythmischen Interpretation nicht besteht; sie zeigen nichts von jener 'irrationalen schwebenden Rhythmik', sondern sind — soweit es sich um ältere Stücke handelt — beste modale Praxis. Natürlich bleibt es den einzelnen Sängern immer noch freigestellt, im Rahmen dieser Rhythmik die einzelnen Strophen je nach ihrem Temperament vorzutragen. Es ist deshalb abwegig, für dieses Lied nun eine quasi gregorianische Notierungsweise einzuführen. Auch bei diesem Lied vermag nichts die modale Lesung zu erschüttern.

Auf fol. 174 a seines ›Singebuches‹ teilt A. Puschmann den in Walthers 'Kreuzton' gesungenen 'trost Psalmen Davids 122' *Ich freu mich des das mir* mit[37], dessen Struktur die des bekannten 'reduzierten Strophenlai' ist. Also:

A ..... A	B	A

'Name und Bau dieser Strophe', so schreibt R. Wustmann, 'erinnern an Walthers textlich wohlbekanntes Kreuzlied' — gemeint ist Walthers Lied 76.22 *Vil süeze wære minne.*

Nun bestehe freilich der Abgesang des Waltherliedes metrisch aus drei, der des Kontrafaktums aus zwei Teilen; es könne aber durch Verdoppelung des mittleren Melodieteiles B — also AABBA — eine Melodie erschlossen werden, die auch die 'Kreuzform im Melodiebau' zu Gehör brächte. Auf diese Weise glaubt Wustmann wohl symbolisch den Inhalt von Walthers Kreuzlied mit der melodischen Form seiner Melodie verknüpfen zu können.

'Die feierlich ernste Weise ist dorisch', heißt es dann weiter, 'es ist darin eine Verbindung von äußerer Müdigkeit (zwei fallende Zeilen am Anfang) und großer, getroster Zuversicht und Ergebenheit (sinkende Oktavenleiter der letzten Stollenzeile), unterbrochen von sich aufschwingenden Zeilen'[38]. So ist nach Wustmann, alles in

[37] G. Münzer a. a. O. S. 43.

[38] R. Wustmann a. a. O. S. 443.

bester Ordnung. Allerdings macht er keinen Versuch, das auf diese Weise Eruierte nun auch in die Tat umzusetzen.

B. schließt sich den Ausführungen Wustmanns an, ohne eine andere Lösung in Erwägung zu ziehen; er will allerdings keine Verdoppelung von B, sondern eine Wiederholung von B am Ende der Melodie — also AABAB —, denn auf diesen Lösungsversuch scheine der Name 'Kreuzton' am besten zu passen. Und nun dreht sich seine Argumentation nur noch um den Namen 'Kreuzton' und verliert die Melodie selbst völlig aus den Augen. Ob wir nun AABBA oder AABAB als melodische Form annehmen, wir vermögen weder in der einen noch in der anderen Form etwas zu entdecken, was mit einem Kreuz in Verbindung gebracht werden könnte, beide Formen aber sind mit dem Formenschatz der mittelalterlichen Monodie nicht vereinbar. Durch ein derartiges Kombinieren kann die Singebuch-Melodie schließlich für jedes Waltherlied mit 3- bis 4-füßigen Versen zurechtgemacht werden.

Daher kann auf Grund der durch das Singebuch gegebenen Lage die unbedingte Forderung nur lauten: welcher 16-zeilige Liedtext Walthers läßt sich zwanglos mit der überlieferten Melodie in Einklang bringen? Und die Antwort kann nur heißen: Walthers Lied 104, 7 *Mir hât hêr Gêrhart Atze ein pfert,* wie die folgende Ausgabe beweist:

Schließlich überliefert A. Puschmann auf fol. 172 b seines Singebuches Walthers 'langen Ton' zu dem Text: *Hie, hört wie in der Apostelgeschicht.* Es ist eine ungewöhnlich lange Melodie, die durch das im Singebuch in echt meistersingerlicher Weise der Originalmelodie vorausgestellte Eingangsmelisma noch länger geworden ist[39]. Derartig lange Lieder können nur 'Strophenlai' gewesen sein, jede andere Form wäre durch den endlosen Text gesprengt worden. Ein solcher 'Strophenlai' liegt hier nun auch vor.

Von Walthers Liedern kann wohl nur der Reichston 8, 4 *Ich saz ûf eime steine* in Betracht kommen, wie schon R. Wustmann vermerkt. Ein Rekonstruktionsversuch dieses 'langen Tones' auf Grund des philologisch gesicherten metrischen Schemas und der ruinierten (verlängerten) musikalischen Weise müßte nach ihm wohl denkbar sein[40]. Den Versuch selbst hat er nicht gewagt.

B. lehnt eine Rekonstruktion ab, da er den 'langen Ton' nicht für eine echte Waltherweise hält. Da jedoch die Melodie ausdrücklich als Waltherton bezeichnet wird, halte ich einen Rekonstruktionsversuch für unumgänglich. Erst an einem solchen Versuch wird man das Für und Wider zur Diskussion stellen können. Das später hinzugefügte Eingangsmelisma ist natürlich unberücksichtigt geblieben; im übrigen verweise ich auf die bei Münzer oder B. abgedruckte Meistersingermelodie.

[39] Gedr. bei G. Münzer a. a. O. S. 42.

[40] R. Wustmann a. a. O. S. 441 f.

α β
1. Ich hôrtẹ ein waz-zer die - zen und sach die vi - sche flie-
5. Swaz kriu-chet un-de fliu - get und bein zer er - de biu-
γ
zen, ich sach swaz in der wel - te was, velt walt loup rôr
get, daz sach ich, un - de sagẹ iu daz: der kei - nez le - bet
ε γ
un - de gras. 9. Daz wilt und daz ge - wür - - - me die strî - tent
â - ne haz. 11. Sam tuont die vo - gel un - der in; wan daz si
ζ
star - ke stür - - - me,
ha - bent ei - nen sin: 13. si dûh - ten sich ze nih - te,
η ϑ
14. si en-schüe-fen starc ge - rih - - - te. sie kie - sent kü - ne - ge
16. si set - zent hêr - ren un-de kneht. sô wê dir, tiu - schiu
ι ϰ
un - de reht, 19. daz nû diu
zun - - - - ge, 18. wie stêt dîn or - de - nun - ge! 20. und daz dîn
γ λ
muggẹ ir kü - nec hât, 21. Be - kê - râ dich, be - kê - re.
êrẹ al - sô zer - gât. 22. Die cir - kel sint ze hê - re, 23. die
μ
ar - men kü - ne - ge drin - gent dich: 24. Phi - lip - pe setzẹ en

Der Rekonstruktionsversuch zeigt einmal, daß eine Rückgewinnung der Melodie wohl möglich ist, dann aber auch, daß die 'schlechte Meistersingerarbeit', womit B. die Melodie abtut, nicht so ganz zu verachten ist. Manche Anklänge an die anderen Walthermelodien sind überdies festzustellen, so daß die Möglichkeit, es könne eine echte Waltherweise vorliegen, nicht ohne weiteres von der Hand zu weisen ist.

Wenn bei der Rückgewinnung der Walthermelodien aus dem Singebuch — im Gegensatz zu der Kolmarer Liederhs. — auch nicht mit aller Bestimmtheit die Zuordnung der einzelnen Töne des Kontrafaktums zu den entsprechenden Textsilben des Vorbildes getroffen werden kann, wenn also ein gewisser Spielraum verbleibt, so bilden diese Weisen trotzdem eine äußerst begrüßenswerte Bereicherung unseres leider so kleinen Repertoriums von Melodien zum älteren mhd. Minnesang. Und damit kommen wir zum letzten Punkt unserer Ausführung, zur Erörterung der Möglichkeit des Ersatzes verlorengegangener Walthermelodien.

Wir bedauern außerordentlich, daß von Walthers Melodienschatz so verhältnismäßig wenig übriggeblieben ist; sollen wir uns aber für alle Zeiten mit dieser Tatsache abfinden? Sollen wir für immer darauf verzichten, Waltherlieder nach einer stilechten Melodie wieder erklingen zu lassen? Sollen Lieder, die in erster Linie für den gesanglichen Vortrag bestimmt waren, immer dazu verurteilt bleiben, zur Lesepoesie herabzusinken?

Wir wissen wohl den Wert einer Originalmelodie einzuschätzen, wir sind auch bemüht, mit allen Mitteln nach solchen zu fahnden und sie sorgfältigst einzurichten; es wäre aber kleinlich, in Ermangelung von Originalweisen auf jede andere Möglichkeit zu verzichten.

Während des ganzen Mittelalters und noch weit über dieses hinaus hat die Kontrafaktur eine große und wichtige, ja zentrale Rolle gespielt: wohl kein Liederdichter hat sich ihr entziehen können. Bei Walther ist sie nachgewiesen, wie bei vielen anderen bedeutenden

Dichtern. Wenn also ein Dichter sein Lied auf eine bereits vorhandene Weise dichtete, so war das eine oft geübte Praxis, jedenfalls durchaus kein Verbrechen. Wir kennen sogar Fälle, in denen eine Originalmelodie unter Zustimmung des Liederdichters durch eine schönere, bereits vorhandene Weise, also eine fremde Melodie ersetzt wurde, und noch das 19. Jh. stellte in vielen Gesangbüchern bei zahlreichen Chorälen der Gemeinde die Wahl zwischen zwei oder drei Melodien frei, auf die der betreffende Choral gesungen werden konnte. Warum sollte uns die Möglichkeit, das eine oder andere Waltherlied auf eine passende Melodie der Zeit zu singen, versagt sein?

Ich habe bereits 1924 diesen Weg beschritten und eine Reihe von Melodien nachgewiesen, die mhd. Liedern als Singweisen gedient haben[41]; es stehen uns zahlreiche altfranzösische, altprovenzalische und mittellateinische Liedmelodien zur Verfügung, und es handelt sich nun darum, brauchbare Weisen auszuwählen.

Bereits H. J. Moser[42] hatte auf die Weise zu Bernart von Ventadorns Lied, B. Gr. 70, 42, *Can vei la flor, l'erba e la folha* für Walthers Lied 110, 13 *Wol mich der stunde daz ich sie erkande* hingewiesen. Walthers Lied lautet mit dieser Weise nach der Hs. Paris, Bibl. nat. fr. 20050 fol. 85 v°:

[41] F. Gennrich, Sieben Melodien zu mittelhochdeutschen Minneliedern, Zeitschrift für Musikwissenschaft 7 (1924) S. 65 ff.

[42] H.-J. Moser, Zu Ventadorns Melodien, Zeitschrift für Musikwissenschaft 16 (1934), S. 150 f.

Walthers Lied 39, 1, *Uns hât der winter geschât über al* benutzt, wie das eben mitgeteilte Lied, die aus dem Französischen und Provenzalischen bekannte Rhythmik der Dreisilbentakt-Verse, die ihm aber ebenso vertraut sein konnte aus der geistlichen Hymnik seiner Zeit. Walthers Text fügt sich ohne weiteres der Weise des Moniot de Paris, Rayn. 1259, *Quant voi ces prés florir et verdoier,* die ich aus derselben Hs. fol. 79 v° mitteile:

[43] *sint beide nû val* der Ausgabe von C. von Kraus verlangt eine Umstellung, denn der Schluß des Verses erhält bei der Umstellung *bèide sínt*

Dieselbe Hs. enthält auf fol. r° auch eine Weise von Gautier d'Espinal, Rayn. 954, *Amours et bone volontés*, die sich vorzüglich zur Vertonung des bekannten Waltherliedes 75, 25 *Diu welt was gelf, rôt unde blâ* eignet:

Eine weitere Liedmelodie desselben Dichters, die Melodie des Liedes Rayn. 2067, *Quant je voi l'erbe menue* kann Walthers Mailied 51, 13 *Müget ir schouwen waz dem meien* als Vertonung dienen.

nû vál die beste Akzentverteilung, die bei *sìnt béidè nû vál* nicht gegeben ist, da auf *-dè* von *beide* der Nebenakzent fällt, der *nû* zukommen muß. Die Pänultima-Dehnung von *nû* entspricht der von *(win)tèrs.*

Ich teile die Weise nach derselben Hs. der Pariser Nationalbibliothek auf fol. 51 v° mit:

Schließlich mag noch die Melodie von Blondel de Nesle's Lied, Rayn. 3, *Onques nus hom ne chanta* als Singweise für Walthers Lied 100, 24 *Frô Welt, ir sult dem wirte sagen* nach der Hs. Paris, Bibl. nat. fr. 844 fol. 143 d mitgeteilt werden:

Elf vollständige Melodien zu Waltherliedern werden hier vorgelegt. Es ist zwar immer noch nur ein bescheiden Teil des Liedschaffens unseres größten mittelalterlichen Sängers, das aber nun nicht mehr dazu verdammt bleiben muß, stummer Zeuge einer großen Zeit zu sein. Es ist nun nicht nur möglich, Waltherlieder wieder erklingen zu lassen, sondern in mancher Hinsicht geradezu erwünscht. Denn die Berechtigung so mancher Korrektur im Gebiete der Metrik und der Textkritik, die unter großem Aufwand von Scharfsinn vorgebracht wurde, wird durch den gesanglichen Vortrag auf die zuverlässigste Weise überprüft, und mancher der gemachten Vorschläge dürfte als mit dem gesanglichen Vortrag unvereinbar abgelehnt werden müssen. ›Minnesangs Frühling‹ wimmelte von Verstößen[44], die der Sangbarkeit der Lieder hohn sprachen, und wenn C. von Kraus vieles ausgemerzt hat, so bleibt doch auch hier noch manches zu tun.

Die Texte werden wieder Leben gewinnen und mit ihm wird die Textkritik vor neue Aufgaben gestellt, handelt es sich doch nun nicht mehr darum, *die* Lesart auszuwählen, die durch Häufigkeit des Vorkommens sich einer anderen als überlegen erweist, sondern darum, ob eine Lesart sich der melodischen Gestaltung anpaßt oder nicht. In dem einen Fall vermehren wir die schon ohnehin große Zahl der Gemeinplätze und fördern damit eine nicht besonders wünschenswerte Nivellierung der Texte, im anderen gewinnen wir Einsicht in den Eigenwillen eines Textes, der uns immerhin wertvoller sein sollte als die Schablone. In der Erweckung einer von dieser Seite her gewonnenen Einsicht möchte ich auch eine der Aufgaben obiger Veröffentlichung erblicken.

Wenn schließlich durch die Mitteilung von Wort und Weise sich das mittelalterliche Lied hier in seiner typischen Erscheinungsform

[44] Auf eine Anzahl derartiger Verstöße habe ich bereits in meiner Abhandlung: Sieben Melodien zu mittelhochdeutschen Minneliedern, Zeitschr. für Musikwissenschaft 7, S. 65 ff. aufmerksam gemacht.

als textlich-melodische Einheit darbietet, so mag es in dieser Gestalt den Textmetriker warnen[45]: so lange müssen alle Bemühungen um die Form der Lieder vergeblich bleiben, so lange die Erkenntnisse nicht aus den musikalischen und textlichen Gegebenheiten gleichermaßen gewonnen werden.

[45] 'Der Strophiker könnte von der Melodieführung wohl Ergebnisse bestätigt erhalten, Führer aber kann er nur sich selber sein', ist die Ansicht Walter Fischers, Der stollige Strophenbau im Minnesang, Diss. Göttingen (1932) S. 3, mit dem Resultat, daß er die gangbarsten Strophenformen nicht erkannt hat.

Trivium I (1943), Heft 3, S. 12—29.

DIE ELEGIE WALTHERS VON DER VOGELWEIDE

Von MAX WEHRLI

Owê war sint verswunden alliu mîniu jâr! 1
ist mir min leben getroumet oder ist ez wâr?
daz ich ie wânde ez waere, was daz allez iht?
darnâch hân ich geslâfen und enweiz es niht.
nû bin ich erwachet und ist mir unbekant 5
daz mir hie vor was kündic als mîn ander hant.
liut unde lant, darinne ich von kinde bin erzogen,
die sint mir frömde worden reht als ez sî gelogen.
die mîne gespilen wâren die sint traege unt alt.
† bereitet ist daz velt, verhouwen ist der walt: 10
wan daz daz wazzer fliuzet als ez wîlent flôz,
für wâr mîn ungelücke wânde ich wurde grôz.
mich grüezet maneger trâge der mich bekande ê wol.
diu welt ist allenthalben ungenâden vol.
als ich gedenke an manegen wünneclîchen tac, 15
die mir sint enpfallen als in daz mer ein slac,
iemer mêre ouwê.

Owê wie jaemerlîche junge liute tuont,
den ê vil hovelîchen ir gemüete stuont!
die kunnen niuwan sorgen: ouwê wie tuont si sô? 20
swar ich zer werlte kêre dâ ist nieman frô.
tanzen, lachen, singen zergât mit sorgen gar:
nie kein kristenman gesach sô jaemerlîche schar.
nû merkent wie den frouwen ir gebende stât!
ez tragent die stolzen ritter dörpellîche wât. 25
uns sint unsenfte brieve her von Rôme komen,
uns ist erloubet trûren und fröide gar benomen.
daz müet mich inneclîchen (wir lebten ie vil wol),
daz ich nû für mîn lachen weinen kiesen sol.
die kleinen wilden vogele betrüebet unser klage: 30

waz wunders ist an fröiden ob ich dâvon verzage?
wê waz spriche ich tumber durch mînen boesen zorn?
swer dirre wünne volget hât jene dort verlorn
iemer mêre ouwê.

Owê wie uns mit süezen dingen ist vergeben! 35
ich sihe die gallen mitten in dem honege sweben!
die welt ist ûzen schoene, wîz grüen unde rôt,
und innân swarzer farwe vinster sam der tôt.
swen si nû habe verleitet, der schouwe sînen trôst:
er wirt mit swacher buoze grôzer sünde erlôst. 40
daran gedenkent, ritter: ez ist iuwer dinc.
ir tragent die liehten helme und manegen herten rinc,
darzuo die vesten schilte und diu gewîhten swert.
wolte got, wan waere ich der sigenünfte wert!
sô wolt ich nôtic armman verdienen richen solt. 45
joch meine ich niht die huoben noch der hêrren golt:
ich wolte saelden krône êweclîchen tragen:
die mohte ein soldenaere mit sîme sper bejagen.
möhte ich die lieben reise gevaren über sê,
so wolt ich denne singen wol und niemer mêr ouwê, 50
niemer mêr ouwê.

1. O weh! Wohin sind verschwunden alle meine Jahre! Habe ich mein Leben geträumt, oder ist es wahr? Was ich immer glaubte, es sei, war das alles etwas? So habe ich geschlafen und weiß nichts davon!

Nun bin ich erwacht und ist mir unbekannt, was mir vorher vertraut war wie meine Hand. Land und Leute, da ich von Kind auf erzogen worden bin, die sind mir fremd geworden, ganz wie wenn es gelogen wäre!

Die meine Gespielen waren, die sind träge und alt. Das Feld ist nun verödet, zerstört ist der Wald. Wenn nicht noch das Wasser flösse, wie es einst floß, fürwahr, mein Unglück, würde ich meinen, sei groß geworden.

Mich grüßt mancher säumig, der mich einst wohl kannte. Die Welt ist allenthalben voll Mißgunst. So denke ich an manchen freudenvollen Tag, die mir entfallen sind wie ein Schlag ins Meer, für immer, o weh!

2. O weh, wie jämmerlich betragen sich junge Leute, denen einst sehr hochgemut der Sinn gestanden! Sie wissen nichts als Sorgen: O weh, was tun sie so? Wohin zur Welt ich mich wende, da ist niemand freudig:

Tanzen, Lachen, Singen vergeht ganz in Sorgen: Kein Christenmensch hat je so jämmerliches Volk erblickt. Seht nun wie den Frauen der Kopfputz steht! Die stolzen Ritter tragen bäuerliches Kleid.

Uns sind unsanfte Briefe von Rom gekommen, uns ist Trauern gestattet und Freude ganz geraubt. Das schmerzt mich tief (wir lebten immer sehr wohl), daß ich nun für mein Lachen Weinen wählen soll.

Die kleinen wilden Vögel betrübt unser Jammer. Was Wunders, wenn zur Freude ich keinen Mut aufbringe? Weh — was spreche ich Tor in meinem schlimmen Zorn? Wer dieser Wonne folgt, hat jene dort verloren, für immer, o weh!

3. O weh, wie wir mit süßen Dingen vergiftet worden sind! Ich sehe die Galle mitten im Honig schwimmen. Die Welt ist außen schön, weiß, grün und rot, und innen von schwarzer Farbe, finster wie der Tod.

Wen sie nun verführt hat, der schaue seinen Trost: Er wird mit geringer Buße von großer Sünde erlöst. Denkt daran, Ritter, es ist Euer Ding. Ihr tragt die lichten Helme und manchen harten Ring.

Dazu die festen Schilde und die geweihten Schwerter. Wollte Gott, ich wäre des Triumphes würdig! So wollte ich armer Bettler reichen Lohn gewinnen. Ich meine ja nicht die Güter noch der Herren Gold —

ich wollte die Krone der Seligkeit ewig tragen — die konnte ein Söldner mit seinem Speer erobern. Könnte ich die geliebte Fahrt tun über Meer, so wollte ich dann singen: Wohl! und nimmer mehr o weh! nimmer mehr o weh!

Als ein Meisterwerk Walthers und ein Wunder des deutschen Mittelalters ist seit der Romantik diese sogenannte Elegie immer wieder bezeichnet worden. Die Waltherforschung hat sich um wenige Gedichte so bemüht wie um dieses, und der treuen Bemühung der Philologie ist es hier besonders schön gelungen, Gestalt und Sinn des Textes schrittweise zu enthüllen aus spärlicher, entstellter Überlieferung und das reine dichterische Gebilde wieder leuchten zu lassen in seinem mittelalterlichen Raum. Carl von Kraus ist der glänzende Nachweis geglückt, daß hier Walther die epische Langzeile des ›Nibelungenliedes‹, des nationalen Epos, wie sie einst der Kürenberger geschaffen hatte, wiederum der lyrischen Form zurückgewonnen hat. Ein mißverstehender Bearbeiter muß später versucht haben, dieses Nibelungenmaß, das durch seine schwerklingende Zäsur (*verswúndèn, getroúmèt* usw.) gekennzeichnet ist, wieder zu einem normalen Sechstakter umzukorrigieren. Und Konrad Burdach hat auf Grund weitreichender Forschungen den Anlaß und den sachlichen Inhalt des Gedichtes erkannt: die ‚Elegie' ist ein Aufruf zum Kreuzzug Friedrichs II., den Walther im Herbst 1227 an die deutsche Ritterschaft gerichtet hat, nachdem Gregor IX. in *unsenften briefen,* den Enzykliken vom 1. und 8. Oktober und einem früheren Schreiben an den Kaiser, zu dem Unternehmen gemahnt hatte. Diese Dokumente liefern auch die Deutung der Verse 47 f.: sie spielen an auf die Sage vom römischen Söldner Longinus, der auf Golgatha mit seiner Lanze Christi Seite geöffnet und damit die Sakramente des Abendmahls und der Taufe (Blut und Wasser) symbolisch begründet hatte; Longinus gilt als Urbild des christlichen Ritters, sein Speer war als Reliquie, als Reichs- und Kreuzzugssymbol im Bewußtsein von Walthers Zuhörern lebendig.

Beide Entdeckungen, in erster Linie die von Carl von Kraus, haben zahlreiche Besserungen des Textes gestattet. Dennoch bleiben noch immer ein paar Verse ungeheilt oder unverständlich, vor allem in der ersten Strophe. Es sind die Verse, um die gerade der eigentliche rätselhafte Zauber dieser Dichtung lebt. Es wäre viel geleistet, wenn die Verse 10 und 11 restauriert und gedeutet wären! Denn hier, wenn irgend in der Kunst des Wortes, durchdringt sich Unscheinbares und Sublimes. Das mag auch diesen Versuch rechtfertigen, erneut die verschiedenen Dimensionen dieses Werkes zu umschreiben, das uns wie die sammelnde Kraft eines Auges die Räume menschlicher, gesellschaftlicher, geistiger Geschichte des endenden Hochmittelalters erschließt.

Diese Sammlung erfolgt zunächst, sozusagen horizontal, im Lauf einer dialektischen Bewegung. Die plötzliche Erfahrung von der Vergänglichkeit des Lebens und die Klage um die entschwundene Jugend geht, mit der 2. Strophe, über in die Rüge der mittelalterlichen Gesellschaft, deren Abkehr von der höfischen Freude der Dichter tadelt. Schon die letzten Zeilen der Strophe bringen den Umschwung. Hart trennen sich die Wege zu irdischer Freude oder ewiger Seligkeit. Diese ist zu wählen, nicht der Trug der Welt — der Anschluß an den Kreuzzug wird dem Ritter die Krone des ewigen Lebens gewinnen. Zweimal fällt die Bewegung zurück ins *owê* des Anfangs. Der Fluß der zwei ersten Strophen scheint wieder unterbrochen in je drei Glieder; jede Strophe läßt sich als eine Vereinigung dreier Vierzeiler verstehen. Die dritte Hauptstrophe erst bringt den großen Zug, dessen Schwung schließlich hinweggeht über diese Zäsuren und dem auch der Widerruf des *owê* gelingt. Die nochmalige Erwähnung des Klagerufs ruft freilich die Stimmung der ersten Strophen andeutungsweise zurück, ganz abgesehen davon, daß der Dichter sein *wol* nur im Irreal zu singen wagt. Er gesteht in demütiger Selbstironie, daß ihm, dem armen Mann (halb geistlich, halb weltlich zu verstehen), selber die Krone der Saelde ungewiß bleibt.

Aber nicht nur das. Der Gegensatz wird nicht nur entwickelt als Bewegung zu einem Resultat, der Aufforderung zum Kreuzzug. Nicht nur die Strophen „widersprechen sich". Die Spannung durchzieht vielmehr auch die einzelnen Stellen des Gedichts, sie gehört, gleichsam auch vertikal, dem Ganzen zu. Schlafen und Wachen (4 f.), Einst und Jetzt (18 f.), weltliche Klage und geistliche Reue (31 f.), Außen und Innen (38 f.), Irdisches und Himmlisches (46 f.) — so lauten die Gegensätze einzelner Zeilenpaare. Noch gedrängter füllen sie die beiden Halbzeilen. Der frei begonnene Langvers wird mit dem sinnschweren Wort des dritten und vierten Taktes zu der Zäsur gehemmt, und die drei Takte der zweiten Hälfte bringen oft schon die Gegenbewegung (2, 3, 9, 13 usw.). Gegen die Mitte der dritten Strophe dringt auch hier ein eindeutigeres Strömen durch, das zum Schlußbekenntnis führt.

Der Sachverhalt ist nicht einfach. Was ist nun das Gedicht — Gesellschaftsrüge oder Vergänglichkeitsklage oder Kreuzzugspropaganda? Was sonst in einzelnen Liedern vorkommen kann, scheint hier vereint, aber in welcher Weise? Schon die strittige Frage, ob der neuzeitliche Titel „Elegie" berechtigt sei, ist nicht müßig, betrifft sie doch die Möglichkeit mittelalterlicher Seelenhaltung. Sollen wir es mit Burdach „Palinodie" oder „Aufruf zum Kreuzzug" nennen? Elegischer Charakter ist mindestens der ersten Strophe nicht abzusprechen. Sie kennt das wehmütige Feiern eines Verlorenen, die Überwindung der schmerzlichen Kluft zwischen Jetzt und Einst in der Schönheit der Klage. Nach der im Sinne Schillers „satirischen" Digression der zweiten Strophe bewahrt auch der Schluß einen Rest jener elegischen Ferne des Dichters zum „Ideal". Die elegische Situation bleibt wirksam. Ja, man möchte sagen, der Wechsel von vierhebigen und dreihebigen Halbzeilen, von Anstieg der freien Rede und hemmendem Abfall entspreche auch in der formalen Wirkung dem klassischen Maß der Elegie, d. h. dem Distichon, sei Ausdruck elegischer Haltung mit ihrem Schweben zwischen ideal-verklärter Vergangenheit und trauriger Gegenwart. So möchten wir die Dichtung weiter als Elegie gelten lassen, soweit es überhaupt erlaubt ist, antike Gattungsnamen auf altdeutsche Dichtungen zu beziehen, und soweit eine christliche Elegie überhaupt möglich ist. *Daß* sie hier möglich ist, weist auf das Geheimnis dieser Dichtung. Christliche Überzeugung an sich schaut vorwärts und der antike Versuch, irdisch Vergangenes, menschlich Vergängliches im schönen Ruhm zu verewigen, wird ihr als Abweg und spielerische Vorläufigkeit erscheinen. Aber wir kennen ein anderes „Wunder" des Mittelalters, das dieselbe Bewegung vollzieht und auch zugleich Elegie und Palinodie darstellt. Hildeberts von Lavardin, des Erzbischofs von Tours († 1133) berühmtes Doppelgedicht über das antike und christliche Rom ist eine Art Widerruf elegischen Rückblicks durch ein Bekenntnis zur viel größeren jenseitigen Herrlichkeit des Christentums. Das erste Stück, eine Anrede an Roma, feiert die übermenschliche Größe der antiken Stadt, deren Macht und Glanz sich noch in der Majestät der Ruinen als ohnegleichen erweise. Im zweiten Stück antwortet Roma selber mit dem Preis des wahrhaft lebendigen christlichen Rom als der Hauptstadt eines überirdischen Reiches. Auch diese, in streng rhetorischem Gegenüber gehaltene Palinodie will nicht die vorangehende Klage einfach annullieren. Beides gehört zusammen und gibt sich gegenseitig Licht. Die civitas terrena wird durch die civitas dei nicht überflüssig, sie erhält nur Maß und Ort, und die bewundernde Trauer, die man ihrem Untergange zollt, gereicht der civitas dei zur Ehre — denn wie groß muß der göttliche Glanz sein, der diesen irdischen übertrifft.

Ähnlich liegt das Verhältnis der beiden Welten auch bei Walther, trotz des harten Widerrufs von Vers 32. Nur daß hier das schulmäßige Gegenüber von Hildeberts Romgedichten aufgelöst ist in die reiche Gedanken- und Gefühlsbewegung der dichterischen Person selber (über diese ist noch zu reden). Diese Bewegung aber ist nicht einfach ein Wechsel der Position. Ihre Kurve umschreibt — Klage, Anklage, Widerruf und Aufruf — den sehr komplexen Sinn der ersten Strophe näher und führt ihn fort, um zurückzulenken auf die nun geklärte Ausgangslage.

Gesellschaftsrüge und Weltentsagung stehen ja in einem nähern Verhältnis. Die Hinfälligkeit irdischer Schönheit wird dem Dichter am Zerfall der höfischen Sitte klar. Dieser bleibt aber Selbstverrat der ritterlichen Gesellschaft und wird ihr als Schuld zugerechnet, er ist in der ritterlichen, ihrerseits auf Gott bezogenen Ethik Sünde. Walthers Kritik des höfischen Verfalls bedient sich auch sonst religiöser Argumente. In seinen Sprüchen erscheint die Preisgabe des höfischen Ideals als ein Hohn auf Gott, mit der Huld der Frauen verschwindet die Huld der Engel, und die bedeutenden, nach der Elegie entstandenen Alterssprüche (66, 21 und 68, 7) wollen trotz des Alters unverzagt das frühere Ideal aufrecht erhalten und die in der Elegie angeblich widerrufene Minnedichtung als Vermächtnis gelten lassen:

mîn minnesanc der diene iu dar
und iuwer hulde sî mîn teil.

Von einer „tragischen Palinodie eines wesentlichen Teils seines ganzen Lebens" (Burdach) kann nicht gesprochen werden; der hohe sittliche Wille der höfischen Kultur wird nicht preisgegeben, aber die veränderte Welt, mit dem entarteten und verratenen Ideal, führt Walther zu einem umfassenden religiösen Bekenntnis.

Unter Walthers Liedern steht zwar auch ein Stück — 122, 24 —, das die meisten Motive der Elegie im Sinn eines vollständigen Widerrufs aufnimmt, doch hat es als unecht zu gelten. Auf spätmittelalterliche Weise bekennt hier der Dichter seine Furcht, nennt sich einen Toren und einen Sünder und erniedrigt sich büßend Vers für Vers:

Ich was mit sehenden ougen blint
und aller guoten sinne ein rint.

Die Elegie aber verzichtet darauf, das ritterliche Ideal derart zu schmähen. Über der Ritterwelt tut sich nur, weiter und klarer, der Kreis des Jenseitigen auf, wird die menschliche Klage um die Vergänglichkeit der schönen Dinge hinübergelenkt in gewollte Entsagung und ein höheres Glück. Es bleibt ja auch ein ritterliches Werk, das die Erlösung verspricht, die Kreuzfahrt, und nicht etwa der Eintritt in *bruoders orden*, wie es die späteren Weltklagelieder zeigen.

Man deutete früher die Elegie ganz biographisch als die Klage des Dichters, der, nach langen Jahren in die Heimat Österreich zurückgekehrt, erschüttert die Veränderungen der Zeit wahrnehmen mußte. So wenig wie ein solch äußeres Erlebnis darf man eine eigentliche weltanschauliche Bekehrung als Ursprung des Gedichts suchen wollen. Zwar ist Walthers Elegie ein Altersgedicht und der Niedergang der ritterlichen Welt eine Tatsache — dennoch ist die Gesellschaftsrüge so alt wie die höfische Dichtung, und ist die Welt- und Sündenklage von persönlichen Erlebnissen als dichterische Gattung unabhängig.

Trotzdem umschließt das Gedicht, jenseits der biographischen Ebene, ein geheimnisvolles Geschehen, aber von dichterischer Art. Es liegt in jener sachten Öffnung der Horizonte, im Ineinanderspielen verschiedener Schichten der menschlichen Existenz, im „Erwachen“ eines neuen und weiteren Bewußtseins, das veränderte seelische Erfahrungen umschließt und die alte ritterliche Welt in tiefer Transparenz aufleuchten läßt. Dieser eigentliche Vorgang ist nicht der Aufruf der dritten und nicht die Rüge und der Widerruf der zweiten Strophe; er verwirklicht sich schon im unvergleichlichen Kreis der ersten zwölf Verse; er ist nicht eigentlich ein Vorgang, kein gedankliches Nacheinander, sondern ein wesentlich dichterisches Ineinander- und Übereinandersein.

Bei der Deutung der Verse 1—5 haben sich die Philologen in ihrer eigenen Pedanterie verstrickt. Man suchte sich die Fragen des 2. und 3. Verses genau zu beantworten. War mein vergangenes Leben Wirklichkeit, dann muß ich seither geschlafen haben und bin jetzt in einer veränderten Welt erwacht, wie einst Epimenides. War es aber bloß ein Traum, so habe ich damals und seither geschlafen und bin jetzt zum erstenmal wach. Im ersten Fall ergibt sich die Schwierigkeit, daß „Leben“ nur die Jugendzeit wäre und die fragliche Traumhaftigkeit sich zwar auf diese Jugend bezieht, der Schlaf aber erst nachher kam. Im zweiten Fall ist schwer begreiflich, warum dann der Dichter doch von der Vergangenheit als einer sehr wirklichen spricht, die *mir hie vor was kündic als mîn ander hant.* Einem unbelasteten Leser wird zum vorneherein klar sein, daß die Frage „war mein Leben ein Traum, war wirklich, was ich für wirklich hielt?“ ganz einfach die Erfahrung umschließt, das Leben sei vergangen „wie ein Traum“. Dieses Bild darf der Dichter verlassen, schon mit *gelogen* ist ein anderes da. Wenn er darauf die vergangene Jugendzeit feiert im Gegensatz zur freudlosen Gegenwart, so vergleicht er nicht in schiefer Weise rauhe Wirklichkeit mit süßem Traum; er hat vielmehr die Erkenntnis von der traumhaften Vergänglichkeit der Dinge zurückgedrängt und läßt sie erst Vers 32 wieder durchbrechen. Daß dennoch diesem irdischen Traum eine geringere Art von Wirklichkeit zuzusprechen ist, zeigt das Folgende.

Der Grundgedanke ist das Erwachen der ersten Zeile, das Erwachen zu einer höheren Wirklichkeit, vor der die irdische zu einem Traum verblaßt. So hat es Ulrich von Singenberg, der Thurgauer Dichter aus Walthers Schule, verstanden:

> swer sich niht in der vrist verstêt, wie schiere daz veraldet,
> daz ez im zeime troume wirt . . . .

Zugrunde liegt das biblische Bild vom irdischen Leben als Schlaf, ja Todesschlaf, aus dem wir erwachen zum jüngsten Gericht und zur Seligkeit.

> irdisch leben, daz ist ein troum,
> wir süllen wachen balde

heißt es beispielsweise bei Hermann Damen, oder

> wol uff und wach, est (ez ist) an der zit,
> wir hand ze lang geslaffen

beim Montforter, ganz zu schweigen von geistlichen Tageliedern und andern Vergänglichkeitsdichtungen bis zu J. P. Hebel.

Die plötzliche Entwertung wird deutlich an der durchgehenden Entfremdung von Land und Leuten, im persönlichen und allgemeinen Sinn: Die Gespielen sind alt geworden, Feld und Wald — nur das Wasser nicht — haben sich verändert, Bekannte grüßen nicht mehr, die Welt ist voller Ungnade. Von Vers 17 an verliert sich Walther in der Rüge dieser Ungnade, vorher aber ist die

Veränderung der Welt noch Gegenstand elegischer Feststellung, in der sich höfische und eschatologische Motive begegnen.

Dies ist zur Deutung der fraglichen Verse 10—12 zu beachten. Feld und Wald sind offenbar verändert im Gegensatz zum Wasser, aber auf welche Art, in welchem Sinn? Die Stelle *bereitet ist daz velt* ist zerstört, *verhauen* ist unklar, ebenso was mit dem Wasser hätte geschehen können. Das Feld, d. h. das offene, meist bebaute Land, und der Wald sind stehende Landschaftsbezeichnungen des Minnesanges, neben der Aue, dem wasserreichen Grunde bei Quelle, Bach oder Fluß, und neben der Heide, dem unbebauten, blumentragenden Land, das unter Umständen auch zu dem allgemeineren „Feld" gehört. Verwendet sind diese Bezeichnungen bei der konventionellen Schilderung von Frühlings- und Sommerfreude des Minnesängers in der höfischen Gesellschaft — der Schmuck des Grüns und der bunten Blumen und die singenden Vögel — oder dann umgekehrt im Bild des strengen, ungeselligen, trübseligen Winters: der Wald ist entlaubt, leer, die Vögel sind verstummt, die Blumen verwelkt, die Landschaft fahl, öde, mit Reif oder Schnee bedeckt. Solche Verwendung liegt nun möglicherweise auch in der Elegie vor. Daß die Vögel verstummt sind und wir Herbst haben (Vers 30, Herbst des Jahres 1227!), deutet darauf hin.

Beginnen wir beim Wald: *verhouwen* heißt nach sehr späten, vereinzelten und ganz anderem Zusammenhang entstammenden Belegen „abgeholzt" oder durch „Verhau" unzugänglich gemacht. In höfischer Sprache aber wird es nur gebraucht von Waffen, Kleidern, Körpern oder vom menschlichen Geist, im Sinn von zerschlagen, zerstört, verwundet, traurig. Walther beklagt also entweder ein ihm und seinen Hörern bekanntes, nun abgeholztes oder gesperrtes Waldstück — das bleibt schon unwahrscheinlich, weil Rodung des Waldes für mittelalterliche Menschen keine Störung der landschaftlichen Schönheit bedeutet und weil die Kenntnis einer bestimmten Waldparzelle bei dem allgemeinen Publikum dieses Kreuzzugsgedichts nicht vorauszusetzen ist. Oder, und das ist allein möglich, Walther beklagt eine andere Beeinträchtigung der Schönheit des Waldes, sei es durch den Winter (traurig steht der Wald da), sei es durch Zerstörung nicht landwirtschaftlicher Art durch den Krieg oder ein kosmisches Ereignis.

Das Feld: ein Bedauern darüber, daß das Feld nun *bereitet*, d. h. angebaut sei, kommt als romantische Vorstellung nicht in Frage. Ist doch ein Feld, *gezieret mit der grüenen sat* (Ulrich von Winterstetten), geradezu ein Symbol der Frühlingsfreude. Also eine andere landwirtschaftliche Veränderung? Man hat an Versumpfung gedacht *(verrietet)*, an Parzellierung *(gereitet)* u. a. Man kann auch an die berühmte Kindheitsballade, ein Weltklagelied des sogenannten ›Wilden Alexander‹ erinnern, wo in ähnlichem Zusammenhang festgestellt wird:

> dâ wir understunden
> vîol funden
> dâ siht man nu rinder bisen (herumrennen).

Aber auch da wird wohl nicht beklagt, daß die veilchentragende Wiese nun zur Viehweide entwertet sei, sondern daß die höfische Gesellschaft, die ritterliche Jugend verschwunden ist, die sich einst hier vergnügte. So bleibt auch hier als nächster Gedanke: Das Feld ist leer von Blumen oder Leuten, es ist öde, fahl, traurig geworden, weil es Herbst ist oder weil es keine ritterlichen Freuden mehr gibt. In diesem Umkreis wäre eine Konjektur zu suchen. *Berîfet* wäre graphisch naheliegender, das seltene *veroeset* (verödet) wäre inhaltlich geeigneter, weil weniger eng.

Aber nun das Wasser: Man ist versucht, zu glauben, der Dichter wende von Feld und Wald den Blick auf die Aue und gleite hinüber auf das verwandte Bild vom Wasser, um hier allein den ironischen Trost zu finden, es sei hier noch alles beim alten. Wieder wird hier nicht etwa ein spezieller Flußlauf gemeint sein, an welchem allein der Dichter die Landschaft seiner Jugend wiedererkennen könnte. Zudem scheint Vers 11 anzudeuten, das Wasser könnte auch wirklich in seinem Fluß gestört sein. Aber wodurch?

Ein anderes Gedicht Walthers, 13, 5, das ebenfalls Weltklage und Aufruf zum Kreuzzug verbindet, führt vielleicht weiter. Hier ist von einem großen Wind die Rede, den *Wallaere* und *Pilgrime* klagend ankündigen, der Bäume und Türme umlegen wird. Dieser Wind ist eines der häufig angeführten Vorzeichen des Jüngsten Gerichtes, dessen nähere Ausführung hier allerdings ungewöhnlich ist. Nun bezieht sich ein derartiges Vorzeichen auch auf das Wasser:

Quellen und Flüsse werden austrocknen im Feuer, oder sie werden drei Stunden lang aufhören zu fließen, oder gegen ihren Lauf fließen, oder sie werden Blut führen. Vielleicht hat Walther hierauf angespielt, aber die Vorstellung wäre, für Walther bezeichnend, bereits ironisch gebrochen; er richtet ja seinen Blick zunächst noch klagend zurück.

Dann aber stehen vielleicht auch schon Feld und Wald in eschatologischem Licht. Eine von Augustin übermittelte Schilderung spricht von der Zeit, da der Erdkreis unbebaut in dichtem Dorngestrüpp starren wird, da Quellen und Flüsse vertrocknen, die Erde schrecklich und unbesät liegt; das apokryphe IV. Buch Esra, wichtig als Quelle der Vorzeichenlehre, spricht davon, wie die iniustitia groß sein, wie das Land verödet und unbewohnt sein, wie der Freund den Freund feindlich bekämpfen wird, wie die Adern der Gewässer drei Stunden lang nicht fließen werden. Die kommende Verödung des Landes, die Zerstörung der Herrlichkeit des Waldes, der Bäume des Libanon u. a. ist immer wieder bei den Propheten erwähnt. Walther hat kaum auf solche Stellen unmittelbar angespielt. Aber es ist wahrscheinlich, daß er die Wandlung von Freundschaft in Feindschaft, die Verwüstung und Verödung von Feld und Wald und die Störung des Wasserlaufs im Zusammenhang seines Weltklagegedichts mit solchem eschatologischen Sinn erwähnt.

So wird es kaum möglich sein, den exakten Sinn der drei Verse und speziell des Prädikats *verhouwen* zu bestimmen, gerade weil sie aus dem Konkreten ins Visionäre hinüberspielen, aus dem Höfischen ins Eschatologische. Es ist der einzigartige Zug von Walthers Lied, wie hier die verschiedenen Ebenen hintereinander sichtbar werden. Ein persönlicher Anlaß mag vorliegen, allgemeiner und typisch die Klage um den Herbst, die zur Klage über den Niedergang der Gesellschaft, über den Herbst des Lebens und den kommenden Weltuntergang wird; die Naturereignisse werden durchscheinend zu allegorischen Vorzeichen der letzten Dinge.

Das Zusammenspiel der drei Sphären der herbstlichen Minneklage, der Gesellschaftsrüge, der Weltklage wäre auch andernorts zu verfolgen, bei Walther (122, 24; 13, 5), bei Neidhart und Späteren. Wie die Elegie ist auch die schon angeführte Kindheitsballade des ›Wilden Alexander‹ lange als persönlicher, genrehafter Rückblick in die schöne Jugend gewertet worden:

> Hie bevor, dô wir kint wâren
> und die zît was in den jâren,
> daz wir liefen ûf die wisen,
> von jenen wider her ze disen;
> dâ wir understunden
> vîol funden
> dâ siht man nu rinder bisen.

Bis man entdeckte, wie sich darin eine genaue religiöse Allegorie verbirgt: den erdbeersuchenden jungen Leuten ruft ein Waldweiser zu, heimzugehen, ein Hirt warnt vor Schlangen, das Pferdlein wird unheilbar gebissen und mahnend wird das Schicksal der törichten Jungfrauen erwähnt, die sich zu lange in *den owen* versäumt hatten.

Reizvoll ist auch zu sehen, wie diese allegorisch gewendeten höfischen Motive Walthers in merkwürdigen Klitterungen bis ins Volkslied des 16. Jahrhunderts weiterleben, nur zu verstehen aus Walther selber, aber umgekehrt auch wieder diesen erhellend.

Ein Lied der Clara Hätzlerin verwendet den eschatologischen Apparat (Motiv des prophetischen Klausners, des Windes vor dem jüngsten Gericht, die plötzliche Entfremdung aller Dinge) volksliedhaft entwertend im Zusammenhang des bloßen Liebesliedes:

> Der winter will mich berauben
> Meinr fräd und auch meinr synn,
> Die strassen sind verlaubet,
> Ich waisz nit, wo ich bin.
> Den weg hab ich verloren,
> Der mir vor kündig was.
> Das hett ich wohl verschworen,
> Da ich da hayment sasz,
> Das mir so wild
> Wär ditz gefild
> In kurtzen zeitten worden.
> Des stand ich in sorgen
> Spott vnd morgen,

Vnd muosz in bruoders orden.
. . . . . .
Ach, ellend,
Nun tuo das wennd!
Vnd auch ain weiplich pilde.
. . . Nun gib mir deinen ratt,
Dann mir die wind
Sind gar geschwind,
Das hör ich an dem sausen . . .

Noch unbekümmerter wird das Spätmittelalter, das Walthers Lieder eröffnen, wieder liquidiert in einem andern Stück:

wo soll ich mich hinkheren,
ich armes waldbrüederlein?
untreuw thuet sich yetzt meren . . .

Hab urlaub, falsche wellte!
Zue dem wald ich mich hinkher . . .
bis das ich trost erwarb
von einem medelein vil raine.

Hier ist wieder die große Welt, die Frau Welt, die eine Steigerung der angebeteten Dame des Minnedienstes war, zusammengeschrumpft zur kleinen Geliebten.

Doch kehren wir zu Walthers Elegie zurück. Sie bezeichnet den Moment, da die gesellschaftlich-diesseitige Kunst des Minnesangs sich zur allegorischen Hülle religiöser Aussage wandelt. Die Allegorie — im allgemeinsten Sinne — ist die eigentliche Kunstsprache des Spätmittelalters, dessen auseinanderstrebende Lebensgehalte oft genug nur noch im erzwungenen allegorischen Bezug zu vereinigen waren. An sich ist diese Möglichkeit nicht neu — unnachahmlich aber, wie in der Elegie dieser Übergang in neue Kategorien, diese eigentümliche Verschiebung des Schwerpunktes unmittelbar als ein dichterischer Akt vollzogen wird, indem höfische Motive und Gehalte in ungemein zarter Weise durchsichtig und wesenlos werden und eine tiefer liegende Wirklichkeit erschließen.

Dieser Übergang vollzieht sich im Bild des Erwachens aus einem Traum. Während sonst der Traum, seit Ciceros ›Somnium Scipionis‹, das eigentliche Vehikel der Allegorie darstellt, als Schlüssel einer andern Welt, so bewirkt hier umgekehrt das Erwachen die Veränderung des Blicks, eine Verwandlung der Wirklichkeit in den Traum.

Mit dem Gedanken von der Traumhaftigkeit der ritterlichen Welt hat in deutscher Dichtung bereits einmal Hartmann von Aue gespielt. Zur Erklärung der Elegie ist schon immer eine berühmte Iweinstelle herangezogen worden, auch eine jener seltenen Stellen, die den „ekstatischen" Moment umschreiben, da ein mittelalterlicher Mensch plötzlich seiner Welt entrückt ist und sie nun von außen sieht. Iwein verstößt gegen seine Ritterehre, indem er den Termin der versprochenen Rückkehr zu seiner Gattin verfehlt. Das plötzliche Bewußtsein davon hat einen jähen Sturz aus der ganzen *werlt* (Gesellschaft = Welt) zur Folge, den Sturz in den Wahnsinn. Der nackt, tierhaft und selbstvergessen in der Wildnis irrende Held erwacht aus einem Schlafe schließlich wieder zur Vernunft, glaubt nun aber, sein einstiges Ritterleben geträumt zu haben. Aber dieser Gedanke bleibt eine spielerische Möglichkeit. Iwein nimmt sein ritterliches Leben, dessen Realität sich als selbstverständlich erweist, ohne weiteres wieder auf. Es gibt hier noch, zwischen ritterlichem Leben und tierischem Irrsinn, keine gültige Existenz; soweit das Rittertum allgemeineren religiösen und moralischen Forderungen genügen soll, kann es von innen heraus veredelt werden. Walther aber rückt seine ritterliche Welt endgültig ins Zwielicht des Wahnhaften. Der *wân*, der oft ironisch erkannte, aber dennoch geliebte süße Wahn, ein Zentralmotiv des Minnedienstes seit je (als einer weithin fiktiven und wesentlich unerfüllbaren Liebesbeziehung), wird plötzlich und grundsätzlich im ganzen ritterlichen Bereich erfahren. Der Spiel- und Fiktionscharakter, der der exklusiven Minnesangkultur ganz besonders eignet, wird im Ganzen sichtbar. Die naive Verbundenheit mit der Zeit als dem Medium des geschichtlichen Lebens erscheint plötzlich zerrissen, im Aufwachen zerstört, „entfallen" im eigentlichen Wortsinn. Als rettungslose Vergangenheit erscheint, was selbstverständlich war, der Mensch ist zerfallen mit einer feindlichen Gegenwart, Zukunft gilt es neu zu suchen. Die irdische Zeit ist wie zusammengeschrumpft vor dem jenseitigen Blick. Wie vor Gottes Auge tausend Jahre soviel sind wie der gestrige Tag (Psalm 90), so braucht der ›Wilde Alexander‹ das Wort „gestern“ für seine Jugend.

Es ist der eigentlich allegorische Moment der überzeitlichen „Mitte des Lebens“, da man hinter die Dinge sieht, hinter die Zeit, auf den schrecklichen Rücken der Frau Welt. Es ist die Mitte des Lebens, in welcher sich, im dunkeln Wald, auf versperrtem Weg, der Dichter der größten mittelalterlichen Allegorie wiederfindet: Dante zu Beginn seiner ›Commedia‹. („Mezzo del cammin“, „dimidium dierum“, kann mit Hinweis auf die Psalmen äußerlich als das 35. Lebensjahr bestimmt werden, zugleich ist es aber eine Mitte jenseits der Zeit, eine Verdichtung des Extensiven bis zum Umschlag ins Zeitlose, und damit wesentlich dichterisch, visionär.)

In dieser übergreifenden Deutung einer Welt findet und deutet sich so zugleich die menschliche Person als ein mehrschichtiges Wesen.

Was mir *als mîn ander hant* vertraut gewesen (man erinnert sich an Hofmannsthals ›Terzinen‹ „so eins mit mir als wie mein eignes Haar“), die eigene Körperlichkeit des Menschen, ist plötzlich kein Anhaltspunkt der Selbsterfassung mehr. Erst hier, und noch mehr beim Gedanken an Hölderlins ›Hälfte des Lebens‹ wird die ungeheure Bewahrtheit der mittelalterlichen Welt spürbar. Der Fluß der Zeit strömt hier zwischen ewigen Ufern, an die der Mensch gerade aus der Erfahrung dieser Vergänglichkeit getrieben wird. Das gilt selbst für die Bußdichtung des Spätmittelalters, die die Schrecken des irdischen Wandels eindrücklich zu schildern weiß. Wie nahe läge auch bei Walther das schroffe Entweder-Oder von irdischen Freuden oder himmlischer Seligkeit. Wir sahen es schon im Vergleich zu dem unechten Gedicht 122, 24, das die Motive der Elegie gerade in diesem Sinne vergröbert. Statt dessen ist es die menschlich-dichterische Leistung Walthers, daß er, in der elegischen Verklärung oder im Humor, die Brücke schlägt. An der Grenze des Hochmittelalters gelingt den klassischen Dichtern der Übergang und Ausgleich in der spontanen Bewegung des Menschlichen, die den Kreis ritterlichen Lebens übersteigt.

Der Ansatz zu solcher Steigerung des Rittertums ins Humane liegt freilich seit je im höfischen Geist angelegt. Die Übung der Minne und die Verkündung höfischer Sittenlehre ist schon bei

Veldeke umspielt vom ironischen Scherz. Gerade der sittliche Sinn, die *mâze,* verbietet es, das Spiel stofflich ernst zu nehmen, wie es dann Gottfried von Straßburg tut, wenn er die höfische Minne zur gesellschafts-, lebens- und glaubensfeindlichen Passion werden läßt. Das Schmachten, das Leiden der Minne wird immer wieder als die Voraussetzung der Freude, des hohen Mutes begriffen. Weinen und Lachen sind aufeinander bezogen als die befreienden Grenzsituationen, aus denen sich menschliches Wesen erwahrt. Bei Walther aber gilt dies fürs Weite und Ganze. Die Fähigkeit zum Elegischen ist auch die Fähigkeit zum Humor. Dieser befreit vom „tierischen" Ernst des bloß Gegenwärtigen und stellt es, ohne es zu vernichten, in übergreifenden Zusammenhang. Walther vermag ja selbst das Religiöse in den Kreis des Humors zu beziehen, auch in der dritten Strophe der Elegie fehlen nicht die zwielichtigen Töne. Beide Fähigkeiten aber sind jene hochmittelalterliche Kraft der Seele, die *unverzagt* nach der *werdekeit* des Ritters und Menschen strebt.

In solcher Verwirklichung und Integration menschlichen Wesens steht Walther neben Wolfram von Eschenbach. Auch in Wolframs ›Parzival‹ ist die höfische Welt überwunden und verklärt zugleich, auf der Suche nach einer echteren Mitte der Person, einer von innen kommenden Rechtfertigung. In dem zeitverlorenen Moment, da Parzival die drei Blutstropfen im Schnee anstarrt und alle Welt ihm „entfallen" ist, erlebt er von neuem den Auftrag der Gralssuche. Und in jener zweiten, so unhöfischen Schneelandschaft am Karfreitagsmorgen findet er zurück in die Zeit, die er irrend vergessen hatte. Aus der *riuwe* wächst ihm neue Sicherheit. Ganz ähnlich löst sich die Elegie zum Aufruf der dritten Strophe, zur erneuten Teilnahme am Leben der Zeit.

Anmerkungen

Text: Im wesentlichen nach der Ausgabe der Gedichte Walthers von der Vogelweide von Lachmann, neu herausgegeben von Carl von Kraus, 10. Ausgabe, Berlin und Leipzig 1936, 124, 1 ff. Dazu C. v. Kraus, Walther von der Vogelweide, Untersuchungen, Berlin und Leipzig 1935. Konrad

Burdach zuletzt in Dichtung und Volkstum, Band 36, S. 50 ff. — Die frühere Literatur hier bei C. v. Kraus und Burdach.

Vers 10 (verderbt): Es ließe sich denken *daz velt ist nû berîfet* oder *daz velt ist nû veroeset,* was nach den Versuchen von Lachmann (*vereitet*=verbrannt), Rieger (*gebreitet* = ausgedehnt), Jellinek (*gereitet* = parzelliert, oder *breit*), Meissner *(unbereitet)* und Behaghel (*verrietet* = versumpft) auch noch gewagt werden darf.

11 f.: Diese Interpunktion mit Meissner, Zeitschrift für deutsches Altertum, Band 63, 165 ff. und von Kraus, damit *wânde* als Konjunktiv seinen Sinn behält und in Strophe 1 und 2 der jeweilige Einschnitt nach 2 bzw. 4 Versen gewahrt bleibt.

25: das überlieferte *die stolzen ritter tragent* metrisch ungenügend.

31 f.: überliefert ist: *waz wunders ist ob ich dâvon verzage waz spriche ich tumber man durch mînen boesen zorn.* Verbessert nach mündlichen Vorschlägen im Berliner Seminar Alfred Hübners, Sommersemester 1936.

47: überliefert ist *selbe crône,* von Burdach beibehalten *ich trüge selber Krone.*

Hildebert von Lavardin: Vgl. M. Hauréau, Notices et extraits des manuscrits de la Bibliothèque Nationale 28, II, Paris 1878, p. 310. M. Manitius, Geschichte der lateinischen Literatur des Mittelalters III, München 1931, S. 863. Neuerdings F. Beissner, Geschichte der deutschen Elegie, Berlin 1941, S. 41; die Annahme, es handle sich bei den zwei Teilen um zu verschiedener Zeit entstandene Gedichte, ist hier ebenso abwegig wie eine alte These W. Wackernagels, Walthers Elegie bestehe aus zwei nachträglich vereinigten Einzelstücken.

Der Wilde Alexander: Rud. Haller, Der Wilde Alexander, Würzburg 1935, S. 106.

Die 15 Vorzeichen: G. Noelle, Die Legende von den fünfzehn Vorzeichen vor dem jüngsten Gerichte, Beiträge zur Geschichte der deutschen Sprache und Literatur, Band 6, S. 413 ff.

Liederbuch der Clara Hätzlerin, herausgegeben von C. Haltaus, Quedlinburg und Leipzig 1840, I. Abt. Nr. 99.

wo soll ich mich hinkeren: Volks- und Gesellschaftslieder des 15. und 16. Jahrhunderts I., herausgegeben von A. Kopp, Deutsche Texte des Mittelalters, Band V, Berlin 1905, Nr. 194.

Nachtrag 1968/70

Die umfangreiche Literatur zur Elegie verzeichnet bis 1964 Kurt Herbert Halbach, Walther von der Vogelweide, Sammlung Metzler 40, Stuttgart 1965. Nach den sehr problematischen Thesen von J. A. Huisman (1950) und D. Kralik (1952) sind nun grundlegend die vorzügliche überlieferungsgeschichtliche Analyse des Versbaus durch S. Beyschlag PBB (Tübingen) 82 (1960), S. 120—144, dann U. Pretzels Untersuchungen zu den Auftakt- und Kadenzproblemen sowie zu einzelnen Stellen des Textes in der Festschrift Taylor Starck, Den Haag 1964, S. 223—234, und schließlich die Ausgabe F. Maurers (Altdeutsche Textbibliothek 43, [3]1967) sowie ders., Die politischen Lieder Walthers von der Vogelweide, [2]Bern 1964, S. 116—122. — Zur Autorfrage mit Folgen für die Chronologie und die Deutung Alfred Mundhenk DVjS 44 (1970), S. 613 bis 654.

Bis zu Halbach und Bruno Boesch, Walther 63, 32 und 124, 1, ZfdPh 84 (1965), S. 1—6, ist der vorliegende Aufsatz von der Forschung übersehen worden. Er würde heute natürlich anders geschrieben werden müssen. Beim Abdruck sind ausschließlich Druckfehler verbessert worden. Im Folgenden nur ein paar wenige Hinweise zur Ergänzung.

Eine konservativere Fassung des Texts mit Duldung stumpfer Anverse (in C 25 %!) — die Huisman verteidigt, Beyschlag in Zweifel zieht und Maurer, Pretzel entschieden ablehnen — steht in des Verf. Deutsche Lyrik des Mittelalters, Zürich (Manesse) 1955. Hier Z. 10 *veroeset ist daz velt, verhouwen stât der walt*; 19 *wünneclîchen* statt *hovelîchen*, mit Brinkmann. —

Z. 10: *veroeset* mit neuer Begründung unterstützt von Boesch. — Hinweis auf Joel I, 10—12, 19; II, 3; III, 20 sowie auf Andreas Capellanus Dialog 5 bei J. K. Bostock, MLR 47 (1952), S. 10. Statt *bereitet* C schlagen vor *gebreitet* Brinkmann, Maurer, *bereinet* Wilson (MLR 50, 1955, S. 506 f.), *ungeriutet* Pretzel; *geriutet ist diu wilde* Frings (PBB 67, 1944, S. 240—242), *Daz velt hie sin erbouwen* Kralik.

Z. 47: *selbe ... möhte* C statt *saelden ... mohte* Lachmann, v. Kraus, Maurer ist mit guten Gründen von Willson MLR 49 (1954), S. 56—59, und Pretzel verteidigt worden.

Der ›Wilde Alexander‹, Text und Kommentar jetzt in Carl v. Kraus, Deutsche Liederdichter des 13. Jahrhunderts. — Zur Iwein-Stelle vgl. jetzt Verf., Iweins Erwachen, in: Festschrift Werner Kohlschmidt, Bern 1969.

Beiträge zur Geschichte der deutschen Sprache und Literatur 67, 1944, S. 386—401.

›HERZELIEBE‹ UND ›MÂZE‹

Zu Walther 46, 32

Von Siegfried Beyschlag

In den Untersuchungen zu Walther von der Vogelweide[1] vertritt Carl v. Kraus die Auffassung, daß sich Walther in dem Lied 46, 32 erneut der hohen Minne zuwende. Kraus stellt zugleich dieses Gedicht in enge gedankliche Verknüpfung mit 43, 9, indem hier wie dort das Mühen um die *mâze* das Hauptthema sei[2]. Demnach müsse man 43, 9 unmittelbar vor 46, 32 ansetzen; beide würden dann also eine neue hohe Minne einleiten.

Die Gründe für die Verknüpfung dieser beiden Gedichte sind sehr gewichtig, und wenn man, den Hinweisen v. Kraus' nachgehend, beider Inhalte ganz eng aufeinander bezieht, ergeben sich weitere Einsichten in den Gehalt gerade des Schlüsselliedes 46, 32.

Dessen Gedankengang hat Kraus a. a. O., S. 159 dargelegt. Es ist trotzdem angezeigt, sich nochmals die Lage zu vergegenwärtigen, in die sich hier der Dichter stellt. Es ist eindeutig, daß ein neues Minneverhältnis begonnen hat: *nû bin ich aber ze hôhe siech.* Es wird zeitlich in Gegensatz gestellt zu dem Erlebnis der niederen Minne: *ich was vil nâch ze nidere tôt;* also jetzt, im Augenblick des Liedes *(nû)* fühlt sich der Dichter in hoher Minne erneut liebeskrank[3]. Daß dieses neue Verhältnis wirklich der hohen Minne angehört, wird weiter deutlich aus der Fortsetzung nach der Erklärung, was hohe Minne sei: *diu winket mir nû, daz ich mit ir gê,* daß ich mich also von ihrem hohen Flug jetzt vorwärtstragen lassen soll. Und zu diesem zweimaligen, den gegenwärtigen Neubeginn

[1] S. 160.

[2] Unters. S. 147.

[3] Dies ist natürlich, wie Kraus betont (S. 159), die einzig mögliche Bedeutung.

betonenden *nû* stellen sich ungezwungen alle Aussagen, die ebenfalls auf Beginnendes weisen: *wes diu mâze beitet, kumet diu herzeliebe, mir mac wol schade von ir geschehen.* Der Sinn ist: in dem neubeginnenden Verhältnis wird (wunderlicher Weise) die *mâze* fehlen, dafür *herzeliebe* sich einstellen und *schade* als das Ende erwachsen. Das schließt den Kreis zur ersten Aussage: *nû bin ich aber ze hôhe siech*[4]. Der Dichter zeigt auch den Grund auf: *mîn ougen hânt ein wîp ersehen.* Auch diese Formung umschreibt einen Neubeginn: ich habe ein Weib erblickt; das ist etwas Neues, das nur so weit zurückliegt, daß der Dichter sich bereits über die seelische Wirkung dieser Begegnung erste Rechenschaft geben kann.

Und nun hat Walther eine solche erste Begegnung im Raum der hohen Minne ebenfalls dichterisch gestaltet. Das ist in dem Lied 43, 9 geschehen. Das *wîp* von Vers 47, 13 steht damit der *frouwe* von 43, 9 gleich, der Walther seinen Dienst anbietet. Um ein solches Angebot geht es hier: *ich hœre iu sô vil tugende jehen, daz iu mîn dienest iemer ist bereit.* Also Walther will in diesem Lied in ein Dienstverhältnis neu eintreten: *mîn ougen hânt ein wîp ersehen;* das ist der Rückblick auf die Worte in 43, 11 f.: *enhæt ich iuwer niht gesehen, daz schâtte mir an mîner werdekeit.* Ebenso ist *werdekeit* ein Leitgedanke in 46, 32. Das Ziel dieses Dienstes ist — zunächst und nach den direkten Worten des Mannes — die rechte Lebensart, d. i. die *mâze* durch die Frau zu lernen. Wenn Walther hier von sich als *tump* spricht, so braucht das nicht gegen die Reife des Vierzigjährigen zu verstoßen, wie Hermann Schneider meint[5]; es ist einmal höfliche Wendung, der die Frau ebenso höflich erwidert: *ich bin vil tumber danne ir sît,* ich habe noch geringere Erfahrung. Sodann klingt aber wohl die Klage von 46, 32 bereits herein: *unmâze enlât mich âne nôt;* hier nennt sich Walther ja geradezu als an *mâze tump.* So, wie die *frouwe* den Dienst annimmt und in vorbildlicher, höfisch-vornehmer und freundlich-idealgesinnter Konversation dem Dichter die *mâze* weist, ist sie in

[4] Bei einer solchen, dem Wortlaut ungezwungen folgenden Interpretation scheint mir die Auffassung, Walther wende sich von der hohen Minne ab, ganz unzutreffend zu sein.

[5] Anz.fdA. 55, S. 129.

leibhaftiger Gestalt das *wîp*, von dem Walther mit Recht sagen kann: *swie minneclich ir rede sî* ... Wer das Lied 43, 9 vorher gehört hat, wird bei diesem Satz zustimmend nicken; er weiß bereits von ihrem *minneclîchen redenden munde* (43, 37).

Er versteht dann aber auch, warum Walther trotzdem *schade* befürchten muß und aber *siech* ist: er hat in des Dichters Worten miterlebt, wie dieser *minneclîche munt* zum Küssen lockt, und kann es daher dem Dichter glauben, daß er die *herzeliebe* kommen fühlt. Das Lied 43, 9 macht es aber auch ganz deutlich, daß diese *herzeliebe* gerade gegen die *mâze* verstoßen wird, die Walther sucht und von der Frau gewiesen erhält.

Ehe aber der Vergleich mit 43, 9 gezogen werden kann, ist der genaue Sinn von 46, 32 über das Verhältnis von *herzeliebe* und *mâze* festzustellen. Beide sind dort eng aufeinander bezogen, und zwar als sich ausschließend. Mit *herzeliebe* ist nämlich sinngemäß alles das zu verbinden, was von *unmâze* und *versêret wesen* ausgesagt ist. Das zeigt die Wendung: *ich bin iedoch verleitet*. Sie wird aus dem Gedicht heraus nur dann voll verständlich, wenn man dies *verleitet* auf das unmittelbar vorhergehende *mâze* bezieht: daß der Dichter sich durch die *herzeliebe* um die *mâze* gebracht fühlt (nicht von der hohen Minne abgeleitet); hierin ist Kraus durchaus recht zu geben („Die *liebe* siegt über die *mâze*“ [6]. Denn der Satz: *kumet diu herzeliebe, ich bin iedoch verleitet*, erscheint ja wie als Antwort auf die Frage: *mich wundert wes diu mâze beitet*. Trotzdem der Dichter also mit der hohen Minne gehen will, bleibt die *mâze* aus, weil ihn die *herzeliebe verleitet*. Dabei möchte ich aber *verleiten* in etwas anderer Weise interpretieren, als es bisher (soviel ich sehe) und auch bei Kraus geschehen ist: nicht als ‚in falsche Richtung führen, irreleiten', sondern in der zweiten Bedeutung von mhd. *ver-* als ‚über das Ziel hinaus' -leiten, also die *mâze* überschreiten lassen [7]. *Ich bin iedoch verleitet* heißt dann: ‚wenn die

[6] Unters. S. 161 Anm.

[7] Das trifft sich mit Herm. Schneiders Ansicht: „In Wahrheit ist ja nach diesem Gedicht (46, 32) die *mâze* ... das sich nicht zum Übermaß verleiten lassen (47, 12), wenn die *herzeliebe* kommt“, Anz. fdA. 55, S. 126. Daß Walther *verleiten* in 124, 35 als ‚verführen' verwendet, braucht obige Bedeutung nicht auszuschließen.

herzeliebe über mich kommt, dann verliere ich doch wieder alles Maß, dann verliere ich mich wieder ganz und gar an die Frau‘.

So verstanden, rundet sich der Gedankengang des Gedichtes erst wirklich ganz: Walther klagt: ganz gleich, wie ich werbe, nieder oder hoch, ich bin *versêret*, nämlich *tôt* oder *siech*. Der näheren Erklärung *tôt, siech* zufolge ist auch das *versêret* in erster Linie als verwundet durch die Liebe, ‚liebeswund‘, zu deuten, und als sein Gegenstück ist *ebene werben* aufzufassen als ein Werben, das solche Seelenqualen vermeidet. Dieses *versêret wesen* in seinen beiden Wirkungen *(tôt, siech)* ist die *unmâze* (47, 4), deren sich der Dichter zu schämen hat. Wenn nun die *mâze* (trotz dem *hôhe werben*) wiederum ausbleibt *(beitet)*, und zwar, weil die *herzeliebe* ihn über dies Maßhalten, das *ebene werben*, hinauszuführen droht, dann ist die neue *unmâze* durch die *herzeliebe* eben wieder das *versêret wesen*, worauf der schließende Ausblick: *mir mac wol schade von ir geschehen* ja ausdrücklich zurückweist. Nach Inhalt und Wendung besagt dieser Schluß doch kaum etwas anderes, als daß Walther Liebesschaden von diesem *minneclîchen redenden munde* geschehen kann. Und nun darf man folgern: der Schaden und die Unmaße beruhen darin, daß der Mann sich infolge einer neuen *herzeliebe* zuviel, ja völlig an die Frau verliert und so *aber siech* durch sie wird.

Ich beziehe also die Klage Walthers über sein unebenes Werben in erster Linie auf die seelische Wirkung, auf eine Maßlosigkeit der seelischen Qual und Hingabe, nicht auf das allzu nieder und allzu hoch. Dieser Bezug ist dabei nicht ausgeschlossen; er wird vielmehr, wie sich zeigen wird, von jenem mit umfaßt. Das wird jedoch erst ganz deutlich, wenn man sich den Begriff *herzeliebe* vergegenwärtigt, wie ihn Walther geprägt hat, und wenn man ihn in Vergleich setzt mit der Forderung des höfischen Minnedienstes, wie sie gerade 43, 9 entwickelt. Es ist die *herzeliebe*, wie sie Walther im Bereich seiner niederen Minne gestaltet hat, auf die er im Augenblick des Liedes 46, 32 als durchlebt zurückblickt (*ich was . . . ze nidere . . .*); er spricht ihr eine solche Intensität seelischer Erschütterung zu, daß er den starken Ausdruck *vil nâch tôt* von ihr gebraucht. Auch aus diesem Grunde darf man annehmen, daß Walther diese *herzeliebe* bereits in ihrer ganzen Tiefe empfunden und geformt hat, wie sie uns aus den von Kraus zu seiner Gruppe III zusammengefaßten Liedern der niederen Minne entgegentritt. Diese *herzeliebe* meint der Dichter, wenn er ihr neues Kommen spürt (47, 12).

Die Andeutung ihrer erschütternden Gewalt in 47, 2 erinnert dabei an die beschwörenden Worte des Dichters in dem Liede 42, 15: *sô lâ stân! dû rüerest mich mitten an daz herze, dâ diu liebe liget.* Weck sie nicht auf, die *herzeliebe,* denn sie kennt dann keine Grenze mehr: *liep und lieber des enmein ich niht: ez ist aller liebest, daz ich meine* — die höchste Gefühlssteigerung, die nur das Ein und Alles mehr kennt: *dû bist mir alleine vor al der welte, frowe* — und das gilt uneingeschränkt: *swaz joch mir geschiht,* ganz gleich, was daraus entsteht: *tôt* oder *siech.* — Solche grenzenlose Liebe fordert zu ihrer Erfüllung freilich die volle Gegenseitigkeit: *minne entouc niht eine, si sol sîn gemeine, sô gemeine daz si gê dur zwei herze und dur dekeinez mê* (51, 9). Dann allerdings gewährt sie auch höchste Seligkeit: *waz ist den fröiden ouch gelîch, dâ liebez herze in triuwen stât, in schœne, in kiusche, in reinen siten? swelch sælic man daz hât erstriten . . .* (93, 1). Es ist der Besitz des ganzen geliebten Du, der hier gemeint ist; das zeigt der Rückblick auf die erste Hälfte dieser Strophe: zwar ein *minneclîcher blic* erfreut auch schon ein Herz, aber *eht manger fröiden rîch* ist doch der, *dem ander liep von ir geschiht,* während jenes *fröide* — der nur einen kurzen freundlichen Blick erhaschte — *gar zergât*[8].

Weiter zeigt das Lied, wie dieser Ganzheitsbegriff seelische Werte mit umfaßt, und sie gerade in erster Linie. Das erweist der gedankliche Aufbau des Gedichtes, der in seiner Steigerung: *schœne — liebe — tugende,* diesen den überhöhenden Vorrang gibt (92, 21—24) und sie dann (93, 2—3) mit *triuwen, kiusche, reinen siten* näher benennt. In *wîbes güete* (92, 15 und 93, 17) finden sie zu Beginn und Schluß die gedanklich und kompositionell zusammenfassende Klammer und den krönenden Abschluß: *swer guotes wîbes minne hât, der schamt sich aller missetât.*[9]

[8] Über die neue zeitliche Einordnung dieses und benachbarter Lieder s. neben Kraus, Unters. noch G. Lachenmeier Zs.fdPh. 60, S. 1 ff. und K. H. Halbach ebda. 65, S. 142 ff.

[9] S. Kraus, Unters. S. 352 f.

Bei solcher seelisch-sittlicher Ganzheit und Gegenseitigkeit trägt diese Liebe ihren Wert in sich und steht für Walther so hoch wie irgend sonst die hohe Minne; bewußt gegen seine Angreifer, die sicher im Kreis Reinmars zu suchen sind[10], stellt er fest: *er sælic man, si sælic wîp, der herze ein ander sint mit triuwen bî! ich wil daz daz ir beider lîp getiuret und in hôher wirde sî* (95, 37 ff.). Dieser gegenseitigen *herzeliebe* (vgl. 95, 30) erkennt Walther also dieselbe Wirkung zu: *hôhe wirde,* wie Reinmar seinem vergeblichen Werben, ja noch mehr: diesem spricht er geradezu die *sælde* ab: *muoz ich nû sîn nâch wâne frô, son heize ich niht ze rehte ein sælic man* (95, 27).[11]

Einen solchen in sich ruhenden Wert aus gegenseitiger Erfüllung braucht auch diese Liebe zu ihrer Existenz, denn vor der höfischen Welt besitzt sie solchen Wert ja nicht. Das erweisen die Angriffe, die Walther abzuwehren hat. Wie sie mitsamt ihrem Anspruch auf ganzen Besitz der Frau aus der niederen Minne erwachsen ist, so wird sie von der höfischen Welt dieser auch gleichgestellt und wird ihr als *kranker liebe* die Wirkung der *werdekeit* abgesprochen; bleibt sie vergeblich, ist Sehnen und Qual ruhmlos vertan: *diu minne tuot unlobelîche wê* (47, 7). Was Walther hier in 46, 32 über hohe und niedere Minne aussagt, ist zunächst einmal das Urteil der Welt hierüber. Insofern hat Jellinek m. E. recht[12], wenn er sagt, Walther gebe im Aufgesang der zweiten Strophe eine fremde Meinung wieder. Diese fünf Zeilen klingen so allgemeingültig geprägt in ihrer fast dogmatisch wirkenden Antithese, daß sie wirklich eine opinio communis auszusprechen sich jedenfalls den Anschein geben. Zugleich ist aber deutlich, daß sie nicht die *herzeliebe* Walthers

[10] Zum Bezug auf Reinmar s. Kraus S. 362 f.; dazu Halbach, Waltherstudien, Zs.fdPh. 65, S. 150; zu 95, 17 bes. S. 158 ff.

[11] Burdach, Walther und Reinmar S. 103, beachtet nicht, daß Walther sich gerade abhebt von Reinmars *ûf wâne frô.* Gemeinsam mit Reinmar ist nur das Dienen *umbe wîbes gruoz.* Walther vertieft in diesem Lied seinen auf Gegenseitigkeit beruhenden Begriff der *herzeliebe* weiter; vgl. noch: *dem ez sîn sælde füeget sô daz im sîn herzeliep wol guotes gan . . . ob im sîn liep iht liebes tuot* (95, 29 ff.). Ähnlich auch Kraus S. 363.

[12] Beitr. 43, 8.

treffen. Auch Walther distanziert sich von dieser niederen Minne, und was er hier *kranke liebe* nennt, ist nicht dasselbe wie *herzeliebe* in 47, 12. Hierin weiche ich von Jellineks Auffassung ab[13]. In Walthers Definition ist jedes Wort gewichtig: *nideriu minne heizet diu sô swachet daz der lîp nâch kranker liebe ringet* (während in der hohen der *muot ûf swinget*). Sinnliche, verächtlich-wertlose Lust, also nur die gegenseitige körperliche Hingabe, das ist diese niedere Minne, so wie sie die Vagantenlieder zeigen. Solche allein sinnliche Liebe lehnt Walther ab; das ist aus dem Schluß gerade des Liedes herauszuhören, worin er seine *liebe* gegen den Vorwurf des *nideren* verteidigt (49, 25). Wie er hier echte Liebe frei macht von der Bindung an äußerliche Werte der *schœne* und des *guotes,* so sehr bindet er sie an die inneren Werte der *triuwe* und *stætekeit* auf seiten der Frau, die dem *holt wesen* des Mannes antworten müssen: *hâst ab dû der zweier niht, son müezest dû mîn niemer werden.* Wenn der Herzensneigung des Mannes nur oberflächliche, kurze Hingabe antworten sollte, dann hat diese Liebe in Wahrheit keine Erfüllung gefunden; dann war und blieb sie von seiten der Frau nichts anderes, als was sie in den Augen der Welt ist: *krankiu liebe.* Darum trägt Walther diese Meinung der Welt mit solch großem Ernst in 47, 5—7 vor: sie ist in diesem Sinn auch seine Meinung.

Nun, nach dieser Umschau, läßt sich das ganz fassen, was Walther im Gedicht 46, 32 als die *unmâze* seines *nidere werbens* meint: wenn die *herzeliebe* ihn gefaßt hat — und das hat sie ja — und ihn dazu bringt *(verleitet),* zu viel von dem Mädchen seiner Liebe zu erwarten: statt *kranke liebe* zu geben und zu nehmen, *herzeliebe*

[13] Walther definiert in 47, 5—6 nicht den Begriff *liebe,* sondern den Begriff *nidere minne;* er meint nicht, wie Jellinek deutet: *liebe* ist stets *kranc* und ist (nur) in *niderer minne* zu finden (also *herzeliebe* jedesmal gleich *niderer minne*), sondern Walther sagt: *nideriu minne* richtet sich (nur) auf *kranke liebe.* Daraus darf nun nicht wie in einer Gleichung gefolgert werden: also ist *liebe* so viel wie *kranc* und gleich *niderer minne,* daß also *liebe,* zumal *herzeliebe,* nirgends sonst auftreten könne. Das wird von Walther nirgends gesagt. *Herzeliebe* als das ausschließlich innere Liebesgefühl des Menschen, wie Jellinek selbst so schön auslegt, schließt gerade in sich, daß sie überall dazukommen kann, sei es in *hôher* oder *niderer minne.*

zu schenken und zu fordern. Denn — darin hat Jellinek wieder völlig recht — im sozialen Bereich der niederen Minne gibt es eben nur *kranke liebe des lîbes,* und es ist *unmâze,* sie zur *herzeliebe* steigern zu wollen[14]. Dann verliert sich der Dichter seelisch an die Frau, ohne Erfüllung zu finden, und das Ende ist: *ich was vil nâch ze nidere tôt.* Nun sieht man: auch das *ze nidere* hat das volle Gewicht, das Kraus ihm gibt; der Dichter hat wirklich allzu nieder geworben, wo sein hohes Ideal keine Antwort gefunden hat. Das *herzeliebe frowelîn* lebt nur im Herzen und in der *wânwîse* des Dichters, aber nicht in der Wirklichkeit seines Liedlebens. *Ze hove* und *an der strâze* hat er darum Anstoß erregt: dort, weil er sozial zu tief herabgestiegen, hier, weil er als ein Schwärmer erschienen, bei beiden, weil er die *mâze* des *gemüetes,* die Gelassenheit des Herzens überschritten.

Die schwere seelische Erschütterung, die Walther in der *nideren minne* als erlebt hinstellt, so daß er von *vil nâch tôt* spricht, gleicht damit völlig der Tiefe und Leidenschaftlichkeit der *herzeliebe* eben dieser *nideren minne;* sie ist die Enttäuschung aus der Unerfülltheit einer einseitig gebliebenen Herzensneigung. Die Interpretation aus dem Wortlaut des Gedichtes 46, 32: *herzeliebe* als Überschreitung der *mâze* mit den Aussagen des *versêret wesen* zu verbinden und die *unmâze* in erster Linie auf den seelischen Bereich zu deuten, hat so eine volle Bestätigung gefunden.

In gleicher Weise läßt sich nun diese Verbindung als auch für die hohe Minne zutreffend erhärten.

Gerade im Hinblick auf hohe Minne sagt ja Walther in 46, 32, daß *diu herzeliebe* in sein neues hohes Werben einzubrechen droht.

[14] Herzensneigung, die zur ehelichen Liebe führt, bleibt ja im Bereich des gesellschaftlichen Minnesangs ganz beiseite. Die Fragestellung ist: Gibt es innerhalb der gesellschaftlich-erotischen Spannung der *minne* ein zur *herzeliebe* erhöhtes Verhältnis zu einer außerhalb des höfischen Kreises stehenden Frau, das — als stillschweigende Voraussetzung — Minnedienst bleibt, also nicht die Ehe will? Und diese Möglichkeit v e r n e i n t Walther; dies zu wollen, ist *unmâze.* Vgl. dazu Fr. Neumann, Hohe Minne, Zs. f. Deutschkunde 39, S. 81 ff. mit seiner Scheidung von drei Arten der Liebe.

Die Herzensneigung, die eine bekannte also, die nur das Ein und Alles, die grenzenlose Hingabe des Ich an das Du kennt und fordert. Kann sich diese im hohen Dienst erfüllen? Walther ahnt voraus: *mir mac wol schade von ir geschehen;* er spürt es: *diu mâze beitet.* Diese zwei Stichworte *mâze* und *schade* gewinnen plastische Gestalt, wenn man sie nun vor den Hintergrund von 43, 9 stellt, wie das Kraus getan hat.

Freilich bietet gerade die eine der entscheidenden Stellen, nämlich 44, 5—7, keinen ganz sicheren Text, und die Herstellung von Kraus ist neuerdings von Brinkmann angefochten worden[15]. Brinkmanns eigene Lesung leidet aber ihrerseits darunter, daß sie die, wie Kraus überzeugend darlegt[16], einwandfrei gesicherte Zeile 7: *ze mâze nider unde hô*, umstößt, ohne dabei — entgegen Brinkmanns Behauptung — das Bedenken von Kraus gegen Lachmanns Text wirklich zu beseitigen. Das Possessivpronomen *sîn*, das Kraus fordert, fehlt auch jetzt: *und tragen ze mâze / gemüete nider unde hô* schreibt Brinkmann. Dann bleibt man schon besser bei Lachmanns Lesung, die der hsl. Überlieferung am nächsten kommt: *und tragen gemüete / ze mâze nider unde hô.* Die ganze Frage, ob man Lachmanns Text beibehalten soll oder nicht, hängt schließlich davon ab, ob man das Fehlen des Possessivpronomens für gewichtig genug zu einer Emendation halten will. Bejahendenfalls wäre die Kraussche Herstellung die beste; zudem findet sie in den Hss. eine gewisse Stütze, insofern, als E mit ihrer Schreibung *und sîn gemüete setzen* die ursprüngliche Wendung als ‚den Sinn auf etwas richten' verstanden haben kann. Freilich darf man nicht — dieser Einwand Brinkmanns ist triftig — *ze mâze nider gemuoten* gleichsetzen mit Walthers *wirbe ich nidere* von 47, 1 als ‚in niederer Minne werben', denn dies dürfte die höfische Dame als kaum noch mit der *mâze* vereinbar gehalten haben. Dazu würde der Ritter dann ja gar nicht mehr um die *frouwe* werben, sondern um eine *maget*, um eine ganz andere Person also in außerhöfischem Kreis! Aber Kraus hat ja selbst in den Untersuchungen[17] seine endgültige Interpretation da-

[15] Beitr. 63, S. 361.
[16] Zs.fdA. 70, S. 94 f.
[17] S. 144 unten.

hin festgelegt: in angemessener Weise Niederes und Hohes zu verlangen wissen — natürlich im Rahmen der hohen Minne[18].

Wie man sich nun entscheiden will: für das Ebenmaß der Gemütsstimmung oder des Begehrens, in jedem Fall geht es auch an dieser Stelle um die Einhaltung der *mâze* wie im ganzen Gedicht und wie in 46, 32. Und die *frouwe* von 43, 9 umreißt diese *mâze* eines höfischen Minnewerbens sehr genau. Wie von ihr die Dreiheit *güete, stætekeit* und beherrschte Heiterkeit *(mit zühten gemeit)* gefordert wird — es sind die Waltherschen Forderungen an das *reine wîp,* die hier in reifer Prägnanz als Summe seiner Lebensweisheit ausgesprochen werden[19] —, so verlangt die Frau erfahrene Urteilsfähigkeit: *der beide erkennet übel unde guot,* aufrichtigen, wahrhaften Lobpreis: *und ie daz beste von uns saget, dem sîn wir holt, ob erz mit triuwen tuot* — alles Fähigkeiten, die Walther gerade sich selbst in seinen späteren Liedern zuspricht; und sie fordert weiter — das nun Entscheidende — die maßgerechte frohe Seelenstimmung: *kan er ze rehte wesen frô,* die — entweder — das Extrem übermächtiger Seelenstimmungen vermeidet, oder — nach der Krausschen Lesung — ein Werben, das weder zu Niedriges noch zu Übersteigertes — die ganze seelische Hingabe einer *herzeliebe?* — von der Frau begehrt. Das ist *ebene werben,* das freilich eine beherrschte, lebenskluge Persönlichkeit voraussetzt, wie sie Walther in den Liedern der neuen hohen Minne dann formt.

Zu solchem beherrschten Minnedienst gehört ebenso der Schluß des Liedes mit seinem schillernden Doppelsinn. Ganz gewiß ist er die geistreich verhüllende Zurückweisung der Dame auf die in vollendete Höfischheit gekleidete indirekte Werbung, daß sich das

[18] Das geht aus der Haltung des gesamten Liedes hervor, die verbietet, *nider* als identisch mit dem Begriff ‚niedere Minne' zu fassen. Der *manne muot* (43, 29 ff.) ist ja auf streng Höfisches gerichtet, in dessen Kreis auch das Küssen noch gehört wie *guotiu sîde* (s. u.); so kann die *frouwe* in ihrer Antwort kaum etwas Außerhöfisches mit *nider* meinen, sondern eben *niderez* im Rahmen hohen Werbens, vielleicht schon abwehrend auf das Küssen gemünzt? Es heißt ja *ze mâze nider:* keinesfalls allzu Niedriges darf der Mann begehren, und das ist der (stillschweigende) Ausschluß aller niederen Minne.

[19] Schon deshalb kann es sich nur um ein Lied der Reifezeit handeln.

bewundernd preisende Dienstverhältnis (das *werder gruoz* belohnt) in ein intimeres verwandeln möchte[20]: *ir minneclîcher redender munt der machet daz man küssen muoz.* Der ritterliche Minnesänger wird ein Seidengewand als Lohn erwarten dürfen, ganz wie es sich für einen *dienestman* gehört, so wie Kraus und vor ihm Pfeiffer, Braune, Jellinek diese Schlußpointe eben gedeutet haben. Aber ebenso unzweifelhaft steckt auch noch — wie Brinkmann mit Recht hervorhebt[21] — die Zweideutigkeit dahinter, die in der bildlichen Gleichsetzung von *sîde,* sei es Gewand oder Schapel (wie Brinkmann will), mit *wîp* beruht; Kraus selbst weist ja auf die Parallele zu *schapel wol von sîden* (185, 40: *dem stüende ein schapel wol von sîden* ‚der taugte für eine solche Frau') und zu *getragene wât* (62, 36 ff.) hin, wo beide Male der Besitz der Frau eindeutig gemeint ist[22]. Beides: offene Abweisung und versteckte Lockung, das bildet eben das ganze erotische Spiel des Minnedienstes, das Mann und Frau überlegen beherrschen müssen, bei dem aber, wenn dies der Fall, *werdekeit* und *mâze* zu erlangen sind. Das spricht 43, 9 in der ersten Strophe aus, wo der Dichter Erhöhung seiner *werdekeit* sowie *mâze* durch die Frau erhofft; das spricht ebenso 46, 32 aus, wo *mâze* und *werdekeit* ebenfalls eng aufeinander bezogen sind (46, 32/33) und beides untrennbar mit *hôher minne* verbunden ist. Denn deren Wesen ist es ja gerade, daß sie zu *hôher wirde* führt (47, 8—9), die anderseits ein Ergebnis der *mâze* ist, so daß eben auch *mâze* und *hôhe minne* eine Einheit bilden müssen. Beide Lieder: 46, 32 und 43, 9 stimmen also im Gedankengang völlig überein, und wenn man noch dem zustimmt — wogegen kaum ein Einwand vorhanden —, daß beide Gedichte dasselbe hohe Minneverhältnis meinen, dann muß man sagen, daß hier der Dichter völlig *ebene werben* würde. Sein Dienst wird ja in der liebens-

[20] Infolgedessen kann der Werber — gegen Brinkmann S. 362 — hernach wieder „von der Stelle des Liebhabers auf die Stufe des Dienstmannes" verwiesen werden (Kraus S. 145).

[21] A. a. O., S. 362.

[22] Vgl. Kraus, Unters. S. 253 und 258 f. — Zu Walthers *vaden* vgl. nun Th. Frings, PBB 73 (1951) S. 320 u. 79 (1957) S. 307, doch scheint mir durch solchen Nachweis faktischen Brauches der mögliche Bezug auf *getragen wât* und seine Hintergründigkeit keineswegs aufgehoben.

würdigsten Weise angenommen und *hulde* verheißen — im lockendsten Doppelsinn, wenn der Mann nur dies Doppelspiel versteht.

So hätte also der Dichter in diesem Fall kaum *ze hôhe* geworben, und es erscheint mir nicht richtig, die *unmâze* dieser seiner neuen hohen Minne im *ze hôhe* an sich zu sehen, daß die Frau zu hoch für ihn stünde und er dadurch Anstoß erregte. Schon aus dem Gedankengang von 46, 32 allein (auch ohne das Zeugnis von 43, 9) geht das m. E. hervor. Denn im Gegensatz zur Erklärung der niederen Minne, die darin als etwas von vorneherein zu Niedriges erscheint (*swachet, krankiu liebe, unlobelîche wê:* alles negative Aussagen), besagt diejenige der hohen Minne nur Positives: *daz der muot nâch hôher wirde ûf swinget,* deren *füegerinne frowe Mâze* ist — da wird ein allzu hoch ja geradezu ausgeschlossen. Das *ze hôhe* erfährt seine Bestimmung erst von *herzeliebe* her, genau wie das *ze nider*.

Diese *herzeliebe* tritt ja nun als ein Weiteres zur *hôhen minne* hinzu — so ist *kumet* zu interpretieren —, wie sie zur *nideren* hinzugekommen ist, mit all ihren Forderungen und Folgen. Und es braucht nun kaum eines Wortes mehr, daß eine solche Liebe mit ihrer verzehrenden, aufwühlenden Gewalt keinen Raum in dieser hohen Minne finden kann. Die Dame von 43, 9, für welche Minne im geistreich-erotischen Spiel zweier durchaus in sich selbst ruhender Menschen besteht, in dessen Hintergrund, vielleicht einmal, eine geheime Hingabe stehen kann, als allerhöchster Hulderweis, wird die ganz im Du sich verlierende, aus tiefstem Herzen quellende Liebe nur als *unmâze* verstehen. Sie ist eben mehr als *wîbes werder gruoz* und *guotiu sîde* auch im Doppelsinn. Umgekehrt ist aber gerade die Zweideutigkeit im hohen Minnespiel für den Mann, für Walther, die Einbruchstelle der *herzeliebe,* des *wânes* auf das lockend-verhüllte Mehr, mit seiner Qual des Schwankens zwischen Hoffnung auf Erwiderung der Herzensneigung und der Verzweiflung daran, also der *schade* des *versêret wesens.* Das ist die *unmâze,* die Walther an sich beklagt: daß er sich wiederum *(aber)* zu viel an eine Frau verliert, die dieses Sichverlieren nur als eine Maßlosigkeit des Mannes betrachten wird, die unhöfisch ist. *Mir mac wol schade von ir geschehen* heißt also, das *wîp* wird, *swie minneclich ir rede sî,* gerade die *herzeliebe* eben doch nicht erwidern.

Nun läßt sich der Sinn auch des *ze hôhe siech* fassen: nicht sein *werben*, d. h. seinen Minnedienst hat Walther an zu hohe Statt gerichtet, sondern seine *herzeliebe*. Wie das Mädchen der niederen Minne zu tief stand für sie, so steht jetzt die *frouwe* zu hoch; sie, die nur *hôhe minne* kennt, die da *machet daz der muot nâch hôher wirde ûf swinget*, sieht herab auf eine solche Liebe, die ihr, weil unhöfisch maßlos in Begehren und seelischer Haltung, als *krankiu liebe* erscheint. *Ebene werben* hieße, so ist darum zu folgern, auf *herzeliebe* verzichten, sowohl in niederer wie in hoher Minne, oder dort zu werben, wo sie wirklich auf gleiche, echte Gegenneigung trifft; dann wäre es, von der *herzeliebe* aus, *weder ze nidere noch ze hôhe*. Aber diese *mâze* ist dem Dichter nicht beschieden: wo er liebt, kann er nur mit seinem ganzen Sein lieben, und doch vermag er, jedenfalls im Lied, den Ort nicht zu finden, wo diese Liebe aus einem ganzen Sein erwidert würde. Sie liegt außerhalb des gesellschaftlichen Begriffs der Minne in ihren beiden Formen.

Mit diesem Ergebnis verträgt sich nun aber die Deutung von Kraus[23] zu einem guten Teil nicht mehr. Sie geht ja aus von dem a l l z u nieder und a l l z u hoch (Sperrung von Kraus) und folgert: für das *ze nidere werben* müsse sich Walther *ze hove schamen*. „Nun steht er wiederum *(aber)* wie einst vor der Gefahr des *ze hôhe*; wenn die *herzeliebe* ihn wieder verführt, so wird sein Sinn sich auf *hôhe wirde* richten, und er wird sich *an der strâze* zu schämen haben, wo man für seine Lieder der hohen Minne kein Verständnis hat.“ Das steht m. E. geradezu im Widerspruch zu Kraus' eigenen Worten an anderer Stelle. Wenn er, den Nagel auf den Kopf treffend, in der Anmerkung sagt: „Die *liebe* siegt über die *mâze*“ (S. 161), dann schließt dies aus, daß die *herzeliebe* zu *hôher wirde* verführen kann, denn, wie Kraus selbst S. 159 interpretiert, *hôhe wirde* ist ja gerade an *mâze* gebunden. Ein Widerspruch besteht dabei ferner zu dem Gedanken des Gedichtes selbst, denn es wird nicht gesagt, daß die *herzeliebe* den Dichter zur hohen Minne (zurück)führe, sondern die *hôhe minne* winkt von sich aus dem Dichter, und wie er ihr folgen will, kommt die *herzeliebe* dazu und

[23] Unters. S. 160.

bringt ihn dadurch um den Preis der *hôhen minne,* nämlich um die *wirde,* weil sie die die *hôhe minne* begleitende *mâze* verdrängt. Das ist ein wesentlicher Unterschied zu Kraus' angeführten Worten. Es zeigt sich, daß beide recht haben, Kraus und Jellinek, der sagt, daß die *liebe* über die *wirde* siege[24]; sie siegt über die *mâze* und damit zugleich über die *wirde.* Und dann halte ich es für ausgeschlossen, daß Walther, der bewußte Träger und Verkünder der echten höfischen Werte, der er ist und bleibt, auch wo er *nidere* wirbt, sich je Kummer gemacht hätte, wenn er *an der strâze* kein Verständnis für *hôhen sanc* und *hôhe minne* gefunden hätte. Man darf hier vorverweisen auf sein Alterslied 66, 21, wo er sich, im Bewußtsein lebenslänglichen hohen Strebens, gerade stolz hinwegsetzt über die Anfechtung der *nideren* und sich der Gemeinschaft mit den *werden* tröstet, eine Haltung, die er in seiner reifen Manneszeit dann genauso besessen: *als ich von kinde habe getân.* Und man bedenke, mit welcher Entschiedenheit Walther gegen alles Dörperliche *ze hove* auftritt und seine edle Kunst wie sein hohes Werben verteidigt; vor solchen Leuten hat er sich niemals seiner hohen Minne geschämt, wie sollte er es vor Bauern und Landjunkern tun! Zudem sagt Walther in 46, 35 f. ja nicht, daß man sich irgendeiner Art des Minnedienstes, sondern der *unmâze* allenthalben zu schämen habe, und das zielt für die *strâze* auf das Maßlose innerhalb seines niederen Werbens.

Die Stelle 61, 32, auf die sich Kraus als Stütze bezieht, meint ebenfalls etwas anders: *ûf der strâze* dort (62, 4) hat nichts mit den Leuten *an der strâze* von 46, 32 zu tun. Hier steht es in Gegensatz zu *ze hove* (46, 36) und meint den sozialen Bereich der niederen Minne (so auch Kraus, Unters. S. 159), dort aber zu *mîne tür* (62, 5). Das ist der bildliche Gegensatz: daheim, im eigenen Bereich, und draußen in der Öffentlichkeit, und zwar der Gesellschaft! Denn nur aus höfischem Kreis kann Walther der Vorwurf der *unhöveschеit* wegen seiner *wânwîse* gekommen sein; das sagt Kraus selbst[25]. Des Dichters Meinung ist: wenn man mein Streben nach

[24] A. a. O., S. 9.

[25] Unters. S. 252 und S. 257 oben. — Die Wahl gerade des Bildes *an der strâze* (als gedachter Gegensatz zu *an dem hove* und *zu rechter hövescheit,*

zuht so verkennt, *stêt ez als übel ûf der strâze*, dann verzichte ich darauf, für die Welt, wo ich solch *missebieten* leiden muß, zu singen, und ziehe mich in mich selbst zurück: *sô wil ich mîne tür besliezen*[26]. Es ist derselbe Gedanke, wie wenn Walther an anderer Stelle sein höfisches Singen aus gleichem Grund einzustellen droht.

So muß als Ergebnis bleiben: im Bereich der Gesellschaftsdichtung des Minnesangs erscheint die *herzeliebe* samt ihrer Forderung der vollen Gegenseitigkeit als *unmâze* sowohl des Werbens wie des Gemütes, denn in der niederen Minne gibt es nur *kranke liebe des lîbes* und in der hohen nur *hôhe wirde;* das ist die Ordnung dieser gesellschaftlichen Welt, in der Walther als Minnesinger wirbt und dichtet. Darum ist *schade* an Herz und Ansehen das Ende eines solchen *unebenen* Werbens. Das ist die ‚Minnelehre' des Liedes 46, 32. Was außerhöfische Kreise darüber denken, oder was hier gilt, bleibt ganz außer Betracht[27].

Kraus S. 252 Anm. 3) kann dabei ausdrücken, daß Walther diese Vertreter der Gesellschaft als die in Wahrheit Unhöfischen den *nideren an der strâze* gleichsetzt; aber sie sind es nicht, und deshalb entrüstet sich Walther über sie.

[26] So auch Wilmanns, Walther v. d. Vogelweide, hrsg. v. V. Michels (1924) zur Stelle.

[27] Durch dieses Ergebnis sind zugleich die Aufstellungen von Peter Schmid, Die Entwicklung der Begriffe *minne* und *liebe* im deutschen Minnesang bis Walther, Zs.fdPh. 66, S. 137 ff. berichtigt, soweit sie 46, 32 und seinen Kreis betreffen. Seinem eingangs aufgestellten Grundsatz einer „ganz konkreten Interpretation im Einzelfall" ist Schmid bei 46, 32 jedenfalls nicht gerecht geworden, da er dessen Sinn gründlich verkennt. Schmid schreibt: „Der Dichter erzählt ..., er habe ein Weib ersehen, und überlegt sich nun, ob er hohe oder niedere Minne wählen solle ... Wir dürfen annehmen, daß es sich in dem *wîp* um eine Dame der höfischen Gesellschaft handelt ..." Ja, wo ist denn in diesem Gedicht (oder auch sonst bei Walther) auch nur mit einem Wort von einer derartigen Überlegung die Rede, noch dazu einer Dame der höfischen Gesellschaft gegenüber? Warum sein Werben jedesmal, ob *hôhe* oder *nidere,* maßlos ausfällt, das überlegt Walther, und nicht, ob er sich einer bestimmten Frau gegenüber auf „phallische Sinnlichkeit" oder auf „unverbindliche geistige Tändelei" festlegen soll. (Mit diesen Bezeichnungen umschreibt Schmid S. 158 Walthers niedere und hohe Minne!) Die Schlußfolgerungen Schmids aus solcher Inter-

Nachtrag 1969

In größerem Umfang ist die Diskussion der Probleme des Liedes *Aller werdekeit ein füegerinne* von Günther Schweikle[28] und Karl Heinz Borck[29], zuletzt von Wolfgang Bachofer[30] weitergeführt worden.

Borck kommt mittels einer eindringlichen Ganzheitsinterpretation des Gedichtes nach Aufbau der Strophe, Syntax und Aussage im wesentlichen zu einem gleichen Ergebnis, wie es oben vorgetragen worden ist. „Die *mâze* ist Walther entglitten, weil die *herzeliebe* von ihm Besitz ergriffen hat.“[31] Borck gelangt zu dieser Interpretation, weil als Quintessenz der Analyse von Strophen- und Aussagebau der Satz an zentraler Stelle, nämlich der längsten Verszeile der Strophe: *kumet diu herzeliebe, ich bin iedoch verleitet* als Antwort auf die „staunende Verwunderung“: *mich wundert, wes diu mâze beitet,* zu verstehen ist.[32] Walther hat *frowe mâze* um Hilfe zum Gelingen der *hôhen minne* gebeten, an deren Beginn er steht. „Sein Wunsch, *ebene werben* zu lernen, meint ein Verhalten,

pretation („Hohe und niedere Minne bezeichnen in der Folge wohl nicht mehr eine soziale, sondern eine ethische Haltung (s. oben!) ... Auch in diese (die höfische Gesellschaft) ist also der Dualismus eingebrochen, Möglichkeit und Notwendigkeit der Wahl zwischen Eros und Geist ...“ usw.) sind daher abwegig. Abgesehen davon lassen sich auf solch schmale Basis, wie Schmid es versucht, überhaupt keine derartigen Erörterungen gründen.

Die Diss. von Sigurd Eichler, Studien über die *mâze,* Bonn 1942, war z. Z. der Abfassung des Aufsatzes in Kopenhagen noch nicht zugänglich.

[28] Günther Schweikle, Minne und Mâze, Dt.V.jhschr. 37 (1963) 498 ff.

[29] Karl Heinz Borck, Walthers Lied: Aller werdekeit ein füegerinne, Festschrift für Jost Trier zum 70. Geburtstag (Köln/Graz 1964), S. 313 ff.

[30] Wolfgang Bachofer, Walther von der Vogelweide: Aller werdekeit ein füegerinne (46, 32), in: Interpretationen mhd. Lyrik, hrsg. v. Günther Jungbluth (Bad Homburg v. d. H., Berlin, Zürich 1969) S. 185 ff. — Daniel Rocher, Aller werdekeit ein füegerinne, Etudes germaniques 24 (1969) S. 181 ff. (mit angekündigter Fortsetzung), konnte ich nicht mehr einsehen.

[31] Borck a. a. O., S. 327.

[32] Ebda. S. 325.

das dem verpflichtenden Anspruch *hôher minne* gerecht wird und sich frei hält von allem, was ihrem Gebot zuwiderläuft."[33] Ich ergänze, daß das Lied 43, 9, das ebenfalls den Beginn *hôher minne* darstellt, gerade *mâze* als Voraussetzung solcher *hôhen minne* aufstellt.[34]

Bei seinen Darlegungen muß Borck sich wiederholt mit Schweikle auseinandersetzen, der zu ganz anderen Ergebnissen gekommen war.

Schweikle operiert mit einer begrifflichen Scheidung von *werdekeit* in der Verbindung mit *all* (46, 32) und *wirde* (47, 9), welche man „in der *hôhen minne* erringt", „aber *alle werdekeit* gewährt nur die *Mâze.* Es stehen also gegeneinander ein relativer, sozialer Wertbegriff und eine objektive, umfassende, wenn man so will, existentielle Wertkategorie."[35] Desgleichen schränkt Schweikle den Waltherschen Begriff der *herzeliebe* auf „die Verkörperung der gegenseitigen (Sperrung von mir) Zuneigung ein."[36] Verbunden mit beiden Definitionen ist, daß Schweikle den Satz 47, 12 *kumet diu herzeliebe, ich bin iedoch verleitet* im Gegensatz zu mir und nun auch zu Borck dahin interpretiert, daß das *verleitet* sein sich auf 47, 10, das Winken der *hôhen minne* beziehe. Aus der Korrespondenz der beiden *nû* in *nû bin ich aber ze hôhe siech* (47, 3) und *diu winket mir nû* (47, 10) gehe hervor, daß der Dichter „im Zustand des Verleitet-Seins" bleibe, „obwohl (Sperrung von (Schweikle) die *herzeliebe* kommt".[37] Das führt zur letzten Folgerung: „Die Antwort auf die Frage, warum die *Mâze* nicht komme (47, 11), wird also sein: Jede Art Liebesbindung liegt faktisch außerhalb des Bereiches der *Mâze* ... Minne gefährdet die unbedingte Gefolgschaft der *Mâze,* gefährdet damit auch die Erreichung *aller werdekeit.*"[38]

Es ist hier, im Rahmen eines Nachtrages, nicht der Raum zu einer eingehenden Auseinandersetzung mit Schweikle. Ich kann lediglich

[33] Ebda. S. 324 f.
[34] Vgl. die Ausführungen o. S. 211.
[35] Schweikle a. a. O., S. 503.
[36] Ebda. S. 504.
[37] Ebda. S. 502.
[38] Ebda. S. 513.

meine eigene Position umreißen: daß ich mich zu Borcks Darlegungen und Ergebnis bekenne. Nicht, weil sie meinen eigenen von 1944 entsprechen, sondern weil mich das methodische Vorgehen Borcks überzeugt hat. Ferner kann ich einen Erweis Schweikles für eine differenzierte Verwendung von *werdekeit* und *wirde* bei Walther und für eine Ausschließlichkeit des Begriffes *herzeliebe* als (nicht etwa erstrebte oder bei Glücklicheren erreichte, sondern) a priori gegebene Gegenseitigkeit nicht erbracht sehen. Trotz der Andeutungen in Teil III müßte für einen solchen Erweis das gesamte Wortfeld *werdekeit — wirde — wert* zumindest bei Walther ausgebreitet und eingehend untersucht sein. Daraus folgt, daß ich auch hinsichtlich der Interpretation von *kumet diu herzeliebe, ich bin iedoch verleitet,* bestärkt von der Methode und den Darlegungen Borcks, auf meiner eigenen bestehen muß. Nachdem es unerwiesen bleibt, daß zumal *hôhe minne* bereits dem Bereich der *unmâze* zugehöre, sondern vielmehr als *wirde* bringend das Kommen der *Mâze* als *füegerinne aller werdekeit* (auch der *wirde* aus *hôher minne*) erwarten ließe, bleibt allein der an dieser Stelle ins Gedicht gebrachte Begriff der *herzeliebe* als Begründung für die Feststellung des *verleitet*-seins[39], als Antwort auf die Frage nach dem Zögern der *mâze* übrig. Oder wie es Hugo Kuhn in den Burgerschen Annalen formuliert: „... der Wahn von echter Herzensfreude wird jedes Ebenmaß immer zerstören.“[40]

In seinen Abschnitten II und III erörtert Schweikle Probleme der Textkritik und der gegenseitigen Bezugsetzung von Walthers Liedern. Hier liegen wertvolle Wegweisungen für neue Einsichten. Auch in der neuen Sicht bleibt für Schweikle thematische Bezugsetzung von 46, 32 zu 43, 9 gegeben, nur will er lieber in 43, 9

[39] *verleiten* im Sinne meiner Interpretation o. S. 212 als ‚über das Ziel hinaus leiten‘, d. h. hier ‚das Maß überschreiten lassen‘.

[40] Annalen der deutschen Literatur, hrsg. v. Heinz-Otto Burger (Stuttgart² 1961), S. 161. — Verwandte Auffassung auch bei Fr. Neumann, Die deutsche Lyrik. Form und Geschichte, hrsg. v. Benno v. Wiese, Bd. 1 (Düsseldorf o. J. 1956) S. 69. Herbert Kolbs Feststellung in seinem Buch Der Begriff der Minne (Tüb. 1958), S. 39: „Walther von der Vogelweide ordnet diese *herzeliebe* der niederen Minne zu (in dem Lobspruch an die *frowe Mâze* 46, 32 ff.)“, ist dagegen unzutreffend.

Bezug auf 46, 32 statt umgekehrt sehen[41]. Solange ich mich zu einem Festhalten an meiner Interpreation von 46, 32 genötigt sehe, muß ich auch daran festhalten, daß es 46, 32 ist, das die Thematik von 43, 9 aufgreift.

Für die vorliegenden Problemerörterungen ist aus Schweikles textkritischen Darlegungen noch aufzugreifen, daß er auf Grund eingehender Erwägungen auf zwei Text-Redaktionen mit Sinnvarianten schließt, wobei die eine von A, die andere von BCE(F) vertreten wird. Hieraus folge, daß sich A (mit dem besten Text) „durch Zusätze aus anderen Handschriften kaum verbessern läßt."[42] Deshalb ist an der entscheidenden Stelle 47, 6 mit A *muot* (statt *lîp*) zu lesen (wie dies bereits Brinkmann[43] und Wapnewski[44], jetzt auch Borck[45] tun). Ich schließe mich dem an.

Mit Bachofers Interpretation des Gedichtes rundet sich der Kreis vielleicht noch stärker als bei Borck zu meiner Auffassung zurück.

Ich darf hier von Bachofers eingehenden Ausführungen zu Stammbaum (I), Strophenbau (II) und Wortschatz von 46, 32 (III) absehen und brauche nur zu vermerken, daß auch er (wie Schweikle und ihm folgend Borck) die entscheidende Lesart *muot* statt *lîp* in 47, 6 überzeugend begründet.[46]

In der Interpretation (IV) kann ich ihm durchaus folgen, da er sie weitgehend der meinen ähnlich führt. Dabei — das ist das Neue — argumentiert er sehr treffend vom Mitdenken des Hörers aus und weiß hieraus die immer wieder fesselnden Pointen des Gedichtes in anderer Beleuchtung als bisher sichtbar zu machen. Sein Ergebnis der Interpretation gleicht dem Borcks — entgegen Schweikle — und deckt sich durchaus mit meinem eigenen. Sein Resümee ist: „Der *schade:* das ist die Unvereinbarkeit von *mâze* und *herzeliebe,* das ist die Gewißheit, auch in der *herzeliebe versêret* und *siech* sein

[41] A. a. O., S. 520.

[42] A. a. O., S. 518.

[43] Liebeslyrik der deutschen Frühe (Düsseldorf o. J. 1952), S. 344.

[44] Walther von der Vogelweide, Gedichte (Frankfurt und Hamburg o. J. 1962), S. 26.

[45] A. a. O., S. 315.

[46] S. besonders a. a. O., S. 188 ff.

zu können."[47] Ich würde nur lieber statt des „auch" formulieren: W o *herzeliebe* sich einstellt, wird man *versêret* und *siech* (weil *herzeliebe* sich nicht mit dem Begriff *mâze* jener höfischen Gesellschaft vereinbart); ein *ebenez werben* in d i e s e m Fall gibt es im Rahmen solcher Gesellschaftslyrik nicht.

Als Folge müßte Bachofers interessanter Versuch einer Wertung des Gedichts „auch als Aussage über die Dichtung"[48] variiert werden: Wo Walther nicht nur wie in den Mädchenliedern, sondern auch im hohen Minnesang *herzeliebe* als bewegende Kraft darstellt, ist er sich bewußt, auch weiterhin mit Kritik und Ablehnung aus Kreisen seines höfischen Publikums rechnen zu müssen. Auf diese Kritik bezogen könnte man, Bachofers Schlußzitat[49] verändernd, sagen: *Dêst kein ende.*

[47] A. a. O., S. 202.
[48] A. a. O., S. 203.
[49] Ebda.

Arthur Hatto, Walther von der Vogelweide's Ottonian Poems: A New Interpretation (Speculum 24, 1949, S. 542—553). Aus dem Englischen übersetzt von Gertrud Overbeck und Marlis Ostenkötter.

DIE OTTONISCHEN GEDICHTE WALTHERS VON DER VOGELWEIDE

Eine neue Interpretation [1]

Von Arthur Hatto

Zu den Liedern, die Walther von der Vogelweide unter der Regierung Ottos IV. (1208—1218) verfaßte, gehört eine Gruppe von sechs auf die gleiche Melodie [2] gedichteten Strophen. Es sind nach der ursprünglichen Zählung der Lachmannschen Ausgabe die Strophen 11. 6, 11. 18, 11. 30, 12. 6, 12, 18, 12. 30. Seit der Ausgabe von Simrock (1870) werden Melodie und metrische Form der Gedichte als „Ottenton“ oder „Ottonische Weise“ bezeichnet. Die Forscher sind sich im allgemeinen darüber einig, daß Walther diese Lieder im Dienste Ottos gedichtet habe, und entsprechend deuten sie seine Politik (wie die Namengebung es nahelegt), eine Tatsache, für die die Historiker gebührend dankbar wären — wenn es eine Tatsache wäre.[3] Aber die genaue Untersuchung der Lieder wie

[1] Die in diesem Aufsatz enthaltenen Gedanken wurden erstmals in einem Vortrag, den ich im November 1948 vor der Historical Society des Queen Mary College in London hielt, ausgesprochen.

[2] Zur Melodie vgl. F. Gennrich: Melodien Walthers von der Vogelweide, Zeitschrift für deutsches Altertum, LXXIX (1942), 39 f.

[3] Wilmanns, in seinem Leben und Dichten Walthers von der Vogelweide (1916), folgert aus 11. 30, daß Walther im März 1212 im Gefolge des Markgrafen von Meißen nach Frankfurt kam. Er macht jedoch diese Ansicht nicht für alle Gedichte im Ottenton geltend. Ja, Michels bemerkt in einer Fußnote zu eben diesem Punkt: „Früher (Leben . . ., 1. Aufl., S. 75) drückte sich Wilmanns viel vorsichtiger aus.“ Man schließt daraus, daß Michels der Folgerung von Wilmanns nicht aus ganzem Herzen zustimmte (S. 124 von Wilmanns-Michels, Walther von der Vogelweide, Bd. 1). Völlig unabhängig von dieser späteren Wilmannsschen Auffassung

der Umstände, unter denen Walther politische Lieder für seine Schutzherren schrieb, zeigt, daß diese heilig gehaltene Annahme nur auf schwachen Füßen steht.

I

[...]

Man wird in den Gedichten folgende allgemeine Tendenz bemerken: 11. 6 antipäpstlich und in zweiter Linie prokaiserlich; 11. 18 antiklerikal und in zweiter Linie prokaiserlich; 11. 30 für die Fürsten, besonders für den Markgrafen von Meißen, wenn auch an den Kaiser gerichtet; 12. 6 und 12. 18 zugunsten eines Kreuzzugs und an den Kaiser gerichtet; 12. 30 antipäpstlich. Da der Nutzen, den Otto nach der üblichen Ansicht von diesen Liedern gehabt haben soll, kaum ohne weiteres ersichtlich ist, wird eine eingehendere Prüfung nötig sein. Ehe uns dies jedoch nützen kann, wird es gut sein zu fragen, was für Beweise außer diesen sechs Gedichten dafür vorliegen, daß Walther überhaupt jemals politische Gedichte für Otto verfaßte.

hat A. J. P. Crick die Gedichte im Ottenton höchst kritisch untersucht in seiner ausgezeichneten unveröffentlichten Schrift zur Erlangung des M. A. mit dem Titel The Political Poetry of Walther von der Vogelweide (London 1936, bei F. Norman). Crick zieht jedoch keine Schlußfolgerung, obwohl er wie Wilmanns meint, daß Walther zuviel protestiere. „Walthers Treue gegenüber Otto, wie sie sich in seinen Gedichten widerspiegelt, war von noch kürzerer Dauer als die, die er Philipp erwiesen hatte. Wenn seine anfänglichen Lobpreisungen Ottos bei seiner Rückkehr nach Deutschland — in einer Folge von Gedichten, die alle 1212 verfaßt wurden — nur als ein Versuch aufgefaßt werden, Otto Sand in die Augen zu streuen und ihn für die Machenschaften der Fürsten (unter ihnen Landgraf Hermann und Dietrich von Meißen) zugunsten der staufischen Sache blind zu machen, dann ist wohl der Schluß möglich, daß Walther nach der Rückkehr des Kaisers nach Deutschland niemals ein echter Anhänger Ottos war. Es ist natürlich möglich, daß Walther nur von der Opposition ausgenutzt wurde. Wenn es so ist, dann muß zugegeben werden, daß er sich nicht gerade als ein sehr widerstrebendes Werkzeug in ihren Händen erwies.“ (S. 63.)

II

Die Zeugnisse beschränken sich auf einen Hinweis am Schluß eines in einem anderen Ton gedichteten Liedes, dem Unmutston (31. 23), in dem Otto nicht genannt wird, und auf die eindeutigen Anfangszeilen eines Gedichts in einem dritten Ton, in dem Walther um die Gunst Friedrichs II., des Rivalen von Otto, wirbt (26. 23).

In dem ersten dramatisiert Walther seine Heimatlosigkeit in der ihm eigentümlichen Weise, und schließt mit der zugespitzten Formulierung: *gast unde schâch kumt selten âne haz: nu büezet mir des gastes, daz iu got des schâches büeze.* Die Gelehrten sind sich einig darüber, daß die in diesen Zeilen angeredete Person niemand anders als Otto sein kann, und ich sehe keinen Grund, daran zu zweifeln. Wenn diese Identifizierung richtig ist, dann bezieht sich das Wort *schâch* auf eine Folge politischer und militärischer Niederlagen, die Otto von dem neuen Bewerber um die Kaiserkrone, dem späteren Friedrich II., hinnehmen mußte, nachdem dieser in so überraschender und gewagter Weise im Herbst 1212 in Deutschland erschienen war. Die Verse lassen erkennen, daß Otto nach Walthers persönlicher Meinung Grund hatte, ihn mit einem Wohnsitz zu belohnen. Eine solche Belohnung wäre nicht ohne Gegenleistung gewesen, besonders da Walther zur Zeit der Thronkandidatur und Herrschaft Philipps von Schwaben Lieder gedichtet hatte, die gegen Ottos Sache gerichtet waren (8. 4, 8. 28, 18. 29). Alles was Walther einem Kaiser zu bieten hatte, war seine Kunst. Und im Hinblick auf Ottos bekanntes Temperament und seinen Ehrgeiz hat die Annahme, daß Walther auf Dienste in Form politischer Lieder anspielte sehr viel mehr für sich als die, daß er dabei an Minnelieder oder lehrhafte Strophen dachte.

In Strophe 26. 23 beginnt Walther: *Ich hân hêrn Otten triuwe, er welle mich noch rîchen: wie nam abe er mîn dienest ie so trügelîchen?* Aus diesen Versen läßt sich entnehmen, daß Walther zu einer gewissen Zeit angenommen hatte, fest in Ottos Diensten zu stehen. Daß Otto sich jedoch als knauserig erwies, war ein Mangel, den Walther in dem Ton des letztgenannten Liedes zum Gegenstand eines beißenden Vergleichs mit Friedrich machte (26. 32: *Ich wolt hêrn Otten milte nâch der lenge mezzen.*)

So gibt es also über die sechs Gedichte im Ottenton hinaus Anhaltspunkte dafür, daß Walther im Dienste Ottos dichtete. Dennoch muß noch ein weiterer Punkt erörtert werden, ehe wir uns in der großen, aber nachweislich unvollständigen Sammlung überlieferter Lieder danach umsehen, was er für Otto schrieb.

IIIa

Der Eingangsvers der zweiten soeben besprochenen Stelle (26. 23) eröffnet ein Gedicht, in dem Walther um Friedrichs Gunst wirbt, und zwar in einem Ton, den er noch viele Jahre später für die Sache Friedrichs verwendete (z. B. 28. 11, datiert auf 1219) und in dem er für die Verleihung eines Lehens ein jubelndes Danklied an Friedrich dichtete.[4] Zu Beginn seiner politischen Laufbahn schrieb Walther im Dienste Philipps Lieder in zwei verschiedenen Tönen, in dem zweiten übte er zuletzt Kritik an Philipps Knauserigkeit. Man fragt sich, ob Walther bei dem geschäftlichen Umgang mit seinen politischen Schutzherren einen bestimmten erkennbaren Weg verfolgt habe. Man hat mehrfach den Beweis geführt (und noch öfter wiederholt), daß dies nicht der Fall war. Dennoch scheint ein befriedigendes Ergebnis im entgegengesetzten Sinne möglich zu sein.

Walther mag zunächst durch irgendeinen Vertreter der staufischen Sache, wie etwa den kaiserlichen Kanzler Konrad von Querfurt, dazu aufgefordert worden sein, eine Folge von Liedern zu verfassen, oder vielleicht hat er eine günstige Gelegenheit ergriffen und seine Dienste von sich aus angeboten. 'Vorbilder' in lateinischer und provenzalischer Sprache hatte er genug. In beiden Fällen wird schon früh in irgendeiner Form ein Vertrag abgeschlossen worden sein, da Walther seinen Lebensunterhalt verdienen mußte und es sich nicht leisten konnte, für längere Zeit auf bloße Spekulation hin zu schreiben. Für seinen ersten Versuch mußte er

[4] 28. 31: *Ich hân mîn lêhen, al die werlt, ich hân mîn lêhen.* Wahrscheinlich aus dem Jahre 1220.

eine geeignete Strophe und Melodie erfinden.[5] Drei Gedichte in diesem Ton liegen vor (8. 4, 8. 28; 9. 16) — alle eindeutig in unmittelbarem Interesse Philipps. Später erfand Walther einen neuen Ton, zu dem wir fünf Gedichte haben.[6] Zwei von ihnen dienen unmittelbar der Politik Philipps (18. 29 und 19. 5); ein drittes gilt vor allem dem Ansehen Philipps (19. 29), ein viertes bemängelt seine Freigebigkeit (19. 17), und ein fünftes erwähnt ihn überhaupt nicht, sondern ist statt dessen an den Landgrafen Hermann von Thüringen gerichtet, den Mäzen der mittelhochdeutschen Dichtung, und enthält die Bitte, bei der Verteilung von Geschenken ein größeres Unterscheidungsvermögen zu zeigen (20. 4). In einem neuen Ton, der ausdrücklich mit dem Markgrafen von Meißen in Zusammenhang steht und der leicht mit dem Landgrafen Hermann in Verbindung gebracht werden kann, richtet Walther zunächst die Bitte an Philipp, sich über die Vorteile der Freigebigkeit (gegenüber *Fürsten* wohlgemerkt, nicht armen Dichtern) Gedanken zu machen, dann fordert er ihn in verletzender Weise auf, über die Folgen mangelnder Freigebigkeit nachzudenken, die angeblich in einem anderen Reich — dem von Byzanz —, eingetreten seien (16. 36 und 17.11), mit dessen Herrscherhaus Philipp durch seine Gemahlin verschwägert war. Wie wir bereits bemerkt haben, sah Friedrich den Nutzen einer Propaganda in Deutschland wie andernorts durchaus[7], und er sorgt dafür, daß Walther in seinen Diensten blieb. Daher ist der einzige andere Fall, an dem wir Walthers Methode, mit Kaisern über Geldangelegenheiten zu verhandeln, genauer untersuchen können, der Ottos.

Immerhin bestätigt Walthers Handlungsweise gegenüber dem Markgrafen von Meißen, was man über seine Beziehungen zu Philipp erschlossen hat. Wir haben festgestellt, daß das an Otto gerichtete Gedicht 11. 30 dem Interesse des *„Mîssenaeres“* diente.

[5] Der Reichston, Walthers erster Versuch auf politischem Gebiet, einsetzend im Juni 1198.

[6] Der Erste Philippston, eine unzutreffende Benennung, denn es gab keinen zweiten; oder richtiger: der Reichston war der erste Philippston und der Erste sollte der Zweite genannt werden.

[7] Vgl. N. Rubinstein: Political Rhetoric in the Imperial Chancery during the 12th and 13th Centuries, Medium Aevum, XIV, 1945, 21 ff.

Es wurde im März 1212 in Frankfurt auf dem Reichstag Ottos vorgetragen, nachdem dieser so plötzlich aus Sizilien zurückgekehrt war, um sich mit einer Verschwörung zugunsten Friedrichs zu befassen. Diese wurde von Landgraf Hermann angeführt, und auch sein Schwiegersohn, Markgraf Dietrich von Meißen, wurde laut einer Quelle[8] der Teilnahme verdächtigt. Im Juli 1212 belagerte Otto wieder einmal den Landgrafen Hermann in seiner Festung Weißensee, und wir wissen aus lateinischen Chroniken, daß der Markgraf bereit war, als Vermittler über die Kapitulation Hermanns zu verhandeln. Bei dieser Gelegenheit verfaßte Walther ein Lied in einem neuartigen Ton, in dem er bei Otto Fürsprache für Hermann hält (105. 13). Die Übereinstimmung zwischen der Funktion des Markgrafen als Vermittler und der Tendenz des Waltherschen Gedichtes legt die Vermutung nahe, daß Walther damals in Diensten des Markgrafen stand, ein Eindruck, der durch zwei weitere Strophen in diesem Ton (105. 27 und 106. 3) weitgehend bekräftigt wird. In ihnen versucht Walther, Dietrich mit Drohungen und Schmeichelei zu bewegen, ihm in einer Ehrensache Ersatz zu leisten. Allerdings finden sich auch hier die vertrauten Hinweise auf unangemessene Entlohnung für geleistete Dienste. Im zweiten der beiden Gedichte behauptet Walther von sich, daß er Dietrich früher viele Dienste geleistet habe, obwohl der Markgraf sich jetzt nur wenig daran erinnere. Worin diese Dienste allerdings bestanden, kommt nicht zum Ausdruck. Aber wir gehen wohl nicht fehl, wenn wir annehmen, daß es sich auch um Lieder handelte. Wir denken dabei nicht nur an das in dem selben Tone verfaßte Lied zugunsten Hermanns (105. 13), sondern auch an das Lied im Ottenton, das mit ausdrücklicher Namensnennung für den *„Mîssenaere“* bittet (11. 30).[9]

Demnach scheint es, daß Walther jedesmal bei Antritt eines neuen Dienstverhältnisses einen neuen Ton komponierte, oder — ein derartiges glückliches Ereignis vorwegnehmend — einem er-

[8] Zwei Thüringer Chroniken, vgl. unten.

[9] Ich würde es sogar für möglich halten, daß Walther am Hof zu Meißen in der Zeit, in der sich Leben und Kunst des Minnesängers Heinrich von Morungen dem Ende zuneigten, ebenfalls Minnelieder und didaktische Gedichte verfaßt haben könnte.

wünschten neuen Schutzherrn mit einem neuen Ton den Hof machte, wobei er hoffte, daß die Worte Gefallen finden und die Melodie Erfolg haben möchte. Denn er galt als führender Dichter-Komponist, und in seinen Liedern besungen zu werden, bedeutete, in aller Munde zu sein. Wenn sich ein Schutzherr als enttäuschend erwies, pflegte Walther den gleichen Ton beizubehalten, der Text jedoch wandelte sich in negativer Weise. (Ein derartiges Lied nannte man *twincliet.*) Wurde die gewünschte Wirkung dadurch nicht erreicht, so schloß Walther die Liedfolge mit oder ohne Schmählied *(scheltliet)* ab, zweifellos immer der Situation entsprechend, nach der der Dichter die Chancen für seine persönliche Sicherheit beurteilte.[10] Außerdem konnte er die Rache an einem früheren Herrn mit der Werbung um einen neuen verbinden, wie in dem oben angeführten Gedicht 26. 23.

IIIb

Aber ein so kompliziertes Kunstgebilde wie eine neue Melodie und Strophe wird jeweils einige Zeit und beträchtliche Mühe gekostet haben, ehe es fertig war. Man stelle sich vor, eine neue Spekulation dieser Art erwies sich als vergeblich — jedenfalls soweit sie den zunächst ins Auge gefaßten Schutzherrn betraf. Was dann?

Ich glaube, daß wir im Unmutston, von dem bereits eine Strophe zitiert wurde (31. 23), ein Beispiel dafür haben. Für diese Annahme spricht das Strophenschema, das so weiträumig angelegt ist, wie es sonst nur in bezug auf Kaiser der Fall ist.[11] Es scheint, als ob Walther in seinen Klanggebilden ganz bewußt die Stufen seiner hierarchischen Umwelt widerspiegeln wollte. Andererseits — was

[10] Die Termini sind einem Gedicht von Reinmar dem Videler entnommen (Bartsch, Deutsche Liederdichter des 12. bis 13. Jahrhunderts, XXXIV). Walthers Umgang mit Leopold von Österreich zeigt diese Technik in vollendeter Form.

[11] Nämlich der Erste Philippston, der König Friedrichston und der (etwas verkürzte, aber erkennbare) Kaiser Friedrichs- und Engelbrechtston. Die Analyse dieser „Töne" vgl. unten im Anhang.

dies und unsere bekannte Vermutung bestätigt — ist der Ottenton seinen Dimensionen nach nicht für Kaiser, sondern für Fürsten gemacht, wie ein Blick auf den Anhang unten zeigen wird. Wenn wir uns jedoch dem Inhalt des Unmutstones zuwenden, finden wir dort achtzehn Strophen: unter ihnen sieben antipäpstliche, die der kaiserlichen Politik um nichts dienlicher sind als der fürstlichen (33. 1 bis 34. 33); vier sind an den Herzog Leopold von Österreich gerichtet und bewegen sich zwischen Lob und vernichtendem Spott (31. 33, 32. 7, 35. 17, 36. 1); zwei behandeln eine Angelegenheit von äußerst delikatem persönlichem und politischem Takt mit Herzog Bernhard von Kärnten (32. 17 und 32. 27); eine preist Hermann von Thüringen (35. 7); eine andere den Patriarchen Wolfger, Leopold und seinen Onkel Heinrich gemeinsam (34. 34); zwei sind didaktischen Inhalts (31. 13 und 35. 27); und eine — bereits zitierte — bittet jemanden (wir nehmen an, daß es Otto ist), um eine Heimstatt, und zwar zu einem Zeitpunkt, zu dem so gut wie keine Aussicht auf Gewährung bestehen konnte. So bereitet sie wahrscheinlich den Parteiwechsel Walthers auf die Seite Friedrichs vor (31. 23). Neun Strophen von achtzehn beschäftigen sich also mit Walthers Privatangelegenheiten, süßen wie bitteren, und richten sich an sechs verschiedene Gönner.

Fünf dieser Gedichte des Unmutstons lassen sich datieren. Drei von ihnen fallen in das Jahr 1213 und sind politischen Inhalts (31. 23, 34. 4, 34. 14). Diese und die fünf anderen antipäpstlichen Strophen stellen zweifellos Dienstleistungen Walthers für Ottos Interessen dar, wonach wir ja zu suchen hatten: eine Zuweisung, gegen die kaum jemand etwas wird einwenden wollen, da sie der gängigen Ansicht entspricht. Die anderen beiden datierbaren Strophen jedoch (35. 7 und 36. 1) liegen einige Jahre später und sind beide als private Gedichte an Schutzherren gerichtet! Im einzelnen: 31. 23, die vom *schâch* gegen Otto spricht, kann nicht vor Oktober oder November 1212 geschrieben worden sein, da Friedrich vor diesem Zeitpunkt noch nicht gegen Otto ins Feld gezogen war. 34. 4 und 34. 14 erheben Einspruch gegen den *truncus concavus* des Papstes, mit dem dieser Geld für den Kreuzzug sammeln ließ; sie sind entsprechend auf Ostern 1213 datiert. 35. 7 ist ein Lob auf Hermann, der 1213 Anhänger Friedrichs war, so daß Walther, wenn er — wie wir annahmen — im Frühjahr 1213 im Dienste Ottos stand, dies Gedicht für Hermann erst später geschrieben haben kann, als er wieder frei war. 36. 1 lobt Leopold für seine Sparsamkeit zugunsten des Kreuzzuges, von dem er gerade zurückgekehrt war, wodurch uns das Datum 1219 gegeben ist. Diese chronologischen Betrachtungen legen als einzigen Ausweg aus der Verlegenheit, in die wir durch den uneinheitlichen Charakter und die lange Lebensdauer des 'kaiserlichen' Unmutstones versetzt sind, die Schlußfolgerung nahe, daß Walther nach seinem Abschied von Otto den Unmutston für seine privaten Zwecke beibehielt, woraus wir schließen dürfen, daß er ihn nicht als voll bezahlt betrachtete. Dies steht im Einklang mit der inneren Beweiskraft von 31. 23 und 26. 23 (vgl. oben) und mit Walthers allgemeinem Verhalten seinen Schutzherren gegenüber.

Als beiläufiges Ergebnis dieser Untersuchung der Verfahrensweise Walthers hat sich für eine oben aufgeworfene wichtige Frage die Antwort von selbst ergeben: daß die antipäpstlichen Strophen des Unmutstones als Dienstleistung Walthers für Otto anerkannt werden müssen. Dementsprechend ist es hier nicht nötig — wie beispielsweise beim Ottenton — noch anderweitig nach Bestätigung zu suchen. So dürfen wir uns nach diesen ausgedehnten, aber notwendigen Voruntersuchungen endlich den sechs Gedichten im Ottenton zuwenden und die alte Frage stellen: cui bono?

IV

Zugegeben, 11. 6 mit seinem Hinweis auf die Krönung Ottos in Rom muß von Nutzen für ihn gewesen sein; aber gereicht diese Strophe als Ganzes gesehen nicht noch sehr viel mehr dem Heiligen Stuhl zur Schande? 11. 18 ist ebenfalls für die kaiserliche Macht in Deutschland von Vorteil, noch mehr aber von Nachteil für den Klerus, der offen angegriffen wird. 11. 30 ruft den Kaiser mit Namen an, begrüßt mit Beifall seine kaiserliche Macht und betrachtet sie in ihrer doppelten Bedeutung als Macht zum Guten wie zum Bösen, zur Strafe wie zur Belohnung. An dieser Stelle wird ein gutes Wort für die Fürsten eingelegt (in Anwesenheit einiger, die gerade zu diesem Zeitpunkt unter dem starken Verdacht standen, sich gegen Otto verschworen zu haben) und für einen ganz besonders, den Markgrafen von Meißen, von dem im ganzen letzten Satz die Rede ist — ein wohlberechneter Schluß, wie ihn jedes Walthersche Gedicht aufweist, nicht anders als heutzutage ein Leitartikel. Sollen wir glauben, daß Otto Walther besoldete, um sich für Fürsten einzusetzen, denen gegenüber er sicher vor Zorn kochte? Es ist viel wahrscheinlicher, daß sie selber, durch den Markgrafen von Meißen, für ihre Sache zahlten. Nichts wäre unsinniger als die Vorstellung, Walther, der 'Reichsherold', habe alles aus freien Stücken getan oder, was auf das gleiche hinausliefe, wenn er in seinen Diensten gestanden hätte, auf Kosten des Kaisers.

12. 6 und 12. 18 beziehen sich wieder auf Ottos irdische Macht, das zweite Gedicht mit einem grimmigen Hinweis auf den Galgen. Beide führen zum gleichen Schlußgedanken: Otto soll zum Kreuzzug ausziehen. Wieder einmal hat die romantische Vorstellung die Urteilskraft einiger Gelehrter getrübt: „Den Kreuzzug ersehnt der Dichter ganz aufrichtig und ohne Arg, im wirklichen Interesse seines Herrn als großartigste und wirkungsvollste Demonstration, aber auch als sicherstes Mittel zur Befestigung seiner Macht", sagt Burdach[12]. Hierzu sei folgendes gesagt: Während Walther es im Rahmen seiner Auftragslieder natürlich einzurichten wußte, seine eigene Meinung vorzutragen, wenn ihm daran lag[13], hätte er es sich nicht leisten können (in jedem Sinne des Wortes), auf eigene Faust Politik zu machen. Dazu hat kaiserliche Politik niemals und nirgends Raum gelassen. Die Frage nach 'aufrichtig' oder 'Arg' ergibt sich deshalb gar nicht. Nach der Zeit seiner Krönung in Rom — und vielleicht nicht einmal während dieser — gab es keinen Augenblick, in dem Otto einen Kreuzzug hätte unternehmen können, und ebensowenig gibt es Anzeichen dafür, daß er einen solchen beabsichtigte.[14] Als Erbe der staufischen Macht lag ihm daran, eine

[12] In seinem Aufsatz mit dem vielsagenden Titel Der mythische und der geschichtliche Walther (Die deutsche Rundschau CXIII, 1902, S. 241).

[13] Wie in 124. 1, dem berühmten Kreuzzugslied, später fälschlich als Elegie bezeichnet.

[14] Daß Caesarius von Heisterbach von einer sarazenischen Prophezeiung wußte, nach der ein christlicher Kaiser namens Otto das Heilige

staufische Politik zu verfolgen, das heißt Unterwerfung staufischer Gebiete und Einkreisung päpstlicher Territorien. Damit verliert die Formulierung 'im Interesse seines Herrn' ihren Sinn, denn sein Interesse lag woanders. Und außerdem fällt es — wie wir gesehen haben — nicht leicht, nachzuweisen, daß Otto, als diese beiden Gedichte geschrieben wurden, Walthers Schutzherr war.

In 12. 30 wird das Papsttum noch heftiger angegriffen als vorher. Als Hinführung zu diesem Angriff haben wir die eisige Formulierung *Got gît ze künege swen er wil,* was für sich selbst spricht. Sie wird kaum für die Sache Ottos in Auftrag gegeben worden sein. In den guten Tagen unter Friedrich beginnt Walther: *Ir fürsten, die des küneges gerne wæren âne* . . (29. 15), und theoretisch zieht er sogar die Möglichkeit in Betracht, daß der Kaiser von seinem Kreuzzug nicht mehr zurückkehren könnte; aber er ist vorsichtig genug hinzuzufügen: *belîbe er dort, des got niht gebe* . . . Ein derartiges *caveat* findet sich hier nicht.

Diese Kühle seinerseits Otto gegenüber wurde herkömmlicherweise der persönlichen Unfähigkeit Walthers zugeschrieben, jemandem geneigt zu sein, dem die Anmut staufischer Kultur fehlte, ein liebenswerter Zug an einem landlosen Ritter, der gehofft hatte, vom Mächtigsten im Lande bereichert zu werden! Die antipäpstlichen Ausbrüche erklärt man als eine Folge seiner Bemühungen, trotz dieser Antipathie sein Brot zu verdienen: wenn er schon Otto nicht lieben konnte, so konnte er wenigstens Ottos Feinde hassen! Aber wenn wir annehmen, daß die sechs Gedichte im Ottenton nicht für Otto in Auftrag gegeben wurden, brauchen wir kein so ungewöhnlich wählerisches Verhalten bei einem so erfolgreichen politischen Dichter und Propagandisten zu vermuten.[15] Außer dem deutschen Kaiser widersetzten sich andere der päpstlichen Territorialpolitik ebenso heftig wie er (und aus ähnlichen Gründen),

Land zurückerobern würde und daß er hoffte, Otto IV. würde dieser Kaiser sein, besitzt keine Beweiskraft. Vgl. Wilmanns, op. cit., I (1916), 126 und II, 190.

[15] Es braucht kaum gesagt zu werden, daß eine moralische Kritik an dem Wechseln Walthers von einem Herrn zum andern nicht angebracht ist. So war der Lauf der Welt. Die Politik war ein Spiel nach besonderen

und zwar die Territorialherren, vor allem im staufischen Süden. Es braucht kaum gesagt zu werden, daß unter ihnen auch viele kirchliche Fürsten waren, oft Blutsverwandte der obigen und auf jeden Fall selbst echte Territorialherren.

V

Bis hierhin sind folgende Vermutungen ausgesprochen worden: (1) daß in Anbetracht ihres Inhalts die sechs Gedichte im Ottenton nicht im Dienste Ottos geschrieben wurden, sondern in dem eines oder mehrerer Fürsten, von denen Dietrich von Meißen ausdrücklich genannt wird; (2) daß hinsichtlich ihrer metrischen Form diese Gedichte nicht für einen Kaiser, sondern für Fürsten geschrieben wurden; (3) daß der Unmutston hinsichtlich seiner Form ursprünglich für einen Kaiser geschaffen wurde (der kein anderer als Otto gewesen sein kann), daß er aber nach dem Zusammenbruch der Verbindung oder der Hoffnung auf eine solche für Walthers privaten Gebrauch frei wurde. Lassen sich diese Vermutungen durch eine dritte unabhängige Untersuchung endgültig klären?

Die Antwort lautet, daß sie durch die Untersuchung der Chronologie bestätigt werden. Ein Gelegenheitsgedicht von Walther (75. 25) enthält eine lokale Anspielung auf das Kloster Dobrilugk, das 1210 an Meißen fiel. Im Juli 1212 schrieb Walther, wie wir gesehen haben, ein Lied im Meißnerton, um die Verhandlungen über Hermanns Kapitulation zu unterstützen (105. 13). Das einzige datierbare Gedicht im Ottenton (11. 30) fällt zwischen diese beiden Daten in den März 1212 (Ottos Reichstag in Frankfurt), und es nennt den Markgrafen von Meißen. Hierin liegt ein gewichtiger Grund (den die Forscher nur wegen eines Vorurteiles übersehen konnten) für die Annahme, daß Walther die ganze Zeit im Dienst

Regeln. Wie jedoch Walther die Verträge, die er freiwillig eingegangen war, einhielt, wenn eine größere Sache in Sicht war, ist unmöglich festzustellen, am wenigsten durch einen Nebel unechter patriotischer Gefühle oder gar durch den der echten Zuneigung, wie sie jeder für seine bezaubernde Persönlichkeit empfinden muß.

des Markgrafen stand. Die Gedichte 11. 30 und 105. 13 haben gemeinsam, daß sie zugunsten des Markgrafen und seiner Freunde durch einen wirksamen Appell an die öffentliche Meinung Otto unter Druck setzen. Es kann jedoch nicht lange nach dem Juli 1212 gewesen sein, daß Walther mit Dietrich in Streit geriet, da die beiden übrigen Strophen im Meißnerton zeigen, daß das Verhältnis zwischen Dichter und Schutzherr sehr gespannt war. Walther wäre dann ohne Schutzherrn geblieben .... und die nächsten datierbaren Gedichte sind im Unmutston! Zwei von ihnen, die antipäpstlichen Gedichte 34. 4 und 34. 14, werden — wie wir sahen — auf Ostern 1213 datiert. Das eine, in dem Walther Otto *schâch* bietet (31. 23), kann nicht vor Oktober oder November 1212 geschrieben worden sein, in der Zeit von Friedrichs anfänglichen Erfolgen (und wir trauen Walther genug gesunden Menschenverstand zu, daß er ihm keine Angebote gemacht hat, ehe er nicht seine Erfolge für andauernd hielt). Die anderen datierbaren Gedichte im Unmutston (35. 7 zum Lobe Hermanns und 36. 1 zum Lobe der Sparsamkeit Leopolds für den Kreuzzug) fallen in die Zeit seines König Friedrichstons und behandeln nicht allgemeine, sondern private Angelegenheiten. Die chronologische Ordnung der Lieder steht zu den durch formale Gründe nahegelegten Vermutungen nicht nur nicht in Widerspruch, sondern unterstützt sie.

VI

Die überkommene Annahme, die Gedichte im Ottenton seien im Auftrag Ottos geschrieben, hat die Forscher sehr verwirrt, als sie sich mit Walthers Beziehungen zu Otto und auch zu Dietrich von Meißen zu beschäftigen begannen. Zeichen des Unbehagens finden sich in allem, was sie über diesen Gegenstand geschrieben haben, ganz abgesehen davon, daß Walther als Mann, der die Macht Ottos und des Heiligen Römischen Reiches in unvergleichlichen Worten mit Trompetenstoß verkündet hat, in ein schiefes Licht gerät. Unvergleichlich waren diese Worte, aber sie waren für einen anderen Zweck verfaßt: nicht zu Ottos Vorteil, vielmehr um einen Druck auf ihn auszuüben, eine Politik zu verfolgen, die nicht die seinige, sondern die der Fürsten war! Wir sind nunmehr in der Lage zu fragen, worin diese Politik bestand.

Da ich kein Historiker bin, werde ich mich damit begnügen zu folgern, was sich aus Walthers Gedichten folgern läßt und aus historischen Standardwerken, von denen das Winkelmanns wegen seiner Nähe zu den Quellen hervorragt.[16]

Die ganze Frage dreht sich um die Treue Dietrichs von Meißen zu Otto, die ungeklärt ist. War Dietrich ein Mitverschwörer der ursprünglichen drei, die dem Drängen des Papstes und Philipp Augusts von Frankreich Folge leisteten: Hermann von Thüringen, Ottokar von Böhmen und Erzbischof Siegfried von Mainz?

Winkelmanns „nein" gründet sich auf folgende Erwägungen: Ottokar von Böhmen war Dietrichs Todfeind, da er zu genau diesem Zeitpunkt versuchte, den Papst zu überreden, ihm eine entehrende Scheidung von Dietrichs Schwester Adela zu gewähren, von der er einen Erben, Wratislaw, und andere Kinder besaß.[17] Zweitens hatte Otto, nachdem Dietrich seinem Vetter Konrad von Meißen in der Herrschaft gefolgt war, ihn im Besitz weit ausgedehnter Gebiete bestätigt (allerdings hatte Dietrich ihm dafür bedeutende Zahlungen geleistet).[18] Drittens — während Ludwig von Bayern (der zu Ottos Rückkehr aus Italien mit Dietrich im März 1212 zum Hoftag in Frankfurt gekommen war) nicht imstande gewesen war, mit Otto Frieden zu schließen, ohne die Demütigung, für sein künftiges gutes Benehmen Geiseln stellen zu müssen,[19] war Dietrich nicht nur von solchen Bedingungen verschont geblieben, sondern hatte Ottos Versprechen erhalten, seinen Neffen Wratislaw auf den böhmischen Thron zu setzen. Auf der anderen Seite sagte Dietrich zu, Otto gegen seinen Nachbarn und Schwiegervater, Hermann von Thüringen, zu unterstützen. Winkelmann stellt fest, daß Dietrich sein Wort hielt, als Otto Hermann in

[16] E. Winkelmann, Philipp von Schwaben und Otto IV. von Braunschweig (Jahrbücher der deutschen Geschichte) I (1873), II (1873). Für die vorliegende Untersuchung wichtige Abschnitte finden sich in II, 205, 268, 271—348 passim.

[17] Op. cit., II, 271.

[18] Op. cit., II, 268.

[19] Op. cit., II, 300.

die Festung Weißensee trieb; aber wir müssen dies einschränken mit dem Hinweis, daß es Dietrich war, der mit den Verhandlungen für Hermanns Übergabe betraut wurde, daß er sich der erfahrenen Dienste Walthers von der Vogelweide bediente, um Otto zur Nachsicht zu bewegen, und daß der Tenor seiner Unterredungen mit seinem Schwiegervater Vermutung bleibt, da Otto die Belagerung abbrechen mußte, ehe sie zum Abschluß gebracht waren.[20]

Es sind dies schwerwiegende Argumente, die Winkelmann anführt. Aber auf der anderen Seite bleibt etwas einzuwenden. Winkelmann zitiert unser Walthergedicht 11. 30 *(... und ie der Mîssenære derst iemer iuwer âne wân: von gote wurde ein engel ê verleitet!)*, um zu beweisen, daß der Markgraf an einer Verschwörung nicht teilhatte. Selbst mit der üblichen Interpretation von 11. 30 als Reichsspruch oder einem Unternehmen aus eigener Initiative (falls das vorstellbar sein sollte) ist es seitens eines Historikers sehr naiv anzunehmen, daß politische Dichtung notwendig mit Wahrheit zu tun hat —, und das so bald nachdem er selbst gezeigt hat, daß die vorhergehende Zeile *(... die fürsten sint iu undertân, sie habent mit zühten iuwer kunft erbeitet)* eine Lüge hinsichtlich einiger war, die den Titel trugen. Aber wir wissen nunmehr, daß diese Versicherung der Unschuld des Markgrafen von ihm selbst beauftragt wurde und darum als Beweis unannehmbar ist. Noch wichtiger ist, daß Winkelmann Mühe hat, zwei thüringische Chroniken[21] in Zweifel zu ziehen, die versichern, daß Dietrich von Meißen und der Erzbischof von Magdeburg sich im Frühjahr 1211 zu Naumburg zu den ursprünglichen drei Verschwörern gesellten. Die Zweifel, die er gegenüber diesen beiden Darstellungen vorbringt, gründen sich ausschließlich auf seine eigenen, oben zitierten drei Argumente.

Gegen diese kann man geltend machen:

Erstens ist es keine absolute Regel, daß große Herren nicht mit ihren Todfeinden konspirieren, wenn sie einen Vorteil darin sehen.

[20] Seine staufische Gemahlin starb drei Wochen nach der Hochzeit, worauf ihn erst die Bayern, dann die Schwaben verließen. Gleichzeitig wurde die Nachricht laut, Friedrich nähere sich der deutschen Grenze.

[21] Chron. Scampetr., S. 62; Anm. — Reinhardtsbuch S. 123.

Ottokar konspirierte mit dem Erzbischof von Mainz, von dessen Metropolitangewalt die böhmischen Bistümer zu befreien er unermüdlich Pläne schmiedete; er und Dietrich mögen miteinander konspiriert haben, Dietrich um so bereitwilliger, als sein Schwiegervater Hermann zwischen ihnen das Gleichgewicht hielt. Zweitens — Bestätigung des Besitzes ausgedehnter Gebiete durch den König begründete keine dauernde Treue ... am allerwenigsten in der Schule, in die Dietrich geheiratet hatte, der des skrupellosen, literarisch interessierten Hermann. Drittens — die Tatsache, daß Dietrich Otto keine Geiseln stellen mußte, braucht nur zu bedeuten, daß er in der Konspiration geschickter war — nicht unschuldiger — als Ludwig von Bayern, oder daß — wie der Historiker Winkelmann — Otto IV. überzeugt war, daß Dietrich keinesfalls mit einem Todfeind sich verbünden könne.

Aber unter dem reichen Material, das Winkelmann seinen Lesern vorlegt, finden sich Mitteilungen über ein Ereignis, die die Frage nach Dietrichs Unschuld zu berühren scheinen. Im April 1212 hielt der Pfalzgraf [Heinrich], nun wieder einmal ein treuer Gefolgsmann seines Bruders Otto, eine Versammlung der Fürsten in Halberstadt ab. Albrecht von Magdeburg schickte Gebhard von Querfurt als seinen Boten, aber Gebhard wurde nicht empfangen. Dies stimmt überein mit den Mitteilungen aus den Thüringer Urkunden, die Albrecht zusammen mit Dietrich als Verschwörer nennen. Darüber hinaus war Gebhard Bürge für Dietrich gewesen bei einem Vertrag, der nur einige Wochen zuvor, am 20. März 1212 zwischen Otto und Dietrich geschlossen worden war.[22] Im Lichte des Materials, das Winkelmann selbst vorlegt, steht es somit um die Unschuld Dietrichs nicht so gut, wie er annimmt, und es ist zu befürchten, daß sein Urteil beeinträchtigt wurde durch die übliche Interpretation von Walthers Gedicht (11. 30), in dem dieser die Treue des *Mîssenære* verteidigt.

Was hoffte Dietrich zu erreichen, als er Walther veranlaßte, dieses Lied zum Reichstag des Kaisers zu schreiben? Nicht nur für sich selbst spricht er, sondern er nimmt auch *die fürsten* unter seine Fittiche, von denen einige als Verschwörer bekannt sind. Ottos

[22] Winkelmann, Op. cit., II, 305 und Anm. 1.

Rückkehr hatte diesen Sizilien gekostet, aber sie hatte Unsicherheit und Untätigkeit in Deutschland unter denen hervorgebracht, die willens gewesen waren, aus seiner Abwesenheit Vorteile zu ziehen. Ludwig und Leopold hatten es für politisch klug gehalten, sich auf seinem Reichstag zu zeigen, und nur die ursprünglichen drei Verschwörer waren ferngeblieben. So begleiteten jene, die glaubten, sie könnten dem Sturm noch entgehen, einen unschuldigen Fürsten ... oder einen, der als unschuldig galt ... und erlaubten ihm, für sie zu sprechen. Mehr kann man nicht behaupten.

Aber aus textlichen Gründen muß die Wendung, mit der Walther auf den Markgrafen von Meißen hinweist, unsere Aufmerksamkeit fesseln: *... von gote wurde ein engel ê verleitet.* Fragwürdige Sprache ist dies, wenn führende Ritter ihre eigenen Brüder verlassen (trotz des endlosen Lobpreises auf die Treue in den großen Epen jener Tage), wenn die Fürsten „während des Bürgerkrieges übermächtig geworden waren“ und „bereits nicht mehr zu beherrschen waren“, da sie „gelernt hatten, ihre Stärke zu ihrem eigenen Vorteil zu gebrauchen“ [23]; — um so fragwürdiger, wenn wir uns daran erinnern, daß die Menschen mehr als heute daran dachten, daß gewisse Engel sich vor Beginn der Zeiten gegen ihren Gott aufgelehnt hatten. Erinnerte Dietrich sich daran? Erinnerten sich Otto und seine geistlichen Ratgeber daran? Hat Walther wieder einmal einen Stachel im Schluß des Liedes zurückgelassen?

Die Politik der Fürsten als Gruppe war es, den Papst herauszuhalten — ein Ziel, das sie mit dem Kaiser teilten — und ihre Macht zu vergrößern — auf Kosten des Kaisers. Dieser Hintergrund ist angemessen für ein grundsätzliches Verständnis aller sechs Gedichte im Ottenton. Die Gesamtbedeutung der drei an Otto gerichteten ist, daß die Fürsten treu sind und daß Otto der Welt die Einheit des Kaiserreichs zeigen soll, indem er einen Kreuzzug unternimmt. Verschiedene Motive bieten sich hier an, über die Historiker urteilen müssen. Ohne Zweifel hat die Art, in der der 4. Kreuzzug zur Gründung des Lateinischen Kaisertums geführt hatte, die deutschen Fürsten beeindruckt; vielleicht auch hofften sie, die Vorbereitungen würden ihnen bessere Gelegenheiten geben,

[23] Cambridge Mediaeval History, VI, 81.

zuvor mit Otto zu feilschen. In beiden Fällen würde das Motiv ihre bekannte Habgier sein. Oder, da sie wissen mußten, daß der Vorschlag notwendig für Otto ungelegen, wenn nicht sogar provozierend sein mußte, ist er nicht als bare Münze zu nehmen, sondern vielmehr als Propaganda, die zu beenden einen gewissen Preis erfordern würde. (Was würde nicht der Papst gegeben haben, um Walther abzuhalten, weiter antipäpstliche Lieder zu schreiben? Denn Thomasin von Circlære, der Sekretär des Patriarchen Wolfger, berichtet uns in seinem ›Wälschen Gast‹, daß Walther mit seinen Liedern über den Welschen Schrein — 34. 4 und 34. 14 — *tûsent man* von ihrer Pflicht gegenüber dem Papst abhielt.) Der Gedanke bietet sich an, daß, falls Dietrich über eine so einflußreiche Stimme wie die Walthers verfügte, der Papst nicht allzu rasch König Ottokars Ersuchen um eine Scheidung von Dietrichs lang leidender Schwester stattgeben würde. Auch entsteht der Verdacht, daß die Grafen von Thüringen und Meißen vielleicht Otto IV. von Braunschweig in eine Zwickmühle brachten. Ich behaupte diese Dinge nicht als sicher, aber etwas von der Art folgt bestimmt aus der neuen Interpretation der Ottonischen Gedichte, die hier vorgeschlagen wird.

Es ist Sache der Historiker, eine Entscheidung zu treffen. Aber es ist zu hoffen, daß sich auch für Literaturhistoriker ein Gewinn findet: für den mittleren Teil von Walthers Biographie; für seine Chronologie; für das Verstehen seines Umgangs mit seinen Schutzherrn; ferner für ein Studium des Gebrauchs, den er von seinen wohl überlegten metrischen und melodischen Formen machte. Schließlich möchte der Verfasser nachdrücklich betonen, wie wünschenswert die Einführung neuer Benennungen für die gedankenhemmenden Fehlbenennungen ist — unter denen einige der *Töne* bekannt sind —, wenn die nächste Ausgabe von Walthers Gedichten vorbereitet wird.

Anhang: Überblick über die Strophen

Der metrische Bau der Gedichte wird hier nur insoweit berücksichtigt, als er die Frage nach der Rangordnung der Formen in ihrer Entsprechung zum Rang von Walthers Schutzherrn betrifft; das heißt, der einzige Aspekt, dem voll und ganz Rechnung getragen wird, wird der des Umfangs (der Strophen) sein. Es wird sich zeigen, daß Walther seine Sprüche (politische, taktische und lehrhafte Lieder) fast alle in Zeilen von 4, 6 oder 8 Takten baute, und zwar so, daß der Umfang (und damit die 'Bedeutung') der Strophen merklich abnimmt von denen, die für einen Kaiser geschrieben wurden, über jene, die geschrieben wurden, um einem Herzog zu huldigen, zu denen eines Landgrafen, zweier Markgrafen und eines einfachen Grafen.

Diese Bemerkungen sind im Geiste A. Heuslers verfaßt (Deutsche Versgeschichte, II, [1927]), der die Konsequenzen der Tatsache, daß die Lieder gesungen werden, akzeptierte.

Reichsstrophen (chronologisch)

(I) Der *Reichston* umfaßt 24 Zeilen; die ersten 23 bestehen aus 4 Takten, die letzte aus 8. Mit Ausnahme des Schlußpaares ist dies nur ein Sonderfall 'höfischer Reimpaare'.

(II) Der *Erste Philippston* ist ein gelungener Versuch, den sich hinschleppenden, wenngleich wirkungsvollen Reichston zu übertreffen. Seine 12 Zeilen bestehen alle aus 6 Takten, außer dem 7. und 10., die aus vieren bestehen.

(III) Der *Unmutston* ist ein Fortschritt gegenüber (II), sowohl im Umfang als auch im Reimschema. Er ist 2 Zeilen kürzer, aber 4 seiner 10 Zeilen bestehen aus 8 Takten, der Rest aus 6 Takten. Er enthält alle 4 Kadenzen, die von Heusler erkannt wurden.

(IV) Der *König Friedrichston* besteht auch aus 10 Zeilen, von denen 4 je 8 Takte umfassen, der Rest je 6. Er macht verstärkten Gebrauch von 6-Taktern mit leichtklingender Kadenz, die am Schluß des Stollens von einem 8-Takter mit schwerklingender Kadenz gekrönt werden wie in (III).

(V) Der *Engelbrechtston* wurde von Walther für den Reichsverweser, Erzbischof Engelbert von Köln, gebraucht, der von Friedrich während seines Aufenthalts im Süden eingesetzt worden war. Er hat 2 Zeilen weniger als (IV) und vermittelt so den Eindruck eines 'vermindert kaiserlichen' [Tons], angemessen für einen Reichsverweser. Die leichten und die schweren Züge von (III) und (IV) kehren wieder.

Fürstenstrophen (fallender Rang)

(a) Der *Leopoldston:* 3 von 13 Zeilen bestehen aus 8 Takten; der Rest aus 6 oder 4 Takten. Diese Strophe ist die einzige Fürstenstrophe mit 8-Taktern: aber schließlich war Leopold ein Herzog! Die Alternativbezeichnung *Erster Thüringerton* sollte fallengelassen werden; denn als Walther sah, daß sein Versuch, der Nachfolger Reinmars in Wien zu werden (82. 24; 83. 1 und 84. 1) fehlgeschlagen war, verwandte er ihn zu seinem Privatgebrauch (82. 11). So haben wir eine nicht erzwungene Erklärung dafür, wie er das komische Lied von Atze im Ton seiner großartigen, wenngleich nicht gänzlich uneigennützigen Trauergedichte für Reinmar setzen konnte.

(b) Der *Wiener Hofton* hat auch mit Leopold zu tun. Von den 15 Zeilen bestehen 4 aus 8, 4 aus 5 und die übrigen aus 4 Takten.

(c) Der *Ottenton* ist merklich leichter. Von seinen 12 Zeilen sind 4 sechstaktig, die übrigen viertaktig.

(d) Der *Zweite Philippston* ist eine traurige Fehlbenennung. Die Lieder wurden sicher nicht für Philipp, sondern höchstwahrscheinlich für den Markgrafen Konrad von Meißen geschrieben. Die Strophe besteht aus 14 Zeilen, die ersten 13 haben 4, die letzte hat 6 Takte.

(e) Der *Zweite Thüringerton* ist eine weitere Fehlbenennung, da der *Erste Thüringerton* [vgl. (a)] sich auf Leopold bezog und lediglich in Thüringen verfaßt wurde. Er besteht aus 15 Zeilen von je 4 Takten.

(f) Der *Meißnerton.* Seine 14 Zeilen bestehen alle aus 4 Takten.

(g) Der *Bognerton* ist der leichteste von allen und wurde für den

Grafen Diether von Katzenellenbogen verfaßt. Er umfaßt 8 Zeilen, 5 Viertakter schließen 3 Sechstakter ein.

Strophe	Zahl der Zeilen	Zahl der Takte				Reimschema
		8	6	5	4	
Reichston	24	1			23	aabbccdd etc.
Erster Philippston	12		10		2	aabccbddeffe
Unmutston	10	4	6			aabbccdddc
K. Friedrichston	10	4	6			aaabccbddd
Engelbrechtston	8	4	4			aaababbb
Leopoldston	13	3	6		4	aabccbddeffee
Wiener Hofton	15		4	4	7	aabccbddefggefe
Ottenton	12		4		8	aabccbdefdef
Zweiter Philippston	14		1		13	abcabcdddefffe
Zweiter Thüringerton	15				15	abcdabcdeeefggf
Meißnerton	14				14	aabccbddeffegg
Bognerton	8		3		5	aabbcddc

Gymnasium 57, 1950, S. 201—218.

WALTHERS VON DER VOGELWEIDE ÄLTESTER SPRUCH IM „REICHSTON“: ›ICH HÔRTE EIN WAZZER DIEZEN‹ (8, 28 LACHMANN)[1]

Von Richard Kienast

Der Übersichtlichkeit halber seien zunächst die historischen Daten tabellenförmig zusammengestellt:

1197	Sept. 28:	Kaiser Heinrich VI. stirbt in Messina.
	Weihnachten:	Philipp von Schwaben wird auf dem Tage zu Hagenau von der staufischen Partei als Reichsverweser anerkannt.
1198	März 8:	Philipp von Schwaben wird in Mühlhausen (Thüringen) von der Mehrzahl der deutschen Fürsten gewählt.
	Juni 6:	Abschluß der Wahlverhandlungen über die Erhebung Ottos IV. von Braunschweig zum deutschen König in Köln; Otto ist damit Thronkandidat der welfischen Partei.
	Juni 9:	Wahl Ottos in Köln.
	Juni 29:	Abschluß des Bündnisvertrages zwischen Philipp von Schwaben und König Philipp August von Frankreich gegen König Richard Löwen-

[1] Da der Ruf von den Interpretationen, die der Verfasser in seinem Kolleg zu geben pflegt, über dieses hinausgedrungen ist, haben ihn die Herausgeber gebeten, eine Probe, die auch für die Leser unserer Zeitschrift von Interesse und Nutzen sein mag, in der mündlich vorgetragenen Fassung zur Verfügung zu stellen. Über das für den humanistisch Interessierten inhaltlich Bemerkenswerte hinaus wird den Leser die spürbare Tradition bewährter Auslegungskunst ansprechen und an eine Zeit erinnern, da Klassische und Germanistische Philologie noch eine Einheit darstellten. Die Schriftleitung ›Gymnasium‹.

herz von England, Otto IV. und den Erzbischof von Köln.

Juli 12: Krönung Ottos in Aachen durch den Erzbischof von Köln, aber mit den falschen Reichsinsignien.

Sept. 8: Krönung Philipps von Schwaben mit den echten Insignien, aber in Mainz und durch den burgundischen Erzbischof Aimo von Tarentaise.

Nun zu dem Spruche selbst!

1. Die Überlieferung

Unter dem Text Lachmanns (Die Gedichte Walthers von der Vogelweide. Zehnte Ausgabe ... neu herausgegeben von Carl v. Kraus, Berlin und Leipzig 1936 [2]) [2] steht im sogenannten „kritischen Apparat“: 28=44 A, 20 B, 3 C. Das bedeutet: der Spruch, der in der ersten Ausgabe Lachmanns auf Seite 8, Zeile 28, beginnt und daher noch jetzt als 8, 28 zitiert wird, ist überliefert in

A = der kleinen Heidelberger Liederhandschrift als 44. Strophe,
B = der Weingartner, jetzt Stuttgarter Hs. als 20. Strophe,
C = der großen Heidelberger („Manessischen“) Hs. als 3. Strophe

der Gedichte Walthers. Ein kritischer Apparat muß genau angeben, welchen Wortlaut des Textes jede einzelne Handschrift enthält; entfernt sich der gedruckte kritische Text von einer Handschrift, so muß der Apparat deren abweichende Lesart (ihre *varia lectio*) verzeichnen. Man muß also aus dem kritischen Text und Apparat jederzeit mit voller Sicherheit die Überlieferung jeder einzelnen Handschrift erkennen können. In unserm Falle lehrt schon ein flüchtiger Blick in den Apparat, daß BC meist gegenüber A eine andere, ihnen beiden gemeinsame Lesart haben, während Lachmanns Text meist A folgt; daher begegnet A nur selten im Apparat. Die Fragen der Textkritik werden in Abschnitt 3 noch kurz im Zusammenhang erörtert werden; hier sei vorweg nur so viel bemerkt: die Handschriften B und C gehen für B 1—20 und C 1—29 auf *eine* gemeinsame Vorlage zurück; sie repräsentieren also für diese Strophen nur *eine*, nicht zwei Handschriften.

[2] Korrekturnote: Soeben [1950] erschien als unveränderter Abdruck der 10. die 11. Ausgabe 1950.

2. *Wörtliches Verständnis des Textes; Übersetzung*

8, 28 *Ich hôrte ein wazzer diezen.* So liest Lachmann mit A; im Apparat hätte in diesem Falle die Angabe *dú* BC genügt.

Der Dichter beginnt alle drei Sprüche des „Reichstones“ mit einer ganz persönlichen Mitteilung aus einer bestimmten konkreten Situation heraus; daher ist das erste Wort jedesmal *ich*. Die konkrete Situation (abgesehen von der durchstehenden Überlegenheit von A in diesem Spruch) erweist das *ein* als richtig gegen das *dú* von BC: man kann zugleich nur *einen*, nicht alle Flüsse rauschen hören. Der Bedeutung nach kann *ein* natürlich der unbestimmte Artikel sein, und es wäre dann gemeint: irgendein Fluß. Das mhd. *ein* kann aber auch bedeuten: dem Dichter schwebt ein ganz bestimmter Fluß vor, an dessen Identität auch bei seinen Hörern kein Zweifel besteht; er nennt ihn dennoch weder mit seinem Namen noch mit dem bestimmten Artikel, weil es ihm lediglich auf seine Gattungszugehörigkeit, eben darauf, daß er *Fluß* ist, ankommt. Nach Lage der Dinge kann dann wohl nur der Hauptstrom des staufischen Gebietes, der *Rhein,* gemeint sein. Zu *ein* siehe Carl von Kraus, Das sog. demonstrative *ein* im Mhd. = ZfdA. 67 (1930), 1—22.

diezen stv. 2, Präteritum *dôz*, bedeutet ganz allgemein „schallen, tosen“. Das Wort wird vom Hornschall gebraucht, aber auch vom Rauschen fließenden Wassers. *wazzer* darf man nicht mit nhd. „Wasser“ übersetzen. Eine Grundregel für das Übersetzen altdeutscher Texte lautet: die Bedeutung altdeutscher Wörter ist in den *meisten* Fällen (also nicht in *allen* Fällen!) verschieden von der Bedeutung ihrer lautlich entsprechenden nhd. Formen; daher muß das *semasiologisch* passende, nicht das *lautlich* gleiche nhd. Wort gewählt werden. Mhd. *wazzer* kann zuweilen auch einmal „Wasser“ bedeuten; hier paßt diese Übersetzung nicht scharf genug zum Sinn der Stelle. Es ist ein fließendes und rauschendes *wazzer* gemeint, in dem Fische leben, an dessen Ufern Röhricht und Buschwerk steht, das von Wiese, Feld und Wald umsäumt ist. Mhd. *wazzer* bezeichnet auch ein „fließendes Gewässer: Bach, Fluß, Strom“. Unser nhd. „Fluß“ ist dem mhd. *vluz* lautlich gleich, aber von ihm der Bedeutung nach ganz verschieden. Mhd. *vluz* ist ausschließlich nomen actionis, bezeichnet ein Tätigsein: = das Fließen. Edward Schröder weist ZfdA. 67 (1930), 73—75 diese allein richtige Bedeutung des Wortes *wazzer* an Bibeldichtungen des 12. Jahrhunderts nach. Aber ganz ebenso wird das Wort noch im 15. Jahrhundert verwendet, wie etwa der bairische St. Christophorus (ed. A. E. Schönbach, ZfdA. 17, 85—136) lehrt. Da handelt es sich um einen größeren Fluß oder Strom, der kurz vor seiner Einmündung ins Meer einen breiten und tiefen Unterlauf bildet; er wird mhd. benannt: *phlûm*, *wazzer, pach; mer, sê* (im ganzen 23 Belege), niemals *vluz* oder *stroum*! In den Mundarten, also außerhalb der Schriftsprache, ist auch noch im Nhd. „Wasser“ = Bach, Fluß oder Strom ganz geläufig.

8, 29 *und sach die vische vliezen.* Hier weicht das Verbum *vliezen* bedeutungsmäßig von nhd. „fließen“ ab. Das mhd. Wort wird zunächst wie das nhd. vom bewegten Wasser gebraucht, dann aber abweichend vom Nhd. auch von allem, was diese Bewegung des Dahinfließens mitmacht: vom Schiff, von dessen Insassen, von Lebewesen auf und in dem Wasser. Daher muß man wohl mhd. *vliezen* öfter mit nhd. „schwimmen“ übersetzen. Das alte Wort mhd. *swimmen* wird gebraucht von der zielstrebigen Eigenbewegung der Menschen und Tiere in fließendem oder stehendem Gewässer; dies Wort ist in der älteren Sprache daher viel seltener als *vliezen.*

Mhd. *sehen* ist von prägnanterer Bedeutung als nhd. „sehen“. Das Wort gehört etymologisch zu einer Wurzel *sequ̯-* „bemerken, sehen; zeigen“ und jünger „sagen“. Daher hat das mhd. *sehen* noch den Sinn des suchenden oder prüfenden Sehens: „beobachten, achten auf etwas“.

8, 30 *ich sach swaz in der welte was.* Das Objekt zu dem emphatisch wiederholten *ich sach* ist der verallgemeinernde Relativsatz, den *swaz* einleitet; *swaz,* entstanden aus *sô waz sô,* ist gleich latein. *quodcumque. welt* stf. (i), aus *werelt,* ist komponiert aus den Stämmen *wer* und *alan* = latein. *vir* und *alere*; es bedeutet das immer wiederholte Aufwachsen von Menschen: „Menschenalter“, dann die „Gesamtheit der Menschen, die Leute“; eingeengt nimmt es den Begriff an: geistlich = „die eitler Weltfreude hingegebene, die sündige Menschheit“, sozial = die „höfische Gesellschaft“; ferner bedeutet *welt* als Wohnsitz der Menschen „die sichtbare Welt“; endlich „die Zeitlichkeit“ = *saeculum,* Zeitalter, Jahrhundert; hier ist die sichtbare Welt = *mundus* gemeint und die Einzelheiten seiner prüfenden Wahrnehmung zählt der Dichter in den Versen 31—33 auf. Daher erscheint es zweckmäßig, hinter *was* 30 ein Kolon zu setzen.

8, 31 *velt walt loup rôr unde gras.* So A, *walt velt* BC. Das ist eine Aufzählung von 5 Monosyllaba; da der Vers nur 4 Ikten gestattet und einer davon durch die Kopula *unde* beansprucht wird, müssen also 2 der 5 Vollwerte in die Versenkung treten. Derartiges ist in Aufzählversen in germanischer Dichtung seit alters niemals gemieden worden. Die psychologische Wirkung ist die, daß solche Verse schwerer und langsamer gesprochen werden müssen, was natürlich beabsichtigt ist. Die metrische Kurve des Verses wird durch das Hinabdrücken der beiden Vollwörter *walt* und *rôr* in die Senkungen bestimmt. Dadurch wird der Versinhalt in 3 Gruppen zerlegt: *velt walt — loup rôr — gras.* Mit dem schon genannten Begriff *wazzer* ergeben sich demnach 4 Gruppen, in die der Oberbegriff *welt* 30 untergeteilt und anschaulich gemacht wird. Jeder dieser 4 Gruppen sind die in ihnen lebenden Tiere zugeordnet. Vom *wazzer* mit seinen *vischen* war schon in Vers 28—29 die Rede; von den Tieren der 3 Gruppen *velt walt* — *loup rôr* — *gras* wird im folgenden gehandelt; es dürfte sich deshalb empfehlen, hinter *gras* entweder Komma oder allenfalls Semikolon zu setzen.

8, 32/33 *swaz kriuchet unde fliguet / und bein zer erde biuget.* Die Tierwelt dieser 3 Bezirke wird nach der Art ihrer Fortbewegung bestimmt. Stilistisch nennt man das eine Periphrasis, die wiederum eine Unterabteilung der Metonymie ist. Die kriechenden Tiere, *serpentes* und *vermes*, mhd. *gewürme* 36, hausen im *grase*; die fliegenden Tiere, Vögel, Schmetterlinge, Insekten, mhd. *vogel* 9, 2, nisten in *loup* und *rôr*; die auf ihren Beinen daherschreitenden Tiere, die Vierfüßler, mhd. *wilt* 36, leben in *velt* und *walt*. Die Aufzählung der 3 Lebensbereiche dieser Tierarten erfolgt in Vers 31 in der Reihenfolge 1—2—3, die Aufzählung der Tierarten in Vers 32 dagegen in der umgekehrten Reihenfolge 3—2—1. Das ist ebenfalls eine Stilfigur: der sog. Chiasmus. Über die Einteilung der Tierwelt in die genannten 4 Gruppen, die selbstverständlich der mittelalterlichen Naturwissenschaft entspricht, wird später noch zu reden sein. Aus der bisherigen Analyse ergibt sich, daß Vers 32 *flússet* BC statt *kriuchet* A ein Fehler ist; denn die schwimmenden Tiere und ihr Lebensbereich sind bereits 28/29 erwähnt. Hätten wir für diesen Spruch nur die Handschriften BC, so müßte das *flússet* verbessert werden, und zwar eben auf Grund der vorangegangenen Überlegungen zu *kriuchet*. Das wäre dann eine sogenannte Konjektur (=Vermutung); wo eine solche Verbesserung des überlieferten Textes den Grad völliger Sicherheit erreicht, wird sie zur Emendation (= Verbesserung). Das Vorhandensein von A überhebt uns in diesem Falle der Nötigung, zu konjizieren oder zu emendieren.

Über die Interpunktion des Textes ist schon gehandelt worden. Jedenfalls bilden die Verse 28—33 eine gedankliche Einheit: die Tierwelt in ihren verschiedenen Bezirken wird in ihren 4 Hauptgattungen kunstvoll gegliedert vorgeführt. Diese wohlgegliederte Ganzheit faßt der folgende Vers nun noch einmal zusammen.

8, 34 *daz sach ich, unde sage iu daz.* Mhd. sagen ist prägnanter als unser nhd. „sagen". Unser heutiges „sagen" wäre mhd. *sprechen*, so immer zur Einleitung der direkten Rede. Mhd. *sagen* heißt: „berichten, erzählen, (ver)künden".

8, 35 *der keinez lebet âne haz.* Nicht eine einzige der vollständig aufgezählten 4 Tiergattungen kann also ohne *haz* bestehen. Das alte Wort *haz* hat die Bedeutung: „Ungestüm gegen den Feind. Verfolgung des Feindes, tätliche Feindschaft." Man vergleicht die idg. Wurzel *kad*

= „Verwirrung“, wozu mit abgemilderter Bedeutung griechisch κῆδος = „Sorge, Trauer, Not“ gehört.

Bis hierher reicht der erste Gedanke des Spruches, der in dem ersten Satz ausgesprochen ist: die genaue Einsicht des beobachtenden Dichters in das Treiben der nichtmenschlichen Lebewesen führt ihn zu der am Ende scharf formulierten Erkenntnis: alles, was lebt, lebt in Feindschaft; es bedroht ein anderes oder ist selbst von einem anderen bedroht: *der keinez lebet âne haz!* Dieser *eine* Satz umfaßt 8 Verse, genau ein Drittel des ganzen Spruches. Das nächste Drittel, wieder 8 Verse, führt diese Gnome nun ebenfalls im einzelnen aus, macht also das Gesagte wiederum anschaulich, und zieht am Schluß ebenso die logische Folgerung.

8, 36/9, 2 *daz wilt und daz gewürme / die strîtent starke stürme / sam tuont die vogel under in.* Hier wird der Begriff *haz* = Feindschaft der 3 vorgenannten Tiergruppen näher bestimmt. Die wilden Tiere, d. h. die Vierfüßler, die nicht domestiziert sind, die Kriechtiere und die Flugtiere (deren niederstes die Fliege ist: 9, 10), sie alle führen blutige Kämpfe untereinander durch. Mhd. *sturm,* ursprünglich = „heftige Bewegung, Unruhe; der damit verbundene Lärm“, hat neben dieser auch im Nhd. noch gebräuchlichen Beziehung auf das Toben der Elemente Wasser und Wind auch den Sinn „Angriff, Kampf“. Das *under in* ist für den Gedankenzusammenhang nicht gleichgültig. Zunächst soll natürlich gesagt werden, daß alle 3 genannten Tiergattungen sich untereinander bekämpfen, nicht bloß die Flugtiere; daher muß hinter *vogel* 2 ein Komma stehen: der Satz *sam tuont die vogel* ist ein nachträglich eingeschobenes Glied, das dem eindringlich beschwörenden Stil des Ganzen die nüchterne Aufzählung *daz wilt* und *daz gewürme* und *die vogel* erspart. Diese allein richtige Auffassung der Stelle schließt den geistigen Bereich des Tiermärchens von vornherein aus; es ist nicht zu denken an einen Kampf etwa der Vögel mit den Vierfüßlern (Brüder Grimm KHM. Nr. 102), vielmehr befinden wir uns in einer ganz anderen Sphäre, über die später zu sprechen ist. *stritten* BC ist demnach falsch; ein Präteritum wäre hier unpassend.

9, 3 *wan daz si habent einen sin.* Das Adverb zum Adjektiv *wan* = „eitel, leer“ (noch lebendig in nhd. „Wahnsinn“ usw.) lautete ahd. *wano,* mhd. *wane, wan*; unter dem Einfluß der lautähnlichen Konjunktion *wande* = „da, weil“ ist es auch zu *wand, wanne* entstellt worden. *wan daz* ist gegensätzlich-ausnehmend (adversativ-exzipierend) = „ausgenommen daß, wäre nicht daß“ (Karl Weinhold, Mhd. Gramm., Paderborn 1883², § 319, S. 318 f.). Es fehlt also etwas, das zwar im vorangehenden Satze mitgedacht (Goethe würde sagen: subintelligiert) ist, sich aber nicht expressis verbis ausgesprochen darin vorfindet. Dieser fehlende Gedanke ist: es sollte nicht sein, daß die Tiere sich untereinander blutig bekämpfen;

diese Tatsache aber ist ein Zeichen dafür, daß ihre *sinne* verdunkelt oder verloren sind. Diesen Zwischengedanken muß man sich vergegenwärtigen; dann geht es folgerichtig weiter: ausgenommen daß sie doch wenigstens an dem *einen sin* festhalten. Die 3. Plur. des Hilfszeitwortes heißt bei Walther ausschließlich *si hânt* (W. Wilmanns, Leben und Dichten Walthers von der Vogelweide, 4. Aufl. von Victor Michels, Band I, Halle 1901, S. 334 f.). Unkontrahiert hat die Form *si habent* prägnante Bedeutung „sie halten fest"; vgl. Wolfram, Parz. 114, 14/15 (ich) *bin ein habendiu zange / mînen zorn gein einem wîbe* = „wie eine Zange (die glühende Kohle) halte ich meinen Zorn gegen eine Frau fest". Die Bedeutung von *sin* wird sich aus dem allgemeinen Vorstellungsbereich noch erschließen, der den ganzen Spruch durchwaltet. Hier nur so viel: nur in dem einen ist ihnen doch wenigstens der Gebrauch der natürlichen, ihnen anerschaffenen Vernunft noch nicht verdunkelt. Über *sin* und Synonyma handelt Jost Trier, Der deutsche Wortschatz im Sinnbezirk des Verstandes, Band I = Germ. Bibl. II, 31, Heidelberg 1931. Dazu grundsätzliche Berichtigungen von Felix Scheidweiler, ZfdA. 78 (1941), 62—87; 184—233 und 79 (1942), 249—272.

9, 4/5 *si dûhten sich ze nihte / sie enschüefen starc gerihte.* Was mit dem Festhalten am *sin* in Vers 3 gemeint war, wird in den nächsten beiden Reimpaaren konkret bezeichnet: im ersten (4/5) durch die Institution des *gerihtes*, im zweiten (6/7) durch dessen menschliche Träger.

Vers 4/5 sind ein irrationaler Konditionalsatz; dabei ist der Vordersatz mit „wenn nicht" *nach*gestellt und ohne Konjunktion gebildet; im Nhd. muß der Vordersatz als bedingender Satz durch Inversion kenntlich gemacht werden: „ . . . , schüfen sie nicht . . . " = „ . . . , wenn sie nicht schüfen . . . ". Da ein Irrealis vorliegt, ist selbstverständlich auch *dûhten* Optativ; der Umlaut ist längst eingetreten, aber in der Schrift nicht ausdrücklich bezeichnet. Der Vers 4 wird also übersetzt „sie würden sich für nichts achten, wenn sie nicht . . .". Der Gedanke zielt auf das äußere Ansehen, das Prestige, ab. Anders formuliert BC *Sû wæren anders zu nihte* = „sie würden ausgetilgt werden"; das aber paßt nicht zum Grundgedanken des Spruches, der eben gerade auf Ehre und Ansehen der Nation ausgeht. Vers 5 „wenn sie nicht eine starke Regierungsgewalt schüfen". *gerihte* ist die Königsgewalt, die Regierung; hier ist dem Gedankenzusammenhang nach an den Schutz der Regierten gegen äußere Feinde durch eine starke monarchische Spitze gedacht. Zu *gerihte* vgl. F. Zarncke im Mhd. Wb. II 1, 646 b, 22—46.

9, 6/7 *si kiesent künege unde reht / si setzent hêrren unde kneht.* Nach der Institution werden jetzt deren menschliche Träger benannt: sie wählen Könige und Standesordnungen, nämlich sie bestimmen, wer Herr und wer

Knecht sein soll. Mhd. *reht* ist „1. dasjenige, was einer person oder einem dinge vermöge eines äußeren oder inneren gesetzes oder auch vermöge geltender sitte zukommt: die allgemeine oder concrete norm. ... 3. da die verschiedenen stände im MA. unter verschiedenem rechte standen, so war das recht zugleich der ausdruck des standes, und so bezeichnet *reht,* als die gesammtheit der rechtlichen verhältnisse jemandes, recht wie pflicht, ansprüche wie schulden, — oft geradezu *stand* ...“ (Mhd. Wb. II 1, 618 b; 620 b).

Damit ist der zweite Gedanke des Spruches, der als zweiter Satz das zweite Drittel füllt, abgeschlossen. Im ersten Drittel war gesagt worden: die Beobachtung der Natur ergibt, daß alle Tiere Feindschaften haben. Im zweiten Drittel wird das weitergeführt: diese Feindschaften sind ein Abirren von der natürlichen Vernunft; aber diese natürliche Vernunft ist bei den Tieren in dem *einen* Punkte wenigstens noch in Geltung dadurch, daß sie für Ehre und Ansehen sorgen durch Schaffung einer starken Königsgewalt und Ständeordnung.

Es folgt das letzte Drittel des Spruches. Da seine äußere Form höchst einfach und durchsichtig ist, nämlich aus lauter kurzen Reimpaaren besteht (also dem fortlaufenden epischen Vers des Mittelalters), so muß der Schluß des Ganzen durch ein Formelement markiert werden; dies geschieht in diesem Ton dadurch, daß in das letzte Reimpaar ein reimloser Vers, eine sogenannte „Waise“ *(= orphanus),* eingeschoben wird. In Lachmanns Ausgabe ist Waise und letzter Reimvers als *eine* Zeile gedruckt. Jedenfalls aber hat das letzte Drittel *einen* Vers mehr. Dem Umfang wie dem Gehalt nach zeigt der Spruch also sogenanntes „Achtergewicht“. Vgl. Axel Olrik, Epische Gesetze in der Volksdichtung = ZfdA. 51 (1909), besonders 1 Anm. 1; 7—8. Inhaltlich bringt der Schlußteil die Anwendung der bisher aus dem Tierleben abgeleiteten Erkenntnis auf die damalige Lage der deutschen Nation als des mittelalterlichen Kaiservolkes.

9, 8—11 *sô wê dir, tiuschiu zunge, / wie stêt dîn ordenunge, / daz nû diu mugge ir künec hât, / und daz dîn êre alsô zergât!* Das *sô* bezeichnet den Gegensatz: „dagegen wehe über dich, du deutsches Volk!“ Die Interjektion trägt den ersten Hauptakzent, das Adjektiv *tiuschiu* den zweiten. In dem *tiuschiu zunge* („Sprache“ hier als Metonymie für „Volk“) verrät sich nach Konrad Burdach, Walther I, 193 Anm. 4, eine „nationale Temperatur“, was für das Verständnis des ganzen Spruches nicht ohne Bedeutung ist. Inwiefern? wird sich sogleich zeigen; jedenfalls spricht daraus kein Nationalismus im Sinne des 19. Jahrhunderts. Der Gegensatz zu *tiuschiu zunge,* der latent natürlich bewußt ist, müssen *fremde* Völker sein. Und warum „wehe“? Weil die *ordenunge* gestört oder vernichtet ist. „Ordnung“ ist hier nicht im Sinne bürgerlicher Sekurität („Ruhe ist die erste Bürgerpflicht“) verstanden, sondern in viel tieferer Bedeutung: die von Gott gesetzte Schöpfungsordnung ist dahin, die uranfängliche und selbstverständliche Volksordnung ist verloren! Selbst die armselige *Fliege* hat noch ihren König (es ist für sie als Flugtier der Adler), aber Ansehen und Achtung des *deutschen* Volkes, des geehrtesten Volkes im christlichen Abendland, aus dessen Fürsten der weltliche Herr der *civitas Dei terrena* gewählt wird, ist im Begriff, so zu vergehen. Warum? und wie?, das ist immer noch nicht ausgesprochen; es wußte ohnedies jeder, was der Dichter meinte, weil jeder einzelne unter der zerstörten oder dahinschwindenden *ordenunge* selber zu leiden hatte. Künstlerisch liegt also eine höchst bewußte und wirkungsvolle Retardierung vor. Soweit reicht die erste Hälfte des letzten Drittels, des Abgesanges; dann folgt in der zweiten Hälfte endlich die mahnende Beschwörung, zunächst negativ: „wende dich ab von deiner jetzigen Mißordnung“ und nach einer letzten Retardation durch zwei begründende, unverbundene Hauptsätze nun endlich in der verlängerten letzten Zeile (Waise + Schlußvers) die Mahnung, der Zuruf, der positiv zur rettenden Tat auffordert, zu der Tat, die Ehre und Ansehen unfehlbar wiederherstellen muß.

9, 12—15 *bekêrâ dich, bekêre! / die cirkel sint ze hêre, / die armen künege dringent dich: / Philippe setze en weisen ûf, und heiz si treten hinder sich!* Zur handschriftlichen Überlieferung ist zu sagen: in Vers 13 hat nur C *cirkel,* A liest *cirken* und so muß auch B das Fremdwort in seiner Vorlage gefunden haben; der Schreiber von B verstand das Wort falsch als **kirken* und setzte es in seine alemannische Mundartform *kilchen (= ecclesiae)* um. Da A zusammen mit B oder mit C den Archetypus ergibt, sollte man eigentlich *cirken* in den Text setzen, obwohl dies Wort neben häufigem *cirkel* für die Sache nicht bezeugt ist (die beiden Belege bei Lexer aus Albrecht von Halberstadt kommen auf das Konto von Karl Bartsch, er, nicht Albrecht hat diesen Ovid gedichtet). In Vers 15 hat Lachmann *en* statt *ein* A, *den* BC in den Text gesetzt, *ein* (statt *einen* mit Synkope) ist völlig in Ordnung, erschien aber Lachmanns metrischen Grundsätzen wohl als zu „schwere“ Senkung. Seine der gesprochenen Sprache entlehnte Notbehelfsform *en* könnte in diesem Falle bestimmter wie unbestimmter Artikel sein. Nun die nötigsten Einzelerklärungen: 12 *bekêrâ dich, bekêre* = „kehre um, laß ab von deinem bisherigen Verhalten“. Im Mhd. kann *-â* an Substantive, Imperative oder Interjektionen angehängt werden und macht solche Wörter zu Interjektionen oder verstärkt die Interjektion. Vers 13 *cirkel* oder *cirke* ist der goldene Stirnreif, den der König trägt als Abzeichen seiner Würde und aus dem sich die Königskrone entwickelt hat. Das Wort steht hier metonym für den König selbst. Also: die Könige sind zu *hêr*, zu erhaben, zu groß geworden; sie nehmen sich etwas heraus, was ihnen nach der rechten Ordnung der Dinge nicht zukäme. Was das ist, sagt der folgende Vers: die *armen künege* setzen dich unter Druck; worin dieser Druck besteht, wird nicht gesagt; das wußte jeder. *arme künege* meint abhängige, im Vasallenverhältnis zum deutschen König-Kaiser stehende Könige, so wie *armman* „Vasall" bedeuten konnte.

Nun erst, nach diesen beiden Zwischensätzen über die auswärtigen Könige, wird die Anrede von Vers 12 wieder aufgenommen; nun erst der Mahnruf formuliert, um deswillen alles Vorhergehende überhaupt nur gesagt worden ist: Philipp setze, du deutsches Volk, die Krone auf und weise dadurch die Vasallenkönige in ihre Schranken zurück! Vers 15 *weise* ist der Edelstein, der nach seiner Einzigkeit so benannt ist: *orphanus, unio;* unter diesen beiden lateinischen Stichwörtern findet man die Quellenbelege gesammelt bei Oskar Schade, Altd. Wb. II², Halle 1882, in den Nachträgen; diese Nachträge haben die gesamte reiche Steinliteratur des Mittelalters aufgearbeitet und sind dafür die maßgebende Fundgrube. Der „Waise" ist nun der kostbarste Edelstein in der deutschen Kaiserkrone, der nicht seinesgleichen hat; nach der Sage hat ihn Herzog Ernst im fernen Morgenland aus dem Felsen geschlagen und seinem kaiserlichen Stiefvater mitgebracht; seitdem leuchtet dies Kleinod ohnegleichen in der echten deutschen Kaiserkrone, die ja in staufischem Besitz war, in dieser Krone, die ebenso einzig und ohnegleichen ist unter allen Königskronen *(cirkel)* wie der Stein. *weise* ist also stilistisch eine *pars pro toto*; die ganze Krone ist nach ihrem Hauptkennzeichen — in diesem Zusammenhang wegen ihrer Einzigkeit —, nach dem „Waisen" benannt. Dies besagt demnach die erste Hälfte der Doppelzeile 15: Philipp soll König sein; die zweite Hälfte gibt die heilsame Folge von Philipps Königtum an: mit seiner Krönung weisest du, deutsches Volk, zugleich die fremden Herrscher in ihre Schranken zurück. Die Umschreibung der Adverbien „vorwärts, rückwärts, aufwärts, niederwärts" usw. durch das Reflexivpronomen mit der entsprechenden Präposition ist noch heute aus dem Volkslied geläufig oder mundartlich verbreitet; vgl. auch Jacob Grimm, Dt. Gramm. IV, 319/320, Dt. Wb. IV, II, 1493 f.

So weit etwa führt das wörtliche Verständnis des Spruchtextes. Eine Übersetzung soll das bisher Gesagte zusammenfassen; sie hat keinerlei künstlerischen Ehrgeiz, sondern will nur möglichst klar und scharf den Wortlaut ins Nhd. umsetzen.

Ich habe dem Rauschen des Flusses (Rheins?) gelauscht
und auf das Leben der Fische darin geachtet;
30 ich habe geachtet auf alles, was sonst in der Natur vor sich ging,
in Feld und Wald, in Busch und Rohr sowie im Grase;

auf alles, was da kriecht und fliegt
und seine Beine zur Erde niedersetzt,
auf all das habe ich geachtet und künde euch nun dies:
35 kein Tier lebt ohne Feindschaft! —
Vierfüßler und Kriechtiere,
9, 1 sie führen erbitterte Kämpfe,
ebenso die Vögel, gegeneinander;
aber wenigstens in dem Einen halten sie doch fest an der natürlichen Vernunft:
sie würden sich für nichts achten,
5 hätten sie sich nicht ein kraftvolles Regiment erschaffen;
sie wählen Könige und ständische Ordnung,
sie bestimmen, wer Herr sein soll und wer Knecht. —
Wehe dagegen über dich, du deutsches Volk,
denn wohin ist es mit deiner Staatsordnung gekommen:
10 daß jetzt die armselige Fliege noch ihren König hat,
und daß dein Ansehen so jämmerlich dahinschwindet!
kehre dich ab, kehre um!
Die fremden Herrscher sind zu üppig geworden,
die Vasallenkönige setzen dich unter Druck:
15 Philipp setze die Krone aufs Haupt, und weise sie in ihre Schranken zurück!

3. *Zur Textkritik*

Es erscheint zweckmäßig, noch einmal zusammenzufassen und zu ergänzen, was bisher zur Kritik der handschriftlichen Überlieferung des Spruches 8, 28 gesagt worden ist. Das Verhältnis der 3 Handschriften A, B und C zueinander läßt sich so darstellen:

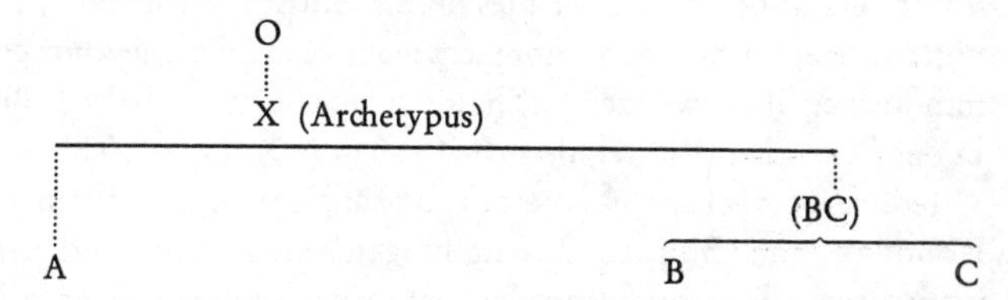

Theoretisch muß A plus B oder A plus C jedesmal die Lesart des Archetypus ergeben; A und BC stehen sich als zwei (nicht als drei!) Zeugen der Überlieferung gegenüber; ihr textlicher Wert kann nur von inneren Kriterien bestimmt werden. Folgendes ist entweder bereits festgestellt oder ergibt sich von selbst:

1. a) A ist allein richtig in 28 *ein*, 32 *kriuchet*, 35 *der*, 1 *strîtent*, 2 *sam tuont*, 4 *si . . . duhten sich*, 5 *si schuefen*, *starc*, 6 *kiesent*, 7 *si setzent*, 9 *stêt*, 13 *sint*;
   b) A ist falsch in 31 *rot* (einfache Verschreibung), 33 *erden* (bei Walther nur stark dekliniert), 8 *owe*;
   c) A ist doch wohl vorzuziehen in 13 *cirken*, 15 *ein*.
2. a) BC ist daher falsch in 28, 32, 35, 1, 2, 2, 4, 5, 5, 6, 7, 9, 13;
   b) BC ist richtig in 31, 33, 8;
   c) BC ist daher sicherlich auch weniger gut in 31 *walt velt*, 33 *oder*, 15 *den*.

Im Ganzen hat demnach A den weitaus besseren Text: es hat gegenüber dem Archetypus nur 3 eigene, noch dazu leichte Flüchtigkeitsfehler in seiner Abschrift gemacht. BC dagegen haben in ihren Kopien 13 neue, zum Teil tiefer eingreifende Fehler sich zuschulden kommen lassen; dazu wird man die 3 Stellen unter 2. c) rechnen müssen, so daß also in BC auf die 25 Kurzverse des Spruches nicht weniger als 16 Entstellungen des Archetypus entfallen.

4. *Interpretation*

Es besteht kaum ein Zweifel darüber, daß das wörtliche Verständnis und die richtige Übersetzung des Spruches dem modernen Hörer oder Leser noch nicht die volle Einsicht erschließt in das, was der Dichter eigentlich sagt; der Mensch des 20. Jahrhunderts erfaßt den Gehalt des Textes noch keineswegs in dem Umfang und in der Tiefe wie die Zeitgenossen Walthers. Es muß uns aber darauf ankommen, einen Autor ebenso, ja ihn *besser* zu verstehen, als er sich selbst verstanden hat. Über dies hermeneutische Problem, das zuerst von Schleiermacher, dann immer wieder bis zu Dilthey hin und von ihm aufgegriffen worden ist, handelt jetzt Otto Friedrich Bollnow in der Deutschen Vierteljahrsschrift 18 (1940), 117—138.

Jede Zeit verfügt über einen umfänglichen, ihr allein eigenen Komplex von Bildern, Vorstellungen, Gedanken und Gefühlsmomenten, die unausgesprochen, oft sogar unbewußt, in all ihren Äußerungen mitschwingen, die auch wieder spontan assoziiert werden, die — um mit einem Bilde zu sprechen — die Obertöne der gespielten Melodie darstellen. Diese schwer greifbaren gedanklichen und emotionalen Schwingungen muß eine wissenschaftliche Interpretation zu erfassen und festzuhalten suchen, wenn sie tieferes, wenn sie volles Verstehen vermitteln will. Das methodische Mittel in diesem Ziel, eben die Interpretation, kann zu wirklicher Kunst gesteigert werden, wenn Wissen, Spürsinn, Einfühlsamkeit, Empfänglichkeit und Aufgeschlossenheit des Interpretierenden ausreichen. Die Philologie wächst dann im günstigen Falle über ihre zunächst unabdingbaren Grundlagen wie Grammatik, Semasiologie und Textkritik — das alles kann man *lernen* — hinaus zu schöpferischer Belebung und Vertiefung geschichtlicher Erkentnis; sie verleiht dem toten Pergament und dem geschriebenen Wort wieder den Lebensodem; das wissenschaftliche Bemühen wird in einem solchen Falle zu künstlerischem Tun. Der alte Text, geronnenes Leben der Vergangenheit, gewinnt Blut, Atem, Farbe und Leuchtkraft zurück; er verliert bei richtiger Verdeutlichung seine vorgebliche Naivität, seine Schattenhaftigkeit und Flächenhaftigkeit. Die Schuld an diesem verbreiteten Mißverstehen und damit an der Geringschätzung der alten Dichtung tragen die schlechten, bequem zusammengestoppelten Übersetzungen. An Stelle angeblich kindlichen Stammelns vernimmt man bei richtiger Interpretation mit einem Male die männlich-ernste und reife Sprache der vergangenen Jahrhunderte; man verspürt den Herzschlag, die Leidenschaft, die Verstandesschärfe jener dahingegangenen Geschlechter unseres Volkes. Diese lebenweckende Kunst ist die höchste und lohnendste Aufgabe des Philologen und Historikers; alles übrige ist nur Vorbereitung und Mittel dazu, ist das Handwerk, das zwar zunftgerecht geübt sein will, aber nicht sich selbst genügen darf, das vielmehr diesem hohen Ziele dienen muß, einstiges Leben wieder Leben werden zu lassen. Etwas von dieser Aufgabe will die nachfolgende Interpretation wenigstens ahnen lassen.

Der Spruch besteht aus zwei Hauptteilen; der erste, seinerseits wieder in zwei gleiche Hälften gegliedert (8, 28—35; 36—9, 7), besteht als Einstimmung und Einführung der Hörer aus einem Naturgleichnis, um es der Einfachheit halber zunächst einmal so zu nennen. Der zweite Teil (9, 8—15), ebenfalls wieder in zwei gleiche Hälften zerfallend, wendet dies Beispiel antithetisch auf die damalige politische Lage des Reiches an und schließt mit dem erregenden Aufruf, der die Entscheidung, die günstige Entscheidung und die Befreiung aus der bedrohlich gewordenen Situation unfehlbar bringen muß.

Zu beginnen ist mit dem „Naturgleichnis". In der Schilderung des von ständiger Feindseligkeit bedrohten Lebens der vier Tiergattungen steckt nichts anderes als das gemeingültige Wissen der Zeit Walthers, das er hier zu seinen dichterischen und politischen Zwecken nützt. Er hätte einfach auf dies abstrakte Wissen verweisen können. Aber er ist Dichter, er hat ein propagandistisches Ziel. Deshalb muß er anschaulich sprechen, muß er den komplexen Gedanken in schaubare Einzelbilder zerlegen. Dann erst erreicht er die psychologische Wirkung, daß seine Hörer die ihnen nahegebrachten Bilder nun auch wirklich vor sich sehen, daß sie von der Anschauungs-, Gedanken- und Gefühlsgewalt des Spruchsprechers innerlich ergriffen, mitgerissen und endlich unmerklich zu dem gleichen Willensentschluß bestimmt werden, den der Dichter vertritt. Darin besteht seit je und darin wird immer bestehen alle und jede Kunst der Lenkung politischer Willensbildung.

Walther beginnt also, mit eigener innerer Beteiligung *(ich hôrte, und sach, ich sach, daz sach ich unde sage iu daz)* angebliche Beobachtungen vorzutragen. Dennoch: was er vorträgt, ist längst geläufiges, von aller Beobachtung unabhängiges, allgemeingültiges und abgegriffenes Wissen; das läßt sich bis in die kleinsten Einzelheiten belegen. Die naturwissenschaftlichen Kenntnisse des Mittelalters sind von den modernen *tot coelo* verschieden. Das Falkenbuch Kaiser Friedrichs II. etwa steht fremd, ganz neu und einzigartig in seiner Zeit, weil es durch die Schärfe und Selbständigkeit seiner Beobachtungen zu seinen Schlüssen und Anweisungen gelangt. Denn im allgemeinen ist auch die Naturerkenntnis des Mittelalters von der Tradition bestimmt; es fällt dem mittelalterlichen Menschen, selbst da wo er ein enges Verhältnis zur Natur hat und sie mit wachen Sinnen beobachtet (z. B. bei der Jagd), sehr schwer, sich von der Tradition zu lösen, sobald er die Sphäre praktischer Betätigung verläßt und sich theoretischer Äußerung zuwendet. Was Walthers Spruch substantiell von den 4 Teilen der Tierwelt aussagt, ist solch ehrwürdige Tradition; sie läßt sich in ungebrochener Gleichförmigkeit bis ins 16. Jahrhundert verfolgen.

Die Tierwelt wird nämlich seit Gen. 6, 20 in diese 4 Gruppen eingeteilt. So verfährt z. B. die heilige Hildegard von Bingen (1098—1179), die in ihrer ›Physica‹ handelt: *de piscibus, de avibus, de animalibus, de vermibus.* Noch näher klingt an unsern Spruch an die Nomenklatur des Albertus Magnus (ca. 1193—1280), der in den entsprechenden Büchern eines Riesenwerkes ›De animalibus‹ (nicht vor 1270; er folgt darin übrigens dem großen enzyklopädischen Werk seines früheren Kölner Schülers Thomas von Chantimpré ›De natura rerum‹, zwischen 1226 und 1244) so einteilt:

gressibilia	Schreittiere	Buch 22
volatilia	Flugtiere	Buch 23
aquatica	Wassertiere	Buch 24
reptilia	Kriechtiere:	
	serpentes	Buch 25
	vermes	Buch 26.

Noch im 16. Jahrhundert hält sich der fleißige Züricher Polyhistor Konrad Geßner (1516—1565) in seiner ungeheuer umfangreichen ›Historia animalium‹ an diese herkömmliche Vierteilung und nimmt sie sogar in das ihm vom Kaiser verliehene Familienwappen auf, das er sich selber entworfen hat: die 4 Felder des Schildes zeigen Delphin, Adler, Löwe und Schlange. — In welch hohem Maße das alles, auch abseits der zünftigen Naturwissenschaft, sogar einfaches Schulwissen ist, kann ein Altersgenosse Walthers lehren, der Bologneser Magister der Grammatik und Rhetorik Boncampagno da Signa (bei Florenz), in dessen ›Rhetorica novissima‹ 280 a es heißt:

> ex privilegio et decreto naturae *leo* rex est omnium bestiarum; *aquila* cunctarum avium esse regina videtur; *cetus* universorum est piscium imperator; *basiliscus* princeps est quorumlibet reptilium et serpentium.

Die Folgerung aus dem bisher Vorgetragenen lautet: alle die angeblichen Naturbeobachtungen des Dichters enthüllen sich als überliefertes und gängiges Wissen; die anscheinend persönliche Erfahrung ist nichts als Fiktion. Das ist für die Datierung des Spruches möglicherweise von einigem Gewicht.

Wesentlicher als die Frage nach Inhalt und Herkunft des Naturgleichnisses ist die Frage nach seiner Funktion in diesem Spruch[3]. Es handelt sich dabei um das Problem der *ordenunge* 9, 7. Nach des Dichters — und seiner Auftraggeber — Meinung befindet sich das deutsche Volk in einem beklagenswerten und gefährlichen Zustand; selbst das Zusammenleben der Tierwelt stellt sich insgesamt in einer wesentlich besseren „Ordnung“ dar trotz all ihren Kämpfen untereinander. Damit ist die Frage nach der Schöpfungsordnung gestellt; diese Frage zerfällt in 2 Kreise:

1. Für das deutsche Volk in seiner besonderen Lage im Jahre 1198 nach dem Tode Kaiser Heinrichs VI. ist sogar das Tierleben noch als vorbildlich anzusprechen; denn es symbolisiert den von Gott geschaffenen und verordneten Schöpfungszustand immer noch besser und richtiger. Dies ergibt sich aus einigen Leitideen des Augustinischen Geschichtsdenkens, die er in der ersten Staats- und Gesellschaftslehre der nachantiken Welt niedergelegt hat, in den 24 Büchern ›De civitate Dei contra paganos‹. Das in Hinsicht auf Walthers Spruch 8, 28 Wesentliche ist dies: Gott hat die Welt gut geschaffen; das Böse ist erst durch die *superbia* Luzifers in die Welt gekommen; aber selbst jetzt kann die irdische Schöpfung eben als Gotteswerk nicht ohne jedes *bonum* sein: *esse autem natura, in qua nullum bonum sit, non potest. Proinde nec ipsius diaboli natura, in quantum natura est, malum est; sed perversitas eam malam facit* (19, 13). Das Böse existiert also nicht an sich: *nemo naturā, sed, quisquis malus est, vitio malus est* (16, 6). Das Böse ist danach nichts anderes als ein Defekt des Guten; es geht niemals so weit, das Gute ganz und gar aufzuheben: *nullum quippe vitium ita contra naturam est, ut naturae deleat extrema vestigia* (19, 12). Diese Augustinischen Grundsätze klingen in den Worten des Spruches an: alle 4 Tiergattungen leben — wie die Menschen — auf dieser Welt in ständigen Kämpfen; das kann keine Harmonisierungstendenz leugnen; das ist die *perversitas,* die Luzifer in die Welt

[3] Über die Augustinische Geschichtstheologie und ihre Weiterbildung in der symbolischen Geschichtsdeutung Ottos von Freising, die in seinem Reichsbegriff gipfelt, war im Zusammenhang gesprochen worden. Im Text ist nur das Wesentliche knapp wiederholt.

gebracht hat. Trotzdem ist das Tierleben nicht durchaus verderbt *(esse natura, in qua nullum bonus sit, non potest)*: ein letzter Rest der natürlich guten Schöpfungsordnung *(naturae extrema vestigia)* ist erhalten geblieben; das ist der *eine sin*, die letzte Spur der gottgegebenen Vernunft. Dies *extremum vestigium* bewährt sich im Festhalten der Tiere an Herrschaft und Staatsordnung (*künege, reht* 9, 6). Dadurch ist im Tierreich noch ein freilich irdisch schwaches Abbild der Weltharmonie, der göttlichen *pax*, wirksam. Diesen umfassenden und grundlegenden Begriff definiert Augustinus in Buch 19, 13:

Pax corporis est ordinata temperatura partium,
Pax animae irrationalis: ordinata requies appetitionum,
Pax animae rationalis: ordinata cognitionis actionisque consensio,
Pax corporis et animae: ordinata vita et salus animantis,
Pax hominis et Dei: ordinata in fide sub aeterna lege oboedientia,
Pax hominum: ordinata concordia[4],
Pax domus: ordinata imperandi atque oboediendi concordia cohabitantium,
Pax civitatis: ordinata imperandi atque oboediendi concordia civium,
Pax coelestis civitatis: ordinatissima et concordissima societas fruendi
Pax omnium rerum: tranquillitas ordinis. [Deo et invicem in Deo,
Ordo est parium dispariumque rerum sua cuique loca tribuens dispositio.

In dem Tiervergleich wird also nicht etwa rousseauistisch oder utopistisch eine dem Leben widersprechende Moral gepredigt; vielmehr wird die Schwere des Daseinskampfes auch in der Tierwelt als Folge des Sündenfalles zugegeben. Es wird lediglich die Wirksamkeit der ursprünglich in der göttlichen Weltharmonie *(pax)* gegründeten guten Schöpfungsordnung noch in dem *Einen* behauptet und bewiesen: die *dominatio* und *oboedientia* (*künege unde reht* 9, 6; *hêrren unde kneht* 9, 7) ist bei den *Tieren* noch in Kraft; so ist *pax* und *iustitia* (*fride unde reht* 8, 26 im 1. Reichsspruch 8, 4) noch nicht ganz dahin; *ein bonum* lebt doch noch in der *natura*.

2. Für den zweiten Problemkreis kann man von deutschen Dichtungen ausgehen. In der ihren Helden legendarisch verherrlichenden Biographie des Erzbischofs Anno von Köln (1056—1075), in dem um 1100 entstandenen frühmhd. Annolied wird Vers 37 ff. gesagt:

[4] Vgl. die *concordia ordinum* Ciceros (Poseidonios, Panaitios!)

über den Sturz Luzifers und den Sündenfall Adams war Gott um so mehr erzürnt, als er sah, daß alle seine andern Werke, die er erschaffen hatte, den rechten Gang der natürlichen, ihnen verliehenen Ordnung einhielten: die Gestirne, die 4 Elemente (natürlich die mittelalterlichen), die Pflanzen- und die Tierwelt.

55 ein îwelich ding die ê noch hât,
die mi got van êrist virgab,
ne wêre die zuâ gescephte,
dî her giscuoph die bezziste:
die virkêrten sich in die dobeheit.
60 dannin huobin sich diu leiht.

(Roediger)

Der gleiche Gedanke findet sich in der deutschen Dichtung immer wieder, bis zu Walthers Zeit und noch lange darüber hinaus. Am nächsten klingt an seinen Spruch an die Formulierung seines Zeitgenossen Freidank, eines bürgerlichen Fahrenden:

5, 11 Gotes gebot niht übergât
wan der mensche, den er geschaffen hât;
vische, vogele, würme und tier
hânt ir reht baz danne wir.

(Bezzenberger)

Der gleiche Gedanke begegnet im ›Wälschen Gast‹ Thomasins, im ›Renner‹, bei Bruder Wernher, beim Marner und sonst noch oft.

Die „Zeitanschauung", die unvernünftigen Tiere seien ihrem göttlichen Schöpfungsauftrag treuer geblieben als der Mensch, war also damals allgemein verbreitet. Auch der Ausgangspunkt dieser Meinung läßt sich nachweisen: sie stammt von einem irischen Theologen des 9. Jahrhunderts, den Karl der Kahle nach Frankreich berufen hat; er heißt Johannes Scottus oder Eriugena. Sein Hauptwerk ist betitelt ›De divisione naturae‹. Dieser Johannes ist ein Anhänger Augustins, den er durch die griechische Patristik, vor allem den sog. Dionysius Areopagita, ergänzt. Dadurch gelangt ein starker Zustrom plotinischen Gedankengutes ins Abendland. Wie nachhaltig Johannes Eriugena noch zu Beginn des 13. Jahrhunderts gewirkt hat, zeigt die Tatsache, daß die Pariser Provinzialsynode von 1210 und Papst Honorius III. im Jahre 1225 das Buch ›De divisione natura‹ verworfen haben.

Der tiefere Sinn der Tiervergleiche in Walthers Spruch ist demnach dieser: Das deutsche Volk hat seine staatliche Ordnung durch *perturbatio* mit ihren Folgen *discordia* und *iniustitia* in Gefahr gebracht; es ist dadurch unter die Stufe, auf der selbst die Gemeinschaftsordnung der Tiere noch steht, hinabgesunken. Kampf und feindliche Bedrängnis gibt es auch im Tierreich; aber bei den Tieren ist doch wenigstens immer noch ein Schatten der uranfänglichen Schöpfungsordnung zu bemerken: sie haben eine anerkannte *dominatio,* bei ihnen herrscht infolgedessen noch ein gewisser Grad von *iustitia* und ein gewisser Grad von *pax.* Selbst die Fliege (9. 10) hat ihren König (bei Hildegard von Bingen wird sie ausdrücklich unter den *volatilia* erwähnt), aber die Deutschen sind ohne Herrscher! Sogar dies Exemplifizieren auf die wertlose und verachtete Fliege ist ein Stück Tradition seit Augustinus: *Quod opus eius* (Gottes Schöpfungswerk) *tam magnum et mirabile est, ut non solum in homine, quod est animal rationale et ex hoc cunctis terrenis animantibus excellentius atque praestantius, sed in qualibet minutissima muscula bene consideranti stuporem mentis ingerat laudemque pariat Creatoris* (22, 24).

Der Tiervergleich als Ganzes und im einzelnen ist also aus einer langen und festen Tradition genommen. Er hat seinen festen Platz in dem Gedankenkreis, der sich mit dem großen Problem der guten Schöpfungsordnung auseinandersetzt; dabei wird der Mensch als depravierter und sündhafter denn die Tiere beurteilt. Walther verwendet nun den herkömmlichen Gedanken, ja den gesamten Ideenkreis etwas anders, mit einer ganz geringfügigen Nuance: statt des Menschen *in genere* setzt er das deutsche Volk.

Das führt diese Untersuchung zum zweiten Teil des Spruches, zu seinem letzten Drittel: dem politischen Aufruf zur Krönung Philipps.

Es beginnt mit einem Weheruf über das ganze deutsche Volk; es hat in seiner Gesamtheit die eingerissene Mißordnung *(perturbatio)* zu vertreten und deren Folgen zu tragen. Dies Volk hat aber auch nach dem Willen Gottes den Kaiser, das Haupt der Christenheit, Gottes Stellvertreter auf Erden, zu stellen. Das deutsche Volk sollte daher in vorzüglichem Maße eine *civitas bonorum*, eine *civitas Dei terrena* sein. Statt dessen ist es seiner einfachsten Bestimmung, überhaupt nur ein christlicher Staat zu sein wie so viele andere auch, untreu geworden; ja noch viel schlimmer: es ist so weit unter die natürliche, auch ihm anerschaffene Ordnung, wie sie selbst noch die Gemeinschaften des Tierreiches repräsentieren, hinabgesunken, es hat sich durch seine selbstverschuldete *perturbatio* — im einzelnen: durch *discordia* und *iniustitia* — so tief erniedrigt, daß es um alles Ansehen *(êre)* in der Welt zu kommen droht. Das erste Volk der Christenheit ist so weit von Gott und Gottes Gnadenwillen abgewichen, daß sogar die verächtliche Fliege *(minutissima muscula)* jetzt höher in der Stufung der Geschöpfe und damit Gott näher steht.

In dem *bekêrâ dich, bekêre* 12 liegt daher eine doppelte Mahnung: einmal die praktisch-politische zur bloßen Umkehr auf dem nun einmal eingeschlagenen Wege, der ins Verderben führt; sodann aber — und darauf liegt der Nachdruck — die religiös-metaphysische Aufforderung zur Abkehr von der Sündhaftigkeit, deren Folge die eingerissene *perturbatio* ist, zur Hinwendung zu Gott und zur Wiederneueinfügung in die göttliche Weltordnung. Gemeint ist demnach nicht bloß eine nationale, praktisch wirksame Besinnung aus Gründen politischer Zweckmäßigkeit (so wird der Spruch meistens mißverstanden), sondern das, was man im Mittelalter eine *renovatio, reformatio, reparatio* nannte: eine Rückkehr zum göttlichen Willen, ein Wiederergreifen des metaphysischen Auftrags, ein Neubeginnen im Sinne der uranfänglichen Weltenplanung des Schöpfers. Erst in dem klaren Herausarbeiten des Gegensatzes zwischen dem eigentlichen, ewigen Auftrag dieses Volkes und seiner kläglichen selbstverschuldeten Lage in diesem Augenblick liegt das Erregende und Aufstachelnde des Spruches. So erklärt sich denn auch die leichte Modifizierung der traditionellen Zeitanschauung des Gegensatzes von Tier und Mensch:

> ez ist in der werlde niht sô hêr
> daz ûz sîm orden welle bestân,
> wan alterseine der tœrsche man.
> Wälscher Gast 2626—2628
> (Rückert)

„Nichts in der Welt ist von so sündhafter *superbia*, daß es seiner Bestimmung untreu werden wollte, als einzig und allein der verblendete Mensch.“ Statt des *tœrschen mannes* hat Walther *tiuschiu zunge* gesetzt und verweist dann auf die bereits spürbaren Folgen der Schuld:

> die cirkel sint ze hêre,
> die armen künege dringent dich 9, 13/14.

Damit sind nicht, wie man früher einmal angenommen hat, die deutschen Reichsfürsten gemeint, die Anfang 1198 als Thronbewerber genannt wurden: Herzog Berthold von Zähringen und Herzog Bernhard von Sachsen; denn Herzöge haben damals noch nicht den goldenen Stirnreif getragen[5]. Der war vielmehr ausschließlich das Abzeichen der *Königs*würde. Wer sind dann aber diese Kronenträger? Diese Frage läßt sich aus dem Sprachgebrauch der staufischen Reichskanzlei mit Sicherheit beantworten: es sind die Könige von Frankreich, England und Dänemark. Sie trugen in der Tat *cirkel* als Würdezeichen, wie die gleichzeitigen Abbildungen auf Siegeln und die Miniaturen der Handschriften beweisen: verhältnismäßig schmale Goldreifen mit Ornamenten, aus denen sich allmählich die sog. Lilie oder Speerspitze als ihr kennzeichnendster Schmuck herausbildete. Diese auswärtigen Könige, die nur über *ein* Land und Volk herrschten, nicht wie der Deutsche König und Römische Kaiser mehrere Völker regierten und eine Obergewalt über die christliche Staatenwelt wenigstens der Theorie nach besaßen, diese auswärtigen Könige hießen im amtlichen Schriftverkehr der Reichskanzlei *reguli, provinciarum reges* = Vasallenkönige, *arme künege*. Nur diese richtige Auffassung der Verse 13/14 fügt sich widerspruchslos dem Zusammenhang des Ganzen ein: Die Mißordnung im Reich — eine Schuld des deutschen Volkes — zieht bereits eine Störung des göttlichen *ordo* in der gesamten christlichen Staaten- und Völkerwelt nach sich, für die das Reichsvolk ebenfalls

[5] Die Deutung des Ausdrucks *cirkel* auf die christlichen Könige Europas, die G. Roethe, ZfdA. 44 (1900), 116 und 196 sowie Burdach gleichzeitig gegeben haben, bestätigt jetzt die Untersuchung eines Historikers: Gerd Tellenbach. Über Herzogskronen und Herzogshüte im Mittelalter = Dt. Archiv f. Gesch. d. MAs. 5 (1941), 55—71.

die Verantwortung trägt. Es gibt daher nur *ein* Mittel gegen die eingerissene Störung der Weltharmonie *(pax)*: für die deutsche Krone wieder ein ihrer würdiges Haupt zu finden, einen Mann, der die *pax* wieder aufrichtet und durchsetzt als ein Augustinischer *rex iustus et pacificus*. Das sichtbare Sinnbild der gottentstammten christlichen *dominatio* über alle Staaten und Völker ist die echte deutsche Königskrone, im Spruch bezeichnet nach dem einzigartigen Edelstein, der ihr Hauptkleinod ist, dem Waisen.

Denn diese Krone ist nicht ein *cirkel*, wie ihn die *reguli* tragen, sondern ein Oktogon (ein Achteck) aus 8 rechteckigen, oben abgerundeten Goldplatten, geschlossen durch einen hohen, sanft geschwungenen Bügel, der über den Platten von hinten nach vorn zieht und oberhalb der Stirnplatte von einem Kreuz überhöht wird. Schon diese äußere Form macht diese Krone zu einem echten Kosmokratorsymbol, das die theokratische Denkweise der Zeit als ein solches Symbol erkannte und anerkannte. Denn das Oktogon ist Abbild und Sinnbild der himmlischen *civitas Dei*, des himmlischen Jerusalem, das nach Augustins Übersetzung von *Jerusalem* das ganze Mittelalter verstand als *visio pacis*, d. h. „sichtbare Erscheinung der Weltharmonie". Der Träger dieser Krone, den wohl die dazu berechtigten *Menschen* wählen, deren Wahl aber *Gott* lenkt, der Träger dieser Krone ist eben der von Gott bestimmte Herrscher *(Dei gratiā rex)*, der *rex iustus et pacificus*, der Wiederhersteller der gestörten Weltordnung (das ist der Sinn des letzten Spruchverses: *und heiz si treten hinder sich*). Als diesen Herrscher proklamiert der Dichter den jugendlichen Philipp von Schwaben, den Sohn und Bruder der beiden großen Kaiser, die vor ihm die Sendung, die christliche Welt nach Gottes Willen zu regieren, glanzvoll erfüllt haben.

Das Wort *weise*, an dem eine schwere Last von Sinn- und Denkbildern hängt, ist nicht zufällig und absichtlos an die markanteste Stelle des Spruches gestellt, in den reimlosen seinesgleichen entbehrenden vorletzten Vers, in den (von der Kunstsprache der Zeit so genannten) *weisen*.

Philipp, gekrönt zum König mit der echten Krone, wird die gestörte Weltharmonie wiederherstellen, das Ansehen des Reiches erneuen und sein Übergewicht über die sich unrechtmäßig überhebenden Vasallenkönige wiederbegründen.

5. *Publikum und Zeit des Spruches*

Das Publikum, an das der Spruch sich wendet, ist die Hofpartei Philipps; darin hat Burdach sicher recht. Denn alles Substantielle: Gedanken, Bilder, Tendenz, entstammt dem Denk- und Vorstellungsbereich der staufischen Reichskanzlei, der höchsten, natürlich geistlich gebildeten Reichsbeamten und der großen Reichsministerialen. Dem Dichter allein gehört die Durchformung des gegebenen Gehalts zu schlagkräftiger und eingängiger Formulierung an.

Nicht so unbedingt ist Burdachs Zeitansatz zuzustimmen: Ende Juni 1198. Der sog. Natureingang besagt nichts für die Jahreszeit, zu der dieser Spruch vorgetragen wurde. Denn es ist gar kein Natureingang; die metaphysizierende Gelehrsamkeit der beiden ersten Spruchdrittel konnte Walther auch im Winter oder im Frühjahr ausbreiten. Der Entschluß der staufischen Partei, Philipp statt dem Kinde Friedrich die Krone aufzusetzen, um die Herrschaft den Staufern zu erhalten, dieser Entschluß mußte freilich bereits gefaßt sein und Philipps Zustimmung gefunden haben, ehe der Spruch öffentlich vorgetragen werden konnte. Diese beiden Voraussetzungen sind Weihnachten 1197 zu Hagenau im Elsaß auf Betreiben der Reichsministerialen erfüllt worden. Zwischen Weihnachten 1197 also und Philipps Krönung 1198 Sept. 8 muß Walthers Spruch entstanden sein; wohl eher im Frühjahr als im Sommer. Da wir nicht wissen, wann Walther Wien und Österreich verlassen hat, können wir Bestimmtes nicht aussagen. Aber der März 1198, unmittelbar vor oder doch bald nach der Wahl Philipps 1198 März 8, scheint der wahrscheinlichste *terminus ad quem.*

Man könnte zum Schluß versuchen, das Ergebnis der Interpretation in einer freien Nachdichtung auszudrücken. Der Versuch lehrt aber bald, daß man, um den Sinngehalt deutlich und vollständig herauszubringen, den Umfang stark aufschwellen müßte. Dann zerstört man aber gerade das, was die Form des Spruches ganz allgemein und Walthers Sprüche im besonderen auszeichnet, was zudem bei diesem Spruch des Dichters eigene Leistung bedeutet: die Dichte und die Wucht des politischen Aufrufs. Aus diesem Dilemma gibt es keinen Ausweg. Die 7 1/2 Jahrhunderte, die seitdem vergangen sind, haben eine so tiefgehende Wandlung der Vorstellungs-

und Gefühlswelt der Menschen und der Zeichenhaftigkeit der Sprache herbeigeführt, daß ein mhd. Text schlechthin unübersetzbar geworden ist: Man kann ihn interpretieren, aber *lesen* muß man ihn im Original. Deshalb sei der mhd. Text hier mit leisen Änderungen nach Lachmann abgedruckt.

Ich hôrte ein wazzer diezen
und sach die vische fliezen;
30 ich sach swaz in der welte was:
velt walt loup rôr unde gras;
swaz kriuchet unde fliuget
und bein zer erde biuget,
das sach ich, unde sage iu daz:
35 der keinez lebet âne haz!
daz wilt und daz gewürme
9, 1 die strîtent starke stürme,
sam tuont die vogel, under in;
wan daz si habent einen sin:
si dûhten sich ze nihte,
5 si enschüefen starc gerihte:
si kiesent künege unde reht,
si setzent hêrren und kneht.
sô wê dir, tiuschiu zunge,
wie stêt dîn ordenunge,
10 daz nû diu mugge ir künec hât
und daz dîn êre alsô zergât!
bekêrâ dich, bekêre!
die cirkel sint ze hêre,
die armen künege dringent dich:
15 Philippe setze ein weisen ûf, und heiz si treten hinder sich!

28 = 44 A, 20 B, 3 C *ein* A, *dú* BC 31 *Walt velt* BC *lop rot* A 32 *Swas flússet* oder *flúget* BC 33 *oder* BC *erden* A 35 *Der dekeinez* A, *Dehaines* BC 1 *stritten* BC 2 *Same* A, *Also* BC *tuon* C 4 *Si en duhten sich zeniht* A, *Sú wæren anders ze nihte* BC 5 *Si schuefen* A, *Su schaffent* BC *guot* BC 6 *setzent* BC 7 *Und schaffent* BC 8 *Owe* A 9 *stat* BC 12 *Beker a dich* A 13 *cirkel* C, *cirken* A, *kilchen* B *sin* C 15 *ein* A, *den* BC, *en* Lachmann.

Johannes A. Huisman, Neue Wege zur dichterischen und musikalischen Technik Walthers von der Vogelweide. Mit einem Exkurs über die symmetrische Zahlenkomposition im Mittelalter (= Studia Litteraria Rheno-Traiectina). Utrecht 1950, S. 53—65.

NEUE WEGE ZUR DICHTERISCHEN UND MUSIKALISCHEN TECHNIK IN WALTHERS MARIENLEICH

Von Johannes A. Huisman

Die zahlenmäßige Dispositionstechnik wird, ihrer Natur gemäß, besonders in breit angelegten, kunstvollen Dichtungen zu erwarten sein: bei Walther denken wir da zuerst an seinen großen Marienleich (3, 1 ff.). Dieser besteht bekanntlich aus fünf Teilen, die wir weiterhin mit römischen Ziffern bezeichnen werden: I = Einleitung; II = Erster Hauptteil; III = Mittelstück; IV = Zweiter Hauptteil; V = Schlußteil. Die beiden Hauptteile zeigen höhere Responsion, die in II vorkommenden Versikeltypen erscheinen also nochmals in IV, wo sie einen neuen Text, aber dieselbe Melodie haben. Teil IV setzt ein mit einer Gruppe von zwei Versikeltypen: *aaaa* und *aaaaaa* (6, 7—6, 16); es ist nun notwendig, daß II mit derselben Gruppe anfängt, denn nur in diesem Fall respondiert die Melodie, deren Wiederkehr die Hörer sofort auf den Eintritt der höheren Responsion aufmerksam macht. Die bisher gebräuchliche Einteilung genügt dieser Forderung nicht; ich setze daher den Eintritt des ersten Hauptteiles nicht 3, 13, sondern 3, 21 an, weil hier zuerst die obengenannte Versikelgruppe erscheint: 3, 21—24 *aaaa*; 3, 25—3, 30 *aaaaaa*. Man könnte einwenden, daß nun der Typus *aaaa* in II dreihebig klingend, in IV dagegen vierhebig stumpf ist. Diese Ungleichheit ist jedoch nur eine visuelle; im gesanglichen Vortrag kann die weibliche Schlußsilbe ohne Schwierigkeit auf dieselbe Note oder Kadenz fallen wie die männliche. In der Sequenzendichtung ist dieser Wechsel des Reimgeschlechts ganz gewöhnlich; Bartsch[1] bemerkt zu dieser Erscheinung (_́ _̀ = _́ — _́): „der

[1] K. Bartsch, Die lateinischen Sequenzen des Mittelalters in musikalischer und rhythmischer Beziehung. Rostock 1868, S. 177.

weibliche Reim wird nach deutscher Weise für eine Hebung mehr gerechnet“ [2].

Daß 3, 21 von der vorangehenden Zeile syntaktisch abhängt, kann nicht schwer wiegen. Nicht der Inhalt bedingt die Einteilung, sondern der formale Aufbauplan [3]. Wir wollen jetzt versuchen, diesen Plan bloßzulegen. Es seien zuerst die verschiedenen Versikeltypen des Leichs zusammengestellt:

A:	aaabb	3, 1—5; 7, 28—32
B:	aaaaabb	3, 6—12
C:	aa	3, 13—20 (4 x); 5, 27—38 (6 x)
		6, 21—22.24—27 (3 x); 7, 33—34.39—40 (2 x)
D:	aaaa	3, 21—24; 6, 7—10; 6, 17—20; 7, 35—38
E:	aaaaaa	3, 25—4, 1; 6, 11—16; 7, 25—27 (= 1/2 E)
F:	paqa	4, 2—12 (3 x); 6, 28—31 (2 x); 8, 1—3
G:	aab (:ccb etc.)	4, 13—21 (3 x); 6, 32—37 (2 x)
H:	aaaab (:ccccb)	4, 22—31 (2 x); 6, 38—7, 7 (2 x)
J:	aapb (ccqb etc.)	4, 32—5, 1.3. Resp. in IV: aab (:ccb etc.)
		7, 8—16 (3 x)
K:	aaabcccb	5,9—11.13.15—18; 7, 17—24
L:	aaabcccb [4]	5,19—26
M	abab	5, 39—6,6 (2 x)

Diesem Schema liegt die Textherstellung von v. Kraus [5] zugrunde; V. 5, 12 habe ich (mit Wilmanns [6], Steller [7] u. a.) gestrichen; dies aus folgenden Gründen.

Sämtliche Hss. C, k und l haben im echten Versikel 5, 9—14 nur drei Zweitakter; dasselbe gilt von dem respondierenden Versikel

[2] Im Anvers der Palinodie haben wir den umgekehrten Fall: hier entspricht die weibliche Schlußsilbe einer Pause; sie darf also nicht als Hebung mitgerechnet werden.

[3] Vgl. E. R. Curtius, Europäische Literatur und lateinisches Mittelalter, Bern 1948 (Exkurs XV: Zahlenkomposition, S. 493—500), S. 493: „Nur selten wird die Disposition dem Inhalt der Darstellung entnommen.“

[4] Reimstellung wie K, aber metrisch (und musikalisch) selbständig.

[5] Walther von der Vogelweide. Untersuchungen von Carl v. Kraus, Berlin u. Leipzig 1935, S. 1 ff.

[6] Vgl. seinen Vorschlag z. Stelle; Michels druckt den Vers ohne Parenthese.

[7] Beitr. 45 (1921), S. 329.

7, 17—7, 19, dessen Überlieferung durch die handschriftliche Konkordanz und die syntaktisch-logische Korrektheit feststeht. Es ist gewiß nicht berechtigt, das sechsfache einhellige Zeugnis über den Bau des Versikels umwillen der hinzugedichteten Strophe 5, 4—8 zu negieren. Dem Zusatzdichter (dessen Strophe unzweifelhaft 4 Zweitakter hat) mag wohl eine Fassung vorgelegen haben, in der sich aus der (gewiß alten) Verwirrung der Verse 5, 9—12 vier Zweitakter entwickelt haben.

Die Stellung des Verses *nu und alle vrist* wird weiter noch durch folgende Erwägung geschwächt: der Hs. C hat eine verhältnismäßig gute Fassung vorgelegen. 4, 38 hat C allein das richtige Wort *lamme,* 5, 1 läßt nur sie die Interpolation *lamp aleine* aus; nach 5, 3 folgt nicht die unechte Strophe von *kl,* sondern gleich der echte Versikel 5, 9—11.13.[8] Nur 5, 9—10 versagt die Vorlage, *k* und *l* aber ebenfalls; 5, 11 hat nur C das für den logischen Zusammenhang unentbehrliche Wort *von.* Sollte es nun angehen, hier plötzlich die Lesart von *kl* einzusetzen? Und was für eine Lesart! Die Zeile *nu und alle vrist,* syntaktisch entbehrlich und rhythmisch unmöglich, sieht ganz aus wie ein Notbehelf des Schreibers, den die Krasis des Verspaares 5, 9—10 in Verlegenheit gebracht hatte.

Von Kraus faßt seine vier Zweitakter zu zwei Viertaktern zusammen; bei den überlieferten drei Zweitaktern ist dies nicht möglich. Es ist aber auch keineswegs notwendig; man vergleiche folgenden Versikel aus dem ersten Leich Konrads von Würzburg:[9]

[8] Die abweichende Strophenordnung in C ließe sich vielleicht folgendermaßen erklären. Der Schreiber von C ist wahrscheinlich seiner guten Vorlage bis 5,14 gefolgt; da ist ihm aufgefallen, daß etwas nicht stimmte (V. 5, 14 ist ja tatsächlich überschüssig). Als er nun eine andere Hs. heranzog, sah er dort den unechten Versikel 5, 4—8 und beeilte sich, ihn nachzutragen. Daß diese Hs. eine sehr schlechte war, zeigt die unsinnige Lesung der Verse 5, 7—8: *nu nemt sîn war und keret swa sis keret.* Staunend ob der Rede dunkelm Sinn, aber froh über die mit knapper Not erwischte Strophe mag er zu seiner guten Vorlage zurückgekehrt sein: V. 5, 15 ff. bietet C wieder die führende Redaktion.

[9] K. Bartsch, Konrad von Würzburg, Partonopier und Meliur etc. Wien 1871. Lieder und Sprüche 1, 133 ff.

Ich zel dich zuo dem swanen blanc,
der an sîm ende singet sanc:
dîn schrei verdranc
Syrênen klanc,
der dônes vanc
ze grunde zôch der sünden kiel.

Derselbe Versikelbau begegnet in der mittellateinischen Sequenz; vgl. CB 27, 6 ff.:

qui de regum potentia,
non de Dei clementia
spem concipis,
te decipis
et excipis
ab aula summi principis.

Auch hier drei Zweitakter zwischen nur viertaktigen Versen. Es bleibt also kein einziger Grund übrig, dem holprigen Vers *nu und alle vrist* auf die Beine zu helfen und in den guten C-Text aufzunehmen.

Nach der oben begründeten Verschiebung der Grenze zwischen Einleitung und Hauptteil kommen wir zu folgendem Schema von Versikeltypen und Verszahlen. Die Langverse werden wie in den schon besprochenen Gedichten doppelt gerechnet. Organische Binnenreime werden wegen ihrer gliedernden Funktion mitgezählt, nicht aber rein schmückende, wie z. B. V. 5, 1, wo die entsprechenden Stellen in den parallelen Versikeln keinen Binnenreim zeigen.

Das Ergebnis ist wirklich verblüffend:

	150 (II–IV)					
I	II		III	IV		V
$AB+C^4$	$DE+F^3G^3+H^2$	J^3+K	$L+C^6+M^2$	$DE+DC^3$	$F^2+G^2H^2J^3+K$	E[10]A+CD
12+8	10+ 21 +10	12+8	8+12+8	10+10	8+ 25 +8	8 + 1
20	41	20	28	20	41	20
81			28	81		
			190			

[10] Typus E ist musikalisch betrachtet ein Doppelversikel (aaa + aaa), ebenso wie die Typen D (aa + aa), K (aaab + cccb) und L (aaab + cccb).

Damit ist die Verszählung als Grundlage der Zahlenkomposition in Walthers Leich erwiesen. Eine mächtige, dreidimensionale Symmetrie trägt in weitgespanntem Bogen das ganze Gedicht. Die respondierenden Hauptteile II und IV zerfallen in je zwei Abschnitte, von denen die kleineren mit 20 Versen der Einleitung, bzw. dem Schlußteil die Waage halten; die größeren zu je 41 Versen bilden den Schwerpunkt der beiden Flügel. Die obere Zahlenreihe weist 3 symmetrische Gruppen auf: 10 + 21 + 10, 8 + 12 + 8 und 8 + 25 + 8; die mittlere zwei: 20 + 41 + 20 und 20 + 41 + 20; die untere Reihe eine Gruppe: 81 + 28 + 81.

Durch diesen Nachweis hat die Textherstellung von v. Kraus — mit Ausnahme des oben besprochenen Verses 5, 12 und seines hypothetischen Gefährten in der zweiten K-Strophe (7, 17 ff.) — endgültig den Sieg über das Amputationsverfahren Stellers[11] davongetragen.

Das Schema wirft auch neues Licht auf den Bau des K-Typus. Dieser steht nämlich am Ende der beiden Hauptteile; aus dieser Stellung erklärt sich die eigenartige Schwellform des respondierenden Versikels:

Typus K: – ⊥ – ⊥ daz lamp daz ist
Strophe: – ⊥ – ⊥ der vrône Krist
– ⊥ – ⊥ dâ von dû bist
– ⊥ – ⊥ – ⊥ ⊥̀ gehoehet und gehêret.

Gegen- – ⊥ – ⊥ – ⊥ – ⊥ Nû bite in daz er uns gewer
strophe: – ⊥ – ⊥ – ⊥ – ⊥ durch dich, des unser dürfte ger.
– ⊥ – ⊥ – ⊥ – ⊥ dû sende uns trôst von himel her.
– ⊥ – ⊥ – ⊥ ⊥̀ des wirt dîn lop gemêret.

Dieselbe Erscheinung liegt vor im zweiten Doppelversikel des Typus K am Ende des zweiten Hauptteiles (7, 17—24). Das formale Prinzip der Schlußsteigerung, das sich hier geltend macht, begegnet in vielen Sequenzen und Leichen; das Auffällige ist hier aber, daß nur die zweite Hälfte des Doppelversikels von der schluß-

[11] K. Steller, Der Leich Walthers von der Vogelweide, Beitr. 45, 307 bis 404. Ebenso noch Singer, Die Religiöse Lyrik des Mittelalters, Bern 1933 (= Singer, RL), S. 89.

betonenden Anschwellung betroffen wurde. Wahrscheinlich liegt hier der Grund zu der frühen Verderbnis des ersten Versikels; es mußte die Tendenz auftreten, ihn auf das Maß der Responsionsstrophe zu bringen. Der erste Schritt auf diesem Wege war die Einfügung eines Zweihebers; dadurch wurde der Umfang auf 4 Zweiheber + 1 Vierheber gebracht. Darauf hat einer den Knoten durchgehauen und eine neue, gleichgebaute Strophe 5, 4—8 *Dem lamme ist gar* hinzugedichtet. Ein anderer Versuch zur Herstellung einer „besseren" Responsion ist in der Hs. C erhalten; hier ist die erste Strophe des K-Doppelversikels um einen Vierheber erweitert worden: 5, 14 *des bistû frowe gêret*.

Das Schema erklärt weiter noch die ungenaue höhere Responsion des J-Typus. Im zweiten Hauptteil blieb nach der Wiederholung der Typen F, G und H vor dem Schwelltypus K noch Raum für 25 — (2 x 3 + 2 x 5) = 9 Verse; der 4versige J-Typus konnte hier also nicht unverändert wiederholt werden. Walther zieht nun die beiden Zweiheber, die diesen Typus eröffnen, zu einem Vierheber zusammen; damit wurde die Verszahl der J-Versikel von 4 auf 3 zurückgebracht, so daß ein Tripelversikel des in dieser Weise variierten J-Typus den verfügbaren Raum von 9 Versen ausfüllen konnte. Als Kompensation für die Vereinfachung des Typus läßt Walther nicht nur die ursprünglich reimlose Zäsur des abschließenden Langverses auf den neugebildeten Vierheber reimen; er zeichnet obendrein die J-Gruppe des zweiten Hauptteiles durch ein sehr kunstvolles Klangspiel mit dem viermal wiederholten Wortstamm *krist-* und durch reichliche Verwendung der Alliteration aus.

Es versteht sich von selbst, daß Walther diese Zahlen nicht nur wegen ihrer arithmetischen Eigenschaften gewählt hat, sondern daß symbolische Beziehungen hier eine noch größere Bedeutung haben müssen. Die zentralen Teile II, III und IV zählen zusammen 61 + 28 + 61 = 150 Verse. Diese Zahl steht in der Mariendichtung nicht allein; sie findet sich öfters in mittelalterlichen liturgischen Gesängen, die im lateinischen Rituale der katholischen Kirche bis heute lebendig geblieben sind. Die berühmten Antiphonen *Ave Regina caelorum* (Ant. Rom. S. 66) und *Sub tuum praesidium* (ib. S. 123*) zählen beide 150 Buchstaben. Dieselbe Zahl liegt auch der beliebten Gattung der Reimpsalterien zugrunde; eine große Anzahl dieser breit angelegten Dichtungen hat in den Bänden XXXV und XXXVI der A. h. einen Platz gefunden. Für jeden Psalm steht hier eine Strophe; ein Psalter von 150 Worten, verfaßt von Heinrich Egher von Kalkar, hat Dreves im Vorwort zum XXXVI. Bande (S. 6) abgedruckt. Die Absicht des Dichters erhellt aus dem angehängten Distichon:

Offero verba tibi ter quinquaginta, Maria;
Hoc breve psalterium suscipe, virgo pia.

Neben dieser Zahl 150 hat Walther noch andere Zahlen, die im Zusammenhang des Ganzen einen bestimmten Symbolwert besitzen müssen, in das Schema hineingearbeitet. Bei der Betrachtung der Disposition fällt es gleich auf, daß im Kern des Zentrums die Zahl 12 steht, dieselbe also, die auch die Flügelspitzen bestimmt. Namentlich die Kerngruppe ist hier von Gewicht: sie behandelt in einfachen epischen Reimpaaren das Wunder der Menschwerdung Christi und schließt mit den Worten:

5, 35 des selben wunderaeres hûs
was einer reinen megde klûs
wol vierzec wochen und niht mê
ân alle sünde und âne wê.

Nach mittelalterlicher Tradition war Maria zur Zeit der Verkündigung, also am Anfang der *vierzec wochen,* 12 Jahre alt. Der Erzpriester von Hita, nennt dieses Alter in seinem Gedicht *Gosos de Santa Maria*[12]:

El año doseno
A esta donsella
Angel de Dios bueno
Saludó à ella
Virgen bella.

[12] Colección de poesías castellanas anteriores al siglo XV, por D. Tomas Antonio Sanchez. Tomo IV, Poesías del Arcipreste de Hita, Madrid 1790, S. 270. Die Tradition ist alt; vgl. das Protevangelium Jacobi, wo Maria im Alter von 12 Jahren mit Joseph verlobt wird. (Text bei Tischendorff, Evangelia apocrypha, 1876², S. XII ff.)

Die Anschauung, daß ein Mädchen auf der Schwelle der Reife, in der Zeit der höchsten körperlichen[13] und geistigen Reinheit ihren göttlichen Schöpfer *âne alle sünde* empfing und *âne wê* gebar, besitzt eine große ethische und poetische Schönheit, die vollends das unbefangene Mittelalter noch zu würdigen wußte. Zahlreiche Male wird das jugendliche Alter der Gottesmutter hervorgehoben; vgl. A. h. I, 14, 8: *tenerrima virgo*; VI, 25, 25 und 52, 31: *virgo tenera*; VIII, 57, 3a: *virgo mater tenera*; XX, 6, 3: *fit virgo tenera mater puerpera.* Deutlicher noch ist A. h. XXXVI, vii, Prima Quinq. 17:

Innubiles, virgineae
tumescunt tis mamillae
Praeclarae botris vineae
Nam comparantur[14] illae.

Für die mittelhochdeutsche Entsprechung *zarte maget* verweise ich auf das von Salzer[15] gesammelte Material.

Die angeführten Belegstellen erweisen, daß die in Rede stehende Anschauung im Mittelalter sehr verbreitet war; kulturhistorisch spräche also nichts gegen die Beziehung der Zwölfzahl auf das Lebensalter Mariä.

Es wurde oben schon darauf hingewiesen, daß der Dichter selbst den Symbolwert der Zahl 12 andeutet, indem er in der Kerngruppe des Zentrums die Schwangerschaft der Gottesmutter besingt, nachdem er im vorangehenden Doppelversikel (5, 9—26) die Verkündigung verherrlicht hat; es kommen aber noch andere sinnbildliche Zahlen im Schema vor, die die vorgeschlagene Auslegung aus der Sphäre des rein Hypothetischen heben. Zu der hier angenom-

[13] Vielleicht wirkt in dieser Legende die alttestamentische Anschauung nach, daß jede Menstruation, also auch die erste, die religiös-ethische Unreinheit mit sich brachte. Vgl. Lev. XV, 19 ff.; Klagel. 1, 17; Zach. 13, 1.

[14] Im Hohelied, Cap. 7, 8.

[15] A. Salzer, Die Sinnbilder und Beiworte Mariens in der deutschen Literatur und lateinischen Hymnenpoesie des Mittelalters, Linz 1886, (= Salzer, Sinnb.) S. 368, 26—32.

menen Deutung paßt nämlich in vortrefflicher Weise die Tatsache, daß das Mittelstück 33 Verse weniger zählt als die Hauptteile: 61 — 28 = 33, welche Zahl bekanntlich das Erdenleben Jesu symbolisiert. Und der ganze Leich hat 40 Verse mehr als die zentrale 150-Gruppe (190 — 150 = 40); könnte dies nicht auf die *vierzec wochen und niht mê* aus V. 5, 37 hinweisen? Diese Vermutung erhält eine starke Stütze durch die Beobachtung, daß Walther jene Worte auch noch auf andere Weise ausgezeichnet hat: sie bilden genau den 100. Vers des Leichs! Einem ähnlichen Fall werden wir unten noch begegnen. Wo in den oberen Reihen solche Beziehungen vorliegen, wird man sie gewiß in der grundlegenden Symmetriereihe 81 — 28 — 81 erwarten. In dem diesem Kapitel angehängten Exkurs wird man sehen, daß in vielen symmetrischen Schemata Quadratzahlen sich spiegeln (9 — 9; 16 — 16; 25 — 25; 36 — 36). Man ist daher geneigt, auch hier die Zahl 81 als das Quadrat der Grundzahl 9 zu fassen. Damit wird gleich der symbolische Hintergrund sichtbar: diese Zahl bezieht sich ebenfalls auf das Leben Mariä; vgl. im oben zitierten Gedicht des Erzpriesters von Hita, a. a. O. S. 271:

La vida complida
Del fijo Mexia
Nueve años de vida
Vivió Santa Maria.

Nach einer hier noch lebendigen Tradition lebte Maria also noch neun Jahre, nachdem ihr Sohn gestorben war.

Es zeigt sich nun in den gefundenen Symbolwerten ein geschlossenes System; die betreffenden Zahlen versinnbildlichen die Perioden, in welche die Menschwerdung Christi das Leben Mariä teilt: 12 Jahre + 40 Wochen + 33 Jahre + 9 Jahre.

Es bleibt noch das Mittelstück mit der Verszahl 28. Hier ist der Grundgedanke des Leichs symbolisch wiedergegeben: Maria möge als Mittlerin zwischen Gott und den Menschen Vergebung der Sünden erbitten; vgl. 5, 39—6, 6; 7, 21 und namentlich 7, 32 bis zum Schluß. Ihr Sinnbild war der Mond: wie dieser das von der Sonne erhaltene Licht auf die Erde reflektiert, so gibt Maria die von Gott ausstrahlende Gnade an die Menschheit weiter. Unter den von Salzer[16] zum Epitheton „Mond" gesammelten Belegen findet sich eine Stelle aus einer mittelhochdeutschen Predigt, die diese Symbolik klar ausführt: *„Daz erste ist: waz er liehtes hat, daz hat er von der sunnen; .... Ze glicher wis ist ünser vrow ein mân: von waz si gnaden und tugenden und saelden hat, daz hat si von der sunnen und davon sprichet si: ünser herre hat mich sin dirnen besehen .... daz dritte ist, daz ir gnade ist gemain allen den die si anrueffent"*. Ebenso heißt es in einer anderen Predigt (Salzer S. 379): *„unser vrowe sente Marie die was schone als der mane, wane als sie erluohtet ist von der waren sůnnen, also hatte unser vrowe s. Maria daz lieht entphangen von dem almehtigen gote, aller slachte tůgende, aller slahte gůte unde vollecliche gnade"*. Beachtenswert ist in unserem Zusammenhang besonders das folgende Beispiel aus Konrad von Megenberg (Salzer S. 379), aus dem hervorgeht, daß der Mond auch diente als Symbol für die Mediatrixidee, wie sie Walther 7, 21 gibt: *nû senfte uns, frowe, sînen zorn.* Es lautet: *daz ander ist, daz der môn küelt der sunnen hitze; alsô fäuhtigt unser frawe den zorn des obristen rihters, als wir vinden geschriben von Theophilo.* Diese Quellenangabe Konrads liefert uns gleich den Beweis dafür, daß auch diese Variante des Symboles sehr alt ist.

Die zweite der hier angeführten Stellen ist merkwürdig durch die Verwendung des Vergleichs *schone als der mane.* Dies ist die buchstäbliche Übersetzung eines Passus aus dem Hohenliede (VI, 9): *pulchra ut luna.* Zur Entwicklung des Mondsymboles haben diese Worte gewiß mitgewirkt; das Canticum Canticorum wurde schon früh auf Maria bezogen (Salomon: Sunamitis = Gott: Maria[17].

[16] Salzer, Sinnb. S. 378.

[17] Salzer, Sinnb. S. 133 s. v. Sunamit, führt Belege an für Sunamitis = Maria; für direkte Angaben über diese Deutung des Hohenliedes verweist er auf die Äußerungen der Väter und Theologen; es gibt aber auch Dichter aus dem Hoch- und Spätmittelalter, die die Beziehung auf Maria unmittelbar aussprechen:

A.h. LIV, nr. 188, Str. 6:

Te signarunt ora prophetica,
Tibi canit Salomon cantica

Das hohe Alter dieser Deutung wird durch das Offizium des ältesten und feierlichsten Marienfestes (Mariä Assumption, 15. Au-

Canticorum, te vox angelica
Protestatur.

A.h. VI, 25, Pars Tertia, III:

Canticum cui Salomon
Canit Canticorum.

Reinmar v. Zweter, Leich, 94 ff.:

Des künec Dâvîdes harphenclanc
unt Salomônes minnesanc
mit lobe gar an dir einen lac.

Frauenlob, Leich 5, 12:

goltvar bekleidet iuch künc Salomôn bevant.
gar überlût
er giht, daz iuwer löckel
gestalt sint sam rechböckel,
und iuwer huf
dâ saget er luf;
diu dieher gûldîn vürspan sîn.
wol stênt der kiuschen ir röckel.

Diese Worte dürften Anlaß dazu gewesen sein, daß Frauenlobs Marienleich in zwei Handschriften den Ehrentitel *Cantica Canticorum* führt. Hs. F gibt: *Hie hebt sich an cantica canticorum meister Heinrichs des frowenlobs, der ze Mentze ist begraben* (Ettmüller, Frauenlob z. St.). Die Wiener Hs. läßt die Worte folgen: *Expliciunt cantica Canticorum vrowenlobiz* (Faksimile DTO 41, S. 10.)

Heinrich von Laufenberg, Marienleich, Str. 1—2. (Hoffmann, In dulci jub. nr. 22 S. 61).

Du höchsti fron, quam Salomon
durchlobet schon, ...
....
min cantica, o Maria piissima
mit süezikeit exaudi!

Dieselbe Demutsformel gegenüber der Kunst Salomons begegnet, oft in hyperbolischer Vergrößerung, in der altfranzösischen Mariendichtung; vgl. E. Järnström, Recueil de chansons pieuses du XIIIe siècle, Diss. Helsingfors 1910, nr. IX (= Rayn. 156) V. 9—10:

Sa grant valour ne porroie retraire,
Se Salomons pooie devenir!

gust[18]) erwiesen. Hier wird ein Passus aus dem Hohenliede auf Maria bezogen und als Antiphone zum Magnificat verwendet: „Virgo prudentissima, quo progrederis, quasi aurora valde rutilans? Filia Sion, tota formosa et suavis es, *pulchra ut luna*, electa ut sol“[19]. Zum Mediatrixgedanken ist die unmittelbar anschließende Oration zu vergleichen: „Famulorum tuorum, quaesumus Domine, *delictis ignosce*: ut qui tibi placere de actibus nostris non valemus, *Genitricis Filii tui Domini nostri intercessione salvemur*“. Ähnliche Orationen werden an vielen Festen Mariens und anderer Heiliger gesungen.

Ähnliche Stellen ebenda nr. VII, 15 ff. (Rayn. 1607); nr. X, 32 ff. (Rayn. 734); nr. XVIII, 31 ff. (Rayn. 804); nr. XIX, 29 ff. (Rayn. 1863).

Neben diesen direkten Beweisen ist auch folgende Beobachtung von Bedeutung: unter den zahllosen Mariendichtungen, die das Hohelied aus erster oder zweiter Hand benutzen, finden sich auch mehrere, die fast ausschließlich aufgebaut sind aus Vergleichungen und Wendungen, die aus dem alttestamentischen Liebesdrama entlehnt oder nach seinem Muster gemodelt sind. Durchweg abhängig zeigen sich z. B. A.h. VIII, 45 (HD II, S. 232) und das lateinisch-mittelenglische Mischgedicht *Veni Coronaberis* (Furnivall, Hymns nr. 1).

[18] Vgl. die Einleitung zu diesem Fest im „Misal diario y Vesperal, por Dom Gaspar Lefebvre OSB; traducción castellana y adaptación del R. Do. P. Germán Prado, Brujas 1939, S. 1252: ... esta fiesta que es la más antigua y mas solemne de todo el Ciclo Marial“. Das Fest ist an die Stelle einer heidnischen Feier getreten; vgl. F. D. Bruce, The Evolution of Arthurian Romance, Göttingen & Baltimore 1928², I, 289. Auch biblischer Einfluß ist wahrscheinlich; das Laubhüttenfest wurde am 15. Tage des 8. Monats begangen (I Kön. 12, 31).

[19] Antiphonale sacrosanctae Romanae Ecclesiae pro diurnis horis: Parisiis, Tornaci, Romae 1924, S. 818. Derselbe Text steht deutsch in der von v. Kraus abgedruckten mhd. Litanei (Mhd. Übungsbuch, Heidelb.² 1926, S. 28 ff.) V 220, 33 ff.: *du bist der ûfstânde morgenrôt, erweltiu sam der sunne, schône sam diu maeninne* (luna!), *eislich sam diu gewaeffente schare.*“ Das Bild *pulchra ut luna* ist auch im Minnesang übernommen worden; so Neidhart 58, 23 u. ö. Vgl. auch Gottfr., Trist. 9460: *(... Brangaene) daz schoene volmaene.* Im Volcnantspruch (Wa. 18, 10) steht *mâne* als Bild der Schönheit überhaupt.

Im Anschluß an dieses Offizium dichtete der Reichenauer Mönch Hermann der Lahme[20] seine berühmte und weit verbreitete Sequenz ,*Ave praeclara maris stella*' (A. h. L, nr. 241; HD I, S. 160). Besonders ist zu vergleichen Str. 3: .... *praeelecta ut sol, pulchra lunaris ut fulgor;* Str. 12: *Audi nos, nam te filius nihil negans honorat*; schließlich Str. 13: *Salva nos, Jesu, pro quibus mater virgo te orat.*

Wir können uns also nunmehr auf die oben nachgewiesenen Tatsachen stützen, daß der Mond ein bekanntes Symbol für die Maria Mediatrix war, und daß die vermittelnde Stellung der Gottesmutter den Grundgedanken des Leichs ergab. Der Mond wird durch die Zahl 28 bezeichnet (Zyklus von 28 Tagen)[21].

Die zentrale Stellung der Mediatrix zwischen Gott und Mensch symbolisiert Walther in kunstvoller Weise, indem er die Gruppe von 28 Versen als Symmetrieachse des Gedichtes ansetzt.

Die bewußte Beziehung der Zahl 28 auf Maria wird sichergestellt durch die Beobachtung, daß Walther, nach dem an die Trinität gerichteten Eingang, die *„reine süeze maget"* V. 3, 28 zuerst erwähnt, also genau im 28. Vers des Leichs. Ebenso wie im 100. Vers: *wol vierzec wochen und niht mê* ist es hier der Dichter selbst, der uns den Schlüssel zur Deutung des Zahlenschemas in die Hand gibt.

Damit ist auch für die Symbolik des Leichs ein zusammenhängendes und geschlossenes System nachgewiesen, das mit dem rein arithmetischen Plan organisch verbunden erscheint; ein würdiges Gegenstück zu den mächtigen Domen des Hochmittelalters, in deren Raumproportionen Geometrik und Symbol untrennbar verwachsen

[20] Er war selbst an diesem Tage geboren: „1013 Herimannus ego 15. Kal. Augusti natus sum." (Ein Jahrtausend lateinischer Hymnendichtung. Eine Blütenlese aus den Analecta Hymnica mit literarhistorischen Erläuterungen von G. M. Dreves, nach des Verfassers Ableben revidiert von Cl. Blume s. f., 2 Bde., Leipzig 1909, I, S. 153.)

[21] Vgl. Karl Kerényi, Niobe (in der Zeitschrift „Centaur", 11. und 12. Lieferung, Amsterdam 1946, S. 681—692). Kerényi bezieht die Kinderzahl der Niobe auf den Mondmonat von 28 $^{1}/_{2}$ Tagen (S. 688); die Zahl 14, die Dante, Purg. XII angibt, deutet er als die Hälfte des nach unten abgerundeten Mondmonats.

sind. Der Leich Walthers von der Vogelweide ergibt ein schönes Beispiel für die Einheitlichkeit des gotischen Formwillens in Dichtkunst und Architektur; sein meisterhafter Aufbau wirft ein neues, helles Licht auf das überragende Künstlertum des großen Dichters.

Karl Kurt Klein, Zur Spruchdichtung und Heimatfrage Walthers von der Vogelweide. Beiträge zur Waltherforschung, Innsbruck 1952 (= Schlern-Schriften, hrsg. von Raimund Klebelsberg, Band 90), S. 40—69.

DAS „RÄTSEL DER GOLDENEN KATZE“ (L. 104, 7)

Von KARL KURT KLEIN

Unsere Überschrift geht auf Carl v. Kraus zurück. In seinen Untersuchungen zu Walther (1940) wog er die bisherigen Deutungen der zwei Sprüche, die Walther gegen Herrn Gerhart Atze in Eisenach gesungen, gegeneinander ab. Schon Lachmann hatte von dem einen bekannt, er verstehe ihn nicht ganz [1]. Auch v. Kraus ist, trotz eigenen Textbesserungen und scharfsinnigen Erörterungen, von dem Ergebnis der bisherigen Überlegungen nicht befriedigt. Er müsse bekennen, daß alle Deutungsversuche die erwünschte Klarheit nicht gebracht haben. „So harrt das Rätsel der goldenen Katze noch immer der Lösung“ [2].

Vielleicht ist es doch nicht unlösbar. Wiederum stellen wir Wortlaut und Simrocksche Übersetzung voran. Zunächst L. 104, 7:

	L. 104, 7	Rechtsfall [3]
	Mir hât hêr Gêrhart Atze ein pfert	Mir hat Herr Gerhart Atz ein Pferd
	erschozzen zIsenache.	Zu Eisenach erschossen:
	daz klage ich dem den er bestât:	Der Herr, in dessen Dienst wir stehn,
10	derst unser beider voget.	Soll unser Richter sein.
	ez was wol drîer marke wert:	Es war wohl an drei Marken wert;
	nû hoerent frömde sache,	Doch hört, mit welchen Possen,
	sît daz ez an ein gelten gât,	Nun, da es soll ans Zahlen gehn,
	wâ mit er mich nû zoget.	Der Schalk sich will befrein.

[1] Anmerkung zu 82, 11. Zum gleichen Spruch setzt Hans Böhm, Die Gedichte Walthers (1944) hinzu: „Noch unerklärt“ (S. 150).

[2] C. v. Kraus, Walther. Untersuchungen, S. 323. Friedrich Maurer spricht noch 1949 von „der merkwürdigen und zum Teil dunklen Spottstrophe auf Atze“ (Dt. Vjschr. 23, 1949, 281).

[3] Simrock, Gedichte Walthers II, S. 39.

15	er seit von grôzer swaere,	Er macht ein großes Wesen,
	wie mîn pferit maere	Es sei mein Pferd erlesen
	dem rosse sippe waere,	Dem Roß verwandt gewesen,
	daz im den vinger abe	Das ihm den Finger habe
	gebizzen hât ze schanden.	Zerbissen unbescheiden;
20	ich swer mit beiden handen,	Ich will es hoch beeiden,
	daz si sich niht erkanden.	Daß fremd sich sind die beiden:
	ist ieman der mir stabe?	Ist niemand, der mir stabe?

In textkritischer Beziehung bietet das nur in C (Heidelberger Hs.) überlieferte Gedicht keine Schwierigkeiten [4].

Unbezweifelt ist, daß der Spruch 82, 11 den unsrigen fortsetzt. Beide bilden zusammen eine Einheit.

So weit sind sich die Erklärer einig. In ihren weiteren Deutungen gehen sie aber stärkstens auseinander. Im Grunde genommen ist man trotz vielen Versuchen [5] über Ludwig Uhland kaum hinausgekommen; der hatte in seiner Waltherbiographie (1822) Gerhart Atze für einen „wunderlichen Mann" erklärt, welcher der „freudigen Gesellschaft" am Eisenacher Hof als Zielscheibe ihres Witzes gedient zu haben scheine. Walther habe ihm zwei Gedichte gewidmet, das eine „durch persönliche Anspielungen rätselhaft", das andere betreffe einen „scherzhaften Rechtsstreit" [6].

Scherzt Walther?

Verheerend nachgewirkt hat vornehmlich die Meinung, daß Walther „gescherzt" habe [7]. Sogar Hans Fehr, Das Recht i. d. Dichtung (1931) kommt zu dem Schluß: „Es liegt ein humorvoller

[4] Einiges stellt Wilmanns-Michels, Waltherausgabe, S. 304 ff. zusammen, anderes v. Kraus, Untersuchungen, 378 f.

[5] v. Kraus, Unters., setzt sich mit ihnen auf S. 378 f. und S. 322 ff. auseinander.

[6] Uhlands Schriften zur Geschichte der Sage und Dichtung, 5. Bd., Stuttgart 1870, S. 35.

[7] Wolfgang Golther, Die dt. Dichtung des Mittelalters, 800—1050 (= Epochen der dt. Lit. 1), 2. Aufl., Stuttgart 1924, S. 363. — Die Ro-

Rechtsfall vor“ [8]. Ähnlich ist es nicht wenigen anderen Walthersprüchen ergangen, die man nicht verstand. Einen Spruch, der wie 19, 29 *(Dô Friderich ûz Ôsterrîch alsô gewarp)* letzte Verzweiflung des seiner leiblichen und geistigen Bestehensgrundlage beraubten Dichters in erschütternden Bildern schildert, nennt Rieger eine „humoristische Übertreibung“ [9]; *Der in den ôren siech von ungesühte sî* (L. 20, 4) will den thüringischen Landgrafen „zur Zielscheibe des Humors“ machen. L. 36, 1 *(Dô Liupolt spart ûf gotes vart)* [10] ist ein „humoristisches Klagelied“, in dem Walther die zugeknöpften österreichischen Herrn „neckisch auffordert“, dem Herzog in Freigebigkeit nachzueifern; Rieger nimmt an, daß es die „kleine sparsame Gesellschaft . . . höchlichst wird erheitert haben“ [11]. Das bitterernste Gedicht 35, 17 *(Liupolt ûz Ôsterîche, lâ mich bî den liuten)* — das übrigens von fast allen Erläuterern gründlichst mißverstanden und verkannt wird, erscheint ihm ebenfalls „harmlos“, ein Erzeugnis „fröhlicher Kunst“ [12]. Aber selbst einem so unromantischen und scharfen Denker und Waltherkenner wie Konrad Burdach konnten bitterböse Sprüche wie 26, 23 *(Ich hân hêrn Otten triuwe, er welle mich noch rîchen)* und 26, 33 *(Ich wolt hêrn Otten milte nâch der lenge mezzen)* als „Spaß“ erscheinen; der Spruch über Walthers erste, ungenügende Belehnung (= Entlohnung) durch Friedrich 27, 7 *(Der künec, mîn hêrre, lêch mir gelt ze drîzec marken)* ist ihm eine „Witzelei“, das hochpolitische Unternehmen 29, 15 *(Ir fürsten, die des küneges gerne waeren âne)* ist ein „scherzhafter Spruch“ [13] (für Wilmanns sogar „ein allerliebster Spruch“

stocker Diss. von Ernst Hermann, Der Humor W.s v. d. V. (1887) ist für unsere Belange ganz unergiebig.

[8] Das Recht in der Dichtung (= Kunst und Recht 2), Bern 1931, S. 158.

[9] Max Rieger, Das Leben Walthers von der Vogelweide. Gießen 1863, S. 7.

[10] Rieger, S. 9. Ähnlich Wilmanns-Michels.

[11] Rieger, S. 28, Wilmanns-Michels, Leben W.s, S. 170 f. (Eher kann man annehmen, daß sich die „sparsame Gesellschaft“ über solche Verhöhnung höchlichst werde erbost haben!)

[12] Rieger, S. 63.

[13] Burdach, Walther I, S. 82.

und eine „humoristische Aufforderung“ an die Fürsten[14]); und so ließe sich die Reihe noch lange fortsetzen.

Solche Verniedlichungen, Umsetzungen ins biedermeierisch Gemütliche oder fin-de-siècle-mäßig Forsche sind geeignet, die Züge sowohl des „mythischen“ wie des „geschichtlichen“ Walther zu verdunkeln. Man braucht dem Dichter keineswegs die starre Maske Stefan Georges vorzubinden und das — angeblich — „recht klägliche Kapitel von Spaß und Humor“ bei Walther[15] (diesem von lebendigstem, geistvollem Witz randvoll erfüllten Dichter!) in seiner Bedeutung zu verkennen, wenn man die Atzesprüche, ohne ihre witzigen Spitzen und ihre offen zutage liegende Verhöhnungsabsicht zu leugnen, doch als Widerspiegelung ernster Begebenheiten auffaßt. Das hat man bisher zu wenig getan. Nicht nur Wilmanns-Michels haben im Bann der Deutung Uhlands gestanden und das Gedicht als einen Scherz zu verstehen gesucht, wobei sie den Witz „ziemlich matt“ fanden[16], was bei einer so lebendig bewegten, der Wirklichkeit nach gebildeten scharfen und knappen Wechselrede wie der des zweiten Atzespruches doppelt wunder nimmt; sondern sogar Carl v. Kraus schlägt in diese Kerbe: Walther bezeichne sein Pferd „scherzhaft“ als *maere,* weil es durch den ganzen Handel so berühmt geworden sei. Wiederum scherzhaft bezeichne er sein Eigentum mit dem vornehmeren Ausdruck *pfer(i)t.* Ein Tatsachenhintergrund des Begebnisses sei wahrscheinlich, doch habe Walther ihn „grotesk entstellt“. Der Verlust des Fingers durch Atze und das Erschießen von Walthers Pferd scheinen Kraus ursächlich zusammenzuhängen: Weil dies Pferd Atze den Finger abbiß („etwa bei ungeschicktem Darreichen eines Stückes Brot, eines Apfels oder dgl.“), wurde es vom Geschädigten getötet und Buße dafür — mit Recht — abgelehnt. „Walther aber entstellt scherzhaft die Einrede seines Gegners, indem er ihn statt der Identität die bloße Verwandtschaft der beiden Tiere betonen läßt.

[14] Leben Walthers, S. 148.

[15] Hans Naumann, Das Bild Walthers v. d. V. (= Schriften der Straßburger Wissenschaftl. Gesellschaft a. d. Univ. Frankfurt, N. F. 12), Berlin u. Leipzig 1930. S. 27, Anm. 57.

[16] Wilmanns-Michels, Waltherausgabe, S. 306, zu Zeile 82, 23 („Anders läßt sich der Vers nicht verstehen, aber der Gedanke ist ziemlich matt“).

So kann er getrost beschwören, daß die beiden sich nicht gekannt haben, denn sie waren ja nur *ein* Tier. Bei diesem Schwur ist er gegenüber Atze im Vorteil, denn er kann ihn „mit beiden handen" leisten, während sein Gegner, der wohl einen Schwurfinger eingebüßt hat, dazu nicht in der Lage war. Die Frage am Schluß zeigt nochmals, wie humoristisch das Ganze gemeint ist" [17].

Das nennt man gut deutsch wohl einen Betrug (die deutsch Sprak ist eben ein plump Sprak!), oder sagen wir milder: eine Schiebung.

Walther ein so bedenkliches Verhalten zu unterstellen, ist aber schon deswegen mißlich, weil Lügen (oder auch Halblügen) kurze Beine haben. Das bedenkliche Spiel konnte von dem betroffenen und geschädigten Atze ohne Schwierigkeit aufgedeckt werden. Man ist sich darüber einig, daß im Angriff Walthers eine Beleidigung Atzes lag [18]. Walther mußte also peinlichst vermeiden, sich durch unredliche Mittelchen und Kniffe selbst ins Unrecht zu setzen.

Wir werden also davon auszugehen haben, daß wie im allgemeinen so auch in diesem Sonderfall Walthers Aussage als ernst und genau zutreffend anzusehen ist. Wir haben auf die Verhaltenheit und gedämpfte Aussageweise der literarischen Streitfälle jener Zeit bereits hingewiesen [19]. Der Lösung des Rätsels der goldenen Katze wird man am nächsten kommen, wenn man dem Witz und Spott Walthers ihr volles Recht läßt, daneben aber Ernst und Tragweite der Auseinandersetzung zu erkennen sucht und den

[17] v. Kraus, Walther, Untersuchungen, S. 378 f.

[18] Der schwerste Schimpf lag im Ausbieten Atzes als Reittier, meint Michels bei Wilmanns, Waltherausgabe, S. 305. „Daß darin eine schwere Beschimpfung lag, belegt Schönbach, ZfdA. 39, 1895, S. 354, durch einen Brief, den Innozenz III. am 24. August 1212 an Rainerius miles de Vico schrieb." Frantzen, Mélanges Kern, Leiden 1903, S. 314 f., denkt an Sodomie, die Herrn Gerhart vorgeworfen werde (zit. nach v. Kraus, Untersuchungen, S. 322); Samuel Singer (bei Hans Fehr, Das Recht in der Dichtung, S. 157 f.) weist auf zwei ehrenrührige Strafen hin, auf die angespielt sein könne: Abhacken des Fingers als Strafe für einen Diebstahl, Satteltragen als Ehrenstrafe. v. Kraus, Walther, Untersuchungen, lehnt — mit Recht — beides ab.

[19] Vgl. S. 36 sowie S. 107 der zitierten Originalveröffentlichung.

Handel als das betrachtet, als was er sich gibt: einen Rechtsfall, ohne alle „scherzhafte“ Entstellung. Wie das denn Simrock in der Überschrift seiner Übersetzung noch ganz richtig und ohne Minderung der Ernsthaftigkeit des Rechtsstreites zum Ausdruck bringt.

Sehen wir also, was in dem Gedicht steht, versuchen wir, uns den Vorgang zu vergegenwärtigen.

Anlaß und Verlauf des Rechtsstreites

Ein Herr (= Ritter) Gerhart Atze hat zu Eisenach Walther ein Pferd erschossen. Walther beschreitet den Prozeßweg und erhebt Schadenersatzklage vor *dem den er bestât*: Atzes Dienstherrn, der auch sein eigener ist *(derst unser beider voget)*, dem thüringischen Landgrafen. Seine Forderung beläuft sich auf drei Mark. Soviel ist seiner Meinung nach das erschossene Tier reichlich *(wol)* wert gewesen. Allein, seltsam, *sît daz ez an ein gelten gât*, beim Bezahlen also, macht der Beklagte Ausflüchte. Walthers Pferd sei dem Roß *sippe* (d. h. verwandt), das ihm, Atze, den Finger ab und zuschanden gebissen habe. (Nicht gesagt, weil selbstverständlich ist: Dafür tötete Atze den bissigen Gaul[20].) Walther ist bereit, feierlich zu beschwören, daß die beiden Rösser *sich niht erkanden*. Er sucht zu diesem Zweck Eidhelfer. „Ist niemand, der mir stabe?“

Das ist Walthers Darstellung des Falles. Sie ist „für uns ziemlich unverständlich“ (Wilmanns)[21] nur dann, wenn wir einen „Scherz“ dahinter vermuten; sie ist hingegen äußerst aufschlußreich, wenn man sie im Licht der mittelalterlichen Rechtsordnung betrachtet[22].

[20] Vgl. unten S. 298 f.

[21] Wilmanns-Michels, Leben Walthers, S. 174.

[22] Die folgenden Darlegungen nach dem Lehrbuch der deutschen Rechtsgeschichte von Richard Schröder. 6. Aufl. fortgeführt von Eberhard Frhrn. v. Künßberg. Berlin und Leipzig 1922, und Rudolf Ruth, Zeugen und Eideshelfer in den deutschen Rechtsquellen des Mittelalters. I. Teil. Klagen wegen strafbarer Handlungen (= Untersuchungen zur deutschen Staats- und Rechtsgeschichte 133, I), Breslau 1922.

Walther bringt eine „Klage um Schuld" ein, heute würden wir sagen „eine Schadenersatzklage". Er tut es auf dem vorgeschriebenen und üblichen zivilrechtlichen Weg, beim *voget*, dem Dienstherrn beider. Jede Klage auf eine Geldleistung war „Klage um Schuld"[23].

Fälle dieser Art sind im mittelalterlichen Recht vorgesehen und gut umschrieben. Im Landrecht des ›Sachsenspiegels‹, der rund zwei Jahrzehnte nach Walthers Handel mit Atze dem thüringischen benachbartes westfälisches Recht festhält, beschäftigen sich Abschnitt 48 des III. Buches und die folgenden mit der Frage *Wer des anderen vie adir hunt totet oder lemet*[24] und sie verzeichnen die Straf-, Buß- und Wergeldbestimmungen. *Wer des anderen vie totet, ... der muz ez gelden mit sime gesatzten wergelde* (III, 48, § 1). Wer des anderen Vieh tötet *willenz unde ane not, her sal ez gelden mit vullem wergelde unde mit buze* dazu (III, 48, § 2). Das Wergeld für *vogele unde tiere* ist genau festgesetzt, von den Hühnern und Enten, die mit einem halben Pfennig gebüßt werden, über das *phert unde daz iarige swin*, die drei Schillinge gelten, die *veltstreken* (Pferde, die noch auf dem Felde herumlaufen) mit acht Schillingen und die *veltphert, de zu vuller arbeit togen* mit 12 Schillingen, bis zu dem Reitpferd, damit der berittene Mann seinem Herrn dient und das ein ganzes Pfund gilt. *Ritterepherde, rosse, zeldere* (Zelter) *unde runzeten* (Klepper), *den ist kein wergelt gesatzt noch masteswinen. Dar umme sal man se unde alle varende habe wider geben adir gelden nach des vorderunge, der si verlos, iener en minre se mit sime eide, der se gelden sal* (III, 51, § 1. 2. 3).

Darnach ist ein Handel wie der vorliegende an sich leicht zu schlichten. Herr Atze leugnet, wie wir hören, den Tatbestand nicht. Er *zoget* Walther bloß, als es *an ein gelten*, ans Bezahlen geht. Walther hat also ursprünglich eine *schlichte Klage*, einen einfachen Antrag auf Verurteilung eingebracht. Der Beklagte kann schwören, daß er nicht schuldig sei, sich also durch einen Eid reinigen[25]. Das

[23] Schröder-Künßberg, S. 845 f.

[24] Sachsenspiegel (Landrecht). Hrsg. von Claudius Frhrn. von Schwerin. Leipzig 1934 (= Reclams Univ. Bibl. 3555/56), S. 123 ff.

[25] Schröder-Künßberg, S. 846. Ruth, S. 225: „Als wichtigstes Beweismittel, mit dem der Beklagte den ihm zufallenden Beweis seiner Unschuld

Beweisverfahren lastet zur Gänze auf ihm; der Kläger hat für seine Behauptung keinerlei Beweis zu erbringen[26]. Wohl aber kann der Beklagte, wie der ›Sachsenspiegel‹ verzeichnet, die Forderung des Verlustträgers durch seinen Eid herabmindern. In beiden Fällen hat *er* den Eid zu leisten.

Nun erbietet sich aber in unserem Spruch nicht der beklagte Atze zum Schwören, sondern der Kläger Walther. Das ist auffällig. Es stellt sich die Frage: Warum? Und was für einen Eid ist Walther zu schwören bereit?

Es läge nahe, an den als gemeingermanische Einrichtung in den verschiedensten Rechtsgebieten und zu den verschiedensten Zeiten nachgewiesenen Voreid, das *iuramentem calumniae* (den „Widereid") zu denken. Dessen Zweck war es, den Glauben des Klägers an die Wahrheit seiner Beschuldigung (die *bona fides*) zu sichern. Den Beklagten schützte er vor böswilliger Verdächtigung und unnötiger Übernahme der oft nicht einfachen Entlastung. Anderseits zwang er ihn, sich der Klage zu stellen.

Nun erfahren wir aber, daß Atze sich Walthers Anklage ohnedies gestellt habe, auf den Voreid also nicht zurückgegriffen zu werden brauchte. Wohl aber hat er „begründete Einrede" erhoben und die Klagebehauptung teilweise zu entkräften versucht; es liegt einer jener Fälle vor, „in denen der Beklagte, meist unter Zugeständnis der Tat als solcher einen besonderen Umstand zwecks Nachweis seiner Unschuld geltend machte, den die Klagebehauptung nicht ohne weiteres mitumfaßte und mitberücksichtigte, dessen Ausschluß nicht schon *eo ipso* zum Tatbestand gehörte"[27]. Durch das Erheben „begründeter Einrede" machte der Beklagte, „dem natürlich auch bei Erhebung seiner Einrede nach allgemeinen Grundsätzen die Beweisrolle zufiel"[28], den Kläger tatsächlich zum Beschuldigten, wobei nun der „durch die Gegenbehauptung des

zu führen vermochte, tritt uns schon in den frühesten Rechtsaufzeichnungen überall der mit Eidhelfern geschworene Eid des Beklagten entgegen."

[26] Ruth, S. 214. 243.

[27] Ruth, S. 243 (Abschnitt „Motiviertes Bestreiten der Klagebehauptung", S. 242 ff.).

[28] Ebenda.

(ursprünglich) Beschuldigten materiell in die Beklagtenrolle gedrängte Kläger das Recht hatte, die Beschuldigung des Beklagten abzuschwören"[29].

Es kommt nun für das Verständnis des Spruches alles darauf an, diese Gegenbehauptung des beschuldigten Atze, die „Einrede", die Walther von seinem Standpunkt aus natürlich als *frömede* und als niederträchtige Bosheit empfindet *(wâ mit er mich nû zoget)* aus der — naturgemäß einseitigen und insoweit entstellenden — Darstellung des Geschädigten richtig zu erkennen.

Was also hat Atze gegen Walthers Klage eingewendet?

Zunächst: Er leugnet den Tatbestand, ein Pferd Walthers erschossen zu haben, nicht. Zum anderen, seine Einrede ist, wie er behauptet *(seit) von grôzer swaere.* Das kann in unserem Zusammenhang zweierlei bedeuten: Daß Herr Gerhart vorgibt, es sei ihm schmerzlich, leid, beschwerlich, unangenehm, lästig, widerwärtig, schwer, drückend, es bekümmere, betrübe ihn, dergleichen vorbringen zu müssen. Oder aber: Seine Einrede sei nicht *ringe,* sie sei von „großem Gewicht, Schwere"[30]. Entgegen den meisten Erläuterern[31] wird man sich hier eindeutig für die zweite Möglichkeit zu entscheiden haben. Herr Gerhart behauptet, einen äußerst gewichtigen, schwer in die Waagschale fallenden Einwand zur Abschwächung der gegen ihn erhobenen Beschuldigung bzw. zur Herabsetzung oder Streichung der von Walther geforderten Schadenersatzsumme vorbringen zu können.

Was nun folgt, scheint die von uns abgelehnte Deutung des Spruches als „scherzhaft", „humoristisch" u. ä. auf den ersten Blick nicht nur zuzulassen, sondern sie geradezu zu fordern. Atze wendet ein, daß Walthers *pferit maere / dem rosse sippe waere, / daz im den vinger abe / gebizzen hât ze schanden* (Zeile 16. 17. 18. 19).

Was heißt das?

[29] Ruth, S. 244.

[30] Die Ausdrücke nach Lexers mhd. Taschenwörterbuch, u. zw. sowohl die Entsprechungen des weiblichen Dingwortes mhd. *swaere,* als auch die des gleichlautenden Eigenschaftswortes.

[31] „Er macht ein großes Wesen", „Possen" (Simrock 2, 39), Schönbach, ZfdA. 39, 1895, 355.

Ziehen wir den in Walthers Mund notwendig parteiisch klingenden Ausdruck *ze schanden* einmal ab. Natürlich, wenn Atze durch einen bissigen Gaul einen Finger verloren hatte[32], so war er dadurch vor der Welt „zu Schanden" geworden. Denn Verstümmelung durch Handabhauen, Abhacken eines Fingers, Abschneiden von Nase, Ohren usw. war eine im Mittelalter nicht seltene, entehrende Strafe[33]. Wer den Ritter, ohne ihn zu kennen, mit der verstümmelten Hand erblickte, konnte sehr wohl einen wegen Zuchtlosigkeit, Raubes, Diebstahls oder dergleichen auf einem Kriegs- oder Kreuzzug strafweise verstümmelten unsicheren Kantonisten vor sich zu haben meinen.

Das setzte Herrn Gerhart manchmal wohl recht unangenehmen Mißverständnissen aus. Für die Rechtsfindung in unserem Prozeß ist die gefühlsmäßige Seite der Angelegenheit unerheblich; sehr erheblich dagegen die sachliche.

Das mittelalterliche Recht bestimmte: „Bei Tierschäden konnten die Eigentümer sich frei machen, wenn sie das schuldige Tier der Rache des Beschädigten preisgaben oder es ihm zur Entschädigung abtraten"[34]. Das entsprach dem alten Grundsatz des germanischen Rechts, daß für einen Schaden, dessen Urheber ein Tier war, der Geschädigte Genugtuung am Tier selbst erhalten sollte. An ihm sollte der Geschädigte Rache nehmen dürfen[35].

[32] Es muß nicht einmal (kann aber) so gewesen sein, wie v. Kraus, Walther, Untersuchungen, S. 378, Anm. 2, das schildert, daß Herrn Gerhart beim Darreichen eines Apfels oder dgl. ein Finger der rechten Hand, wohl der zweite oder dritte, abgebissen wurde. Es konnte jede Verstümmelung der Hand den Verdacht einer ehrenrührigen Strafe erwecken.

[33] Schultz, Das höfische Leben zur Zeit der Minnesinger II, S. 150, 221 f., 224.

[34] Schröder-Künßberg, § 63, S. 841, Anm. 31. Vgl. auch § 36, Anm. 52.

[35] Karl v. Amira: Tierstrafen und Tierprozesse. In: Mitt. d. Inst. f. Öst. Gesch. 12, 1891, S. 546—601, im bes. S. 587 f. Heinrich Brunner, Grundzüge der deutschen Rechtsgeschichte. 8. Aufl., hrsg. v. Claudius Frhn. v. Schwerin, München u. Leipzig 1930, S. 175: „Bei Missetaten von Haustieren konnte sich der Herr durch Preisgabe des Haustieres von der Haftung befreien. An dem preisgegebenen Tier wurde nicht selten von dem Verletzten oder seinen Verwandten Rache genommen ..."

Hatte Herr Gerhart durch einen bissigen Gaul also Schaden gelitten, war er von ihm „ze schanden“ gebissen worden, so hatte er sich an ihm selbst Genugtuung verschaffen dürfen, indem er ihn erschlug — ohne zur Schadenersatzleistung herangezogen werden zu können.

Das gleiche Recht nimmt er Walther gegenüber in Anspruch. Dessen vorgebliches *pferit maere* ist dem *ros*, das ihn geschädigt, in seiner Ehre beeinträchtigt, verstümmelt hat, *sippe* gewesen. Es hat ihn ebenfalls geschädigt, in seiner Ehre gekränkt, so sehr, daß er es, ohne Ersatz leisten zu wollen, erschlug. Es gehört — nach Atze — prozeßrechtlich betrachtet in die Kategorie des von ihm mit unbestreitbarem Recht vertilgten Gauls, es bildet mit jenem eine Gattung, eine „Sippe“. D. h.: Der Rechtsfall jenes Pferdes, das ihm den Finger abgebissen hat, ist — nach Herrn Gerharts Behauptung — gleich gelagert demjenigen von Walthers Roß, das er erschoß.

Sippe. Das bisherige Mißverstehen des Spruches in diesem entscheidend wichtigen Punkt rührt vornehmlich von der unzulänglichen Übersetzung des Ausdrucks *sippe* her. Gewiß bedeutet mhd. *sippe* st. Fem. als Hauptwort zunächst (Bluts-)Verwandtschaft, Verwandtschaftsgrad, angeborene Art; das Eigenschaftswort (mit Dativ der Person) „verwandt, blutsverwandt“ (Lexer, Taschenwb. 195). „Die vorgerm. Lautform **sebhiâ* läßt Urverwandtschaft mit aind. *sabhâ* „Stamm(genossenschaft), Versammlung“ vermuten“ (Kluge-Götze 565). Laut DWb, XI, 1, Sp. 1223, bezeichnet Sippe = pax, foedus, affinitas, propinquitas, „Zugehörigkeit durch Abstammung oder Verwandtschaft ... auch in kollektivem Sinn, Gesamtheit der zusammengehörigen Personen“ (Sp. 1224); dann aber wird es — und wir wollen nicht übersehen, daß das gerade im Thüringischen der Fall ist — auch bei *nicht* Blutsverwandten in verächtlichem Sinn für „zusammengehöriges Gesindel“ gebraucht (DWb. XI, 1, Sp. 1225), bezeichnet also auch die Art-, nicht nur die Blutsverwandtschaft. Man vgl. dazu in Hartmanns von Aue (erstem) Büchlein die Stelle, Vers 1745 ff.:

daz ich ûz wîben ie began
    minnen deheine,
von der mîn muot sô sêre bran,
    als ich ir bescheine,
diu mir fröude gar enban
    (diu sippe ist ungemeine),

des dulde ich alsô herten ban,
ez erbarmet einem steine.

Fedor Bech, Hartmann von Aue, 2. Teil (= Deutsche Classiker des Mittelalters V, 2), 2. Aufl., Leipzig 1873, übersetzt in der Erläuterung zu Vers 1750 (wohl nach Moriz Haupt, Die Büchlein von Hartmann von Aue, Leipzig 1842, z. St., auf den Lexer, Mhd. Handwb. II, Sp. 938, verweist): „eine solche Verbindung, solches Verhältnis ist kein freundschaftliches (*ungemeine,* beiden Teilen nicht entsprechend), ungleich, unbillig; nicht zusammenstimmend, ungesellig, unfreundlich" (S. 106); er hebt also ebenfalls die Artverwandtschaft hervor, nicht etwa die Blutsgemeinschaft.

Hierher gehört es, wenn heutzutage etwa Eugen Thurnher, Wort und Wesen in Südtirol. Innsbruck 1947, S. 79, als Auswirkung der tieferen Kräfte, die aus Landschaft und Volkstum strömen, die Südtiroler „Dichter von Walther von der Vogelweide bis Oswald von Wolkenstein in einen geschlossenen Sippenverband" zusammenfügen will; natürlich wird keine blutliche, sondern eine rein geistig-seelische Artgemeinschaft darunter verstanden. Oder man beachte die freudig ausgesprochene Zustimmung, mit der Kurt Plenio den „glücklich gewählten Terminus Sippe als Bezeichnung für Verwandtschaftsbeziehungen rhythmisch-musikalischer Gebilde" von Paul v. Winterfeld übernimmt (Beitr. 42, 1917, S. 436, Anm. 3) und über „Sippen der Walther'schen Spruchtöne" schreibt (ebda.). Michels folgt ihm darin nicht und bezeichnet Plenios „Spruchsippen" als „Gruppen" (Wilmanns-Michels, Waltherausgabe, S. 130 f.).

Wenn Atze also behauptet, Walthers *pferit maere* sei *sippe* mit dem von ihm schadenersatzlos erschlagen *ros,* so will er damit zum Ausdruck bringen, daß die mit den beiden Pferden zusammenhängenden Rechtsfälle prozeßrechtlich zu einer Gattung gehörten. Über das *Warum* ist damit noch nichts ausgesagt, obwohl auf die Begründung dieses Anspruchs augenscheinlich viel ankam.

Walthers zweiter Atzespruch (L. 82, 11) läßt, so will es uns scheinen, die Begründung der Einrede unmißverständlich erkennen. Allein schon in unserem ersten Atzespruch hilft eine Beobachtung von Carl v. Kraus vielleicht weiter.

Wesen und Wert des Streitgegenstandes

Mit seinem scharfen Blick für sprachliche und sachliche Feinheiten hat Carl v. Kraus bemerkt, daß Walther sein Eigentum mit dem vornehmen Ausdruck *pferit* bezeichnet, den Gaul hingegen, der Atze gebissen hatte, bloß *ros* nennt[36].

Hinter diesem Benennungsunterschied steckt vielleicht mehr als eine unbeabsichtigte Bosheit.

Im heutigen deutschen Sprachgebiet gelten für den Begriff des Pferdes, wenn man von räumlich oder sachlich in ihrer Geltung beschränkteren Bezeichnungen wie Hengst, Fohlen, Mähre, Klepper, Gurre u. a. absieht, im wesentlichen drei Sinngleiche: im Süden das germanische Erbwort Roß (< mhd. *ros* und *ors*, ahd. *(h)ros* < germ. **hrussa-*); im Westen, Norden und Osten Deutschlands das Wort Pferd, eine seit dem 6. Jahrhundert um sich greifende und im Mittelhochdeutschen durchdringende Entlehnung aus mlat. *paraveredus* „Postpferd zum Dienst auf Nebenlinien", wohl über eine mlat. Zwischenform *paredrus* (> ahd. *pfarifrit, pfär(f)rit,* mhd. *phärvrit, phärit, phärt*); im mittleren Deutschland, etwa in einem durch die Grenzpunkte Kaufbeuren — Birkenfeld — Paderborn — Vohenstrauß eingeschlossenen Gebiet gilt Gaul, das zu mhd. *gûl* „Eber, männliches Tier", frühmhd. „Ungetüm" gestellt wird[37].

Eisenach kommt heute auf die Grenze zwischen östlichem Pferd- und westlichem Gaulgebiet zu liegen[38]. Gerade im Thüringischen

[36] v. Kraus, Walther, Untersuchungen, S. 378, Anm. 1.

[37] Die Etymologien nach Kluge-Götze, Stichwörter Roß (S. 487), Pferd (S. 440 f.), Mähre (S. 371), Gaul (S. 188 f.), dortselbst auch die Abgrenzung der Pferd-Gaul-Roßgebiete. Die letztere auch in Trübners Deutschem Wörterbuch 3, S. 30, unter „Gaul", dortselbst weitere Literaturangaben, ebenso Kluge-Götze, S. 371.

[38] Genaue kartographische Darstellung auf Karte 8 des Deutschen Sprachatlas (1926), dazu Ferdinand Wredes Text, S. 45 f. — Karte im Großen Brockhaus, 15. Aufl., Bd. 4, Leipzig 1929, nach S. 584, Karte 32 b. Die auf Grund der Karte 8 des Dt. Sprachatlas gearbeitete Dissertation von Elsa Herkner, Roß, Pferd, Gaul im Sprachgebiet des Deutschen Reichs (Marburg 1914. Maschinenschrift) war mir nicht zugänglich.

verzahnen sich die Gebiete stark; dort nimmt die Trennungslinie einen höchst gewundenen Verlauf. Es ist sicher, daß um 1200 sowohl die räumliche, als auch die sachliche Verteilung der Bezeichnungen eine andere war. Außer der nie zum Stillstand kommenden räumlichen Veränderung und Bedeutungsentwicklung bedingte auch die von der heutigen vielfach abweichende Art der Verwendung andere Bezeichnungsformen (vgl. Wörter wie *runzît* „schlechtes Pferd“ < afrz. *roncin*; *soumer* „Lastroß“ < mlat. *saumarius* zu vulgärlat. *sauma* „Packsattel“; *meidem* „Hengst, Wallach“, u. a.)[39]. Ebenso sicher ist es aber, daß in dem Pferd / Gaul-Grenzgebiet Eisenach die Bezeichnung „Roß“ um 1200 grob mundartlich, ja verächtlich klingen mußte[40]. Mit Recht macht v. Kraus auf den Meier Helmbrecht aufmerksam, wo der Alte *ros* sagt, der Junge hingegen — mit vornehm nordwestlicher Lautgebung, er *vlaemet mit der rede, parit*[41].

Wenn Herr Gerhart im Prozeß vor dem Landgrafen aussagte, daß ihm ein „Roß“ den Finger zuschanden gebissen habe, so bedeutete das in Eisenach: ein gewöhnlicher, gemeiner Gaul, ein *saumarius, clitellarius,* kein ritterliches Rüst- oder „reisiges“ Pferd *(dextrarius).*

Gerade als solches aber, als ein *pferit maere,* ein ritterlich-reisiges Pferd von Wert[42] hatte Walther das ihm erschossene Tier bezeichnet und, wie wir aus der Preisbestimmung sehen werden, für ein solches entschädigt werden wollen.

[39] Eine Zusammenstellung der verschiedenen Ausdrücke gibt Friedrich Pfeiffer, Das Roß im Altdeutschen. Breslau 1855. Sonst ist die Arbeit für unsere Zwecke unbrauchbar.

[40] Den gegenteiligen Gefühlsinhalt verbinden süddeutsche, dem Roßgebiet entstammende Dichter mit den Bezeichnungen, man vgl. z. B. den Sprachgebrauch Hartmanns von Aue (z. B. Erec 3058: *Sînen knaben er seite, — daz man im sîn ros bereite — und ir phärt der frouwen Enîten* u. ö. Vgl. G. F. Benecke, Wörterbuch zu Hartmanns Iwein. 2. Ausg. bes. von E. Wilken, Göttingen 1874, S. 215) oder des aus einem Gaulgebiet kommenden Wolfram.

[41] Walther, Untersuchungen, S. 378, Anm. 1. Vgl. weiter unten S. 308.

[42] Über das Eigenschaftswort *maere* („wovon gern u. viel gesprochen wird; bekannt, berühmt, berüchtigt, der Rede wert, herrlich, gewaltig, lieb,

Diesen Anspruch bestritt Herr Gerhart. Walthers Pferd, so wandte er ein, war *sippe,* d. h. verwandt, von gleicher Art mit dem „Roß", durch das er selbst vor Zeiten zu Schaden kam. Es war kein Ritterpferd. Es war ein gemeiner Gaul. Vor allem aber war Herr Gerhart, wie noch zu zeigen sein wird, der Meinung, Walthers Tier, ob *pfert,* ob *ros,* mit gutem Recht erschossen zu haben und Schadenersatz ablehnen zu dürfen.

Diese „Einrede" war alles anders als „lächerlich" oder, wie Wilmanns meinte, „von Walther ersonnen, um den Gegner zu verspotten"[43]. Sie war sehr wirklichkeitsnah, *von grôzer swaere,* wie sich erweisen wird. Denn sie lief nicht nur auf die Herabsetzung oder Streichung der von Walther geforderten Schadenersatzsumme hinaus, sondern traf den in seinem Besitz Geschädigten auf das empfindlichste in seiner Standesehre.

Betrachten wir den Fall einmal im nüchternen Licht der Zahlen. Walther schätzte, daß sein *pferit maere* w o l d. h. reichlich drei Mark wert gewesen sei, die zu bezahlen Herr Gerhart sich weigerte.

Über den Wert des strittigen Tieres sind in unserer Zeit dreimal Kostenberechnungen gemacht worden. Im Jahre 1879 stellte Alwin Schultz dem Schätzwert von drei Mark („etwa 120 RM.") für Walthers „Roß, welches ihm der böse Gerhard Azze erschossen hat", andere Preisangaben für Pferde gegenüber, ohne die kraß zutage getretenen Unstimmigkeiten in der Preishöhe anders zu beleuchten als durch den Satz: „Gute Pferde waren sehr teuer"[44]. Danach kostete ein Schlachtroß, das Kaiser Rudolf 1288 kaufte, 34 Mark;

von Wert", Lexer, Taschenwb. 134), vgl. S. 195 f. des Beitrages von Edmund Wießner, Höfisches Rittertum, in: Deutsche Wortgeschichte, hrsg. von Friedrich Maurer und Fritz Stroh, Bd. I (= Grundriß der german. Philologie 17, 1), Berlin 1943, S. 143—209. Die Ritterdichtung lasse das Adj. *maere* „clarus", das im 13. Jh. zu veralten begann, sichtlich zurücktreten. In der Heldenepik ist es noch sehr lebendig. Hier und dort wird es mit Vorliebe nachgesetzt, wie auch in unserem Fall durch Walther, der sich dabei vielleicht dem altertümelnden *pferit* anpaßt. Vgl. dazu v. Kraus, Walther, Untersuchungen, S. 379 f., auch Wilmanns-Michels, Waltherausgabe, S. 336, zu Walther 94, 24.

[43] Michels-Wilmanns, Waltherausgabe, S. 362, z. St.

[44] Das höfische Leben zur Zeit der Minnesänger I, S. 392.

im Jahre 1274 wurde in Basel ein Pferd um 100 Mark verkauft, nachdem man es sogar auf das Doppelte geschätzt hatte („Basileam venit equus venalis 2 annorum, qui altitudine viros non paucos superabat; estimabatur 200 marcis venditus est 100 marcis". Ann. Basil. 1274). Ein Zelter in Herborts v. Fritzlar Trojanischem Krieg wird mit hundert Mark bewertet (*daz was ein zeltende phert / und was wol hundert marke wert,* Vers 8489 f.). „Und das Pferd, welches der Böhmenkönig Wenzel II. in Nürnberg beim Reichstage von 1298 ritt, wurde gar auf 1000 Mark (40.000 RM) geschätzt"[45].

Daran gemessen, wäre die von Walther geforderte Summe mehr als geringfügig gewesen. Indessen zeigt schon eine flüchtige Zusammenschau mit anderen Preisangaben, daß, wie das Basler Beispiel am deutlichsten erweist, Sonderfälle hier als Regel dargestellt werden[46].

Noch weniger zu brauchen ist die Preisberechnung, die der Waltherforscher Max Rieger im Jahre 1904 anstellte[47]. Nach seinen — reichlich unklaren — Überlegungen hätten die drei Mark den Gegenwert von etwa 15 Eimern Wein dargestellt; darnach wäre Walthers Forderung also auch recht bescheiden gewesen.

Zu einem gegenteiligen Ergebnis kommt Edward Schröder nach einer eingehenden und sorgfältigen Berechnung; sie gilt zwar in erster Reihe Walthers Pelzrock, nämlich den unserem Sänger vom

[45] Alle Angaben nach Schultz, Das höfische Leben a. a. O. Dortselbst die urkundlichen Nachweise.

[46] Vancsa, Geschichte Nieder- und Oberösterreichs I, S. 437 f. über die Einkommens- und Vermögensverhältnisse der babenbergischen Herzoge in Österreich. Um 1500 Mark erwarben sie die großen Wels-Lambacher Besitzungen; die Freisingischen Güter in Krain kosteten 1650 Mark. Um einen Vergleichsmaßstab zu gewinnen, seien aus dem Tiroler Urkundenbuch (Bd. I, bearbeitet von Franz Huter), Innsbruck 1937, zum Jahr 1195 folgende Daten angeführt: Ein abgebranntes Haus mit Keller zu Bozen, bischöfliches Lehen von Trient, wurde für 22 Mark verkauft (Nr. 490, S. 279); ein Hof zu Martinsbruck, ein halbes Haus und ein Anteil an einer Alpe kostete 1195 200 Pfund Berner ($10\frac{1}{2}$ Pfund Berner, d. h. Denare (Pfennige) Veroneser Währung = 1 Mark). (Ebenda, Nr. 493, S. 280).

[47] Max Rieger auf S. 232, Anm. 2, seines Aufsatzes Zu Walthers Lebensgeschichte. In: ZfdA. 47, 1904, S. 225—237.

Bischof Wolfger von Ellenbrechtskirchen am Martinstag des Jahres 1203 in Zeiselmauer bei Wien *pro pellicio* gestifteten 15 *solidi longi,* erstreckt sich aber eingehend und genau auch auf die Pferdepreise[48]. Schröder stützt sich auf die Reiserechnungen Wolfgers[49]; sie sind für unseren Fall ihrer Gleichzeitigkeit wegen doppelt aufschlußreich. Schröder hebt vor allem drei Angaben aus. Zum Martinstag (bzw. dem darauf folgenden Tag) des Jahres 1203: *pro quodam equo dim. marcam*[50] („das mag wohl ein Saumroß gewesen sein"), dann: *Odackaro pro equo marcam et dimidiam,* dazwischen *Pilgrimo pro alio equo XI tal. veron* („das wäre etwa knapp eine Mark")[51]. Sein zusammenfassendes Ergebnis, dem v. Kraus sich anschließt[52], ist: „Wenn also Walther von der Vogelweide 104, 11 L. von seinem durch Gerhard Atze getöteten Pferde sagt: *ez was wol drîer marke wert,* so ist es entweder wirklich ein sehr wertvolles Tier gewesen — oder der Dichter hat aufgeschnitten"[53].

Unsere Nachprüfung ergibt, wie wir glauben: mit völliger Sicherheit, daß die Alternative falsch ist. Weder die eine, noch die andere Annahme trifft zu.

Auch hier ist davon auszugehen, daß ein unmittelbares Vergleichen unserer Zeit-, Lebens- und Wirtschaftsverhältnisse mit denen des Mittelalters oder gar ein flottes Umrechnen mittelalterlicher Preisangaben in moderne Währung (drei Mark ponderis Coloniensis um 1200 = 120 Reichsmark um 1900) unzulässig ist. Es hat sich nicht nur das Wirtschaftsgefüge im Laufe der Jahrhunderte gewandelt, sondern die gesamte materielle und Werteordnung unseres

[48] Edward Schröder, Walthers Pelzrock. In: Göttinger Gelehrte Nachrichten 1932. Auszug daraus: Der Pelzrock Walthers von der Vogelweide. In: Forschungen u. Fortschritte 9, 1933, S. 78 f.

[49] Veröffentlicht zuerst von Ignaz V. Zingerle, Reiserechnungen Wolfger's von Ellenbrechtskirchen. Heilbronn 1877 (Überprüfung der Originaldokumente 1893 durch August Höfer). Wesentlich auch Paul Kalkoff, Wolfger von Passau (1882).

[50] Zingerle, Reiserechnungen, S. 14.

[51] Schröder, Walthers Pelzrock, S. 266. Für die Berechnung des Berner (Veroneser) Pfundes vgl. oben Anm. 46.

[52] Walther, Untersuchungen, S. 378, Anm. 1.

[53] Schröder, Walthers Pelzrock, S. 266.

Lebens ist eine andere geworden. Das Mittelalter dachte über Nahrung, Kleidung, Wohnung, Kulturgenüsse anders als wir. Lebensgüter und Ansprüche, Rohstoffe und ihre Auswertung, Einschätzung der menschlichen und tierischen Verwendung und Arbeitskraft haben sich in ihrer Verteilung und Bewertung verändert, der technische und geistige Zuschnitt des Lebens ist ein anderer geworden. Dies und manches andere bedingt, wenn wir von räumlichen, stammlichen und gesellschaftlichen Unterschieden gänzlich absehen, eine Änderung des Werteschlüssels, die jede unmittelbare Vergleichung damaliger und heutiger Geldwerte zur Unmöglichkeit macht.

Keineswegs schließen diese Verschiebungen aber die Möglichkeit mittelbarer Erkenntnis und richtiger Schätzung damaliger Werte aus, wofern sie mit entsprechender Vorsicht unternommen werden. So ist es in dem vorliegenden Fall so gut wie sicher, daß mit Walthers *drîen marken* kölnische Gewichtsmark in Silber gemeint sind, die um 1200 im mittleren Deutschland, in Österreich und Ungarn die anderen Währungseinheiten verdrängt hatten[54]. Wenn man auch, um genaue Bestimmungen zu treffen, den jeweiligen Feinsilbergehalt, Legierung und Gewicht genau kennen muß, so fallen für unsere Rohschätzung die Unterschiede — ob Ausprägung von 144 Denaren auf die Mark wie im 11./12. Jahrhundert oder wie später von 148 Denaren, d. h. ob Münzgewicht von 1,496 g oder etwas mehr oder weniger bzw. ob Silbermarkgewicht von 233,856 g oder früher 215,496 g[55] — nicht entscheidend ins Gewicht. Wesent-

[54] Schröder, Walthers Pelzrock, S. 266. August Loehr, Österreichische Geldgeschichte (= Veröffentlichungen des Instituts für öst. Geschichtsforschung 4), Wien 1946, S. 24 ff. und 31 ff. Hóman Bálint, Magyar pénztörténet (Valentin Hóman, Ungarische Geldgeschichte), Budapest 1916, S. 46 ff. Goldmünzen waren um 1200 noch nicht im Umlauf. Es sei nur daran erinnert, daß der Versuch eines Knappen Richards Löwenherz, byzantinische Goldmünzen in Wien zu wechseln, zur Entdeckung und Festnahme Richards führte (Loehr, S. 19 f.).

[55] Die Angaben nach Hóman, S. 51 ff. Im Jahre 1203 wurden dem Passauer Bischof Wolfger 10 $^{3}/_{16}$ Mark kölnisch in Wien gegen 9 Mark und 6 Denare Wiener Gewicht eingewechselt: „das entspricht ziemlich genau dem Verhältnis des Kölner Markgewichts (von 233,856 g) zum Wiener (276, 98 g)“ (Schröder, S. 266).

lich ist es aber, den Markpreis von Pferden um 1200 festzustellen bzw. die festgestellten großen Schwankungen zu erklären.

Nun, die von Schröder aus den Reiserechnungen Wolfgers ausgehobenen Preise betreffen ebenso offensichtlich Arbeitspferde, wie die von Schultz erhobenen Pferdepreise Liebhaberpreise sind. Kosten Wolfgers Arbeitspferde von einer halben bis zu anderthalb Mark, so berechnet Hóman in seiner Geldgeschichte den Durchschnittspreis eines Arbeitspferdes je nach Art, Ort und Gelegenheit auf 1—6 Mark[56] kölnisch Silber.

Scharf unterschieden werden von den Wirtschaftstieren die „reisigen Pferde“ (Rüstpferde, Ritterpferde, lateinisch *dextrarii*, afrz. *destriers*). Für das Tragen der schwer gepanzerten Ritter dienten nur besonders kräftige und ausdauernde Pferde, an deren Lauf- und Wendefähigkeit überdies höchste Ansprüche gestellt wurden. Man nahm fast ausschließlich Hengste dazu (weil Stuten und Wallachen sich als zu schwach erwiesen[57]); und wir wundern uns nicht, von Rittern zu hören, *qui habebant dextrarios, id est equos magnos, qui inter equos communes quasi Bucephalus Alexandri inter alios eminebant*[58]. Dafür wurden denn auch entsprechende Liebhaberpreise bezahlt — genauso wie heute die Preise der (Zucht-)Hengste stärkstens schwanken.

Hóman gibt an, daß für Rüstpferde bis zu 10 bis 15 Mark bezahlt wurden[59]. Besonders schöne Tiere wurden oft um ein Vielfaches überzahlt. Im Jahre 1250 verpfändete der erwählte Fürsterzbischof von Salzburg seinem Domkapitel *pratum quoddam dictum Wercwise pro XXV marcis argenti pro quodam dextrario, quem nobis tanto precio distraxerunt*[60]. Der Herzog von Österreich zahlte 1314 für ein gerüstetes Pferd 40 Mark Silber — man wird davon wohl rund die Hälfte für die Rüstung anzuschlagen haben —,

[56] Hóman, Geldgeschichte, S. 540.

[57] Schultz, Das höfische Leben I, S. 84.

[58] Schultz, S. 83, Anm. 5. Man denke auch an die vielen Schilderungen hervorragender Streitrosse bei Wolfram, Hartmann usw.

[59] Hóman S. 540.

[60] Salzburger Urkundenbuch. IV. Bd., 1247—1343. Bearbeitet von Franz Martin, Salzburg 1933, Nr. 13, S. 13.

1315 für einen Hengst 20 Mark Silber, im gleichen Jahr für ein „reisiges Pferd“ 32 Mark Silber[61].

Das sind — ebenso wie die von Schultz angeführten Beträge — Liebhaberpreise, die wohl nur sehr ausnahmsweise erreicht wurden. Daß es solche Liebhaberpreise aber gab, bezeugt der ›Meier Helmbrecht‹, wo der Alte sich auf das Drängen des jungen Helmbrecht schließlich bereitfinden läßt, ihm einen *meidem* — einen Streithengst, der von der schlechten *Gurre* im Vers 369 deutlich abgesetzt wird — um 30 Stürze langen Lodens, 4 gute Kühe, 2 Ochsen, 3 Stiere und 4 Scheffel Korn zu erstehen. Der Dichter fügt hinzu:

ouwê, guotes vlornes!
er koufte den hengst um zehen pfunt
er het in an derselben stunt
kûme gegeben umbe driu,
ouwê verlorniu sibeniu!
(Vers 398 ff.[62]).

Wenn der um 10 Pfund (= Mark) gekaufte Hengst zur selben Stunde schwer wieder um drei hätte losgeschlagen werden können, so bedeutet das, daß Helmbrecht d. Ä., gleichgültig aus welchen Gründen, einen Liebhaberpreis gezahlt hatte; die drei Mark wiederum werden etwas unter dem für einen so bes. vortrefflichen Hengst erzielbaren Durchschnittsbetrag gelegen haben. Das Beispiel macht uns auch die unerhört starken Schwankungen im Preis der anderen *dextrarii* verständlich. Reisige Pferde waren eben etwas ganz Besonderes. Johannes Rothe, der in seinem ›Ritterspiegel‹ dem adligen Ritter streng verbietet, *keinerlei hantwerg* (= Handarbeit) *sal her ubin / wan em daz niht wole zemit* (Vers 2197 f.), macht doch für Pferdezucht eine Ausnahme:

Pferde mag her wole koufin
Und di jung uf stallin

[61] Diese Angaben aus dem Reg. Habs. 15. 244. 325 verdanke ich durch Vermittlung Prof. Franz Huters der Liebenswürdigkeit des Hrn. Gesandten Gustav Braun von Stumm.

[62] Meier Helmbrecht, hrsg. von Hans Lambel, in: Erzählungen und Schwänke (= Deutsche Classiker des Mittelalters 12), Leipzig 1872, S. 143.

Und eine winnunge daruz sloufin,
Wan eme daz mag gefallin.
(Vers. 2193 ff.[63]).

Hans Pirchegger berichtet in seinem Werk über die Geschichte der Steiermark, daß in den Urkunden von Pferden selten die Rede sei. Sie waren dem Landwirt zu teuer. „Ein Streitroß galt als wertvolle Gabe; so erkaufte sich der Abt von St. Paul das Wohlwollen des Herzogs Leopold, indem er ihm ein Pferd schenkte, das 8 Mark gekostet hatte" (1192)[64].

Wie hat also Walther sein *pferit maere* eingeschätzt? Legen wir der Preisbewertung die Angaben aus Wolfgers Reiserechnungen und die Durchschnittschätzungen Hómans zugrunde, dann sind die von ihm geforderten drei Mark rund das Doppelte eines guten Arbeitspferdes (nach Hóman noch weniger); für ein „reisiges Pferd" ist *Walthers Forderung sehr mäßig* zu nennen. Sie stimmt gut zu dem aus dem ›Meier Helmbrecht‹ zu ziehenden Schluß. Als Partei im Rechtsstreit hat Walther seine Forderung sicherlich nicht unter dem wirklichen Wert des verlorenen Tieres angesetzt. Anderseits mußte er sich vor einem zu hohen Ansatz, einer Überspannung seiner Forderung hüten, da der Eisenacher Hofgesellschaft und wohl auch dem Landgrafen selbst seine Pferde sicherlich bekannt waren. Eine Überhöhung hätte ihm nur zum Schaden gereicht. Wir können als Ergebnis unserer Untersuchung also aussagen:

Das unserem Dichter getötete Pferd war ein reisiges, kein Arbeitspferd, aber doch ein verhältnismäßig bescheidener Gaul, keines der giftteuren, herrlichen Streitrosse, für die man Unsummen bezahlte.

Auch den verhältnismäßig bescheidenen Schadenersatz, den Walther fordert, bestreitet ihm indessen Herr Gerhart. Er will das erschossene Pferd bloß als gemeines „Roß" gelten lassen, Sippe demjenigen, das ihm den Finger abbiß, nicht als ein Ritterpferd.

In dieser Auffassung bestärkt uns die im ›Sachsenspiegel‹ niedergelegte Bestimmung, wonach Wergelder, d. h. gesetzlich benannte

[63] Johannes Rothe, Ritterspiegel, ed. Karl Bartsch, S. 158, 159.

[64] Hans Pirchegger, Geschichte der Steiermark. I. Bd., Gotha 1920 (= Deutsche Landesgeschichte 12, = Allg. Staatengeschichte, 3. Abt., 12. Werk), S. 420.

Ersatzsummen, ein fester Entgelt, für die meisten Arten von Pferden feststanden (vgl. weiter oben S. 295), nicht aber für Ritterpferde und Zelter auf der einen, Rosse und Klepper *(Runzeten)* auf der anderen Seite. Offenbar schwankte deren Wert zu sehr, als daß sich eine einheitliche Regelung empfohlen hätte. Hier durfte der Geschädigte frei seine Forderung anmelden, der Beklagte sie durch seinen Eid herabzumindern suchen. Wenn Walther also als Schadenersatz für seinen getöteten Gaul drei Mark forderte, so ist das mit ein Beweis, daß er ihn als Ritterpferd einschätzte. Atze wiederum will ihn als solchen nicht gelten lassen. Darum *zoget* er ihn beim *gelten.*

Was bedeutet das? Alles andere als eine von Walther ersonnene „lächerliche Einrede". Es ist eine gefährliche

Anzweifelung der Standesehre Walthers

Hier liegt der Kernpunkt des Streites. Von Walther aus betrachtet: *frömde sache.* Vom Standpunkt Herrn Gerharts aus — und hinter ihm stand, wie wir noch sehen werden, eine ganze Partei von „Unmusischen" — eine Angelegenheit *von grôzer swaere.* Dazu hatte sich dieser Rechtshandel in der Tat ausgewachsen.

Das war der Anlaß des Eides, den Walther zu schwören bereit war. Es ist schon Konrad Burdach aufgefallen, daß Walther „in der Beschwerde" gegen Gerhart Atze, die er „ganz gelassen" entwickle, zum Schluß „plötzlich" nach einem Eidsprecher rufe[65]. Prozeßrechtlich gesehen, ist in der Tat dies der Angelpunkt. Der beklagte Atze, dem nach geltendem Rechtsbrauch die Last des Beweisverfahrens zufiel, hatte es durch seine „begründete Einrede" dahin gebracht, daß sich der Kläger einem Reinigungseid zu unterwerfen hatte[66]. Walther erklärte sich bereit[67]. Was wollte er beschwören und wie? Darauf antwortet

[65] Walther, I, S. 111.

[66] Vergleiche weiter oben S. 296 f.

[67] Schönbach, Walther, S. 95: Walther leugnet, „daß die beiden Rosse verwandt waren, und bietet sich zum Eide dafür an".

Zeile 20, 21: *ich swer mit beiden handen / daz si sich niht erkanden.* Walthers *pferit maere* nämlich und jenes andere *ros,* das dem Atze den Finger abgebissen hatte und von ihm dafür straf- und entschädigungslos hatte erschlagen werden dürfen. *Daz si sich niht erkanden,* daß sie nichts miteinander zu tun hatten, bedeutet im Sinne unserer oben gemachten Ausführungen: daß sie prozeßrechtlich nicht in eine Kategorie, eine Gattung gehören. Daß sie nicht *sippe* sind.

Zwei Gedankenreihen, die wir zu entwickeln versuchten, verschlingen sich hier in einem Punkt.

Die eine ist: Herr Atze behauptet, durch Walthers Pferd eine solche Schädigung, Beeinträchtigung seiner Ehre erlitten zu haben, daß er es gleich jenem andern, seinen Finger verstümmelnden Gaul einfach erschlagen durfte.

Die andere: Walther ist mit einem mehr oder weniger bescheidenen Gaul als *pferit maere,* als reisigem Pferd, als Ritterpferd, *dextrarius* aufgetreten.

Verbindet man die beiden Tatbestände, so erhält man mit hoher Wahrscheinlichkeit die Begründung der Einrede Herrn Atzes gegen Walther, jenes Warums, nach dem wir fragten: Ein *dextrarius* im Sinne eines ritterlich aufgemachten Pferdes kam nach Herrn Gerharts Meinung unserem Sänger nicht zu, weil der eben kein Ritter war[68]. Das ritterliche Auftreten eines nichtritterbürtigen Mannes, eines *knehtes* aber, der sich überdies, wie noch zu zeigen sein wird, der ritterlichen Gesellschaft gegenüber allerhand herausnahm, minderte nach Herrn Atzes Meinung seine eigene Standesehre und die der ritterlichen Gesellschaft.

[68] Über den Begriff des Ritters handelt Julius Petersen, Das Rittertum in der Darstellung des Johannes Rothe, Straßburg 1909 (= QF. 106), S. 59 ff. Ritter ist nur, wer den Ritterschlag erhalten hat. Der Ritterbürtige hat das Anrecht auf die Ritterwürde, bleibt aber ohne Ritterschlag *knecht* (S. 60). Für Rothe „ist der Name Ritter nur mit der Ausübung kriegerischen Waffendienstes verbunden“ (S. 64). Herrn Atzes Überzeugung von der Nichtritterbürtigkeit Walthers teilt Max Ortner, Der Name Walthers v. d. V. In: Münchener Museum für Philologie des Mittelalters und der Renaissance 4, 1924, S. 230—231, der Walther für einen Bürgerlichen hält.

Indem Herr Atze dem *pferit maere* Walthers die Eigenschaft eines ritterlich-reisigen Pferdes absprach, zweifelte er implicite die Ritterschaft seines Besitzers an.

Und wenn Herr Walther sich bereit erklärte, in feierlicher Form zu beschwören, *daz si sich niht erkanden*, so erbot er sich damit zum eidlichen Erweis seiner Ritterbürtigkeit.

Wenn dies der Sinn der „Einrede" Herrn Atzes war, dann war gegen unseren Dichter eine Beschuldigung schwerster Art erhoben worden. Wir wissen, daß Walther aus kleinen Verhältnissen stammte und selbst arm war. Wir wissen, daß er ein unfreier Ministeriale war, mit wechselnden Dienstherren und oft „stellungslos". Wir wissen, daß er seinen Beruf nicht im *schildes ambet*, im Waffenhandwerk erblickte und sich mit Wort und Leier den Weg zur Höhe bahnte. Wie schwer ihm dieser Aufstieg gemacht wurde, ist bekannt und braucht im einzelnen nicht wiederholt zu werden. Walther hat daraus kein Geheimnis gemacht; auch daraus nicht, daß er, der ein König war im Reich des Geistes und der Musik, den Anschauungen und Vorurteilen seiner Zeit entsprechend äußere gesellschaftliche und Standesehre auf das höchste schätzte. Das war die Luft, in der er atmete, und ohne die in jener Zeit auch seine Kunst rettungslos hätte ersticken müssen[69]. In dem wunderbaren Gedicht *Ir reinen wîp, ir werden man* (L. 66, 21), darin Walther die Summe seines Lebens zieht, dem würdigen Gegenstück seiner „Elegie" (124, 1), hat der Dichter es deutlich ausgesprochen, wie sein Streben nach der Höhe von den eigenen Standesgenossen behindert und erschwert worden sei. Vers 67, 2. 3:

> daz müet die nideren, ob mich daz iht swache? nein!
> die werden hânt mich deste baz.

Ein solcher Fall liegt hier handgreiflich vor. Walthers Standesehre war in Zweifel gezogen. Daran hing nach mittelalterlicher Auffassung unendlich viel: Waffenrecht, das Recht *ze hove* zu gehn, zu der Gesellschaft *(den liuten)* zu zählen, nach unseren modernen Be-

[69] Hans Naumann, Das Bild Walthers, S. 14, über das von unserem Dichter so drückend empfundene Mißverhältnis zwischen seiner großen Kunst und seiner lähmenden Armut. Walthers Begehren nach wirtschaft-

griffen schlechthin: Mensch zu sein, für Walther noch mehr, nämlich die Möglichkeit, seinen künstlerischen Beruf ausüben zu können, dessen ausschließlicher Nährboden die höfische Gesellschaft war.

Nun verstehen wir, warum Walther sich in einer scheinbar so unwichtigen („lächerlichen") Angelegenheit zum Eid in feierlichster Form bereit findet. Die Überlieferung will ihn *mit beiden handen* schwören lassen: „ein feierlicherer Schwur als bloß mit der rechten Hand"[70]. Jacob Grimm hat sich in den Deutschen Rechtsaltertümern mit der Frage in diesem Sinn ebenso wie mit dem *staben* (Zeile 22), dem Vorsagen, besser gesagt: der richtigen Fassung des Eides befaßt. Er vermutet, „der Ausdruck habe darin seinen Grund, daß es ursprünglich Sache des Richters gewesen sei, feierlich mit seinem Stab sich gebärdend dem Schwörenden auf jene Weise beizustehen"[71]. Uns geht hier nicht der Ursprung des Brauches an — geschweige, daß wir ihn (mit Wackernagel) auf Rechtssitten der Beduinen zurückführen wollten[72] —, nur seine Rechtskraft. Und da glauben wir die Behauptung wagen zu dürfen: Walther erbietet sich zum Beschwören der subjektiven und objektiven Wahrheit seiner Ritterbürtigkeit. Er hat sich nicht nur in gutem Glauben als Ritter ausgegeben und betragen, indem er z. B. rittermäßige Pferde hielt (d. h. Pferde mit den nur Rittern gestatteten Standesabzeichen und -schmuck), er hat an seine Ritterschaft nicht nur *ân zweivel vesticlichen geglaubet*[73], sondern *weiß* auch darum: seine Abkunft und Standeszugehörigkeit sind ihm bekannt. Eidhelfer sollen seine Glaubwürdigkeit — nicht die Tatsache an sich — bestätigen.

licher (und gesellschaftlicher) Sicherstellung entsprang nicht niedrigem Trieb; sie gehörte zur „Entfaltung der Würde, der Energie, der beschwingten Stimmung, wie Luft, Wasser und Boden zur Blüte und Blume gehört".

[70] Pfeiffer, Waltherausgabe, S. 232. Hier auch der Verweis auf Jac. Grimm.

[71] Wackernagel in den Erläuterungen zu Simrocks Waltherübersetzung II, S. 152.

[72] Ebenda. Über das *staben* DWb. X, 2.362 f. — Benecke-Müller-Zarncke, Mhd. Wb. II, 2, 595. Lexer, Handwb. 2, 1126.

[73] Zitiert nach Ruth, Zeugen und Eideshelfer, S. 238.

Das will er eidlich erhärten — durchaus im Sinne des mittelalterlichen Beweisverfahrens, das den Eineid des Beschuldigten im zivilrechtlichen Verfahren als vollgültiges Instrument zuließ[74]. Zu diesem Behuf ruft er in Zeile 22 Eidhelfer zur Formulierung und Bekräftigung des Eides auf *(ist ieman der mir stabe)*, und zwar in einem ganz bestimmten Sinn: es soll ihm der Rittereid „gestabt" werden. Das ist die Bedeutung der Zeile und zugleich die — wohlerwogene — Schlußspitze des Spruchs.

„Heutzutage", so faßt Karl Bartsch die hierher einschlagenden Bestimmungen der ritterlichen Ehrenvorschrift nach dem ›Ritterspiegel‹ des Johannes Rothe zusammen, „heutzutage werden viele Ritter, die gar nicht den Mut haben, in ein Turnei zu reiten. Wer soll solchen den Rittereid staben?"[75]. Im Wortlaut Rothes (Vers 905 ff.):

Nu werdin ritter in desin gezitin
Des etsliche nicht vele ere habin
Und nicht getorrin in di tornei ritin:
Wer wel en der ritter eid nu stabin?[76]

Gegen einen solchen auch ihn bedrohenden und vielleicht vernichtend treffenden Vorwurf hatte sich Walther zu wehren. Er wollte Sänger und Dichter, kein *kempfe*[77] sein. „Walther hat sich niemals als Ritter von Beruf gefühlt"[78]. Aber auf Gleichberechtigung mit der ritterlichen Gesellschaft hat er „im lebhaften Bewußtsein seiner Dichtergröße und mit leidenschaftlicher Empfindlichkeit und Eifer-

[74] Im Strafprozeß hielt sich der Eid mit Eideshelfern. Im zivilrechtlichen Verfahren genügte auch der Eineid des Beklagten (Schröder-Künßberg, S. 55). Vgl. ebda. S. 851 über den Eineid als Beweismittel im Strafprozeß. „Dem Fremden — oder Magenlosen —, der keine Eidhelfer auftreiben kann, ist mit dem „Elendeneid" die Möglichkeit gegeben, die nötige Zahl von Hilfseiden selbst abzuschwören" (S. 851, Anm. 22 a).

[75] Einleitung zu den „Mitteldeutschen Gedichten" (darin S. 98 ff. Rothes „Ritterspiegel"), S. XXVII.

[76] Vers 905 ff. (ed. Bartsch, S. 123).

[77] Über den Begriff des *kempfen* vgl. Burdach, Vorspiel I, 1, S. 386, und Wilmanns-Michels, Leben Walthers, S. 114.

[78] Burdach, Walther I, S. 11.

sucht“ niemals verzichtet[79]. Das beweist u. a. der in unserem Spruch geschilderte Rechtsstreit. Gerade auch die Frage am Schluß zeigt eindringlich, daß der Spruch nicht humoristisch gemeint war[80], sondern daß Walther in dieser Zivilprozeßklage um Schadenersatz für ein ihm widerrechtlich getötetes Pferd sozusagen „auf Tod und Leben“ um seine Standesehre und gesellschaftliche Geltung focht.

Folgerungen

Sieht unsere Deutung, deren Bestätigung durch den zweiten Atzespruch wir aus Gründen des Verfahrens absichtlich nicht vorwegnehmen, den Sinn des Spruches richtig, dann gewinnen gewisse bisher im Halbdunkel mehr geahnte als gewußte Zusammenhänge einen neuen, wirklichkeitsnahen Hintergrund.

Schon Wilmanns hat die Verse 291, 1 ff. bzw. 294, 21 ff., im 6. Buch von Wolframs ›Parzival‹ als Entgegnung auf Walthers Lied an die *Frowe Minne* 40, 19 erkannt[81]. Dessen Inhalt ist folgender: Vor dem Herrscherstuhl der Frau Minne erscheint der Sänger in der Haltung eines Untergebenen, klagt über das Herzeleid, das die Geliebte ihm zufügt, und erhebt die Forderung: *Frowe Minne, daz sî iu getân!* Das heißt: Seht die mir zugefügte Unbill als die eurige an und vertretet sie so, wie ein Herr Eigenleute rechtlich zu vertreten hat[82]. Wolfram verspottet den Tatbestand, indem er ihn nachäfft. Es ist jene bekannte Stelle, wo Parzival, durch den Anblick dreier Blutstropfen im Schnee gebannt, sich von den Gedanken an Kondwiramurs nicht losreißen kann und, seiner Sinne bar,

[79] Formulierung Burdachs, der aber gegenteilig schließt: „Walther begehrt *nicht* Gleichberechtigung von der ritterlichen Gesellschaft“ (Walther I, S. 13).

[80] Walther I, S. 13 ff. Ein Vierteljahrhundert später wiederholte (und erweiterte) Burdach diese Darstellung im Vorspiel I, 1 (1925), S. 382 ff.

[81] Wilmanns-Michels, Leben Walthers, S. 450 (Anm. III, 65).

[82] Schröder-Künßberg, S. 845, § 63: Vertretung fand vor Gericht im allgemeinen nicht statt, bloß die von Unfreien und Hörigen durch den Herrn (S. 845). Ebenso mußte bei rechtswidrigen Beschädigungen für seine Eigenleute und Haustiere der Herr aufkommen (ebda. S. 803).

von den Rittern des Artuskreises vergeblich zum Kampf herausgefordert wird. Keie versetzt ihm einen Schlag und fügt spöttisch hinzu: *der den sac von der müle treit* (also ein Esel), *wolt man in sô bliuwen,* so würde er aus seiner Stumpfheit aufgeschreckt. Und darauf fügt Wolfram in deutlicher Anlehnung an Walthers Lied hinzu:

Frou Minne, hie seht ir zuo:
ich waen manz iu ze laster tuo:
wan ein gebûr spraeche sân,
mîme hêrrn sî diz getân.
(Vers 294, 21 ff.)

Burdach hat die Stelle ausführlich erläutert[83]. Das thüringische Hofpublikum, das Walthers Lied kannte, habe die uns frostig und fremd anmutende Wendung sehr wohl verstanden und genossen. Sie besage[84]: Wie ein *gebûr* schlage Walther, als unfreier und unritterlicher Mann, nach erlittener Unbill nicht gleich zurück, sondern fordere rechtliche Vertretung und Verfolgung der Beleidigung durch den Herrn. Statt selbst Manns und Ritter genug zu sein, sich gegen erlittene Unbill zur Wehr zu setzen, rufe der Minnesänger, wie ein Bauer den Herrn, die Frau Minne zur Hilfe und Sühne der empfangenen Beleidigung herbei. „Wolfram, der Ritter des Thüringer Hofes, nennt den süddeutschen Hofminnesänger Walther einen unwehrhaften Bauer". Einer, der sich nur mit Versen nähre und wehre, werde „als nicht voll waffentüchtig, als nicht voll ritterlich" angesehen. Aus dieser „gutmütig boshaften Polemik" Wolframs gegen Walther klinge deutlich der Vorwurf: „Du bist nicht ganz ebenbürtig, nicht voll Ritter!"[85].

Läßt sich leugnen, daß die von Wilmanns und Burdach auf rein literarischem Weg erschlossenen Zusammenhänge durch den ersten Atzespruch einen sehr lebensnahen, wirklichkeitserfüllten Hinter-

[83] Burdach, Walther I, S. 15 ff. Vorspiel I, 1, S. 387 ff.

[84] Das Folgende in wörtlicher Anlehnung an die Fassung Burdachs.

[85] Burdach, Walther I, S. 15. Die Ausführungen Karl Korns (Studien über „Freude und Trûren" bei mhd. Dichtern. Leipzig 1932, S. 65 f.), auf die sich v. Kraus, Walther, Untersuchungen, S. 136, bezieht, sind mir unbekannt geblieben.

grund erhalten? War es doch Walther in höchsteigener Person, der die ihm von Herrn Gerhart zugefügte Unbill nicht mit der Waffe rächte, sondern die — Zivilrechtsklage einbrachte bei *dem den er bestât / derst unser beider voget.* Und die von Herrn Gerhart erhobene Einrede glich aufs Haar dem, was Burdach aus Wolframs „anzüglichem Witz" herausliest: Walther sei nicht ganz ebenbürtig, nicht voll Ritter! Es bedarf keines Beweises, daß Wolfram, als er diese Spottverse schrieb, nicht nur literarische Beziehungen im Auge hatte. Er dichtete aus der Erinnerung — man darf vielleicht sogar annehmen —: unter dem frischen Eindruck des Rechtshandels zwischen Walther und Herrn Gerhart, der sich ja vor seinen und der Hofgesellschaft Augen und zweifellos unter lebhaftester Teilnahme derselben am Eisenacher Hof abgespielt hatte.

Nur in einem — allerdings wesentlichen — Punkt wird die Wilmanns-Burdachsche Deutung dieser Dichterfehde nicht zutreffen. Es ging hier um mehr als um ein literarisches Geplänkel (Burdach: „Häkelei", „Scharmützel", „gelinder Hieb", „Scherzkrieg", „parodistische Übertreibung"; Wilmanns: „neckischer Zusatz"). Die Vermutung: „Dieser Spott ist nicht so ganz harmlos" [86] und: „Wahrscheinlich berühren wir hier einen tatsächlichen gesellschaftlichen Unterschied der beiden Dichter" [87] wird durch unsere Untersuchung nicht nur als zutreffend erwiesen; sie bedarf im Licht des Atzespruches noch kräftiger Unterstreichung. Es ging für Walther um die lebenswichtige Frage seiner gesellschaftlichen Geltung, damit um den Nährboden seiner Kunst. Man darf der halb fragend hingeworfenen Äußerung Burdachs, daß Walther — mindestens damals, zur Zeit des Atzeprozesses — noch „überhaupt nicht Ritter geworden" war, das Schwert nicht feierlich empfangen hatte, sondern noch als ritterbürtiger Knappe lebte [88], die Sicherheit einer feststehenden Tatsache zusprechen. Weitergehende, geistvolle Erörterungen Burdachs über die Gegensätzlichkeit der Naturen Walthers und Wolframs, zweier Großer im Reich des Geistes, gegensätzlich in ihrer Stellung zu den Fragen der Bildung, der Gesellschaft,

[86] Burdach, Walther I, S. 16.
[87] Vorspiel I, 1, S. 389.
[88] Walther I, S. 16. 8; Vorspiel I, 1, S. 389.

des ritterlichen Berufes und Kampfes, und doch Kinder derselben Zeit, desselben geistigen Luftkreises, haben in den Lebensvorgängen vor, in und um den Atzeprozeß eine höchst wirkliche Tatsachengrundlage[89].

Setzen wir diese Vorgänge als Hintergrund des „Scherzkrieges“[90] Wolfram-Walther ein, so ergibt sich noch eine für Walthers Abkunft bedeutsame Tatsache. Der Dichter erbot sich, wie wir sahen, die Ritterbürtigkeit seiner Herkunft eidlich zu erhärten. Gerade weil wir Wolfram im gegnerischen Lager erblicken, bei jenen, die Walthers Unwehrhaftigkeit als unmännlich und unritterlich ablehnten und sich im bewußten Gegensatz dazu zum *schildes ambet* als Lebensberuf bekannten[91], kommt der Tatsache besondere Bedeutung zu, daß Walther in Wolframs Schriften zweimal mit dem Titel „Herr“ ausgezeichnet wird[92]. Die Frage der Herkunft Walthers, seiner Zugehörigkeit zum Ritterstand oder nicht, hat in dem Rechtshandel mit Atze eine hervorragende Rolle gespielt, sie ist ja der Ausgangspunkt des ganzen Handels. Es ist nicht anders denkbar, als daß mit dem Eisenacher Hof und der thüringischen Hofgesellschaft auch Wolfram diesen „Sensationsprozeß“ mit gespannter Aufmerksamkeit verfolgt hat und über alle Einzelheiten, Abschnitte, Einreden der Verhandlung genauestens im Bilde war. Wenn er später trotz seiner grundsätzlichen Gegnerschaft zu Walther diesem den Titel „Herr“ zubilligt, der um 1200 ausschließlich geistlichen Personen

[89] Tom Albert Rompelman: Walther und Wolfram. Ein Beitrag zur Kenntnis ihres persönlich-künstlerischen Verhältnisses. In: Neophilologus 27, 1942, S. 186—205 hat das in größeren Zusammenhängen trefflich gezeigt. Vgl. auch die Ausführungen S. 125 f. des Aufsatzes von Kurt Plenio, Beobachtungen zu Wolframs Liedstrophik. In: PBrBeitr. 41, 1916, S. 47 bis 127.

[90] Der Ausdruck steht bei Burdach, Vorspiel I, 1, S. 398.

[91] Parzival 115, 11. Die zutreffendsten Ausführungen darüber bei Burdach, Vorspiel I, 1, S. 386 ff.

[92] Parzival 297, 24, *des muoz hêr Walther singen,* zweifellos ein Nachklang auch des Atzeprozesses, und Willehalm (nach allgemeiner Annahme zwischen 1212 und 1218 verfaßt), 286, 19: *hêr Vogelweid von brâten sanc.* (Über diese Namensform vgl. A. Wallner, PBrBeitr. 33, 1908, S. 524 f., Anm. 3).

und Rittern zukam[93], so hat Walther den Ahnennachweis, zu dem er sich erboten hatte, einwandfrei führen können. Seine auf anderen Wegen erschlossene ritterliche Abkunft, wenngleich es eine solche aus dem untersten Stand der unfreien Ministerialen, der „einschildigen Ritter“ war, wird dadurch in der erwünschtesten Weise erhärtet.

Im Vorübergehen sei die Frage gestreift, ob Walther als ein im Stande der ritterlich lebenden Knappen lebender *guot knecht* selbst Knappen und ein ritterlich aufgemachtes Reitpferd haben konnte[94]. Der zweite Atzespruch ergibt eine eindeutig bejahende Antwort. Es liegt auf der Hand, daß er seine weiten Fahrten nicht anders als zu Pferde machen konnte. Im Tegernseespruch reitet er „mehr denn eine Meile“ von der Straße (84, 15). Im Lied 53, 18 heißt es:

mîner frowen darf niht wesen leit,
daz ich rîte und frâge in frömediu lant.

Die *milte* Friedrichs II. *(Von Rôme vogt, von Pülle künec)* ruft er mit der Begründung an, er könne nie *bî eigenem fiure erwarmen*, er komme als Gast stets *spâte und rîte fruo* (28, 8). Schon im Wiener Ausfahrtssegen erbittet er *saelde* und *gotes huote*, um zu *rîten*, *swar ich in dem lande kêre* (24, 20).

Nicht den Besitz eines Reitpferdes, sondern den eines Rüstpferdes, d. h. eines mit Standesabzeichen des schon zum Ritter geschlagenen Knappen geschmückten „reisigen“ Pferdes hat Gerhart Atze ihm bestritten — und dafür von Walther den Spott hinnehmen müssen, selbst einem Klepper und Esel verglichen zu werden... Im übrigen hat Hans Fehrs Untersuchung über das „Waffenrecht

[93] Burdach, Walther I, S. 4 ff. über Abkunft und Stand Walthers und die Bezeichnung *herre*. Näheres darüber bei Aloys Schulte, Die Standesverhältnisse der Minnesänger. In: ZfdA. 39, 1895, 185—251, bes. S. 210 ff. Anton Wallner, Herren und Spielleute im Heidelberger Liederkodex. In: PBrBeitr. 33, 1908, S. 453—540, bes. S. 522 ff. Julius Schwietering, Die Demutsformel mhd. Dichter, Berlin 1921 (= Abh. der Ges. d. Wiss. Göttingen, N.F. 17, 3), S. 51 ff.

[94] Offenbar auch gegen diese ritterliche Aufmachung richtet sich Atzes Einrede.

der Bauern im Mittelalter"[95] klargelegt, daß bäuerliche Rosse in der Regel zwar Fahr- und Lastpferde, nicht Reittiere waren, daß es aber auch bäuerliche Reitpferde gab und die Bauern des Reitens zu keiner Zeit ganz entwöhnt waren. „Reitpferde können daher auch im bäuerlichen Stande nicht ganz ausgestorben gewesen sein. Es hat zu allen Zeiten berittene Bauern gegeben"[96]. Als einen solchen hat Herr Gerhart unseren Dichter darzustellen und gesellschaftlich unmöglich zu machen versucht.

Unwillkürlich stellt man die Frage, warum und zu welchem Zweck er das tat. „Gerhard Atze ist vermutlich einer jener Raufbolde, deren Anwesenheit am Landgrafenhof dem Dichter ärgerlich war", meint Golther[97]. Schönbach erklärt ihn für einen „Krippenreiter und adeligen Buschklepper"[98] und Singer möchte ihn gar zu einem vorbestraften Dieb stempeln[99]. Das alles war Atze nicht, im Gegenteil. Nicht nur Walther nennt seinen Gegner einen Herrn, was als echte Standesbezeichnung zu gelten hat, die noch jahrhundertelang, wenngleich immer stärker entwertet, als Titel lebte und erst in unseren Tagen zur Bedeutungslosigkeit abgeblaßt ist. *Gerhardus et frater eius Heinricus cognomine Atzo* zeugen in einer Urkunde des Landgrafen Hermann vom Jahre 1196[100]. Sie gehörten also zu seiner *familia* und waren angesehene, der Urkundenbekräftigung für würdig erachtete Persönlichkeiten[101]. Schon Jacob Grimm hat entdeckt, daß Herr Gerhart später Klosterstifter und selbst Mönch wurde; im Jahre 1256 urkundet die Landgräfin

[95] Hans Fehr, Das Waffenrecht der Bauern im Mittelalter. In: Zeitschr. d. Savignystiftung für Rechtsgeschichte, Germ. Abt. 35 (N.F. 48), 1914, S. 111—211.

[96] A. a. O. S. 183.

[97] Golther, Die dt. Dichtung im Mittelalter, S. 363.

[98] Schönbach, Walther, S. 95.

[99] Zit. nach v. Kraus, Walther, Untersuchungen, S. 322.

[100] Cod. dipl. Saxoniae regiae I, 3, Nr. 2 (zit. nach Wilmanns-Michels, Waltherausgabe, S. 305) bzw. Vermischte Nachrichten ... zur ... sächsischen ... bes. aber der eisenachischen Geschichte, 3. Sammlung (von C. W. Schumacher), Eisenach 1767, S. 42 (zit. nach Lachmann, Die Gedichte Walthers[8], S. 202).

[101] Vgl. v. Kraus, Walther, Untersuchungen, S. 323.

Sophie: „Volumus esse notum nos ex consensu marchionis misnensis[102] fratri Gerhardo dicto Atze apud Isenacum locum solitudinis concessisse in quo oratorium et alia edificia construere valeat de ipso nemore ad serviendum domino cum aliis viris dominum diligentibus et honestis"[103], daß sie also dem Bruder Gerhart Atze einen wüst gelegenen Ort bei Eisenach zur Errichtung eines Klosters (et alia aedificia!) abgetreten habe. Herr Gerhart war also nicht nur angesehen, sondern auch reich. Denn zur Stiftung eines Klosters gehörte auch dessen Begabung, und die stellte gehörige Ansprüche an die Leistungsfähigkeit und -willigkeit des Stifters.

Walthers Widersacher war also ein hochstehender, geachteter und reicher Mann, ein vornehmer Ritter aus der nächsten Umgebung des Landgrafen. Wenn man — allerdings ohne weitere Beweise — an einen Sippenzusammenhang glauben darf, dann haben sich Angehörige eines thüringischen Atze-Geschlechts, später allerdings, wenn nicht als „Krippenreiter" und „Buschklepper", so doch als Raubritter und Unruhestifter hervorgetan. Das war in der Zeit des Interregnums (nach 1248) und ist ein Beweis für die Mächtigkeit und den ungebändigten Übermut der reichen Adelsgeschlechter. Jacob Grimm berichtet nach Johannes Rothe:

Lantgrafe Henrich der romischir koning starb do ane libis erbin — 1248 — uñ der vone so entstunt groz obil in Dürngen uñ in Hessinlande. wan etzliche mutwillige (lies un) erbar luthe dy tadin alzo dy nachthunde dy enpundin werdin, uñ woldin nymandis frunde syn, do sy nicht herrin obir sich hattin. Alzo hubin undir en an Herwig von Horsilgow unde Hans Atzen mit erin helffern: dy slugin daz vihe an vor Isenache vor czwen torin unde vor allin dorffin dy darumme gelegin warin, unde trebin daz dy Horsil uff ... uñ ez geschach eyn große nedirlage, wan der von Ysenache wart vele gefangin[104].

[102] Was hätte der mit der Klostergründung zu schaffen?

[103] Briefwechsel der Brüder Jacob und Wilhelm Grimm mit Karl Lachmann. Hrsg. von Albert Leitzmann. II. Jena 1927, S. 927 (aus Tenzel, Supplementum historiae Gothanae secundum, Jena 1702, S. 602. 603).

[104] Ebenda S. 928 (aus dem Chronicon terrae Misnensis, Mencken 2, 323).

Dieser Hans Atze muß ein gewalttätiger und gewaltiger Herr gewesen sein *(erbar luthe!)*, denn er erkennt keine Obrigkeit über sich an und erfreut sich bei seinen groß aufgezogenen Raubzügen vieler Helfer. Etwas von seinem wilden Übermut scheint auch in seinem Vorgänger und Namensverwandten, dem Waltherfeind und Klosterstifter Gerhart Atze gelebt zu haben, der sich in seinen jungen Jahren augenscheinlich ebenfalls zum Wortführer einer ganzen *slahte* gegen Walther aufgeworfen hat. Atzes „Einrede" legt nämlich die Vermutung nahe, daß die Tötung von Walthers Pferd nicht einem blinden Zufall oder Unfall zuzuschreiben war, sondern eine bewußt herbeigeführte Herausforderung darstellte.

Tom Albert Rompelman hat, ohne an eine Einbeziehung der Atzesprüche in seine Darlegungen zu denken, das persönlich-künstlerische Verhältnis zwischen Walther und Wolfram eingehend dargestellt [105]. Der nach Thüringen zurückweisende Beginn der literarischen Auseinandersetzungen zwischen beiden, die trotz dem längeren Zusammenleben und -wirken auf der Wartburg nach Rompelmans Feststellungen zu einer immer stärkeren Abkühlung ihrer Beziehungen führten, veranlaßt ihn zu einer kurzen Darstellung auch der thüringischen Verhältnisse. Walther scheine sich dort „mit seiner Kunst nicht viel Freunde erworben zu haben, seine Stellung war wenig fest" [106]. Wolfram habe sich dabei keineswegs auf die Seite Walthers gestellt. In unübertrefflicher Art und Weise hat bereits Burdach aufgezeigt, wie sich hinter der persönlichen Gegnerschaft Gegensätze tieferer Art bargen: oberdeutsche gegen mitteldeutsche Lebensform, Minnesang gegen Ritterroman, höfische Überfeinerung des literarischen Wiens gegen die rauhere Lebensluft der thüringischen Ritter [107]. Rompelman stimmt dem zu; er weist aber Wolframs Parteinahme für die Thüringer als weit ernster und folgenschwerer für Walther aus. Das Beleidigende des Vergleichs Walthers durch Wolfram „mit dem Bauern, der für angetane Beleidigungen nicht sich selber zu rächen vermag, sondern zu seinem Herrn läuft und sich bei ihm beklagt" (Parz. 294, 24 gegen Wal-

[105] Vgl. weiter oben S. 318, Anm. 89.

[106] Rompelman, Walther u. Wolfram, S. 201.

[107] Burdach, Vorspiel I, 1, S. 382 ff. und 398 ff.

ther L. 40, 19)[108], wird von ihm stärker beachtet, desgleichen Walthers ungewohnt lange und starke Zurückhaltung gegenüber den Sticheleien Wolframs. Walther „wagte es wohl nicht, den viel beliebteren Wolfram scharf anzugreifen“[109]. „Er suchte sich eine feste Stellung zu erobern, fand aber in dem Thüringer Publikum nicht das seiner Kunst adäquate und in Wolfram einen Gegner derselben“[110].

Wenn die lange Geduld, die Walther den Herausforderungen Wolframs gegenüber übte, unseres Erachtens auch andere Ursachen hat, als Rompelman vermutete, so ist doch ersichtlich, daß der österreichische Sänger (wenigstens bei seinem ersten und zweiten Aufenthalt) in Thüringen doch einer mehr oder weniger geschlossenen Front gegenüberstand. Umgekehrt gab er in seinen Scheltliedern auch mehr als einer nur persönlichen Empfindung Ausdruck.

Burdach stellt Walthers Scheltspruch *Der in den ôren siech von ungesühte sî* (20, 4), darin das wüste Treiben am türingischen Hof angeprangert und der Landgraf unbesonnener Verschwendung beschuldigt wird *(der lantgrâve ist sô gemuot / daz er mit stolzen helden sîne habe vertuot / der iegeslîcher wol ein kenpfe waere),* an das Ende von Walthers erstem Thüringer Aufenthalt 1199 bis 1201[111] (nach anderer Berechnung 1201—1203)[112]. Trifft seine Annahme zu, daß der Spruch eine politische Spitze habe, dann

[108] Vgl. weiter oben S. 315 ff.

[109] Rompelman, Walther u. Wolfram, S. 201. Ebenso S. 203 die Feststellung, daß „Walther unter den Thüringern trotz seiner Bemühungen nicht heimisch zu werden vermochte“. S. 204 liest Rompelman aus Wolfram heraus, daß er „den Menschen Walther als sozial untergeordnet und unritterlich“ ansieht und den „Dichter Walther als einen, der läppisches Zeug bringt, verspottet“. „Walther hat den Hieb gefühlt.“ — Was Wolfram, ohne „Zorn, Haß und verletzende Schärfe“ im großen und ganzen „derb-gutmütig, etwas herablassend, ironisch“ aus dem Gefühl sozialer Überlegenheit heraus gegen unseren Spruchdichter vorbrachte, habe der „leidenschaftliche, leichtbewegte, empfindliche“ Walther „höchst ernst genommen“ (ebda. S. 205).

[110] Rompelman, S. 205.

[111] Vorspiel I, 1, S. 382 ff.

[112] Wilmanns-Michels, Leben Walthers, S. 173.

haben wir wohl keine nur persönliche Meinungsäußerung Walthers darin zu sehen, sondern eine auf weitere Wirkungen hin abgezweckte Handlung. In jedem Fall aber zeichnete Walther dafür verantwortlich. Burdach hat uns das Ohr für die handfesten Anwürfe und Beleidigungen geschärft, von denen die Schelte widerhallt: *stolze helde* = trutzige Raufdegen in abschätzigem Sinn; *kenpfe* = Söldner, „die für Geld, bald hier, bald dort, anderer Leute Ehrenhändel im Zweikampf ausfochten und mit fahrenden Sängern, Künstlern und Gauklern sich vielfach berührten und mischten"[113]. In solcher Gesellschaft läßt Walther den Landgrafen Geld und Gut verprassen. Auf der Wartburg herrscht von Kommenden und Gehenden (Schmarotzern) ein Trubel, daß man darob den Verstand verliert.

Dem Hofgesinde des Landgrafen Hermann, Hochadel und Mannen von der Art Herrn Gerharts, muß diese Brandmarkung, durch die hinreißende Kunst eines großen Sängers in alle Welt hinausposaunt, alles andere als erwünscht gewesen sein. Das war kaum der rechte Weg, sich Zuneigung zu erwerben. Das war, vom Standpunkt der Betroffenen, Rufmord und Ehrabschneidung. Und was die Leidenschaften noch mehr aufgepeitscht haben wird: der Urheber war ein „in ritterlichem Stande lebender Knappe", ein Ministeriale niedrigsten Ranges, arm wie eine Kirchenmaus, ein Fremder zweifelhafter Abkunft, in seinem äußeren Gehaben „Ritterschaft nachäffend" und voller Ansprüche, in seiner Gesinnung nach dem hier anzulegenden Maß dieser kampftüchtigen Herren unwehrhaft, ein „Bauer". Selbst dem Dichterkollegen Wolfram, der das „Starostentreiben" am Hof des Landgrafen ebenfalls entschieden mißbilligte und ihm einen Hofmarschall Keie wünschte, der seinen Hof von solchem Ingesinde reinige, das lieber „Ausgesinde" heißen solle[114], ging Walthers Tadel zu weit, war seine

[113] Vorspiel I, 1, S. 385 f.

[114] Parzival 297, 16 ff. *Von Dürgen fürste Hermann, / etslîch dîn ingesinde ich maz / daz ûzgesinde hieze baz. / dir waere och eines Keien nôt, / sît wâriu milte dir gebôt / sô manecvalten anehanc, / etswâ smaehlîch gedranc / und etswâ werdez dringen. / des muos hêr Walther singen / „guoten tac, boes unde guot". / Swâ man solhen sanc nu tuot / des sint die valschen gêret ...*

Schelte zu scharf[115]. Wenn aber schon ein Wolfram sich herausgefordert fühlte und sich in eine doch wohl mehr als scherzhafte Kampfstimmung hineintreiben ließ, wie mögen erst jene Haudegen und Saufbrüder, auf die Walther zielte, gegen ihn aufgebracht gewesen sein! Wolfram hat die Anfangszeilen eines zweiten, uns nicht erhaltenen Scheltspruches überliefert *(Guoten tac, boes unde guot*[116]*)*. Er wird nicht milder gewesen sein als 20, 4.

Die Rauf- und Saufbolde, vielleicht auch die altfränkisch gesinnten, nur den Kampf als würdiges Rittertun betrachtenden Hofleute mochten wohl Ursache haben, Walther zu zürnen. Die Scheltsprüche sind offenbar mit ein Grund gewesen, daß Leute vom Schlag Gerhart Atzes Anlaß nahmen, den kecken Sänger zu „stellen". So kann sich die Vorgeschichte des Rechtshandels abgespielt haben, von dem uns der Atzespruch Kunde gibt. Dann wäre Herr Gerhart der stilgemäß einschreitende Wortführer einer ganzen Partei von „Unmusischen" gewesen, sein Angriff auf Walther ein Versuch, den unerwünschten *castigator morum* in rittermäßig rauher Art zur Ordnung zu rufen, ihn in die engen Schranken jenes Berufes zu verweisen, aus dem Walther um jeden Preis herauszukommen, aufzusteigen trachtete: den des fahrenden Spielmannes.

In dieser Anschauung bestärkt auch Walthers Aussage über die Art und Weise, wie man ihm seine niedrige Abkunft und sein niedriges Gewerbe zum Bewußtsein zu bringen trachtete: Sein *pferit maere* wurde ihm „erschossen". Das setzt den Gebrauch einer Waffe voraus — eines Bogens, einer Armbrust, eines Wurfspießes, einer Schleuder —, derer sich Ritter im allgemeinen nicht zu bedienen pflegten. Ritterlicher Kampf und Kampfsport (Tjoste, Turniere) waren auf den Nahkampf eingestellt; die Fernwaffen und ihr Gebrauch waren den gemeinen Soldaten, den „Sarjanten" (*bogeziehaere, slingaere, atgêrschützen* u. ä.) überlassen; in den deutschen

[115] Burdach, Vorspiel I, 1, S. 387 ff. über Wolframs Aufgreifen des Scheltwortes *kempfe* und Zurückweisung des Waltherschen Angriffs. Burdach fragt: „Wer aber von den beiden hat hier die Häkelei angefangen? Walther oder Wolfram?" (S. 387). Wir antworten: Walther.

[116] Parzival 297, 25. Vgl. oben Anm. 114. An die vielfach angenommene Gleichheit des von Wolfram hier angeführten Scheltspruches mit dem Spruch 20, 4 glauben wir nicht.

Heeren, die die Gefährlichkeit dieser Waffen erst in den Kreuzzügen wiederum hatten kennenlernen, waren es vielfach ausländische Hilfstruppen (Ungarn, Kumanen, Bissenen, Walachen), denen vor dem Zusammenstoß der ritterlichen Reiterheere die Eröffnung der Feindseligkeiten im Fernkampf zugewiesen blieb [117]. Steinwerfen, Speerschleudern und Bogenschießen gehörten zwar zu den ritterlichen Leibesübungen [118], wurden aber von Rittern im Ernstfall nicht betätigt. Wenn Hagen im ›Nibelungenlied‹ den ahnungslosen Siegfried durch einen kunstgerechten Gerschuß erlegt (Str. 981), so ist das als Kennzeichnung eines längstvergangenen Reckenzeitalters gedacht, wie auch die Schilderung des Jägerkleides Siegfrieds (Str. 951 ff., Str. 953: *ouch fuorter einen bogen*) keineswegs modische Kostümkunde geben will [119].

Es ist nun durchaus denkbar, daß Herr Gerhart den Gaul Walthers durch einen unglücklichen Zufall *(von ungelücke, von geschiht, von ungeschicht)* bei Spiel und Übung erschoß [120]. Wahrscheinlich ist es nach Lage der Dinge nicht. Handelte es sich aber um einen vorbedachten Überfall, dann hat Herr Gerhart sich wohl nicht selbst auf die Lauer gelegt, sondern das durch seine Leute besorgen lassen. Darauf scheint auch die Tatsache zu deuten, daß es, wie wir im zweiten Atzespruch erfahren, das Reitpferd von Walthers Knappen war, welches dem Anschlag zum Opfer fiel. Auf beiden Seiten war es indessen eine Angelegenheit der Herren, die zum Austrag kam: Herrn Gerharts, indem er die Verantwortung übernahm, Herrn Walthers, indem er Klage erhob.

In der Sippe des „Zweiten Thüringer Tones“ [121] finden sich noch die beiden Sprüche 103, 13 *Swâ guoter hande wurzen sind* und 103, 29 *Uns irret einer hande diet.* Da der Atzespruch unzweifelhaft nach Thüringen gehört, möchte Michels auch die beiden anderen Strophen dorthin versetzen; „die Verhältnisse an Hermanns Hof gestatten /es/ wohl“ [122]. Carl v. Kraus, der an beiden Sprüchen

[117] Schultz, Höfisches Leben 2, 170 ff. Konrad Schünemann, Ungarische Hilfsvölker in der Literatur des deutschen Mittelalters. In: Ungarische Jahrbücher 4, 1924, S. 99—115 (weitere Lit. bei Schultz II, 5).

[118] Schultz II, S. 2.

[119] Wießner, Höfisches Rittertum, S. 179. Vgl. Julius Schwietering, Zur Geschichte von Speer und Schwert im 12. Jh. (1912).

[120] Auch in diesem Fall hatte der Täter für die [zufälligen] Folgen seiner Tat einzustehen (Schröder-Künßberg, S. 803).

[121] Wilmanns-Michels, Waltherausgabe, S. 359.

[122] Ebenda. Ebenso Leben u. Dichten Walthers, S. 175.

treffliche textkritische Besserungen vornimmt[123], möchte 103, 13 in allgemeinerer Bedeutung nehmen und auf die Kindererziehung bezogen sehen. Belasse man ihn (mit Wilmanns-Michels und Burdach, Walther I, S. 60. 98) in Thüringen, so müsse er als Mahnung an den Landgrafen aufgefaßt werden, „der Erziehung seines Sohnes Ludwig mehr Aufmerksamkeit zuzuwenden". Zum Spruch 103, 29, vermutet v. Kraus, daß er dem gleichen Anlaß entspringe, wie Ludwigs von Bayern Verteidigung Walthers (18, 1) und Walthers Dank dafür (18, 15), daher mit diesen beiden Sprüchen zusammenzustellen sei.

Zwangloser erklären sich indessen sowohl die *guoter hande wurzen* als auch *beider hande diet,* wenn man sie an den Atzespruch heranrückt. Dann mahnt 103, 13 unter dem Bilde des Gärtners, der das Unkraut aus seinem Garten ausreutet, den Landgrafen, die zuchtlosen Gesellen („stolze helde" und prassende „kempfen") von seinem Hof zu entfernen. Es könnte fast unmittelbar Herr Gerhart gemeint sein, wenn der Landgraf aufgefordert wird:

und merke ob sich ein dorn
mit kündekeit dar breite,
daz er den furder leite
von sîner arebeite:
sist anders gar verlorn.
(103, 24 ff.)

Der andere Spruch, von Wilmanns-Michels sehr bezeichnend ›Der Schreier‹ überschrieben, fügt sich Walthers Bekämpfung der „Unmusischen" besonders gut ein. Es gibt bei Hof eine Sorte von Menschen, die einen *wol gezogen man* dort nicht zum Zug und nicht zu Wort kommen lassen: ihre Schnauze ist doppelt so behende und laut, so daß der *gefüege, — kund er swaz ieman guotes kan!* — einfach niedergeschrieen wird. Darum die Mahnung (an den Landgrafen):

gefüeges mannes doenen
daz sol man wol beschoenen,
des ungefüegen — hoenen!
(104, 3 ff.)

[123] Walther, Untersuchungen, S. 376 ff.

Denkt man sich diese Lieder von Walther in der thüringischen Umgebung selbst gesungen, etwa zusammen mit 20, 4 *(Der in den ôren siech von ungesühte sî)*, so haben die „schönen sinnigen Sprüche“ nicht nur Gemeinbedeutung, sondern sie sind auch im Hinblick auf Herrn Atze und Genossen durchaus gegenwartsnah, beziehungserfüllt. In diesem Licht betrachtet, gäbe die Spruchsippe des „Zweiten Thüringer Tones“ — oder wenn man die sachliche Zusammengehörigkeit der drei Sprüche nicht gegeben sieht, auch nur allein der Atzespruch 104, 7 — einen Ausschnitt aus Walthers verbissenem Kampf um gesellschaftliche Stellung und ständische Geltung, der ihn *wol vierzec jâr oder mê* in Atem und Bewegung gehalten hat, bis schließlich der *edel künec, der milte künec* ihm ein Lehen gab. Das war die Grundlage standesgemäßer Versorgung, aber auch das Zeichen der endgültig errungenen gesellschaftlichen Achtung.

> mîn nâhgebûren dunke ich verre baz getân:
> si sehent mich niht mêr an in butzen wîs als si wîlent tâten.
> (28, 36 f.)

Die Zeitbestimmung des Atzespruches ist in unserem Zusammenhang von keiner vordringlichen Wichtigkeit. Sie hängt mit der endgültig noch nicht geklärten Frage der Zeit der Entstehung des 6. Buches von Wolframs Parzival zusammen[124]. Die Bezugnahme auf die Vorgänge um den Atzespruch darin macht die etwa gleichzeitige Entstehung des Spruchs wahrscheinlich. Läßt man mit

[124] Karl Lachmann, Wolfram von Eschenbach (5. Aufl., Berlin 1891), S. XIX der „Vorrede“ läßt das 6. Buch „nach dem Sommer 1204“ entstanden sein, das siebente „bald nach 1203“. Er begründet das in der Waltherausgabe (Anm. zu 20, 4) mit der bekannten Bezugnahme des 7. Buches des Parzival auf die Zerstörung der Erfurter Weingärten, die Parz. 379, 18 als noch sichtbar geschildert wird. Die große Verwüstung Thüringens durch die Truppen des böhmischen Königs fand nach Pfingsten 1203 statt. Burdach, Walther I, S. 60, bezieht die Stelle auf die im Sommer 1204 wiederholte Verwüstung Thüringens. Seine Datierungen sind: Erster Thüringenbesuch Walthers zwischen 1199 und 1201 (S. 59), zweiter Thüringenaufenthalt Herbst 1204 bis Frühjahr 1205 (S. 60). Wilmanns-Michels setzt an: 1. Aufenthalt 1201—03, zweiter 1207, dritter zwischen

Burdach[125] das 6. Buch des Parzival Anfang 1205 entstanden sein, dann würde das Beisammensein der beiden Dichter in Eisenach etwa in die Zeit vom Herbst 1204 bis Frühjahr 1205 fallen, der Rechtsstreit mit Atze an den Schluß dieses Zeitabschnittes heranrücken. Mit dem Spruch würde der zweite thüringische Aufenthalt Walthers sein Ende finden[126]. Ihm folgte nach Jahren ein drittes, länger dauerndes und friedlicheres Zugehören Walthers zum Ingesinde des Landgrafen, dessen *staete* und *milte* er 35, 7 in dem Ton behaglicher Vertraulichkeit rühmt, „als ob der Sänger nach stürmischem Leben glücklich in den Hafen eingelaufen sei"[127].

1213 und 1217 (Leben und Dichten Walthers, S. 173 ff.). — Ganz andere Zeitansätze ergeben sich, wenn man Ludwig Wolffs Rückdatierung des Parz. I—IV in die Jahre 1201/02 gutheißt (ZfdA. 61, 1924, 181—192).

[125] Walther I, S. 60.

[126] Hermann Schneider, Heldendichtung, Geistlichendichtung, Ritterdichtung (= Geschichte der dtsch. Literatur 1), 2. Aufl., Heidelberg 1943, S. 296, läßt den genauen Zeitpunkt unentschieden. Er „fiel in die ersten Jahre des neuen Jahrhunderts".

[127] Wilmanns-Michels, Leben u. Dichten Walthers, S. 174.

Zeitschrift für deutsches Altertum und deutsche Literatur 84, 1953, S. 241—264.

BERÜHRUNGEN ZWISCHEN WALTHERS UND NEIDHARTS LIEDERN

Von Edmund Wiessner

In den humorvollen Szenen, die Wolfram von Eschenbach im ›Willehalm‹ der groteskkomischen Gestalt seines Lieblings, des kindlichen, naturnahen Riesenjünglings Rennewart, widmet, gedenkt er gelegentlich mit launigen Worten zweier Minnesänger seiner Zeit, Walthers von der Vogelweide und Neidharts. Die beiden Stellen finden sich, unweit voneinander entfernt, im sechsten Buch.

Die erste berichtet, daß Rennewart den Küchenmeister, der ihm in rohem Spaß mit einem glühenden Scheit Barthaare und Mund versengt hatte, an allen Vieren gefesselt ins Feuer unter dem Kessel schleuderte, und fährt 286, 19—22 fort: *hêr Vogelweid von brâten sanc: dirre brâte was dick unde lanc: ez hete sîn frouwe dran genuoc, der er sô holdez herze ie truoc.* Diese Anspielung zielt, wie längst bekannt, auf Walthers Spruch 17, 11 *Wir suln den kochen râten, ... daz si der fürsten brâten snîden grœzer baz dan ê doch dicker eines dûmen. ze Kriechen wart ein spiz versniten: ... der brâte was ze dünne* (s. Lachmanns Anm.). Der Wortlaut liegt klärlich Wolframs *dirre brâte was dick unde lanc* zugrunde. Die folgende Äußerung spielt spöttisch mit Walthers Minnesang [1]. Lachmann meint: „Die Strophe Walthers mußte zwischen 1215 und 1220“ — in dieser Zeit dichtete Wolfram nach seiner Ansicht den ›Willehalm‹ — „in frischem Andenken sein“. Spöttisch ist wohl auch die ungewöhnliche Anrede mit *hêr Vogelweid* zu verstehn —

[1] Die Phrase *holdez herze tragen* gebraucht zwar Walther selbst nicht, sie ist aber im Minnesang eingebürgert: Sperrvogel MF 22,4; Friedrich von Hausen 47,8; Heinrich von Morungen 136,21; Reinmar 178,16 und 184,24; Neidhart 53,9; vgl. R. M. Meyer, Zs. 29,154.

im Parz. 297, 24, der zweiten Stelle, die Walther gewidmet ist, heißt es *hêr Walther* — s. K. Burdach in seinem Walther-Buche (1900) S. 26, aber auch O. von Zingerle, Über unbekannte Vogelweidhöfe in Tirol S. 27 ff.

Gutmütig spottend klingt auch die an Neidhart gerichtete Bemerkung, das erste literarische Zeugnis für diesen Dichter. Rennewart erhielt bei der Tafel seinen Sitz an der Seite der Königin angewiesen; 312, 9—16 heißt es nun: *dô der nider was gesezzen, er muose gewâpent ezzen. Man muoz des sîme swerte jehen, het ez hêr Nîthart gesehen über sînen geubühel tragen, er begundez sînen friunden klagen: daz lie der marcrâve âne haz, swie nâhe er bî der künegîn saz.* Dieses *gewâpent ezzen* in höfischer Gesellschaft störte zwar die Sitte gröblichst, der Markgraf nahm es jedoch dem von ritterlicher Zucht völlig unbeleckten Jungen nicht übel, obwohl der bei der Königin saß. Wie anders Herr Neidhart! Den hätte der Anblick einer solchen Waffe im Besitze eines Dorflümmels in die gewohnte Klage an seine Freunde ausbrechen lassen. Ob Wolfram damit, wie Lachmann (Anm. zu Walther 65, 32) meint, auf das Sprichwort vom Neidischen anspielt *maneger lobt ein vremde swert: het erz dâ heime, ez wære unwert* Freidank 61, 11. 12, scheint mir fraglich. Mit Recht aber bezieht Fr. Vogt (Zs. f. dt. Ph. 24, 246) Wolframs spöttischen Erguß auf Neidhart 59, 11. 11 *langez swert alsam ein hanifswinge, daz treit er* (ein *getelinc . . . beidiu tretzic unde hêre*) *allez umbe; im ist sîn gehilze hol.* Doch schon vorher (Wh. 295, 12—17) wählte Wolfram bei der Schilderung von Rennewarts Schwert, das dieser aus den Händen der Frau Gyburg empfing *(daz swert lieht unde lanc, ze beiden sîten vil gereht: valze und eke im wâren sleht, daz gehilze starc unde wît. Ze Nördeling kein dehsschît hât dâ niemen alsô breit),* den Vergleich mit dem Nördlinger *dehsschît* im Hinblick auf den mit der *hanifswinge* bei Neidhart (s. meine Anm. zu 59, 10): der französische Text nennt dabei eine Sichel (S. Singer, Wolframs Wh. 94). In eben diesem Liede, das dem Eschenbacher a. a. O. vorzuschweben scheint, wendet sich nun Neidhart auch besonders umständlich — natürlich, um komisch zu wirken — klagend an seine Freunde (58, 35—39), s. Jos. Seemüller, Zur Poesie Neidharts (S. A.) 7. 8.

Wenn Wolfram aus der Schar der Minnesänger seiner Zeit nur Walther, den er offenbar vom Hofe des Landgrafen Hermann in Thüringen her kannte (s. die oben erwähnte Anführung Walthers im Parz.), und Neidhart, den ihm vermutlich als Landsmann Vertrauten, einer Nennung innerhalb seines neuen Werkes würdigt, dürfen wir überzeugt sein, daß sie in den Tagen, als das sechste Buch des ›Willehalm‹ entstand, schon in weiten Kreisen bekannte Dichtergestalten waren. Sie selber nennen einander in den erhaltenen Gedichten nirgends. Aber die Frage nach ihrem gegenseitigen Verhältnis liegt angesichts des so verschiedenartigen Wesens ihrer Persönlichkeiten und ihrer Dichtungen nahe genug und ist denn auch in der Literaturgeschichte immer wieder erörtert worden. Berührungen, die von Liedern des einen zu denen des andern leiten, sind an mannigfach verstreuten Stellen beobachtet worden: sie übersichtlich zu sammeln und zu prüfen, ist das Ziel der folgenden Ausführungen.

Der Ausgangspunkt all dieser literarhistorischen Betrachtungen ist das dadurch vielbekannt gewordene Lied Walthers, das mit dem Klageruf *Owê hovelîchez singen, daz dich ungefüege dœne solten ie ze hove verdringen!* (Lachmann 64, 31) einsetzt. Mit Ausnahme der Schlußstrophe, die auch in B 101 erhalten ist, finden wir es nur in C 112—116 (bzw. 117—121) überliefert, so daß mit keinem gut verbürgten Texte zu rechnen ist; wie wenig verläßlich C ist, lehrt eben die letzte Strophe, gemessen an B. Der Dichter schlägt ein Thema an, das ihm Herzenssache ist: die ihm eigene höfische Sangeskunst, von deren Wert er zutiefst durchdrungen ist, droht bei Hofe, an ihrer naturgegebenen Pflegestätte, einer neuen, unfeinen Strömung zu erliegen. Die Eingangszeilen geben in wenig Strichen den Schauplatz und den voraussichtlichen Ausgang des Kampfes, ebenso die Gegner. Zwei feindliche Fronten ringen um die Gunst des Publikums: auf der einen Seite das *hovelîche singen* (*ein vil hovelîcher muot* 65, 5), 65, 9 *daz rehte singen* genannt, 1. 2 durch *fröide . . ., diu reht und gefüege wære* gekennzeichnet (26 *waz man noch von fröiden sunge!*); auf der andern eine Kunstübung, die sich siegreich durchsetzt, von Walther jedoch scharf und verächtlich abgelehnt wird, und zwar mit bewußter Eintönigkeit des Ausdrucks: den *ungefüegen dœnen* 64, 32 entspricht *frô Unfuoge* 38 und *unfuoge* (*Unfuoge* Michels) 65, 25 sowie *mit als ungefüegen sachen* 20, das ich rein adverbial („auf eine so unfeine Art“)[2] fasse; außerdem *die sô frevellîchen* („frech“: bei Walther nur hier gebraucht) *schallent* 65, 17. In der dritten Strophe beleuchtet der Dichter diesen Widerstreit durch die Redensart vom *harpfen in der mül,* um seinen Rückzug vor der Überzahl der Gegner zu begründen — denn nach 65, 9—11 ist die Zahl derer, die den rechten Minnesang stören (wohl durch den Betrieb eines neuen Stiles: C. v. Kraus a. a. O.), ungleich größer als die seiner Anhänger im Publikum: Harfenklänge kommen gegen das Getöse des Mühlsteins und das Geknarre des Mühlenrades nicht auf —, in der vierten durch den Hinweis auf die Fabel von der Nachtigall, die vor dem selbstgefälligen Geschrei der Frösche verstummt: zwei Bilder für den Gedanken *ez ist verloren arebeit, swer in schalle ein mære seit* (N. G. A. 1, Nr. 22, 1. 2 Niewöhner). Wenn in Str. 3 Walther sich selbst als Vertreter des echten Minnesanges vorstellt, so in Str. 4 unter dem Bilde der Nachtigall: nannte doch auch Gottfried in seinem Tristan 4800. 1 (Fr. Ranke) als die *meisterinne der nahtegalen die von der Vogelweide!* 65, 26 *waz man noch von fröiden sunge* verhüllt dieses *man* natürlich auch nur „ich“: vgl. 48, 18—24 *swenne unfuoge nû zergât, sô sing aber von höfschen dingen. Noch kumpt fröide und sanges tac: wol im, ders erbeiten mac! Derz gelouben wolte, so erkande ich wol die fuoge, wenn unde wie man singen solte.* — *Vrosche sanc* ist, wie Heinr. Rückert zum Welschen Gast 10400 vermerkt, ein gewöhnlicher und bekannter Tropus des Mittelalters für in Inhalt und Form nichtsnutzige Poesie; s. auch Wilmanns zu Walther 65, 21.

Die Stimmung des Liedes ist reich bewegt und wechselvoll. Str. 1 ist erfüllt von Trauer und Zorn und schließt mit bitterer scheinbarer Ergebung ins unvermeidliche Schicksal: der Ruf *owê* eröffnet Auf- und Abgesang (vgl. 21, 10 und 82, 24, alle Strophen einleitend 13, 5 und 124, 1). Doch in Str. 2 rafft sich der Sänger zu

[2] Verkannt bei C. v. Kraus, Walther v. d. V. Untersuchungen 268; s. Mhd. Wb. 2,2,4[b]; Ernst Martin zu Wolframs Parz. 245,17 und 477,26; vgl. auch Wilmanns zu Walther[4] 84,3.

einem Weckruf an die adelige Gesellschaft auf, *fröide, diu reht und gefüege wære* (d. h. Freude an richtiger und edler Sangeskunst) wieder in ihre Rechte einzusetzen. Die Schlußzeile freilich verhallt wieder in ein hoffnungsloses *owê, daz ez nieman tuot!* und in den Strophen 3 und 4 droht der Sänger seinen Sang einzustellen, indem er sich auf das alte Sprichwort *mich dunket niht, daz iemen sül ze lange harpfen in der mül* (Freidank 126, 25. 26) und auf die Fabel von den Fröschen und der Nachtigall (Fr. Pfeiffer, Zs. 7, 362. 63) beruft. Die letzte Strophe aber weist, den Aufruf der zweiten aufgreifend, wieder den Weg in eine schönere Zukunft: die *unfuoge* müßte zum Schweigen gebracht und von den großen Höfen und Burgen verjagt werden, so daß sie dort die *frôn*[3] nicht belästigen könnte: dann wäre die Bahn wieder frei für die edle Heiterkeit echt höfischen Sanges. Das Forum, vor dem dieser Streit ausgetragen wird, ist, wie schon *ze hove* 64, 33 lehrt und noch deutlicher *frouwen unde hêrren* 65, 7 sagt, eben die höfisch-ritterliche Gesellschaft.

Die zweite und die fünfte Strophe, die im Aufrufe an diese zusammentönen, umschließen die dritte und die vierte, die den Widersachern gelten und gleich anlauten: *die daz rehte singen stœrent, der* . . . und *die sô frevellîchen schallent, der* . . .; darnach ist wohl auch in den Rahmenstrophen gleicher Einsatz zu vermuten: also, *swer unfuoge swîgen hieze* (nach B) 65, 25 entsprechend, 1 *swer uns fröide wider bræhte* zu lesen; C hat an beiden Stellen *der*; C. v. Kraus, Walther. Unters. 268 verteidigt *swer* in B 65, 25 gegen *der* in C. Die Gegenpartei, die 65, 9 und 17 namenlos als ein Chor aufmarschiert, der Walthers Sang übertönt — s. besonders in Str. 4 *die frösche: diu nahtegal!* — entlarvte der Dichter offenbar zur Genüge in den Schlußzeilen, wo er ihre *unfuoge* zu den *gebûren* (der Ausdruck erscheint bei W. nur hier) verweist, woher sie ja auch gekommen sei. So lockte er ein verstehendes Lächeln auf die Lippen seiner Zuhörer und brauchte keinen Namen zu nennen. Für die Leser unserer Tage jedoch blieb

[3] 48,1 *ich bin den frôn bescheidenlîcher fröide bî* und Heinrich von Morungen (MF) 144,33.34 *mit den frôn in hôhem muote sêhe man mich danne leben.*

die Frage offen: wer waren also diese Störenfriede des Waltherschen Minnesangs? Die literaturgeschichtliche Forschung hatte die Aufgabe, sie aus ihrer Anonymität zu erlösen.

Die Debatte darüber eröffnete Ludwig Uhland in seinem Buche über Walther von der Vogelweide (1822) S. 99 (Schriften 5,72) mit der Erklärung, daß die Schlußwendung 65,31.32 sich merklich gegen die Lieder Neidharts richte, die damals in den ritterlichen Gesang eindrangen; auch viele andere ritterliche Sänger hätten in dieser Weise gedichtet. Hingegen wollte Karl Lachmann in der Anm. zu Walther 65,32 (1827) ‚nicht gern zugeben, daß Walther mit seinem harten Tadel einen so ausgezeichneten Dichter wie Neidhart meine'. Er vermutet, Walther hätte dies durch ein Spiel mit dem hier so passenden Ausdruck *nît* andeuten müssen. Mir schien es (Deutsche Wortgeschichte 1,202) merkwürdig, daß der für Neidharts Winterlieder so bezeichnende Ausdruck *dörper* in Walthers Lied nicht auftaucht, zu dem sich doch 65,31 (*bî den gebûren*) eine vorzügliche Gelegenheit bot; Walther kennt ihn wohl, wie aus 51,24 hervorgeht (*wir suln sîn gemeit, tanzen, lachen unde singen, âne dörperheit*, d. h. also *mit zühten*); s. auch 124,25 *die stolzen ritter tragent an dörpellîche wât*.

In diesen Widerstreit zwischen der Ansicht des ersten wissenschaftlichen Biographen und der des ersten kritischen Herausgebers Walthers griff zunächst Wilh. Wackernagel (Gedichte Walthers von der Vogelweide, übersetzt von Karl Simrock und erläutert von demselben und Wilh. Wackernagel, 2. Teil, 1833, S. 170: s. meine Anm. zu Neidh. 86,30) ein, indem er sich auf Lachmanns Seite stellte und weiterhin bemerkte, es sei ‚ebensowenig zu beweisen, daß Walther nach Leopolds Tode (1230) noch zu Wien gewesen sei, als daß Neidhart sich schon vor dieser Zeit aus Bayern dahin begeben habe; sang aber Walther das Rügelied gegen ihn, ohne an *einem* Hofe mit ihm zu leben, so bedurfte es notwendig einer näheren namentlichen Bezeichnung' ... ‚Es ist eben nur eine allgemeine Klage über den Verfall des Gesanges und wenn von Bauern geredet wird, so soll damit nur der Gegensatz gegen die höfische Kunst stärker ausgedrückt werden.' Ähnlich äußert er sich in seiner Biographie Neidharts S. 439 im vierten Teil der Minnesänger von der Hagens (1838 ersch.), auf den er oben hinwies. Doch gesteht er hier zu, daß in stofflicher Hinsicht Walther die Poesie Neidharts wohl eine von den Bauern hergekommene hätte nennen dürfen, und meint in Anm. 5: ‚Mit demselben Recht als auf Neidhart könnte Walthers ganze Scheltrede auch auf Neifen und dessen volksmäßige Lieder deuten.' In seinem Buche ›Altfranzösische Lieder und Leiche‹ 1846 S. 237 macht er sich jedoch Uhlands Auffassung, daß Walthers Klage über Frau *Unfuoge* gegen die höfische Dorfpoesie gerichtet sei, völlig zu eigen und in seiner Geschichte der deutschen Literatur S. 247 Anm. 11 gibt er schließlich auch zu, daß Walthers Lied sich auf Neidhart beziehen könnte, auch wenn dieser erst nach Walthers Tod an den Wiener Hof gekommen wäre. So stand die Frage, als Moritz Haupt 1858 in seiner Ausgabe von Neidharts Liedern (Anm. zu 86,30) neuerlich Lachmanns Standpunkt verteidigte, indem er, ohne sich übrigens weiter auf die Sache einzulassen, Wackernagels Stellungnahme (in der Literaturgeschichte) für ‚Uhlands Einfall' mit Bedauern zur Kenntnis nahm, wobei er in der Weise der Frühgermanisten Namen und Werk erraten ließ.

Uhland blieb in seiner Deutung von Walthers Lied, wie seine ›Abhandlung über die deutschen Volkslieder‹ (Schriften 3,386: gearbeitet 1836—45, hsg. aus seinem Nachlaß von Fr. Pfeiffer 1866) lehrt. Seine Anmerkung 13 zu 4. Liebeslieder faßt zuerst übersichtlich die Einzelheiten der Frage zusammen, wenn auch manches davon mit der Zeit hinfällig geworden ist: ‚Walthers unmutige Klage setzt einen mächtig und massenhaft angedrungenen, bäuerlicher Herkunft zu bezichtigenden Kunstauswuchs voraus; vollkommen ein solcher stellt sich in Nitharts Dichtweise dar ... Können die echten Lieder Nitharts, worin des Fürsten Friedrich gedacht ist, nur auf ... Friedrich II., der 1230 an das Herzogtum kam, nicht auf Friedrich I. ..., von 1193—1198, bezogen werden, kann man die Blüte der Nithartschen Dorfpoesie nicht von ihrem Grund und Boden in Österreich, dem Tullnerfeld etc., trennen, erfordert Walthers Rügelied ein persönliches Zusammentreffen beider Dichter am dortigen Fürstenhofe, so kommt doch zugleich in Erwägung, daß ... schon vor 1220 Wolfram die Weise Nitharts zutreffend bezeichnet, ... daß es nicht gut angeht, diese schon damals ausgeprägte Dichtweise erst 1230 ihren eigentlichen Schauplatz betreten zu lassen, und daß, sowie Walther unter Friedrich I. und nachmals unter Leopold (1198—1230), namentlich im Jahr 1219, sich in Österreich befand, so auch Nithart unter verschiedenen Fürsten, Leopold VI. und Friedrich II., dort verweilen konnte.' Die Kluft zwischen 1217 (Wolframs Anspielung im Wh.) und 1230 (Friedrichs II. Regierungsantritt) sucht Uhland auszugleichen und einen weiten Spielraum für Neidharts Sängerleben in Österreich zu gewinnen, indem er den *edeln vürsten,* der Neidhart *ze Medelicke behûset hât* (75,6.7), als er nach Österreich übersiedelte, auf Herzog Heinrich von Mödling (1177—1223) deutet, den Walther 35,4 feiert. Aber *Medelicke* ist Melk, wie Haupts Anm. zu 75,7 beweist, und der *edele vürste* Friedrich, wie wir aus 101, 6 ersehen *(vürste Friderîch),* dem Neidhart in zwei Preisliedern huldigt, s. meine Abhandlungen Zs. 73, 117—27.

Die Folgezeit führte zunächst in der strittigen Frage nicht viel weiter. Karl Schröder, Die höfische Dorfpoesie des deutschen Mittelalters 74 (Jahrb.

f. Lit.-Gesch., hsg. von Rich. Gosche, 1. Bd., 1865) wandte gegen Wackernagel (MSH 4,439) ein, Walther habe Neidhart nicht persönlich kennen und auch nicht namentlich nennen müssen, da Neidhart, wie wir aus seiner Erwähnung in Wolframs Wh. ersehen, 1217 schon ein allbekannter Dichter war und als Meister der Dorfpoesie galt. Dagegen erklärte Herm. Schmolke, Leben und Dichten Neidharts von Reuental (Programm des Gymnasiums zu Potsdam 1875, Anm. 62), die ‚vielumstrittene‘ Stelle W. 64,31 f. könne nicht auf Neidhart gehn. ‚Walther meint an jener Stelle einen bestimmten Hof, bestimmte, konkrete Verhältnisse und nicht etwa die literarischen Zustände im allgemeinen; denn ein bloßes theoretisches Bedauern liegt dem mhd. Dichter fern.‘ Den Landshuter Hof kannte Walther nicht und auf dem von Wien hielt sich Neidhart bei der Rückkehr vom Kreuzzuge 1219 gewiß nicht lange auf, weil er sich mächtig nach Hause sehnte, wie seine Kreuzzugslieder beweisen. So bliebe nur etwa der König Heinrichs, zu dem Burkhart von Hohenfels und Gottfried von Neifen in Beziehungen standen.

W. Wilmanns und K. Burdach, die der Walther-Forschung einen mächtigen Auftrieb gaben, mußten natürlich auch zu Uhlands oder Lachmanns Auffassung Stellung nehmen. Dabei ging Wilmanns, ähnlich wie vordem W. Wackernagel, im Laufe der Zeit von der Ablehnung des Standpunktes Uhlands zu seiner bedingungslosen Anerkennung über. Im ›Leben und Dichten Walthers von der Vogelweide‹ 1882 S. 47 erklärt er noch: ‚Walther verwirft hier augenscheinlich eine ganz bestimmte Kunstrichtung oder Kunstgattung ... Es fehlt an Anhaltspunkten zu einer unbestreitbaren Deutung. Neidharts Poesie aber kann schwerlich gemeint sein; denn auf sie paßt der Ausdruck *bî den gebûren liez ich si wol sîn: dannen ists och her bekomen* nicht, wie man ihn auch deuten mag.‘ Weiter geht er in der zweiten Auflage seiner Walther-Ausgabe 1882, S. 268: ‚Der Sänger hat dieselben Verhältnisse im Auge, über die er 32,1 f. Klage führt: die *unhövischen* sind bei Hofe beliebter geworden als er; seinem höfischen Gesang wird nicht mehr die gebührende Ehre zuteil.‘ Er vermutet, daß sich der ritterliche Sänger über das Ansehen und die Gunst beschwere, die man den Fahrenden erweise; ihre Kunst, die sich unter dem Einfluß höfischer Epik und Lyrik umgebildet hatte, sei wieder zu höherem Ansehen gekommen, was die Pfleger höfischen Gesanges verdroß. Dagegen wandte sich Burdach in seinem Buche ›Reinmar der Alte und Walther von der Vogelweide‹ 1880, S. 170.71 sofort energisch Uhlands These zu: ‚Walthers Verhältnis zu Neidharts Poesie konnte nur ein feindliches sein: denn was er mit sittlichem Ernst zu veredeln trachtete, das verzerrte dieser zur Belustigung einer blasierten Gesellschaftsklasse ... Was ist näherliegend, als unter den *ungefüegen dœnen* ..., die *ze hove* den rechten Sang stören, die

Poesie im Geschmack Neidharts, wenn nicht gar seine eigene zu verstehen?' ,Persönliche Bekanntschaft Walthers mit Neidhart ist, wiewohl möglich, gar nicht nötig, um diesen Angriff zu erklären. Wie bekannt Neidharts Lieder selbst in Thüringen waren, geht aus seiner Erwähnung in Wolframs ›Willehalm‹ hervor. Daß Walther auf Neidharts Namen in seiner Polemik nicht hindeutet, ... ist nicht wunderbar, da er sich ja nicht gegen dessen Person, sondern gegen die von ihm geschaffene und von vielen nachgeahmte Kunstgattung richtet.' Wilmanns äußert in seiner Abhandlung ›Über Neidharts Reihen‹ (Zs. 29,72, Anm. 1) gegen Uhlands Deutung noch Bedenken. ,Walthers Tadel scheint viel mehr auf die Vortragsweise als auf den Inhalt gerichtet zu sein und seine Gegenüberstellung von Nachtigall und Fröschen auf einen anderen Gegensatz hinzuweisen als den zwischen seiner und Neidharts Lyrik.' Und weiterhin meint er: ,Übrigens läßt Walthers ganze Art erwarten, daß Neidharts Poesie seinen Beifall nicht fand. Wie er ähnliche Gegenstände behandelt zu sehen wünschte, zeigt sein Lied 74,20. Es ist ein ländliches Tanzlied wie Neidharts Reihen und teilt mit ihnen die lose Komposition, ... aber nichts erinnert an den kecken Realismus Neidharts; das ganze Gemälde ist in den zarten Farben und dem zuchtvollen Stil des Minneliedes ausgeführt.' In der zweiten Auflage von ›Leben und Dichten Walthers v. d. V.‹ (1916 besorgt von Victor Michels) S. 216 zweifelt Wilmanns nicht mehr, daß Uhland recht habe. Walther konnte in der Verleugnung der alten Ideale bei Neidhart ,nur einen höchst beklagenswerten Verfall der edlen Kunst sehen ... Aber wie sehr sich Walther durch die neue Richtung abgestoßen fühlte, bis zu einem gewissen Grade scheint er ihr doch nachgegeben zu haben. In zwei Gedichten, die mit zu dem Schönsten gehören, was wir von ihm haben, hat er das Thema des Tanzliedes aufgenommen und gezeigt, wie er es behandelt wissen wollte': 51,13 und 74,20. ,Daß die Lieder direkt durch Neidhart veranlaßt seien, läßt sich freilich nicht erweisen. Nur das Thema erinnert an ihn, nicht die Ausführung.' Burdachs Gedanken überspitzte in der Folge Ferd. Schürmann, Die Entwicklung der parodistischen Richtung bei N. v. R. (Beilage des Programms der Oberrealschule zu Düren 1898 S. 34): ,Mit den *ungevüegen dœnen* sind ... die krächzenden Töne des dreisten Parodisten gemeint. Gerade diese den edlen Minnesang in den Staub ziehenden Bauernsatiren will Walther treffen ... Walthers Strophen enthalten die schmerzliche Klage über den Sieg der frech-frohen, dörperlich-parodistischen Lieder des Reuentalers, welche die zarten Minnelaute überschrieen und unter schallendem Hohngelächter begruben; sie leihen im letzten Grunde dem Abscheu der reinen, idealen Natur gegen die witzige Gemeinheit Worte.' Maßvoller äußerte sich Burdach selbst in seinem Buch ›Walther von der Vogelweide‹ 1900, S. 101: im Kampfe gegen die höfische Dorfpoesie Neidharts rücke Walther einmal ganz deutlich mit der Sprache heraus; ‚ein erregtes Lied (64,31 *Owê, hovelîchez singen*) ... stößt diesen parodistischen Realismus, diese burleske Ausnutzung volkstümlicher Dichtung zornig und voll Verachtung von sich ... Es liegt beinahe etwas Tragisches in diesem leidenschaftlichen und vergeblichen Protest gegen eine literarische Strömung, die Walther selbst hatte entfesseln helfen und die sein Ideal des schönen Maßes, der künstlerisch gebändigten Wahrheit, der verklärten Natur, das Ideal der gesunden Mitte, zertrümmerte.‘ J. Seemüller, Zur Poesie Neidharts (Festschrift für Joh. Kelle, Prager Deutsche Studien 8. Heft, 1908, S.A. S. 13) findet dafür die schönen Worte: ‚Es war das Gefühl des großen Künstlers, das Walther seine Klage *Owê, hovelîchez singen* eingab. Der Abstand könnte auch nicht größer sein: wir wissen, daß Walthers Genie mitten aus der Tradition — die er selbst glänzend pflegte — in neue Bahnen ausbog, vorüber an den Gebieten, aus denen Neidhart seine Motive holte. Walther hob, entwickelte auf ihnen die alte Lyrik zu einer neuen, höheren Form vollster individueller Ausprägung ... Bei Neidhart überwog der Witz die Empfindung, die volktümlichen Motive, die bei Walther aus der Empfindung heraus künstlerische Form gewannen, waren dort mit höfischen Vorstellungen nur äußerlich in eine Verbindung gebracht, die dem Volkstümlichen nicht gerecht wurde, das Höfische aber zum witzigen Raffinement machte. Wir dürfen Walther wohl auch das Gefühl für den künstlerischen Mißbrauch der volkstümlichen Muster in der Neidhartschen Richtung zutrauen. Den Keim der Vergröberung, der der Gattung innewohnte, erkannte er jedenfalls.‘

In der Polemik gegen Wilmanns kommt Burdach, Reinmar und Walther S. 171.72 auf den Ausdruck *bî den gebûren* zu sprechen, zu dessen Erklärung ihm der Gegensatz *die grôzen höve* nur zwei Wege offen läßt: entweder benennt Walther damit die Kreise, in denen Neidharts Poesie Beifall fand, weil sie sich dadurch über Sitte und Anstand höfisch-ritterlicher Bildung hinwegsetzten, obwohl sie ritterlichen Standes sein mochten, oder der Plural *die gebûre* steht im Sinne von *diu gebûrde,* die Provinz, die von Herren und Bauern bewohnt wird. Diese Deutung zieht Burdach vor: ‚Es bildet also *bî den gebûren* wirklich den Gegensatz zu *die grôzen höve* und bezeichnet den kleineren Landadel, der ... sich ... für die Überlieferungen des Landvolkes Sinn und Empfänglichkeit bewahrt hatte. Von diesem Krautjunkertum ... mag die Neidhartsche Poesie ausgegangen sein und sich allmählich auch der ‚großen Höfe‘, z. B. des von Wien, bemächtigt haben. Walther weist hier diesen provinzialen Geschmack zurück und wünscht, er möchte wieder auf den Landadel, die kleinen Höfe beschränkt werden.‘ Für die erste Auffassung entschied sich Wilmanns in der Anm. zu Walther 65,31, wo er meint, der Ausdruck *gebûre* gelte allen, denen höfische

Bildung fremd geblieben sei. Zuletzt führt C. v. Kraus, Walther v. d. V. Untersuchungen 1935, S. 268.69 aus, der ganze Zusammenhang zeige deutlich, ‚daß unter *gebûre* alles zu verstehen ist, was der *Unfuoge* huldigt, also ‚dörperhaften‘ Geschmack hat und ‚dörperliche‘ Sitten pflegt. Wenn Walther schließt, *dannen ists och her bekomen,* so kann er unmöglich die literarische Herkunft der Gattung im Auge haben, sondern er zielt darauf, daß die Personen, die da auftreten, aus dem Bauernstande genommen sind und daß ihre Sitten und ihr Gehaben, ihre Gedanken und Empfindungen, ihr Lieben und Hassen im bäuerlichen Wesen wurzeln, also an die großen Höfe und in die Burgen keinesfalls gehören.‘ Die von Burdach gewählte Deutung aber ist nach H. Pauls Ansicht, Zu Walther v. d. V. (Beitr. 8 [1882] S. 176, Anm. 2) sprachlich unbegründet: ‚*gebûre* heißt entweder ‚Bauer‘ oder ‚Nachbar‘ . . . . , aber niemals das Land im Gegensatz zur Stadt und noch weniger im Gegensatz zum Fürstenhof.‘ Bei den ‚großen Höfen‘ denkt Walther, wie Burdach in seinem Walther-Buch S. 101 ausführt, wahrscheinlich an den Wiener Hof; ‚doch wäre, falls das Gedicht . . . in die späteste Zeit des Dichters (1228/29) gehört, auch eine Beziehung auf den königlichen Hof des jungen Heinrich, auf den frivolen Kreis Neifens nicht ausgeschlossen[4].

Anders als Burdach sieht Elise Walter, Verluste auf dem Gebiet der mhd. Lyrik, 1933 (Tübinger germanistische Arbeiten Bd. 17) S. 4 in Walthers Worten 65,31.32 nicht nur ‚einen Hinweis auf das in Neidharts Liedern geschilderte Milieu‘, sondern ein ‚Zeugnis für eine verlorene, unliterarische Gattung, für die dritte Quelle von Neidharts Schaffen neben der höfischen und der lateinischen Lyrik‘, wobei sie auf die *wineliet (-liedel)* des Bauern 62,32 und 96,14 verweist. Diese seien seit der Zeit Karls des Großen in dem Maß, in dem sich der Bauernstand aus den primitiven Verhältnissen heraus entwickelte, erweitert und bereichert worden, so daß jetzt ein nach neuen Anregungen suchender Kunstdichter manches von ihnen lernen konnte; s. dagegen C. v. Kraus, Walther. Unters. 269, Anm. 1. Hingegen hatte S. Singer in seinen Neidhart-Studien, 1920, S. 8 die Ahnherrn Neidharts in den Spielleuten gesucht und vermutet, daß Walther in seinen Liedern der niedern Minne aus derselben Quelle geschöpft habe. Ihm schloß sich G. Rosenhagen 1938 im Verfasserlexikon III 505—7 an.

[4] An diese Möglichkeit hatten schon Wackernagel (s. oben S. 335) und Schmolke (oben S. 337) gedacht. ‚Am Hofe König Heinrichs VII. . . . erhielt die Lyrik einen realistischen, volkstümlichen, parodisierenden oder gar frivolen Zug‘ Lamprecht, Deutsche Geschichte 3,257. In der Umgebung des Königs waren Gottfried von Neifen, Burkhart von Hohenfels u. a.

Am Ende dieses Streifzuges durch die einschlägige Literatur steht der Eindruck, daß sich die von Uhland aufgestellte These, Walthers Lied *Owê, hovelîchez singen* sei gegen Neidhart gerichtet, trotz Lachmanns Einspruch siegreich durchgesetzt hat. Die neueren Erklärer äußern sich durchwegs in diesem Sinne: so Herm. Paul a. a. O.: ‚Walther stellt sich in die entschiedenste Opposition zu der ... Poesie Neidharts. Eine andere Beziehung des Gedichts ist trotz Lachmanns Widerspruch kaum möglich'; A. E. Schönbach, Walther v. d. V. Ein Dichterleben, 1889 (4. Aufl. 1923 von Hermann Schneider S. 126 ff.); Carl v. Kraus, Walther v. d. V. Untersuchungen 1935, S. 268; Hans Naumann, Deutsche Kultur im Zeitalter des Rittertums (1938) S. 92. So ist Uhlands Auffassung zum Gemeingut literaturgeschichtlicher Darstellung geworden: W. Scherer, Gesch. der deutsch. Lit.[5] 1889, S. 213; Fr. Vogt, Mhd. Lit. (in Pauls Grundriß der german. Philologie, [2]II 1) S. 261; W. Golther, Die deutsche Dichtung im Mittelalter [2]1922, S. 359; H. Schneider, Heldendichtung, Geistlichendichtung, Ritterdichtung 1925, S. 416 (‚Ausnahmsweise nennt Walther hier den Rivalen nicht, dessen unhöfisch vordringliche Art ihm in Wien den Rang streitig zu machen droht. Aber damals wie heute konnte niemand daran zweifeln, wer gemeint ist': wobei Lachmann und Haupt ganz übersehen sind!); G. Ehrismann, Gesch. der deutsch. Lit. bis zum Ausgang des Mittelalters, 2. Teil, 1935, S. 249; Rosenhagen a. a. O. 501; J. Schwietering, Die deutsche Dichtung des Mittelalters (o. J.) S. 256.

Trotz alledem scheint mir in den bisher vorgebrachten Forschungsergebnissen keine Gewähr erreicht, daß man es dabei bewenden lassen darf. Vor allem ist nicht zu übersehen, daß Walthers Lied keine einzelne Dichterpersönlichkeit bekämpft, sondern eine „kompakte Majorität", deren *unfuoge* er von Strophe zu Strophe betont. Diese ungefüge lyrische Strömung kam von *den gebûren* her, machte sich auf Burgen und großen Höfen breit und raubte dem *hovelîchen singen,* d. h. dem Minnesang Waltherschen Stiles, die Gunst der Damen und Herren: es waren also zweifellos Sangesgenossen, deren Lieder als unfein und bauernmäßig bezeichnet werden konnten. Wenn nun die Geschichte der deutschen Lyrik zu Walthers Lebzeiten das Aufkommen der höfischen Dorfpoesie feststellt, wie sie Lachmann in der Anm. zu W. 65, 32 treffend genannt hat, so liegt es allerdings ungemein nahe, bei Walthers Polemik an diese neue Strömung im Minnesang zu denken, die Motive aus dem Dorfleben holte, dabei jedoch den alten Phrasenschatz hohen Stiles festhielt, so daß sich für ihre Erzeugnisse parodistische Färbung ergab. Für Verfechter des Minnesangs der hergebrachten Art war es aber jedenfalls besonders schmerzlich, ja empörend, daß Neidhart in den Minnestrophen der Winterlieder die altbekannten Phrasen und Motive in unmittelbarer Nähe seiner Dörperszenen erklingen ließ, um so Spott und Lachen auszulösen. Dabei mochten Empfindsamkeit und Pathos im Vortrage dieser Minnestrophen, vielleicht noch verstärkt durch entsprechende Mienen und Gebärden, die Sache auf die Spitze treiben, s. Schönbach in seinem Walther-Buche[3] S. 152, Bielschowsky, Gesch. der deutschen Dorfpoesie im 13. Jh. S. 99 und 192. 93, Singer, Neidhart-Studien S. 9 und Joh. Günther, Die Minneparodie bei Neidhart S. 41. Somit war ja freilich die höfische Dorfpoesie im allgemeinen und Neidhart im besonderen ganz darnach angetan, Walthers Ingrimm zu reizen.

Aber wie verhält sich das Kampflied 64, 31 zu seiner übrigen Dichtung, und aus welcher Zeit stammt es vor allem? Es bietet zunächst keine Anhaltspunkte zu genauerer Datierung. C. v. Kraus (Walther. Unters. S. 493) stellt es unter die zeitlich unbestimmbaren. Doch rückt es aus Gründen des Inhalts unverkennbar in die Nähe des Spruches 31, 33; wenn es dort heißt (32, 1—3) *ich hân wol und hovelîchen her gesungen* (s. *hovelîchez singen* 64, 31): *mit der hövescheit bin ich nû verdrungen* (s. *verdringen* 64, 33), *daz die unhöveschen nû ze hove genæmer sint dann ich,* so steht auch hier der Sänger einer Mehrzahl von Gegnern gegenüber, die ihm bei Hofe das Wasser abgräbt und seine Kunstübung stört — vgl. 31, 36 *swer höveschen sanc und fröide stœre* mit 65, 9 *die daz rehte singen stœrent* — nur ist hier alles deutlicher, ins Persönliche gewendet: *ich hân . . . gesungen . . . bin ich . . . verdrungen . . . daz die unhöveschen* (für *unfuoge*) . . . *genæmer sint dann ich*; daher 32, 14. 15 *zu Ôsterrîche . . . wil ich mich . . . beklagen.* Das ist also der Hof, an dem Walther in eigener Sache Beschwerde führt; daß die Widersacher Sangeskonkurrenten sind, verrät der Wortlaut jedoch nicht. In dem mit 31, 33 in engen Beziehungen stehenden Spruch 32, 7 läßt der Dichter zwar einen Namen aus ihren Reihen mit einfließen — *singe ich mînen höveschen sanc, sô klagent siz Stollen* 32, 11 — aber alle Vermutungen über diesen geheimnisvollen *Stolle* (s. die Anmerkungen bei Lachmann und Wilmanns) haben zu keinem sicheren Ergebnis geführt.

In beiden Sprüchen wendet sich Walther am Schlusse (32, 5 und 16) geradezu an den Herrn eines großen Hofes, nämlich an *Liupolt*, den Herzog von Österreich: von seiner Entscheidung soll Walthers weitere Haltung abhängen; denn um die Sache des höfischen Sanges steht es schlecht, s. 64, 35. 38 und 65, 9 ff. Wenn Walther in 64, 31 dieselben Verhältnisse im Auge hat, über die er 32, 1 ff. Klage führt, wie Wilmanns in der Vorbemerkung zu Nr. 44 seiner Ausgabe mit Recht annimmt, dann kämpft er wohl auch gegen dieselben Widersacher bei Hofe. Damit käme für diese Gedichte die Zeit Herzog Leopolds VI. in Betracht: W. Wackernagel und M. Rieger, Walther v. d. V. (1862) reihen in der Tat *Owê, hovelîchez singen* nach 18, 15 und vor 31, 33, 32, 7 und 17 ein. Die natürlichste Grundlage für eine Rivalität Walthers und Neidharts wäre ja ein persönliches Zusammentreffen oder doch ein ungefähr gleichzeitiges Wirken beider an demselben Hofe; als Schauplatz dafür käme in erster Linie der Babenbergerhof zu Wien in Frage, an dem beide Sänger in gewissen Epochen ihres Lebens nachweisbar Aufenthalt nahmen. Da nun Walther allem Anschein nach die Regierungszeit Friedrichs II. (seit 28. Juli 1230), in der Neidhart zu dauerndem Aufenthalte nach Österreich gekommen war (s. Zs. 73, 117), nicht mehr erlebt hat, bleibt nur zu erwägen, ob Neidhart schon mit dem Hofe Leopolds VI. in Verbindung getreten sein mag. Dazu war allerdings auf dem Kreuzzuge des Herzogs 1217—19 Gelegenheit (s. Wilmanns in der Anm. zu 76, 39 seiner ersten Walther-Ausgabe), den Neidhart wie viele andere Bayern mitmachte (s. Haupts Anm. zu Neidh. 11, 8). Als der Dichter zu diesem Behufe um 1217 nach Österreich kam, war er schon eine in literarisch interessierten Kreisen bekannte Persönlichkeit besonderer Prägung, wie die eingangs behandelte launige Bemerkung Wolframs über ihn aus derselben Zeit (s. Benecke zu Iwein 6943) lehrt. Auf der Heimkehr aus dem fernen Osten hielt er sich schwerlich lange in Österreich auf; s. oben S. 337. Daß Walther schon 1217, ehe der Herzog den Kreuzzug antrat, in Wien gewesen sein muß, schließt Wilmanns, Leben und Dichten Walthers[2] S. 171 aus 36, 1; er fährt fort: „In diese frühere Zeit wird man die Sprüche

32, 7, 31, 33 und 34, 34 setzen müssen. Die beiden ersten sind wohl nicht in Österreich gesungen. Der Dichter scheint vielmehr an einem fremden Hofe mit dem Herzog zusammengetroffen zu sein, an dem er sich nicht recht wohl fühlte"; s. auch II, Anm. 326: „Die meisten nehmen an, daß die Sprüche 31, 33 und 32, 7 in Kärnten oder Thüringen gesungen seien zwischen 1214 und 1220." Zeit und Ort der Abfassung dieser Sprüche harren noch weiterer Aufhellung. Da das Lied *Owê, hovelîchez singen* ganz ähnliche Verhältnisse vorauszusetzen scheint wie die Sprüche 32, 7 und 31, 33, wird es wohl auch in dieselbe Zeit gehören wie diese, d. h. vor 1217. Wenn Uhlands Deutung zu Recht bestünde, so rückte es als ein Wahrzeichen literarischer Entwicklung in helles Licht: es stünde als Meilenstein an einem Wendepunkte in der Geschichte des deutschen Minnesangs, in dem Walthers *hovelîchez singen* den *ungefüegen dœnen* höfischer Dorfpoesie im Sinne Neidharts Raum geben mußte. Der Person Neidharts gilt der Angriff Walthers nicht: er hat es mit einer Schar von Vertretern der neuen Töne im Minnesang zu tun, in der freilich für uns Neidhart als tonangebend hervorragt. Die höfische Dorfpoesie muß aber, nach den erörterten Verhältnissen zu schließen, um 1217 in höfisch-ritterlichen Kreisen schon erheblichen Anhang für sich gewonnen haben, wofür uns das erhaltene Gut allerdings keine entsprechende Grundlage liefert. Aber wie kläglich stünde es um unsere Kenntnis Neidharts, wenn wir auf die großen Sammelhandschriften angewiesen wären und nicht die Neidhart-Liederbücher R und c durch besondere Gunst des Schicksals ein so viel reicheres Bild des Dichters gestatteten? (s. Anz. 53, 117. 18). Walther klagt über mancherlei Leute, die ihm das Hofleben verleiden, s. Burdach, Walther 98 ff. Allgemein 103, 29 *Uns irret einer hande diet: der uns die furder tæte, sô möhte ein wol gezogener man ze hove haben die stat. Die lâzent sîn ze spruche niet: ir drüzzel derst sô dræte, kund er, swaz ieman guotes kan, daz hulfe niht ein blat.* In 18, 1 nimmt ein ungenannter Verehrer in einem Tone Walthers einen seiner gegnerischen Sangesgenossen scharf in die Zucht: dessen Name (*hêr Wîcman* in A, *hêr Volcnant* in C) sagt uns aber nichts, als daß Walthers höfische Konkurrenz offenbar aus Schichten kam, die nur für Unterhaltung der Gesellschaft im trivialsten Sinne tätig war. E. Walter a. a. O. S. 4 denkt an bettelhafte Spruchdichter, die sich gelegentlich auch in Minneliedern versuchten. Auch die höfische Dorfpoesie mag in solchen Kreisen ihre Vertreter gefunden haben.

Wenn somit 64, 31 Walther der ganzen Gilde der höfischen Dorfpoeten den Kampfhandschuh hinwirft, nicht Neidhart für sich, wogegen eben Lachmann mit Recht protestiert hatte, so ist beim Aufspüren anderer Fäden, die von Walther zu Neidhart zu führen scheinen, alle Vorsicht geboten. Mancherlei Beobachtungen über merkliche Stellungnahme Walthers zu Neidhart glaubt man ja in der Tat gemacht zu haben, indem er etwa dessen Gedanken und Worte aufgreift und spottend abweist.

So meint Wilmanns in dem Nachwort zu Walthers 57, 23 *Minne diu hât einen site:* „Einen wirksamen Hintergrund für dieses Lied gewährt die Annahme, daß die Anschauungen des Sängers durch Neidharts Poesie und ihre Beliebtheit geweckt seien. Der ältere Sänger, einst der vertraute Günstling der Minne, fühlt sich beiseite geschoben; ein jüngerer ist an seine Stelle getreten ... Das Gefühl der reicheren Kunst tröstet ihn über die Zurücksetzung." Walthers Lied enthält tatsächlich die mit überlegenem Humor vorgebrachte Absage des reifen Mannes an die Minne, die 24 Jahren den Vorzug vor 40 gibt, weshalb ihr der Dichter den Dienst aufkündigt (58, 20), also die Minnedichtung einzustellen gedenkt. Die Ausdeutung auf Neidhart ist ein reines Spiel der Phantasie. Schürmann S. 34. 35 setzt es fort, indem er annimmt, Neidhart habe sich für die Ablehnung seiner Sangesweise seitens Walthers durch die Ironisierung dieses Liedes in dem Strophenpaar 96, 30—97, 8 gerächt. Er habe Walthers Frage *war sint alle ir witze komen? Wes gedenket si vil tumbe?* beantwortet, indem er die Vorwürfe gegen die Minne ins Bäuerliche übertrug und die hohe Frau mit einer Pflugreute ausstattete. Den Kern der Erwiderung sieht er in 97, 7 *der mit werke ir willen tuot:* „Neidhart erklärt hier in seiner derben Art, weshalb der Knecht dem Ritter, d. h. seine vollblütige, leistungsfähige Bauernpoesie dem schwachbrüstigen Gesang des alternden Minnesingers vorgezogen wird." Nach diesen Gedankengespinsten wäre also in Walthers Lied der Dichter selbst der alternde, Neidhart der jugendliche Diener der Minne: in Neidharts Strophen hingegen wäre nach Schürmanns Deutung Walther der Ritter, Neidhart der

Knecht, obgleich sie einem Tone aus Neidharts reifer Zeit zugehören (*ze mittem tage* 95, 30, *sît daz mich daz alter von der jugende schiet* 36 und *wirt er als ich grâ, sô ist missebieten dâ* 39 f.) und der alternde und von Frau Welt zurückgesetzte Sänger, der ihr deshalb auch wie Walther den Dienst aufkündigt, eher dem Ritter, der mit Frau Minne hadert, als dem Knechte gleicht. Schürmanns Deutung stellt also die Verhältnisse geradezu auf den Kopf.

W. 58, 3—5 *Minne hât an sich genomen, daz si gêt mit tôren umbe springende als ein kint* erinnert Ferd. Mohr, Das unhöfische Element in der mhd. Lyrik von Walther an S. 9 stark an Neidharts bekannte Alte, braucht aber doch keineswegs in Hinblick auf dessen ›Altenlieder‹ gesagt zu sein.

Walthers Worte 59, 17 *ich bin niht niuwe* nimmt Karl Korn, Studien über „Freude und Trûren" S. 82 ff. zum Anlaß, das Verhältnis Walthers zu Neidhart zusammenhängend zu erörtern: „Alle Erklärer der Stelle . . . deuten . . . Walthers Worte auf Neidhart und die neue höfische Dorfpoesie. Wenn man Walthers gleichbedeutendes Bekenntnis 65, 12 *doch volg ich der alten lêre,* das sich in einem eindeutig gegen die höfische Dorfpoesie gerichteten Liede findet, hinzunimmt, wird man an der Berechtigung, das Wort *ich bin niht niuwe* und mit ihm das ganze Lied 58, 21 als Abwehr gegen Neidhart zu betrachten, nicht zweifeln". Darüber s. unten S. 357. Hier sei nur festgestellt, daß *der alten lêre* auf das folgende Sprichwort zielt, *ich bin niht niuwe* aber von v. Kraus, Walther. Unters. S. 233 und Anm. 1 im Sinne von Hildebrand und Burdach (s. die Ausg. von Wilmanns-Michels z. St.) als „ich bin keiner von den Neuen" treffend in dem Sinne gedeutet wird „ich gehöre noch zu denen, die dieser Tugenden — *scham unde triuwe — wîlent nâmen war"*.

v. Kraus vermerkt zu der zweifelhaften Strophe W. 111, 12—21 a. a. O. S. 396: „Vielleicht ist es . . . nicht zu kühn, in der einen weiblichen Gestalt die Verkörperung der schlichten Heldin „niederer Minne" zu sehen, in der andern die der Poesie Neidharts, die sich ja als Bäuerin höfisch schminkt und kleidet. In Neidharts Nähe wird das Lied ja ohnehin durch die Berührung mit N. 38, 37. 38 . . . gerückt." (Im Zitat der Neidhart-Stelle geriet v. Kraus versehentlich in das von Michels nachgetragene aus Lichtenstein 172, 15 hinein: *die zöpfe . . . plecken sach.)*

Schließlich ist noch zu erwähnen, daß Walthers Lied 51, 13 gewisse Anklänge an Stellen Neidharts aufweist wie 22—24 *wir suln sîn gemeit, tanzen, lachen unde singen, âne dörperheit* und N. 35, 12 *tanzet, lachet, weset vrô* sowie 17,2 *ich râte, daz die jungen hôchgemuoten mit schœnen zühten sîn gemeit,* wozu in der Ausgabe von Wilmanns-Michels (Anm. zu 51, 24) die Frage eingeschaltet ist: „Ist das schon mit Seitenblick auf Neidhart . . . gesagt?" Die Phrase *mit zühten sîn gemeit,* die Walther selbst 43, 31 verwendet, ist viel verbreitet, wie Haupts Sammlung von Belegen in der Anm. zu 17, 2 beweist[5].

Eine einleuchtend nachgewiesene Stellungnahme Walthers gegen Neidhart ist mit diesen spärlichen Beobachtungen und Vermutungen nicht zutage getreten. Die Abwehr in Walthers Lied 64, 31 kann aus zeitlichen Gründen dem Neidhart des Tullnerfeldes, der in Österreich unter Friedrich II. seine Tätigkeit entfaltete, nicht gelten. Es stellt sich, wie oben gezeigt wurde, in die Zeit des Kreuzfahrers: die im Inhalte nahestehenden Sprüche 32, 7 und 31, 33, die in die Regierungszeit Leopolds VI. gehören, eifern zornvoll gegen dieselbe Rotte von Widersachern wie das Klage- und Kampflied. Ihre Gestalten verschwimmen für uns im undurchdringlichen Nebel ferner Zeiten[6]. Die spärliche Überlieferung des Liedes W. 64, 31 scheint zu verraten, daß es seinerzeit oder in der Folgezeit keinen sonderlichen Beifall fand: dieses Schicksal teilt es freilich z. B. mit dem uns heutzutage so teuer gewordenen *Owê, war sint verswunden alliu mîniu jâr* 124, 1.

[5] Die Bemerkung bei C. v. Kraus, W.U. S. 247, Anm. 3, die davon spricht, daß Burdach, W. S. 100 die Strophe 61,33 als gegen die höfische Dorfpoesie gerichtet betrachte, verrät, daß er einem falschen Zitat (61,33: richtig 31,33) zum Opfer fiel.

[6] Walthers Klage über die Zurücksetzung des höfischen Sanges steht nicht allein. Auf Ulrich von Winterstetten (J. Minor) wies schon Uhland (Schriften 5,265) hin, der XXXVIII 10 klagt: *sost ein ander swære, diu mich twinget, daz die herren muotes sint sô kranc und ir tugende nieman dar zuo bringet, daz man singe hovelîchen sanc.* Ulrich von Singenberg (Bartsch, Die Schweizer Minnesänger II 15, 5) sagt: *nû waz*

Aber welche Haltung nahm Neidhart gegenüber seinem berühmten älteren Sangesgenossen ein? Welche Spuren führen überhaupt von seinen Liedern zu denen Walthers? Darüber liegt in der einschlägigen Literatur ein nicht unbeträchtliches Material an Beobachtungen vor. Der leichteren Übersicht halber ordne ich die in Frage kommenden Stellen nach der Reihenfolge der Lieder in der Ausgabe an.

In einem seiner beiden Kreuzzugslieder bedauert der Dichter, seinen Freunden, die ihm dankbare Zuhörer wären, kein Lied singen zu können, und fährt 11, 20. 21 fort: *ûf mînen sanc ahtent die Walhen niht: sô wol dir, diutschiu zunge!* Fr. Vogt versteht (Anm. zu MF 37, 18) *sô wol dir* als Abschiedsgruß; aber 103, 22 sagt der auf der Fahrt nach Bayern begriffene Verfasser *sô wol dir, Beierlant!* Neidharts Ausdruck erinnert zweifellos an Walthers Weheruf 9, 8 *sô wê dir, tiuschiu zunge,* den Neidhart sarkastisch in *sô wol dir* umbiegt, indem er zugleich seine Sache als deutscher Minnesänger zu der seines Volkes macht. Darin liegt durchaus kein Spott gegen Walther, sondern einfach eine wirksame Ausnützung des berühmten Reichstones, die sich noch merklicher in einer Zusatzstrophe von c (18, 4) zu dem Pseudo-Neidhart XI 1 beobachten läßt: *wê, dir, tiuschez lant! Sol in dîner ordenunge* (W. 9, 9 *wie stêt dîn ordenunge!*) *minne alsô verderben* (s. Haupts Anm.).

In dem genannten Kreuzzugsliede versichert Neidhart *solt ich mit ir nû alten, ich het noch eteslîchen dôn ûf minne lôn her mit mir behalten, des tûsent herze* (nach R, Cc haben *herzen*) *wurden geil* 12, 26—30. Wilmanns verweist in der Anm. zu W. 73, 9 *tûsent herze wurden frô von ir genâden* (nämlich durch des Dichters Sang, falls die Geliebte ihm huldvoll wäre) auf die Neidhart-Stelle. Lachmanns Lesung *herze* (nach C; AE haben *herzen*) — s. v. Kraus, Walther. Unters. S. 289 und 365[2], auch V. Michels,

sol ich danne singen, ... sît unvuoge wil verdringen alliu vröidehaften spil? Allgemeiner tönt die Klage des Strickers im Eingang seines ›Pfaffen Amis‹: *Hie vor was vröude und êre geminnet alsô sêre, swa ein höfsch man ze hove quam, daz man gerne von im vernam seitspil, singen oder sagen ... daz ist ab nuo sô unwert, daz es der sehste nine gert ... wie sol dann' ein gevüege man ze hove nuo gebâren?*

Mhd. Elementarbuch[3.4] § 212, Anm. 3 — wird somit auch durch Neidharts Zitat gestützt. Und wie Neidhart sich gelegentlich bei gleichem oder doch ähnlichem Zusammenhange der Worte Walthers bedient, so auch der Pseudo-Reinmar in MF 184, 31. 32 *Ich hân hundert tûsent herze erlôst von sorgen, alse frô was ich.*

Die Strophe N. 15, 5—12 hält Korn S. 86 für „eine übergeistreiche Abwandlung des Waltherschen Lieblingsbegriffes *liebe*": es handelt sich dabei vielmehr um ein bei höfischen Dichtern beliebtes Getändel mit einem höfischen Begriff und Ausdruck: s. *vriunt* in der folgenden Strophe, *stæte* bei Walther selbst 96, 29—97, 11, *liep, liebe* beim Schenken von Landeck (Bartsch, Schweizer Minnes. XXI 1, 65—80) u. ä.

Reiner Zufall ist wohl der Zusammenklang zwischen N. 24, 11 *vriunt, nû sprechen âmen, daz wir sîn alle râmen* und W. 31, 33 *In nomine dumme, ich wil beginnen: sprechet âmen* (s. Albert Mack, Der Sprachschatz Neidharts, Liste 6): eine allgemein verbreitete Redensart. So teilt auch N. 35, 12 *daz zimt wol den jungen* diese Zeile mit W. 87, 10. 15 bei ganz abweichendem Zusammenhange: dergleichen war Gemeingut der Minnesangsprache.

Neidhart spricht 32, 36—33, 14 von der *valschen minne* im Gegensatz zur *werden* und versteht darunter die bloß sinnliche ohne Herzensneigung, wie sich aus 33, 12 *ist uns iemen âne herze holt* ergibt. Walther weist L. 217, 10 ff. (s. die 10. Ausgabe von v. Kraus S. 165) die Ansicht ab, *daz minne sünde sî,* und schließt 16 *die valschen minne meine ich niht, diu möhte unminne heizen baz,* worauf er 171, 5 (bei v. Kraus S. 61) zurückkommt: *ich sanc von der rehten minne, daz si wære sünden frî. Der valschen der gedâhte ich ouch dâ bî und rieten mir die mîne sinne, daz ich si hieze unminne.* Die Stellen bei Neidhart und Walther haben außer dem Ausfall gegen die falsche Minne nichts miteinander gemein. Solche Exkurse über wahre und falsche Minne sind ja auch in der Epik beliebt: Wirnt von Grafenberg im Wigalois 261, 21 ff. und Gottfried im Tristan 12183 ff.

N. 42, 32. 33 *wê, wiez mir erbarmet, daz ir vuoz bî vrömdem viwer erwarmet* gleicht im Wortlaute W. 28, 3 *gerne wolde ich . . . bî eigenem fiure erwarmen (:erbarmen).* Joh. Günther, Die Minneparodie bei Neidhart, Anm. 36 hält Parodie für möglich: der Spott läge höchstens darin, daß Neidhart eine Redewendung, die Walther in eigener Sache gebraucht, für die Lage einer Bauerndirne verwertet.

43, 27 feiert Neidhart eine vielumworbene Dorfschöne mit den Worten: *si ist ein wîp in hôhem prîse ... unde ist aller wandelunge vrî*, also in herkömmlichen Wendungen des Minnesangs: s. Wilmanns-Michels, Leben und Dichten Walthers[2]. IV, Anm. 272; wörtlich entspricht Heinrich von Rugge (MF 104, 9) *sist aller wandelunge vrî*. Nach Korns Ausführungen a. a. O. S. 86 zielt Neidhart auf ein Wesentliches der neuen Dorfpoesie, nämlich die kulturpessimistische Anschauung, daß es allein noch im Derb-Primitiven Echtheit und Unwandelbarkeit ... gebe. Die Berechtigung, die Neidhart-Stelle so auszudeuten, schöpft er aus der Tatsache, daß sich Walther in dem Liede 58, 21 mit dem pessimistischen Einwand der Neuerer — *si jehent, daz niht lebendes âne wandel sî* 59, 21 — auseinandergesetzt habe. Walther erklärt dort, nachdem er mit scherzender Bescheidenheit gestanden hat, nur zwei Vorzüge zu besitzen, die jetzt nichts gelten, nämlich *scham unde triuwe*, 59, 19 von der Geliebten: *ich wânde, daz si wære missewende frî: nû sagent si mir ein ander mære; si jehent, daz niht lebendes âne wandel sî* (sprichwörtlich im Sinne der hl. Schrift: s. Wilmanns z. St.): *so ist ouch mîn frowe wandelbære*. Aber er findet nur zwei Fehler an ihr: *si schadet ir vînde niht und tuot ir friunden wê*. Diesen Fehlern stellt er scherzend nur zwei Vorzüge entgegen, die freilich alles in sich schließen, was an einem Weibe begehrenswert ist, nämlich *schœne und êre*. Angesichts dieser Sachlage entpuppen sich Korns Deuteleien als leere Schaumschlägerei; s. C. v. Kraus, Walther-Untersuchungen S. 234.

N. 55, 9—11 *Minne, lâ mich vrî: mich twingent sêre dîniu bant. Minne, dîne snüere die twingent daz herze mîn* gemahnt in Inhalt und Wortlaut an W. 55, 26 *genædeclîchiu Minne, lâ* und 56, 9. 10 *Minne, ... sît dîniu bant mich sulen twingen*, scheint aber dem als Gemeingut umlaufenden Phrasenschatz des Minnesanges anzugehören.

N. 56, 8—11 *der ich her gedienet hân von kinde und noch ouch* (nach R, *heut auch* c, *iemer* Bz) *in dem willen bin, daz ich wil belîben an ir stæte vil mangen tac* vergleicht R. M. Meyer, Reihenfolge S. 155 mit W. 57, 15. 16 *der ich vil gedienet hân und iemer mêre gerne dienen wil* in der nur von C überlieferten Strophe des berühmten Liedes *Ir sult sprechen willekomen*: es handelt sich aber wieder um eine stehende Wendung des Minnesangs; s. bei Neidhart selbst 76, 31 *daz ist ir gedienet, der ich vil gedienet hân unde ir* (nach d, *ymmer* usw.) *dienen wil unz an mîner jâre zil* (v. Kraus, Walther. Unters. 224 denkt hier an eine Nachwirkung der Walther-Stelle bei Neidhart) und sonst, z. B. bei Albrecht von Johannsdorf (MF 91, 15) *der ich diene und iemer dienen wil*, Hartmann von Aue, ebda. 207, 24 und 208, 32; s. R. M. Meyer, Zs. 29, 149. 50.

N. 56, 14—16 *diu wîle gêt mir schône hin, swenne ich sî in wolgetâner wæte gesehen mac* ist nach C. Pfeiffers Ansicht (Die dichterische Persönlichkeit N.'s v. R. S. 26) direkt beeinflußt durch W. 46, 10—12 *swâ ein edeliu schœne frowe reine, wol gekleidet unde wol gebunden, dur kurzewîle zuo vil liuten gât* und N. 20. 21 *sunne und ouch der mâne gelîchent sich der schœnen niht, od ich enkan niht spehen* durch W. 15 *alsam der sunne gegen den sternen stât* usw. Joh. Günther, a. a. O. S. 42, Anm. 35 zweifelt sehr daran; der Wortlaut allein verbietet schon, diese Stellen in nähere Beziehung zueinander zu bringen. 58, 24 vergleicht Neidhart die Schöne mit dem Vollmond, 79, 21 mit dem hellen Sonnenschein.

N. 64, 5—7 *ich verzage, daz mîn klage niht ir herze entsliuzet* berührt sich mit W. 55, 31—33 *Minne .. dun darft niht jehen, daz dû in ir herze'n mügest: ezn wart nie sloz sô manicvalt, daz vor dir gestüende, diebe meisterinne* nur flüchtig im Bilde vom verschlossenen Herzen.

N. 66, 15 (der Sänger beschwert sich vorher über seine Augen, die ihn bei der Ausschau nach einer Herzensfreundin irreführten) *ich enwil si nimmer mêr ze boten für gesenden* wertet R. M. Meyer S. 157 als „geringeren Anklang" an W. 99, 17—19 *swenn ez (mîn herze) dougen sante dar, seht, sô brâhtens im diu mære, daz ez fuor in sprüngen gar.* Das Motiv von den Augen als Boten der Liebe findet sich auch bei Heinrich von Morungen 132, 2. 4 *mîner ougen tougenlîchez spêen, daz ich ze boten an si senden muoz,* so daß die obigen Stellen in keinem näheren Verhältnisse zueinander stehn müssen. Hingegen berührt sich die Stelle bei Walther im Ausdruck mit einer anderen bei Neidhart, die Wilmanns in seiner Ausgabe dazu vermerkt, nämlich N. 100, 31—34 (nur in Cc, nicht in R) *herze, dirst ze gâch, volgest dû den ougen nâch, swâs ein schœne wîp ersehent. Sô verst in den (verst dû in?) sprüngen pfnehent* „dann hüpfest du in Sprüngen keuchend dahin".

N. 69, 1—4 *tumber liute vrâge müet mich sêre zaller zît, wer diu wolgetâne sî, von der ich dâ singe: ja ist ez in vil ungesagt* stellt A. Hein, Walther v. d. V. im Urteil der Jahrhunderte S. 30 neben W. 63, 32—34 *si frâgent unde frâgent aber alze vil von mîner frowen, wer si sî. Daz müet mich sô, daz ichs in allen nennen wil* (worauf W. die lästigen Frager zum besten hält), wagt aber keine Entscheidung, ob das Motiv zeitüblich war oder auf Walthers Anregung zurückgeht. Diese Frage nach der ungenannten Geliebten ist nun seit Heinrich von Veldeke ein bekanntes Motiv des Minnesangs: s. Wilmanns, Leben und Dichten Walthers v. d. V.[2] S. 26 und I, Anm. 53, ferner die Anm. zu 63, 32 in der Ausgabe. Bei Walther kehrt es 98, 26—28 wieder: *vil maneger frâget mich der lieben, wer si sî, der ich diene und allez her gedienet hân,* mit köstlichem Witz in einem unechten Liede XV 25—32 *tumbe liute nement mich besunder und frâgent bî, wer si sî. Rieten siz, daz wære ein michel wunder; wan daz nie geschach, des ich dâ jach. Müget ir hœren gemelîchiu mære? Gerne weste ich selbe, wer si wære* und in einem ebensolchen N.'s XXXIX 19. 20 *si frâgent, wer si sî diu sældenrîche, von der ich hovelîche hân gesungen.*

Zu N. 69, 19 *wol ir süezen lîbe! der ist ûf die triuwe mîn unbewollen, âne meil* verweist Mack a. a. O. S. 112 und 115 auf Walthers Leich 5, 19, wo Maria *maget vil unbewollen* (immaculata) genannt wird, und meint, Neidhart erlaube sich den Ausdruck im Anschlusse an Walther von seiner Geliebten, also parodistisch. Das mag ja richtig sein, aber im Anschlusse an die Marienlyrik überhaupt.

N. 69, 38. 39 klagt der Dichter: *swaz ich ir gesinge, deist gehärphet in der mül; si verstêt es ninder wort;* denn sein Widersacher *Willebort* sorgt dafür. Walther hinwiederum erklärt 65, 12—16 unmutig: *noch volg ich der alten lêre: ich enwil niht werben zuo der mül . . . merkent, wer dâ harpfen sül* (nachdem er auf den Lärm des Steines und des Rades hingewiesen hat). Die beiden Stellen wurden von den Erklärern vielfach in nahe Beziehung gesetzt: s. Mack a. a. O. S. 107 (Liste 6); Mohr a. a. O. S. 52; Günther a. a. O. S. 50, Anm. 36; Karl Fr. Müller, Die literar. Kritik in der mhd. Dichtung S. 18; v. Kraus, Walther. Untersuchungen S. 269, Anm. 2; Walt. Weidmann, Stud. zur Entwicklung von N.'s Lyrik S. 105. Die Verbindung von *stein* bei W. 65, 14 mit N. 70, 2 beruht auf der irrigen Textgestalt bei Haupt, s. die Anm. in der 2. Auflage. Rosenhagen behauptet Verf.-Lex. III 501, Walther verrate seinen Gegner durch die Verwendung des „Harfens in der Mühle", das Neidhart einfach in seinem sprichwörtlichen Sinne gebrauche, von Walther aber auf die unwîse umgedeutet werde. Beide Dichter bedienen sich einer geläufigen sprichwörtlichen Redensart (s. bei Walther *der alten lêre*) für ihre vergebliche Sangesarbeit. Formal sind die beiden Aussprüche durch den Reim *mül: sül* verbunden: dieser erscheint jedoch schon bei Freidank (s. meine Anm. zu N. 69, 38). Walther gebraucht die Redensart in Sachen seiner Kunstübung, Neidhart aus seinem Liebesverhältnis zu einem Bauernmädel heraus. Dort geht es um das höfische Publikum, hier um das Dorfdirnlein; dort stört der Schwarm der „ungefügen" Mitbewerber um die Gunst der Herren und Damen auf Höfen und Burgen, hier die Rotte der *dörper*. Es ist ja möglich, daß Neidhart die Wendung durch die Erinnerung an Walther in den Sinn kommt und er sie spöttisch in seiner Lage gebraucht, aber keineswegs notwendig. *unwîse* nennt Walther das Knarren und Kreischen des Mühlenrades. Daß er durch die Verwendung der Redensart vom „Harfen in der Mühle" also seinen Gegner verrate, scheint mir etwas weit hergeholt.

In N. 71, 24—36 vermutet Karl Credner, Neidhartstudien S. 66 eine schwache Polemik gegen W. 48, 25 ff. Dieser meint, am Verfalle des höfischen Lebens seien die Frauen schuld, da sie zwischen guten und schlechten Männern keinen Unterschied machten; Neidhart aber setzt auseinander, daß früher *mannes minne* gegenüber *der wîbe minne* das Übergewicht hatte, jetzt jedoch gegen *der wîbe minne* nichts aufkomme. Wer daran schuld sei, will er nicht entscheiden; doch fehlten den Männern zwei Dinge: sie seien nicht *kiusche* und ihre *minne* habe nicht das erforderliche Maß an *herzenliebe*. Diese Streitfrage, in der beide Dichter das Wort ergreifen, ob die Männer oder die Frauen am Verfall der höfischen Geselligkeit schuld seien, wird auch sonst erörtert: s. Wilmanns zu W. 44, 35. Und wenn Walther hier bemerkt: *die hêrren jehent, man sülz den frouwen wîzen, daz diu welt sô stê,* so entspricht das seiner eigenen Auffassung 90, 31. 32: *daz die man als übel tuont, dast gar der wîbe schult.* Eine Polemik in den zitierten Stellen kommt kaum in Frage.

N. 72, 14 *ein wol gevieret man* scheint im Hinblick auf Walthers *wol gevieret* 79, 38 gesagt zu sein.

N. 72, 19. 20 *sus getâner nôt kan diu Minne wunder machen* hält v. Kraus, Walther. Unters. S. 390, Anm. 1 für eine „bewußte Reminiszenz" an W. 109, 15—18 *Minne, wunder kan dîn güete liebe machen und dîn twingen swenden fröiden vil.* In der Tat ist die Wendung *Minne kan wunder machen* (s. auch N. 10, 13 *kan diu Minne machen*) gemeinsam; aber im übrigen faßt Walther die guten und die schlimmen Wirkungen ins Auge, Neidhart hingegen schildert (wie 10, 12—15) nur die bösen, ohne Anklänge im Wortlaute.

Bei N. 72, 32—34 *swenne ich von ir bin, sô hab ich vil guote sinne: kum ich zuo ir, sô ist hin der sin* treffen wir das dem Minnesang vertraute Motiv, daß die Gegenwart der Geliebten die Fassung raubt; s. bei W. 115, 22—25 *als ich under wîlen zir gesitze, sô si mich mit ir reden lât, sô benimt si mir sô gar die witze, daz mir der lîp alumme gât,* s. Wilmanns z. St. und v. Kraus Walther. Unters. 415, Anm. 6. Für das Verhältnis der beiden Minnesänger bedeutet das so wenig, wie daß beide für den Einzug des Sommers oder des Winters das Bild eines Fürsten mit Gefolge verwenden: W. 13, 22 *dô uns der sumer sîn gesinde wesen bat* (s. Wilmanns z. St.) und N. 75, 23 *sît er* (der Winter) *dînen* (des Sommers) *stuol besaz* und *allez sîn gesinde* 29.

In N. 77, 24 *daz si dâ mit ir gerûnent, deist mîn ungewin unde ist mir getân* („das geht auf meine Rechnung, betrifft mich") kehrt nur die Phrase wieder, die W. 40, 26 in den Mund nimmt: *frowe Minne, daz sî iu getân.* Noch näher steht Reinmar MF 200, 11.

N. 87, 33—35 *Mîn vrouwe diu ist elter danne tûsent jâr unde ist tumber dan bî siben jâren sî ein kindelîn. Mit sô swacher fuore wart mir frouwe nie bekant* meint die Welt: in ähnlichen Tönen spricht W. 57, 38—58, 10 von der Minne, s. Wilmanns z. St. und vgl. besonders *sist doch elter vil dann ich ... springende als ein kint. War sint alle ir witze komen? ... dazs ... füere als ein bescheiden wîp!*

In N. 88, 15 *tuot uns vröudehelfe schîn* scheint eine Berührung des Wortlautes mit W. 54, 37 *ich freudehelfelôser man* vorzuliegen, da das Wort sonst nicht nachgewiesen ist; s. aber Wilmanns' Anm., der vermutet, daß die Bildung von Wolfram ausgegangen sei (*freuden helfe* Parz. 460, 30 und 733, 5).

N. 93, 15—20 *Von hinne* (nämlich Österreich) *unz an den Rîn, von der Elbe unz an den Phât, diu lant diu sint mir elliu kunt: diu enhabent niht sô manegen hiuzen dorfman, als ein kreizelîn wol in Oesterrîche hât* spielt zweifellos auf die in mancher Hinsicht ähnliche Stelle in Walthers berühmtem Preislied an 56, 30—57, 2 *Ich hân lande vil gesehen ... Von der Elbe unz an den Rîn und her wider unz an Ungerlant mugen wol die besten sîn, die ich in der werlte hân erkant,* was m. W. nur Bielschowsky (S. 204) nicht zugeben will. N. 73, 23 klingt die Strophe in die Zeile aus *daz ez (dîn lop) lûte erhillet von der Elbe unz an den Rîn,* in den Eingang der Strophe Walthers. Von all den Stellen ähnlicher Prägung, die bei der Erörterung der oben ausgehobenen aufgebracht worden sind, steht keine dritte einer von beiden so nahe wie sie selbst einander. Schmolke S. 24 läßt eine scherzhafte Nachahmung Walthers durch Neidhart offen, Schönbach aber hält in seiner Walther-Biographie[3] S. 153 N. 93, 15. 16 (und 98, 26. 27) für eine Parodie von Walthers Preislied auf Deutschlands Männer und Frauen und Burdach erklärt (Walther S. 101) geradezu, Neidhart habe in diesen Stellen Walthers Preislied und seine Klage über den Eigennutz (31, 13) travestiert, indem er den Widerspruch zwischen diesen beiden Äußerungen durch Zusammenkoppelung und Übertragung in die Welt der Bauernflegel grell beleuchtete. Lassen wir zunächst die betreffenden Stellen für sich sprechen! Die bei Walther besagt, er habe viele Länder mit offenen Augen gesehen, die trefflichsten Frauen aber im Gebiete zwischen Elbe, Rhein und Ungarn — also in Deutschland — gefunden; Neidhart versichert, er kenne alle Lande von Österreich bis zum Rhein, von der Elbe bis zum Po — also gleichfalls die deutschen — und sie alle hätten zusammen nicht so viele freche Dorfleute wie ein kleiner Kreis in Österreich. Die beiden Äußerungen liegen freilich weit voneinander ab, doch der ähnliche Wortlaut und das Widerspiel des feierlichen Tones bei Walther und des spöttisch übertreibenden bei Neidhart verleihen dessen Anspielung einen parodistischen Beigeschmack, der ihn wohl belustigte, ohne daß er damit Walther etwa verunglimpfen wollte. Daß aber Walthers Preislied auf Deutschland und seine Klage, im ganzen römischen Reiche gehe Gut vor Ehre, in Neidharts Worten gekoppelt seien, scheint mir diesen doch mehr aufzubürden, als sie tatsächlich vertragen. Parodistisch klingt auch N. 98, 26—31 *Von der Persenicke nider unz an daz Ungertor* (wieder im Strophen-eingang!) *in der dörper dicke weiz ich ninder zwêne vor, die mit ebenhiuze sich zuo zin gelîchen,* wo, wie es scheint (s. Zs. 61, 176), scherzhaft das Tullnerfeld so abgegrenzt wird wie bei Walther ganz Deutschland. Nützt doch auch der Verfasser der unechten Strophe XXXIX 19 das Pathos solcher Gebietsumschreibungen lustig aus, wenn er zudringlichen Fragern mit der Antwort dient: *si ist in einem kreize, der ich diene, von dem Pfâde unz an den Sant, von Elsâze in Ungerlant: in der enge* (!) *ich si vant.*

Dasselbe Lied Neidharts wurde auch sonst zu solchen Walthers in Beziehungen gesetzt. R. M. Meyer S. 157 schien in 93, 29 ff. Walthers Strophe 29, 4 ff. nachgeahmt: zeichnet dieser das Bild eines treulosen Menschen, so Neidhart das des untreuen Dörpers *Wankelbolt* aus dem *Lugetal.* Aber abgesehen davon, daß sich keine Berührung merken läßt, wird die Strophe Walthers in der Ausgabe von Wilmanns-Michels und im Leben und Dichten W.'s[2] S. 309. 10, neuerdings auch von v. Kraus, Walther. Unters. S. 95 abgesprochen. R. M. Meyer beobachtete (Zs. 29, 135) auch, daß die Floskel N. 93, 31 *(Bî dem Lugebach einer mit gewalte vert:) der wænet in den lüften sweben* sich bei W. 42, 34 finde: *wê, wie tuont die jungen sô, die von fröiden solten in den lüften sweben?* und Günther S. 49 denkt an eine scherzhafte Anspielung Neidharts auf Walther. Nun klagt dieser über die Jugend, die für gesellige Freuden keinen Sinn mehr hat, und wünscht, daß sich das ändern möge, während Neidharts zornmutiger Ausbruch einem Dorflümmel gilt, der ihm allerlei Schaden zufügte. Gemeinsam ist also nur der bildliche Ausdruck *in den lüften sweben,* dem bei Walther selbst 76, 13 *mîn herze swebt in sunnen hô* entspricht.

„Sehr auffällige Beziehungen" zu solchen Liedern Walthers, in denen dieser gegen Neidhart Stellung genommen hat, wollte Korn a. a. O. S. 85 gewahren. Nach seiner Ansicht „höhnt N. 93, 21 auf den *niuwen vunt* in Österreich und bezieht sich damit offensichtlich auf Walther". Tatsächlich bezeichnet im Zusammenhange der Stelle *manic niuwer vunt* „mancher unerhörte Streich". Walther soll darauf mit seinem bekannten *ich bin niht niuwe* 59, 17 erwidert und Neidharts *daz brüevet einer, der mir lützel guotes gan* 93, 22 mit der scharfen Antwort *dem ich dâ gan, dem gan ich gar* 18 („die Partei, zu der ich gehöre, die hat mich ganz") pariert haben. „Hatte Walther in der verlorenen Treue eines der schlimmsten Zeitübel erblickt, so gibt Neidhart diesen Vorwurf, von dem er sich getroffen fühlen mußte, mit ironischer Unverschämtheit zurück (N. 93, 32) und spottet auf Walthers Kampf mit den Pessimisten unter der Jugend (42, 37), indem von Walther gesagt wird *der wænet in den lüften sweben* (N. 93, 31). Walthers Worte der Klage 42, 36. 37 ... werden so von dem Haupt der ‚Jungen' mit der Lauge gehässiger Satire übergossen." Die gebührende Antwort auf solche Deutungsversuche ins Blaue hat C. v. Kraus, Walther. Unters. S. 234. 35 gegeben. Er erklärt auch: „Daran, daß Neidhart die Person Walthers treffen wollte, vermag ich sowenig zu glauben wie, daß dieser sich in einer Antwort gegen die Person Neidharts gewendet hätte"; s. auch oben S. 346. Ich möchte noch hinzufügen, daß sich der Dichter, der 93, 1—3 auf sein eisgraues Haar hinweist, über den „Dorfmann" *Wankelbolt* in einem österreichischen Kreise beschwert, das Lied also in die dreißiger Jahre des 13. Jh.'s zu setzen ist, so daß schon aus zeitlichen Gründen Walther nicht in die Lage kommen konnte, darauf zu erwidern. Neidhart gestattet sich nur — wie auch sonst hin und wieder — eine Wendung Walthers, die den Zustand höchster Lust ausdrückt, in einer gänzlich abweichenden Situation zu gebrauchen, vermutlich, um dadurch Heiterkeit zu erregen.

Walther bringt 102, 35 *jô bræche ich rôse wunder, wan der dorn* das beliebte Bild vom Rosenbrechen; s. Wilmanns-Michels, Leb. u. Dicht. W.'s IV, Anm. 501. Neidhart entwickelt es reicher 94, 33—38; *ich kom dâ ich vil rôsen vant: seht, der brach ich eine; diu wart schiere dô verlorn ... do ich si brach, dô tet mir wê ein ungevüeger dorn.* Korns Interpretationskünste bemühen sich S. 85. 86 um die ganze Strophe: „Frech spielt Neidhart mit dem Begriff *liebe:* er pflückt Rosen wie Walther ... Den Höhepunkt erreicht der Hohn in 95, 5 *rehte rôsen die sint aller wandelunge vrî*“: wieder nur haltlose Einfälle, s. v. Kraus, Walther. Unters. S. 235. Aber auch die Meinung, daß N. 43, 23 *diu næhste rüebe in mînem garten grüebe* Walthers *rôsen brechen* parodiere (Mohr S. 47. 48 und Günther S. 43), leuchtet mir durchaus nicht ein; ebensowenig, daß N. 96, 35 und 38 *dîn* (d. h. der *vrouwen*) *hærîn vingerlîn* eine Nachahmung von W. 50, 12 *dîn glesîn vingerlîn* sei, wie Mack S. 26 glaubt.

Bielschowsky (S. 205) vermutet, daß Neidharts Strophe 100, 31—101, 5 durch W. 49, 36—50, 6 angeregt sei, der zuerst den Gedanken behandelt habe, Liebe und Schönheit seien selten vereint. Hier wie dort werden *liebe* und *schœne* bei einem Weibe abgewogen: Walther zieht die *liebe* vor, auch Neidhart genügt die *schœne* allein nicht; er hat *liebe* noch nie bei einem Weibe im Verein mit Schönheit gefunden. Der Wortlaut beider Stellen geht eigene Wege außer in N. 100, 31 *herze, dirst ze gâch* und W. 50, 2 *zer schœne niemen sî ze gâch.*

N. 101, 30 *si* (die Geliebte) *kan zouberliste tougen* scheint Singer, N.-Stud. S. 4 beeinflußt durch W. 115, 30—32 *mich nimt iemer wunder, waz ein wîp an mir habe ersehen, dazs ir zouber leit an mînen lîp.* Bei Walther geht dieser Zauber der Geliebten allein von ihrer Erscheinung und ihrem Wesen aus: 116, 23—30 *waz bedarf si denne zoubers vil? ... Lât iu sagen, wiez umbe ir zouber stât, des si wunder treit: sist ein wîp, diu schœne und êre hât, dâ bî liep und leit. Dazs iht anders künne, des sol man sich gar bewegen.* Ganz anders bei Neidhart! Hier besteht der Zauber der Geliebten darin, daß sie ihm jederzeit, selbst im Schlafe, vor Augen steht: *si ist mir tac und naht vor mînen ougen, dem gelîch sam ich si sehe; si ist mir in dem slâfe nâhen. Solde ich si mit armen umbevâhen und daz minneclîch geschehen! Daz ist allez ein getroc, daz mich in dem slâfe triuget und mir in dem lieben wâne liuget.*

Am Schlusse dieser Erörterungen ist noch ein Blick auf Neidharts Weltfluchtstrophen 82, 6—84, 7; 87, 3—88, 12 und 95, 15—32 zu werfen, da Schürmann S. 30—32 nachzuweisen sucht, daß sie die entsprechenden Strophen Walthers an Frau Welt bespötteln: 59, 37—60, 33 und 100, 24—101, 22, allenfalls auch 117, 15—21. In seiner Analyse von N. 82, 3 ff. ist zunächst manches richtigzustellen; so spricht er S. 31 von „zahlreichen Anklängen an die Waltherschen Weltklagelieder“: ich sehe nur 82, 37. 38 *wîlent was ein munt berihtet wol mit einer zungen: nû sprechent zwô ûz eime* und W. 13, 4 *zwô zungen stânt unebne in einem munde*, also in einer sprichwörtlichen Redensart. In 84, 4. 5 *mîner vrouwen nam derst von wîben underscheiden* sieht er eine Anspielung auf Walthers bekannte Worte 48, 38 ff. *wîp muoz iemer sîn der wîbe hôhste name und tiuret baz dan frowe ... under frowen sint unwîp*: m. E. völlig verfehlt; Neidhart will nur sagen: „Meine Herrin ist kein gewöhnliches Weib“ (sondern eben eine allegorische Gestalt). Zudem ist die ganze Strophe bei Neidhart von zweifelhafter Echtheit, s. meine Anm. zu 83, 36. Schürmann meint schließlich: „Der mit Neidharts Art vertraute Zuhörer konnte in dieser Anklage gegen die Weltsüße nur eine ironische Anspielung ... auf die Waltherschen Gedichte gleicher Tendenz ersehen. Nicht anders steht es mit den übrigen Weltklagetönen 86, 31 ff., die sich ganz an Walthersche Gedanken anlehnen, und 95, 6.“

N. steht mit seinen Weltfluchtstrophen — sechs oder sieben im Winterliedton 82, 3, fünf in 86, 31 und zwei in 95, 6 — insofern in Walthers Gefolgschaft, als dieser „Frau Welt“ in den Minnesang eingeführt hat (s. Bielschowsky S. 210). Aber die Waltherschen Lieder dieser Art sind verschieden getönt: in 59, 37 ist diese Welt, um deren Gunst der Dichter als ihr treu ergebener Diener ringt und mit der er sich bald bittend, bald drohend auseinandersetzt (*Welt* als Ansprache in jeder Strophe, *frouwe* nur in 60, 19), wohl die höfische Gesellschaft: sie will sich ihm entziehen und *minnen tôren jugent*. Ganz ähnlich klingt die Klage 117, 15—21. Dagegen nimmt in 100, 24 der Dichter in einem Zwiegespräch Abschied von *frô Welt* (s. den Eingang von Str. 1 und 3, *Walther* in Str. 2; in der Schlußstrophe sprechen beide ohne Vokativ im Anfang), die ihn mit lockenden Worten zurückhält. Der Dichter denkt sie sich vorne schön, hinten scheußlich (vgl. 124, 37. 38 *diu Welt ist ûzen schœne, ... und innân swarzer varwe, vinster sam der tôt*), also ganz im Sinne der bekannten Allegorie Konrads von

Würzburg (Der Welt Lohn, hrsg. von E. Schroeder 63 ff. und 217 ff.; s. Wilmanns-Michels zu 101, 11). Hier erscheint „Frau Welt" in religiösem Sinne wie in 67, 8—19.

Das ist nun der Grundton aller Weltfluchtstrophen Neidharts: die *vrouwe*, der er nach langem Dienste seine Gefolgschaft aufkündigt, ist in 82, 3 die sündhafte Welt im kirchlich-religiösen Sinne, wie aus der Schilderung 83, 1. 2 *got und elliu guoten dinc diu sint ir gar unmære* und 4—6 *swer sich ze gote næhet, . . . der wirt von ir gesmæhet* und aus der Warnung 2—24 an alle Männer und Frauen klar hervorgeht. Richtig beobachtet Schürmann S. 31 den alles wirklichen Ernstes baren Ton; doch besteht der Witz dieser burlesken Strophen darin, daß der Weltdienst des Sängers im Bilde des Frauendienstes gespiegelt wird, wozu die maßlosen Beschimpfungen dieser *vrouwen* in grellem Widerspruche stehn. Daß der Verfasser auf eine Verspottung Walthers zielt, ist unerweislich, und daß N. 83, 10 *ich hœr niht ir lop ze hove schalleclîchen singen* auf Walthers Verurteilung von Neidharts Sängertätigkeit in 64, 31 anspielen soll (Schürmann S. 34, Anm. 2, s. auch Mohr S. 52), mir unverständlich, da doch von der Frau Welt die Rede ist. Zudem gehört die Strophe vielleicht gar nicht Neidhart an, s. meine Anm. zu 82, 39.

Klar liegen die Verhältnisse in 87, 13 ff., wo der Dichter aus dem Dienste seiner Herrin zu treten denkt, weil er sein Seelenheil retten will, das er durch üppige weltliche Lieder gefährdet hat. Wilmanns bemerkt zu W. 58, 2: „Das ganze Lied lehnt sich an Walthersche Gedanken"; s. oben S. 355. Näher als die von Wilmanns beigebrachte Stelle N. 87, 33 kommt der Frage Walthers *war sint alle ir witze komen? Wes gedenket si vil tumbe?* N. 96, 30. 31 *Minne, wer gap dir sô rehte süezen namen, daz er dir dâ bî niht guoter witze gap?* Diese Stelle gehört einem Tone an, der in 95, 15—32 zwei Weltfluchtstrophen enthält. Auch hier kündigt der Verfasser seiner undankbaren Herrin — ihren Namen erfahren wir nicht — den Dienst auf, weil sie ihn um Gottes Huld bringt und ihre Diener der Hölle verfallen. Und so tönt es uns aus allen diesen Strophen Neidharts entgegen: seine Sangeskunst diente durchaus irdischen Freuden und brachte keinen Lohn, bedrohte aber sein Seelenheil; daher will er hinfür Gott dienen, der besseren Lohn verheißt. Das erinnert an die Töne, die Hartmann in seinen Kreuzzugsliedern anschlägt (MF 210, 11 ff. und 218, 5 ff.). Er schleudert der *werlt* den derben Ausdruck *der hacchen* 210, 15 nach, wie sie N. 82, 15—17 mit Scheltwörtern überschüttet. Anderseits hat Bielschowsky nicht unrecht, wenn er (S. 210. 11) sagt: „So sehr Neidhart im einzelnen es vermied, Walther nachzuahmen, so wenig vermochte er im großen sich dem Einflusse zu entziehen, den dieser ausübte . . . Es ist doch unverkennbar, daß ohne seinen maßgebenden Vorgang diese Strophen weder ihre jetzige Ausdehnung noch Art erhalten hätten."

Im allgemeinen aber hinterließ die Nachprüfung der Neidhart-Stellen, die in Beziehung zu solchen Walthers gebracht wurden, ein sehr karges positives Ergebnis, indem die Parallelenjagd sich vielfach als unfruchtbar erwies. Es geht zu weit, wenn Bielschowsky S. 204, 5 meint, es müsse als sehr fraglich erscheinen, ob Neidhart den Liedern Walthers irgend etwas entnommen habe: „Wenn aus einem so bedeutenden und fruchtbaren Dichter wie Walther so wenig Ähnlichkeiten aufgezeigt werden können, dann wird man selbst bei dem Wenigen in seinem Urteil schwankend, ob es als Entlehnung anzusehen sei oder nicht. Vielmehr gewinnt man den Eindruck, als ob Neidhart entweder eine außerordentlich geringe Kenntnis der Waltherschen Poesie besessen oder, was mir glaubhafter vorkommt, sich mit Bewußtsein ihr gegenüber ablehnend verhalten habe." [7] Den Grund hierfür sieht er „in der instinktiven Abneigung, die hervorragende Nebenbuhler gewöhnlich gegenein-

[7] Angesichts der Liste von Wörtern, die vor Walther im Minnesang nicht begegnen, aber ihm und Neidhart gemeinsam sind, stellt Mack S. 115 deren beträchtlichen Umfang fest. ‚Allerdings sind darunter . . . viele Worte der alltäglichen Umgangssprache . . . Aber die große Anzahl kann doch nicht bloß Zufall sein.' Der gemeinsame (meist bildliche) Gebrauch mancher Wörter wie *baden, hagel, höveschen, kiusche, strâle, twerch, übergülte* u. ä. scheint ihm auf eine gewisse Abhängigkeit des Sprachschatzes Neidharts von dem Walthers hinzuweisen. Natürlich fällt dabei schwer ins Gewicht, daß Walthers und Neidharts Liederstrauß einen viel größeren Umfang aufweist, als der den einzelnen Persönlichkeiten von des Minnesangs Frühling zukommt, einen viel reicheren Sachinhalt und einen vielfach ins Erzählende hinübergreifenden Charakter.

ander haben". Vielleicht übte der Spötter auch im Gefühle des Respekts vor Walthers Kunst Zurückhaltung im Ausnützen von gelegentlichen Zitaten und Anspielungen zu Heiterkeitserfolgen. Von einer Polemik gegen Walther kann keine Rede sein, wie denn auch Walther nirgends in greifbarer Weise gegen Neidharts Persönlichkeit ausfällig wird. Insofern hat doch Lachmanns Gefühl recht behalten, wenn auch Uhlands Ansicht, daß Walther die höfische Dorfpoesie im Auge hatte, als er 64, 31 verfaßte, sich allgemeiner Anerkennung erfreut.

Festschrift für Wolfgang Stammler, Berlin-Lichterfelde 1953, S. 45—65.

WALTHERSTUDIEN[1]

Von Kurt Herbert Halbach

A.

[Als erstes behandeln wir] eine Reihe von Sangsprüchen Walthers, die zwei der Handschriften, nämlich A und C (diese freilich in zwei Teilen, an verschiedenen Stellen ihrer Walther-Sammlung), gemeinsam darbieten. Es sind die Sangsprüche des „II. Philippstons" (der ja wohl besser „I. Thüringerton" hieße; da der andre „I. Thüringerton", 82, 11 ff., seinerseits seinen anderen Namen, „Leopoldston", mit größerem Recht führt als diesen). Es sind die Strophen, die die Reihe 94—98 in A bilden (16, 36 ff.; 17, 11 ff.; 17, 25 ff.; 18, 1 ff.; 18, 15 ff., bei Lachmann); also: die eine Milte-Mahnung an Philipp („Alexander-Mahnung", im Gegensatz zur andern, der „Saladin-Löwenherz-Mahnung", möcht' ich sie nennen; im Hinblick auf das historische Vorbild, das beide beschwören); der „Spießbraten-Spruch"[2]; der „Halm-Preis" (gegen „Frau Bohne"); der „Wicman/Volcnant"-Strafspruch (von Walther??); der Dankspruch an den „stolzen Meißner" und „Ludwig". C bringt zunächst (124/125/125a) die Reihe: Philipps-Mahnung/Wicman-Spruch/Meißner-Ludwig-Dank; dann (aus AC[2]) (363/4) die Gruppe: Spießbratenspruch/Bohne-Halm-Spruch.

[1] [Diese Arbeit wurde bei der Erstveröffentlichung mit „Waltherstudien II" betitelt, da es sich um eine Fortsetzung von Formbeobachtungen handelt, die als „Waltherstudien I" in der Zeitschrift deutsche Philologie 65 (1940) erschienen waren.

Die ersten drei kurzen Abschnitte sowie die Anmerkung 1 werden hier weggelassen, da sie nur auf den Anlaß der Veröffentlichung als Festgabe für Wolfgang Stammler eingehen.]

[2] Über ihn jetzt Lutz Mackensen (Studien zur deutschen Philologie des Mittelalters. Panzer-Festschrift 1950; 48 ff.) (worüber noch nachher).

Beide Gruppen, und zwar auch in sich verbunden zur Kette, wie in der A-Reihe, spielen in der philologischen Forschung ihre eigene Rolle. Die Reihe ließe sich so zur Kette verbinden: 1. Glied ist die Gruppe Philipps-Mahnung/Philipps-Schelte (Spießbratenspruch); 2. Glied die Gruppe Spießbratenspruch/Bohne-Halm-Spruch; 3. Glied die Gruppe Bohne-Halm-Spruch/Wicman-Schelte; 4. Glied Wicman-Schelte/Meißner-Ludwigs-Dank. Nur, daß außerdem einige Glieder fehlen; dabei mindestens ein Gedicht, von fremdem Dichter herrührend, die Reihe zum Dokument der Sänger-Fehde erweiternd, nicht überliefert, nur zu erschließen. Was wir noch haben, sind nur Walthers, bzw. eines Anhängers Antworten auf fremde Angriffe (Bohne-Halm-Spruch und Wicman-Schelte); sowie Walthers Dank für solche Hilfe von außen („Franken") (Meißner-Ludwigs-Dank), wohl an die fördernden, vermittelnden Gönner. Ein weiteres erschlossenes Glied entstammt schon einer Vermutung von Lachmann: Walthers Bohne-Halm-Spruch richtet sich (wenigstens u. a.) etwa gegen eine Verunglimpfung eines andern Halm-Preises bei Walther: des schönen Lieds vom Halm-Messen (65, 33 ff.); „Herr Walthers Halm sei keiner Bohne wert" (so meint etwa Lachmann), „die man dagegen schon eher besingen könnte...". Nun dagegen Walther: *Waz êren hât frô Bône ... ein halm ist kreftec unde guot.* Aber nach Frantzen (dem v. Kraus zustimmt) stünde auch die (man möchte sagen: küchenmäßige) Gruppe des Bratenspruchs und des Bohne-Halm-Spruchs nicht zufällig in AC[2] einträchtiglich nebeneinander. Der Gegner habe auch den Braten-Sang beanstandet; um daraufhin von Walther als Sänger der *vastenkiuwe* Bohne abgefertigt zu werden. Und Wolfram würde sich also mit der berühmten (aber freundschaftlichen!) Anpflaumung im ›Willehalm‹ (286, 19 ff.) *(Hêr Vogelweid von brâten sanc ...)*, Jahre später, nicht nur auf einen unvergeßlichen und berüchtigten Scheltspruch Freund Walthers, sondern auf ein besonders denkwürdiges sängerisches Turniergeschehen in Thüringen („auf der Wartburg", wie wir gerne sagen) beziehen?

Und auch die gleich folgende Wicman-Volcnant-Abfertigung (wohl durch einen Walther-Anhänger), die wenigstens A noch in richtigem Zusammenhang bietet, wäre, wiederum schon nach Lachmanns Vermutung, eine gegenoffensive Kameradenstrophe zu der

Bohne-Halm-Strophe. Die hier so derb wegen des Spreu-, Arsch- und „wahn“-haften Leithund-Wesens ihrer subalternen Dichtung angerannte schillernd-ungreifbare Figur eines Wicman/Volcnant wäre also der uns in seinen Angriffen höchstens erahnbare Fehde-Gegner gewesen. Und einen zweiten Angriff, diesmal nicht auf Walthers Lied-Themen, sondern auf sein Kunst-Können (wegen des „Kurzen und Langen“, der regelrechten Gestaltung der Strophe[3]), kann man aus diesem Gegenschlag (mit Wilmanns und v. Kraus) noch erspüren. Thematisch aber hätte jener dann also vielleicht unsern Meister Walther vom anspruchsvollen Braten-Sang auf den bescheideneren, habhafteren Halm-Preis verwiesen (wie er ihn schon bewährt habe!). Und darin liegt ja auch die Spitze der Frozzelei Wolframs; gegen die „Begehrlichkeit“ des Minners Walther (und — horribile dictu! — seiner *frouwe*!) in küchenmäßigen und hauswirtschaftlichen Dingen: ... *dirre brâte was dicke unde lanc. / sîn frouwe hete drane genuoc, / der er sô holdez herze ie truoc.* Jedenfalls verteidigt Walther dann tatsächlich seinen „Halm“ gegen „Frau Bohne“ (diese etwa Gegenstand eines Hymnus des Gegners?)

Schon wenn man diese motivische und entstehungsgeschichtliche Verwandtschaft unserer Spruchreihe erkannt hat, fällt es dann aber schwer, bei dem, auch handschriftlich (durch das neu hinzugekommene Z) desavouierten, unglückseligen *lieht von Franken*, das Walther durch die Gnade des *stolzen Meißners* und *Ludwigs* (Herzogs von Bayern), gemäß letztem dieser Sangsprüche, zukam, stehenzubleiben; und nicht vielmehr an das von C und Z (gegen A) überlieferte, von der andern Partei der Textphilologen (und jetzt durch v. Kraus bei Lachmann) eingesetzte *liet von Franken* zu glauben. Welches dann aber eben dieses in A und C vorangehende Opus eines Waltherschen Bundesgenossen in Franken sein würde (mit Saran), für das sich Walther den vermittelnden (und veranlassenden?) Gönnern gegenüber bedankte. Damit wäre die zweite Hälfte

[3] Vgl. v. Kraus, Walther v. d. V. Untersuchungen. 1935 (zur Strophe) (jedoch ohne mich damit zur (geistreichen) Conjektur *ritern* bekennen zu wollen!) *irren*, mit Lachmann, nach A (*irten*) wird zudem durch den wörtlichen Anklang des überhaupt als zugehörig erweisbaren Spruchs 103, 29 ff. als richtig erkennbar.

der Spruch-Kette geschlungen. Und auch der Anfang wäre mit ihr, jedenfalls für denjenigen überzeugend, verbunden, der von der Verschwisterung von Philipps-Mahnung und Philipps-Schelte (im Bratenspruch), auf Grund ihrer gemeinsamen Strophenform und handschriftlichen Verbindung (in A), überzeugt wäre, wie es z. B. bei Wilmanns der Fall war (doch darüber nachher!).

Man kann aber in diesem Gebäude weitere philologische Stützen einfügen. Frantzen hat auf Wort-Echos, Responsionen, verwiesen, die die entstehungsmäßige Verschwisterung, ja handwerkliche Verspannung der Strophen anzeigen: Walthers Halm-Lied (65, 33 ff. II: *Mich hât ein halm gemachet frô... ich maz daz selbe kleine strô ...*) klingt mit dem Halm-Spruch (17, 25 ff.: *von grase wirdet halm ze strô, / er machet manic herze frô ...*) wörtlich zusammen. Und die beiden Stiefgeschwister, erzeugt von den ungleichen, befreundeten Vätern, die beiden Strophen, in denen Herr Wicman/Volcnant gestraft wird (17, 25 ff. und 18, 1 ff.), sind durch wörtliche Anfangs-Responsion zusammengebunden (*Waz êren hât frô Bône, / daz man... sol...; Hêr ... habt irs êre, / daz...* (mit C; bzw. mit A: *Hêr ... ist daz êre, / daz man... sol...*) Und v. Kraus[4] konnte darauf verweisen, daß, beim Rechnen mit jener Kette, eine Wendung des Wicman-Spruchs eine besonders befriedigende Auslegung findet: *singt ir* (Wicman) *einz, er* (Walther) *singet driu.* Im Fehdeteil unserer Kette stehen, bei Annahme eines verlorenen gegnerischen Streit-Produkts, tatsächlich 3 Walthergedichte (Bratenspruch, Halm-Messen, Bohne-Halm-Spruch) [oder, mit v. Kraus, 3 vorausgehende Walther-Strophen in diesem Thüringerton (16, 36 ff.), wenn man nämlich die Philipps-Mahnung zu den beiden hauswirtschaftlichen Sprüchen von Braten und Halm mit hinzuzieht] einem gegnerischen Gedicht gegenüber.

Aber der Nachweis läßt sich nun durch entsprechende Beobachtung der handwerklichen Kunstfertigkeiten der Reimung in all diesen Gedichten zur größeren Wahrscheinlichkeit, ja Gewißheit, noch steigern.

[4] v. Kraus, dort S. 52[3].

Bei der Bindung der beiden Fehdekampfstrophen (17, 25 ff. und 18, 1 ff.) zur künstlerisch gestalteten Einheit steht der Wort-Responsion die Reim-Responsion, bzw. die Reimmelodie-Responsion, als noch gewichtigeres Form-Element stärkend zur Seite. v. Kraus hat, ohne es zu ahnen, dieses Echo durch seine neuere C-nahe Lesung den beiden Strophen wiedergewonnen, das in A nämlich zerstört ist. Die Bindung beruht auf dem Formgedanken, die Innenreime der beiden Stollen *(Bône/sol + nône/vol,* bzw. *êre/welt + mêre/zelt)* zur einheitlichen Vokalmelodie zusammenzufassen, durch die der ganze Aufgesang nun vokalisch getönt ist. Verstärkt wird die Bindung aber noch dadurch, daß die beiderseitigen Vorderreime *(Bône/nône + êre/mêre)* und die beiderseitigen Hinterreime *(sol/vol + welt/zelt)* im langen Vokalklang, bzw. im l-Klang, eine kornartige Assonanz bringen. Dazu aber kommt noch, daß die beiden Schlußreime der Abgesangsperioden *(sâmen/âmen + mâne/wâne)* eine entsprechend enge Korn-Assonanz-Bindung zeigen. Man wird also dem Walther-Freund „in Franken" zugestehen müssen, daß er es als guter Kunsthandwerker (der er als stauferzeitlicher Lyriker ja auch sein mußte!) verstanden hat, seine bundesgenössische Strophe durch kameradschaftliche ornamentale Einkleidung eng an Walthers Kampfstrophe zu schließen.

Man wird aber wohl sagen müssen, daß die Bindung über dies sofort Erkennbare (wenn man einmal darauf achten gelernt hat!) hinausgeht. — Walther hatte seinem Bohne-Halm-Spruch eine stark vokalmelodische o-Tönung gegeben: der o-Färbung des Aufgesangs sehen wir einen o-Klang in den Innenreimen (wie im Aufgesang!!) der zweiten, abschließenden Abgesangperiode entsprechen *(strô/frô/hô).* — Unser fränkischer Walther-Freund und Anonymus schafft zu diesem vokalmelodischen Form-Motiv in seiner Strophe ein sehr geistreiches Echo: nicht parallelistisch, sondern chiastisch! Bei Walther hatte es Anfang und Ende der Strophe gebunden, in unserer Strophe bindet es nun Aufgesang (aber nicht, wie bei Walther, die Innenreime, sondern, antithetisch, die Schlußreime) mit dem Abgesang-Anfang (!), in einer Melodie von ü-Klängen *(sprüche/krüche + iu/spriu/driu)*; so aber, daß, wiederum wie bei der Aufgesang-Bindung zwischen den Strophen, das Form-Motiv der Assonanz-Bindung mitanklingt und zwar wieder chiastisch: die Abgesang-Innenreime unserer Strophe *(iu/spriu/driu)* klingen an an die Stollen(!)-Schluß(!)/Reime der Waltherschen Strophe *(-kiuwe/niuwe).* — Die Verspannung zwischen den beiderseitigen Strophen ist zugleich durch diese neuerliche Assonanz-Responsion so eng, daß hier und dort nun nur noch ein Reimklang übrigbleibt, der weder innerhalb der Strophe noch zwischen den Strophen ein Form-Echo findet; es steht aber nun an entsprechender, wenn auch chiastisch-entgegengesetzter Stelle: Sind es bei Walther die Innenreime des Abgesang-Anfangs (!) *(guot/tuot/muot)*, so sind es bei dem Anonymus die entsprechenden Innenreime des Abgesang-Endes (!) *(wil/vil/spil)*. — Angesichts der Kunstfertigkeit unseres Dichters ist es wahrlich nicht ausgeschlossen, daß die l-Assonanz in diesen Reimen mit der l-Assonanz zwischen unsern beiden Strophen in den Innen-Hinter-Reimen des Aufgesangs (*sol/vol* bei Walther und *welt/zelt* beim Anonymus) eine Bindung eingehen sollte; wie sich noch herausstellen wird, auch der Fall ist! — Das würde dann heißen, daß, hier, unser Waltherianer den Meister hinsichtlich der inneren ornamentalen Geschlossenheit der Strophe noch übertrumpft hat.

Aber was hat der Lachmannsche A-nahe Text dann zu bedeuten? *d a z m a n die meister irren s o l ... für wâr ich iu daz râte w o l ...* das scheint ja geradezu die Korn-Anreimung der Strophen (im Innen-Hinterreim des Aufgesangs) darzubieten. Aber nach dem Grundsatz der lectio difficilior dürfen wir in der beobachteten feineren, unaufdringlicheren Vokalmelodie-Responsion eine Bestätigung der v. Krausschen C-Lesung sehen. Die gröbere Anreimung können und dürfen wir als Verballhornung (vielmehr als „restaurative" Wiederherstellung des „verderbten" Reimgebäudes?) verstehen; freilich ebenfalls nicht als „Zufall"! Dagegen werden wir niemals auf dem Weg der handschriftlichen Verderbnis zu der höchst kunstvollen Bindung des C-Textes gelangen.

Kann man nun aber nicht sagen, daß durch diesen neuen Gesichtspunkt ein entscheidendes Gewicht auf die eine von zwei gleichschwebenden Wagschalen einer hoffnungslos unentschiedenen Diskussion über an und für sich ziemlich gleichwertige Lesungen zweier handschriftlicher Überlieferungen gelegt ist?

Niemand wird glauben wollen, Walther, der große Könner, ja Virtuose, habe sich lumpen lassen; er habe den so anmutig hin- und herfliegenden Ball zu Boden fallen lassen in diesem freundschaftlichen, frisch-fröhlichen Ballspiel. Und damit wird die dritte Strophe der eigentlichen Fehde-Sprüche in dieser Kette zur Probe auf das Exempel: seine Dankstrophe an den Meißner und Ludwig.

Fügt sie sich ebenso elegant ein in diese Strophengruppe, wie die „aus Franken“ sich anzuschmiegen wußte an seine Bohne-Halm-Strophe — dann haben wir, erstens, die Bestätigung für die Richtigkeit unserer Beobachtungen in Händen; zweitens haben wir eine besonders reizvolle kunsthandwerkliche Trilogie im Rahmen von Walthers Gesamtwerk gewonnen.

In der Tat: Walther weiß den Ball im Spiel zu halten; und auf ganz reizende Weise. — Den o- und e-Aufgesängen der vorangehenden Strophen tritt hier ein a-getönter entgegen (Fr*anken*/br*âht* + -d*anken*/-d*âht*), wobei wiederum diese Tönung, spielregelgemäß, auf die Stollen-Innenreime beschränkt ist. — Auch in Tatsache und Art der Assonanz-Bindung weiß er die Spielregel mit höchster Anmut zu wahren: dies Mal, bei ihm, steht der Langvokal freilich, chiastisch, an zweiter Stelle *(brâht/-dâht)*, nicht an erster, wie bisher; und die konsonantische Assonanz (auf -n-: *Bône/nône + Franken/-danken*) steht voraus, nicht an zweiter, wie bisher. Aber wieder betrifft die Bindung das Verhältnis zur ersten, Waltherschen Strophe; wie bisher der zweiten, so jetzt der dritten zur ersten.

Wo bleibt aber, so könnte man fragen, die Bindung zur fremden Strophe, der zweiten, deretwegen doch die neu gedichtete Dankstrophe an die beiden fürstlichen Gönner gesandt wird? — Sie wird in höchst geistreicher Weise geleistet!

Wir hatten oben gesehen: der Anonymus hatte nicht nur die Strophen-Anfänge, sondern auch die Strophen-Schlüsse in den beiden ersten Strophen gebunden. Beides wird nun von Walther vereinigt; und zwar in doppelter Weise chiastisch: in bezug auf die Art wie auf die Örter des Echos. Walthers Strophen-Schluß (!) wird mit des Anonymus Strophen-Anfang (!) gebunden; während aber bei diesem die Anfangs-Bindung zu Walther (mehr) vokalmelodisch war als assonanzreimend, wird bei Walther die (Schluß/Anfang)-Bindung zur (fast) reinen Reimung (mit chiastischer Entsprechung gleicher Reimwörter) gesteigert: Walthers Schluß-Reime der Abgesang-Perioden *(mêren/êren)* (also die Schluß-Reime der Strophe!) sind eine ganz enge Reim-Bindung zu den Innen-Vorderreimen in des Anonymus Stollen (also den ersten Reimen der Strophe!) *(êre/mêre)*. — Umgekehrt: Beim Anonymus hatte die Schluß-Bindung der Strophen in ausgesprochener Assonanz-Reimung bestanden. Walther bindet (doppelt chiastisch):

1) seinen Strophen-Anfang (!) mit dem Strophen-Schluß (!) der Anonymus-Strophe;
2) (der Art nach) gibt er dieser (Anfang-Schluß-)Bindung den Charakter des (ganz überwiegend) vokalmelodischen (!) Echos (Walthers Auf-

gesang: *Franken/brâht/-wîge/-danken/-dâht/nîge* — findet in des Anonymus Abgesang-(Strophen-)-Schluß: *mâne/wil/vil/spil/wâne* — sein jedenfalls melodisches, antithetisches, nur teilweise dazu hin (wie in der Anfangs-Bindung zwischen den Strophen beim Anonymus früher) assonierend-respondierendes Echo (in den n-Klängen).

Weiter: beide Dichter hatten sich früher im Form-Motiv der Gesamttönung der Strophe (antithetisch, chiastisch) gefunden: der o-Tönung bei Walther (verteilt auf Aufgesang-Anfang (!) und Abgesang-Schluß (!)) hatte beim Anonymus die ü-Tönung (verteilt auf Aufgesang-Schluß (!) und Abgesang-Anfang (!)) entgegengestanden. Walther antwortet jetzt auch auf diesen Tanzschritt im Reigen; auch hier, wie bei der Anfang-Schluß-Bindung hat er eine Synthese der antithetischen Motive der früheren Strophen, schlußsteigernd, geleistet, und dadurch alle 3 Strophen zur geschlossenen Trilogie zusammengebunden: Walther bindet (durch a-Melodie) jetzt den Abgesang-Anfang (!) (wie der Anonymus) *(kan/man/gan)*; aber mit dem Aufgesang-Anfang (!) (wie seine eigene frühere Strophe) *(Franken/ -danken)*. So ist nun, parallel den früheren Strophen, die Gesamttönung auch hier, durch Anschluß an die Anfangs-Tönung geleistet; da die Übereinstimmung der Innentönung stärker ins Ohr fällt als die genaue Entsprechung des Abgesang-Echos, kann man von besonderer Anfang-Schluß-Bindung hier sprechen: Rundung des trilogischen Kreises!

Was die Stollen-Schlüsse anlangt, so sind sie ja nun ebenso stark eingespannt bei Walther in das Form-Ganze, wie es der Anonymus seinerseits im Echo zur ersten Walther-Strophe getan hatte: der sie in die Binnen-Gesamttönung (der ü-Klänge) eingespannt hatte; Walther spannt sie ein in die Bindung der Strophen (in den i/a-Klängen des Anfangs der III. und des Endes der II.). (Die Walthersche Bohne-Halm-Strophe dagegen hatte sie beziehungslos draußen gelassen!)

Und wiederum also bleibt allein gelassen, als Fremdmotiv draußen: nur ein Reimklang (wie beim Anonymus, und im System der beiden ersten Strophen der Gruppe): die Innen-Reime der zweiten Abgesang-Periode *(fluz/schuz/duz)*, die also nun genau denjenigen im System der früheren Strophen entsprechen: parallel der Anonymus-Strophe am Ende des Abgesangs; im Gegensatz zu Walthers eigener früherer Strophe [dort standen sie am Abgesang-Anfang (!)] (wozu dort dann die Perioden-Schlüsse noch kamen, die erst durch den Anonymus ihre Beziehungen fanden, nicht innerhalb ihrer eigenen Strophe).

Wer wagt zu behaupten, daß wir in dieser inhaltlichen Dreiergruppe nicht eine künstlerisch geschlossene Trilogie haben? Man numeriere die Strophen zur Einheit! Man hüte sich, sie in einer

Ausgabe jemals zu trennen! — Und zugleich ist, wiederum, ein entscheidendes Gewicht in die schwebenden Wagschalen der Diskussion um *lieht* oder *liet* des Anfangs der dritten Strophe gefallen. Auch hier wird v. Kraus' neue CZ-Lesung, gegen Lachmann, vollauf bestätigt.

Nun wird aber auch erstens die oben eigentlich nur schüchtern gewagte Behauptung der Consonanten-Melodie der l-Klänge beim Anonymus als eines strophentragenden Elements (neben der Vokal-Melodie der ü-Klänge) ebenso schlagend bestätigt, wie die ornamentale Ebenbürtigkeit und der hunsthandwerkliche Ehrgeiz Walthers dem Anonymus gegenüber. — Der Anonymus hatte, neben(!)einander, Vokalmelodie und Consonanten-Melodie herlaufen lassen, um die Strophe zum geschlossenen Kunstwerk zu binden:

die ü-Klänge: in den Stollenschlüssen (!) und im Innern des Abgesang-Anfangs (!);

die l-Klänge: im Innern der Stollen (in den Hinter(!)-Reimen) und im Innern des Abgesang-Endes (!).

Walther fügt sie nun, steigernd, eng in(!)einander:

die a-Klänge: im Innern der Stollen (!) und im Innern des Abgesang-Anfangs;

die n-Klänge: im Innern der Stollen (aber in den Vorder(!)-Reimen) und ebenfalls im Innern des Abgesang-Anfangs (!).

In beiden Fällen sind es ja jene konsonantischen Klänge, die zur I. Strophe der Trilogie die kornartigen Assonanz-Reime bilden.

Man beachte schließlich die Schluß-Steigerung, mit der Walther das neckische Responsions-Spiel von Reimen und Worten im dritten Sangspruch dann abschließt: Die Reimresponsion der III. zur II. Strophe (mit grammatischer Reimung) *(mêren/êren + êre/mêre)* ist ja zugleich ein Hauptmotiv in der Kette von Wort-Responsionen, die sich ebenfalls, und zwar durch alle 3 Strophen, hindurchziehen: die Wortresponsion *êre, haben, daz* ... war es ja, die, nach Frantzen, die I. und II. Strophe zu binden vermochte. Sie setzt sich fort in der Reimresponsion der III. und II.; wird aber hier zugleich durch die Wortresponsion (und Binnen- und reiche Reimung) am Anfang des Abgesangs *(der mir sô hôher ê r e n gan, / got müeze im ê r e m ê r e n . . .)* bedeutsam gesteigert; wie dieser Abschluß ja auch sonst noch rauschenden Wort-Parallelismus samt Binnen-Reimung (in Stab- und Endreimen) steigernd aufbietet: *s î n s h u n d e s l o u f , s i n s h o r n e s d u z / e r h e l l e i m und e r s c h e l l e i m wol nâch êren.*

Wenn nun Lachmanns Vermutung richtig ist, die ja durch Frantzens oben erwähnte Beobachtung des Wort-Echos in der Bohne-Halm-Strophe gestützt ist: daß nämlich das reizende Minnelied vom Halm-Messen (65, 33 ff.) in der im einzelnen nur noch erschließbaren Fehde um Braten, Bohne, Halm eine Rolle gespielt hat — wie steht es dann um entsprechende Formbeziehungen zu ihm seitens unserer Trilogie von Fehde-Sangsprüchen?

Und wirklich: sofort springt uns das auffallendste Form-Motiv in der Reimung der (späteren) Trilogie auch schon im Halm-Lied entgegen: Jene melodische Einfärbung der Aufgesänge, in denen die 3 Trilogie-Strophen zusammengebunden waren zur Einheit; so zwar, daß Walthers Schlußstrophe im Rahmen der Fehde (18, 15 ff.), der „Meißner-Ludwig-Dank", wiederum eine Art von Schluß-Rundung bietet.

Das Halm-Lied seinerseits bildet in sich eine Kreis-Form: indem I. und III. Strophe sich entsprechen dadurch, daß sie ihren Aufgesang einheitlich tönen (in langen a- und i-Klängen *(wân/-dâhte/gân/brâhte* + *sî/-lîden/bî/nîden).* — Die Lied-Mitte weicht aus, indem sie dies Motiv höchst künstlich abwandelt: als uo-Melodie; aber aus dem Auf- in den Abgesang hinüber verlagert *(tuo/tuot/guot/zuo).* Dies Wechselspiel zwischen Auf- und Abgesang hat uns ja bei Betrachtung der Trilogie-Strophen in abgewandelter Form schon beschäftigt! Was die Trilogie anbelangt, so können wir also nun die a-Einfärbung des Aufgesangs (und der ganzen Strophe) im abschließenden Meißner-Ludwig-Dankspruch zugleich auch als rundende Rückkehr zum Halm-Lied verstehen; in beiden Fällen sind die Gedicht-Anfänge miteinander gebunden; dabei ist die gleichzeitige Korn-Bindung noch stärker als zwischen den beiden trilogischen Waltherschen Strophen: die Stollen-Vorderreime sind auch hier nur in der n-Assonanz *(wân/gân* + *Franken/-danken)* gebunden; die Hinterreime aber geradezu in grammatischem Korn-Reim, mit Umkehrung der gleichen Reimwörter (also genau entsprechend der Art, in der Walther den Schluß der letzten Trilogie-Strophe mit dem Anfang der Anonymus-Strophe gleichzeitig verknüpfte): *gedâhte/brâhte* zu *brâht/gedâht* (wie dort *mêren/êren* zu *êre/mêre*).

Mit diesem Korn-Reimungs-Parallelismus steht eine vokalmelodische Antithese in Spannung. Das Halm-Lied stellt der a-Melodie seines Eingangs eine klangstärkere i-Melodie des Ausgangs entgegen *(sî/-lîden/bî/nîden/niht/ . . . /-siht).* Auch das klingt leise nach der in der 3. trilogischen Strophe an den Meißner und Ludwig: In ihr darf sich der starken a(!)-Melodie *(Franken/brâht/-danken/dâht . . . /kan/man/gan)* ein leichter i(!)-Beiklang motivisch verbinden *(-wîge/nîge).* — Es ist ja das Motiv, in dem

III. Strophe (Eingang) mit (Anonymus-)Strophe (Ausklang) in der trilogischen Gruppe sich bindet! Es ist also wieder ein sehr bedeutsames Form-Motiv, das Walther verwendet. Und der Anonymus seinerseits hatte also in ihm seine Strophe an Walthers Halm-Lied anklingen lassen! — Wie tragend das i-Motiv im Halm-Lied seinerseits war, kann man daraus ersehen, daß die beiden ersten Strophen (vor Aufblühen der i-Melodie, als des Hauptmotivs) schon i-Klänge als Neben-Motive enthalten: in der Abgesang-Mitte (I: *-lîn/mîn*), bzw. als Stollen-Schlußreime (II: *vinden/kinden*).

Ist aber die Bohne-Halm-Strophe, der Gegenschlag Walthers nach dem Angriff gegen das Halm-Lied, ohne Form-Beziehung zu diesem geblieben? Nach allem Gesagten kann man das unmöglich erwarten.

Und die entgegengesetzte Erwartung findet in reichem Maß ihre Erfüllung. Die Mittelstrophe des Halm-Lieds nämlich ist ja bisher ohne jedes Reim-Echo in den trilogischen Strophen geblieben. Hier aber sind solche nun in überraschend deutlicher Weise:

1) Das Strophen-Ende (!) steht in Reim-Responsion (mit chiastischer Umkehrung zweier gleicher Reimwörter; in den beiden ersten (!) der späteren Strophe) mit dem späteren Abgesang-Anfang (!): *tuo / t u o t / g u o t / zuo)* erklingt in *g u o t / t u o t / muot* wieder. — Dem steht
2) (chiastisch) die andre Responsions-Reimung entgegen: Unser Strophen-Anfang (!), in seinen Stollen-Vorderreimen, findet sein Echo im Abgesang-Schluß (!) der späteren Strophe (wiederum chiastische Umkehrung zweier gleicher Reimwörter; und zwar in den beiden ersten (!) der jüngeren Strophe) *(f r ô / s t r ô* in *s t r ô / f r ô / hô* wieder erklingend; mit Wortresponsion (worüber oben), sich gleichfalls verbindend).

Was nun beziehungslos zurückbleibt im Halm-Lied, macht wieder einen recht gesetzhaften Eindruck: Kreis-Rundung (womit das gleiche Bau-Gesetz wieder auftritt, das, wie wir schon sahen, das Halm-Lied auch in anderer Beziehung auszeichnet, nämlich in der Anthithese seiner Reim-Melodien am Anfang und Schluß seines gerundeten Kreises). In Strophe I *(des/wes)* die umfassenden (!) Abgesang-Reime; in Strophe III *(müge/trüge)* die umfaßten (!) Abgesang-Reime. — Auch im Bohne-Halm-Spruch ist das jetzt Beziehungslose (gegenüber dem Vorhergehenden! soweit wir es haben) bedeutsam gesetzlich: sämtliche Perioden-Schlußreime *(-kiuwe/niuwe; sâmen/âmen)*. — Wie ja auch in Walthers dritter trilogischer Strophe (im Gegensatz zu derjenigen des Anonymus) ein Motiv (die Abgesang-

Innenreime am Strophen-Ende: *fluz/schuz/duz*), bis jetzt jedenfalls, beziehungslos dastehn.

Aber auch den Bratenspruch glaubten wir, als Ausgangspunkt der Fehde, mit Frantzen—v. Kraus in unsere Strophen-Kette einbeziehen zu sollen. Wie tritt er in ihrem Rahmen hinsichtlich seiner Reimung entgegen?

1) Er zeigt in doppelter Hinsicht zum Halm-Lied enge Beziehung: indem er nämlich reimmelodisch auf die beiden gleichen Haupt-Form-Motive gebaut ist wie dieses:
   a) Der Gedanke, den Aufgesang in lauter langen Vokalen erklingen zu lassen *(râten/stê/-sûmen/brâten/ê/dûmen)* wird im Halm-Lied dahin gesteigert, daß es sich auch qualitativ, in den sich entsprechenden Strophenteilen, um lauter gleiche (â-, î-, uo-Klänge) handelt.
   b) Der Abgesang stellt melodisch ein stärkeres ü-Motiv und ein schwächeres i-Motiv gegeneinander *(-sniten/siten/-miten + dünne/tür/kür/-lür/-wünne)*. Die gleiche melodische Motiv-Verbindung (nur umgekehrt geordnet) läßt das Halm-Lied in seinem Ausgang erklingen (III: *sî/-lîden/bî/nîden/niht/müge/trüge/-siht*); wobei also das ü-Nebenmotiv ebenso schwach anklingt, wie es beim Nachklang des i-Nebenmotivs im Rahmen der a- und i-Klänge, als des Rahmen-Motivs des Halm-Lieds, in Walthers 3. trilogischer Strophe (18, 15 ff., Anfang) der Fall ist.

Dadurch haben nun also die beiden bisher beziehungslosen umfaßten Abgesang-Reime des Halm-Lieds doch noch ein melodisches Echo bekommen!

2) aber zeigt sich: der Anonymus hat auch noch eine Beziehung zum Bratenspruch in sein Wicman-Scheltlied geheimnißt:
   a) Sein strophentragendes melodisches ü-Motiv ist zwar zum einen Teil *(iu/spriu/driu)* den Stollenschlußreimen von Walthers Bohne-Halm-Spruch entnommen; aber die damit hier verbundenen kurzen ü-Laute (in den Stollen-Schlußreimen!) *(sprüche/krüche)* waren anscheinend ohne Beziehung gewesen. Das war jedoch eine Täuschung: er hat sie dem verbindenden ü-Motiv von Bratenspruch und Halm-Lied entnommen.
   b) Die herausfallenden i-Klänge am Abgesang-Ende beim Anonymus finden zwar vor allem (verbunden mit den a-Klängen) im Rahmen-Motiv der a- und i-Klänge des Halm-Lieds eine Entsprechung; aber in ihrer Verbindung mit ü/iu-Klängen besteht eben auch zum Bratenspruch eine Beziehung. Es handelt sich um das Neben-Motiv in diesen beiden Walther-Gedichten!

c) Ist es nun etwa verwegen, auch das einzig nun noch (klangqualitativ) beziehungslose 3. Hauptthema des Anonymus, nämlich seine e-Melodie im Aufgesang aus dem nun ebenfalls einzig beziehungslos übriggebliebenen (!) Motiv der e-Reime *(des/wes)* in den umfassenden Abgesang-Reimen von Strophe I des Halm-Lieds herleiten zu wollen?

Mit anderen Worten: Der Anonymus hat seinen gesamten Aufgesang (vokalmelodisch) zum Halm-Lied als Echo gestaltet; und zwar zu dessen zwei, ganz oder wenigstens im Binnen-Aufbau, ausweichenden Klängen. 1) Die e-Melodie des Stollen-Innern und 2) der ü-Klang der Stollen-Schlüsse sind diese Echos. Dem kreisrundenden Bauplan des Halm-Lieds entsprechend ist eine Beziehung zu wesentlichen Motiven dort (Strophe I und III, Anfang und Schluß) seitens des Strophen-Anfangs der späteren Strophe gewonnen.

B.

Nun aber nach (bzw. vor) der Philipps-Schelte die Werbung um Philipp, wie sie uns in der einen, höflichen, werbenden Milte-Mahnung, der „Alexander-Mahnung“ (16, 36 ff.) begegnet. Es liegt zweifellos eine Versuchung in der handschriftlichen Nachbarschaft und in der formalen Verwandtschaft (in Gestalt der gleichen Strophenform), zusammengenommen mit der thematischen Bezogenheit (Schelte, als Folgerung aus erfolgloser Werbung), daraus auch eine entstehungsmäßige Verschwisterung zu erschließen; wie es z. B. Wilmanns mit seiner Spruchgruppe Alexander-Mahnung/Bratenspruch (16, 36 ff. / 17, 11 ff.) (aus dem August 1207) getan hat; während andere wieder die beiden Milte-„Mahnungen“ („Alexander“- und „Löwenherz-Mahnung“) (16, 36 ff. und 19, 17 ff.), (von denen allerdings die zweite doch wohl eher eine Schelte ist), also zwei thematische Gegenstücke aus zwei verschiedenen Tönen, miteinander verbinden, wenigstens, irgendwie, zeitlich. Können unsere Beobachtungen auch hier wiederum ein neues Gewicht für die eine der beiden Wagschalen liefern?

Jawohl! Und zwar wird aufs Eindeutigste die zweite Gruppenbildung, also die Gruppe der beiden „Mahnungen“ dadurch bestätigt; zugleich bewährt sich, wieder als Probe auf das Exempel, daß es sich bei unsern Formbeziehungen nicht um Zufalls-Anklänge handelt: durch die Art, wie sich der Bratenspruch in der Reimung von dem benachbarten, thematisch verwandten Werbungsspruch der „Alexander-Mahnung“ als völlig formunverwandt absetzt. So nämlich sehen offenkundig Sprüche aus, die sich nicht auf einander beziehen! Inhaltlich sollte klar sein: die „nörgelnde“, auf jeden Fall taktlose „Löwenherz-Mahnung“ (19, 17 ff.)[5] muß der diplomatisch-höflichen „Alexander-Mahnung“ (16, 36 ff.) zeitlich gefolgt sein; dort schon Schelte (keinesfalls vom jungen (!) Walther an den jungen Philipp gerichtet; etwa gar im Wahn, so etwas von ihm erreichen zu können!); hier immer noch Werbung, im Dienst eines oder mehrerer Fürsten.

Man sehe nun aber, wie die Schelte an die Werbung tatsächlich in der äußern Form anknüpft:

Die ersten Stollen-Innen- und die Stollen-Schlußreime der Schelte *(dich/mich + mêre/êre)* respondieren chiastisch (assonierend bzw. reimend) (mit Wiederholung eines Reimworts) den Anfangs- und Schlußreimen der Werbung (Abgesang-Schlußreime: *-lîche/rîche*; Anfangsreime der Strophe: *hêre/êre*). Geschwisterliche Familienähnlichkeit zeigt auch die vokalmelodische Gestaltung der Abgesänge in beiden Strophen. Die Werbung läßt den beherrschenden a-Klang (!) der beiden parallelen Perioden *(sât/gât/hât + kan/-wan/-san)* in dem schwächer miteinklingenden i-Klang (!) der Periodenschlüsse (!) verklingen *(-lîche/rîche)*. Die Schelte, umgekehrt, taucht den Abgesang in den i-Klang (!) *(-tîn/sîn/-minnet/-winnet)*, in den schwächer, aber in den Innenreimen (!) der zweiten Periode *(-lant/hant)* der a-Klang (!) miteinklingt.

Die Aufgesänge bleiben, abgesehen von der Reim-Responsion, ohne formale Bindung. — Aber es gibt noch eine Beobachtung, die sich hinsichtlich der „Löwenherz-Mahnung“ hier aufdrängt! So offensichtlich die Bindung der beiden Mahnungen zur Spruchgruppe auch sein mag, es macht den Eindruck, als ob Walther gleichzeitig auch nach einer andern Seite in interessanter Weise hinübergeblickt hätte bei Bosselung seiner Strophe. Es würde sich dann gut erklären, warum er gerade die Anfangs- und Schlußreime der „Alexander-

[5] Sie ist eine Schelte!! Wie sehr, möge man jetzt bei Mackensen (a. a. O. S. 56) in seiner sehr guten Bemerkung über das Löwenherz-Motiv sich bewußt machen.

Mahnung“ für die Anknüpfung der „Löwenherz-Mahnung“ gewählt hat: nämlich aus vokalmelodischen Gründen. Es lag nämlich auch nahe, die „Löwenherz-Mahnung“, als Philipps-Schelte im I. Philipps-Ton, formal anzuknüpfen, gewissermaßen als Satyrspiel, an die beiden monumentalen Philipps-Preisstrophen (18, 29 ff.; 19, 5 ff.: „Philipp und die Krone“; „Magdeburger Weihnacht“), die sich mit Walthers Philipps-Gefolgschaft 1198/9 verbinden.

Das verbindende Form-Motiv wäre das gleiche, aber abgewandelt, das auch die Doppelgruppe der (späteren) „Mahnungs“-Sprüche zur Form-Einheit bindet. Mit Anfang und Schluß des 1. Philipps-Preisspruchs (nach der Ordnung von Lachmann) würde sich derselbe Anfang der „Löwenherz-Mahnung“, diesmal freilich nicht assonanz- oder reimrespondierend, sondern nur vokalmelodisch verbinden, in dem auch die Bindung an Anfang und Schluß (!) der „Alexander-Mahnung“ sich darstellt: die i- und e-Klänge dieses Anfangs *(dich/mich + mêre/êre)* kehren ja als Anfangs- und Schlußklänge, bzw. -melodien, im Philippspreis wieder *(sî/bî + gerne/gê/stê/-sterne)*. — Wobei der i-Klang hier ein im Aufbau melodisch wesentliches Motiv ist: Die beiden Philipps-Preissprüche von 1198/9 sind in sich zur Doppelgruppe verbunden eben durch die chiastische Wiederholung des melodischen Doppelklangs i und o *(sî/bî + wol/sol,* in: *-born/-korn + kint/sint)*.[6]

[6] Diese beiden großartigen Zwillings-Strophen, die den Philipps-Preis als Königs-Mythos gestalten, sind auch in ornamentale Zwillings-Gewänder gekleidet.

Zu den beiden obengenannten Motiven kommt noch ein drittes, das sie engstens verbindet; alle drei sind dann auch zur Verflechtung der Philippston-Kette (die ich oben im Folgenden weiter entwickle) verwendet:

1) Bindung der Aufgesänge durch melodische Responsion der Stollen-Innenreime (antithetisch-chiastisch);
   woran sich, wie oben und später an zweiter Stelle gezeigt wird, die (mindestens vorderen) Stollen-Innenreime von 19, 17 ff. + 20, 4 ff. schließen;
2) Bindung der Stollen-Schlüsse (vokalmelodisch) an die Innenreime des Aufgesang-Anfangs, bzw. (variierend) an die Strophen-Mitte, den Abgesang-Anfang;
   ein Motiv, das sich, abgewandelt (wie oben gezeigt werden wird) als ornamentales Hauptband durch die Gesamt-Kette sämtlicher Philippston-Sprüche hindurchzieht;

Wir hätten also erstens, in verschiedenen Spruchtönen, die ornamentale Doppelgruppe der beiden Milte-Mahnungen und, zweitens, eine Trilogie von Philipps-Sprüchen, Preis (in 2 Strophen) mit satyrspielartigem Ausgang (in der 3.), alle im I. Philipps-Ton gedichtet, erhalten; beides als künstlerische (aber deshalb noch nicht: chronologische) Einheit.

Man weiß es: die, gerade Philipp gegenüber, vom Standpunkt der staufischen Reichspolitik aus, unverantwortlichen Milte-Werbungen an den König zugunsten der bösen Buben, der großen Hansen, der Fürsten, sind nicht, wie noch Michels meinte, ernst besorgte, kühne Mahnungen eines Gefolgsmanns: das konnte sich allenfalls der alte Walther vielleicht dem ungeratenen Heinrich, Sohn Friedrichs II., gegenüber später erlauben. Sondern hier spricht, in tragischer Verflochtenheit in allzu irdisches Bajazzo-Schicksal des fahrenden Sän-

3) Bindung, variierend, durch einheitliche Vokalmelodie (a- bzw. e-Klänge) im Gesamt-Abgesang (bzw. im Abgesang-Ende);
woran sich, wie sich zeigen wird, die Philipps-Mahnung (16, 36 ff.) als Beginn des II. Teils der Philippston-Kette dann anschließt.

Wie sehr die beiden Preis-Sprüche in ihrer „inneren Form“ überhaupt und durchaus Zwillingsgeschwister sind, springt so sehr in die Augen, daß ich mir ein Eingehen hierauf (so genußvoll es wäre) versage.

Nur noch dies: entstehungsgeschichtlich geht ornamental der Weg nur vom Philipps-Dank (1198?) über den Weihnachts-Spruch (1199) zum Krone-Spruch (der das verbindende Form-Motiv am stärksten abwandelt). Ich würde nun also, wie es ja auch schon früher, z. B. bei Simrock und (zweifelnd) bei Wilmanns, geschehen und durchaus möglich ist, beide Preis-Sprüche als wirkliche Zwillings-Sprüche in das Jahr 1199 datieren und halte durch die ornamentalen Tatsachen für erwiesen, daß sie als Gegenstücke von Anfang an concipiert sind. Es wäre nur noch zu fragen, ob nicht auch der Philipps-Dank (19, 29 ff.), den man zunächst, ohne äußere Anhaltspunkte anderer Richtung, wie es ja auch zu geschehen pflegt, natürlich unmittelbar nach dem Wiener Abschied 1198 ansetzen würde, nicht ebenfalls als dritter im Bund erst damals angesetzt werden müßte. Das ornamentale Motiv, das ihn mit den Preis-Sprüchen verbindet, sieht ja eher aus, als sei es für die Ouvertüre der Trilogie als für den Einzelspruch als solchen erfunden. Wer sagt uns denn auch, Walther sei mit seinem Krönungsaufruf (8, 28 ff.) 1198 beim *rîche* und der *krône* schon *wol ze fiure* gekommen?

gers, der Gefolgsmann des Fürsten; ja, der Sänger, „Propagandist“ und Publizist (cum grano salis) des dunkelsten Ehrenmanns in der damaligen Fürstengeschichte: der Sänger des Landgrafen Hermann. Für diesen wurde später der üble, wenn auch großartige Bratenspruch gegen Philipp gedichtet; deshalb findet er in der für Thüringen gedichteten Willehalm-Dichtung Wolframs als berühmter thüringischer Spruch ein besonderes Echo; ist es deshalb auch der Schwiegersohn Hermanns, der „stolze Meißner“, Markgraf Dietrich, der das von Ludwig (von Bayern) *fahrende liet* (gemäß 18, 15 ff.) an Walther vermittelt? Aber eben auch die dialektisch der radikalen Schelte zugeordneten, früheren Philipps-Mahnungen entstammten ihrerseits schon dieser Sphäre; wie ja anscheinend schon die Schlußwendung des Preisspruchs auf die Magdeburger Weihnacht (19, 5 ff.) zu ihr irgendwelche Beziehungen von Walther her spiegelt.

Aber in dem Philipps-Ton steht ja nun unserer neuen Philipps-Trilogie nicht nur eine herrliche private Philipps-Dankstrophe (19, 29 ff.), sondern auch schon eine Wartburg-Schelte (20, 4 ff.) gegenüber. — Es ist wieder ein negativer Beweis gegen den Verdacht, wir fielen Zufalls-Beziehungen auf unserem Weg hier zum Opfer: daß der Philipps-Dank formal recht isoliert steht. Vielmehr eine leichtere Familien-Ähnlichkeit trägt der aus derselben Zeit und Situation frühen Philipps-Dienstes heraus Entstandene beim Vergleich mit den großen Preis-Sprüchen freilich doch an sich; aber er ist (dem thematischen Verhältnis zu diesen und dem eigenen Charakter genau entsprechend) nicht im gleichen Grad äußerlich zur strengen Einheits-Figur mit ihnen gebunden; wie auch sein Reimgebäude in sich vergleichsweise beinah diffus ist.

Man würde das Form-Motiv, das die Familienähnlichkeit begründet, vielleicht für Zufall erklären, wenn es nicht in der 2. der Philipps-Preis-Strophen (bei Lachmann) genau so erschiene und, in Abwandlung, auch dem 1. zukäme, gerade dadurch Einheit zwischen beiden herstellend. Es werden nämlich die Stollenschlüsse auf verschiedene Weise vokalmelodisch mit dem Auf- bzw. Abgesang der Strophe gebunden (in 18, 29 ff.: mit der Mitte der Strophe: *-machet/-swachet/an/man*; in 19, 5 ff.: mit dem Aufgesang-Anfang: *g e born / e r korn/schône/krône*). Genau so nun aber wie die 2. Preisstrophe ihren Aufgesang vokal(!)melodisch aufbaut, finden wir ihn in der Dankstrophe consonanten(!)melodisch durchzogen (*g e warp / e r starp/derde/werde*).

Dabei ist aber doch auch die kornartige Konsonanten-Assonanz, und der Präfix-Reim, zwischen den Anfängen eben dieser beiden Strophen (2. Preis- und Dank-Strophe *[geborn/erkorn + gewarp/ erstarp]*) eine unverkennbare, wenn auch zarte Bindung, die die private Strophe an die monumentalen, öffentlichen der Doppelgruppe auch äußerlich formal, und doch distanzierend, spätestens Weihnachten 1199, beim Entstehen des Weihnachtsspruchs, noch näher heranzog. Die Dreiergruppe des Philippstons hat sich nun also damit schon zur Vierergruppe erweitert.

Wie Walther selbst wohl nach Entstehen der Schelte (19, 17 ff.), kaum vor, frühestens, Ende 1201, die 4 Strophen rangiert hat? Die einzige Handschrift (B), die alle 4 überliefert, hilft uns nicht weiter. Die Dankstrophe hinter der Scheltstrophe, dort, ist gleichermaßen unmöglich aus thematischen wie aus formalen Gründen (Verknüpfung mit der [nach C] 2. oder [nach B] 1. Preis-Strophe!). Stand sie als 3., gewissermaßen als private Geleitstrophe des Sängers, dann müssen wir ja wohl in der C-Ordnung der Preisstrophen das Ursprüngliche suchen (Reihenfolge bei Lachmann!)? Die Scheltstrophe würde dann an Anfang und Schluß (18, 29 ff. + 19, 5 ff./ 19, 29 ff.) (wie gleich zu sehen sein wird) der eröffnenden, preisenden Dreiergruppe anknüpfen. Stand dagegen die private Dankstrophe (gewissermaßen als, vergleichsweise, formal isolierte Ouvertüre) am Anfang des Ganzen, dann sind beide Ordnungen möglich: Entweder (mehr nach B) 19, 29 ff./19, 5 ff./18, 29 ff./19, 17 ff.; also: „Philipps-Dank"; „Magdeburger Weihnacht"; „Krone-Spruch"; „Löwenherz-Schelte"; IV/II/I/III, nach Lachmann beziffert; also Ketten-Bindung, in der Glied sich an Glied fügt: II (neuer Folge) (Anfang!) ist an I (also Kernteil an Ouvertüre), IV (z. B. Anfang!) an III (Satyrspiel-Anhang an Kernteil-Schluß) formal gebunden. — Oder (nach C): IV/I/II/III (Lachmannscher Bezifferung); dann also Aufbau in sich überschneidenden Kreisen: I (neuer Folge) (Ouvertüre) mit III (Schluß [!] des Kernteils) und IV (Anhang) mit II (Anfang [!] des Kernteils), jeweils zur Kreisform, gebunden.

Merkwürdig: daß die artistisch-virtuosen Stücke der Braten-Bohne-Halm-Fehde (dank Überlieferung A) uns besser, in richtigerer Reihenfolge überkommen sind als die so erschütternden Dokumente der Bajazzo-Tragikomödie um König Philipp und seinen preisenden und scheltenden Sänger! — Aber die formale Bindung innerhalb dieser hiermit gewonnenen Vierergruppe läßt sich nun doch noch bereichern. Auch zwischen Satyrspiel-Anhang (Philipps-Schelte; 19, 17 ff.) und Ouvertüre (oder Privat-Geleit-Anhang?) (Philipps-Dank; 19, 29 ff.) besteht formale Bindung; und zwar ähnlich zart und unaufdringlich wie zwischen diesem und dem monumentalen Kern der Spruchkette.

Der Form-Gedanke im Philipps-Dank, wenigstens durch den Aufgesang der Strophe eine Consonanten-Linie laufen zu lassen *(-warp/-starp/derde/werde)*, begegnet in der Philipps-Schelte nun, der Art wie dem Umfang nach, schlußsteigernd wieder: der gesamte, an sich schon größere Abgesang, und noch der Aufgesang-Schluß außerdem, werden durch eine n-Linie aufs straffste gebunden; die sich nun zudem (in den sich entsprechenden Innenreimen der Auf- und Abgesang jeweils abschließenden Perioden) zur in sich kornartig assonierenden *unt-/ant-*Linie noch steigert *(pfunt/kunt/-tîn/sîn/geminnet/-lant/hant/gewinnet).*

Eine ausgleichende Gerechtigkeit ließ Walther, wie gesagt, nun in demselben Philipps-Ton auch der Gegenmacht, in deren Diensten die Philipps-Schelte, als dunkle, allzu irdische Kehrseite der leuchtenden Medaille des mythischen Philipps-Preises hatte entstehen müssen, dem Thüringer Landgrafenhof selber, in der oben so genannten Wartburg-Schelte (20, 4 ff.), den bis zu einem gewissen Grad satirischen, jedenfalls derb realistischen, ungeschminkten Spiegel vorhalten. So überraschend es sein mag: auch ihn hat Walther durch Formbeziehung an die Vierergruppe der Philipps-Sprüche gebunden; während er doch den späteren Bratenspruch (17, 11 ff.), wie wir sahen, streng von dem thematisch eng verwandten älteren Werbungsspruch der thüringischen „Alexander-Mahnung" (16, 36 ff.) getrennt hielt. Die Wartburg-Schelte bildet zu der im Philippston vorhergehenden Vierergruppe einen höchst merkwürdigen und geistreichen formmotivischen Ausklang. Besonders wird durch die enge formale wie thematische Bindung an die Philipps-Schelte der Löwenherz-„Mahnung" diese Zweiheit von

Strophen zur engsten Doppelgruppe von Gegenstücken verklammert.

Diese Doppelgruppe ist dann der gemeinsame Sektor, in dem 2 Strophenkreise sich schneiden: 1) der formale und auch thematische Kreis, zu dem (wie man gleich sehen wird) die Vierergruppe der Philipps-Sprüche im Philippston und die Anhangsstrophe der Wartburg-Schelte, desselben Tons, sich verbinden; die Bindung ist in erster Linie kettenförmig: die Doppelgruppe der beiden Schelten (gegen Philipp und gegen die Wartburg) ist als weiteres Anhangs-Glied mit der Philipps-Schelte, als dem Schluß-Glied der Philippsspruch-Kette, verschlungen. Walther hat aber doch auch das Ganze dieser 5 Sprüche des Philipps-Tons durch ein zartes, aber deutliches Form-Motiv zur geschlossenen, sowohl ketten- als kreisförmigen (wenigstens formalen, ornamentalen) Einheit zusammengeschlossen. — Der 2. Strophenkreis, der in der Doppelgruppe der Scheltsprüche hier mit der Kette der Philippston-Sprüche sich schneidet, ist die Dreiergruppe der für (und gegen oder um) den Landgrafenhof in Thüringen gedichteten Sprüche aus verschiedenen Tönen, „I." Philipps-Ton und „Thüringer-Ton" (II. Philippston). Sie bindet zunächst die beiden Milte-Mahnungen an Philipp (16, 36 ff.; 19, 17 ff.) thematisch-formal zur einheitlichen Doppelgruppe zusammen; dadurch eben entsteht die Überschneidung der Kreise. Denn die zweite, scheinbare („Löwenherz-")Mahnung war ja mit der ersten wirklichen („Alexander-")Mahnung nur dem gestalterischen Motiv nach, als „Mahnung", verbunden; gehaltlich dagegen, als Schelte, mit der Wartburg-Schelte zusammen in der Gruppe der Schelten unserer Kreise. Über das Mittelglied der „Löwenherz-Mahnung" (d. h. -Schelte) hinweg sind Anfang und Schluß unseres 2. Kreises formal-thematisch zur Ketten-Einheit gebunden; inhaltlich bindet das Ganze als Rückgrat der Charakter der Strophen als von Thüringersprüchen. — Nun aber das Ganze der Gruppe, ja beide Kreise, als Ornament-Einheit!

1) Die Doppelgruppe selbst: Philipps-Schelte (der „Löwenherz-Mahnung"; 19, 17 ff.) und Wartburg-Schelte (20, 4 ff.) als formale und thematische Einheit: Die Wartburg-Schelte ist ganz und gar als Gegenstück, innerlich und äußerlich, auf die Philipps-Schelte bezogen; und schon formal sind beide Strophen Zwillingsgeschwister.

Die Philipps-Schelte hatte, wie wir sahen, die vokal- und konsonantenmelodischen Form-Motive der vorausgehenden Philipps-Sprüche schlußsteigernd verbunden (i-Melodie als Abgesang-Thema; -n + -nt-Linie im ganzen Kernteil der Strophe). In der Wartburg-Schelte erscheint das in höchst seltsamer, geistreicher Abwandlung wieder: Die vokalische Linie ist seltsam gebrochen (qualitativ) und (quantitativ) doch auch gesteigert; alle Reime, außer den Stollen-Innenreimen, sind nun ergriffen (8 Reime statt 4!); aber die Bindung ist zerlegt auf zwei ganz verschiedene Klang-Motive (jedes also auch nur je viermal erklingend), und zudem in sich, statt des wenigstens qualitativen Gleichklangs *(î/i)* gebrochen im diffusen Klang nur ähnlicher Assonanzen *(-toeret/-hoeret/waere/laere* +, damit verschlungen, *-muot/-tuot/kunt/pfunt).*

Die konsonantische Linie zeigt eine ähnliche Brechung: Hatten dort, früher, acht -n-Klänge sich in vieren der Fälle zu -nt-Klängen gesteigert, so haben sich hier nur sechs -t-Klänge, und in viel lockrerer Weise, mit vier -re-Klängen, nur in zwei Fällen im selben Wortklang, verbunden; aber während dort die gesteigerten vier -nt-Klänge auf die vokalischen a- und u-Fremdklänge innerhalb der i-Hauptmelodie beschränkt waren, dürfen sich hier, steigernd, in den Stollen-Schlußreimen, beide konsonantischen Motive mit dem einen der Vokal-Hauptmotive überschneiden *(- t o e r e t / - h o e r e t / -muot/-tuot/waere/kunt/pfunt/laere).*

Liegt nun schon in der t-Linie an sich ein Echo zur -nt-Linie des früheren Sangspruchs, so ist sie ja an einer Stelle *(kunt/pfunt)* zum genauen Responsions- ja Korn-Assonanz-Echo geworden (im Innern der 2. Abgesang-Periode steht hier und dort Assonanz-Korn: *kunt/pfunt,* gegen *-lant/hant* des früheren Sangspruchs); das sich dann sogar zur genauen Anreimungs-Responsion, mit chiastischer Wiederholung der Reimworte, steigert: indem diese beiden Reime, ja Reimworte, die beiden Strophen, und zwar den Anfang dort (2. Aufgesang-Periode, Innenreime) und das Ende hier (2. Abgesang-Periode, dasselbe) verbinden (*kunt/pfunt,* gegen *pfunt/kunt* des früheren Sangspruchs).

Aber auch im andern konsonantischen Motiv (und hier sogar vokalisch gesteigert) liegt zugleich eine Responsions-Bindung; und zwar in genauer Spiegelverkehrung. Und wieder steht ein kornartiges Echo an gleicher Stelle der Strophe neben der Responsion an ganz anderer Stelle; nur steht diesmal die bloß einmalige Entsprechung in der frühern (wie vorhin in der spätern) der Strophen; aber wiederum ist das kornartige Echo das ungenauere Echo; nur steigert sich diesmal zum reinen Reim nur der Konsonant und der unbetonte Vokal des weiblichen Reims, der Hauptvokalklang darf nur in ê/oe/ae assonieren (*mêre/êre,* die bedeutsamen Stollen-Schlußreime, dort, klingen in den entsprechenden *-toeret/-hoeret* und vollends in den umfassenden Abgesang-Reimen, *waere/laere,* hier wider).

Also: vor allem der Anfang (!) dort (bes. 2. Auf(!)gesang-Hälfte), zusammen mit den inneren (!) Reimen des Abgesang-Schlusses *(mêre/pfunt/kunt/êre/ . . ./-lant/hant)* findet Entsprechung (Assonanz oder Reimung, z. T. kornartig) bes. am Ende (!) hier (bes. in der 2. Ab(!)gesang-Hälfte), zusammen mit den äußeren (!) Stollen-Endreimen *(-toeret/-hoeret/ . . ./waere/kunt/pfunt/laere*).

Wie steht es aber mit den restlichen Abgesang-Teilen dort, hier mit den restlichen Aufgesang-Teilen (d. h. 1. Abgesang-Hälfte, bzw. Stollen im Innern)? Auch sie sind vokalmelodisch genau aufeinander bezogen! Dem Abgesang dort, mit seinem Motiv der i- und a-Klänge läßt unser Aufgesang hier, in seinem Innern, den Zusammenklang der i- und a-Klänge *(sî/frî + mac/tac)* echoartig entsprechen.

In unserer Strophe hier ist nun nichts mehr ohne Beziehung; in der früheren, dort, nur noch der Eingang *(dich/mich).* Zu ihm ergibt sich aber nun, schließlich und endlich, die vokalmelodische Anfangsresponsion in unserer späteren Strophe *(sî/frî),* die die beiden Strophen weiterhin bindet.

2) Einige dieser Bindungen dienen nun aber auch noch der Einflechtung unserer Anhangs-Strophe in die beiden verschiedenen Ketten:

a) Der Eingang unserer Strophe *(sî/frî)* dient noch stärker als der Bindung unserer Doppelgruppe (zu „Löwenherz-Mahnung", Anfang; *dich/mich*) dieser Bindung der Schluß-Strophe der Philippston-Kette mit ihrem Kernteil, nämlich mit der 1. Philipps-Preisstrophe (bei Lachmann; 18, 29 ff.) (Anfang: *sî/bî*!). Man sieht: die vokalmelodische Assonanz wird zum Korn-Reim (mit Gleichheit eines Reimworts) gesteigert!

Ob jene eben herangezogene frühere Preis-Strophe in Walthers endgültiger Kette den Anfang der gesamten Strophenfolge bildete (worüber ja oben), oder vielmehr (nach C) nur den des Kernteils (der beiden Preisstrophen), oder gar (nach B) nur dessen Ende, spielt an sich keine Rolle. Nur wenn der private Philipps-Dank als Geleit-Anhang auf den Kernteil der Preisstrophen gefolgt sein sollte, wäre der zuletzt genannte Korn-Reim als Anfangs-Reim zur 2. Kernstrophe (über den „Philipps-Dank" hinweg!) weniger glaublich. Das bedeutet: daß wir diese letzte Ordnungs-Möglichkeit also hiermit wohl ausschalten dürfen! Der Philipps-Dank hat also die Eröffnung, ouvertürenartig, gebildet! Bis zu dieser Ouvertüre zurück wird dann aber unsere Strophengruppe der beiden Schelten im Rahmen der gesamten Philippston-Kette in den ornamentalen Aufbau verflochten: wie das Motiv der Vokalmelodien alle Strophen, vom Kernteil an, bindet, so reicht das Motiv der konsonantischen Linien von der Ouvertüre über die II. Preisstrophe (bei Lachmann) bis in unsere Gruppe.

b) Man glaube aber ja nicht, daß die Einflechtung in die andere Kette der Thüringersprüche weniger eng sei! Hier ist es das bedeutsame Motiv der *êre*-Reims, das sich als Eröffnungs- bzw. als Schluß-Reim durch alle Strophen hindurchzieht; so, daß sich die Schlange nach allen Regeln der Kunst in den Schwanz beißt, indem die allerersten Reime der I. Strophe (16, 36 ff.) mit den allerletzten der letzten (20, 4 ff.) in Konsonant und Nebensilbe reimen und im Stammvokal assonieren.

Endlich ist nun aber doch ins Auge zu fassen, daß die beiden Ketten zu einer zweiteiligen Sechserkette zusammengefügt werden müssen. Also:

I.

Ouvertüre: Philipps-Dank (19, 29 ff.).
Kernteil: die beiden Philipps-Preissprüche (18, 29 ff.; 19, 5 ff.); (nach C und Lachmann; oder, umgekehrt, in der B-Folge?).

II.

Satyrspiel-Anhang:

2 Milte-„Mahnungen" (an Philipp): „Alexander-*Mahnung*" (16, 36 ff.) (im Thüringerton); „Löwenherz-»*Mahnung*«" (19, 17 ff.) (= Philipps-*Schelte*)

2 Scheltsprüche: (19, 17 ff.) (= Philipps-*Schelte*) Wartburg-*Schelte* (20, 4 ff).

Die formale Bindung innerhalb dieser längeren Kette ist besonders schwach an der Cäsur zwischen den beiden Hauptteilen; aber es wäre ein Irrtum, zu meinen, sie fehle: In der 1. Milte-Mahnung ist der fast ausschließliche a-Klang des Abgesangs ein ganz enges Echo zum ganz ausschließlichen a-Klang des Abgesangs der II. Preisstrophe (bei Lachmann). — Das würde ja wohl mehr für die Lachmannsche C-Reihung sprechen? Es sei denn, man wollte annehmen, Walther habe zunächst die 3 politischen Kernstrophen auf Philipp zur kreisgerundeten Trilogie fügen wollen, mit Bindung der Mahnung an die (nach B) I. Preisstrophe; erst später, mit Zuwachsen der 5. und 6. Strophe habe er dann das Ganze in 2 Teile auseinandergegliedert.

In der Tat also: unsere nunmehrige IV. Strophe (1. Milte-Mahnung) ist nicht schlechter, sondern eher enger mit den Kernstrophen der I. Hälfte der Strophenkette gebunden, als etwa die private Dankstrophe. Daß dann, beim Zuwachsen der weiteren Strophen, besonders starke Bindungen diese unter sich und beide zusammen mit der ersten Hälfte der Kette verbinden, läßt sich verstehen, und würde genau den früher beobachteten Gepflogenheiten im Aufbau von Liedern entsprechen (Ausweichen der IV. Strophe in Liedern!).

Noch ein Wort zum Gegenstück-Charakter der 5. und 6. Strophe, der beiden Schelten, in thematischer Hinsicht! Das Walthersche satirische Pendel schlägt aus nach den entgegengesetzten Extremen: Was Philipp zuviel hat, hat die Wartburg zuwenig. Dort wird sparsame Vorausschau zur Kargheit; hier fehlt die geistige, höfische Maße. Sollte Walther diese Extreme, wie seine Komposition der Strophenkette nahelegen könnte, bewußter erlebt haben, als wir an und für sich zunächst ihm zuzutrauen geneigt sind? Sollte er, auch vom Inhalt her, seine Ketten bewußter komponiert haben, als wir es mit unsern gröberen formalen Sinnen bisher bemerkten?

Aber daß der Bratenspruch (17, 11 ff.) völlig abseits steht, das ist bedeutsam. Es dürfte eine ziemliche zeitliche Kluft liegen zwischen ihm und jener 1. Kette, in der der Philippston durch die Milte-Mahnung (16, 36 ff.) des Thüringer-Tons so reizvoll ergänzt wird. Das ist das eine neue Gewicht, das wir auf Grund unserer Beobachtungen in die Wagschalen anderweitiger (chronologischer), aussichtslos im Unentschieden festgefahrener Erörterungen zu legen vermögen.

Das andere Gewicht ist: Daß die Wartburg-Schelte (20, 4 ff.) später sein muß als die erste Philipps-Schelte (19, 17 ff.: Löwenherz-Mahnung"); denn schon ornamental ist die umgekehrte Reihung unmöglich.

Für die beiden Milte-Mahnungen dürfte die neue Beweisführung Mackensens das Richtige treffen: der 1. Milte-Spruch Herbst 1201, in der Zeit des Bamberger Hoftags, im trügerischen Auftrieb des

Glanzes dieser äußerlich lauten, innerlich schon hohlen Protestation der bald, ach, so schwierigen Fürsten; vielleicht, wie Mackensen meint, noch im Dienst mehrerer unter ihnen, deren Begehrlichkeit anschwoll, als dem König vom Papst Schach angesagt wurde. — Die 2. „Mahnung", die Schelte, im Dienst Hermanns, als sich seine schmutzigen Hoffnungen auf Plünderung des Reichsguts nicht erfüllt hatten, und als das Glücksrad für Philipp sich endgültig drehte; damit war das Reichssängertum Walthers freilich fürs erste zu Ende. Und auch darin also hat Mackensen recht: daß die Wartburg-Schelte sich diesen Bemühungen für Hermann und seine Gesinnungsgenossen anschließt, nicht ihnen um Jahre vorangeht. So nämlich glaubte z. B. noch Michels auf Grund seines viel zu idealistisch-optimistischen, Uhlandisch-biedermeierlichen Waltherbilds vermuten zu müssen: Walther sei vor Unterwerfung Hermanns (1204) und nach seinem Abfall von Philipp, 1201/2, beim „Gegner seines Herrn" nicht zu denken, die Wartburg-Schelte müsse also 1199, in die Zeit des Magdeburger Weihnachtsfests, fallen. Wir kennen ihn längst besser, den zeitweise, nach großherzigem, eigenem Geständnis, „atemstinkenden" Bratenspruch-Schelter. Der Bruch des Gefolgschaftsverhältnisses (vielleicht ja ohne Walthers Schuld!) kann, ebensogut wie später zur Zeit des Bratenspruchs, schon 1201/2 zur Fürsten-Gefolgschaft, zur (ersten) Philipps-Schelte, und also auch zum Wartburg-Aufenthalt und zur anschließenden Wartburg-Schelte, geführt haben. Dies an sich schon Wahrscheinliche, mindestens Mögliche, wird durch die Form-Beobachtung nun als wirklich erwiesen. — Dagegen ist der frühe Ansatz des Bratenspruchs durch Mackensen (1203), vor der zweiten byzantinischen Tragikomödie der Philipps-Verwandten, schon an sich nicht wahrscheinlich (erst 1203 wurde wirklich ein Braten „verschnitten" in der byzantinischen Sphäre!); und es wird wieder durch die Form-Beobachtung als ganz unwahrscheinlich erwiesen: die formale Distanz dieser Sprüche läßt auf tiefe zeitliche Kluft zur ersten Schelte von 1202 schließen. Wilmanns' Ansatz auf 1207 dürfte hier eher das Richtige treffen.

Welche Schlußfolgerungen hat nun noch der Walther-Herausgeber, der von der unglückseligen Lachmannschen Anordnung (endlich) abgehen möchte, aus diesen Beobachtungen zu ziehen?

Zwei extreme Lösungen sind durch sie beide als unerträglich erwiesen. Erstens die den Handschriften abgeschaute Ordnung nach Strophenformen („Tönen“), und erst innerhalb ihrer nach vermutlicher entstehungsmäßiger Folge, wie sie etwa bei Herm. Paul[7] als vermittelnde, aber unglückliche Lösung versucht ist. Sie reißt z. B. in unserem Fall die künstlerische Einheit der Thüringer-Gruppe, der Zweiheit der Philipps-Mahnungen brutal auseinander, die eben Sprüche verschiedener Töne zur Einheit verbindet, und solche gleichen Tons („Alexander-Mahnung“ und „Bratenspruch“) völlig getrennt hat.

Zweitens aber führt eine stur chronologische (und nebenher thematische) Anordnung (wie bei Hans Böhm[8] neuerdings etwa) zu einem ebenso unerträglichen Zustand: Die schon bisher alarmierende Zerreißung der immer schon erkannten Trilogie der Reichston-Sprüche (8, 4 ff.), dort, würde, wie unsere zwei Spruchketten zeigen, auf Schritt und Tritt Gegenstücke erhalten. Die Erhaltung wenigstens der thematischen Doppelgruppen der Philipps-Preissprüche, der Philipps-Mahnungen, des Philipps-Danks mit der Wartburg-Schelte sind reiner Glücksfall, weil zufällig keine chronologisch trennenden weiteren Sprüche mehr da sind, die sich einschieben könnten. Die Gesamt-Kette zumal, von Philipps-Dank bis Wartburg-Schelte, ist auch hier auseinandergerissen, weil man die Sprüche ja einzeln zu nehmen gewohnt ist und auch die verhältnismäßig zeitnahen Gruppen sehr verschiedenen Zeiten und thematischen Gruppen entstammen. — Bei der andern Spruch-Kette freilich wäre auch nach Böhms Prinzipien (vollends bei ihm, dem Schüler der Kraus-Untersuchungen!) die Erhaltung wenigstens dem Hauptteil nach möglich gewesen und muß die Zerreißung unbegreiflich erscheinen: so daß nun der Bohne-Halm-Spruch nur an das Halm-Lied, nicht an den Bratenspruch, anschließt und unter die Lieder „Niederer“ (d. h. Ebener!) Minne, des Halm-Motiv-Anklangs wegen, versprengt, eine recht skurrile Figur macht; daß der fränkische Bündnis-Spruch gegen Wicman (horribile dictu!) ganz wegfällt und der nun in der Luft hängende Meißner-Ludwig-Dank-

[7] W. v. d. V., hrsg. v. H. Paul (1945[6]; jetzt: 1959[9] v. H. Paul/H. Kuhn).
[8] W. v. d. V., hrsg. von H. Böhm (1944; jetzt: 1967[3]).

spruch, isoliert, unter beliebige andere Herrendienst-Strophen gesteckt ist!

Eine werkgerechte Ordnung hat also beide Spruchketten als künstlerische Einheiten zu achten und zusammenzustellen. Die anderweitige Ordnung nach Chronologie, Themen, Strophenformen steht in zweiter Linie und muß etwa in Anhang-Tabellen erfolgen. Die Philippston-Kette mag man zur Doppelgruppe einer Philipps-Trilogie und einer Wartburg-Trilogie gliedern, die sich im Rahmen einer Gesamt-Kette dann überschneiden. Während der zweite, der Kernteil der Thüringerton-Kette als eine Trilogie von Wicman-Fehdesprüchen sich darstellt (in die natürlich auch der glücklicherweise erhaltene Bündnis-Spruch „aus Franken" Aufnahme findet!). Da freilich Bratenspruch und Halm-Lied thematisch zunächst einmal vor allem in andere Bereiche gehören, so sind sie einerseits in diesen eigenen Bereichen als Einzelstücke, andrerseits aber, als ornamentale Gruppe in sich und als Ausgangsgruppe zur Wicman-Fehde, noch einmal als Eröffnung der Wicman-Fehde-Kette zu bringen, so daß auch diese in sich klar dasteht als künstlerisches Gebilde.

Mindestens aber erwächst demjenigen, der sich nicht entschließen könnte, das modern empfundene Bedürfnis nach thematisch-inhaltlicher Übersichtlichkeit dem Gesichtspunkt der ornamentalen Gruppenbildung bei Walther zu opfern, die Pflicht, seinerseits diese ornamentalen Dreier-, Fünfer- oder Sechsergruppen in einer Anhang-Tabelle wenigstens nachträglich zur Geltung zu bringen. Denn sie sind nicht ein Philologen-Luxus (wie manche chronologischen Dinge), sondern ein Tatbestand des Waltherschen Werkes.

Nachtrag 1969

1. Was inzwischen zugewachsene Forschung betrifft, so darf ich zunächst einmal verweisen auf das Referat in meinem Walther-Heft (Sammlung Metzler; 1965, bes. S. 84—89, 90 unten, 92 f.; 1968[2], bes. S. 84—90, 90 f., 93; S. 121: Nachträge). Dazu kommt jetzt noch: Manfred G. Scholz: Walther v. d. V. und Wolfram v. Eschenbach; Diss. Tübingen, 1966: S. 34—41 (zu 17, 11 ff.: Walther

und Wolfram); S. 201 (zu 20, 4 ff.: Datierungsfragen); S. 102 f. (zu 18, 1 ff.: für Echtheit der Strophe; womit aber der Hinweis mit *liet von Franken* in 18, 15 ff. wieder in der Luft hängen würde! Daß eine solche Fremdstrophe unter Walther-Strophen geraten konnte, mußte, läßt sich ja nicht schwer begreifen!).

2. Neuerdings nun hat sich nachträglich noch ein weiterer, für unser spezielles Problem höchst wichtiger Beitrag eingestellt. Kurt Ruh (Deutsche Vierteljahrschrift f. Lit.Wiss. 42, 1968, 309—324, bes. 320—323) hat sich zum Phänomen der Einheit von Sangspruch-Strophenreihen, im Anschluß an Maurer, geäußert; auf Grund langjähriger Erwägungen über die grundsätzliche Seite der Sache, und mit Bezug auch auf unsere beiden Reihen als spezielle Modelle.

Damit aber hat sich sowohl zwischen uns beiden, wie zwischen Maurer und uns, jeweils ein wichtiger Consensus, mindestens ein Teil-Consensus, ergeben: a) die Reihe der Strophen des I. Philipps-Tons ist eine kunstvolle Einheit; in der Reihenfolge, in der sie, 1953/4, bei mir und Maurer (und so auch bei Ruh jetzt wieder) erscheinen. (Die kleine Unsicherheit, die mir damals geblieben war bezüglich der verschiedenen Arrangements der zentralen Philipps-Preisstrophen — je nach B, oder nach C samt allen Herausgebern seit Lachmann —, hat keine Bedeutung.) — b) Ruh hat jetzt die von mir nachgewiesene Strophen-Doppelgruppe der bundesgenössischen Wicman/Volcnant-Schelte (des Anonymus?) mit Walthers Meissner/Ludwig Dank (also: eben für dies *liet* aus *Franken*) von meinem (oben wiederholten) Nachweis her übernommen, sie dann aber mit Hilfe des uns als Kriterium dienenden Reimresponsions-Bands der *(h)ere(n)/mere(n)*-Reime mit der von uns beiden als Eröffnungsstrophe des Tons betrachteten Philipps-Mahnung verbunden; eine Triade, die in C (als Strophen 124/125/125a) tatsächlich auch in der Überlieferung auftritt.

An diesen erfreulichen Übereinstimmungen ist nicht nur wichtig: die gemeinsame Sicherung einer Pentade und einer Triade von Walther, sondern auch die gemeinsame Sicherung eines der wichtigsten Kriterien bei der Einheiten-Suche. Schon Maurer war (1954) mit mir (1953) zusammengetroffen in der Beobachtung der strengen (Wort-)Responsions-Ornamentik innerhalb der Doppelgruppe der Schelten (auf Philipp, auf „die Wartburg") am Ende der „Philipps"-

Pentade *(tusent pfunt)* (aber freilich: zur Reim-Responsion, *pfunt/kunt,* noch gesteigert!); wie auch in bezug auf die thematische Kontrapostik in bezug auf die höfische *milte* (zuwenig: zuviel) in den beiden, antipodischen, Schelten. — Ruh hat aber jetzt, dankenswerterweise, dies Reimresponsions-Kriterium (wie ich damals) in seiner Relevanz für die Bindung der Strophen beherzigt. Da diese nun aber (vgl. oben) über die Doppelgruppe der Schelten zurückreicht bis zu einer zentralen Preisstrophe, ist übrigens der Tatbestand völlig parallel zu dem in der (zeitlich) II. Strophen-Reihe (des I. Thüringer-Tons), der eben mit Ruh festgestellten (Gerüst-)Triade (die sich ja, nach meiner Meinung, ebenfalls um eine Pentade oder Hexade herumlegt). — Die thematische Einheits-Rundung der Philipps-Pentade hat Ruh durch die Beobachtung des „biographischen Rahmens“ („Ich als Subjekt“) in der I. und V. Strophe (Philipps-Dank, Wartburg-Schelte) aufs Schönste bereichert.

3. Keinesfalls freilich besteht Anlaß, an diesem Punkt stehenzubleiben; dafür möge der oben neu abgedruckte Aufsatz nun weiterhin zu wirken versuchen! — Was die Kriterien anlangt, so hat man denn allen Grund, die ornamentalen Dessins der Assonanz-Figurationen durch die Strophen-Reihen hindurch zu verfolgen; mit den eigentlichen Reimungen (oben) ist nicht mehr als das feste Rückgrat gegeben. — Dabei kann sich dann auch, wie oben, die verbindliche Integrierung der Spießbraten-Strophe sowie der Bohne/Halm-Strophe in der zweiten Strophen-Reihe ergeben. Von was (vgl. Ruh Anm. 38) soll sie denn handeln als von dem Streit, in den die Wicman-Strophe mit eingreift? und wo sonst als vor dieser soll sie denn stehen? wo sie ja denn auch bei uns und — in A steht! Und von A her wird doch auch die Stellung der Spießbratenstrophe bestätigt: natürlich (wo denn sonst?) neben der Philipps-Mahnung, als zugehörige Schelte.

Nun aber noch die Doppel-Funktion der Philipps-Mahnung (16, 36 ff.): Eröffnungsstrophe der Philipps-Schlußtriade, die, als solche, die Pentade zur Hexade erweitert, zwei Töne miteinander verkettend. Eben durch Ruhs wichtigsten Beitrag wird auch sie uns wieder bestätigt: in dem Spitzen-Reimmotiv der *ere*-Bindung der Philipps-Mahnung sind die genannte, von uns gefundene Schluß-Triade der I. Philipps-Reihe und die von Ruh gefundene (Gerüst-)

Triade des „II. Philipps-Tons" miteinander verschlungen. — Und wie die erste Pentade durch die zwischengeschaltete Philipps-Mahnung, so wird dann die an sich ebenfalls pentadische, spätere Reihe durch die zwischengeschaltete Halm-Strophe (65, 33 ff.) zur Hexade erweitert. Hier freilich ist es so, daß eine Doppelgruppe (Philipps-Mahnung und -Schelte) vorangeht, dann zwei Doppelgruppen (Halm-Strophe + Bohne/Halm-Strophe; Wicman-Strophe + Meissner/Ludwig-Dank) folgen. Das Ganze ist also eine Doppelgruppentriade, in zwei ungleichen (wie 1 : 2 sich verhaltenden) Teilen[9].

Entscheidend für die Relevanz dieses ganzen Aspekts der Reim- und Assonanz-Ornamentik ist methodisch: die Reime keinesfalls (wie früher oft geschehen) als rein statistisches „Reim-Material" zu registrieren, das in der Tat Zufall sein könnte, oder nur von assoziativer Bedeutung; sondern die Figurationen zu sehen, so subtil und versteckt sie sein mögen. Man bedenke auch, daß sie nicht fürs Hören etwa gemacht sind; sondern als Schöpfungs-Spuren für den Dichter und seine Kenner! Aber dann dürfen die Assonanz-Bindungen, ebenso subtil und nicht weniger dezent angebracht wie die eigentlichen Reimungen, gleichen Rang beanspruchen; eben sie bilden keinen starren Form-Panzer, sondern eine elastische Hülle.

4. Bezüglich der Philipps-Mahnung (16, 36 ff.) habe ich mich zu meiner Bekehrung („Walther" 1968[2], S. 212) zugunsten der Datierung Simrock/Huismans (1870/1950), gegen die neuerliche Frühdatierung Mackensens (1950)[10] auch hier erneut zu bekennen; trotz

[9] Eine sehr ähnliche zyklische Methode habe ich in meinem Beitrag zur Facsimile-Ausgabe der „Weingartner Liederhandschrift" im Verlag Müller und Schindler, Stuttgart 1969, für eine (II.) Walther-Sangspruch-Sammlung in jener (B) nachweisen können.

[10] Wieso bei Mackensens Datierung von 17, 11 ff. auf „bald nach 1202" Walthers „Affront" (Ruh) gegen Philipp und Gemahlin und ihre byzantinischen Verwandten „erträglicher" und „glaubwürdiger" werden soll, ist mir nicht deutlich. Ist die Anspielung auf Schwiegervater Isaak Angelos' Absetzung (und eben doch auch schon: grauenvolle Blendung!) von 1195 glaubhafter, während oder bald nachdem Philipps Schwager Alexios, Herbst 1202, Deutschland und — Philipp hilfeflehend besucht hat? oder nicht doch lieber: nachdem jene beiden Byzantiner längst tot sind?

der Skepsis der Musikhistoriker (Beyer/Aarburg/Taylor, 1958/64), die mich damals zunächst wohl doch zu sehr beirrt hat[11]. — Also wäre die Sieger-Begrüßung[12] für Philipp, den nun endlich völlig legitim Gewählten und Gekrönten, nämlich durch Adolf von Köln, den Berufenen (!), und in Aachen, der berufenen Krönungsstadt (!), eine großartige Oktave am Dreikönigstag, 6. 1. 1205, zu jener andern Dreikönigstags-Strophe vom 6. 1. 1200, fünf Jahre früher, mit ihrer Begrüßung eines, damals nur vorläufigen, Siegers *künec Philippes* in der „Magdeburger Weihnacht" (19, 5 ff.). Wie damals Weihnachten und Dreikönigstag (mit *leitesterne, die wisen* und dem Weihnachts-Kirchgang) als Oberstimme mitklangen, so dieses Mal wiederum: mit dem *zweier künege hort*, und dem weihnachtlichen *liep nach leide* zugunsten Hermanns des Gönners sowie mit dem (nach Huisman) kontrafakturierten Weihnachtslied *Nu sis uns willekomen, herro Krist* . . ., das hier dann mit einklingt. — Freilich: mit welcher makabren Wandlung ins tragische Zwielicht hinüber für unseren Walther. War er auch früher schon (1200) wohl ebenfalls faktisch Figur auf dem Schachbrett der Fürsten (nämlich des Hermann?) gewesen, so wird er diesmal alsbald nachher (in der Schelte 19, 17 ff.) gar in die Rolle des propagandistischen Schelters als Fürsten-Diener geraten! — Die zeitliche Erstreckung des I. Philipps-Tons (mit 19, 17 ff.) von (maximal) (?) 1198 bis (minimal) 1205 braucht uns wirklich nicht aus der Fassung zu bringen.

5. Auch eine zweite, gedämpfte Revokatio meinerseits („Walther" 1968², S. 89 unten) bleibt ebenso jetzt noch bestehen. Denn einerseits sind die Strophen der stark eskalierenden Doppelgruppe 16, 36 ff./17, 11 ff. auf einander bezogen, aber eben nur als Rahmen-Gerüst für das Ende einer Philipps-Hexade und den Anfangsteil einer Hermanns-(Thüringerton-)Hexade; deren gegenseitige formale Verschlingung jetzt seit Ruhs ergänzendem Hinweis nur noch deutlicher da ist, als schon bei mir früher. Und daß der Spießbraten-Sangspruch (17, 11 ff.) formal eben nicht mit der Philipps-Mahnung (16, 36 ff.) gebunden ist, bleibt, wie ja früher von mir verfochten,

[11] Auch hierbei darf ich jetzt auf Ruh's Bundesgenossenschaft pochen.

[12] Einige wertvolle neue Hinweise in dieser Richtung hat mir dankenswerterweise die Historikerin Frl. Stud.-Ref. Christa Störk, Tübingen, übermittelt.

die geglückte Probe auf das gesamte Exempel. Sie bilden also (thematisch) ein „typologisches Diptychon" (W. Mohr)[13]; aber in teleologischer Hinsicht, als rahmenhafte Kompositions-Pfeiler, nicht, in genealogischer, als genetische Zwillings-Geschwister[14].

Aber, andererseits: die formale Verflechtung zwischen den beiden Hexaden, und also eben auch von der Spießbraten-Strophe selber aus rückwärts, ist doch stärker, als es bei mir (also oben) und vollends weit stärker als jetzt wieder bei Ruh, schon geahnt ist:

a) Die reimresponsoniale Bindung (auf *-ere(n))*, die neuerdings, bzw. besonders dezidiert, bei Ruh die Gruppe der Schelten im I. Philipps-Ton wie auch die (Gerüst-)Triade des „II. Philipps-Tons" in sich streng bindet, kann sich (nach meinem eigenen früheren Nachweis) in der Philipps-Mahnung (16, 36 ff.) zum Knoten verknüpfen, in dem sich die beiden Reihen durchdringen[15] — (Und man möge auch dabei nicht übersehen: daß das

[13] Wolfgang Mohr: ZfdPhil. 86, 1967, 6 f. Vgl. auch: Derselbe: in Walther-Henzen-Festschrift, 1965, S. 21—38 („Landgraf Kingimursel" / Landgraf Hermann und die Reichshofbeamten um *künec Philippes*). — Als solches Diptychon können die beiden Strophen (in Handschrift A) also im Rahmen ihres gemeinsamen Tons auch durchaus als Doppelgruppe erscheinen. — Vgl. auch M. G. Scholz (oben unter Ziffer 1 zitiert) zu 17, 11 ff. und seinem Verhältnis zu Wolfram und Thüringen.

[14] Die oben erfolgte, dezidierte ornamentale, und also entstehungsgeschichtliche Abrückung der Spießbraten-Strophe (17, 11 ff.) von jener Philipps-Mahnung (16, 36 ff.) („Alexander-Mahnung") wird man hoffentlich nicht als Bagatellisierung ihres, zwar makabren aber imponierenden, künstlerischen Zusammenklingens mißverstehen können? Aber der in ihnen sich vollziehenden bestürzenden Eskalation der Philipp/Walther-Tragikomödie (zumal über die halbwegs gesteigerte Zwischenstufe der „Löwenherz-Schelte" hinweg!) wird man an sich schon unbedingt eine entsprechende zeitliche Stufung zubilligen müssen; die beiden Endstrophen sind keinesfalls in der gleichen geschichtlichen Stunde, und nicht einmal in unmittelbar aufeinanderfolgenden Stunden, gedichtet! Des Skandalons bleibt auch dann noch genügend. — Diese Erwägung wird aber eben nun — durch den ornamentalen formalen Responsions-Befund in eklatanter Weise bestätigt!

[15] Daß eben hier in Thüringen, bei Landgraf Hermann, zwischen den gemein.-mhd. Assonanzen *(-aere/ere)* eine Reim-Responsion für dortigen Sprachstand vorliegt, hat wiederum Ruh (S. 321) gesehen.

Band in anaphorischer Wort- und Motiv-Responsion *(ere han)*, wie früher von uns gesehen, Bohne/Halm-Strophe und Wicman-Strophe (17, 25 ff., 18, 1 ff.) eng mit hineinnimmt) — Es ist also deutlich: Von der angelpunktartigen Philipps-Mahnung (16, 36 ff.) ausgehend, haben wir zwei Kometen-Schweife formaler Bindung: 1) Schluß-Triade der Philipps-Hexade; 2) „küchenmeisterliche" Strophen-Kette: mit Spießbraten, Halm-Orakel, Bohne/Halm-Strophe, mitsamt der Polemik-Coda, in die sie ausläuft.

b) Und eben auch schon die Spießbraten-Strophe (17, 11 ff.) selber läßt gleich von Anfang an ein reimmelodisches Leitmotiv weiter erklingen, in dem die Philipps-Mahnung des Thüringer-Tons (16, 36 ff.) sich schon dem Philipps-Ton angeschmiegt hatte: die kontrapostische oder monochrome Klangfärbung mindestens des Auf- oder Abgesangs, oft aber beider; worin schon, ouvertürenhaft locker, der Philipps-Dank (19, 29 ff.) im Auf- und Abgesang sich eingefügt hatte; und die in 16, 36 ff. im Abgesang die a-Melodie des Philipps-Preises (19, 5 ff.) (ironisch ?) noch einmal hatte aufklingen lassen. — Dieses Motiv ist als Leitmotiv der „Thüringer"-Reihe oben entwickelt.

Dieser Tatbestand gibt den Anlaß, einen früher gelegentlich schon betonten Aspekt erneut hier zu berufen: Man muß vollkommen Abstand davon nehmen, anachronistisch, literarisch festgefügte Zyklen in solchen Strophen-Reihen suchen zu wollen. Was Günther Schweikle[16] neuerdings öfters für die verschiedenen Fassungen einzelner Lieder zu zeigen versucht hat, gilt nicht minder auch für die Zyklen: Sie bleiben immer verfügbar, flexibel, mal so mal anders verwendbar; immer lebendig, der Praxis verbunden.

6. Ein Schema mag die Landschaft um die Philipps-Mahnung (von 1205?), als Angelpunkt, herum noch einmal skizzieren:

I. Philipps-Ton: Pentade bzw. Hexade:

I. Triade: 1. Philipps-Dank (19, 29 ff.)
Philipps-Preis: 2. (3.) Kronen-Sangspruch (18, 29 ff.)
3. (2.) „Magdeburger Weihnacht" (19, 5 ff.)

[16] Vgl. etwa G. Schweikle, in: Interpretationen mittelhochdeutscher Lyrik, hrsg. v. G. Jungbluth, 1969, 247—267.

II. Triade: 4. Philipps-Mahnung (Alexander-Mahnung) (16, 36 ff.)
(im I. Thüringer-Ton)
5. Philipps-Schelte
(Löwenherz-„Mahnung“) (19, 17 ff.)
6. Wartburg-Schelte (20, 4 ff.)

I. Thüringer-Ton: Hexade (Strophen-Doppelgruppen-Triade):
(= „II. Philipps-Ton“) 1. a Philipps-Mahnung (16, 36 ff.)
b II. Philipps-Schelte (Spießbraten-Sangspruch) (17, 11 ff.)
2. a Halm-Orakel (Lied-Strophe II. im Lied [Ton] 65, 33 ff.)
(Angriff durch Wicman/Volcnant?)
b Bohne/Halm-Strophe (17, 25 ff.)
3. a (Bundesgenosse Anonymus: Wicman-Polemik: 18, 1 ff.)
b Meissner/Ludwig-Dank (18, 15 ff.)

7. Ein rascher Hinweis auf einige wichtige Arbeiten, besonders aus meinem Schüler-Kreis sei schließlich hier noch gestattet. — Marta Heeder (Ornamentale Bauformen in hochmittelalterlicher deutschsprachiger Lyrik; Diss. Tübingen 1966) geht das Phänomen ornamentaler Gestaltung (bei Liedern, aber auch in Zyklen) so frontal an, daß sie vor allem hier wohl genannt werden sollte. — Manfred G. Scholz (Walther v. d. V. und Wolfram v. Eschenbach; Diss. Tübingen 1966) hat sich auch hierzu passim geäußert. — Sonst wäre vor allem Ekkehard Blattmann (Die Lieder Hartmanns v. Aue; 1968) wegen seiner Beziehung zu formalen Problemen zu nennen. — Zur Philipps-Pentade wird man jetzt auch noch die schlanke, aber schöne Untersuchung von Rotraut Ruck (Walther v. d. V.; Diss. Basel 1954), hinsichtlich des Gedanken-Aufbaus, heranziehen müssen.
(Korrektur-Notiz, 1971:) Nach Abfassung des Nachtrags ist 1969 erschienen: Manfred G. Scholz, Bibliographie zu W. v. d. V., Heft 4 der Bibliographien zur deutschen Literatur des Mittelalters, hrsg. v. Ulrich Pretzel und Wolfgang Bachofer. — Ich selbst habe seitdem den Faden der Untersuchung des Philipps-Tons in zwei Aufsätzen wiederaufnehmen können: über seinen Kern als Triade (in: Festschrift Friedrich Beissner, vor der Drucklegung stehend); über das Ganze als Pentade (in: Festschrift Siegfried Beyschlag, Herbst 1970 erschienen).

Anzeiger der phil.-hist. Klasse der Österreichischen Akademie der Wissenschaften, Jg. 1952, Nr. 22 (1953), S. 350—365.

ZUR GESTALTUNG EINER NEUEN WALTHER-AUSGABE

Von Alfred Kracher

Während über den größten Epiker des deutschen Mittelalters, Wolfram von Eschenbach, eine wahre Fülle von biographischen Einzel- und Gesamtuntersuchungen erschienen ist,[1] gilt für den unbestritten bedeutendsten Lyriker dieser Zeit noch heute Hermann Schneiders Bemerkung: „Eine ausführliche Gesamtdarstellung, die auf der Höhe der Zeit stünde, gibt es nicht." [2] Der Grund dafür ist nicht allein in der Tatsache zu suchen, daß die Literatur über Walther von der Vogelweide für den einzelnen beinahe unübersehbar geworden ist, sondern wohl auch in dem Mangel an einer Ausgabe, die Text, Anordnung und Bezeichnung der Gedichte dem neuesten Stand der Forschung anpaßt. Denn so Bahnbrechendes auch Carl von Kraus durch seine ‚Untersuchungen' und die 10. Ausgabe der Gedichte Walthers [3] für die gesamte Kenntnis der mittelhochdeutschen Dichtung geleistet hat, so war es doch dem besten Waltherkenner leider nicht mehr vergönnt, den krönenden Abschluß unter sein durch philologische Akribie, feinsinniges Einfühlungsvermögen und bestechende Konjekturen ausgezeichnetes Werk zu setzen. Die Neuausgabe der Gedichte im

[1] Vgl. dazu den Literaturbericht zur höfischen Epik von Hans Naumann [Deutsche Vierteljahrsschrift für Literaturwissenschaft und Geistesgeschichte (= Dt. Vj.) XXI (1943), Referatenheft 21 ff.]. Ferner neuerdings B. Mergell, Der Gral in Wolframs Parzival, Halle 1952; W. J. Schröder, Der Ritter zwischen Welt und Gott, Weimar 1952 u. a.

[2] Geschichte der deutschen Literatur ²1943, 571.

[3] Walther von der Vogelweide. Untersuchungen, Berlin und Leipzig 1935. Die Gedichte Walthers von der Vogelweide. Zehnte Ausgabe mit Bezeichnung der Abweichungen von K. Lachmann und mit seinen Anmerkungen neu herausgegeben von Carl v. Kraus, Berlin und Leipzig 1936.

Jahre 1950 konnte weder die vielen anregenden Besprechungen und Aufsätze der Zwischenzeit für eine Textrevision verwenden, noch sich auf die letzten wissenschaftlichen Erkenntnisse stützen oder zu ihnen Stellung beziehen. Niemand hat dies schmerzlicher empfunden als v. Kraus selbst, wie die dortige Vorrede beweist. Seine Worte: „Die vorliegende Ausgabe ist ein bis auf die Besserung von Druckfehlern unveränderter Neudruck ihrer Vorgängerin. Dies ist gegen meine Neigung durch die Umstände erzwungen" (S. XXII) lassen keinen Zweifel daran aufkommen, daß der Meister germanistischer Textkritik gewillt war, sich bei einer späteren Ausgabe mit allen Fragen auseinanderzusetzen, die seinerzeit als Echo auf seine grundlegenden ‚Untersuchungen' hörbar wurden.

Ganz plötzlich und unerwartet ist heuer C. v. Kraus von uns gegangen, sein Vermächtnis für die erstmalige Herausgabe der ‚Liederdichter'[4] liegt bei Hugo Kuhn in besten Händen. Nicht minder wichtig aber ist eine neue Textausgabe der Gedichte Walthers, welche die einmaligen Ergebnisse der Krausschen ‚Untersuchungen' zugrunde legt und die fruchtbare Diskussion um die 10. Ausgabe verwertet, wobei besonders die Arbeiten Hermann Schneiders,[5] Kurt Herbert Halbachs[6] und für die Textkritik vor allem Hennig Brinkmanns ausführliche Studien[7] ins Gewicht fallen. Außerdem sind seither etwa ein Dutzend Bücher und rund 70 Aufsätze erschienen, von denen sich der Großteil mit biographischen, literarhistorischen, politischen, religiösen oder sogar didaktischen Detailfragen befaßt und deshalb für unsere Zwecke ausscheidet.[8]

[4] Deutsche Liederdichter des 13. Jahrhunderts. Herausgegeben von C. v. Kraus. Bd. I, Text. Tübingen 1952.

[5] Drei Walther-Lieder [Zeitschrift für Deutsches Altertum und Deutsche Literatur (= Zeitschr.) 73 (1936), 165 ff.]; Schneider über Kraus, Walther von der Vogelweide [Anzeiger für Deutsches Altertum und Deutsche Literatur (= Anz.) 55 (1936), 124 ff.].

[6] Besprechung der Untersuchungen und Zehnten Ausgabe [Zeitschrift für Deutsche Philologie (= Dt. Phil.) 63 (1938), 210 ff.].

[7] Studien zu Walther von der Vogelweide. I Text [Beiträge zur Geschichte der Deutschen Sprache und Literatur (= Beitr.) 63 (1939), 346 ff.].

[8] Dabei sind literarhistorische, kulturgeschichtliche u. ä. Werke, die sich nur in einem *Teil* ihres Inhalts mit Walther beschäftigen, nicht mit-

Was übrig bleibt, sind einige Untersuchungen zu Einzelstellen,[9] zur Strophenreihung,[10] zu Schwierigkeiten bei der Datierung[11] oder Echtheitsfragen[12] sowie den höchst diffizilen Problemen der musikalischen Seite von Walthers Kunst[13] und die Aufsätze, welche

gerechnet (Es sind also z. B. nicht mitgezählt: E. Ludwig, wîp und frouwe, Stuttgart-Berlin 1937; H. Gent, Die mittelhochdeutsche politische Lyrik, Breslau 1938; H. Spanke, Deutsche und französische Dichtung des Mittelalters, Stuttgart und Berlin 1943; E. Thurnher, Wort und Wesen in Südtirol, Innsbruck 1947; F. Heer, Die Tragödie des heiligen Reiches, Wien-Zürich 1952 u. v. ä.).

[9] K. Helm, zu Walther 124, 1 ff. [Beitr. 62 (1938), 158 f.]; R. Meißner, Noch einmal ‚bereitet ist daz velt' [Beitr. 63 (1939), 398 ff.]; F. Neumann, Walther von der Vogelweide: ‚Ir sult sprechen willekomen!' [In: H. O. Burger, Gedicht und Gedanke, Halle 1942, 11 ff.]; Th. Frings, Walther 124, 10 [Beitr. 67 (1945), 240 ff.]; H. W. J. Kroes, Zu den Sprüchen Walthers von der Vogelweide (17, 25 und 32, 27) [Neophilologus 34 (1950), 143 ff.]; S. Beyschlag, herzeliebe und mâze [Beitr. 63 (1939), 395 ff.].

[10] Vor allem H. Schneider, Zeitschr. 73, 165 ff.; Anz. 55, 127 f.; K. H. Halbach, a. a. O. 212 ff. und 218; H. Brinkmann, a. a. O. 371 f., 374 ff., 382 ff.; E. Ludwig, a. a. O. 40 ff., beschäftigt sich mit dem ‚Programmgedicht' 47, 36, bei dessen Neuordnung sie sich auf H. Schneider beruft, dem sie allerdings (S. 41) unterschiebt, er habe (Zeitschr. 73, 166) neuerdings mit Entschiedenheit eine Reihung der Strophen 1. 2. 5. 3. 4. verteidigt, während er in Wahrheit dort — ebenso wie Halbach, a. a. O. 212 f. — die Folge 1. 2. 3. 5. 4. überzeugend als die ‚richtige' erweist.

[11] G. Lachenmaier, Walther- und Reinmarfragen [Dt. Phil. 60 (1935), 1 ff.]; H. Schneider, Zeitschr. 73, 172 ff.; Anz. 55, 129; K. H. Halbach, Dt. Phil. 63, 216 und 221 f. und Walther-Studien I [Dt. Phil. 65 (1940), 142 ff.]. (Vom gleichen Verfasser sind neuerliche ‚Walther-Studien' in der Festschrift für W. Stammler angekündigt, die vermutlich eine Fortsetzung der obigen sind.) M. Haupt, Reimar der Alte und Walther von der Vogelweide, Gießen 1938.

[12] H. Schneider, Anz. 55, 130; K. H. Halbach, a. a. O. 211 und 218 ff.; H. Brinkmann, a. a. O. 370; F. Neumann, a. a. O., bes. 26 f.; H. Naumann, Ein Meister las, Traum unde Spiegelglas ... [Euphorion 43 (1943), 220 ff.]; derselbe, Guoten tac, boes unde guot! [Zeitschr. 83 (1951/52), 125 ff.].

[13] C. Bützler, Untersuchungen zu den Melodien Walthers von der Vogelweide, Jena 1940; derselbe, Die Strophenanordnung in mhd. Liederhand-

sich im Anschluß an die von Ernst Robert Curtius[14] aufgeworfene Debatte mit dem ‚ritterlichen Tugendsystem' Ehrismanns auseinandersetzen.[15]

Damit wäre der Rahmen abgesteckt, in dem sich die Arbeit des Herausgebers zu bewegen hat, und nun erhebt sich sofort die grundlegende Frage nach der Anordnung der Gedichte und ihrer Zählung, die künftig von den Fesseln der 125 Jahre alten Doppelzahlen Lachmanns befreit und ein eindeutiges Zitieren ermöglicht. Lachmann hatte bekanntlich 1827 die erste kritische Walther-Ausgabe herausgebracht und damit die Arbeit um den Dichter „von einer schöngeistigen Liebhaberei zu einer Wissenschaft erhoben".[16] Aber seine Einteilung in vier Bücher geht von erschlossenen Hand-

schriften [Zeitschr. 77 (1940), 143 ff.]; F. Gennrich, Melodien Walthers von der Vogelweide [Zeitschr. 79 (1942), 24 ff.]; J. A. Huisman, Neue Wege zur dichterischen und musikalischen Technik Walthers von der Vogelweide, Utrecht 1950; B. Nagel, Das Musikalische im Dichten der Minnesinger [Germanisch-Romanische Monatsschrift XXXIII (1952), 268 ff.].

[14] E. R. Curtius, Das ritterliche Tugendsystem [Dt. Vj. XXI (1943), 343 ff.]. Neuerlich abgedruckt als Exkurs XVIII in ‚Europäische Literatur und lateinisches Mittelalter', Bern 1948, 508 ff., wobei einige nicht unbeträchtliche ‚Korrekturen' unterlaufen sind. Außer Streichungen über das ‚nordische' Mittelalter u. m. a. fehlt auch der inhaltsschwere Satz: ‚Ich muß leider bekennen, daß mir jede germanistische Kompetenz fehlt.' Er hätte wohl manches, was über Ehrismann und insbesondere Schönbach dort gesagt ist, in milderem Licht erscheinen lassen und u. a. verständlich gemacht, daß der Verfasser den Walther-Text nach einer alten und nicht nach der damals allein gültigen 10. Ausgabe von C. v. Kraus zitierte.

[15] G. Ehrismann, Die Grundlagen des ritterlichen Tugendsystems [Zeitschr. 56 (1919), 137 ff.]; F. W. Wentzlaff-Eggebert, Ritterliche Lebenslehre und antike Ethik [Dt. Vj. XXIII (1949), 252 ff.]; F. Maurer, Das ritterliche Tugendsystem [Ebda. 274 ff.]; H. Naumann, Hartmann von Aue und Cicero? [Ebda. 285 ff.]; F. Maurer, Zum ritterlichen Tugendsystem [Dt. Vj. XXIV (1950), 526 ff.]; R. Zitzmann, Der Ordo-Gedanke des mittelalterlichen Weltbildes und Walthers Sprüche im ersten Reichston [Dt. Vj. XXV (1951), 40 ff.]. Für eine neue Walther-Ausgabe wird man davon wohl hauptsächlich den Aufsatz von F. Maurer, Dt. Vj. XXIII, heranziehen müssen.

[16] H. Sparnaay, K. Lachmann als Germanist, Bern 1948, 97.

schriftensammlungen aus, ordnet zumeist nach der in der Hs. C[17] überlieferten Reihenfolge und läßt wohl die Sprüche des gleichen Tons beisammen, reißt jedoch bei den Liedern unzweifelhaft Zusammengehöriges auseinander, ist also in der Anordnung trotz oder vielleicht gerade wegen ihres Prinzips ziemlich willkürlich, für den Laien schlechterdings unergründlich.

In dieser Erkenntnis hatte bereits K. Simrock[18] mit seiner Übersetzung von Walthers Gedichten eine andere Reihung versucht und in drei Gruppen (Frauendienst, Gottesdienst, Herrendienst) nach inhaltlichen Gesichtspunkten geordnet. Die erste Gruppe deckte sich im wesentlichen mit dem, was Simrock ‚Lieder' nannte, die dritte hauptsächlich mit den politischen ‚Sprüchen',[19] während unter ‚Gottesdienst' der Leich und einige religiöse Sprüche zu finden waren, aber auch Unechtes, Allgemeines und Unvereinbares, ja merkwürdigerweise selbst die (unechten) Sprüche gegen die Trunksucht (29, 25; 29, 35). Die Einteilung zeigt schon, wie schwierig es ist, Walthers vielfältiges Schaffen unter wenige Kategorien zu subsumieren, und ein kurzer Überblick über die Geschichte der Ausgaben beweist deutlicher als alles andere, daß man die unlebendige Anordnung Lachmanns fast durchwegs als Hemmschuh empfand, daß aber eine Besserung wohl wiederholt versucht, doch nie eine endgültige Lösung gefunden wurde.

[17] Die große (illustrierte) Heidelberger (sogen. ‚Manessische') Liederhandschrift aus der 1. Hälfte des 14. Jahrhunderts bietet die reichste Überlieferung, ist aber jünger als die unter Anm. 20 genannten Hss. A und B.

[18] Gedichte Walthers von der Vogelweide, übersetzt von Karl Simrock und erläutert von Karl Simrock und Wilh. Wackernagel, Berlin 1833.

[19] Simrock hatte bekanntlich zwischen ‚Lied' und ‚Spruch' unterschieden und die Auffassung vertreten, daß das Lied mehrstrophig gewesen und gesungen worden sei, während der Spruch nur aus einer — der Rezitation vorbehaltenen — Strophe bestanden habe, was längst als irrig erwiesen ist. Trotzdem behalten wir diese Bezeichnungen bei, weil sich mit ihnen noch heute die gleichen, wenn auch inhaltlich modifizierten Vorstellungen verbinden. (Vgl. aber H. Gent, a. a. O. 11 f., welche die ‚Spruchdichtung' nicht als eigene Gattung gelten lassen will, ohne daß ihre Argumentation die tatsächlich vorhandenen Unterschiede gegenüber dem Minnesang als nichtig erweisen könnte.)

W. Wackernagel und M. Rieger folgten in ihrer Ausgabe von 1862 ebenfalls vorwiegend der Handschrift C, nahmen aber auch Lesarten aus A und B[20] auf und versuchten eine „neue sinnvollere Anordnung“ (S. X). Indes war auch diese sehr problematisch, denn sie „hatten alle dem Minnedienst gewidmeten oder von Minne, Frauen und weltlicher Freude handelnden Gedichte nebst einigen über Winter und Sommer ausgesondert und in eine zweite Abtheilung gebracht, alle übrigen, so mannigfachen Inhalts sie auch sind, in die erste“ (S. VI). Außerdem mußte in der ersten Abteilung „eine Anordnung nach den zahlreich vorhandenen chronologischen Gesichtspuncten versucht werden, doch mit der Maßgabe, daß die Töne nicht aus einander gerissen wurden“ (ebda.). Man wird zugeben müssen, daß diese Anordnung auch nicht ‚sinnvoller‘ war als die Lachmanns.

1864 erschien als erster Band der neuen Sammlung ‚Deutsche Classiker des Mittelalters mit Wort- und Sacherklärungen‘ die Ausgabe von Franz Pfeiffer, welche „Lieder und Sprüche, strenger als bisher, geschieden und zwischen beide Abtheilungen in die Mitte den Leich gestellt“ (S. XIII) hatte.[21] Wie willkürlich aber vor allem im 1. Teil gereiht wurde, mag der Satz aus dem Vorwort beweisen: „Ich habe die Lieder . . . nach meinem Gutdünken geordnet“ (S. XIV).

Wilhelm Wilmanns versuchte 1869 in seiner großen kommentierten Ausgabe eine rein chronologische Anordnung, trennte aber Lied und Spruch nicht, weil er dies für „weder konsequent durchführbar noch nützlich“ (S. VI) hielt. Bei dem damaligen Stand der Forschung war ein solches Unterfangen fast aussichtslos, und der Herausgeber betonte auch: „Die Schwierigkeiten, auf welche eine solche Ordnung stößt, sind freilich bedeutend und zum Teil unüberwindlich, da es oft an Material zu chronologischer Bestimmung mangelt; aber die Vorteile, die sie gewährt, sind doch zu erheblich,

[20] A: Die kleine Heidelberger Liederhandschrift, noch im 13. Jh. geschrieben und somit die älteste der Sammlungen. B: Die (illustrierte) Weingartner Liederhandschrift, Anfang des 14. Jahrhunderts.

[21] Diese Anordnung haben die späteren Herausgeber K. Bartsch und H. Michel bis zur (letzten) Auflage ^{7}1911 (Helioplan-Neudruck 1929) beibehalten.

als daß man sie nicht auf die Gefahr hin, im einzelnen zu irren, versuchen sollte" (ebda.).[22]

Nach vier Auflagen seiner Übersetzung veranstaltete K. Simrock 1870 selbst eine mittelhochdeutsche Textausgabe Walthers, die im I. Teil die Sprüche nach Tönen geordnet bringt, als II. den Leich folgen läßt und im III. Teil sämtliche Lieder in vier Gruppen (Niedere Minne, Hohe Minne, Gemäße Minne, Übergang von der Weltlichen Minne zur Göttlichen) ordnet. Die Einteilung der Lieder ist nicht gerade glücklich, aber in dieser Ausgabe finden sich erstmals die Bezeichnungen für die Töne der Sprüche, welche trotz anfänglicher Ablehnung verschiedener Herausgeber heute fester Bestand der Walther-Forschung geworden sind.

Hermann Paul ließ 1882 in der ‚Altdeutschen Textbibliothek' seine Walther-Ausgabe erscheinen, die ein neues Ordnungsprinzip einzuführen sucht: „Ich habe wie die handschriften und die bisherigen ausgaben die strophen des gleichen tones beieinander gelassen. Dadurch ist eine consequente anordnung nach sachlichen gesichtspunkten von selbst ausgeschlossen. Doch ist eine solche soweit angestrebt, als sie nicht durch die ordnung nach tönen und durch die natur der gedichte selbst unmöglich gemacht wird. Ich habe zunächst die ganze masse unter zwei hauptabteilungen gebracht, welche den stoffen nach einigermaßen dem früheren gegensatz zwischen ritterlicher und spielmännischer dichtung entsprechen (S. 25 f.)." Pauls Hoffnung, man werde „diese Weise der Anordnung einigermaßen rationell finden" (S. 25 f.), hat sich allerdings nicht erfüllt.[23] Denn abgesehen davon, daß seine Chronologie doch

[22] Bereits in der 2. Aufl. von 1883 gab Wilmanns dieses Einteilungsprinzip wieder auf und ordnete nach der Zählung Lachmanns, die auch noch [4]1924 vom Herausgeber Viktor Michels beibehalten wurde. Aber in seiner bloßen Textausgabe von 1886 und [2]1905 (Sammlung germanistischer Hilfsmittel für den praktischen Studienzweck, Bd. V) verwirklichte Wilmanns in der Anordnung seine Theorie, daß viele Lieder Walthers nur Teile größerer Vorträge seien und versuchte jene nach sachlichen und chronologischen Gesichtspunkten zu reihen. (Vgl. dazu die ‚Rechenschaft' auf S. 148 ff. dieser Ausgabe.)

[23] Pauls Anordnung wurde bis zur (letzten) Ausgabe [7]1950 durch A. Leitzmann beibehalten. — Fridrich Pfaff hat in Kürschners National-

sehr subjektiv und durch die neuesten Forschungen mehrfach erschüttert ist, bietet die Zählung gegenüber Lachmann kaum Vorteile, da die Sprüche des gleichen Tones fortlaufend gezählt werden und dadurch Monstra entstehen wie etwa 75, 171 (= Lachmann 35, 27).

Lachmann selbst hatte noch 1843 die zweite, in den Anmerkungen vermehrte Ausgabe seiner Gedichte veranstaltet, [3]1853 und [4]1864 waren von M. Haupt, [5]1875 und [6]1891 von K. Müllenhoff betreut worden. Ab der siebenten Ausgabe von 1907 zeichnete C. v. Kraus verantwortlich, der zunächst so wie die früheren Herausgeber vorging, indem er den Text fast unverändert beließ und lediglich die Lesarten vermehrte bzw. einige wenige Stellen nach neuen Handschriftenfunden verbesserte. Nach dem Vorliegen der ‚Untersuchungen' aber war es nur natürlich, daß in der zehnten Ausgabe auch die Gedichte „in vielfach veränderter Gestalt" (S. VII) erschienen, und man hoffte allgemein, daß v. Kraus die reichen Erfahrungen seiner Lebensarbeit an Walther und Reimar auch zu einer völligen Neuordnung des Textes verwenden würde. Aber die Achtung vor der großen Erstlingsleistung Lachmanns bewog den Gelehrten, dessen Anordnung und Zählung beizubehalten, obwohl er selbst [24] eine bis auf wenige Ausnahmen unangefochtene relative Chronologie des gesamten Liedschaffens Walthers erstellt hatte. Mit dieser Konservierung aber war weder dem Dichter noch Lachmann und noch viel weniger den Benützern der Ausgabe ein besonderer Dienst erwiesen. Denn die alte Zählung — nach Seiten und Zeilen der ersten Ausgabe — wurde beibehalten, obwohl diese längst nicht mehr mit den neuen Zahlen übereinstimmte; die Anordnung Lachmanns wurde unverändert übernommen trotz der Tatsache, daß so nicht weniger als 33 Lieder und Sprüche mitten im Text stehenblieben, deren Unechtheit v. Kraus erwiesen oder höchst wahrscheinlich gemacht hatte. Die Ausgabe enthielt nunmehr:

literatur 1894 ff. als Band 8, 2 eine Ausgabe veranstaltet, die sich mit kleinen Abweichungen an Pauls Text und Anmerkungen hält.

[24] Bescheiden in zwei Registern zu den Untersuchungen, S. 489 ff.

1. Vorne die Vorrede, kontaminiert aus Lachmann und v. Kraus, mit dem Abdruck ‚Unechter Lieder', die Lachmann nur aufgenommen hatte, „damit sie nicht umkommen" (S. XIII), sowie ‚Neuer Lieder und Sprüche' aus der 9. Ausgabe, unter denen sich wieder das Fragment einer höchstwahrscheinlich echten Strophe findet.

2. Als Hauptteil den ‚echten' Text nach der ursprünglichen Anordnung mit allen unechten Zeilen, Strophen und Gedichten, die nur durch ein vorgesetztes ⁰ und kleineren Druck kenntlich gemacht sind. Dort stehen auf Grund der ‚Untersuchungen' aber auch drei Lieder, die aus Lachmanns Anmerkungen vorgeholt (184, 1) oder aus einer Text- und einer Anmerkungsstrophe zusammengesetzt sind (61, 32; 185, 31) oder gar eine Mischung von zwei Strophen aus ‚Minnesangs Frühling' (MF 214, 34 ff.), zwei Anmerkungsstrophen (217, 1 ff.) und einer Textstrophe (120, 16) darstellen.[25] Dazu kommt noch, daß seit der 7. Ausgabe der kritische Apparat nicht mehr hinten in den Anmerkungen stand, sondern auf jeder Seite ‚unter dem Strich'. Mit der 10. Ausgabe wurden aber wegen der stärkeren textlichen Änderungen dazu noch die ursprünglichen Lesarten Lachmanns verzeichnet, bei Besserungen auch deren Urheber in Abkürzungen angeführt, was wieder ‚unter dem Strich' der Lesarten, also dem zweiten auf einer Seite zu finden war.[26]

3. Im letzten Teil standen Lachmanns Anmerkungen zu den einzelnen Sprüchen bzw. Zeilen ohne die Lesarten.

Daß diese Ausgabe trotz überwiegend begeisterter Zustimmung zu den Textänderungen eben wegen ihrer Anordnung nicht den Beifall der Fachgenossen finden würde, hatte v. Kraus wohl erwartet, aber er wollte sich damals durchaus noch nicht zu einem Abgehen von Lachmanns Einteilung und Zählung entschließen. Die 11. Ausgabe mußte auf Drängen des Verlages mitten während der umfangreichen Vorbereitungen zu den ‚Liederdichtern' rasch zustande kommen, so daß an eine Umgestaltung noch weniger zu denken war. Sie ist also unverändert und gegenüber ihrer Vorgängerin außerdem noch dadurch im Nachteil, daß sich der Druck des un-

[25] Es wird für jeden eine crux bedeuten, der dieses Lied etwa zitieren wollte! (Vgl. dazu und zur ganzen Frage der Anordnung die Einwände H. Schneiders, Anz. 55, 130 ff., und K. H. Halbachs, a. a. O. 222.)

[26] Man sehe daraufhin z. B. S. 59 an!

echten Textes von dem echten (trotz des Hinweises in der Vorrede) überhaupt nicht unterscheidet und nur das leicht übersehbare Zeichen ⁰ vor der Zeilenzählung als Warnung dient.

Und somit stehen wir heute, 125 Jahre nach Lachmanns philologischer Großtat, noch immer vor der Frage, in welcher Gestalt wir „dem ewigen Walther sein für unsere Zeit gültiges Denkmal in Form seines eigenen Werkes“ [27] setzen könnten.

Die neue Ausgabe wird zunächst eine scharfe Trennung zwischen echt und unecht durchzuführen haben. Was bei v. Kraus der Kritik standhielt, darf unbesehen in den Textteil hinein. Darüber hinaus gibt es freilich Zweifelsfälle (wie 111, 12; 60, 34; sogar MF 84, 37 und unter den Sprüchen 18, 1) oder solche, bei denen der Meister auf eine Entscheidung verzichtete (47, 16). Ob diese noch zum Text oder in eine eigene Rubrik zu stellen sind, ist nicht so wesentlich, wenn sie nur entsprechend gekennzeichnet werden. Keinesfalls aber darf das, was nach übereinstimmender Meinung als unecht gilt, in den Textteil, sondern hat separat — womöglich in einem Anhang — seinen Platz zu finden, weil man in einer Waltherausgabe schon aus Vergleichsgründen nicht auf den Abdruck der Strophen verzichten kann, die in den Hss. oder von bedeutenden Fachmännern wiederholt dem Dichter zugeschrieben worden sind. Bei strittigen Einzelstrophen eines Liedes (57, 15; 119, 11) ist die Lösung leicht: man kann sie an der gewohnten Stelle in den Text setzen, aber durch den Druck oder eine Anmerkung hervorheben, daß ihre Echtheit angezweifelt wird.

Was die Entscheidung anlangt, ob die so im Hauptteil verbliebenen Gedichte völlig neu geordnet oder unter Rücksichtnahme auf die ‚eingebürgerte‘ Reihenfolge nur behutsam umgruppiert werden sollen, so darf sie u. E. nur lauten: Neuordnung von Grund auf, weil ein Kompromiß nichts rettet, sondern höchstens verderblich sein kann. Lachmanns Verdienst wird jedem, der sich mit Walther beschäftigt, immer gegenwärtig bleiben, auch wenn die Anlage und Zählung der neuen Ausgabe eine „Erlösung von diesem unlebendigen System“ [28] bringt oder vielleicht gerade dann erst recht.

[27] K. H. Halbach, Dt. Phil. 63, 222.

[28] H. Schneider, Anz. 55, 130.

Wesentlich umstrittener wird die Antwort auf die Frage sein, *wie* nun diese Anordnung aussehen und nach welchen Gesichtspunkten sie durchgeführt werden soll. Der kurze Überblick über die bisherigen Ausgaben hat gezeigt, daß bei früheren Versuchen gattungsmäßige, chronologische, inhaltliche und auch ziemlich willkürliche Ordnungsprinzipien maßgebend gewesen waren, welche aber zum Großteil die Herausgeber selbst nicht befriedigt hatten. Wäre es so einfach, eine causa partitionis zu finden, die alle Schwierigkeiten löst, dann hätten wir gewiß schon längst eine Waltherausgabe in vorbildlicher Gestalt vor uns. Aber das Werk eines mittelhochdeutschen Lyrikers, dessen Gedichte nur in späteren Handschriften und vielleicht sogar bloß bruchstückweise[29] überliefert sind, kann nicht mit absoluter Gewißheit in dem Gewande erscheinen, das ihm sein Meister gegeben hat. Ja man darf in den meisten Fällen schon froh sein, wenn man dem Original wenigstens einigermaßen nahe kommt. Dabei muß uns immer das Bewußtsein leiten, daß wir mit einer Textausgabe bestenfalls das halbe Kunstwerk vor uns haben, weil *diu wîse*, die musikalische Begleitung, zu vollem Verständnis und Genuß fehlt. Da wir aber über Walthers musikalisches Schaffen leider nur sehr wenig Sicheres wissen, haben wir uns bei ihm zunächst mit dem — zum Glück nicht schlecht, aber eben doch nicht eindeutig überlieferten — Text zu begnügen und bei dessen Wiedergabe eine neue Ordnung herzustellen. Über die Form und Zweckmäßigkeit der Einteilung wird es freilich immer verschiedene Meinungen geben.

Naheliegend wäre es nun, nach den so weit gediehenen Bestimmungen der Chronologie heute Walthers Gedichtwerk nach zeitlichen Gesichtspunkten zu ordnen, wie dies Hans Böhm in seiner auf C. v. Kraus fußenden Ausgabe[30] versucht hat, der „nach Lebensabschnitten und den poetischen Gattungen“ (S. 282) ordnet, aber doch auch sein Prinzip mehrfach durchbrechen muß, weil eben hiebei Überschneidungen unvermeidlich sind. Es wird sich also

[29] Vgl. E. Walter, Verluste auf dem Gebiet der mittelhochdeutschen Lyrik, Stuttgart 1933, welche die Meinung vertritt, daß nicht mit allzu großen Einbußen, vor allem bei Walther, zu rechnen ist.

[30] Die Gedichte Walthers von der Vogelweide. Urtext mit Prosaübersetzung, Berlin 1944.

empfehlen, bei inhaltlichen Zusammenfassungen zu bleiben, um so mehr als diese ja in den ‚Liederzyklen' sowie den Entwicklungsstufen des ‚Minnesängers' Walther ihre Bestätigung zu finden scheinen und in den Sprüchen sehr häufig auch Zusammengehöriges im gleichen Tone abgefaßt ist. Demnach ergibt sich auch trotz aller Einwände, die man dagegen erheben kann, die Teilung in Sprüche und Lieder beinahe von selbst, da doch ihr Inhalt ganz wesentlich verschieden ist, wenn man von ‚Grenzfällen' (wie 13, 5; 85, 25) absieht.[31] Innerhalb der so nach sachlichen Gesichtspunkten geordneten Gedichte ließe sich bis auf wenige Ausnahmen eine relative Chronologie ziemlich leicht erstellen. Die Einteilung sähe dann etwa folgendermaßen aus, wobei man sich nicht an den — vielleicht zu ‚modernen' — Benennungen stoße, sondern diese nur als vorläufigen Vorschlag betrachte, die ebensogut durch ‚sachlichere' Bezeichnungen oder durch mhd. Zitate aus Walthers Dichtung[32] ersetzt werden können:

I. Sprüche:

1. Im Banne der Heimat (Wien).
2. Diener des Reiches (Philipp; Otto; Friedrich; Heinrich).
3. Erfahrungen an fremden Fürstenhöfen (Thüringen; Meißen; Kärnten; Der Graf von Katzenellenbogen).
4. Lobpreis Gottes (Gebete und Betrachtungen).
5. Ertrag eines reichen Lebens (Lehren der Weisheit; Das rechte Maß; Echte Werte; Überlegenheit humorvollen Spottes; Schmerz und Klage).

II. Lieder:

1. Beginn und frühe Reife.
2. Sänger der ‚Hohen Minne'.
3. Neigung des Herzens (‚Niedere Minne').
4. Rückkehr zur ‚Hohen Minne'.
5. Zur Ehre des Herrn.
6. Der Tage Abend.

[31] Daß 66, 21 „nach der Spruchdichtung hinüberweist", also zu solchen Grenzfällen gehörte, wie M. Wehrli in der Vorbemerkung zu seiner Auswahl, Bern 1946, wenn auch zweifelnd meint, will mir beim besten Willen nicht einleuchten.

[32] Wie z. B. in M. Wehrlis Auswahl.

Natürlich hat auch diese Anordnung manchen ‚Schönheitsfehler': Obwohl im allgemeinen der Versuch gemacht wird, gleichzeitig die dichterische Entwicklung Walthers sichtbar werden zu lassen, sind doch — besonders bei den Sprüchen — chronologische Überschneidungen unvermeidlich. Auch bei den Liedern fällt ‚Zur Ehre des Herrn' (mit 14, 38 und 76, 22) aus dem zeitlichen Rahmen, während die übrige Reihenfolge so ziemlich mit v. Kraus übereinstimmt, nur daß mir bei einigen Liedern (43, 9; 44, 35; 63, 32; 73, 23; 88, 9; 90, 15; vielleicht auch bei 63, 8 und Halbachs ‚Neunzigerliedern'[33]) eine abweichende Ordnung geboten erscheint. Den Leich (3, 14 ff.) unter 5. der Lieder einzureihen, würde gewiß Widerspruch hervorrufen, er ließe sich vielleicht am besten zu Beginn der Ausgabe unterbringen, wo er nach der Hs. C auch bei Lachmann stand. Das ‚Reimkunststück' (47, 16) fände am zweckmäßigsten im Anhang oder in einer Gruppe ‚Zweifelhaftes' seinen Platz, da es nicht nur zeitlich und inhaltlich in der Aufstellung kaum unterzubringen, sondern auch seine Echtheit m. E. kaum verbürgter ist als die anderer Gedichte (60, 34; 111, 12; MF 84, 37; vielleicht sogar 91, 17 und 18, 1?). Indes dürfte es bei der Reihung der Lieder noch leichter sein, Zustimmung zu erreichen.

Der Einwand aber, der am meisten ins Gewicht fällt, trifft den I. Teil, weil dort nunmehr die Sprüche gleichen Tones mehrfach auseinandergerissen werden, was bisher fast alle Herausgeber vermieden haben. Doch gibt es auch Gegengründe. Wir können uns nämlich der Ansicht F. Maurers nicht bedingungslos anschließen, daß alle „sogenannten Sprüche Walthers auf ihre liedmäßige Einheit hin zu interpretieren"[34] seien, wenn wir auch den extrem gegenteiligen Standpunkt B. Nagels — gerade für Walther mehr denn anderswo — ablehnen müssen, daß bei der „eigentümlichen Dichtweise der Minnesinger" die „Strophe ein weitgehend eigenständiges Gebilde ist, daß sie nicht, wie eine moderne Strophe, erst als Glied eines Zusammenhangs ihre Existenz besitzt".[35] Gewiß

[33] Dt. Phil. 65, 142 ff.

[34] Dt. Vj. 23, 278.

[35] A. a. O. 274. Darüber wird es bei anderer Gelegenheit noch der Auseinandersetzung bedürfen.

wird es niemandem einfallen, etwa die Sprüche des ‚Ersten Reichstones' (8, 4 ff.), die drei ‚Kaiser'-Sprüche (11, 30; 12, 6; 12, 18), die beiden über Reimar (82, 24; 83, 1), auf Engelbert von Köln (85, 1; 85, 9), gegen den Opferstock (34, 3; 34, 13) beziehungsweise sogar alle sieben ‚Papst'-Sprüche (33, 1 bis 34, 20) u. v. a. zu trennen, die wirklich ganz offensichtlich nicht nur dem Tone nach eine Einheit bilden. Aber es wird nicht leicht sein, durchgängig zu beweisen, „wie auch die vielstrophigen Gruppen bestimmter Töne sich in ihrem Großteil als Einheiten oder um einheitliche Themen geordnet erkennen lassen".[36] Man sehe sich daraufhin nur die 18 Strophen des ‚Unmuts- bzw. 2. Ottentones' (31, 13 bis 36, 10) oder gar die des ‚Leopolds- bzw. 1. Thüringertones' (82, 11 bis 84, 13) an! Der eine enthält sieben Sprüche gegen den Papst oder die Geistlichkeit, fünf an Leopold von Österreich, zwei an Bernhard von Kärnten,[37] eine an Hermann von Thüringen, eine wahrscheinlich an Otto und zwei allgemeinen Inhalts. Im anderen Ton finden sich sechs Sprüche, von denen einer bitteren Spott über Gêrhart Atze[38] ausgießt, zwei den ergreifenden Nachruf auf Reimar[39] darstellen, zwei vielleicht den jungen König Heinrich meinen und einer sich wieder an Leopold wendet. Zeitlich aber liegen diese Sprüche weit auseinander: Für den ‚Unmutston' muß man mindestens mit Abständen von sieben Jahren zwischen den ältesten und jüngsten Sprüchen rechnen, beim ‚Leopoldston' sind es nicht viel weniger. Ähnlich steht es auch mit anderen Tönen, so daß es wirklich schwerfällt zu glauben, Walther habe mit der Verwendung derselben Melodie gleich-

[36] F. Maurer, a. a. O. 279.

[37] E. Nußbaumer, Walther von der Vogelweide und der Kärntner Hof [4. Jahresbericht des Bundesrealgymnasiums Spittal an der Drau, Spittal 1949, 3 ff.], will (S. 8) ‚sîn veter' aus 34, 34 auch auf Bernhard von Kärnten beziehen.

[38] Neuerdings ausführlichst erklärt und in größeren Zusammenhang gestellt von K. K. Klein, Zur Spruchdichtung und Heimatfrage Walthers von der Vogelweide, Innsbruck 1952, 70 ff., der freilich auch die Rätsel dieses Spruches nicht überzeugend zu lösen vermag.

[39] Daß die Gegenüberstellung *frowen — wîp* (82, 32 und 35) „eine der reizendsten Bosheiten" sei, wie E. Ludwig a. a. O. 45 f. meint, ist zwar eine geistreiche Vermutung, aber unwahrscheinlich.

zeitig auch eine Verwandtschaft der inhaltlichen Thematik andeuten oder gar bewußt gestalten wollen. Und was die Überlieferung in unseren Hss. anlangt, wo die Sprüche zumeist beisammenstehen, so wiegt dieses Argument nicht allzu schwer. Denn v. Kraus hat gerade für Walther an mehreren Stellen[40] nachgewiesen, daß wir mit „alten Programmen von Konzerten" zu rechnen haben, die in Liederbüchern der Fahrenden ihren schriftlichen Niederschlag fanden und von denen oft ganze Stücke, natürlich mit zusammen vorgetragenen Strophen, in unsere Sammelhandschriften eingegangen sind. Ein Blick in C aber überzeugt uns, daß trotzdem noch Strophen des gleichen Tones weitab von den übrigen stehen (z. B. 26, 3 mit 28, 1 sowie — davon getrennt — 28, 11 gegenüber 26, 13 ff.; oder 17, 11 und 17, 25 gegenüber 16, 36 usw.) oder sogar zweimal vorkommen (18, 15), womit auch die Überlieferung an Beweiskraft einbüßt.

So ließe sich denn der — zunächst ungeheuerlich scheinende — Gedanke doch vertreten, inhaltlich und zeitlich Zusammengehöriges aneinanderzureihen, selbst wenn gleiche Töne dadurch getrennt würden. Man müßte nur in der Ausgabe deutlicher, als dies bisher geschah, die einzelnen Töne (eventuell durch Fußnoten oder mehrere Tabellen) hervorheben und zweckmäßigerweise auch das Wenige, was uns über Walthers musikalische Kunst überliefert ist, an irgendeiner Stelle unterbringen.[41] Empfehlen wird es sich auch, die beiden Stollen und den Abgesang im Druck abzusetzen, um den Bau der Strophe sofort deutlich zu machen, wie überhaupt das Druckbild bei manchem Gedicht (47, 16; 52, 23; 56, 14; 88, 9; 93, 19; 97, 34; 39, 11?) anders als bei v. Kraus gestaltet werden könnte.[42]

[40] ‚Untersuchungen' 56 f., 111, 397. Vgl. H. Schneider, Anz. 55, 126 und Literaturgeschichte 427.

[41] Es wäre freilich wünschenswert, daß zuerst vor allem über die Rhythmisierung der Melodien völlige Einigkeit erzielt würde. Denn was die einschlägigen Werke der Musikwissenschaft, die Untersuchungen C. Bützlers und F. Gennrichs (s. Anm. 13) sowie deren Besprechungen darüber vorbringen, ist leider höchst gegensätzlich.

[42] Vgl. dazu K. H. Halbach, Dt. Phil. 63, 212 u. 214; H. Brinkmann, a. a. O. 363, 388 f.; F. Neumann, a. a. O. 18.

Hat man sich für unsere Anordnung entschieden, dann ist auch das Problem der Zählung nicht mehr schwierig zu lösen: Man numeriert fortlaufend durch und erhält auf diese Weise 104 ‚Sprüche', wenn die vier mehrstrophigen (13, 5 bis 32; 78, 24 bis 79, 16; 79, 17 bis 80, 2; 87, 13 bis 40) als Einheit aufgefaßt werden. An zweifellos echten ‚Liedern' verbleiben 70, mit den vielleicht Walther gehörigen 74 oder 75, so daß man unter Einschluß des Leichs auf die Zahl 180 käme. Das Zitat 15 meint nun den Spruch, der als Nr. 15 in der Ausgabe abgedruckt ist; 15, 7 dessen 7. Textzeile. Für die Lieder gilt das gleiche, nur daß die entsprechende Strophe durch eine römische Ziffer kenntlich zu machen wäre. 120 bezeichnet also das ganze Lied, 120, 3 dessen 3. Textzeile; 120_{II} die 2. Strophe. Jede Mehrdeutigkeit (wie bei einem Zitieren nach Lachmann) ist damit ausgeschlossen, bei Strophen- und Zeilenzitaten kommt man um Doppelzahlen zwar auch nicht herum, aber ganz lassen sich diese ja kaum beseitigen. Wendet man ein, daß sich auf diese Weise ungefähr 80 dreistellige Zahlen ergeben, so ließe sich dem dadurch begegnen, daß die Lieder neu gezählt und durch ein vorgesetztes Zeichen, durch Unterstreichen o. dgl. gegenüber den Sprüchen kenntlich gemacht werden könnten, aber uns erschiene eine durchgehende Zählung zweckmäßiger. Freilich wird man vor jedem Gedicht, am (zweiten) Rande oder in Fußnoten die entsprechenden Doppelzahlen Lachmanns anbringen müssen, nicht weil wir glaubten, man sei „zu sehr an sie gewöhnt, um sie entbehren zu können",[43] aber weil doch fast die gesamte Literatur danach zitieren mußte und bloße Vergleichstabellen der beiden Zählungen am Ende der Ausgabe das Auffinden der gesuchten Stelle nicht wesentlich erleichtern.

Daß eine Ausgabe der Gedichte Walthers auch heute auf die von Lachmann eingeführte mittelhochdeutsche Normalorthographie nicht verzichten wird, bedarf u. E. kaum einer besonderen Begründung, da ja gerade bei unserem Dichter bekanntlich so wenig

[43] H. Schneider, Anz. 55, 130. Es wäre zusätzlich noch anzuführen, wie viele Versehen und Druckfehler dieses Zitieren zwangsläufig nach sich zieht: selbst in der obgenannten sorgfältigen Rezension finden sich nicht weniger als fünf, bei H. Brinkmann, a. a. O., allein auf Seite 367 gleich sieben.

landschaftlich oder mundartlich gebundene Wörter und Formen vorkommen, daß sich aus diesen sprachlichen Kriterien nicht einmal genügend Beweise für eine Bestimmung seiner Heimat ableiten lassen. Man dürfte beim ‚Normalisieren' sogar noch einen Schritt weitergehen als v. Kraus und die gleichen Formen, die in den Hss. an verschiedenen Stellen oft in der Orthographie voneinander abweichen, ohne Bedenken vereinheitlichen, wenn nicht etwa der Vers eine Besonderheit verlangt. Man könnte also z. B. Doppelschreibungen wie *kumt* (13, 12; 31, 31; 34, 16; 40, 6; 72, 14; 74, 1; 115, 35; 184, 4) und *kumpt* (48, 20; 58, 25) beseitigen, ja sogar überlegen, ob nicht auch *kumet* (20, 6; 34, 20; 47, 12) anzugleichen wäre.[44] Ähnliches gilt von den schwachtonigen zweiten Silben der Präpositionen und Konjunktionen, von Formen wie *inme* (112, 23; 114, 20), *erst* bzw. *est* (21, 4) u. v. a., was näher ausgeführt werden müßte, wofür uns aber hier der Platz mangelt.

Einer besonderen Auseinandersetzung bedürfte die Textgestaltung.[45] Hier kann davon nur ganz allgemein die Rede sein: Nach den Bedenken und Anregungen, die im Anschluß an die 10. Ausgabe vorgebracht wurden,[46] sind etwa 90 bis 100 Stellen umstritten, von denen m. M. nach allerdings nur etwa ein Dutzend (5, 10; 21, 4; 21, 7; 22, 5; 31, 33; 32, 29; 33, 10; 43, 30; 44, 6. 7; 49, 8; 110, 21) wirklich eine Änderung verlangen,[47] während andere (25, 32; 38, 7; 42, 20; 67, 3; 75, 13; 76, 15; 98, 14; 102, 12; 114, 29; 114, 35. 36; 184, 6) wohl zweifelhaft sind, die Besserungsvorschläge dafür aber häufig auch nicht mehr Wahrscheinlichkeit an sich haben als der beanstandete Text. In der überwiegenden Zahl der Fälle wird man der durch die ‚Untersuchungen' wohlbegründeten Lesart folgen können, zumal sich die meisten Einwände leicht widerlegen lassen. Manche, wie *kenne* statt *erkenne* (31, 14), *verleget* statt *verlegen*

[44] Was v. Kraus bei 32, 29 in der 11. Ausgabe — auf meinen brieflichen Vorschlag hin — getan hat.

[45] Darüber soll ausführlich an anderer Stelle berichtet werden.

[46] Vgl. Anm. 5—7.

[47] Eine beträchtliche Umgestaltung des Textes erforderte die vielumstrittene ‚Elegie' (124, 1), der eben D. v. Kralik eine umfassende Untersuchung, ‚Die Elegie Walthers von der Vogelweide' (Sitzungsberichte der Österr. Akad. d. Wiss., phil.-hist. Kl. 228, 1), Wien 1952, gewidmet hat.

(76, 15), *kêren* statt *verkêren* (109, 22) u. a., scheitern schon am mittelhochdeutschen Sprachgebrauch, einige (8, 15; 23, 38; 73, 19; 184, 20) an metrischen Bedenken, solche der Wortstellung daran, daß die vorgeschlagene ‚Besserung' wohl vom Standpunkt des Neuhochdeutschen gebilligt werden und vielleicht sogar anderen mittelhochdeutschen Dichtern, nicht aber Walther zugetraut werden kann.

Im übrigen gilt für viele Textstellen dasselbe, was H. Schneider über die Reihung der Strophen bei einigen Walthergedichten gesagt hat: „Über diese Fragen wird wohl nie volle Einigkeit zu erzielen sein." [48] Wir aber können nur wünschen, daß uns die so notwendige neue Ausgabe der Gedichte Walthers bald beschert und uns darin sein Wort so rein und ursprünglich als nur irgend möglich dargeboten werde. Und wenn wir ein übriges anfügen dürfen, so ist es dies: C. v. Kraus war als gebürtiger Österreicher wie keiner zu der schönen Aufgabe berufen — möchte es einem seiner Landsleute beschieden sein, das Werk fortzuführen und möchte dieses womöglich auch in dem Lande Gestalt gewinnen, von dem Walther bekannte:

Ze Ôsterrîche lernt ich singen unde sagen.

Nachtrag 1968

In den mehr als 1 ½ Jahrzehnten seit dem Erscheinen dieser kleinen Abhandlung ist die Walther-Forschung äußerst rege gewesen. Schon ein flüchtiger Blick in den einschlägigen Realienband der Sammlung Metzler [49] beweist dies sehr eindringlich. Auch an Neuausgaben hat es nicht gefehlt, die das erhaltene Werk des Dichters — vollständig oder in Auswahl — vorlegten. Einige davon waren zunächst nur ein so gut wie unveränderter Nachdruck früherer Auflagen.[50]

[48] Anz. 55, 128.

[49] Kurt Herbert Halbach, Walther von der Vogelweide, 1965, ^{2}1968.

[50] So ^{2}1955 bzw. ^{3}1964 von Hans Böhm; ^{9}1959 von Hugo Kuhn (ATB 1) und Lachmann-Kraus-Kuhn ^{12}1959.

Mit dem Buch „Die politischen Lieder Walthers von der Vogelweide" hat Friedrich Maurer 1954 (^{2}1964) eine völlig neue Betrachtungsweise der sog. 'Sprüche' zur Diskussion gestellt und damit ein lebhaftes Echo in der Fachwelt ausgelöst.[51] In konsequenter Befolgung der dort aufgestellten Thesen wurde von Maurer auch eine Textausgabe veranstaltet und dabei Walthers Schaffen in 'Die religiösen und die politischen Lieder' sowie 'Die Liebeslieder'[52] aufgespalten. Die Verteilung in zwei verschiedene Textbände sollte dies aber nicht besonders unterstreichen, sie entsprang wohl nur praktischen Erwägungen. Dennoch schiene mir eine Wiedervereinigung gerade in einer Studienausgabe zweckmäßiger.[53] Als besonderes Verdienst ist die „Beifügung erhaltener und erschlossener Melodien" in beiden Bänden hervorzuheben.

Neben Maurers Ausgabe wurde in der ATB aber Band 1 (Walther von der Vogelweide: Gedichte) weitergeführt, mit dem Hermann Paul 1882 die Sammlung begründet hatte. Hugo Kuhn hat 1959 die 9. Auflage besorgt und in seiner Vorrede (S. IX f.) selbst betont, daß sie „als im wesentlichen nur durchgesehener Abdruck von Leitzmanns siebenter erscheint" (Albert Leitzmann war nach H. Paul die 6.—8. Auflage anvertraut worden, und dieser hatte sich im Text ab der 7. Auflage eng an Lachmann-Kraus angeschlossen). Daher kann ich trotz aller Anerkennung der szt. großen Leistung H. Pauls weiterhin nur auf die oben (S. 403 f.) vorgebrachten Einwände verweisen.

Auch die weitere Betreuung der Ausgabe von Lachmann-Kraus hat H. Kuhn übernommen, doch war die 12. Ausgabe nur „ein un-

[51] Dazu zuletzt: Kurt Ruh, Mittelhochdeutsche Spruchdichtung als gattungsgeschichtliches Problem, Dt. Vj. 42 (1968), S. 309 ff., wo Für und Wider behutsam abgewogen werden. Zur Kontroverse vgl. die dortige Fn. 4.

[52] ATB Nr. 43, 1955, bzw. Nr. 47, 1960. Verbesserte Neuauflagen: ^{3}1967, bzw. ^{3}1969.

[53] Meine grundsätzlichen Bedenken gegen eine allzu weitgehende Zusammenfassung aller 'Sprüche' zu einheitlichen Liedern bleiben davon unberührt, obwohl ich heute manches nicht so schroff ablehnen würde wie 1955 nach der ersten Lektüre von Maurers Buch und dem 1. Textband. (Vgl. dazu Beitr. [West] 78, 1956, bes. S. 195 ff.)

veränderter Abdruck der 10., neubearbeiteten Ausgabe von 1935" (S. VI). Erst die im Jahre 1965 besorgte 13. Ausgabe führt mit Recht die Bezeichnung „aufgrund der zehnten von Carl von Kraus bearbeiteten Ausgabe neu herausgegeben von Hugo Kuhn", da sie verschiedene Neuerungen und Verbesserungen bringt. Diese beziehen sich allerdings nicht auf den Text, der „vorerst noch wesentlich der der 10. ausgabe" geblieben ist, wohl aber auf Lachmanns „vorrede", auf die Literatur zur Überlieferung in den Handschriften bzw. die der Melodien u. ä. Kuhns Vorwort zur 13. Ausgabe (S. V ff.) gibt über das Verfahren und die Überlegungen, die zu den Änderungen geführt haben, erschöpfend Auskunft. Um wieviel sich dieser Teil von der 10. Ausgabe unterscheidet, beweist schon der Umfang von Vorwort und Einleitung, der auf mehr als das Dreifache angewachsen ist. Daß „Unechtes und Zweifelhaftes" nun nicht mehr hinter Lachmanns Vorrede stehen, wo sie eher Verwirrung gestiftet haben, sondern im Anschluß an den echten Text (ab S. 173), also vor den (nun mit S. 185 beginnenden) Anmerkungen Lachmanns, scheint mir ein ebensolches Positivum wie die Tabelle zur Überlieferung (nach S. XLVI), die Lachmanns Prinzip der Einteilung und Anordnung leichter überschaubar machen soll, und die Übersicht über die 'Töne' (S. XLVII).

Kuhns Verfahren zielt auf eine Rückkehr zur alten Ausgabe, „rückkehr freilich zu einem besser verständlichen Lachmann" (S. VI). Daher wurde natürlich neben der Anordnung auch die ursprüngliche Zählung beibehalten, obwohl gerade sie uns so heftiges Kopfzerbrechen verursachen. Bei aller Achtung gegenüber der strengen Konsequenz wird man darum doch wieder auf die Schwierigkeiten für die Benützer der Ausgabe hinweisen müssen, die oben (S. 405 f.) erwähnt wurden. Allerdings hat die Aufteilung der „Vorrede" und die Herausnahme des „Unechten" den unter 1. genannten Einwand hinfällig gemacht. Man wird nun mit Spannung die endgültige Ausgabe Kuhns erwarten, vor der er zusammen mit „einer ausführlichen neuen rechtfertigung . . ., die erst im lauf weiterer jahre zusammenwachsen kann", auch „neue wege der interpretation" (S. VI) ankündigt.

Als Band 3 der Sammlung 'Literarisches Erbe' erschien 1963 eine 'Gesamtausgabe' der Lieder und Sprüche Walthers von Herbert

Protze im VEB Max Niemeyer Verlag, Halle (Saale). Diese für Studierende bestimmte Ausgabe enthält neben einer einleitenden Vita auch Erläuterungen, Übersetzungshilfen und Literaturangaben zu jedem Gedicht sowie ein Wörterverzeichnis. Sie bringt zuerst die Sprüche, dann die Lieder, wobei Palästinalied (14, 38), Kreuzlied (76, 22) und der Leich (3, 1) im Anschluß an die Sprüche stehen. Daß die 'unechten Strophen' in einer 'Gesamtausgabe' nicht fehlen sollten, hat Günther Schweikle[54] mit Recht angemerkt, dessen kurze Rezension alles Wesentliche aussagt. Ein Vergleich der — in der Ausgabe S. 29 f. begründeten — Anordnung mit unseren Vorschlägen (vgl. oben, bes. S. 408) würde erkennen lassen, daß sich der Herausgeber weitgehend daran gehalten hat, ohne dies allerdings auch nur anzudeuten.

Dagegen hat Paul Stapf im Anhang zu seiner zweisprachigen Ausgabe[55] ausdrücklich vermerkt, daß er sich diese Empfehlungen insoweit zu eigen gemacht hat, daß er „die 'Sprüche' wie auch die 'Lieder' in inhaltliche Zusammenhänge gestellt und, gestützt auf die Ergebnisse der Forschung, innerhalb der beiden Gruppen und ihrer Untergruppen eine relative Chronologie angestrebt" hat (S. 502). Begreiflicherweise entspricht diese Ausgabe (mit Vorbemerkung, biographischer Skizze, Anmerkungen zu den Gedichten und umfangreichen Literaturangaben), die auch in der Deutschen Buch-Gemeinschaft erschienen und dadurch einem größeren Kreis gebildeter Leser zugänglich ist, weitgehend unseren Vorstellungen.

Auch die 1944 erschienene Ausgabe von Hans Böhm enthielt Urtext mit Prosaübersetzung, allerdings weder Anmerkungen noch Literaturangaben, sondern nur ein zwei Seiten umfassendes Nachwort (S. 282 f.), welches die Begründung für die von Lachmann-Kraus abweichende Reihenfolge gibt: Ordnung nach Lebensabschnitten und den poetischen Gattungen. Die Neuauflagen (^{2}1955, ^{3}1964) haben daran nichts geändert.

[54] Germanistik 6, 1965, S. 283 f.

[55] Walther von der Vogelweide: Sprüche. Lieder. Der Leich. Urtext. Prosaübertragung. Hrsg. u. übs. von Paul Stapf. Völlig neu bearb. Aufl. 1963 (Tempel-Klassiker).

Von den letzten Auswahl-Ausgaben, zu denen auch zwei englische und eine italienische[56] gehören, sei nur die von Peter Wapnewski hervorgehoben. Diese war 1962 als Band 48 der 'Exempla Classica' erschienen und wurde 1966 als vierte, neu durchgesehene und erweiterte Auflage in die Großbände der (allgemeinen) Fischer Bücherei übernommen.[57] Die Auswahl enthält nun neben den 33 Liedern und 42 Sprüchen (darunter als Nr. 66 die fünf echten Strophen von 87, 1) auch noch den Leich, der in den ersten Auflagen gefehlt hatte. Sein Text ist zur leichteren Überschaubarkeit aufgegliedert, in der nhd. Übertragung zusätzlich mit Teilüberschriften versehen, was auch dem mit dieser Großform mittelalterlicher Lyrik weniger Vertrauten den Plan des Dichters und seine künstlerische Erfüllung erschließt. Anmerkungen zu den einzelnen Liedern und Sprüchen dienen dem vollen Verständnis auch dessen, der keine oder nur wenig Vorkenntnisse mitbringt; eine Zeittafel vor den Sprüchen (S. 243 ff. bzw. S. 254 ff. in ⁴1966) läßt trotz der Knappheit in vorbildlicher Deutlichkeit die wesentlichsten historischen Ereignisse zwischen 1197 und 1229 vor uns erstehen, ohne deren Kenntnis die meisten politischen Sprüche Walthers ein Buch mit 7 Siegeln bleiben.

Daß Ordnung und Reihenfolge der Gedichte die „schwierigste Aufgabe" darstellen, aber sich „gleichwohl nach außen hin am wenigsten bemerkbar" machen, hat Wapnewski seit der ersten Auflage (S. 283) wiederholt betont. Wenn er sich nach gründlicher Überlegung dazu entschloß, „die sachliche Gruppierung über eine vermutbare historische zu stellen" (S. 284 bzw. S. 294 in ⁴1966), so rechtfertigt dies zugleich die Zusammenziehung einzelner inhaltlich verwandter Lieder zu Gruppen. Dabei erscheint die Fehde mit dem Rivalen Reinmar — wenn auch abweichend von dem üblichen Schema, so doch mit Recht — in einer eigenen Gruppe. Das aber entspricht durchaus der Bedeutung, die dieser Auseinandersetzung nicht nur in der Entwicklung Walthers zukommt, sondern grundsätzlich

[56] Vgl. K. H. Halbach, Walther von der Vogelweide. ²1968, S. XII.

[57] Walther von der Vogelweide: Gedichte. Mittelhochdeutscher Text und Übertragung. Ausgewählt, übersetzt und mit einem Kommentar versehen von Peter Wapnewski.

von Belang ist für das Verständnis der Krisensituation um 1200, die sich sonst freilich deutlicher aus der epischen als aus der lyrischen Dichtung ablesen läßt.[58] Neben sechs Liedern Walthers sind in den Anmerkungen die dazugehörigen Reinmars abgedruckt, unmittelbar im Anschluß an Walthers Fehdelieder aber — außer der Reihe — als Nr. 8 die beiden versöhnlichen „Sprüche" auf Reinmars Tod: so läßt sich die divergierende Auffassung der beiden Rivalen in Kunst und Leben am klarsten aus der Textkonfrontation ablesen.[59]

Die hohe Auflagenziffer zeugt nicht nur von der Qualität des Bandes, der fast die Hälfte von Walthers Gesamtwerk enthält, sondern auch von der erfreulichen Tatsache, wie sehr selbst in unserer „technokratischen" Zeit mittelalterliche Dichtung, richtig dargeboten, weite Kreise anzusprechen vermag.

Zuletzt sei auf eine Ausgabe verwiesen, die vielleicht erst 1972 erscheinen kann, u. zw. in der Reihe 'Deutsche Klassiker des Mittelalters' als Neuauflage des Walther-Bandes.[60] Sie wird nach dem Programm dieser Reihe weiterhin „mit Wort- u. Sacherklärungen" versehen sein und sich in der Anordnung etwa an die Vorschläge der vorstehenden Abhandlung halten. Daß auch sie nur als einer der vielen — gewiß unzulänglichen — Versuche anzusehen sein wird, Walthers Werk in anderer als Lachmanns Sicht darzubieten, dessen ist sich niemand mehr bewußt als der Unterzeichnete.

[58] Schon im Titel wird diese Situation u. a. angekündigt bei: Gottfried Weber, Gottfrieds von Straßburg Tristan und die Krise des hochmittelalterlichen Weltbildes um 1200. 2 Bde. 1953.

[59] Vgl. dazu Wapnewskis Anmerkungen ^{4}1966, S. 227 ff.

[60] Walther von der Vogelweide, hrsg. von Fr. Pfeiffer und K. Bartsch. Siebente Auflage bearbeitet von Dr. Hermann Michel, Leipzig/Brockhaus 1911.

Festschrift für Dietrich Kralik. Dargebracht von Freunden, Kollegen und Schülern.
Horn, Ferdinand Berger, 1954, S. 154—162.

WALTHERS GESPRÄCHE

Von Theodor Frings

Dem feinsinnigen Deuter der Elegie Walthers sei ein Aufsatz gewidmet, der aus einer Reihe von zusammenhängenden Abhandlungen herausgegriffen ist. Diese Abhandlungen sind entstanden aus einer vieljährigen vergleichenden Lektüre des deutschen Minnesanges und eines großen Teiles der provenzalischen Lyrik. Dabei achteten wir auf zweierlei, einmal auf alte deutsche volkstümliche Formen, ein andermal auf die ständigen, unmittelbaren und mittelbaren Eingriffe des Provenzalischen. Alte deutsche volkstümliche Formen wurden unter fremdem Einfluß entwickelt, aber am Ende aufgehoben und ausgeschieden, und Neues und Fremdes trat an ihre Stelle.

In diesem Sinne haben wir uns bereits wiederholt geäußert: Minnesinger und Troubadours, 1949, Heft 34 der Vorträge und Schriften der deutschen Akademie der Wissenschaften zu Berlin; Erforschung des Minnesangs, Forschungen und Fortschritte, 26. Jahrg., 1950, Heft Jan. u. Febr.; Altspanische Mädchenlieder aus des Minnesangs Frühling, Beiträge zur Geschichte der deutschen Sprache und Literatur 73, 1951, 176 ff.

Ein Ausgangspunkt unserer Studien war die Rede von C. von Kraus, Unsere älteste Lyrik, Bayerische Akademie der Wissenschaften, München 1930. Wir konnten uns nicht beruhigen bei den Sätzen: „Weniger gut als den Verlauf übersehen wir den Ursprung dieser Kunst... Zweifelhaft ist, ob auch schon unsere ältesten Lieder aus romanischen Anregungen geflossen sind, da wir fremde Gegenstücke nicht besitzen: über Vorhandensein und Herkunft unsichtbarer Kräfte ist das Urteil des Philologen weniger sicher als das des Astronomen." Wir wollten eine astronomische Sicherheit gewinnen.

Über das Walthersche Gespräch 43, 9 spricht Kraus, S. 8; Fritz Neumann im Wartburg Jahrbuch 1929, unter dem Titel: Walther von der Vogelweide und der deutsche Minnesang. Man vergleiche auch C. von Kraus, Walther von der Vogelweide, Untersuchungen, 1935, und Th. Frings, Walthers *vaden,* Beiträge zur Geschichte der deutschen Sprache und Literatur 73, 1951, 320.

Unser Aufsatz ist nicht zu verstehen ohne die Abhandlungen, die vorausgehen. Wir fassen demnach einleitend die Ergebnisse dieser ungedruckten Abhandlungen in knappster Form zusammen.

Volkstümliche Grundformen oder einfache Formen der frühen deutschen Liebeslyrik[1]

1. *Monolog der Frau,* einstrophig, vierzeilig, seltener Monolog des Mannes, einstrophig, vierzeilig.

2. *Wechsel,* Vereinigung von Frauenmonolog und Mannesmonolog, eine deutsche Kunstform, aber angeregt von volkstümlichen *Trutzstrophen.* Die volkstümliche Grundform lebt fort im bairischen *Schnaderhüpfl.*

3. *Gespräch zwischen Mann und Frau.* Es ist ein Abschiedsgespräch Liebender im Dämmer des Morgens, also dem sogenannten Tagelied eigen. Gespräch ist an das Tagelied gebunden; außerhalb dieser Situation begegnet es nicht.

4. In der *Liebesbotschaft* spricht die Frau oder der Mann zum anwesend gedachten Boten einen Liebesgruß für jeweils den anderen; auch spricht der Bote des Mannes zur Frau. Frau und Mann können sich im zweistrophigen Wechsel vereinigen. Dann spricht der Mann in der ersten Strophe den Liebesgruß zum Boten der Frau; die Frau spricht zum Boten eine Antwortstrophe für den Mann.

Ausbau der Grundformen

1. *Ausbau des zweistrophigen Wechsels.* Der Wechsel wird ausgebaut durch Vermehrung der Mannesstrophen, seltener der Frauen-

[1] Vgl. auch W. Scherer, Poetik, 1888, S. 242 ff.: er unterscheidet als Grundformen der Rede Monolog, Vortrag, Dialog.

strophen. Eine vielstrophige Großform des Wechsels bei Reinmar hat nur *eine* Frauenstrophe als Nachhall einer Kette von Mannesstrophen. Der Ausbau steht unter dem Einfluß der vielstrophigen, männlichen provenzalischen Kanzone. Die Frau bleibt die gleiche wie in den frühen Frauenmonologen, hingegeben liebend, der Mann aber wird zum Frauendiener der provenzalischen Kanzone. — Der Wechsel entfaltet sich und erlischt mit der ritterlichen Gesellschaft der staufischen Zeit.

2. *Ausbau des ein- oder zweistrophigen Frauenmonologes.* Erste Ansätze finden sich im Frauenteil des Wechsels. Dann erscheinen vielstrophige selbständige Frauenlieder. Die Frau kann die hingegeben Liebende bleiben. Aber daneben erscheinen vielstrophige Frauenlieder, die den Seelenkampf der Schwankenden darstellen. Kernfrage ist *wîbes êre,* die Sorge der Frau um ihre Ehre, d. h. um ihr Ansehen in der Gesellschaft. Die *êre* hat mit unserem neueren Begriff der inneren Ehre, der Selbstachtung, nichts zu tun. Der vielstrophige deutsche Frauenmonolog scheint eine Schöpfung des Elsässers Reinmar zu sein. Er mag vielstrophige Frauenmonologe provenzalischer Dichterinnen gekannt haben. Die provenzalischen Dichterinnen sind ebenfalls Frauen hingegebener Liebe. Hauptthema ist die Klage über den treulosen Geliebten; aber Schwanken und die Frage der *wîbes êre* ist ihnen unbekannt.

Die schwankende Frau der deutschen Lyrik stammt aus den Monologen schwankender Frauen des nordfranzösischen Epos, so die Monologe der Isolde und der Lavinia, in deren Mittelpunkt ebenfalls *wîbes êre* steht.

In den vielstrophigen Frauenmonologen zeigt sich abermals die Wirkung der vielstrophigen männlichen Kanzone, und zwar in den Monologen der provenzalischen Dichterinnen wie in den deutschen Frauenmonologen. Hinter alle dem liegen die Heroïden des Ovid.

3. *Ausbau des Botenliedes.* Bei Reinmar spricht die Frau zum Boten ein sechsstrophiges Geständnislied; in einem fünfstrophigen Gespräch gibt die Frau dem Boten eine Absage mit auf den Weg. Das Botenlied wird von Reinmar ohne Übergangsstufen zur Großform erhoben. Walther ahmt ihn nach. Wir sehen darin bestätigt, daß Reinmar in der Entwicklung der Großformen eine entscheidende Rolle gespielt hat.

4. *Das Gespräch.* Reinmars Gespräch, auf der Grundlage des alten Botenliedes, ist nach provenzalischen Gesprächen zwischen Mann und Frau gebildet. Unter seinem Einfluß ahmt der donauländische Johansdorf ein bekanntes provenzalisches Gespräch dieser Art nach. Erst Walther gibt solchen Gesprächen die klassische Form der provenzalischen Tenzone. In diesen Gesprächen versagt sich die Frau dem Manne nach Art der Herrin, der *domna* der Kanzone. Das Gespräch tritt an die Stelle des veraltenden und sterbenden Wechsels.

Alle Großformen entstehen auf Grund der neuen Anschauungen einer neuen Gesellschaft, die einen neuen und wesentlich erweiterten sprachlichen Ausdruck in neuen und erweiterten strophischen Formen verlangen. Die neue Füllung erzwingt neue und erweiterte Formen.

Das höfische Gespräch hat mit dem alten Gespräch des Tageliedes nichts zu tun. Das Tagelied geht einen eigenen Weg.

Beim *Gespräch* setzen wir ein. Mit dem Satze: „Erst Walther gibt solchen Gesprächen die klassische Form der provenzalischen Tenzone" haben wir das Neue schon vorweggenommen.

Walthers Gespräche sind viel bewundert. Ihre Stellung in der Entwicklung Walthers ist, vor allem dank C. von Kraus, festgelegt. Wir können heute sagen: Die Entwicklung Walthers spiegelt das Geschick der Gattungen. Monolog, Wechsel, Tagelied, Botenlied, fallen in die Jugend Walthers, vor oder um die Jahrhundertwende. Walther steht am Ende einer Entwicklung von Grundformen zu Großformen, die wir aufzeigten.

Auf der Höhe seiner Kunst, nach der Jahrhundertwende, greift Walther dann auf die volkstümlichen Grundlagen zurück. Er gibt dem einfach und wahr empfindenden Manne des frühen Minnesanges wieder das Wort in dem Liede *Herzeliebez frouwelîn, got gebe dir hiute und iemer guot* und er läßt in *Under der linden* das Mädchen des frühen Minnesangs plaudern, das nur in seiner Liebe lebt. Das gläserne Ringlein dieses Mädchens ist ihm mehr wert als das Gold einer Königin. Der Mann wie das Mädchen freilich sprechen in der neuen Art vielstrophiger Großformen. Die neue Form bleibt trotz des Rückgriffs auf die alten Gehalte. Gleichzeitig aber dichtet Walther im Stile provenzalischer Konversation, in der eine Dame, elegant und witzig, den Mann abweist. Der gereifte Mann und Dichter gestaltet also die Anliegen der alten einfachen, wie der komplizierten neuen Gesellschaft, immer aber in den neuen Formen.

Wir besitzen drei Walthersche Gespräche. Walther läßt die Partner in vier Strophen zweimal wechseln. In einem der drei Gespräche vereinigt er sie in einer fünften Schlußstrophe. Schon das weist auf die Provenzalen.

Walthers Gespräche zwischen Herr und Dame werden als etwas ganz Neues betrachtet. Das blasse Nebeneinander der Partner im Wechsel wird von einem lebendigen Gegeneinander abgelöst. Das hat man gut gesehen. Aber bei aller Ursprünglichkeit ist Walther doch auch hier ein Schüler der Provenzalen.

Walther ist angeregt durch eine provenzalische Literaturform. Dichter und Dame verhandeln über ein Thema der Liebe. Sie wechseln von Strophe zu Strophe. Der Dichter kann mit einer wirklichen Frau, einer Geliebten sprechen, und die Frau antwortet in Strophen, die sie selbst dichtet. Der liebende Dichter spricht mit einer geliebten Dichterin. Solche Paare sind uns mit Namen bekannt. Uc Catola, Raimbaut von Orange und Elias Cairel werden von ihren Geliebten der Treulosigkeit beschuldigt. Während aber die Dame Catolas von einer weiteren Erklärung Abstand nimmt und Beatrix von Dia sich nach Versicherung der Treue endlich beruhigt, kommt es zwischen Elias Cairel und Dame Isabella schließlich zu unzarten Auseinandersetzungen, in denen Elias erklärt, sie nicht aus Liebe, sondern nach Spielmannsart um Ehre und Erwerb besungen zu haben. Eine solche unzarte Auseinandersetzung hat schon Veldeke, wobei der Mann vier, die Frau fünf Strophen spricht; nicht Strophe gegen Strophe, sondern Gedicht gegen Gedicht, was auch im Provenzalischen, aber nur Mann gegen Mann, begegnet[2].

Man nennt solche Gespräche „persönliche Tenzonen“, „Streitgedichte“, zum Unterschied von „fingierten Tenzonen“, in denen

[2] O. Schultz, Die provenzalischen Dichterinnen, Programm Altenburg, 1888.

die Partnerin erdacht ist. Das Ziel beider Arten ist das gleiche: die Dichter wollen der eintönigen Form des Minneliedes eine Wendung geben zu größerer Lebendigkeit. Es sind „Kanzonen in Gesprächsform“.

Diese Wendung in der provenzalischen Minnedichtung hat Walther erkannt, und er hat die deutsche Minnedichtung in die gleiche Richtung gelenkt. Kein unmittelbares Vorbild ist nachzuweisen, aber die provenzalische Gattung muß Walther vertraut gewesen sein. Indem er sie übernimmt, gibt er ihr die ihm eigene, elegante Form und einen Witz, im Sinne von *esprit,* wie er sich in keinem der provenzalischen Gedichte findet.

Wir behandeln eins der drei Gespräche Walthers. Alle sind „fingierte Tenzonen“, die Partnerin ist erdacht. Wir wählen zugleich das scharmanteste und schwierigste der Stücke, das im ganzen wie vor allem aber in der Pointe des Schlusses immer noch nicht befriedigend gedeutet ist[3].

Ich hœre iu sô vil tugende jehen,
43, 10 daz iu mîn dienest iemer ist bereit.
enhæt ich iuwer niht gesehen,
daz schâtte mir an mîner werdekeit.
nû wil ich deste tiurre sîn,
und bite iuch, frouwe,
15 daz ir iuch underwindet mîn.
ich lebete gerne, kunde ich leben:
mîn wille ist guot, nû bin ich tump:
nû sult ir mir die mâze geben.
‚Kund ich die mâze als ich enkan,
20 sô wære et ich zer welte ein sælic wîp.
ir tuot als ein wol redender man,
daz ir sô hôhe tiuret mînen lîp.
ich bin vil tumber danne ir sît.
waz dar umbe?
25 doch wil ich scheiden disen strît.
tuot allerêrst des ich iuch bite,
und saget mir der manne muot:
sô lêre ich iuch der wîbe site.‘

[3] Text nach Lachmann-Kraus, 1950.

Wir wellen daz diu stætekeit
30 der wîbes güete gar eine krône sî.
kan sie mit zühten sîn gemeit,
sô stêt diu lilje wol der rôsen bî.
nû merket wie der linden stê
der vogele singen,
35 dar under bluomen unde klê:
noch baz stêt wîben werder gruoz.
ir minneclîcher redender munt
der machet daz man küssen muoz.

44, 1 ‚Ich sage iu wer uns wol behaget:
der beide erkennet übel unde guot,
und ie daz beste von uns saget,
dem sîn wir holt, ob erz mit triuwen tuot.
5 kan er ze rehte wesen frô
und im gemuoten
ze mâze nider unde hô,
der mac erwerben des er gert:
welch wîp verseit im einen vaden?
10 guot man ist guoter sîden wert.'

Der Mann beginnt als Minnediener *(dienest)* der gepriesenen Frau von Wert *(tugende)*, in deren Dienst sich sein eigener Wert erhöht *(an mîner werdekeit, deste tiurre)*. Nach dieser einleitenden Verbeugung vor der *frouwe (domna)*, stellt er sich einfältig und unerfahren und bittet um Belehrung über die *mâze (mezura)*, das weise Maßhalten, einen Zentralbegriff der höfischen Ethik, gewiß mit dem geheimen Gedanken, wieweit er in Liebesdingen gehen darf. Die Frau durchschaut ihn.

In der ersten Antwortstrophe dankt sie für das Kompliment, weicht dann aber zunächst geschickt aus und erklärt sich für noch unerfahrener. Doch will sie das Gespräch nicht abbrechen, sondern zu einer klaren Antwort und Stellungnahme führen: das ist der Sinn der Zeile *doch wil ich scheiden disen strît*, wo *strît* dem provenzalischen *tenzon* entspricht, Disput in einer Liebesfrage. Zuvor aber müßte sie der Männer Sinn erfahren, sie werde dann von der Lebensart der Frauen sprechen. Damit entlockt sie dem Mann den Gedanken, der sich hinter der Frage nach der *mâze* versteckt.

In der dritten Strophe zeichnet darauf der Mann das Wunschbild einer vollkommenen Frau, der Frau von Wert: sie besitzt *stætekeit,* sittliche Festigkeit, Beständigkeit als Krone der weiblichen *güete,* d. h. aller weiblichen Werte, provenzalisch *fermetat* und *bontat, mit zühten sîn gemeit,* maßvolle Freude, *jois e cortezia.* Das ist wie Lilie und Rose, edle Zucht und edle Freude, nach einem Bilde der lateinischen Klassiker. Das Wunschbild ist zugleich ein erneutes nunmehr ausgeführtes Kompliment, eine Ausmalung der *tugende* der ersten Zeile des Liedes. Das muß die Frau günstig stimmen, und so wagt sich der Mann nun mit den Wünschen hervor: nach einem *gruoz,* einem Neigen des Hauptes und einem freundlichen Blick, vielleicht auch ein paar liebenswürdigen Worten, nach einem *salut,* der noch Dante an Beatrice beglückt, und der einer Frau noch besser steht als Vogelsang einer Linde in Frühlingspracht. Aber der Wunsch ist nur mittelbar geäußert, er bleibt in dem Idealbild der Frau und im Kompliment beschlossen. Wenn der Mund der Frau sich gar auf feine, höfische Rede versteht, *ir minneclîcher redender munt, belh solatz,* so möchte man einen Kuß darauf drücken. Damit ist der heimliche Wunsch ausgesprochen, wenn auch wieder nur mittelbar, vorsichtig und unpersönlich geäußert. Zugleich aber ist die Frage nach der *mâze,* der rechten Grenze gestellt. Der Kuß als Wunsch und Grenze bewegt die Troubadours oft genug. Die Dame Veldekes weist in schroffer Rede den Minnediener ab, der in einem verhüllenden *umbevân* ‚embrasser‘ das gleiche begehrt.

Nun kann die Frau in der vierten und letzten Strophe Stellung nehmen und den Disput beenden. Sie stellt den Eigenschaften der vollkommenen Frau die des vollkommenen Mannes gegenüber. Der weiblichen *stætekeit* entspricht das *discernere bonum et malum* des Mannes, *der beide erkennet übel unde guot.* In einem provenzalischen Breviari d'Amor[4] heißt es: wer da haben will *amor de donas, eove que cuelha ab se las vertutz e ls bos aips de l' albre de saber ben e mal,* wer Frauenliebe gewinnen will, der soll pflücken die Tugenden und die guten Sitten vom Baume der Erkenntnis des Guten und des Bösen, *scire bonum et malum* Genesis

[4] C. Appel, Provenzalische Chrestomathie, 6. Aufl., 1930, S. 173.

2, 9; 3, 22. Das ist der Mann, der in der Welt und in der höfischen Gesellschaft die Gebote der Sittlichkeit und Schicklichkeit beherrscht; und das Breviarium zählt die lange Reihe der Eigenschaften auf *segon quez an dig li trobador en lurs cantars et en lurs coblas,* wie es die Troubadours in ihren Kanzonen und Strophen gesungen haben, insgesamt vierzehn (sechzehn), darunter *cortezia* ‚höfisches Benehmen', *dompney* ‚Frauendienst', *alegranza* ‚Freude, Fröhlichkeit', *retenemen* ‚Zurückhaltung', *castier* ‚Zucht'. Zur *cortezia* und zum *dompney* gehört das ehrlich gemeinte Frauenlob, das auch die Frau Walthers verlangt, *und ie daz beste von uns saget ... ob erz mit triuwen meinet.* Sie fordert weiter *ze rehte wesen frô,* das ist die *alegranza,* die der Mann in anderen Worten auch von der Frau verlangt hat, *mit zühten sîn gemeit*; ein Zustand froher Lebensstimmung, aber mit *mâze* als oberstem Gesetz, *und im gemuoten ze mâze nider unde hô,* und maßvoll wünschen im Bewußtsein der Grenze, also mit *retenemen* ‚Zurückhaltung', *castier* ‚Zucht', als Mann des *essenhamen* ‚der guten Unterweisung', der Lebensart, der *doctrina,* wie ebenfalls im Breviari steht.

Ein solcher Mann, schließt nun die Frau, *der mac erwerben swes er gert, E qui vol aver lo frug d'amor ... so es a dir d'amor de donas* ... ‚Und wer Liebesfrucht, d. i. Frauenliebe ernten will' heißt es im Breviari weiter; den Wünschen eines solchen Mannes wird sich die Frau nicht versagen. Dann folgt die viel erörterte Schlußpointe *welch wîp verseit im einen vaden? guot man ist guoter sîden wert.* Solche Schlußpointen allgemeinen Inhaltes gehören zur Technik der Troubadours.

Man übersetzt: Welche Frau würde ihm auch nur einen Faden, ein Geringstes also, abschlagen? Ein trefflicher Mann ist des Kostbarsten, der Seide würdig: er kann alles verlangen. Die Frau ließe also die Hingabe möglich erscheinen, des Mannes kühnstes und geheimes Wünschen würde sich erfüllen. ‚Faden' wird auch gefaßt als Symbol des Übergangs in die Gewalt des Mannes. Aber jede Deutung, die eine letzte Gunst meint, widerspricht dem höfischen Geiste des Gedichtes, zerstört seinen Sinn. Das hat schon Kraus richtig gesehen. Aber der „Faden"?

‚*Faden*' ist wörtlich zu nehmen, und zwar als Seidenfaden; er ist mehr als das ‚Geringste', und doch verheißt er nicht das Letzte, die ‚Hingabe'. Uns hilft ein Troubadour, Guillem de Cabestaing, der von seiner Herrin sagt: ‚Denn mit einem Faden ihres bunten Mantels, wenn sie ihn mir schenken wollte, würde sie mich froher und reicher machen als eine andere Frau, die mich zu sich nähme (in letzter Gunst)':

Qu'ab un fil de son mantelh var,
S'a lieys fos plazen que l me des,
Me fera plus jausent estar
E mais ric que no m pogra far
Autra del mon qu'ab si m colgues.

Der Faden ist also Zeichen der Zuneigung, einer Verbundenheit, der Huld, aber er verpflichtet nicht.

Die Frau hat gesagt, der Mann der *mâze,* der vollkommene Mann der höfischen Gesellschaft, *der mac erwerben, swes er gert* ‚der kann erlangen, was er wünscht'. Das mag der sehnsüchtig gespannte Minnediener in seinem Sinne auffassen und den Kuß einbeziehen und erwarten. Die Frau aber versteht es in strengem Sinne: er kann das erlangen, was er als wohlerzogener Mann begehren darf, und sie bietet, zurück- und zurechtweisend, dem Gespannten und dann Enttäuschten statt des Kusses — einen Faden, als Zeichen der Huld, *dem sîn wir holt* hat sie selbst gesagt, nicht mehr. Der Faden soll ihm genügen, wie er Guillem de Cabestaing genügt, den Walther gekannt hat, und von dem die Anregung stammen mag[5]. Aber der Faden wurde hüben wie drüben verstanden, weil die Vorstellung, der Faden als Symbol, volkstümlich ist, wie uns das Handwörterbuch des deutschen Aberglaubens belehrt.

Den letzten Vers *guot man ist guoter sîden wert* wird man nun folgerichtig übersetzen: ‚Ein guter Dienstmann ist eines seidenen Fadens wert.' Wieder belehrt uns das Handwörterbuch, daß der Seidenfaden verwandt wird, weil die Seide selten und fest ist. Ein guter Dienstmann also kann auf die feste Huld seiner Herrin rechnen. Kraus geht weiter und meint, *sîde* bedeute ein gutes Gewand aus Seide, wie es dem guten Dienstmann zukommt. Er

[5] Minnesinger und Troubadours S. 21 f.; Forschungen und Fortschritte, Februar 1950.

könnte weisen auf den Mantel als Huld, Schutz und Zeichen der Gewalt über eine Person. Auf jeden Fall wird der Liebhaber auf die Stufe des dienenden Vasallen verwiesen, also zurück auf die Eingangsverse, in denen er sich zum Dienst erboten hat. Eingang und Schluß des Gedichtes finden sich so zusammen. Der Dienstmann ist in seine Schranke verwiesen, der Mann ist belehrt, was *mâze*, die rechte Grenze ist. Diese Grenze hat der Mann von Wert, der vollkommene Mann, zu beachten. *Sît niht wan mîn redegeselle* sagt die Frau abweisend zum Manne in einem verwandten Gedicht: mein Partner im höfisch-gesellschaftlichen Gespräch, nicht mehr.

Walthers Gedicht also ist ein provenzalisches Breviari d'Amor, ein Breviarium de Amore in Form einer provenzalischen Tenzone, eines *strît*, wie er selber sagt. Was die Frau dem Troubadour im allgemeinen durch ihr Sein und ihre Haltung vorschreibt, das spricht hier ihr Mund, den die Tenzone, eine Kanzone als Disput, geöffnet hat. Aber sie spricht nicht wie in provenzalischen Tenzonen als Eifersüchtige und Hadernde, sondern als die hohe, überlegene, geistvolle Erzieherin des Mannes der Kanzonen.

Das Gedicht ist eben ein Breviari d'Amor *segon quez an dig li trobador en lurs cantars et en lurs coblas* ‚wie es die Troubadours in ihren Kanzonen und Strophen gesungen haben'. Es stammt von provenzalischem Geist, ist jedoch geprägt von Walthers Kunst der Form und des Witzes oder besser: von Walthers *esprit*. Aber hinter diesem *esprit* liegt ein tiefer Ernst. Die Gebote gesellschaftlicher Sittlichkeit und Sitte sind Walther mehr als ein Stück Gesellschaftsspiel. Er übernimmt sie als Erzieher, und so ist das elegante Gespräch zugleich eine ernstgemeinte Sittenlehre. Es stellt sich zu den vielen Stücken, in denen Walther als Erzieher auftritt.

Euphorion 3. Folge, Band 51, 1957, S. 113—150.

WALTHERS LIED VON DER TRAUMLIEBE (74, 20) UND DIE DEUTSCHSPRACHIGE PASTOURELLE

Von PETER WAPNEWSKI

Stoff und Gattung bedingten einander im Mittelalter ausschließlicher und präziser als im Dichten der Neuzeit. Bestimmte Vorgänge, Begebenheiten und Sachverhalte konnten nur in bestimmten Gattungen, Dichtungsformen, dargestellt werden; und bestimmte Gattungen wiederum entstanden nur mit den ihnen zugehörigen Inhalten, stofflichen Vorwürfen.

Die Gegenwart hat in ihrem Dichten solche Sicherheit in der Zuordnung von Gegenständen zu ihnen gemäßen Groß- und Kleinformen wie die Sicherheit in deren Bau verloren [1]. Insbesondere die Lyrik — von je als Dichtungsgattung meist auf jene Gebiete verwiesen, die von den beiden anderen „Naturformen" nicht beansprucht wurden — hat die Gesetze der figurativen Tektonik und der Stilmittel je länger je mehr zugunsten des Phänomens der „Innerlichkeit" aufgegeben. Einer ihrer im Mittelalter traditionell fixierten Dichtungsformen und deren Erscheinungsbild im deutschsprachigen Bereich ist diese Arbeit gewidmet. Sie geht aus von der Untersuchung eines Einzelstücks. Doch findet — was in unserem interpretationsbeflissenen Stadium ausdrücklich gesagt werden muß — jede Interpretation ihre wissenschaftliche Legitimation nur insoweit, als sie von der Methode her exemplarisch, vom Gegenstand her repräsentativ ist. In solchem Sinne enthielt auch bisher alle Literaturgeschichte „Interpretation".

[1] S. Richard Kienast, in Stammlers Deutscher Philologie im Aufriß II (1954), Sp. 775 f. — Zur Aufgabe der Mittelalterforschung gegenüber diesem Fragenbereich: Hugo Kuhn, Minnesangs Wende (= Hermaea NF 1), Tübingen 1952, S. 89.

I. „*Nemt, frowe, disen kranz*" *(Walther 74, 20)*

Man ist nicht müde geworden, die poetische Schönheit wie die literarhistorische Bedeutung dieses Gedichtes zu rühmen, und das mit Grund[2]. Indessen ist es, glaube ich, trotz allen Preisens und Umwerbens bisher nicht gelungen, seinen Kern zu enthüllen. Überlieferung wie Editionen zeugen von Unsicherheit und Widerspruch.

Das augenfällige Ärgernis ist die Reihenfolge der Strophen. Die Hss. überliefern wie folgt (und ich bediene mich künftig zur Bezeichnung der in den Hss. fixierten Anordnung der Kleinbuchstaben *a* bis *e*):

a	*Nemt frowe*	134 A,	262 C,	51 E,	L. 74, 20.
b	*Ir sît*	135 A,	263 C,	52 E,	L. 75, 9.
c	*Si nam*	136 A,	264 C,	53 E,	L. 74, 28.
d	*Mir ist*	137 A,	372 C,	54 E,	L. 75, 1.
e	*Mich dûhte*	138 A,	373 C,	—,	L. 75, 17.

A also bietet die fünf Strophen aufeinanderfolgend, E die vier ersten unter Auslassung der letzten, C schiebt über 100 Strophen zwischen *c* und *d*, hält sich aber an die gleiche Abfolge. Immerhin ist deutlich, daß sich bereits der Sammelhandschriften eine gewisse Unsicherheit bemächtigt hat. Die scharfsinnigen textkritischen Überlegungen, die Carl von Kraus angesichts dieses Befundes angestellt hat (WU 302—303), sollen hier nicht wiederholt werden. Hingewiesen sei nur auf von Kraus' Beweisführung der ursprünglichen Reihenfolge *c b: b* (C 263) enthält nämlich Fehler, die sich nicht anders als aus einem Vorgriff auf die dritte Zeile des in C unmittelbar folgenden Gedichtes (75, 25 = C 265) erklären lassen. Dies Hinübergleiten ist verständlicher, wenn in der Vorlage der Quelle AC diese beiden Strophen benachbart waren, ursprünglich also C 263 auf C 264 folgte (*b* auf *c*).

Jedoch ist es nicht primär dieser Sachverhalt, der Kraus zu einer Umordnung zwingt. Vielmehr geht er, nicht anders als die Herausgeber vor ihm, von der Interpretation aus.

[2] S. zuletzt de Boor, Gesch. d. dt. Lit. II, 1953, S. 305/06.

Es ist offensichtlich, daß die Strophen sich in der handschriftlich überlieferten Reihenfolge nicht zu einem organisch gefügten Gedicht zusammenschließen:

Der Aufforderung des Ritters an die *frowe*, zugleich mit seinen Komplimenten *disen kranz* anzunehmen *(a)*, folgt (nicht die Annahme, sondern) weiteres Rühmen und die Erwähnung eines (neuen?) Kranzes, *so er aller beste hât*: Ihn wünscht er mit ihr aus *wîzen und rôten bluomen* fern vom Ort des Tanzes auf der Heide zu pflücken *(b)*. — Jetzt nimmt sie an — aber worauf nun bezieht sich der *lôn* dieser Strophe *(c)*, die doch gewiß stilistisch *a* korrespondiert und zu ihr zu gehören scheint? (*Nemt . . . Si nam . . .*) — Die Konsequenz soll sein, daß der Dichter in diesem Sommer allen Mädchen in die Augen sehen muß, um „Sie“ wiederzufinden *(d)*. Warum das? In *e* schließlich erweist sich die Liebeswonne als Traumgaukelei.

Ganz offenbar sind hier also Traumwelt, Wachwelt und Erzählwelt willkürlich und verderblich gemischt. Schon der erste Herausgeber empfand das. Er glaubte des Widersinns Herr zu werden dadurch, daß er die „fünf gesetze . . . gegen die handschriften nach gutdünken in zwei lieder“ ordnete (vgl. zur Stelle). Aber auch seine Reihung *(ac / dbe)* befriedigte nicht[3], sondern ließ den Wunsch, dieses kostbare Stück Poesie als Ganzes zu empfinden, nur noch dringlicher werden. Die Nachfolger: Simrock, Pfeiffer, Paul, Wilmanns-Michels (nachdem Wackernagel [1862] und Wilmanns — in der 1. Aufl. [1869] seines Walther — sich erst mit anderen Kompromissen zu helfen versucht hatten) taten dann einen entschiedenen Schritt vorwärts insofern, als sie *d* klar als Schlußstrophe des Ganzen erkannten: Das als Traum entlarvte Liebesglück zwingt den Dichter, das Traumbild unermüdlich in der Wirklichkeit, so auch in diesem zu seinem Stück getanzten Tanze, zu suchen. Aber sie beließen konservativ wiederum *b* an zweiter Stelle. Wie wollten sie erklären, daß der Kranz, in der ersten Strophe schon offeriert, nun erst gewunden werden soll? Oder etwa daß schon von einem neuen Kranz die Rede ist, ohne daß die *wol getâne maget* Gelegenheit hatte, den ersten anzunehmen?

[3] S. Robert Petsch, ZfdPh 56, 1931, S. 233.

So hat denn Carl von Kraus (10. Ausg., 1936, und WU 299 ff.) entschlossen die bisherigen Reihungsversuche beiseite getan[4] und eine neue Ordnung von der Aussage des Gedichtes her aufgerichtet, wobei ihm allerdings entgangen zu sein scheint, daß schon 1884 Scherer[5] den gleichen Vorschlag gemacht hat: Nämlich zu ordnen (und ich bezeichne in der Folge die Strophen in dieser Reihung mit den römischen Ziffern I bis V):

I	*Nemt frowe*	*(a)*
II	*Si nam*	*(c)*
III	*Ir sît*	*(b)*
IV	*Mich dûhte*	*(e)*
V	*Mir ist*	*(d)*

— wobei zu betonen ist, daß von Kraus wie Scherer von der Interpretation (und nicht von der Textkritik) ihren Ausgang nehmen. Scherer: „Ein einheitliches gedicht und durchweg fortschreitend. er bietet den kranz; sie nimmt ihn und dankt: *daz wart mir ze lône: wirt mirs iht mêr, daz trage ich tougen*! von diesem mehreren erzählt er in der dritten Strophe: abermals überreicht er einen kranz, jetzt mit kühnerer rede und der aufforderung, das mädchen solle mit ihm blumen brechen. sie tut es; er ist hochbeglückt — aber dieser ganze liebesverkehr war ein traum . . . doch der traum war so süß, daß er den ganzen sommer lang suchen muß, ob er die traumgeliebte nicht im leben findet . . ."

Dem entspricht etwa auch die Auffassung von Kraus'. Leider jedoch wird an dieser Stelle dank so lakonischer Kürze eine wichtige Frage nicht ganz deutlich geklärt: Versetzt Scherer die ersten vier Strophen allesamt oder nur die III. und IV. in die Traumwelt?[6] Hier nämlich sieht von Kraus den Grundfehler der früheren Versuche (von Simrock, Pfeiffer, Paul, Michels): daß sie Wirklichkeit (in *acd*) und Traum (in *be*) zusammenwerfen und nur *d* als „nicht

[4] Auch den von Petsch, S. 231—235, dessen Schwächen er klar aufzeigt, WU 301, Anm. 1.

[5] Anz. 10, S. 310, in der Rez. der 2. Wilmanns-Ausgabe. — Zu korrigieren ist ein Versehen Brinkmanns (Liebeslyrik der deutschen Frühe, 1952, S. 407): „Kr[aus] stellt mit E die zweite hinter die dritte Strophe." E ordnet wie A und C.

[6] Jedoch s. u. Anm. 37.

erträumt" fassen (WU 299). Für von Kraus läuft der Handlungsablauf wie folgt ab: Darbietung des Kranzes (I), auf die „natürlicherweise" die Annahme folgt (II). Diese Begegnung erzähle Walther „als etwas Reales". Jetzt folgt der Traum: in III „bietet er ihr einen Kranz, wie er ihn *aller beste* (nicht bloß *schœne* I 4) hat". IV: Das Mädchen folgt ihm — aber eben nur im Traume! „Dieses vorgegaukelte Glück verfolgt den Dichter in die Wirklichkeit" von Strophe V und nötigt ihn, die Verlorene wiederum beim Tanze zu suchen (WU 300/01).

Der Crux mit den zwei Kränzen (I und III) wird von Kraus also dadurch Herr, daß er den einen der Wach-, den anderen der Traumwelt zuteilt. Es bleibt jedoch sehr fraglich, ob dem mittelalterlichen Publikum bei jenem zweiten Angebot, das doch vorerst aller Logik entbehrt, ohne weiteres klar geworden wäre, daß es sich jetzt um einen Vorgang auf anderer Ebene handelt! Auch Kraus spürt diese Schwäche seines Vorschlags, und er sichert ihn, indem er für den „Übergang vom wirklichen Erlebnis (I. II) zum geträumten (III. IV)" auf den Volksliedstil verweist, z. B. Uhland 20. Es geht ja aber gar nicht um das naive Neben- und Ineinander der beiden Realitätswelten von Traum und Wachsein, sondern es geht um die Fatalität einer aller Logik widersprechenden Darstellung, die so lange widerspruchsvoll bleibt, als sie nicht deutlich das Traumerlebnis als solches verständlich macht[7]!

Der Handlungsablauf wie die Verteilung von Wach- und Traumwelt bleiben also auch in der durch von Kraus vorgeschlagenen Ordnung unklar und unbefriedigend. Überdies bliebe die methodisch sehr wichtige Frage noch zu beantworten, aus welchen Motiven ein sich dem Herausgeber als konsequente Einheit darstellendes Gebilde von den Sammlern und Schreibern so erbärmlich durch-

[7] Insofern ist das von Kraus herangezogene Beispiel Uhland 20 ungeschickt: Es betont den sich in der III. Strophe vollziehenden Übergang von Wachwelt zu Traumwelt mit aller denkbaren Deutlichkeit: *Ich war in fremden landen, / da lag ich unde schlief, / da traumt mir eigentlichen / wie mir mein feins lieb rief.* Selbst wenn das Gedicht schon ab I Traum sein sollte, so ist es doch frei von jeder Widersprüchlichkeit und also nicht erhellend für unseren Fall. Zudem aber: Was braucht Walther „Sie" so verzweifelt zu suchen, wenn sie ihm doch „in der Realität" bekannt ist?

geschüttelt werden konnte! — So ist es begreiflich, daß auch der Editor der jüngsten Walther-Ausgabe Friedr. Maurer (Die Liebeslieder, Tübingen 1956) sich (Scherer und) von Kraus nicht anschloß und es (Nr. 65) bei der Folge *abced* beließ.

Dennoch wird sich die Reihung nach von Kraus als die richtige erweisen — und das nicht nur aus den oben erwähnten textkritischen Gründen. Allerdings baut sie auf einer anderen Auffassung des Gedichtes auf.

Das *schapel* ist ein „weiblicher kopfschmuck, und zwar besonders der jungfrauen“ [8]. — Der Kranz kam „besonders der jungfrau ... zu, da ihr durch sitte und natur am meisten gebührte, sich zu schmücken“. Er „war vom schmucke der jungfrau das notwendigste stück“ und galt daher „förmlich als zeichen und zier der reinen jungfrauschaft, wie auch deren himmlisches vorbild Maria die reine magd, von alters her einen kranz auf fliegendem haare trägt, meist von roten und weiszen rosen“ [9].

Demnach ergibt sich: Grundsätzlich ist der Kranz, das *schapel*, im Mittelalter als Schmuck und Zeichen der Jungfrauschaft anzusehen [10]: *schapel ûf blôzez houbet, / als megden ist erloubet* (Martina 218). Verlust des *schapels* bedeutet also: Verlust der Jungfrauschaft.

Nun gibt es jedoch auch Belege dafür, daß Männer einen Kranz tragen. Bei näherem Zusehen zeigt sich jedoch, daß es sich dabei selten um bloßen Schmuck handelt. Vielmehr charakterisiert der Dornen-, der Lorbeer-, der Laubzweig seinen Träger als Repräsentanten einer bestimmten Ausnahme-Situation: Friede, Sieg, Leiden kennzeichnen ihn. Ferner ist es durchaus üblich, daß Männer sich durch ein künstliches *schapel* schmücken, d. h. eines aus Stoff, Edelmetall und Edelsteinen [11]. Daß sie jedoch Blumenkränze als Schmuck tragen (z. B. Parz. 776, 7), ist offenbar Ausnahme, die am

[8] DWb 8, Sp. 2169.

[9] DWb 5, Sp. 2051/52; s. a. Moriz Heyne, Fünf Bücher deutscher Hausaltertümer, 3. Bd., 1903, S. 300.

[10] S. Mhd. Wb. II, 2, Sp. 85—87; I, Sp. 876—77.

[11] S. Alwin Schultz, Das höfische Leben z. Z. der Minnesinger, I, 1879, S. 233.

ehesten noch einleuchtet als Zeichen der Partnerschaft: Trist 3150 ff., insbesondere natürlich der erotischen: Neidhart XIV, 15. Mag auch Weinholds Behauptung, das *schapel* sei „nur ein Schmuck der Jungfrau" gewesen, zu einseitig gefaßt sein, so zwingt doch die Rolle des Kranzes in unserm Gedicht, wo er zweifellos eine zentrale Bedeutung einnimmt, zur Besinnung auf die „sinnbildliche Bedeutung aller Kopfhüllen" im Mittelalter[12].

Keineswegs merkwürdig hingegen und ungewöhnlich ist es, daß Männer ihren Mädchen Kränze pflücken und schenken, wie viele Belege zeigen (insbes. bei Neidhart).

Das heißt: Es ist nicht auffallend, wenn unser Dichter der *wolgetânen* einen Kranz, *disen kranz,* anbietet[13]. Widersinnig aber wirkt es, wenn er dieses Angebot wiederholt, und zwar in einer Formulierung, die solche Schenkung seines (!) *schapels* als ein — besonderer Begründung bedürftiges — Opfer erscheinen läßt: *Ir sît sô wol getân, / daz ich iu mîn schapel gerne geben wil . . .*

So wie der Kranz von Blumen, so hat auch das Brechen der Blumen seine noch heut geläufige und im Volkslied immer wieder besungene Symbolbedeutung: des *de-florare.* Der Symbolgehalt der in III enthaltenen Aufforderung ist denn auch wohl immer gespürt worden. Was aber die Interpreten nicht gespürt haben, das ist die groteske Vertauschung der Rollen, die sie der Dichtung zumuteten: Es ist doch unmöglich, das Schenken des *schapels* vom Schenken der Liebe, vom Brechen der Blumen, zu lösen. Und da soll sich, als Symbol der Hingabe, das Brechen der Blumen auf das Mädchen beziehen, das Schenken des Kranzes aber, nicht minder Symbol der Liebeshingabe, soll sich nur als Überredungsfloskel entpuppen und den Mann meinen? Das hieße denn doch, mittelalterliche Gefühls-, Denk- und Bildwelt fahrlässig verkennen.

Wir werden uns der Konsequenz dieser Überlegungen nicht entziehen können und werden versuchen müssen, diese Strophe III als Frauenstrophe zu fassen[14]. Zwar das moderne Empfinden

[12] Heyne, S. 319.

[13] S. z. B. Neidhart 24, 21 f.; 25, 28 f.; 17, 12 f.

[14] Zu den Rätseln dieses Gedichtes fügt von Kraus ein weiteres, WU 299: Lachmanns „Annahme, die Strophe 75, 9 sei von dem Mädchen gespro-

schreckt zurück: Die Willenskundgabe des Mädchens scheint peinlich heftig zu sein. Selbst Carl von Kraus, der sich in unserer mittelalterlichen Lyrik mit souveräner Intimität auskannte, urteilt merkwürdig unhistorisch: *ir sît sô wol getân* passe nur, wenn es an ein weibliches Wesen gerichtet sei, und es wäre „unzart, wenn die Aufforderung zum Blumenbrechen von ihr ausginge" (WU 299).

Wir sollten uns jedoch vorerst schon einmal entsinnen, daß es in der mhd. Lyrik die Frauenstrophen sind, die unverhüllt sehnen und unverblümt aussprechen[15]. Überdies wird in unserer Strophe das „Anstößige" gedeckt, da dem Mittelalter die tatsächliche Überreichung eines Kranzes durch ein junges Mädchen an einen jungen Mann ein üblicher Brauch war. Scherer wies (Anz. 10, 311) auf einige Volkslieder hin, in denen der Liebhaber der Geliebten einen Kranz übergibt. Er hätte unschwer Belege für den umgekehrten Vorgang finden können: „beim tanz und festen oder auch sonst war es gebrauch, dasz jungfrauen mit solchen kränzen als zeichen der gunst und ehre junggesellen beschenkten und zierten"[16]. Bei Hans Sachs heißt es:

> Hans Tötschinprei von Ramerloch
> die Gret von Erbelting auf zoch

chen", sei nur von Wilmanns übernommen worden und habe sonst „mit Recht nirgends Beifall gefunden". Weder Lachmanns noch Wilmanns' Textgestalt oder Kommentar rechtfertigen diese Bemerkung. Im Gegenteil: Lachmanns Textgestaltung beweist eindeutig, daß auch er unsere Strophe dem Manne in den Mund legt. Denn in der 1. Aufl. ließ er die (in allen 3 Hss. überlieferte, jedoch die Zeile metrisch überfüllende) Anrede *Frowe* stehen und entschloß sich zur Streichung des *sô*. Von der 2. Aufl. an schloß er *Frowe* in Klammern und beließ das *sô* — bedeutete ja aber durch das in Klammern stehende Wort klar genug, daß er eine Zuweisung an das Mädchen nicht ins Auge faßte. — Aus einer gelegentlichen Bemerkung in den Reinmar-Untersuchungen (I, S. 83) müssen wir schließlich folgern, daß von Kraus 1918 seinerseits die Strophe dem Mädchen zuteilte. Dazu auch u. Anm. 41.

[15] S. Wilmanns-Michels I, S. 29 und die große Zahl von Belegen S. 400/01, Anm. 54.

[16] DWb 5, Sp. 2048.

die het im geben einen kranz,
das er mit ihr solt thun ein tanz[17].

Es handelte sich dabei um eine Sitte, die sich „durch alle stände und schichten der nation" zog[18]. Unmittelbar aber mit dem Brauch verbindet sich offenbar schon sehr früh dessen Symbolbedeutung:

ein ieglîch man mac wünschen mîn:
dem aber mîn schappel werden sol
der muoz vil wol gevieret sîn
(Winsbekin 16, 10).

Brauch wie Symbol sind am reinsten im Volkslied und Volksmund erhalten und tradiert worden. So hat man schon früh unser Lied der Bild- und Gefühlswelt des Volkslieds nahegerückt (Scherer, Wilmanns-Michels), und es wird daher richtig sein, zur Verdeutlichung seiner Haltung eben das Volkslied zu Rate zu ziehen (Uhland, Volkslieder 57):

6. Des morgens in dem tawe
die meidlin grasen gan,
gar lieblich sie anschawen
die schönen blümlin stan,
darauß sie krenzlin machen
und schenkens irem schatz,
den sie freundlich anlachen
und geben im ein schmatz.

(s. auch Uhland, Volkslieder 244):
Uhland, Volkslieder 90 (Das Ritterfräulein zum Wächter):

4. Ich hab mir außerwelet
so einen ritter stolz,
zum brunnen hab ich zilet
dört niden vor dem holz,
der leit bei einem holen stein;
dem ritter will ich bringen
von rosen ein krenzelein.

[17] DWb 5, Sp. 2049; s. ebda. die anderen Belege aus Hans Sachs.
[18] Ibd.

5. Es sol uns nit mißlingen,
es sol uns wol ergon,
ob ich entschlafen würde
so weck mich mit geton!
ob ich entschlafen wär zu lang,
o wechter, traut geselle,
so weck mich mit gesang!'

Der Kranz des Mädchens für den Liebhaber kann auch aus Steinen und Geschmeide bestehen:
Uhland, Volkslieder 32 (nachdem Er Ihr einen Ring geschickt hat):

4. Was schickt sie mir denn wider?
von perlen ein krenzelein;
‚sih da, du feiner ritter,
dabei gedenk du mein!'

und 41 A:

1. Der winter ist ein scharpfer gast,
das mirk ich an dem hage;
mein lieb gab mir ein krenzelin
von perlin fin,
das solt ich lustlichen tragen
all mein tage.

In dem schon von Scherer (Anz. 10, 311) für die Parallele von Traum und Blütenfall herangezogenen Liede Uhland 27 gibt der Mann dem Mädchen die Blätter; sie flicht

8. . . . ein Kränzlein drauß
und setzet mirs auf mein har . . .

(s. ferner Uhland 173, Str. 2. 5.)
Von Interesse für unser Motiv ist auch das Lied 137 (Hilka-Schumann) der ›Carmina Burana‹

2. Iuvenes, ut flores
accipiant
et se per odores
reficiant,
virgines assumant alacriter
et eant in prata

floribus ornata
communiter!

Wie sehr das Volkslied den Kranz als Symbol der Jungfräulichkeit empfand, mögen einige Klänge aus diesen zarten und schmerzlichen Weisen in die Erinnerung rufen: Das Mädchen will tanzen gehn und sucht Rosen auf der Heide. Sie warnt den Haselstrauch: ihre zwei stolzen Brüder würden ihn abschlagen. „Frau Haselin“ pariert (Uhland, Volkslieder 25):

6. ‚Und haun sie mich im winter ab,
im sommer grün ich wider;
verliert ein mägdlein iren kranz,
den findt sie nie mer wider‘ [19].

Oder: „das Mädchen sagt der Nachtigall, Reif und Schnee werden ihr das Laub von der Linde streifen, die Nachtigall entgegnet“ (Uhland, Abhandlung, S. 90, 427):

Und wann die Lind' ihr Laub verliert,
behält sie nur die Äste
(a. so trauern alle Äste),
daran gedenkt, ihr Mägdlein jung,
und haltet eur Kränzlein feste.

(s. auch Uhland, Volkslieder 113 B.)
Die „Unglückliche, die den Blumenkranz verscherzt hat“, klagt (Uhland, Abhandlung, S. 428):

Da zog sie ab ihr Kränzelein,
warf's in das grüne Gras:
‚ich hab' dich gerne tragen,
dieweil ich Jungfrau was‘.

Auf hub sie wohl ihr Kränzelein,
warf's in den grünen Klee:
‚gesegen' dich Gott, mein Kränzelein,
ich seh' dich nimmermeh‘.

(s. auch Uhland, Volkslieder 114.)

[19] S. auch Uhland, Abhandlung z. d. Volksliedern = Schr. z. Gesch. d. Dichtg. u. Sage 3, 1866, S. 426.

Und kaum bedarf es noch des Hinweises auf Lieschens Gehechel am Brunnen (3574 ff): „Kriegt sie ihn, solls ihr übel gehn: / Das Kränzel reißen die Buben ihr, / Und Häckerling streuen wir vor die Tür!“

Diese Symbolik kann bis ins Obszöne gehen, und natürlich sind Neidhart und seine Schule eine reiche Fundgrube für mehr oder minder angedeutete grobere Sinnlichkeit (wobei ich mich beschränke auf Beispiele, in denen der Kranz vom Mädchen zum Manne geht)[20]:

20, 35 ff. sî bôt im bî dem tanze
ein krenzel:
sô mir got, deist unlougen.

(wo bereits die Beteuerungsformel beweist, daß es sich um mehr als bloß ein *krenzel* handelt).

So mahnt Ringwaldt[21] die Junggesellen zur Vorsicht:

hieneben merk auch diese schanz,
nim nicht ein kranz beim abendtanz
aufs ehgelübd in voller weis,
das dich nicht eine kuh bescheisz.

(„auch die kuh ist bildlich gemeint“ DWb ibd.).
Auch den Kranz t a u s c h kannte man[22]:
Neidhart (80, 35 ff.):

Hiwer an einem tanze
gie er (Adeltir) umbe und umbe.
den wehsel het er al den tac:
glanziu schapel gap er umbe ir niuwen krenzelîn.

Das mag an unsere Stelle erinnern, wo es sich gleichfalls um einen Kranz „tausch“ handelt[23].

[20] S. auch Abhandlung, S. 429 f.

[21] ›Die lauter warheit‹, 1621, s. DWb 5, Sp. 2049.

[22] Uhland, Abhandlung, S. 417.

[23] Vielleicht auch sind wir in Walthers Gedicht dem Bereich des volksmäßigen Kranzsingens, der Kranzlieder nahe: Durch Lösen von Rätseln und Singen von Liedern und das Aufsagen schöner Gedichte warb man um

Das Mädchen will dem Manne einen Kranz schenken — das also ist nicht ungewöhnlich oder gar bestürzend, ungeachtet der mit dem Bild verbundenen Symbolschwere. Und wiederum schützt, deckt die „Real“bedeutung die „Symbol“bedeutung: Es kann nicht ungewöhnlich anmuten, wenn sie für diesen Kranz mit ihm die Blumen zu pflücken wünscht — aber untrennbar verbunden ist mit dem volksläufigen Motiv des Blumenbrechens sein Symbolgehalt[24]. Es genüge als auf das bekannteste Beispiel der Hinweis auf das ›Heideröslein‹[25]. Auch in Walthers *Under der linden* schwingt dieser Bedeutungsgehalt mit; und er denkt an ihn, wenn er sich zurücksehnt:

> Müeste ich noch geleben daz ich die rôsen
> mit der minneclîchen solde lesen,
> sô wold ich mich sô mit ir erkôsen,
> daz wir iemer friunde müesten wesen . . .
> (112, 3 ff.)

Auch hier ist wiederum die Glut in Herz und Mund einer Frau nicht so unerhört: In einem Reinmar zugeschriebenen Gedicht (195, 37 ff.) nimmt sich die inbrünstig sehnende *frouwe* vor (196, 21/22):

> ê ich danne von im [dem Ritter] scheide,
> sô mac ich wol sprechen ‚gên wir brechen
> bluomen ûf der heide‘[26].

(s. ferner Uhland 110.)

ein Kränzlein von der Geliebten: Seuse berichtet von dieser Sitte aus seiner Jugendzeit, s. Uhland, Abhandlung, S. 206; S. 314, Anm. 137. — S. auch R. Wagner, Meistersinger: „Das Blumenkränzlein von Seiden fein, wird das dem Herrn Ritter beschieden sein?“

[24] Ich verweise auf Uhland, Abhandlung, S. 420 ff.; s. wiederum Lieschen am Brunnen, 3561.

[25] Zu der Bildkraft des Volksliedes, das nicht vergleicht, sondern im Nebeneinanderstellen identifiziert (Rosen—Mädchen—Brechen), s. jetzt Walther Killy, Wandlungen des lyrischen Bildes, Göttingen 1956, S. 6, 7, 8.

[26] Nach Bartsch, Paul und Plenio echt, nach Schmidt, Burdach, Becker, Kraus nicht von Reinmar, s. MF 1940, S. 503 und MFU, S. 403. — Zu der Stellung des Gedichts in bezug auf das Werk Walthers und zu der Echtheitsfrage s. u. S. 451 ff.

Der Symbolgehalt von Hingabe des Kranzes und Blumenbrechen verschmilzt dann auch zwanglos, wie z. B. bei Neidhart 19, 11 ff.:

mägede, sô man reie,
sô sît gemant
alle
daz wir diu rôsenkrenzel
gewinnen
soz tou dar gevalle[27].

Unter Neidharts Namen (XXVIII, 1 ff):

Swaz ich bluomen ie gesach,
swaz ich rôsen ie gebrach
den sumer, den meien,
die sint ungelîch gevar
den rôsen, die sî truoc
in ir schœzel, der sî mir
gap ein krenzel: got lôn ir ... usw.

Weitere Belege für diesen Symbolbereich[28] anzuführen, sollte sich erübrigen. Ich verweise vor allem auf Uhlands Abhandlung, Schriften 3, Kap. 3 und 4, sowie auf die vielen Belege bei Neidhart, Wiesner, Wb. s. v. *kranz, kränzel, schapel, bluome.*

Wir stellen fest:
Das *schapel,* der *kranz* ist Schmuck und Attribut des Mädchens. Es war Sitte, daß die Mädchen ihrem Liebhaber einen Kranz bei Tanz und Spiel überreichten.

Als Attribut des Mädchens wird der Kranz zum Zeichen der jungfräulichen Reinheit.

[27] Vgl. Uhland, Volkslieder 24 = Abhandlg., S. 424:
4. ‚Die röslein soll man brechen
zu halber mitternacht,
denn seind sich alle bletter
mit dem kühlen tau beladen
so ist es rösleinbrechens zeit'.

[28] Der noch im modernen Schlager auftaucht: „Wir wollen Flieder pflücken, du und ich ..."

Sein Schenken, Übergeben, Verlieren bedeutete somit sinnbildlich die Liebeshingabe, den Verlust der Jungfräulichkeit (beide Funktionen am deutlichsten in der „dualistisch“ gespannten, in Metapher, Allegorie und Symbol einerseits und „Naturalismus“ anderseits gespaltenen und geeinten Welt Neidharts[29]).

Solche sinnbildhafte Funktion vereinigt sich vom Gegenstand (Blumen) wie der übertragenen Bedeutung (Liebeshingabe) her mit der Symbolik des Blumenbrechens.

Das heißt auf unser Gedicht angewandt: Die Str. III verkündigt mit klarer Deutlichkeit, wenn auch gemildert „durch die Blume“, den Wunsch und Willen des ganz in den Bannkreis des *wol getânen* Ritters gezogenen Mädchens zur Liebeshingabe. Eine solche unumwundene Deutlichkeit hat nur für moderne Ohren etwas Erstaunliches oder gar „Unzartes“. Die mittelalterliche Dichtung hat gerade der Frau das unverhüllte Verlangen, das sinnliche Besitzenwollen oft in den Mund gelegt. Überdies erfolgt eine weitere Dämpfung der direkten Aussage dadurch, daß wir auch diese Strophe als Traumerlebnis auffassen müssen (wie anderseits das nicht minder „deutliche“ *Under der linden* durch die episch-zeitliche Distanz gedämpft und verklärt wird).

Vorher aber ist zu fragen nach dem Motiv für die Unordnung in der Überlieferung — eine Frage, die wir nicht außer acht lassen dürfen, wenn wir uns der Aussage der Verse bemächtigen wollen, und auf die z. B. von Kraus nicht einging.

Es war offenbar so, daß die Sammler und Schreiber diese ursprünglich an dritter Stelle stehende Strophe *Ir sît sô wol getân* ... nicht mehr als Frauenrede erkannten. Ebensowohl ist möglich, daß sie sie nicht erkennen wollten, d. h. sie dem Mädchen nicht in den Mund zu geben wagten, weil sie ihnen, den Archivaren in einer späteren Zeit, als „anstößig“, als den Leitbildern einer idealisierten Vorzeit nicht gemäß erschien. So modelten sie um und faßten die Zeilen, sie an zweite Stelle rückend, schlecht und recht als Fortsetzung der Rede des Ritters auf (sei es nun aus echtem, sei es aus bewußtem Mißverstehen). Diesem Fehlgriff verdanken wir das

[29] S. dazu Richard Alewyn, ZfdPh 56, 1931, S. 37 ff.; weiteres s. u. S. 480.

überzählige und von allen Herausgebern aus metrischen Gründen getilgte, die Zeile überfüllende und zweifellos später zugefügte *Frowe* der Anrede. Vielleicht wollte man mit dieser Adresse ein übriges tun und es über jeden Zweifel erhaben machen, daß hier der Mann so deutlich begehrend sprach. Vielleicht auch handelt es sich nur um eine — durch die neue Nachbarschaft bedingte — mechanische Herübernahme der Anrede in der ersten Zeile der ersten Strophe[30]. Wir wissen nunmehr nicht nur (wie schon seit von Kraus' textkritischen Erwägungen zu vermuten war), daß unsere Strophe ursprünglich an dritter Stelle stand; sondern wir wissen nach diesen Erwägungen auch, weshalb die Hss. sie von dort vertauschend an die zweite rückten. Zu solcher Vertauschung lieferte äußerlich die Auffassung ein gewisses Recht, daß die *maget* den *kranz* bzw. das *schapel* (die man bei gewaltsamer Interpretation identifizieren mochte) ja doch erst nach der Rede und Überredung annehmen konnte[31].

Wilmanns-Michels[32] stellen fest, es sei „in Anbetracht der Abneigung, welche die Minnesinger im allgemeinen" gegen die erzählende Form der Darstellung haben, „bemerkenswert", daß Walther hier erzähle. Diese Erzählform wird jetzt schon verständlicher und zwangloser, wenn wir erkannt haben, daß die ganze Begegnung ein Traumbericht ist (so wie auch 94, 11 „erzählt"). Und eben diese Erkenntnis läßt wiederum schon jetzt die Tatsache als nicht so erstaunlich erscheinen, daß wir es hier mit der „im älteren Minne-

[30] Vielleicht aber, um eine vage Vermutung hinzuzufügen, enthielt die Quelle ursprünglich eine Rollenbezeichnung, und dieses *(Diu) frowe (sprichet:)* faßte der Abschreiber als Bestandteil der Rede auf?

[31] Es ist merkwürdig, daß von Kraus gerade den unechten (auch ihn, aus metrischen Gründen,) störenden Zusatz *Frowe* zugunsten seiner, der echten Reihenfolge, mobil macht (WU 303): Der Fehler erkläre sich aus der ursprünglichen, also richtigen Position der Strophe! Das „richtig" hergestellte, also in sich vollkommene und geschlossene Gedicht beweist sich ja gerade dadurch, daß es den Zusatz nicht verträgt! Eine Verderbnis entsteht doch nur durch die Störung, und so ist sie Bestandteil der unechten, nicht Beweis der ursprünglichen Reihenfolge.

[32] II, S. 280, Vorbemerkung zu 74, 20.

sang" seltenen Form des Dialogs[33] zu tun haben: Auch er, der sich in der Traumwelt abspielt, wird episiert als Gegenstand einer Erzählung. Doch wird sich die relative Logik der Einzelinterpretation erst vor der literarhistorischen Untersuchung rechtfertigen und bewähren müssen.

Zusammenfassende Interpretation:

Den Schlüssel für das Verständnis unseres Gedichtes 74, 20 geben zweierlei Erkenntnisse:

1.: Str. III: *Ir sît* . . . ist Frauenstrophe.

2.: Wir haben es mit drei Realitätsebenen zu tun:
a) der des Traumes; b) der des Wachens; c) der die beiden ersten umspannenden des Erzählens.
Die Erkenntnis 1 fördert die Erkenntnis von 2:

Die indirekt aber deutlich ausgesprochene Liebesbereitschaft, ihrerseits gedeckt durch die Ambivalenz von tatsächlicher und übertragener Auslegung der Kranzschenkung und des Blumenbrechens, wird schließlich dem Bereich der konkreten Aktualität entzogen dadurch, daß sie, daß alles sich als Traum erweist. Der Dichter riskiert, durch die Tradition gestützt, die Kühnheit — aber er hält sich den Rückweg offen durch die Schlußpointe: Es war ja nur ein Traum . . . (Diese Auffassung wird erhärtet durch das logische Moment: Das Suchen unter den *hüeten* ist nur sinnvoll, wenn die ganze Begegnung ein Traum war.) Das Gedicht stellt sich uns nunmehr in folgender äußerer und innerer Ordnung (Folge-Richtigkeit) dar:

I. Der Ritter bietet einem jungen schönen Mädchen, wie es der Brauch, einen Kranz von Blumen, den es im Tanze tragen soll. Lieber noch aber schmücke er, wie er beschwört, ihr Haupt mit Edelsteinen.

II. Sie nimmt an — und mit einer Gebärde, die ihren inneren Adel ausdrückt. Rot färben sich die weißen Wangen (so wie die Blumen weiß und rot sind, die sie pflücken werden) — *und*[34] ihre

[33] Wilmanns-Michels II, S. 187/88 zu 43, 9.

[34] [Im Erstdruck habe ich das „doch", das alle Hss. (also auch die beiden unmittelbar zusammenhängenden Zweige A und E) für 74, 33

Augen schlagen sich in Glück und Scham nieder. — In wunderbarer Schlichtheit hat Walther hier die schüchterne Sicherheit des noch kindhaften Mädchens dargestellt, in Farben und Tönen, die das Volkslied kennt und die doch höchstverfeinerte Kunst sind, hergeleitet aus dem klassischen und mittelalterlichen Bereich lateinischer Literatur[35]. — Sie verbeugt sich dankend. Und jetzt folgt wieder eine Wendung, die typisch ist für Walthers Neigung zur Verschmelzung der beiden sozialen und kulturellen Sphären, in der die eigentliche poetische Leistung seiner Mädchenlieder besteht (s. zuvor schon *frowe: maget* in I; *kint: êre* in II): Er apostrophiert, als Konzession an das Ideal der höfischen *mâze*, die *tougen minne* — hier im schlichten Alltag des Volkes, der aller Doktrin höfischer Thematik entklammert ist: Wenn ihm mehr Dank erwiesen wurde, dann werde er das heimlich zu bewahren wissen.

III. Nun antwortet sie: Auch er, der Ritter ist schön (und sie nimmt das ihr [indirekt] geschenkte Attribut aus I auf und schenkt es zurück). Auch sie möchte ihm einen Kranz geben, „ihren" Kranz — womit sie wiederum „parallel" reagiert (auf den *kranz* in I), und dennoch unendlich viel tiefer, ernster, opferungswilliger. Diese ungleichartige Gleichheit der Anreden und Angebote spiegelt die Vereinigung der zueinanderstrebenden „Ungleichen" wundersam wider. Konkrete wie übertragene Bedeutung sind innig, unlösbar miteinander verbunden, die mögliche Beziehung auf die wörtliche Auffassung dämpft, mildert — und ermöglicht das Aussprechen des anderen Vorgangs. Das Schönste, was sie bewahrt hat, wird sie ihm geben. Fern von hier, auf der Heide, unter dem Gesang der Vögel, werden sie Blumen brechen, wird sie ihm den Kranz schenken.

überliefern, fälschlich auf 74, 32 bezogen. Es wäre mithin eine vorsichtige adversative Beziehung zwischen den beiden Versen 32 und 33 herzustellen: ihre hellen Augen zwar schlug sie nieder, *doch* dankte sie mir mit vollkommener Gebärde. Deshalb ist oben in den Text entgegen dem Wortlaut des Erstdrucks anstelle des „doch" ein „und" eingefügt.]

[35] Dazu A. E. Schönbach, WSB 145, 1902, S. 52 ff.; s. a. Hennig Brinkmann, Geschichte der Lat. Liebesdichtung im Mittelalter, Halle 1925, S. 65; ders.: Entstehungsgesch. des Minnesangs, Halle 1926, S. 156, 157.

IV: Höchstes Glück erfüllt ihn dort; und die Blüten rieseln hernieder. In diesem Augenblick, als der Dichter in zarter Kühnheit Wunsch und Sehnsucht der Hörer im eigenen Erlebnis Wirklichkeit hat werden lassen, erfolgt der Umschlag: Das Übermaß des Glücks hat ihn zum Lachen gebracht, das Lachen ihn — geweckt! Diese Pointe nun zeigt, daß Walther tatsächlich nicht „wortbrüchig" geworden ist, als er versprach, das Geheimnis zu bewahren, dessen Wesen darin besteht, niemanden zu kompromittieren: das *wirt mirs iht mêr, daz trage ich tougen* unterstrich raffiniert den fingierten Realitätscharakter und erfüllte die Zuhörer mit um so größerer Spannung. Auch das enthüllte *mêr* aber enthüllt sich am Ende als unwirklich, als *wünschen und wœnen*[36]. Die ganze Begegnung im Zauber von Frühling, Tanz, Blumen und Liebe — sie war nur Traum[37].

V: Auf der „Wachebene" nun ist der Dichter gezwungen, immer noch als Sklave des Traumglücks zu handeln: Er sucht die Geliebte den ganzen Sommer lang. Vielleicht trifft er sie unter den Mädchen, die vor ihm tanzen? Den Kopfschmuck mögen sie lüften; wie, wenn er sie (und damit mündet das Gedicht in der Endzeile wörtlich wie bildlich wieder in die Traumwelt der ersten Strophe ein) unter dem Kranzschmuck fände!

[36] Dies gegen Petsch, S. 233, der den „Widerspruch" zwischen der letzten Zeile von II und der Schilderung von III und IV als „psychologische Merkwürdigkeiten" tadelt.

[37] Und ist damit auch dem Bereich von Gelöbnis und Wortbruch entrückt. — So sah z. B. Scherer den Beginn von Gedicht und Traum schon ineins, Lit.gesch.[5], S. 207; desgl. Pfeiffer-Bartsch (Ausg.), und zuletzt: Julius Wiegand, Zur lyrischen Kunst Walthers, Klopstocks und Goethes, Tüb. 1956, S. 29 f. (wo auch treffende Bemerkungen zum Stil). Ganz klar hat diese Auffassung schon 1936 H. Schneider ausgedrückt (in der Rez. der WU, Anz. 55, S. 128): „Nur sollte ... der Erklärer auch noch den letzten Schritt tun und mit der alten Anschauung aufräumen, daß die zwei ersten Strophen im Wachen gesprochen werden, die folgenden zwei Traum sind und die fünfte wieder nach dem Erwachen fällt. Diese unwahrscheinliche Meinung war ja doch nur durch frühere verkehrte Anordnungen bedingt. In Wahrheit ist Strophe 1—4 e i n Traum, und das Erwachen erfolgt mit 5."

Somit entsteht ein klarer, widerspruchsloser Geschehensablauf, der sich ohne alle Gewaltsamkeit der Deutung entfaltet und sich durch die kindlich-inbrünstige Rolle des Mädchens, seines Bekenntnisses zu ihrem Liebesgeschick und -glück tiefer, ernster und profilierter darstellt, als man bisher annahm. Statt undeutlichen Pendelns zwischen Wachen und Träumen bietet sich jetzt klare Entfaltung; statt begieriger Überredung durch den Mann spüren wir das entschieden-schlichte Bekenntnis des Mädchens, daß es so sein muß. Der Klarheit der Handlungsführung entspricht die Klarheit des Aufbaus, die sich in der ‚inneren Form' auf die formale Dreigliederung (Stollen, Stollen, Abgesang) des mittelalterlichen Liedes beziehen läßt:

I: Traumanrede (Ritter)
II: Traumhandlung

....

III: Traumgegenrede (Mädchen)
IV: Traumhandlung und pointierter Übergang in die „Wachwelt"

V: Wachwelt (aktuelle Gegenwart).

Der Traum nicht Wahn und Märchen, sondern Möglichkeit, potentielle Wirklichkeit — das ist einer der Wesenszüge, die dieses Gedicht und seine Welt in volkstümlicher Schlichtheit und klassisch beeinflußter Rhetorik, in dem Widerspiel von Mann und Frau, von Höfisch und Volkstümlich, von Glück und demaskiertem Glück, von Humor und Ernst, in der realen Einheit von sinnfälligem und symbolischem Tun zu einem typischen Gedicht Walthers machen — und zu einem seiner schönsten.

Der Mann spricht, das Mädchen antwortet. Wir erhielten ein in sich widerspruchsloses Kunstwerk. Die „immanente Interpretation"[38] gibt sich zufrieden damit. Die Philologie jedoch hat nicht zu fragen, ob eine Deutung schön ist, sondern ob sie literarhistorisch möglich ist, und was sie literarhistorisch besagt.

[38] S. dazu zuletzt: Rainer Gruenter, Euphorion 50, 1956, S. 235.

Wir werden uns demnach nicht davon dispensieren können, das neu gewonnene Gedicht in das Werk Walthers wie in die Entwicklung des Minnesangs und die der mittelalterlichen Lyrik einzuordnen. Erst die Ergebnisse solcher Untersuchung werden den vorläufigen Gewinn endgültig legitimieren.

II. Die Gruppe der Walther-Lieder von Liebe und „wân"

Eine unmittelbare Stütze unserer Dialog-Auffassung schenkt uns Ps. Reinmar MF 195, 37. Die Frage ob echt oder unecht, soll uns hier nicht beschäftigen. Zuletzt hat von Kraus die Authentizität entschieden bestritten[39]. Dieses (nach von Kraus, RU I, 83, der hier nicht eben allzu gerecht ist) „höchst einfältige" Gedicht läßt eine *frouwe* einem Partner[40], der sich bestürzt nach ihrem schlechten Aussehen erkundigt, ihr Leid klagen: Sie muß den Geliebten entbehren, den die Gesellschaft von ihr fern hält. Wenn er aber wiederkommen wird (196, 17 ff.), dann wird sie ihn anlachen, und:

196, 21 ê ich danne von im scheide
sô mac ich wol sprechen 'gên wir brechen
bluomen ûf der heide'.

Diese Parallele ist für uns höchst bedeutungsvoll, denn hier fordert ganz unbezweifelbar die *frouwe* den Mann zum gleichen Tun auf wie gemäß unserer Untersuchung das Mädchen den Dichter. Von Kraus bezeichnet so auch Walther als das „Vorbild unseres Poeten" (RU I, 83), aber wiederum ist ihm der Gedanke peinvoll: der „Geschmacklosigkeit" solcher Aufforderung aus Frauenmund mache sich zwar auch Walther schuldig, „aber — im Traum!" nur geschehe es[41]. Seine Überlegungen zu diesem ganzen Komplex sind nicht klar zu verfolgen. In den RU läßt er von unserm Traum-

[39] RU I, S. 83; MFU, S. 403; Bartsch stimmte für echt, Paul und Plenio zweifelten, Schmidt, Burdach u. a. sprachen das Stück Reinmar ab.

[40] „nicht näher bezeichnetem Verwandten" Wilmanns-Michels II, S. 403, Anm. 63.

[41] Zu dieser Auffassung von Kraus' vom Jahre 1918 s. o. Anm. 14.

liebenlied 74, 20 weiterhin abhängen die Strophe Walther 119, 11—16: *Hœrâ Walther, wiez mir stât . . .*, die er damals noch für unecht hielt: hier werde die Aufforderung zum Blumenbrechen „taktvoll dem Manne in den Mund" gelegt (ibd. Anm. 3). In den Untersuchungen hingegen zu Walther (1935) und zu Minnesangs Frühling (1939) wird nur noch eine Abhängigkeit unseres Ps. Reinmar von eben jener (nunmehr von v. Kraus für echt gehaltenen) Walther-Strophe 119, 11 ff. konstatiert (WU 434; MFU 403), ohne daß diese Akzentverschiebung erklärt und ohne daß diese Vorbildstrophe in irgendeinen Zusammenhang mit dem in den RU noch gültigen Vorbild 74, 20 gerückt würde[42].

Entscheidend ist für uns vorerst: Im hohen Minnesang erklärt eine *frouwe* unumwunden, sie wolle den Geliebten auffordern, mit ihr Blumen auf der Heide zu brechen! Die Abhängigkeitsverhältnisse ändern nichts an dem Gewicht dieses Belegs.

Indessen läßt uns die Motivgleichheit noch keine Ruhe:

Nur vier Mal bezeichnet Walther in seinen Dichtungen den ganzen Menschen als *wol getân:* zwei Mal in unserem Gedicht 74, 20 (74, 21 und 75, 9); die beiden anderen Male in dem schon angeführten Liede 118, 24 (119, 8; 119, 14) mit der umrätselten V. Strophe

119, 11 Hærâ Walther, wiez mir stât,
mîn trûtgeselle von der Vogelweide.
helfe suoche ich unde rât:
dui wol getâne tuot mir vil ze leide.
15 kunden wir gesingen beide,
deich mit ir müeste brechen bluomen an der liehten heide![43]

[42] Der Grund wird darin zu suchen sein, daß von Kraus so lange an eine Beziehung von 74, 20 zu Ps. Reinmar glaubte, als für ihn bei Walther das Mädchen sprach. Warum er jedoch später die Verbindung von 74, 20 zu 119, 11 aufgibt (nachdem doch seiner Meinung nach an beiden Stellen der Mann vom Blumenbrechen spricht), hingegen an der von 119, 11 zu Ps. Reinmar festhält (obwohl hier die *frouwe*, dort der Mann auffordern), ist rätselhaft.

[43] Die übrigen Belege: Gott hat *w. g.* 119, 26; *kel, hende, fuoz* sind *w. g.* 54, 18; unpersönlich abstrakt *ez* ist *(niht) w. g.* 84, 3; 88, 32; 116, 6; 2 Belege in unechten Gedichten 121, 1; XVII, 30.

Sodann: Nur zweimal bedient sich Walther der Formel vom „Blumenbrechen auf der Heide“ innerhalb des Bereichs von Natur und Liebe: In der III. Strophe unseres Liedes von der Traumliebe (75, 12—16) und — wieder — in jener umstrittenen *Hœrâ-Walther*-Strophe (119, 16). (Von den weiteren drei in diesen Bereich gehörenden Formulierungen 102, 35 [*rôsen brechen*] und 112, 3 [*rôsen lesen*] sowie 39, 16 [*gebrochen bluomen unde gras*] werden die ersten beiden sich ebenfalls als wichtig für uns erweisen[44].) Wort- und Bildgebrauch wie die inhaltliche Nähe machen einen Zusammenhang der beiden Lieder sehr wahrscheinlich und vermögen insofern auch zu dem Echtheitsproblem beizutragen. Kurz den Gedankenverlauf von 118, 24:

I. Der Dichter ist überglücklich; denn er hat die Hoffnung, seiner *frowen minne* zu erringen.

II. Immer wenn er sie sah, dann leuchteten seine Augen. Die andern mochte der Winter peinigen — ihm war er gleichgültig, und er fühlte sich *die wîle* als ob er *enmitten in dem meien wœre!*

III. Dieses Lied gilt dem Ruhm seiner Herrin. Sie hat es in der Hand, ihn (und damit die Welt) glücklich zu machen — sie hat es in der Hand, ihn zu quälen.

IV. Niemand wird ihn von diesem *wâne* abbringen. Wo denn sonst fände er eine so vollkommene Frau? Ihre Schönheit und ihr Ruhm übertreffen den Helenas und Dianas[45].

V. *Walther, mein Bruder von der Vogelweide, höre wie es um mich steht: Rat suche ich und Hilfe*[46]. *‚Diu wol getâne' bereitet mir so*

[44] Und auch die letzte entstammt einem Gedicht, das sachlich, stimmungsmäßig und chronologisch in den Zusammenhang mit den behandelten gehört. Doch widerstehe ich wohlweislich der Versuchung, allzu innige Entsprechungen, Verbindungen und Korrespondenzen zu knüpfen und damit romanhafte Züge zu unterlegen. — Ein sechstes Zeugnis bedient sich der Formel rein metaphorisch (21, 5) und bezieht sich auf den *fürsten ûz Ôsterrîche* und seine *milte*; s. dazu K. K. Klein, ZfdA. 86, 1955/56, 217 f.

[45] Es verficht hier nicht, ob etwa nach Singers Vorschlag *Dione* = *Venus* zu lesen ist.

[46] Die Untersuchungen von Wolfgang Mohr, Hilfe und Rat in Wolframs Parzival, Trier-Festschrift 1954, S. 173—197, sind weit über diese eine Dichtung hinaus von Gewicht.

viel Schmerz. Könnten wir doch singen: ‚ich darf mit ihr Blumen brechen auf der bunten Heide!'

Von Kraus wendet (WU 431—434) viel Scharfsinn auf, um dieses Lied mit dem nach seiner Anordnung (und der von C) vorausgehenden inhaltlich und wörtlich eng zu verbinden und auf diesem Wege auch die Echtheit der V. Strophe zu erweisen — mit magerem Erfolg, wie bei aller Ehrfurcht vor des Verstorbenen unerreichter Meisterschaft gesagt werden muß. Von einer Beziehung zu 74, 20 ist bei ihm jetzt nicht mehr die Rede. Dabei ist die Gemeinsamkeit doch schlechthin in die Augen springend — selbst wenn man absieht vom Gebrauch der *wol-getân*-Formel, die — um es zu wiederholen — nur in 74, 20 und diesem Liede in dieser Form vorkommt, und absieht von dem Bilde des Blumenbrechens. Beide Lieder sind fünfstrophig. Beide sind voll innigen Liebesglücks, und in beiden erweist sich das Glück als illusionär. Denn der Entlarvung des Traumes auf der einen entspricht die Erkenntnis, daß es sich „nur um Wahnfreude" handelt[47] auf der anderen Seite. In beiden Liedern erfolgt die Desillusionierung in der IV. Strophe; in beiden bringt die V. einen konkreten Anruf an die gegenwärtige Situation, der das wirkliche Erlebnis mit der fernen Geliebten sucht. So mag man sich das zweite Lied als eine Fortführung des ersten denken und diese Vorstellung durch Einzelentsprechungen stützen: Immer wenn er sich *die schœnen* vorstellt, fühlt er sich aus kaltem Winter in den Maitraum verzaubert (II). — Das Suchen nach dem Sommertraum setzt sich fort: Wo, wenn er sie aufgäbe, fände er eine *alsô wol getâne?* Und dem Traumbild dort entspricht hier ihre Glorifizierung aus mythischem Bereich: Sie übertrifft Helena und Diana (IV). — Der Anruf der V. Strophe apostrophiert hier wie dort die schale Wirklichkeit — im zweiten Falle durch einen imaginären Interlokutor, der der Dichter selber ist und durch den er sich ermutigt. Das Genus von *beide* zeigt, daß der Dichter und sein Gesprächspartner gemeint sind. Da aber der Wunsch, einen Freudensang anstimmen zu können, angesichts der Chance, mit der *einen wolgetânen* Blumen auf der Heide brechen zu dürfen, vernünftiger-

[47] Wilmanns-Michels, Vorbemerkung, I, S. 397. — Maurer (Liebeslieder, Nr. 46) stellt Str. V an dritte Stelle.

weise nicht für zwei verschiedene Männer gilt, bleibt kein anderer Schluß, als Walther hier mit sich im Selbstgespräch zu hören (eine sehr typische Zuspruch-Situation). So klingt aus diesen Strophen die gleiche Seelenverfassung wie in dem Traumlied — nur noch intensiver, noch ungeduldiger und weniger von Heiterkeit beglänzt: die Sehnsucht, in der Wirklichkeit zu besitzen, was Traum und Hoffnung schon schenkten. Theodor Frings[48] meint, hinter Walthers Traumliebe (74, 20) stehe die „Traumliebe des Arnaut de Maroill". Eher als an diese hochhöfische Liebesepistel[49] würde ich an Jaufre Rudels *No sap chantar qui so no di* denken[50]. Ein anderes Lied des Arnaut de Mareuil hingegen sollte man mit dem *Hœrâ-Walther*-Lied vergleichen: *Bel m'es quan lo vens m'alena* ...[51] Da vergleicht der Dichter die Geliebte (III. Str.) mit Helena (und den knospenden Blumen), und in der letzten ersehnt er sich mit ihr eine „kurze Reise", einen „kurzen Weg": *Plus blanca es que Elena ... E pois farem breu viatge / Sovendet e breu cami* ... Auch die Stimmung des Ganzen ist vergleichbar: es ist ein Sehnsuchtslied, das ein Idol umwirbt und die irdische Liebe mit ihm ersehnt, die im einen wie im anderen Fall metaphorisch durch einen „Ausflug" umschrieben wird! — Der mythologische Vergleich ist bei Walther singulär; die Troubadours apostrophieren Helena häufiger (so Bertran de Born beim Preis der Herzogin Mathilde von Sachsen)[52]. Ganz offensichtlich steht Walther also in diesem Gedicht (118, 24) den Troubadours nahe, und so sollte man auch den befremdlichen *Hœrâ*-Anruf der letzten Strophe aus dem Brauch der romanischen Lyrik verstehen, zum Schluß (mit oder ohne Geleitstrophe) mit versteckender Anspielung die Geliebte oder Vertraute, einen Freund oder Vermittler, Zunftgenossen, Gönner oder Spielmann anzureden. Die besondere Variante bei Walther besteht darin, daß er sich selber in die Geleit-

[48] Minnesinger und Troubadours, 1949, S. 22.

[49] La Lírika de los Trovadores, Antología comentada por Martín de Riquer, I. Barcelona 1948, S. 470 ff.

[50] ed. Jeanroy 1915, S. 16 = Nr. VI.

[51] Lommatzsch, Provenzal. Liederbuch, 1917, Nr. 56 = S. 107.

[52] S. Ferdinand Michel, Heinrich von Morungen und die Troubadours, Straßburg 1880, S. 211, S. 241; Wilmanns-Michels I, S. 490, Anm. 286.

strophe stellt, damit die Intensität seines Anliegens verdoppelnd[53] — und sich im Versteckspiel überschlagend: Gerade die offene Namensnennung erzeugt die Mystifikation.

Mit dem Wunsch, in dem 118, 24 endet, setzt ein anderes Lied, 112, 3, ein: *Müeste ich noch geleben daz ich die rôsen / mit der minneclîchen solde lesen ...* Aber die heitere Hoffnung ist über inständigen Wunsch zu resignierter Klage geworden: *Wäre es mir doch noch vergönnt ...* Wiederum verbindet die Wortwahl; wiederum ist der Gedanke weiterentwickelt. Die Liebe zu der, mit der *minneclîchen* würde ihn mit höchster Glückseligkeit erfüllen — aber die zweite Strophe bringt den Umschlag: Aus dem Bekenntnis zu dem schönen ist die Absage an den leeren *wân* geworden; *lieblîch sprechen, singen, wîbes schœne, guot* sind dahin, des Menschen Würde ist zerbröckelt und mit ihnen jede Möglichkeit irdischen Glücks.

Einzelheiten, die unsere beiden letzten Gedichte verbinden, hat von Kraus klar herausgearbeitet (WU 400). Ein weiteres Lied hingegen, 102, 29 (*Mirst diu êre unmœre*), hat er isoliert und in die unbestimmte Gruppe der „Letzten Lieder" eingereiht. Ich glaube jedoch, daß es in unseren Zusammenhang gehört — und das nicht nur, weil es den vierten der insgesamt fünf Belege für *bluomen brechen, rôsen lesen* u. ä. bei Walther enthält; auffallender schon ist, daß es uns dazu den dritten der insgesamt drei Belege für den Gebrauch des Wortes *kranz* bei Walther bietet — deren erste beide in unserem Traumlied stehen. — *êre,* Ansehen, Glück vor der und durch die Welt, die flüchtig sind, verschmäht der Dichter:

102, 33 alsô hân ich mangen kranz verborn
und bluomen vil verkorn.
jô brœche ich rôsen wunder, wan der dorn.

Auch hier also wieder die Absage an den *wân,* an das flüchtige Glück, das Kranz und Blumen und das Brechen der Rosen schenken

[53] Zu bedenken ist fernerhin, daß ein Trobador wie Arnaut Daniel z. B. es liebt, seinen Namen in der letzten Strophe zu nennen, s. Karl Voßler, Der Trobador Marcabru und die Anfänge des gekünstelten Stils, MSB, philos.-philolog.-hist. Kl., 1913/11, München 1913, S. 6 u. Anm. 1.

können. Er sieht *die gallen mitten in dem honege sweben,* spürt in den Rosen nur den Dorn (= I). — Die Freude an den diesseitigen Genüssen, am *tanze,* wird recht nur der empfinden können, der sein Herz bewahrt hat, des Endes eingedenk ist, dessen Außen seinem Innen entspricht (II, III). — Der Moralist erklärt das wechselnde Glück der Jugendzeit für eitel. Beständig allein ist die Redlichkeit, wichtig allein der sittliche Wert und die ihm entsprechende Stellung in der sozialen Ordnung.

So werden wir das Gedicht noch (mit Pfeiffer und Simrock) in den Bereich der Lieder von Minne und Liebe rücken — aber eben an deren Abschluß, ihnen dadurch zugehörig und nicht mehr zugehörig[54]. An die Stelle der lebendigen Anschauung ist die Reflexion, an die Stelle der Hoffnung der Rückblick, an die Stelle persönlichen Wünschens und Sehnens der ordnende Schritt in die durch innere Würde bestimmte Position in der Gesellschaft getreten. Elemente der „Niederen Minne" werden durch Gnomik und Didaxe überlagert, die den Dichter herausführen aus unserem Bereich von *liebe* und *wân* in eine andere Welt, deren Blumen und Kränze von anderem Stoff sind.

Wieviel Vor- und Umsicht jegliches zeitliche Ordnen der Lieder verlangt, zeigt eindringlich Maurers Vorwort zu seiner Ausgabe der ›Liebeslieder‹. Es handelt sich bei uns in solchem Sinne um einen Hinweis, der sich bewußt ist, daß er eine Seite vor allem herausarbeitet, wenn er — anstelle einer Zusammenfassung des Abschnitts — den Grad der Zusammengehörigkeit der 5 Lieder in Form eines Stemmas illustiert[55].

[54] Bei Wilmanns-Michels, Vorbemerkung, I, S. 358 wird es zu einseitig auf den Herrendienst zugeschnitten.

[55] Unsere Reihung will im Sinne einer sich innerlich bedingenden Ordnung, nicht unbedingten arithmetisch-chronologischen Nacheinanders verstanden werden. Ich verweise auf Maurers nachdrückliche Mahnung, über der Sukzession von Gruppen nicht deren zeitliches Nebeneinander auszuschließen (Liebeslieder, S. 12, 26). Bei M. steht ›Traumliebe‹ als Nr. 65 in Gruppe IV („Mädchenlieder, von 1205 ab"). 118, 24 und 112, 3 rückt auch er zusammen (als 46 und 47), aber in Gruppe II, Lieder aus der Wanderzeit 1198—1203, „manche vielleicht später". Zu anderen Zeitansätzen vgl. Maurers instruktive Gegenüberstellungen S. 15—18 und 28 f.

74, 20
Nemt, frowe, disen kranz
118, 24
Ich bin nû sô rehte frô
(V: *Hœra Walther*)

(28, 1
Von Rôme vogt,
von Pülle künec[56])

Ps. Reinmar 195, 37
(Sie wünscht mit ihm
Blumen zu brechen)

112, 3
Müeste ich noch geleben
102, 29
Mirst diu êre unmœre

III. Die Pastourelle

Die Frage lautet vorerst einfach: wie fügt sich ein Dialog wie der unsere in Walthers Schaffen ein? Sie wird die weitere Frage nach sich ziehen: ob die deutsche Lyrik vor Walther Dialoge kennt, und wenn ja, welcher Art sie sind; und sie wird sich schließlich nicht auf die deutschsprachige Lyrik beschränken lassen.

Außer dem von uns entdeckten kennen wir drei Minne-Dialoge Walthers: 85, 34 (*Frowe 'nlât iuch niht verdriezen . . .*); 70, 22 (*Genâde, frowe! tuo alsô bescheidenlîche . . .*); 43, 9 (*Ich hœre iu sô vil tugende jehen . . .*)[57]. Führt von diesen Dialogen ein Weg zu dem unseren? Es ist eine wichtige Feststellung, daß in keinem von ihnen die Dame ihrem Ritter ein Liebesgeständnis macht. In 70, 22 bekundet sie zwar scheu, daß sie ihn *under wîlen gerne* bei sich *sæhe*

[56] Datiert: 1220; die Beziehungen zu 74, 20, in unserem Zusammenhang nicht von Belang, geben von Kraus (WU 304 f.) für dieses den Terminus ante quem. Man könnte mit ähnlichen Argumenten auf den Spruch 24, 33 und (bei Walthers spärlichen *schapel*-Belegen) dessen *schappel* und *frowen zeinem tanze* verweisen, den uns jetzt K. K. Klein trefflich erschlossen hat (ZfdA 86, 1955/56, S. 227 ff.).

[57] Dazu kommen außerhalb der Minnesphäre noch die Absage an *Frô Welt* und den *wirt* (100, 24) und der Atzespruch (82, 12) [sowie der Botendialog 112, 35].

(70, 35) — aber die Liebe ist doch schon überwuchert durch Enttäuschung, Resignation und Argwohn. Carl von Kraus hat sehr schön darauf hingewiesen (WU 282), daß sich gerade dieses scheue Liebesbekenntnis nicht in einer Dialogpartie, sondern im alten Wechselstil äußert: Str. II und III sind formal noch in der alten Monologform gehalten, Str. I und IV sind lebendige Anrede. Das Gedicht zeigt „also historisch genommen eine Übergangsform". Von Kraus erklärt das psychologisch. Die *frouwe* will, kann dem Manne nicht das offene Geständnis ihrer Zuneigung machen. „Derselbe Grund ist für Walther auch sonst maßgebend: Überall, wo die Dame ihre Neigung verrät, redet sie vom Geliebten in der dritten Person ..., wo das nicht der Fall ist, wendet sie sich direkt an ihn".

Anders ausgedrückt: Der höfische Dialog scheint nicht die Form zu sein, die eine offene Bekundung des weiblichen Liebesempfindens dem Partner gegenüber erlaubt. Das erklärt sich zwanglos aus der Struktur des Minnewesens. Vielmehr war, wie das zuletzt Theodor Frings deutlich gezeigt hat[58], der Dialog zwischen den Geschlechtern einer anderen Form der Kommunikation vorbehalten: der agonalen, pointierten, lehrhaften Auseinandersetzung. Modell und Quelle ist die provenzalische Tenzone, und zwar deren fingierter Typus (in dem der Partner erdacht ist). Unter dem Einfluß provenzalischer Konversation sind schon die Strophen Johansdorfs und Reinmars entstanden. Erst Walther aber „gibt solchen Gesprächen die klassische Form der provenzalischen Tenzone ... Das Gespräch tritt an die Stelle des veraltenden und sterbenden Wechsels"[59]. Seine Einführung gab der „eintönigen Form" des Minneliedes romanischer wie deutscher Sprache „eine Wendung ... zu größerer Lebendigkeit"[60]. Diese Wendung erkannte Walther und vollzog sie auf deutschem Boden — und auch hier erweist sich die Lebenskraft einer neuen Form in ihrer Wandelbarkeit: er gab ihr neuen, seinen Esprit. In seinen drei höfischen Dialogen (die „fingierte Tenzonen"

[58] Walthers Gespräche, in der Festschrift für Dietrich Kralik, 1954, S. 154—162.

[59] Frings, Gespräche, S. 156.

[60] ibd. S. 158.

sind) spricht die Dame „nicht wie in provenzalischen Tenzonen als Eifersüchtige und Hadernde, sondern als die hohe, überlegene, geistvolle Erzieherin des Mannes der Kanzonen“ [61].

Wir halten fest, daß Walthers drei höfische Dialoge unserem Liede 74, 20, in dem das Gespräch nicht Mittel der Auseinandersetzung, sondern Medium des Zueinanderfindens ist, fernstehen. Und wir vermerken ferner die an sich nicht erstaunliche Tatsache, daß in des wirklichen Dichters Hand (der im Mittelalter auch immer ein wirklicher 'Anverwandler' ist) eine neue Form ihren Stil ändern kann, ohne ihre Substanz einzubüßen.

Das Gefäß für die hingebungsvolle und -bereite, sehnsuchtsschwere, wünschende und werbende Liebe der Frau ist von alters her das Frauenlied, die Frauenstrophe. Hier ist der „Anfang aller Lyrik“ [62]. Die liebenden, selbstbewußt-werbenden Frauenstrophen des frühen deutschen Minnesangs atmen den gleichen Geist wie die älteste uns erkennbare romanische Liebeslyrik, die Mädchenlieder, Frauenlieder, *cantigas d'amigo, cantares d'amigo*. Die mozarabischen, die galicisch-portugiesischen, die kastilischen Mädchenlieder sind, nach Frings, Grundlage und Vorboten der westeuropäischen Kunstlyrik, sind als Grundlage aller Lyrik der Iberischen Halbinsel (Dámaso Alonso) auch der Grund für die Blüte der provenzalischen, französischen, mittellateinischen, deutschen Lyrik.

Hier steht nicht die Ursprungsfrage der mittelalterlichen Lyrik zur Debatte. Wichtig ist für uns, daß die innige Liebesbekundung aus Mädchenmund ihre alte Tradition hat, die auf eine „gemeineuropäische Schicht“ noch vor dem 11./12. Jh. zurückführt [63] und die wir deutlich wiedererkennen in den Frauenstrophen unserer frühsten Lyrik: *Chume, chume, geselle mîn, ich entbîte harte dîn* (Hilka-Schumann 174 a; wohl ein Wechsel) strömt die gleiche Intensität der Sehnsucht und des Besitzenwollens aus wie das schon adelig stilisierte *er muoz mir rûmen diu lant, ald ich geniete mich sîn.*

[61] ibd. S. 162.

[62] Th. Frings, Altspanische Mädchenlieder aus des Minnesangs Frühling, PBB 73, 1951, S. 176—196; Zitat S. 192.

[63] Frings, Altspan. Mädchenlieder, S. 192.

So ist denn das Bekenntnis erwidernder, sehnender Liebe aus Frauenmund gattungsgeschichtlich dem Monolog vorbehalten — sei es dem des Frauenliedes, sei es den Frauenstrophen eines Wechsels. Doch ist im deutschen Minnesang die Zeit für solche Geständnisse bald vorüber — die Rücksicht auf *zuht*, *mâze* und *êre* nötigen die Dame des höfischen Sanges zur Zurückhaltung. Immerhin finden wir Nachzügler auch noch bei den Späteren[64], so beim jungen Walther 119, 17 oder bei Hartmann 216, 1. Allein steht das eine *Under der linden* da, das einzige Lied Walthers, „in dem weiblicher Mund von dem Glück genossener Liebe spricht" [65], und in ihm knüpft der Dichter ebensowohl an Tradiertes und fast Vergessenes an, wie er Neues und Unerhörtes hineingab. Wir sehen es jetzt an der Seite unseres Dialogs 74, 20: in beiden Liedern das einfache, unhöfische Mädchen. In beiden Liedern bekennt es seine Liebe zu dem Ritter. Beide Lieder haben lyrischen Kern und epischen Rahmen. Beide sind vermutlich Tanzlieder[66]. Vor allem aber: in beiden ist das offenbarte Geheimnis höchsten Liebesglücks gedämpft, verschleiert, auf Distanz gehalten durch einen Kunstgriff der Darstellung: hier der wie absichtslos plaudernde Mund, der die Realität des Erlebnisses in die Erinnerung versetzt; dort das Liebesgespräch, das sich als Traum erweist.

Nachdem wir in Walthers Dichtung Vergleichbares in der Form nur dort fanden, wo der Inhalt fernsteht (nämlich die drei Tenzonen), Vergleichbares in Stil, Inhalt und Atmosphäre dort, wo wiederum der reine Monolog herrscht (*Under der linden*), müssen wir die Dichtung vor Walther nach Wechselgespräch und Dialog durchmustern. Zwar haben wir bereits erfahren, daß die eigentliche confessio der weiblichen Liebe sich im Monolog vollzieht, doch werden wir auch keimhaften Präfigurationen unsrer Traumszene nachzuspüren haben. Den Wechsel indes können wir von vornherein beiseite lassen, desgleichen seiner Sonderstellung halber das Tagelied.

[64] S. Carl von Kraus, Unsere älteste Lyrik, Festrede i. d. Bayerischen Akademie der Wissenschaften, 1930, S. 13, 15 f.

[65] Von Kraus ibd. S. 18.

[66] Frings, Minnesinger und Troubadours, S. 3.

Die Sichtung ergibt vier verschiedene Typen des Dialogs im deutschen Minnesang vor Walther:

1. Der berichtete Dialog zwischen Dritten.
Die Sänger selbst begnügen sich mit der *inquit*-Formel: *sô sprach*...; *alsô redeten*... Es handelt sich um MF 8, 9 (Kürenberg); 32, 5 (Dietmar); 4,35 (Kaiser Heinrich[67]). Offensichtlich die älteste Stufe.

2. Der Botendialog.
Zu dieser Sonderform gehören: MF 177, 10 (Reinmar, „das früheste wirkliche Gesprächslied neben jenen Walthers", von Kraus[68]); 214, 34 (Ps. Hartmann); 112, 35 (Walther).

3. Reiner Dialog zwischen Dritten.
Gerade diesen Typus, der ohne Einrahmung und Kommentar die Liebenden im Gespräch zeigen könnte, gibt es nicht! Es gehört lediglich hierher das bereits besprochene Lied Ps. Reinmar MF 195, 37.

4. Der berichtete Eigendialog.
Diesem Typus, in dem der Dichter von einem Gespräch erzählt, das er selber geführt hat, gehört unser Stück 74, 20 an. Das erste Lied dieser Gattung gibt uns Johansdorf (MF 93, 12), er zuerst zeigt den „Sänger selbst im Zwiegespräch mit der Dame" [69]. Es handelt sich um ein reines Streitgespräch, das Vorbild der Tenzone ist unverkennbar[70]. — Sodann gehört hierher das Namenlose Lied MF 6, 14, in dem das erzählerische Element in viel stärkerem Maße das Übergewicht hat. Beide Stücke beginnen mit erzählendem Eingang: das Namenlose Lied mit der Naturschilderung, Johansdorf mit der Berichtformel *Ich vant*... Es handelt sich also (wie beim Tagelied) um die lyrisch-epische Mischgattung, die „Lieblingsgattung des späteren Volksliedes" [71], die besonders geeignet ist, die Begegnung der Liebenden zu beschreiben.

[67] Die Argumente, mit denen von Kraus MFU, S. 111 f. die II. Str. dem Manne in den Mund legt und somit aus dem Gedicht einen Dialog macht, sind auch für unseren Fall interessant.

[68] Unsere älteste Lyrik, S. 17.

[69] Wilmanns-Michels I, S. 403, Anm. 63.

[70] Zum provenzalischen Einfluß s. Wilmanns-Michels ibd.; Vogt, MF z. St. — Vgl. Ulrich von Singenberg, Bartsch LD XXX, 1, wo der stichomytische Charakter noch stärker ausgeprägt.

[71] Wilmanns-Michels I, S. 403, Anm. 63.

5. Reiner Eigendialog.
Hier erzählt der Dichter nicht von seinem Gespräch mit dem Partner, sondern er gibt es, ohne jede Einkleidung. Diesen „reinen Dialog zwischen Sänger und Frau ohne jedes epische Element bietet erst Walther“ [72], und zwar in den zuvor genannten drei „fingierten Tenzonen“.

Zusammenfassend: Die deutsche Lyrik bis zu Walther ist ausgeprägt „lyrisch“, d. h., sie vermeidet auffallend streng sowohl episch-erzählende wie dialogisch-dramatische Partien, ist also *genre subjectif* [73]. Der episch-lyrische Typ ist wohl der ursprüngliche. Er bedient sich formelhafter Elemente (Natureingang; Einleitungsformel). Der reine Dialog (und d. h. Eigendialog) ist unter dem Einfluß der provenzalischen Tenzone, des *débat,* entstanden und wird uns erst durch Walther geschenkt [74].

Elemente unseres Liebesliedes 74, 20 („berichteter Eigendialog“) wird man wiederfinden in der epischen Einkleidung von Johansdorfs Strophen, in dem Natureingang des Namenlosen Liedes. Doch bringt keines von ihnen Liebesbegegnung und Liebeserfüllung.

So stellt sich zu diesem Stand der Untersuchung eindringlich die Frage: Gibt es überhaupt ein Genre, das die wesentlichen Elemente in Walthers Lied von der Traumliebe enthält und durch sie als Gattung bestimmt wird? Von der Beantwortung dieser Frage wird die philologisch-literargeschichtliche Relevanz unserer Gedichtauffassung bestimmt werden.

Reduziert man die Elemente unseres Gedichtes auf ein typologisches Schema, so erhalten wir folgende inhaltliche, formale und stilistische Bestandteile: Begegnung eines Mannes und eines Mädchens, die zur Liebesvereinigung führt. Der Ort ist die freie Natur, und offenbar ist es die Zeit des Frühlings. Der soziale Status der

[72] Wilmanns-Michels ibd.

[73] S. auch Wilmanns-Michels I, S. 30.

[74] Eine schematische Einteilung der Dichtungsgattungen nach den redenden Personen (Dichter allein; Personen allein; Dichter und Personen) war dem Mittelalter nicht fremd: sie wurde ihm durch den Grammatiker Diomedes (4. Jh.) vermacht, der seinerseits auf Platons dichtungsfeindlicher Klassifikation fußt; s. E. R. Curtius, ELLM, 1948, S. 439 f.

beiden ist sehr unterschiedlich, der des Mannes hoch (Ritter), der des Mädchens niedrig (Landmädchen). Der Held der Begebenheit ist identisch mit dem Erzähler. Der Bericht umschließt als seinen Kern einen erotischen Dialog (doch sind epische und dramatische Elemente eingebettet in die liedhaft-lyrische Form des Ganzen). Der Schluß ist pointiert-abrupt, der Eingang nicht frei von Formelhaftem *(alsô sprach ich . . .)*. — Als — jedoch nicht uninteressante — Akzidenzien seien noch erwähnt: zu den Requisiten gehört ein Kranz; und der Mann bietet ein Geschenk (und böte deren mehr, wenn er hätte).

›Le mythe de la pastourelle allemande‹ ist ein Aufsatz betitelt, den der französische Germanist André Moret 1948 publizierte[75]. Schon der Titel ist Programm. Nicht minder entschieden bekämpft Moret die Statuierung einer deutschen Pastourelle in seinem nützlichen Handbuch ›Les débuts du lyrisme en Allemagne (des origines à 1350)‹[76]. Es ist sehr verdienstvoll, daß Moret Schneisen schlägt in das Dickicht von verfilzten Undeutlichkeiten, immer wieder tradierten und übernommenen halbklaren und halbgaren Meinungen und Behauptungen. Seit Wackernagel (1846) und Bartsch (1864) wandert die „deutsche Pastourelle“ durch die Literaturgeschichten und Handbücher, und es ist Moret durchaus zuzustimmen, wenn er „le vague des affirmations“ kritisiert[77]: man liest seit je von „pastourellenhaften“, „-artigen“ Zügen, und das Milieu sei dem der Pastourelle „verwandt“, „benachbart“ oder es „klingt an“. Die mangelnde Klarheit in Sache und Begriff wird auch evident an der Variationsbreite der Beispiele: es gibt durchaus keine Übereinstimmung in der Auswahl der für „Pastourellen“ erachteten Stücke. Hat man erst einmal das Feld selber abgeschritten, fehlen einem Recht und Mut, die Zunft gegen Morets Verdikt zu verteidigen: „De toute évidence, la plupart des historiens n'ont que des connaissances de seconde main“[78].

[75] Etudes Germaniques 3, S. 187—193.

[76] Lille 1951, S. 296 ff.; s. dazu Rainer Gruenter, Anz. 66, 1952/53, S. 93—99.

[77] Mythe, S. 188.

[78] ibd.

Das an sich nicht leicht verständliche Faktum, daß die mittelalterliche deutsche Lyrik gerade dieses wichtige Genre nicht von der „provenzalischen Mutter" (Frings) übernommen habe, erklärt Moret soziologisch. Er erkennt die Pastourelle für eine höchstkultivierte Blüte höfischen Geschmacks, für ein „genre conventionnel et savant" [79], und befindet sich dabei in Übereinstimmung mit den meisten Romanisten: „Tout le monde est d'accord ... pour reconnaître dans la pastourelle une chanson aristocratique cultivée dans les milieux courtois du XIIe et du XIIIe siècle" [80]. In Deutschland nun fehlt dem ritterlich-höfischen Milieu die letzte raffinierte Verfeinerung, die nötig ist „pour goûter pareille fiction" [81]. Diese Erklärung wird für möglich halten, wer sich mit dem Fehlen der Gattung selbst abgefunden hat — das doch verwunderlich bleibt angesichts der Fülle übernommener höfischer Sitten und subtiler Gesten, angesichts der Rezeption von Tagelied und Minnedienst, angesichts der Minneparodie.

Welches sind nun die das Genre konstitutiv bedingenden Elemente (deren Fehlen die Behauptung vom Fehlen der Gattung selbst rechtfertigte)? Alle Definitionen der provenzalischen und französischen Pastourelle stimmen darin überein, daß es sich um die Darstellung einer Begegnung unter freiem Himmel zwischen einem „galant d'une classe élevée", in klassischer Zeit um einen Ritter also, und einem Mädchen aus dem Volke, einer *bergère*, einer *fille des champs*, handelt. Der Ausgang der Begegnung entspricht entweder den Wünschen des Ritters, der das Mädchen mehr oder minder leicht überredet, oder aber er läuft ihnen zuwider, da das Mädchen sich verweigert. Die Variationsbreite in der Aus-

[79] Débuts, S. 295.

[80] M. Delbouille, Les origines de la pastourelle, Académie Royale de Belgique, Classe des lettres et des sciences morales et politiques, Mémoires XX, 2, Brüssel 1926, S. 7. Diese Charakterisierung sagt natürlich noch nichts über die vertrackte Ursprungsfrage aus. — S. auch Alfred Jeanroy, Les origines de la poésie lyrique en France au moyen âge, [3]·1925, S. 19: „Le caractère profondément aristocratique"; desgl. Alfred Pillet, Zum Ursprung der altprovenzalischen Lyrik = Schr. d. Königsberger Gelehrten Ges., Geisteswiss. Klasse, 5. Jg. H. 4, Halle 1928, S. 346 f.

[81] Moret, Débuts, S. 296/97.

schmückung der Verführungsszene reicht auf der einen Seite von schmeichelnden Worten bis zu brutal-zynischer Gewalt, auf der anderen von bereitwillig-lockendem Geneigtsein bis zum Aufgeben von Bedingungen (das Lamm aus dem Rachen des Wolfs zu retten) und Hilferufen an die herbeieilenden Freunde und Verwandten [82]. Eliminiert man die Akzidenzien, so bestimmen sich die gattungspoetisch wesensbedingenden Elemente durch folgende Tatsachen:

1. „Die Bezeichnung 'Pastourelle' ... bezieht sich nur auf den Inhalt eines Liedes, nie auf seine Form“ [83].

2. Stilistisch ist die Pastourelle eine Mischgattung: Ihr Kern ist ein Dialog. Dieser ist abzuleiten aus der Form des *débat* (prov. *tenso*), der, eine alte Dichtform und als solche durch verschiedene Themen bestimmt und abgewandelt, „le fond de la pastourelle“ ist [84]. Mithin gehört sie — gleich Tenson, Partimen und Coblas — dem dialogisierenden Genre an. Anderseits jedoch ist der Dialog „accompagné d'un élément narratif“, wodurch die Pastourelle — wie z. B. die Alba oder die *chanson de mal mariée* — dem genre objectiv zugehört [85].

3. Die Spannung des inhaltlichen Gefüges wird bestimmt durch die Tatsache, daß hier eine Begegnung der beiden Exponenten der sozialen Stufenleiter statthat.

4. Der Prospekt ist durch eine bestimmte Staffage, der Stil durch bestimmte Formeln geprägt.

Ergänzend gebe ich die Bestimmung der Pastourelle nach ihren g e n u i n e n Elementen, wie sie seit Jeanroy kanonisch ist [86]:

[82] S. z. B. Jeanroy, Les origines, S. 2; — W. P. Jones, The Pastourelle. A Study of the Origins and Tradition of a Lyric Type, Cambridge/Mass. 1931, S. 7; — Moret, Débuts, S. 294.

[83] Friedrich Gennrich, Grundriß einer Formenlehre des mittelalterlichen Liedes, Halle 1932, S. 30; Form hier im musikalisch-tektonischen Sinne (Strophen- usw. Form). Wenn im folgenden von „Formen“ die Rede ist, so sind damit Stilformen gemeint: Dialog, epische Einkleidung usw.

[84] Jeanroy, Origines, S. 45; s. a. Moret, Mythe, S. 189: P. = „une variété du débat“.

[85] Alfred Jeanroy, La poésie lyrique des troubadours, 2 Bde., Toulouse-Paris 1934, Bd. II, S. 249 f., S. 282 f.

[86] Les origines, S. 13 ff.

1. „L'élément essentiel en est évidemment un débat, et particulièrement un débat amoureux". (Ursprünglichste Form: der berühmte ›Contrasto‹ des Cielo d'Alcamo). Man begnügte sich dann nicht mehr mit der Vermutung oder Andeutung, der Ritter möge seinen Willen bekommen haben, sondern „prit l'habitude de développer et de préciser ce dénoûment": in Form der

2. „Oaristys", d. h. der „union des amants" [87].

Débat amoureux und Oaristys sind gemäß Jeanroy so eng benachbart, „qu'il est presque impossible de les isoler". Man versetze sie in eine ländliche Szenerie, schicke ihnen eine erzählende Einleitung voraus, in der sich der Erzähler als Held der Begebenheit ausgibt — und es schlüpft die scheinbar so „fremdartige" Pastourelle heraus.

Die psychologische Erklärung für die Beliebtheit der Gattung nun gibt nach Jeanroy

3. die Gewohnheit der Alten „de *gaber*, c'est-à-dire de se vanter ... d'exploits plus ou moins imaginaires".

Was den Ursprung des Genres selbst angeht, so steht es um die Theorien und Bemühungen nicht weniger vertrackt als um die Frage nach dem Ursprung der mittelalterlichen volkssprachlichen Lyrik überhaupt. Virgil (Faral) und die Mittellateiner (Brinkmann, Delbouille), die autochthon-volkstümliche (Gaston Paris in seiner Mailiedtheorie) wie die höfisch-literarische Schicht (Jeanroy) sind für die Basis erklärt worden, und es ist zu erwarten, daß uns eine einhellige Lösung so wenig geschenkt werden wird wie z. B. für die Ursprungsfrage des Minnesangs. Indessen gehört eine Erörterung dieses Problems nicht in den Bereich unseres Themas. Vielmehr sind vorerst, nachdem wir die Elemente der Pastourelle phänomenolo-

[87] „c'est-à-dire l'énoncé du motif de la rencontre" Moret, Débuts, S. 296: „récit de la rencontre de deux amants" Delbouille, S. 8. Man kann bezweifeln, ob dieser Terminus, den Jeanroy „mangels eines besseren" wählte, nützlich ist. Immerhin setzt er die Kenntnis des gleichnamigen Stückchens Hirtenpoesie des (Ps.-) Theokrit voraus (Wilamowitz Nr. XXVII), einer stichomythischen Liebesplauderszene zwischen Δάφνις und Κόϱη *(adolescens* und *puella)*. Einem ὀαϱιστής entspräche dann mhd. der *redegeselle*, *redebuole*, dem Vb. ὀαϱίζειν Walthers *erkôsen* (112, 5) [s. Wilmanns-Michels II 317, Anm. zu 86, 28].

gisch und genuin umrissen haben, einige Details zu Vokabular, Szenarium und Personal anzufügen.

Eines der Argumente, mit denen Moret das Recht zur Statuierung einer deutschen Pastourelle bestreitet, ist das Fehlen der „ouverture habituelle" in den deutschen Gedichten[88]. Selbst wenn sämtliche uns erhaltenen etwa 160 provenzalischen und französischen Pastourellen[89] ausnahmslos im Stile der Formel *l'autr' ier, l'autre jor* beginnen, dann bleibt doch Morets eigener Hinweis auf das Fragment *CB* Schneller 105 a (= Hilka-Schumann 142 a) *Ih solde eines morgenes gan* wie auf den Herzog von Brabant (Bartsch LD 82, 37—57) *Eenes meienmorghens vroe* von einigem Gewicht. Freilich stehen diese beiden Dichtungen nicht eben im Zentrum der mittelalterlichen deutschen Lyrik, doch hat auch die deutsche Pastourelle — das sei hier schon gesagt — nicht im Zentrum, sondern am Rande gestanden; aber mehr als ein Mythos war sie doch. — Sodann kritisiert Moret das Szenarium der als solche ausgegebenen deutschen Pastourellen[90]. Die Szene werde bei ihnen zuweilen — wie nie in den provenzalischen oder französischen — z. B. in *walt, hecke* oder *holz* verlegt[90a]. In der Tat sind manche der von ihm monierten Stücke keine Pastourellen. Indessen sollte man mit der Topologie wohl nicht zu kleinlich verfahren, wenn nur die Begebenheit unter freiem Himmel angesiedelt ist. — Der schwerstgewichtige Einwand trifft das Personal. „Pastourelle" — das ist eine sich mit einer „kleinen Schäferin" beschäftigende Dichtung. Und eine Schäferin kommt in den deutschen Stücken nirgends vor!

Diese Figur nun rollt, verständlicherweise, das Herkunftsproblem wieder auf. Warum das einfache Mädchen ausgerechnet einem be-

[88] Mythe, S. 191; Débuts, S. 297.

[89] Moret, Mythe, S. 190: ca. 30 provenz., ca. 130 französische P.n; Delbouille, Origines, S. 5 f. und Anm. 2, 3 zählt ca. 25 provenz.: „au moins cinq fois plus nombreuses" seien die französischen; dazu kämen 5 mittellateinische.

[90] ibd.

[90a] Und wie beurteilt Moret Marcabrus *L'autrier jost' una sebissa*, wie Guirauts *Can auzi d'una bergera / Lo chan jost' un plaissaditz*?

stimmten Berufsstande angehören muß, ist auch der romanistischen Forschung nur dann einleuchtend, wenn sie hier das Vorbild der antiken Bukolik durchschimmern zu sehen vermag. Plausibel ist die Feststellung, daß der Dichter sich nicht eines handfesten Liebeserlebnisses mit einer adligen Dame rühmen durfte. Also teilte man die Rolle der Partnerin dem einfachen Mädchen zu[91]. Nach Delbouille[92] erklärt sich dann die Fixierung auf die Schäferin aus Ort und Zeit, wie sie in der Gattung (und ihren Vorformen) seit dem XI. Jh. tradiert waren: Frühling und freie Natur.

Hier bedarf es einer kurzen Besinnung auf den elementaren Unterschied zwischen dem Pastourellen-Szenarium und -Personal einerseits und dem der abendländischen Pastoraldichtung der Antike, der Renaissance und des Barock, deren Eklogen, Dramen und Romanen anderseits: Die echte Hirtendichtung zielt auf eine spielerische Identifizierung der Gesellschaft mit dem Hirtenleben — die Pastourelle will im Gegenteil die Kontrastierung. Die echte Hirtendichtung spielt unter unechten Hirten — die echten Hirten der Pastourelle versperren in Grobheit und Tölpelhaftigkeit, in Sinnlichkeit und Derbheit den Weg zur echten Hirtendichtung. Die echte Hirtendichtung verklärt den Hirtenstand — die Pastourelle degradiert ihn. Die echte Hirtendichtung erfüllt die Natur mit dem Zauber von Göttern und Nymphen, Pan bläst die Flöte, Apoll ist nah, und Ganymed und Daphnis sind in jedem ihrer Schüler gegenwärtig, denen Platanen und Tamarisken des entrückten Arkadien labenden Schatten spenden[93]; — die Schäfersphäre der Pastourelle ist entzaubert, rauh, ja roh, und die Natur ist die Umwelt des Bauern[94]. Die eigentliche Hirtendichtung ist fern aller sozialen Problematik, Gesellschaft und imaginäres Hirtenvolk koinzidieren — die Pastourelle reißt bewußt in einem ihre Struktur bestimmenden Kunstgriff die sozialen Klüfte auf und trennt die eine Welt von

[91] Jeanroy, Origines, S. 22.

[92] Origines, S. 43.

[93] S. dazu E. R. Curtius, ELLM 1948, S. 193 ff.

[94] Was selbstverständlich die Anwendung der *locus-amoenus*-Topik nicht ausschließt.

der andern (auch und gerade in der Vereinigung durch die Trieb-Liebe)[95].

Das Ergebnis dieser Überlegungen: Für die echte Hirtendichtung ist das Hirtenkostüm konstitutiv — darunter hat sie nichts. Für die Pastourelle ist das Hirtengewand nur Kostüm — darunter steckt das Landkind. Offensichtlich ist in ihr der eine Stand lediglich soziologisch repräsentativ gemeint und steht für das niedere, das Landvolk schlechthin. Es lag nahe, da der Partner der Oberschicht immer klar fixiert war (vielleicht ursprünglich als Kleriker, in der klassischen Zeit jedenfalls immer als Edelmann), dem Parallelismus zuliebe das Bauernmädchen auch in einen Stand zu zwängen. Da mag dann die Tradition der Bukolik einen letzten Anstoß gegeben haben.

Nach diesen Erwägungen wird man sagen können, daß die Schäferin zwar gattungscharakteristisch, nicht aber gattungsbedingend ist[96].

Wir kommen zu einem weiteren wichtigen Element im „inneren Stil“ der Pastourelle. Zu den charakteristischen Merkmalen der Pastourellen-Atmosphäre zählt die in vielen Fällen selbstverständ-

[95] Vossler hat — Tassos Aminta und die Hirtendichtung, 1906, wieder abgedruckt in: Aus der Romanischen Welt, Karlsruhe 1948, S. 57—77 — ausgeführt, wie sich aus der Berührung der beiden Pole Komik ergibt (S. 60) (denn dem Mittelalter war alles Ungewöhnliche, Exzentrische „komisch“).

[96] Als ein Symptom dafür mag man auch ansehen, daß in der französischen wiss. Lit. zu diesem Thema synonym für *bergère* oft *vilaine, fille des champs* usw. gesagt wird, womit wir der *puella*, der *maget* und dem *chint* schon sehr nahe sind; daß ferner in einer klaren Definition der Pastourelle wie bei W. T. H. Jackson, ZfdA. 85, 1954/55, S. 301 nicht von einer Hirtin, sondern einem „Mädchen niederen Standes“, einem „Bauernmädchen“ gesprochen wird. Ebenso Vossler, Die Dichtungsformen der Romanen: „Mädchen aus bäurischem Stand“ (126). Und als der „Kanzler“ Guillem Molinier für seine (etwa unseren Meistersingerschulen vergleichbare) Akademie der *jeux floraux* in Toulouse um 1350 seine *Leys d'Amors* verfaßte, eine „Art Poetik“ (A. Stimming), erklärte er die Pastourelle dort für ein heiteres Genre und explizierte die ihrer Stimmung entsprechenden Stoffe: Von solcher Art seien *Vaquieras, vergieras, poquieras, augieras,*

liche Hingabe des Mädchens. Deren „Bereitwilligkeit, ja oft Begierde“ erachtet z. B. Erich Köhler [97] (samt ihrer untergeordneten sozialen Stellung) als die „am stärksten ins Auge fallenden Merkmale“ der Gattung. Diesen Zug der „femme solliciteuse“ unterstreicht Moret insbesondere bei der Betrachtung mittellateinischer Pastourellen [98]. Symptomatisch für diesen Typ ist die auffordernde Strophe eines *Carmen Buranum* (die *rustica puella*)

> Conspexit in cespite
> scolarem sedere:
> ‚quid tu facis, domine?
> veni mecum ludere!‘ [99]

Daß die Werbung von der Frau ausgeht, findet seine Formulierung schon früh und selbstverständlich: ich verweise auf die deutschen Verse 142 a (Hilka-Schumann) der *CB*, die gewiß das Rudiment einer Pastourelle darstellen:

> Ih solde eines morgenes gan
> eine wise breite;
> do sah ih eine maget stan,
> div gruozte mih bereite.
> si sprah: ‚liebe, war wend ir?
> durfent ir geleite?‘
> gegen den fuozen neig ih ir,
> gnade ih ir des seite.

---

crabieras, ortolanas, monias, et enayssi de las autras lors semblans: neben allen möglichen Varianten des Hirtinnenmetiers geltenden Liedern, also auch „Gärtnerinnenlieder, Nonnenlieder und ebenso von andren, die diesen ähnlich sind“ (Bartsch, Provenzalische Chrestomathie, [4.] 1912, St. 124, S. 200); s. dazu Stimming in Gröbers Grundriß II, 2, S. 67; Bartsch, Grundriß (1872) § 56; Charles Camproux, Histoire de la littérature occitane, Paris 1953, S. 71.

[97] Romanist. Jb. V, 1952, S. 265.

[98] Mythe, S. 189, S. 190; Débuts, S. 296; s. auch Delbouille, S. 30.

[99] Schmeller 63 = Hilka-Schumann 90; nach Schumann erweist sich diese Strophe nicht als ursprüngliche Fortsetzung der ersten — was jedoch an ihrem Wert für den Typus nichts ändert.

Ich verweise ferner auf Guiraut de Bornelhs Pastorela *L'altrier, lo primer jorn d'aost*, wo die *vilana* den in höfischer Liebe sich quälenden Ritter zu trösten sich erbietet [100]. Die Bedeutung dieses Typus veranlaßte Hennig Brinkmann [101] zu der Frage, ob die vom Manne oder ob die von der Frau ausgehende Werbung die ältere Form sei [102]. Von solchem *veni* führt ein nicht weiter Weg zu dem „unzarten" *veni mecum flores legere* von Walthers *puella* [103]. Brinkmann hat darauf hingewiesen, daß diese *Komm*-Formel auf das ›Hohe Lied‹ zurückgeht [104]. Ich glaube, daß gerade der inbrünstige auffordernde lockende Ton des Mädchens in manchen Pastourellen nicht zu verstehen ist ohne das Vorbild des *Canticum canticorum*: „Siehe, mein Freund, du bist schön und lieblich. Unser Bette grünet" (1, 16). — „Mein Freund ist weiß und rot, auserkoren unter vielen Tausenden" (usw., 5, 10). — „Mein Freund ist hinabgegangen in seinen Garten, zu den Wurzgärtlein, daß er weide in den Gärten, und Rosen breche. Mein Freund ist mein, und ich bin sein, der unter den Rosen weidet" (6, 2/3). — „Komm, mein Freund, laß uns aufs Feld hinausgehen, und auf den Dörfern bleiben, daß wir früh aufstehen zu den Weinbergen, daß wir sehen, ob der Weinstock sprosse und seine Blüten aufgehen, ob die Granatbäume blühen; da will ich dir meine Liebe geben" (7, 12/13) [105]. — Ich will nicht versessener

[100] S. Köhler, S. 259. — Anklänge im deutschen Volkslied: Uhland Nr. 88, III; 154, IV. — S. auch Frings, Minnesinger und Troubadours, S. 31.

[101] Entstehungsgeschichte des Minnesangs, S. 67.

[102] Brinkmann gibt vom Dialog zwischen Kleriker und Nonne her der Werbung durch den Mann die Priorität.

[103] Das Motiv des Rosenlesens hat Brinkmann für die mlat. Lit. des 11. Jh. bei Wido festgestellt, s. Entstehgs.gesch., S. 156.

[104] Entstehgs.gesch., S. 176; vgl. auch Gesch. der Lateinischen Liebesdichtg., S. 78. — Frings (Altspanische Mädchenlieder, S. 179 f.) weist auf unüberhörbare Nachklänge des Hohenliedes in den hebräischen Gedichten des Jehuda Halevi hin, die ihrerseits in die frühe Liebeslyrik der Iberischen Halbinsel eingeflossen sind.

[105] *Ecce tu pulcher es dilecte mi, et decorus, Lectulus noster floridus* (1, 16). — *Dilectus meus candidus et rubicundus, electus ex millibus* (5, 10). — *Dilectus meus descendit in hortum suum ad areolam aromatum, ut pascatur in hortis, et lilia colligat. Ego dilecto meo, et dilectus meus*

Parallelenjagd das Wort reden — aber ohne das Vorbild dieser naturmythisch durchströmten Klänge inbrünstiger Hingabe an den Geliebten und die Natur wird man Stil, Bild- und Wortwahl ganzer Partien unserer mittelalterlichen Liebesdichtung schwerlich verstehen können — seien sie nun von vornherein über die jüdisch-arabisch-spanische Symbiose auf der Iberischen Halbinsel in die romanischen Volkssprachen gelangt, seien sie über die theologisch-allegorische Auslegung vorerst in die mittellateinische Dichtung übernommen worden[106].

Als Zusammenfassung des letzten Komplexes ergibt sich demnach, daß die mittelalterliche Dichtung für die Äußerung sehnsuchtsvoll-werbender Liebessehnsucht der Frau nicht nur die alte monologische Form des Mädchenliedes, der Frauenstrophe kannte; sie war auch im Dialog möglich: in der Pastourelle (hinter der — wie hinter dem Liebeslied des Mädchens — die Inbrunst des ›Hohenliedes‹ durchschimmert).

Schließlich sei noch auf zwei minder wichtige, aber im gegebenen Fall doch interessante Einzelheiten eingegangen, die das Instrumentarium der Pastourelle betreffen. Zu ihrem Schema gehört es, daß das junge Landmädchen, dem der Ritter begegnet, „ordinairement" damit beschäftigt ist „à tresser un 'chapel' de fleurs"[107]. Es zählt also der Kranz zu den Requisiten dieser Gattung. — Sodann ist es Ausdruck der sozialen Polarität in der Pastourelle, daß „celui qui tente de séduire l'autre est riche et use de cet avantage pour

mihi, qui pascitur inter lilia (6, 1/2). — *Veni dilecte mi, egrediamur in agrum, commoremur in villis. Mane surgamus ad vineas, videamus si floruit vinea, si flores fructus parturiunt, si floruerunt mala punica: ibi dabo ubera mea* (7, 11/12).

[106] Zur Wirkung des *Cant. cant.* im 11./12. Jh. s. übrigens Friedrich Ohly, Geist und Formen der Hoheliedauslegung im 12. Jahrhundert, ZfdA. 85, 1954/55, S. 181—197. Wenngleich Verf. sich zur Aufgabe stellt, der theologischen Kommentierung und Wirkung nachzugehen, so sind doch seine Ausführungen höchst aufschlußreich für die Liebesauffassung dieser Zeit überhaupt. So ist z. B. aus ihnen zu ersehen (195), daß Landri von Waben (um 1180) in seiner afrz. Hoheliedrichtung (der bedeutendsten dieses Sprachraums) das *Cant. cant.* eine *chanson d'amor* nennt!

[107] Jeanroy, Origines, S. 2; ebenso Jones, S. 7.

arriver à ses fins“ [108]. Das Schmeicheln mit Geschenken also, *edelem gesteine* z. B., gehört zum Repertoire des Pastourellen-Galans.

Wir wenden uns nunmehr dem Traummotiv zu. Brinkmann — der schon darauf hinwies, daß Walther 74, 20 „wie die Lieder der sogenannten ‘niederen Minne’ überhaupt durch mittellateinische Pastourellen angeregt“ sei [109] — verweist für Träume und Visionen auf das Vorbild mittellateinischer Gedichte, „die gern Erzählung in Traumgewand kleideten (Metamorphosis, Apocalypsis, Archipoeta)“ [110]. Von der Schilderung der Traumliebe durch die Trobadors Arnaut de Maroill und Jaufre Rudel war schon oben (S. 455) die Rede [111]. Von großer Bedeutung für unseren Zusammenhang nun ist ein Hinweis Delbouilles [112]. Es ist sein Verdienst, bei der Betrachtung der Pastourelle die Einengung auf deren romanisch-höfische Erscheinungsform durchbrochen [113] und z. B. ihre nahe Verwandtschaft zur *chanson dramatique*, d. h. vor allem zur *chanson de mal mariée*, unterstrichen zu haben. Es ergibt sich daraus sofort die methodisch wichtige Frage, welches Maß an Variation eine Gattung noch verträgt, ohne ihren Gattungscharakter einbüßen zu müssen bzw. von welchem Punkt an die Modifikationen das Wesen der Sache soweit betreffen, daß sie ihrerseits ein neues Genre begründen. Delbouille betrachtet demnach die Pastourelle „comme une variété, la mieux représentée peut-être, mais comme une variété quand même d'un genre plus vaste qui aurait pour thème le récit de la rencontre d'une belle à la campagne“ [114]. Somit wendet er seine

[108] Delbouille, S. 30.

[109] Entstehungsgesch., S. 157; zu *Unter der linden* s. ibd. S. 158.

[110] Dies gelegentlich Walthers humorvoller Traumvision 94, 11; s. ferner Brinkmann, Lat. Liebesdichtung, S. 14, 24, 75 (Einfluß Ovids).

[111] Delbouille, S. 30 verweist noch auf ein frz. Traumlied: Bartsch, Altfranzös. Romanz. u. Pastourellen I, S. 52. — Die Diss. von Emil Benezé, Das Traummotiv in altdeutscher Dichtung, Jena 1896, behandelt S. 13—31 summarisch Träume in der Lyrik der Troubadours und Minnesänger.

[112] Origines, S. 18 ff.

[113] Doch s. auch schon Brinkmann, Entstehungsgesch., S. 65, Anm. 1.

[114] ibd. S. 17.

Aufmerksamkeit bei der Suche nach den Ursprüngen dieser Gattung mehr auf die „intrigue“, d. h. die inhaltliche Entwicklung, als auf Kostüm- und Staffage. Bei dieser Suche stößt er auf mittellateinische Dichtungen, die erfüllt von Traum und Liebe, von Frühling und Phantasie, von Göttern und Göttinnen, im Garten Eden lustwandeln. Von besonderem Gewicht — auch für uns — ist in diesem Zusammenhang ein anonymer Kleriker, der nach Delbouille zwischen 1150 und 1180, vermutlich in Nordfrankreich, dichtete[115], und von seinen Dichtungen interessiert uns wiederum besonders das Stück ›De Somnio‹[116]. Seiner Bedeutung halber sei es hier in extenso wiedergegeben:

Si vera somnia forent, que somnio,
Magno perhenniter replerer gaudio.
Aprilis tempore, dum solus dormio,
In prato viridi, iam satis florido,
5 Virgo pulcerrima, vultu sydereo
Et proles sangine progressa regio,
Ante me visa est, que suo pallio
Auram mihi facit cum magno studio.
Auram dum ventilat, interdum dultia
10 Hore mellifluo iungebat basia,
Et latas lateri iunxisset pariter,
Sed primum timuit ne ferrem graviter.
Tandem sic loquitur, monitu Veneris:
„Ad te devenio, dilectę iuvenis,
15 Face Cupidinis succensa pectore,
Mente te diligo cum toto corpore.
Ni me dilexeris, sicut te diligo,
Credas quod moriar dolore nimio.
Quare te deprecor, o decus iuvenum,
20 Ut non me negligas, sed des solatium.
Nec iuste poteris nunc me negligere,
Quippe sum regio progressa sangine.
Aurum et pallia, vestes purpureas,
Renones griseos et pelles varias

[115] ed. Lluis Nicolau d’Olwer, 1923, s. Delbouille, S. 19, Anm. 2.
[116] d’Olwer Nr. 26, Delbouille, S. 28 f.

25 Plures tibi dabo, si gratus fueris,
Et ut te diligo sic me dilixeris.
Si pulchram faciem queris et splendidam,
Hic sum, me teneas, quia te diligam:
Cum nullus pulchrior te sit in seculo,
30 Ut pulchram habeas amicam cupio."
His verbis virginis commotus ilico,
Ipsam amplexibus duris circumligo.
Genas deosculans, papillas palpito,
Post illud dulcius secretum compleo.
35 Inferre igitur possum quod nimium
Felix ipse forem et plus quam nimium,
Illam si virginem tenerem vigilans,
Quam prato tenui dum fui somnians.

Hier haben wir das wohl einzige bekannte Beispiel einer Kombination der für unser Thema entscheidend wichtigen Züge in mittelalterlicher Dichtung vor Walther: 1. Kulisse der Pastourelle; 2. Liebeserklärung und Werbung durch die Frau; 3. Das Erlebnis — Erscheinung und Liebesvereinigung — ist Traumvision [117]. Nächst diesen für uns entscheidenden Feststellungen registrieren wir mit Delbouille folgende das Gedicht der Pastourelle angleichende Einzelheiten: Erzähler und Held sind identisch; — beide Partner haben sich zuvor noch nie gesehen; — plötzlicher Schluß. — Das Stück eine Pastourelle zu nennen, würde mich nicht der soziale Status des Mädchens hindern, die nicht ein kindliches Geschöpf aus dem Volke, sondern eine nicht unerfahren wirkende Prinzessin ist: hier ist die soziale Polarität einfach pervertiert worden — und doch auch wieder in die Reihe gebracht: verführt wird, wer dem niedrigeren Stande angehört, hier also der arme Kleriker (dem gewiß *pallia* und *vestes* nicht minder erstrebenswert erschienen als einem großen Nachfahren, der dankbar *quinque solidos pro pellicio* empfing). Entscheidend ist vielmehr, daß hier der für die Pastourelle konstitutive Dialog fehlt [118].

[117] Am Rande sei vermerkt: Die Werbende verspricht Geschenke. — Sie ist durch die Schönheit des Jünglings bezwungen.

[118] Was meint Delbouille, wenn er (S. 30) hier von den „deux personnages" spricht „entre lesquels se déroule un débat"?

Ob unser „Anonyme amoureux" seinerseits durch provenzalische *pastoretas* (Cercamon?, Marcabru) angeregt wurde oder ob beide auf eine gemeinsame Vorform zurückgehen, vermag ich nicht zu beurteilen. Entscheidend ist für uns die Feststellung, daß in der Ausbildung und Entwicklung des Genres auch die Traumvision unverkennbar ihren Platz hat.

Ein langer Weg — und dennoch der direkte Weg zu Walthers Gedicht von der Traumliebe. Mit dem, was wir einsammelten, geben wir ihm, was ihm gehört. Wir stellen fest:

I. In der deutschen Lyrik vor und bei Walther gibt es keine Vorformen und Parallelen zu diesem geträumten Liebes-Dialog und seinem epischen Rahmen.

II. In der provenzalischen, altfranzösischen und mittellateinischen Lyrik gibt es die Gattung der Pastourelle. Das älteste überlieferte Beispiel stammt von Marcabru („1130—48 environ", Jeanroy), Vorformen (Dialog zwischen Kleriker und Nonne) gehen vielleicht bis ins 11. (oder gar 10.) Jh. zurück. Definition des Genres:

1. Die Pastourelle bestimmt sich nicht durch die strophisch-musikalische Form, sondern durch den Inhalt.
2. Inhalt ist die Liebesbegegnung unter freiem Frühlingshimmel zwischen zwei durch eine breite soziale Kluft getrennten Partnern: Ritter und Landmädchen.
3. Die Darstellungsmittel des Inhalts sind
   a. Epischer, „narrativer" Bericht der Begebenheit im Ich-Stil, bei dem Held und Erzähler meist identisch sind.
   b. Dialogische, „dramatische" Darstellung der Begegnung.

Alle diese Elemente enthält Walthers Lied.

Desgleichen finden wir in ihm jene Bestandteile wieder, die seit Jeanroys Bestimmung als die genuinen Bausteine der Pastourelle gelten: Den *débat amoureux,* der übergeht in das Liebesgeplauder der *Oaristys;* und auch den *gap,* den Hang zum Prahlen, der in höfischer Dichtung gedämpft und aufgehoben wird durch das Diskretionsmotiv und der doch gerade durch dessen ständige Erwähnung wieder in die Minneliturgie hineindringt: *wirt mirs iht mêr, daz trage ich tougen ...*

Die zarte und doch deutliche Hingabebereitschaft des Mädchens hat ihr Vorbild und ihre Erklärung in einem bestimmten Mädchentyp der Pastourelle (und ist mit der weiblichen Liebesinbrunst des Hohenliedes zu verbinden).

Das Traumbild-Motiv, in mittellateinischer und auch romanischer Dichtung nicht selten, fanden wir vor in dem Gedicht des anonymen Klerikers, das zweifelsfrei der Pastourelle nahesteht und vermutlich an ihrer Ausprägung beteiligt war.

Darüber hinaus enthält Walthers Lied einige Details, die als typische (wenn auch sekundäre) Pastourellenzüge gelten müssen: den Kranz als Requisit z. B., und das Versprechen von Geschenken.

Es fehlen in Walthers Gedicht zwei Elemente, die als gattungstypisch gelten: Das erste, die Figur der Hirtin, haben wir bereits als relativ erkannt. Seine Funktion ist repräsentativer Natur. Das einfache Landkind ist die übergeordnete Größe, die Hirtin bereits eine Spezifizierung. Damit verliert der Einwand sein Gewicht. Allgemein gilt schließlich: Die Übertragung eines Genres in einen anderen kulturellen, soziologischen, sprachlichen Raum erzeugt notwendigerweise Modifikationen, die in diesem Falle doch als gewiß so leicht zu bezeichnen sind, daß man ihretwegen nicht von einer Auflösung der Gattung sprechen kann. Es wird müßig sein, zu fragen, warum Walther sein Mädchen nicht eine Hirtin nannte. Der Grund für Verwandlungen dieser Art ist letztlich allemal in der Tiefe der dichterischen Persönlichkeit zu suchen, die in der Umformung des Überantworteten ihre schöpferische Kraft erweist: der mittelalterliche Dichter ist nicht gattungsetzend aber gattungprägend. Trotz z. T. einschneidender Wandlung des Überkommenen bezweifelt man nicht die Substanz der Gattung z. B. im frühen donauländisch-bairischen Minnesang oder im deutschen Artusroman. Warum sollte man es bei der vergleichsweise harmlosen Variante in unserem Falle tun? — Es fehlt sodann die „ouverture habituelle". Statt sich der zu erwartenden Formel *Eins tages* zu bedienen, geht Walther gleich medias in res. Zwar folgt eine epische Einführungsformel nach: *alsô sprach ich,* aber sie ersetzt nicht das Eingangsschema. Eine Erklärung dafür vermag ich nicht zu geben; aber ich vermag mich auch nicht zu entschließen, Walthers Pastourelle dieses Makels halber keine Pastourelle sein zu lassen.

Somit haben wir in Walthers *Nemt, frowe, disen kranz* die erste und — vom gattungspoetischen Standpunkt her gesehen — vollkommenste mittelhochdeutsche Pastourelle vor uns.

Es bleibt noch die literarhistorisch bedeutsame Frage nach dem Wesen von Walthers dichterischer Leistung in diesem, durch dieses Gedicht. Sie ist bestimmt durch eine klare Feststellung: Schon mit ihrem ersten Erscheinen trägt die Pastourelle als Gattung den Keim zu ihrer Selbstaufhebung in sich. Das hat Erich Köhler in dem bereits erwähnten Aufsatz ›Marcabrus *L'autrier jost' una sebissa* und das Problem der Pastourelle‹ [119] eindrucksvoll gezeigt. Begründet sieht Köhler — mit Scheludko — das Wesen dieser Gattung in der Gegenüberstellung der Stände (S. 260). Die erste provenzalische aber wie die erste deutsche Pastourelle zerstören dieses Schema. Die eine hebt bei solcher Konstellation die Liebesbegegnung, die andere die Standestrennung auf. Durchaus entgegengesetzte Konsequenzen erweisen eine durchaus gleiche Grundauffassung. Als die ersten Pastourellen-Dichter ihrer Sprache sind Marcabru und Walther gleichzeitig die ersten (und wirkungsmächtigen) Kritiker der durch das Schema tradierten „Pastourellen-Liebe". Diese Parallelstellung gibt ihnen ihr Moralismus, der sich kundtut in dem rigorosen Mut, die geltende höfische Gesittung radikal in Frage zu stellen.

Köhler verweist (S. 257 ff.) auf die Sozialethik des Mittelalters. Nach scholastischer Auffassung, wie sie im System des Aquinaten kulminiert, „ist die ständische Ordnung von der ratio aeterna geboten, entspricht der menschlichen Natur und dem göttlichen Ordnungswillen". Jeder Stand hat seinen Platz, seine Ordnung und seine Grenze. Von hier her, meine ich, von der unbarmherzig ehrlichen Erkenntnis der ständig drohend spürbaren Unvereinbarkeit von Standesgesetz und seelisch-natürlichem Empfinden, muß man Walthers Ringen um die *ebene minne*, muß man sein verzweifelt-erfolgloses Flehen an *frowe Mâze* verstehen; aus diesem Grunde ist der Gegensatz zwischen Hoher und Niederer Minne, „von höfischer und natürlicher Liebe ... geradezu Mittelpunkt des Waltherschen Denkens und Schaffens und ist Kernfrage der deut-

[119] Romanist. Jb. V, 1952, S. 256—268.

schen Minnelyrik überhaupt"[120]. Der Stand des Ritters hat sich seine besondere, absonderliche, spekulativ spiritualisierte Liebesauffassung geschaffen, er hat sie immer höher gesteigert in imaginäre Bereiche, in Hoffen und *wœnen*, Wünschen und *trûren*, bis sie nicht mehr von dieser Welt war — der er doch anderseits noch so intensiv verhaftet blieb. Schlägt nun dieser übersteigerte Spiritualismus ins Gegenteil um, dann gebärdet er sich stilistisch als Naturalismus[121], für den das „Schwanken oder die Spannung zwischen den Extremen ... charakteristisch" ist. Dieses naturalistische Extrem ist für die „idealistische" Minne-Moral des Hofes die Welt der Pastourellenliebe: In ihre derbsinnliche, „nach Kuhstall" schmeckende[122] Aura brach der übersinnlich-sinnliche Freier aus — und gemäß den zynischen Anweisungen des Kaplans Andreas machte er mit den einfachen Mädchen und Frauen nicht viel Federlesens. Gegen diesen Bruch protestiert Marcabru, gegen eine „Umkehrung aller Werte"[123] die darin besteht, daß die ständische Ordnung und also Distanzierung[124] als gottgewollt deklariert, jedoch unter Ausnutzung ihrer Stufung und unter Berufung auf sie in der Verführung der *vilana* durchbrochen wird! Marcabru zieht die Konsequenz so, daß er durch den Mund des — den Ritter abweisenden — Mädchens Standesgrenzen als biologische Grenzen erklärt, die strikt zu wahren sind[125]; Walther nimmt diesen Protest wieder auf, zu dem beide Dichter die Erkenntnis der Inkongruenz von scholastisch-höfischer Minnedoktrin und seelisch-natürlichem Trieb gezwungen hat. Aber er zieht die entgegengesetzte Folgerung: er betrachtet die echte Liebe[126] als legitimes Mittel zur Durchbrechung dieser Schranken. Verführung wäre so die Demonstration dieser willkürlich und einseitig ausgenutzten ständischen Ordnung

[120] Th. Frings, Erforschung des Minnesangs, Forschungen und Fortschritte 26, 1950, S. 15.

[121] Richard Alewyn, Naturalismus bei Neidhart von Reuental, ZfdPh 56, 1931, S. 40; das folgende Zitat ibd.

[122] Vossler, Tassos Aminta, loc. cit. 60.

[123] Köhler, S. 258.

[124] Wie sie sich poetologisch in der *Rota Virgilii* ausdrückt.

[125] Köhler, S. 258.

[126] Und die echte Liebe allerdings ist Walthers ureigenste Zutat.

— Liebe ihre Aufhebung. Das ist das Programm von Walthers „Mädchenliedern".

Die „echte" Pastourelle will ständische Distanzierung — die sich eben manifestiert in der schnöden Verführung und Triebvereinigung. Walthers Pastourelle will ständische Harmonisierung, Integrierung. Von daher ist im tiefsten verständlich, warum es bei ihm das Mädchen ist, das in naiver Sicherheit die Liebesvereinigung wünscht und zu ihr lädt: Jedes Sträuben von ihrer, jedes Überreden von Mannes Seite ließe erneut das Standesdenken herein. Aus ihrer unbefangenen Sicherheit spricht das Gefühl der „Gleichberechtigung", wie es sich bildlich schon in dem Kranz„tausch" kundtut. Es ist dieselbe Sicherheit, die das *herzeliebe frouwelîn* in ihrer Erinnerung an das Erlebnis *Under der linden* spüren läßt.

Die älteste provenzalische wie die älteste deutsche Pastourelle also stellen das Genre durch die Einbeziehung des sittlichen Elementes in Frage. Daraus mag sich auch die geringe Nachfolge erklären, die beide Vorbilder in ihrem Sprachbereich erfahren haben. Als Mittel der sozialen Distanzierung ist durch beider Dichten die Pastourelle unmöglich geworden. Durch den sittlichen Adel, den Marcabru seiner *vilana* gab, verringerte er den Wertabstand zwischen ihrem und dem Ritterstande — was sich gerade in dessen Abweisung durch sie kundtut[127]. Durch den sittlichen Adel, den Walther seiner *maget* gab, erzeugte er den gleichen Effekt — was sich gerade in seiner Liebe zu ihr kundtut. Marcabrus Ethos: Da strengste Isolierung die beiden Stände trennt, ist Liebesvereinigung zwischen ihnen unsittlich. Walthers Ethos: Wenn Liebe beide Stände verbindet, ist strengste Isolierung zwischen ihnen unsittlich. In solcher Aufhebung der Spaltung von Geist und Sinnlichkeit, in solchem Erobern eines ungestörten Verhältnisses zur Wirklichkeit[128] erweist sich die Einheit von moralischer und poetischer Substanz, die für Walther bezeichnend und das Signum seiner Bedeutung ist.

Freilich — wir glauben zu wissen, daß ihm auch diese seine Welt der Mädchenlieder den Frieden nicht gegeben, den Zwiespalt nicht

[127] Köhler, S. 257, 259.
[128] S. Alewyn, S. 39 f.

geschlossen hat. Er verließ sie wieder, und so mag es denn seine tiefere Bedeutung haben und nicht nur als Alibi vor der Gesellschaft und ihrem Comment aufgefaßt werden, daß er das Glück nur im Traum erlebte. Sein Suchen in der Welt der Wachen scheint vergeblich zu sein ...

An diesem Doppelakt der Gründung und des In-Frage-Stellens zugleich mag es liegen, daß die Gattung Pastourelle nicht recht heimisch wurde in Deutschland[129]. Wir haben deutliche Nachklänge im Volkslied (s. Uhland 103, 105, 109, 111, 113; Erk-Böhme 71 ff.). Zwar ist das Thema hier „nicht eben häufig", jedoch bis in unsere Tage zu verfolgen[130] — was sich doch am ehesten erklärt, wenn es durch ein voraufgehendes Kunstlied tradiert wurde. (Ein schönes Beispiel für Bewahrung und Wandlung ist Goethes Lied vom Edelknaben und der Müllerin[131].)

Was nun aber die mittelhochdeutschen Pastourellen oder „Pastourellen" angeht, so wird man, wenn man meine Bestimmung (oben S. 477) zu akzeptieren vermag, unschwer die rechten von den schlechten sondern können. Eine tabellarische Abhandlung im einzelnen würde Platz und Leser überanstrengen. Man wird sich ebensosehr vor einer Verwischung des Genres hüten müssen (sondern sollte sich dann doch lieber mit der Feststellung „pastourellenhafter Züge" begnügen) wie vor einem zu pedantischen Insistieren auf Schema-Details. Neidhart z. B. hat gewiß keine Pastourellen gedichtet, das hat — im Gegensatz zu vielen Handbüchern — schon Bielschowsky richtig gesehen; desgleichen erfüllt Neifens Dichtung[132] nicht die Voraussetzungen der Gattungszugehörigkeit. Anderseits sollte man ebensowenig Anstand nehmen, des Kol von Niunzen unfeines Stück[133] eine Pastourelle zu nennen wie die zier-

[129] S. dazu auch Morets Hinweis auf die im Mhd. nur einmal vorkommende Bezeichnung *pasturête*, Trist. 8072 (Mythe, S. 191).

[130] John Meier, Deutsche Volkslieder 2/I, 1937, S. 150 f. — „Das Lied von der Versuchung einer Grasmagd ist seit dem 16. Jahrh. bekannt", Erk-Böhme I, S. 252.

[131] S. Karl Vossler, Der Trobador Marcabru ... S. 59 f.

[132] Kraus, LD 15, XXVII und (XLI).

[133] Kraus, LD 29, I.

liche Gelehrsamkeit von des Tannhäusers zweitem und drittem Leich (denen beiden übrigens ein traumhafter Zug eigen ist).

Das künstlerische Niveau jedenfalls, auf das Walthers Gründungsakt die Pastourelle hob, hat sie in deutscher Sprache nicht annähernd wieder erreicht. Sie war ein großer Versuch, diese Doppelbewegung Walthers: die Minnekanzone aus ihren verstiegenen Höhen herunter auf die Erde, die Pastourelle aus triebhafter Niederung herauf auf die Erde zu zwingen. Die *mâze* hätte ihm Dauer geben können. Aber sie versagte sich. Denn Göttinnen sind nicht minder Traumvisionen als das Glück [134].

Bibliographischer Nachtrag seit 1957

Wolfgang Mohr, Vortragsform und Form im mittelhochdeutschen Lied, Festschrift für Ulrich Pretzel, 1963, 128—138. (Mohr hält das Vertauschen der Strophen b und c für unnötig.)

Erich Köhler, Die Pastourellen des Trobadors Gavaudan, GRM 45, 1964, 337—349.

H. B. Willson, Nemt vrouwe, disen kranz, Medium aevum 34, 1965, 189—202.

Gerhard Hahn, Nemt, frowe disen kranz, Interpretationen mittelhochdeutscher Lyrik 1969, 205—226.

[134] Ich danke dem romanistischen Kollegen Hans Robert Jauss für Literaturhinweise und Auskünfte. — Korr. Note: Inzwischen erschien die Interpretation unseres Liedes von Fr. Neumann (Die deutsche Lyrik, Form und Geschichte, hrsg. von B. v. Wiese, Düsseldorf 1956, Bd. I, S. 62—70), die ich leider nicht mehr benutzen konnte. N. beläßt es bei der Reihenfolge *a b c*: „Wir haben kein Recht, die Überlieferung der ersten drei Strophen zu verlassen, da sie alles hergibt, was wir brauchen" (Anm. S. 433). Ich hoffe, daß die vorliegende Untersuchung uns dieses Recht wiedergibt und zur Pflicht steigert.

La sequenza Mariana di Walther von der Vogelweide e la coscienza religiosa dell'età Sueva (1957). Aus: Carlo Grünanger, Scritti minori di letteratura tedesca Brescia, Paideia 1962, S. 147—156. Aus dem Italienischen übersetzt von Uta Barkemeyer.

DIE MARIENSEQUENZ WALTHERS VON DER VOGELWEIDE UND DAS RELIGIÖSE BEWUSSTSEIN DES STAUFISCHEN ZEITALTERS

Von CARLO GRÜNANGER

Zwei jüngst erschienene Arbeiten von Hugo Kuhn[1] und Friedrich Maurer[2] lenken unsere Aufmerksamkeit auf den ›Leich‹ Walthers. Von ihm hat Maurer uns im ersten Band seiner exemplarischen Ausgabe der ›Lieder‹[3] eine Darstellung gegeben, die sich auf die grundlegenden Untersuchungen Carl von Kraus'[4] stützt, wobei er dessen Ergebnisse in vielen Punkten ergänzt und damit auch für den nicht spezialisierten Leser die harmonische Struktur des Werkes in seiner thematischen Entwicklung und der Übereinstimmung der einzelnen Teile klar hervorhebt.

Das mag der Augenblick sein, in dem auch ein italienischer Wissenschaftler, der in Walther von der Vogelweide nicht nur den ersten weltlichen Dichter Deutschlands, sondern auch den glaubwürdigsten und aufrichtigsten Zeugen der ethisch-religiösen Krise im staufischen Zeitalter sieht, ein Wort zu diesem Thema sagen darf; nicht um den gegenwärtigen Stand der Studien zu vervoll-

[1] Hugo Kuhn, Minnesangs Wende (Sammlg. ›Hermaea‹, N.F. 1), Tübingen 1952, S. 137—139.

[2] Friedrich Maurer, Zu den religiösen Liedern Walthers von der Vogelweide, in: Euphorion 49, 1955, S. 29—49.

[3] Die Lieder Walthers von der Vogelweide, unter Beifügung erhaltener und erschlossener Melodien, neu hrsg. von Friedrich Maurer, I. Bändchen: Die religiösen und die politischen Lieder (›Altdeutsche Textbibliothek‹, Nr. 43), Tübingen 1955. Die neue Ausgabe ersetzt die seit einiger Zeit vergriffene von Hermann Paul.

[4] Carl von Kraus, Walther von der Vogelweide, Untersuchungen, Berlin u. Leipzig 1935.

ständigen, was ihm aus naheliegenden Gründen heute nicht möglich wäre, sondern um das, was ihm die lyrische Einheit und der menschliche Gehalt dieses Liederzyklus zu sein scheint, ins rechte Licht zu setzen, besser als es ihm in einigen seiner früheren Arbeiten gelungen ist.[5]

Von den einen als ein aufs Höchste ausgefeiltes „Formkunstwerk" angesehen und bewundert, von anderen als eine Art *Summa* betrachtet, die sehr weise die verschiedenen *Loci* der theologischen Spekulation um das Geheimnis der Inkarnation und der Aufgabe der jungfräulichen Gottesmutter als „Miterlöserin" verbindet und koordiniert, erweist sich der ›Leich‹ bei einer aufmerksameren Untersuchung, die den historischen Moment, in dem er erdacht und verfaßt wurde, berücksichtigt, als ein höchster Ausdruck des religiösen Bewußtseins des großen österreichischen Dichters und seines Zeitalters: Das Bekenntnis einer Seele, die aufs Tiefste verwirrt und erschrocken ist durch den Mißstand im römischen Lehramt und durch die Unmöglichkeit, in sich selbst den tragischen Zwiespalt auszugleichen zwischen den beiden entgegengesetzten Geboten der „charitas" nach dem Evangelium und dem heroischen Ideal einer vollständigen Wiedererstehung des Reiches, das mit seinem anmaßenden Stolz, in seiner *übermüete* die *riuwe* ignoriert und die *contritio cordis,* die doch der Anfang und die unanfechtbare

[5] In meiner Analyse des ›Leich‹ halte ich mich an den Text von Maurer und an die von ihm festgelegte Ordnung, wobei ich hier unten zur Bequemlichkeit des Lesers, der die neue Ausgabe nicht zur Hand haben mag, die Numerierung nach der klassischen Ausgabe Lachmanns in der letzten, von Karl von Kraus besorgten Neuauflage angebe (Die Gedichte Walthers von der Vogelweide, 10. Ausgabe, mit Bezeichnung der Abweichungen von Lachmann und mit seinen Anmerkungen, neu herausgegeben von Carl von Kraus, Berlin und Leipzig 1936): Einleitung, L. 3, 1—3, 12 — Hauptteil I, 1. Hälfte L. 3, 14—4, 1; 2. Hälfte, L. 4, 2—5, 18. — Mittelteil L. 5, 19—6, 6. — Hauptteil II, 1. Hälfte L. 6, 7—6, 27; 2. Hälfte L. 6, 28—7, 24, — Schlußteil L. 7, 25—8, 3.

Immerhin muß ich gestehen, daß mich der Vorschlag des neuen Herausgebers einigermaßen erstaunt hat, die Verse L. 6, 12 *(hin abe unz ûf des herzen grunt)* und 6, 15 *(diu mit der sünden swert ist wunt)* als Glossen zu streichen; mir scheinen sie klar den Stempel Walthers zu tragen und ganz dem Geist des Liedes zu entsprechen.

Bedingung für die Rettung sind: *wie mac des iemer werden rât, / der umbe sîne missetât / niht herzeclîcher riuwe hât? . . . . / Nû ist uns riuwe tiure.*

Wer sich erinnert, wie auch der größte Dichter des neueren Deutschlands und des modernen Europas den Ausdruck „Reue" verabscheut und wie in dem tragischen Erlebnis seines Orestes und seines Faust der heilbringenden Waschung in den Wassern des Lethe nicht ein Erkennen seiner Schuld vorangeht, wird nachdenklich innehalten bei diesen Versen und in ihnen eines der vielen Beispiele erkennen für die Kontinuität germanischen Geistes durch die Jahrhunderte hindurch.

Ebenso finden wir in der Sequenz Walthers keinerlei Hinweis auf die beiden anderen Teile des Bußsakramentes: die *confessio* und die *satisfactio.* Hier stimmen die Einstellung Walthers und die der kirchlich-feudalen *werlt,* die er vertritt, mit der Lehre Abälards, Alexanders III. und Grazians überein: Durch die *contritio cordis* wird der Mensch vor Gott gerechtfertigt und von seinen Sünden freigesprochen. Der Priester als Diener Gottes tut nichts anderes als das, was sich schon im Inneren des Gewissens heimlich vollzogen hat, feierlich auszusprechen und zu beglaubigen.[6]

Nû ist uns riuwe tiure: Die Quelle der *charitas* selbst ist verdorrt, weil bei den Christen jene demütige Haltung verlorengegangen ist, durch die der Mensch sich als Sünder und Rebell gegen Gott erkennt. Daher verwandelt sich der Jubel des Halleluja-Gesanges, mit dem die beiden ersten Teile der Sequenz zum Lob der heiligen Kirche (Tuttasanta) und des Gotteslammes anstimmen, im dritten Teil in eine angstvolle *klage,* eine *lamentatio,* die in einer dramatischen Steigerung die äußerste „Zersplitterung" ausschreit, das äußerste Elend des Christenvolkes in der Nacht, die

[6] Zur Lehre von der Reue bei Abälard, Alexander III. und Grazian vgl. Friedrich Heer, Aufgang Europas, Wien-Zürich 1949, S. 148 f., und die von K. Mueller zitierten Quellen in seiner Arbeit: Der Umschwung in der Lehre von der Buße während des 12. Jh. (Theol. Abhandlungen C. v. Weizsäcker gewidmet, Freiburg 1892), S. 308 ff. Für Abälard im besonderen vgl. die erschöpfende Darstellung im Werk von J. G. Sikes, Peter Abailard, Cambridge 1932, S. 190 ff.

auf der Stadt Gottes lastet, ohne irgendeine Hoffnung auf Rettung von seiten der Menschen. Der Herr schläft (*alle zungen suln ze gote schrîen wâfen, und rüefen ime, wie lange er welle slâfen.* L. 33, 25 f.), während die vorwarnenden Zeichen das unmittelbar bevorstehende Ende des Zeitalters ankünden. (*Nû wachet! unt gêt zuo der tac, gein dem wol angest haben mac ein ieglich kristen, juden unde heiden.* L. 21, 25 ff.) Selbst die Augen der Gottesmutter scheinen sich anderswo hinzuwenden; daher das Gebet, das aus den verhärteten und erloschenen Herzen zu ihrem Throne emporsteigt: *Maget und muoter, schouwe der kristenheite nôt.* Doch auch das Erbarmen der Himmelskönigin wird nicht ausreichen, um den Zorn des Richters zu besänftigen, es kann ihn nur mildern:

> Nû senfte uns, frouwe, sînen zorn,
> barmherzic muoter ûz erkorn,
> dû frîer rôse sunder dorn,
> dû sunnevarwiu klâre.

Wer fühlte hier nicht, wie die durch die Überlieferung geheiligten Namen, die schon früher aus dem lateinischen liturgischen Gesang in den deutschen übertragen worden waren, in den vielen Marienliedern und Marienleichen, die der Sequenz Walthers voraufgingen oder gleichzeitig mit ihr geschrieben wurden, hier nun ein neues Profil gewinnen durch den Kontrast mit der Vision eines harten schrecklichen Gerichtes, das in der Welt jene Ordnung wiederherstellen muß, die der den Listen des Satans nachgiebige Mensch durch seinen Stolz verletzt hat. Wenn sich im Ratschluß Gottes die Gerechtigkeit gegen die Barmherzigkeit stellt, ist Maria *ab eterno* — *ûz erkorn* — dazu bestimmt, die barmherzige und mitleidvolle Mutter zu sein, „reine Rose ohne Dornen" (hier stimmt der Überschwang des Ausdrucks gut mit der Innigkeit des Gefühls überein) und durch ihre bloße Gegenwart alle Wolken zu zerstreuen; so öffnet sich der Himmel wieder und erstrahlt in einer „heiteren sonnigen Klarheit".

Die gleiche Betrachtungsweise trifft, meiner Meinung nach, auf die thematischen Entsprechungen zwischen den beiden ersten Teilen und dem dritten Teil der Hymne zu. Auch hier gewinnen die von der biblischen Typologie angeregten Präfigurationen, die von der

Welle des *melos* und von der begrifflichen Prägnanz des Wortes getragen werden, neue Wirkungskraft und eine genauere soteriologische Bedeutung, wenn man sie auf die damals herrschende Situation der *kristenheit* bezieht; sie ist verirrt und abgespalten vom „Wort des Lebens“, das Walther im *kristentuom* personifiziert. Im blühenden Stab Arons, in der Pforte Ezechiels, durch welche die Majestät des Königs der Himmel geheimnisvoll in den Tempel eintrat und geheimnisvoll ihn wieder verließ, in der vollen Herrlichkeit der Sonne, die ohne Widerstand das Glas durchdringt, im Wunder des brennenden Dornbusches, den zu beschreiben der Dichter zögert in dem naiven Staunen eines Primitiven, in dem Vliess Gideons, das mitten in der Dürre der Wüste vom himmlischen Tau getränkt wird, im *ûf gênder morgenrôt* ... in all diesem ist ein Zeichen der Hoffnung und ein unvergängliches Versprechen auch für jene Herzen, die der Dichter *herte, wilde, dürre* nennt; in der Dürre der Seele, die vom *zwîvel* und von der *übermüete* zerstört ist, von der unersättlichen *gir* des Fleisches, das sich selbst in seiner Hinfälligkeit noch auflehnt gegen die Gesetze des Geistes und der Liebe, die das Universum lenken und regieren, wird, dank der Kraft des Paraclet, ein neues Leben erstehen, noch ehe sich das *senescens saeculum* zum Untergange neigt.

In seiner augenscheinlich musivischen Komposition stellt sich uns somit der ›Leich‹, nicht nur in der bereits mehrfach untersuchten formalen Hinsicht, sondern auch und vielleicht noch mehr in thematischer Sicht als eine zyklische Komposition dar, in der das herrschende Motiv der *nôt,* dargelegt zu Beginn des zweiten Tempos des ersten Teiles, der ganz den Präfigurationen des Alten Testamentes gewidmet ist, seine Entsprechung findet im zweiten Tempo des dritten Teiles, der formal gesehen seine „Reprise“ ist, indem er dieselbe metrische Struktur und dieselbe Anordnung der Reime zeigt.

Wie es die beflügelte und dithyrambische Natur der Sequenz und der Hymne mit sich bringt, schreitet der Dichter rasch von Takt zu Takt in einer Reihe von Visionen, die sich auf zwei parallelen und sich ergänzenden Ebenen entwickeln, der göttlichen und der menschlichen, der Vergangenheit und der Gegenwart. Dort, wo seine deutschen Vorläufer sich größtenteils an den Buchstaben der Texte aus den Schriften halten, indem sie von Mal zu Mal dem Symbol katechisierend die *meinunge* folgen lassen, bleibt er im Stil mehr ausrufend und anspielend als beschreibend. Für Walther *bezeichenet* hingegen der *bosch der bran* nicht, sondern *was (war) diu reime magt alleine,* gleichwie der „erhabene Sitz des Thrones Salomons" nicht die Herrin und Königin des Himmels symbolisiert, sondern ist. Im Geist des Lyrikers ist die Gleichsetzung der beiden Begriffe vollkommen, und der Zugang zur Quelle ist ganz innerlicher Art. So in der Episode des brennenden Dornbusches, wo im ›Exodus‹ Moses zu sich selbst sagt: „Ich werde herangehen, und ich werde 'dieses große Ding' sehen, warum der Busch nicht brennt".

Wenn dann Walther, in Achtung vor der Tradition und dem liturgischen Charakter des Gesanges in einer Strophe daneben die theologische Interpretation hinzufügt, muß man sagen, daß dies die lyrisch schwächsten Teile des ›Leich‹ sind. Zweifellos fühlt hier der Dichter das Bedürfnis, auf den Kunstgriff der mehrfach mit den gleichen Reimen und Reimworten wiederholten „Reprise" zurückzugreifen, um dem didaktischen Gang der Rede eine größere formale Ausschmückung zu geben (L. 4, 22—25; 5, 9 ff.).

Manchmal aber heben auch in diesen Abschnitten die keusche Reinheit und die Anmut des Ausdrucks und die für Walther so typische Innigkeit des Gefühls die bloße Rede zur Höhe des eigentlichen Gedankens, wie in den Versen, die das Geheimnis der Empfängnis des „Wortes" im jungfräulichen Schoß Mariens umschreiben:

> gotes lambe was dîn wambe
> ein palas kleine, dâ ez reine lac beslozzen inne.

Hier haben die lange innere Disziplin und die aus der höfischen Lyrik übernommenen Worte, zusammen mit der „Innigkeit" der „Mädchenlieder" im Bereich einer religiösen choralen und ganz objektiven Dichtung ihre vielleicht reifste und gültigste Frucht gezeigt.

Daher scheint mir dies der Platz zu sein, der dem ›Leich‹ innerhalb der organischen Entwicklung der gesamten vielschichtigen menschlichen und dichterischen Persönlichkeit Walthers zukommt, welches auch immer das dem gänzlich widersprechende Datum seiner Entstehung sein möge. Auch das politische Motiv stört nicht, wie es einigen Kritikern erschien: Für Walther sind das Reich und die Kirche ein und dasselbe: der *Corpus christianum*, der derselbe Körper des in den Jahrhunderten lebenden Christus ist, stimmt mit der Definition des Hugo von St. Viktor überein: *Ecclesia sancta corpus est Christi uno spiritu vivificata et unita fide una et sanctificata. Huius corporis membra singuli quidam quique fidelium exsistunt, omnes corpus unum propter spiritum unum et fidem unam.*

Hugos Vision der beiden Heere, die in die Sakramente die Insignien der beiden Könige tragen, die sich die Herrschaft der Welt streitig machen, hat Walther zu dem Kriegsgesang inspiriert, mit dem der erste Teil des ›Leich‹ beginnt, wo die starke Kadenz des „Viertakter" diese Bilder voll heraushebt, wie *obe geligen, starke staete widerstrebe*, von der göttlichen *kraft*, vor der die *kraft* Satans nicht anders kann als zu schwanken und das Feld zu räumen. (Hier umschließt das Wort *kraft* sowohl die Bedeutung von „Macht" und „Stärke" als auch die des zur „Schlacht [in Reihen] aufgestellten Feindes".)

Dem Rhythmus des *Vexilla regis* antwortet unmittelbar darauf, zu Beginn des zweiten Tempos in den „kleinen Versen", die die ersten Präfigurationen des Alten Testamentes anrufen, der Rhythmus der Nibelungenstrophe, in einer Synthese von Motiven und Formen, in der sich das geistige Antlitz des staufischen Zeitalters vollendet ausdrückt: die Erinnerung an die tragische *nôt* eines unmenschlich gewordenen Volkes von Helden, neben der wahren und gegenwärtigen *nôt* des erlösten Volkes. Die gleiche Strophe der Nibelungentaten wird eines Tages von Walther, am Ende seiner irdischen Pilgerschaft, in seiner großen Elegie verwendet werden, um am Beispiel des *soldenaere* Longinus die heilige Heerschar des Kreuzes darzustellen.

In seiner dreiteiligen Anordnung entfaltet der ›Leich‹ in einem weitumfassenden Bild den von der Vorsehung bestimmten Lauf der menschlichen Geschichte, von der Schöpfung und der ersten Sünde, die sich von Jahrhundert zu Jahrhundert wiederholt, bis zur ersehnten Ankunft des Geistes der Wahrheit, der mit seinem *minne-*

fiure das Gesicht der Welt erneuern wird; dadurch ist die Einleitung mit ihrem feierlichen Glaubensbekenntnis an den einen dreieinigen Gott und seine „unerschaffene“, „selbwesende“ Herrlichkeit der Ausdruck dessen, was die ideologische Handlung des Gedichtes sein wird.

Nach dem Zeitalter des Vaters, das die Präfigurationen in einem immer klareren Licht erleuchten mit einer fortschreitenden Steigerung, die im *palas kleine* gipfelt, der die kleine Wohnung des unbefleckten Lammes sein wird, finden wir im Mittelteil, der mit dem vorangegangenen durch die letzte „Figur“, das Vliess Gideons, verbunden ist, das Preisen des Geheimnisses der Inkarnation und der Einwohnung des Wortes. Das „Wachsen an Weisheit“ aus dem Text des Evangeliums wird hier von Walther menschlich verstanden und interpretiert in dem Vers *ez wuohs ze gote und wart ein man* als ein fortschreitendes Sich-Angleichen und Sich-Durchdringen der beiden Naturen in der Person Christi. Nachdem der Dichter die ketzerische Behauptung, der Mensch könne sich auch ohne die Hilfe der Mutter und ihres göttlichen Sohnes erlösen, als „Torheit“ zurückgewiesen hat, folgt schließlich im dritten und letzten Teil die flehentliche Bitte an den Vater und den Sohn, daß sie, um die Wunden des *kristentuom* zu heilen, das *ze siechhûs* darniederliegt, verzehrt vom Durst nach Wahrheit und Gerechtigkeit, vom Himmel *den rehten geist* senden mögen, der als barmherziger Samariter es mit jener *lêre,* die das simonistische Rom heute nicht mehr geben kann, wiederherstellen und auf den rechten Weg bringen möge. Und um die äußerste Verlassenheit des großen Kranken zu schildern, nimmt Walther, in Übereinstimmung mit dem ersten Teil, das Metrum der Nibelungenstrophe wieder auf, während die Worte, auf die der Akzent stärker fällt — *lêre* — *siechhûs* —, im Kontext ihre volle Ausdruckskraft wiedergewinnen, wobei der erste Teil, seiner Etymologie entsprechend, den Begriff einer Lehre ausdrückt, die sich mehr und besser als in der Unterweisung durch die Kraft des Beispiels entfaltet und die Menschheit auf „den geraden Weg“ führt (denn dies ist die älteste, uns von den Auslegern bezeugte Bedeutung des Wortes), der zweite Teil suggeriert das Bild eines Leprosenhauses, wo die Kranken sich selbst überlassen sind und ein Leben leben, das nichts anderes ist als eine fortgesetzte qualvolle Agonie.

So ist, nach dem Urteil des größten Lyrikers des staufischen Zeitalters, die damalige Lage der Christenheit, die weiterhin sich verzehren wird bis zu dem Tage, an dem sie sich auf ihren eigenen Ursprung besinnen und noch einmal nach ihrem göttlichen Vorbild formen wird. Dann, und nur dann, wird das Leben wieder vom Haupt in alle Glieder fließen und der mystische Körper zu einem neuen Leben auferstehen im Gehorsam gegenüber dem Willen dessen, der ihn erschaffen hat: *der wolte ouch daz wir trüegen in Kriste kristenlîchez leben.*

Die Dringlichkeit einer Reform der Kirche durch Rückkehr zu ihren Quellen wird von Walther mit einem Bild dargestellt, das uns modernen Menschen fast ein wenig seltsam und sogar zu materiell erscheinen mag, das jedoch die Idee vollkommen wiedergibt: das Bild eines Kleides, das aus zwei gleich großen Streifen Stoffes angefertigt ist — *gelîche lanc, gelîche breit* — wenn auch von verschiedener Farbe, die Gott selbst zusammengefügt hat. *Kristentuom und Kristenheit,* die geistige Kirche als Erbe und ewiger Hüter des evangelischen Ideals und die irdische Gemeinschaft der *viatores,* leben somit als „Form" und „Materie" eines einzigen Körpers „in Freud und Leid" — *liep unde leit* — von ein und demselben Leben.[7]

Dies ist der religiöse „*Realismus*" Walthers, der in den folgenden „kleinen Versen" auf der Notwendigkeit beharrt, daß den Worten die Werke entsprechen müssen; denn dies ist der andere und schwerwiegendere Aspekt der *nôt* in der christlichen Welt: das Zurschaustellen eines Glaubens, der doch ohne Werke tot ist: *Daz ist nû unser meiste nôt: daz eine ist ân daz ander tôt: nû stiure uns got an beiden.* Und damit die Wiedergeburt der Seelen und der

[7] Dieses Bild könnte Walther direkt oder — noch wahrscheinlicher — durch die Tradition der Schule von Gerloh von Reichersberg suggeriert worden sein, der in seiner symbolischen Interpretation der Heiligen Schrift in dem ungenähten Gewand (vgl. Joh. 19, 23) des Erlösers die Kraft des Heiligen Geistes erkennt, die die Kirche von oben unsichtbar leitet. (Vgl. den Passus über ›De aedificio Dei‹, der von Dempf, Sacrum Imperium, zitiert wird). Auch bei Walther ist es die Kraft des rechten Geistes, die allein das Wunder bewirken kann, das wieder zusammenzufügen, was der Mensch in frevelhafter Weise getrennt hat.

Herzen sich vollziehe, darf die *contritio cordis* nicht das sterile Gefühl einer kurzen Stunde bleiben, sondern sie muß den Menschen das ganze Leben hindurch begleiten. Auch darin greift die Dichtung Walthers auf die Ermahnung des Hugo von St. Viktor zurück: *Deus absolvens hominem a culpa et poena aeterna ligat cum vinculo perpetuae detestationis peccati.* Aber die *staete wernde riuwe* kann nichts anderes als ein Geschenk des Himmels, eine Gnade sein, sie kann nur von Gott und der Jungfrau kommen: *hilf uns, daz wir si abe gebaden — mit staete wernder riuwe — umb unser missetât, — die âne got und âne dich nieman ze gebenne hât.*

So klingt in der Reprise am Ende noch ein letztes Mal hoch und feierlich, im Rhythmus der Nibelungenstrophe, das dominierende Motiv des Gesanges wieder an, das seine religiöse und menschliche Substanz bildet, die Frucht einer persönlichen wie allgemeinen Erfahrung, die in dramatischer Weise durchlebt und durchlitten wurde.

In der tragischen Anschauung des gegenwärtigen Zustandes des *Corpus christianum* stimmt Walther mit Wolfram überein: Der Gestalt des *siecher kristentuom* entspricht im ›Parzival‹ die Gestalt des Anfortas, von dem gesagt wird: *er lebte niht wan töude* „sein Leben war nur ein langsames Sterben". Die Heilung des Kranken geschieht auch hier erst, nachdem Parzival aus dem Munde Trevrizents die *rehte lêre* gelernt hat; das große Geheimnis der göttlichen Liebe.

Und auch dies ist die *lêre*, die Botschaft Walthers, die sich in den aufrichtigsten und bewegtesten Versen des Gesanges ausdrückt, in einem herzergreifenden Anruf an den Schöpfer und den Vater, er möge „das Werk seiner Hände" nicht in der Nacht des Zweifels und der Trostlosigkeit verlassen:

Und gebe uns rât
sît er uns hât sîn hantgetât
geheizen offenbâre.

Die Beziehungen des Göttlichen zum Menschlichen konnte der Dichter nicht anders sehen, der in einem seiner Jugendgedichte die Vollkommenheit der schönen Kreatur besungen hatte, wobei er sie vor die gleichen ewigen Schönheiten des Himmels stellt und uns in Gott einen Künstler zeigt, der in ihr sein eigenes Bild mit Wohlgefallen betrachtet; der Dichter, der in dem Gesang, der am meisten von der „hohen Minne“ inspiriert ist, auf dem Hintergrund des festlich gestimmten Frühlings die edle Frau als höchsten Gipfel und Vollendung des Schöpfungswerkes feiert.

Und ein getreuer Spiegel jener Ordnung, die das Universum Gott ähnlich macht, will in ihrer verschiedenartigen Verflechtung der Motive, der Metren und Rhythmen und in dem freien und doch ausgewogenen Spiel der Reime die feste und harmonische, feierlich-festliche Architektur unserer „Komposition“ sein. Sie spricht in der gleichen Sprache wie die ersten großen spätromanischen und frühgotischen Kathedralen Deutschlands und des zeitgenössischen Europa.

Wenn die neue Station in der Lyrik Walthers nach den ersten jugendlichen Erfahrungen und Kämpfen mit einer tragischen Vision des menschlichen Lebens begonnen hatte, die, um mit Goethe zu sprechen, aus dem Gefühl eines „unausgleichbaren Gegensatzes“ zwischen den immanenten Werten der höfischen Kultur und der göttlichen Transzendenz entsteht, so ist das große Thema des ›Leich‹ die „Ausgleichung“ und die „Auflösung“, die Überwindung und die Darlegung des tragischen Zwiespalts, der Sieg des Glaubens über den *zwîvel:* Deshalb steht der Hymnus der Liebe und der Herrlichkeit auf den dreieinigen einen Gott und auf die allerheiligste Jungfrau Maria würdig neben der großen Dichtung Wolframs in der Geschichte der deutschen Dichtkunst.

Zeitschrift für deutsches Altertum und deutsche Literatur 88, 1957/58, S. 196—210.

WORT UND WEISE IM WIENER HOFTON

Von URSULA AARBURG

Her walthers von der vogelweyde hoffwyse oder wendelwys wurde von der Forschung schon früh den Strophen 20, 16—26, 2 zugesprochen. Bartsch erwähnte sie bereits 1862 in seiner Sammlung ›Meisterlieder der Kolmarer Handschrift‹ (S. 156). Das Anrecht der Melodie auf diesen ursprünglichen Text blieb bisher fast unbestritten. Die Zweifel jedoch an der Zuverlässigkeit des überlieferten Notentextes, die gelegentlich geäußert wurden [1], sind nicht grundlos: wir besitzen die Melodie in nur einer Fassung, die überdies rund zwei Jahrhunderte nach ihrer Entstehung im Kolmarer Codex notiert wurde, so daß wir nicht wissen, welche Veränderungen an ihr vorgenommen worden sind. Um zu klären, ob diese Melodie echt und ob sie zuverlässig überliefert ist, bleibt zunächst nur ein Weg: wir müssen ihre Gestalt sehr genau untersuchen und prüfen, ob sie mit Walthers Textformung übereinstimmt.

Dazu ist mehrfach ein Ansatz gemacht worden. So stellte R. Wustmann 1910 bereits fest, daß der neunzeilige Abgesang musikalisch und textlich in drei Gruppen (3, 4, 2) untergliedert sei und daß sich die beiden Schlußzeilen in fast allen Strophen durch „eine starke Gedankencäsur, die dem überraschenden Sextensprung der Melodie vorzüglich entspricht“, absondern [2]. G. Roethe meinte dagegen ZfdA. 57, 130, daß in der Melodie „auf den festen Absatz nach Vers 9 [also nach der ersten Abgesangsgruppe] . . . keine Rücksicht

[1] E. Jammers in Musikforschung 6 (1953) 370; Spanke spricht Anz. 60, 114 generell von „großenteils kaum authentischen ‚Walthermelodien‘“; s. auch H. J. Moser, Musikalische Probleme des deutschen Minnesangs, Kongreßbericht Basel 1924 (gedr. 1925), 261.

[2] Die Hofweise Walthers v. d. V. in: Festschrift Rochus v. Liliencron, Lpz. 1910, 453; Wilmanns-Michels, Walther v. d. V., Bd. 2⁴, 1924, 114 f.

genommen [wird], und schon das sollte genügen, um ihre Unechtheit gegen Wustmann darzutun". Dies ist ein Irrtum. Daß auch die Melodie an dieser Stelle eine deutliche Zäsur bringt, wird unsere Analyse zeigen. C. Bützler untersuchte die Melodie 1940[3] und gab S. 41 zwar eine Textformel, die Wustmanns Gliederung entspricht, teilte die Abgesangmelodie S. 83 jedoch als ungeordnet durchkomponiertes Gebilde mit:

α	β	γ	δ	ε	ζ	η	ϑ	ι	ϰ	λ	μ
4a	4a	6b	4d ◡	4d ◡	4e	6f	4g ◡	4g ◡	4e	6f	4e
α	β	γ									
4c	4c	6b									

F. Gennrich besprach 1942 nochmals die Melodie (ZfdA. 79, 33 ff.) und kam zu dieser eigenwilligen, lediglich aus dem formal-musikalischen Befund abgeleiteten Formel, nach der er auch Walthers Text gliederte (S. 34):[4]

α	β	γ	δ_1	1.	ε_1		ζ	η	ϑ	ι	ϰ
α	β	γ		2.	ε_2	δ_2					

F. Maurer[5] untersuchte 1954 sehr eingehend den sprachlichen Bau der Waltherstrophen und kam zu ähnlichen Ergebnissen wie Wustmann, die er jedoch noch stark differenzierte: Die drei ersten Zeilen des Abgesangs („die erste gefugte Gruppe") laufen nach seiner Untersuchung „glatt ab, während Zeile 10 als Auftaktsechser mit klingender Kadenz in seiner schweren Wirkung eine erste Retardation bringt. Noch einmal folgt eine glatt ablaufende Reihe von drei Versen, dann wieder ein retardierender und für sich stehender Sechser und ein schließender Vierer, der gleichfalls . . . isolierter steht" (S. 27). Eine metrische Formel (S. 28) demonstriert diese

[3] Untersuchungen zu den Melodien Walthers v. d. V., Diss. Köln 1940, 39 ff.

[4] Diese Formel, die den melodisch-textlichen Zusammenhang zerreißt, wird von R. Zitzmann, Die Melodien der Kolmarer Liederhs., Würzb. 1944, S. 171 übernommen.

[5] Die politischen Lieder Walthers v. d. V., Tüb. 1954, 26 ff.; die mitgegebenen Melodien bearbeitete G. Birkner.

Ergebnisse. Maurer zieht auch die Melodie (in G. Birkners Bearbeitung) heran und stellt denselben Abgesangbau wie Wustmann fest (3, 4, 2). — Fast gleichzeitig mit Maurer veröffentlichte W. Mohr (ZfdA. 85, 38 ff.) eine Studie über die Hofweise, die an Roethes Bemerkungen in der Kelle-Festschrift von 1908 anknüpft, nach welcher der Abgesang von der syntaktischen Ordnung her in 3, 2, 2, 1, 1 zu gliedern sei (S. 509). Roethe kannte die Melodie noch nicht. Mohr beschäftigte sich vor allem mit der Gruppierung 2, 2, die nur in sechs von vierzehn Strophen deutlich erkennbar sei und weder vom Reim- noch vom Melodiebau gestützt werde. Gennrich hingegen versuchte in einer ergänzenden Studie nachzuweisen (ZfdA. 85, 203 ff.), daß der Reimbau hier nicht hinzugezogen werden könne und daß die Melodie die Gliederung 2, 2 nachvollziehe.

Zunächst sei hier die heikle Frage der musikrhythmischen Interpretation berührt. Während Wustmann die rhythmisch indifferenten Neumen der Kolmarer Handschrift vorsichtig in taktfreie Viertelnoten umschreibt, schlägt Bützler $^2/_4$-Takt vor, behandelt jedoch die Kadenzen freier, indem er Auftaktnoten, die im vorangegangenen Kadenztakt keinen Platz mehr haben, zusätzlich einfügt und alle Ultimae mit einer Fermate versieht. Gennrich überträgt die Melodie im 1. Modus, ebenso Zitzmann l. c. 82 u. 99, der die modale Interpretation auf das Meistersingerkontrafaktum überträgt. Auch Mohr und Birkner folgen Gennrich. Birkner reduziert allerdings Gennrichs Fünfer stets auf Vierer und eliminiert, Maurers Textredaktion entsprechend, einige Auftakte, die er durch kleine Buchstaben über dem Notensystem angibt, ohne ihnen jedoch rhythmisch einen Platz einzuräumen.

Grundsätzlich ist zu diesen Rhythmisierungsversuchen folgendes zu sagen: Die rationalistische Neigung der Metrik, mittelalterliches Liedgut nach einem bestimmten (meist vorgefaßten) metrisch-rhythmischen Einheitsmuster zu regulieren, sollte stets mit den Vorbehalten verknüpft bleiben, daß die damals lebendige Wirklichkeit heute kaum mit unseren unzulänglichen Mitteln gefaßt werden kann. „Daß zumindest der Vortrag von Spruchweisen voll von irrationalen Momenten war, die sich weder damals noch heute vollgültig mit unseren dürftigen Notenzeichen ausdrücken lassen“, bemerkt W. Salmen[6] zu Recht, und gleichfalls berechtigt ist J. Huismans temperamentvolle Polemik gegen die „Kanalwände der Metrik" in seiner Studie ›Neue Wege zur dichterischen und musikalischen Technik Walthers von der Vogelweide‹, Utrecht 1950, 1 f. Auch Gennrich gibt zu (ZfdA. 79, 41): „Natürlich bleibt es den einzelnen Sängern immer noch freigestellt, im Rahmen dieser Rhythmik die einzelnen Strophen je nach ihrem Temperament vorzutragen." So darf ein rhythmischer Ordnungsversuch an unrhythmisch aufgezeichneten Melodien nur als relativ unverbindlicher Vorschlag gewertet werden[7]. Dies gilt auch für die Hofweise, gleich, ob wir sie mit Bützler im 2/4-Takt oder mit Gennrich modal interpretieren oder ob wir noch andere Lösungen suchen. Die modale Interpretationsmethode kann sich zwar auf die Vorrangstellung der Modi in der Kunstmusik um und nach 1200 berufen. Aber ein solcher Analogieschluß ist noch nicht Beweis. Der modale Takt reguliert den Zeitablauf starrer, stilisierter als der natürlichere gerade Takt. In diesem sind, so scheint mir, eher Freiheiten in dem oben angedeuteten Sinne möglich.

An der *äußeren* Taktordnung ist im Falle der Hof- und Wendelweise zwar nicht zu zweifeln: die Stammsilbenbetonung ermöglicht es, die Melodie in Takte zu gliedern mit (normalerweise) zweisilbiger Füllung. Die *innere* Zeitordnung der Takte jedoch ist weder aus der musikalischen Überlieferung noch aus der Metrik[8] zu erschließen. Sie muß, um mit H. Spanke zu reden, „dem Musikhistoriker . . . ehrlicherweise eine Ansichts- und Geschmackssache bleiben" (Anz. 60, 111). Wir besitzen, wenn wir einen geregelten Zeitablauf innerhalb der Takte annehmen wollen, *drei* Möglichkeiten: die binäre Füllung (Bützlers 2/4-Takt z. B.), die ternäre Füllung (Gennrichs modaler Takt) und den zweiteiligen Takt,

[6] Unveröffentlichte Untersuchung über den mittelalterlichen Spielmann; vgl. auch J. Chailley, Histoire musicale du Moyen Âge, Paris 1950, 92.

[7] Für die Übertragung sind am besten rhythmuslose Notenzeichen zu wählen; vgl. J. Müller-Blattau in Musikforschung 8 (1955), 483 f. und mein Singweisen-Heft, Düsseldorf 1956, 7.

[8] Gegen das gelegentliche Ansinnen der Metriker, den Zeitwert der Noten von Silbenlängen abhängig zu machen, wandte sich Gennrich l. c. 26 f. mit überzeugenden Argumenten.

dessen Teile entweder ternär oder binär gemessen werden können. Bei ternärer Messung liegt der sogenannte 5. Modus vor, der eine Art Kompromißlösung zwischen den beiden ersten Formen darstellt. Als Ausweg wird dieser 5. Modus gern gewählt, wenn alle anderen modalen Lösungen versagen. Man vergleiche z. B. Walthers Palästinalied oder die Interpretation melismatischer Troubadourlieder. In ihm würde sich der Wiener Hofton so ausnehmen:

Diese Interpretationsart hat den Nachteil, daß die einzelnen Töne hier eine beträchtliche Länge erhalten[9]. Sie hat dagegen den Vorteil, daß die Kurzatmigkeit bestimmter Kadenztakte, zumal in der Kombination von weiblich vollem Versschluß und folgendem Auftakt, beseitigt wird. So tadelt Kracher in Beitr. 78, 218 an Birtners Lösungsversuch, daß diese Engpässe einfach durch Auslassen von Auftakten umgangen werden. Der genannte Nachteil kann auf mehrere Arten gemildert werden. Entweder reduziert man die ternäre zur binären Messung und erhält einen $^2/_2$-Takt (s. Melodieabdruck), — in diesem Falle ist die Kürzung der Kadenztakte noch durchaus vertretbar; oder man wählt für die Verse kürzere Notenwerte, dehnt jedoch die Kadenztakte, wie Bützler es schon vage versuchte. So ist z. B. aus dem evangelischen Choral die Praxis bekannt, für die Kadenzen einen $^3/_2$-Takt in den sonst vorherrschenden $^2/_2$-Taktablauf einzufügen (z. B. *Komm, Heidenheiland, Lösegeld*)[10]. Einen Versuch, diese Lösung auf unseren Fall anzuwenden, zeigt das abgedruckte Beispiel. Sie ließe sich ebenso gut im ternären Rhythmus darstellen. Gennrich macht noch auf eine andere Mög-

[9] Bützler meint ZfdA. 77 (1940) 162 Anm. 1: „Allegrotempo kann man z. B. annehmen für die Hofweise."

[10] S. Ein neues Lied, [6]1941, Nr. 12; H. J. Moser, Die evang. Kirchenmusik in Deutschland, 1954, 357 vermerkt zu Rhythmisierungsversuchen an Choralmelodien „die innere Ungemäßheit, diesen Organismus in ein $^4/_2$-System einzupressen". Er schlägt statt dessen „gedehnte Zeilengrenzsilben" vor.

lichkeit aufmerksam, die er eine „der beliebtesten Rhythmisierungen des Achtsilbners“ nennt und mit einem mensuralen Beispiel belegt:[11]

♩ | 𝅗𝅥 ♩ 𝅗𝅥 ♩ | 𝅗𝅥. 𝅗𝅥. | 𝅗𝅥. ▬ oder ♩ | 𝅗𝅥 ♩ | 𝅗𝅥 ♩ | 𝅗𝅥. 𝅗𝅥. | 𝅗𝅥. 𝅗𝅥

Diese kadenzdehnenden Interpretationsarten kommen einer bestimmten Stileigentümlichkeit mittelalterlicher Melodik, der auch aus der Gregorianik bekannten Interpunktionsmelismatik, sehr entgegen. Durch solche Kadenzmelismen werden vor allem die Schlüsse von Strophengruppen hervorgehoben. Die Hofweise ist allerdings fast syllabisch durchkomponiert, Kadenzmelismen sind kaum vorhanden, — ihre Hauptkadenzen werden durch andere Mittel hervorgehoben, wie wir noch sehen werden. Diesem final auf Versschlüsse gerichteten Melodiestil mittelalterlicher Lieder muß auch die Art ihres Vortrags entsprochen haben. Melodiekadenzen und die dazu gehörenden Reime erhielten sicher einen agogischen Nachdruck. Auch der Auftakt wird nicht pedantisch in den vorangegangenen Kadenztakt eingefügt worden sein, wie es den metrischen Strukturformeln der Forschung nach scheint. Die Auftakte des Wiener Hoftons waren mehrfach Untersuchungsobjekt der Metrik, ihre Unregelmäßigkeiten blieben ihr ein Ärgernis. Während v. Kraus (WU 61) diesen Fragen gegenüber, wie Lachmann, Zurückhaltung wahrte, sucht Maurer neuerdings, nach Roethes Vorgang, eine strengere Auftaktregelung durchzuführen (l. c. S. 26 f.), ob immer mit Recht, wird von Kracher, Beitr. 78, 216 ff., bezweifelt. Die Contrafacta vom Hardegger und vom Schulmeister von Eßlingen (HMS 2, 137) zeigen freilich, wie Maurer dies, nach Roethe, auch im Hofton beobachtet, Auftaktfreiheit in Vers 9 und 13. Aber das kann in diesen drei Strophen Zufall sein. Auftakte und breite Kadenzen lassen sich, wenn man diese Melodien nun einmal durch ein konsequent angewandtes rhythmisches Modell darstellen will, in den genannten kadenzdehnenden Formen in vielen Fällen am besten interpretieren. Natürlich können diese Dehnungen auch durch Fermaten oder ritardando-Vorschriften angedeutet werden. Diese Fragen sind nicht endgültig lösbar, solange keine mensuralen Belege

[11] Die Musikforschung I (1948) 225 ff.

nachgewiesen werden können — und auch dann wären noch längst nicht alle Schwierigkeiten beseitigt.

Wichtig für das Erkennen der Strophengestalt ist der Reimbau des Wiener Hoftons. Walther bindet die Stollen durch einen Zwischen- oder Schweifreim: ^{I}a a b′ | ^{II}c c b′. Aber auch der Abgesang wird durch quasi-Schweifreime gegliedert und gebunden: ^{III}d′ d′ e | ^{IV}f′ g′ g′ e | ^{V}f′ e. Bemerkenswert ist, daß im Abgesang keine Reime aus den Stollen übernommen werden. Der Aufgesang steht also selbständig da. Auch die erste Abgesanggruppe hat selbständige Reime und ist nur durch den e-Reim mit den anderen Gruppen verbunden. Ihre verhältnismäßig selbständige Stellung wird durch sprachliche[12] und musikalische Mittel bekräftigt. Die Schlußgruppe f' e ist als konzentrierte Wiederholung der mittleren Abgesanggruppe zu interpretieren, so daß Gruppe IV und V enger zusammenzugehören scheinen; dies bestätigt der musikalische Befund (s. u.).

Die Stellung der Sechser verdient noch eine Erwähnung. Im Aufgesang beschweren sie den metrischen Ablauf am Ende der Stollengruppen. Eine oberflächliche Betrachtung des Abgesangs ließe hier auf eine ähnliche Funktion der Sechser schließen:

4a 4a 6b′ :|| 4d′ | 4d′ 4e 6f′ | 4g′ | 4g′ 4e 6f′ | 4e
c c

Daß die Sechser hier aber die einzelnen Gruppen eröffnen, bestätigen außer dem Reimbau die melodische Gestaltung, über die wir gleich sprechen werden, und die Textgestaltung des Meistersingerkontrafakts. Alle fünf Strophengruppen in allen fünf Meisterstrophen beginnen mit der Formel *Mary, du bist,* die sonst nicht im Text vorkommt. In Strophe I ist sogar der Anfangsvers von Gruppe III zu einem 'Sechser' umgestaltet worden; das ist gewiß kein Zufall,

[12] Die beiden Contrafacta vom Hardegger (1 Str.) und vom Schulmeister von Eßlingen (2 Str.) zeigen ein ganz entsprechendes Bild: nach Zeile 6 und 13 haben alle Strophen klare Einschnitte, nach Zeile 9 nur die Hardeggerstrophe und die 1. Schulmeisterstrophe. In dieser Strophe ist der 1. Stollen nicht so klar abgegrenzt wie in den beiden anderen Strophen (s. HMS 2, 137).

sondern wohl als Analogiebildung zu Vers 10 und 14 zu verstehen. Daß die Sechser im Strophenbau mehr für sich stehen, wie Maurer l. c. 26 f. meint, scheint mir nicht der Fall zu sein. Dagegen spricht vor allem die Melodiebildung (s. u.).

Vom Strophenbau aus betrachtet steht also der konventionellen, symmetrischen Ordnung des Aufgesangs, die Walther auch für andere Strophen verwandte[13], eine eigenwillig-asymmetrische Gliederung des Abgesangs gegenüber. Die beiden abschließenden Gruppen, insgesamt sechs Zeilen umfassend, zeigen nicht, wie das Stollenpaar, ein symmetrisches Gleichgewicht, sondern sind 4+2 geteilt. In der mittleren Gruppe ist zwar die Dreizahl der Verse erhalten, doch setzt sie sich durch Inversion des Reimgeschlechts vom Aufgesang ab. Auch die Funktion der Sechser wird in Gruppe IV und V umgekehrt. Die Gesamtwirkung der Strophe ist jedoch rund und organisch. Hieran hat die Melodie, die ich zunächst im Vertrauen auf die Zuverlässigkeit der Kolmarer Handschrift interpretiere[14], bedeutsamen Anteil.

Der Melodiegang sei vorerst in grobem Umriß, der dem Überblick dienen soll, skizziert, wobei ich mich bemühe, die folgende Untersuchung im Hinblick auf den Germanisten möglichst von musiktheoretischen Kunstausdrücken zu entlasten. Die Melodie ist im C-Modus komponiert, der sich von unserem C-Dur durch die rein monodisch-lineare Prägung unterscheidet[15]. Ihr Einsatz geschieht, Aufmerksamkeit fordernd, unmittelbar in hoher Lage. Von hier aus schwingen sich die Stollen in großen Bögen durch den Oktavraum abwärts zum Grundton und Ruhepunkt c[16]. Gruppe III

[13] 11, 6, 82, 11, 93, 19, 96, 29, 97, 34 u. a.

[14] Kracher äußerte in Beitr. (Tübingen) 78, 218, daß „die Neumen durch ihre Mehrdeutigkeit ... nur sehr bedingt herangezogen werden können". Das stimmt hinsichtlich der Tonhöhe nicht, denn sie ist hier eindeutig erkennbar. Der Melodierhythmus hingegen ist nicht mehrdeutig, sondern überhaupt nicht aus den Neumenzeichen erkennbar.

[15] Vgl. H. J. Moser, Sammelbände der Internationalen Musikgesellschaft 15 (1913/14) 274.

[16] Aus der Melodiegestalt des Stollens leitet Wustmann, S. 462, den Beinamen ‚Wendelweise' ab (mit ihm Wilmanns-Michels und Maurer). Dies scheint mir absurd, denn die Melodieführung des Stollens nimmt unter

setzt in rezitierendem Stile ein, kehrt aber mit Mittel- und Endvers zum melodischen Duktus der Stollen zurück. Auch diese Gruppe schließt mit c. Gruppe IV, die den Text vorwiegend rezitierend vorträgt, zeigt nicht diesen entschiedenen Abschluß: ihre Kadenz ist eine typische apertum-Klausel, die den kommenden Schlußteil erwartend vorbereitet. Dieser setzt, ähnlich wie der Liedbeginn, aber nachdrücklicher rezitierend, in hoher Lage ein und durchmißt, wie die Stollen, nur gedrängter und die Abschlußfunktion des Grundtons c stärker betonend, den Oktavraum c'—c. Die Ordnung der Melodie zeigt also folgendes Bild: 6 ‖ 3 | 6, oder differenzierter dargestellt: 3+3 ‖ 3 | 4+2. Die Zusammengehörigkeit der Stollen ist durch die Wiederholung gegeben, die der Schlußgruppen durch die melodische Anknüpfung. Anfang und Ende wiederum gehören durch die Übereinstimmung des Melodieduktus zusammen. Das Ganze entspricht genau dem Reimbau. Es ist nicht symmetrisch proportioniert und erinnert an Hindemiths[17] Bemerkung über das Gesetz der Asymmetrie musikalischer Formen: „Im Bereiche *sichtbarer* Formen ist die Symmetrie eines der wichtigsten Bauprinzipien; die klanglichen wie die zeitlichen Abläufe scheinen dagegen die Symmetrie zu fliehen . . . sie ist im Leben der *hörbaren* Formen kaum zu finden. Wohl besteht jede größere musikalische Form aus Teilen, die als Gewicht und Gegengewicht die Tonmasse in der Waage halten. Sie sind in der Mehrzahl der Fälle von ungleicher Schwere, da die Gegenüberstellung gleicher Gewichte (also eine symmetrische Anordnung) den Hörer nicht befriedigt."

Die Gliederung der Strophe in deutlich hörbare Melodiegruppen wird durch eine sehr subtile Technik der Gruppenverknüpfung er-

den Weisen der Zeit keine Sonderstellung ein. Man vgl. *Vom Himmel hoch, da komm ich her* in der seit 1539 üblichen Fassung, die teilweise Ähnlichkeit mit der Spervogelweise in J 29 a hat, oder Klingsors Schwarzen Ton in t, Fol. 680 a, oder im Provenzalischen die Canzone Pc. 364, 40 von Peire Vidal (um 1190), bei U. Sesini La Rassegna musicale 16 (1943) 78. Vgl. auch den gleichen Melodieduktus der unter Nr. 41/1 b und 41/3 a bei W. Wiora, Europäischer Volksgesang, 1952, abgedruckten Volkslieder.

[17] Unterweisung im Tonsatz, Mainz 1940, 1, 98 f.

gänzt, die für mittelalterliche Liedkunst charakteristisch ist[18]. Ihre Mittel sind: Zeilenentsprechungen, ähnliche oder gleiche Motive, z. B. Initien oder Kadenzen, die an verschiedenen Stellen der Strophe eingesetzt werden. Die Motive und Zeilentypen sind in der Regel formelhaft-konventionell, auch in der Hofweise[19]. Zwei Motive dominieren hier: das Quartraummotiv (Tetrachord) c'-g und das Quintraummotiv (Pentachord) g—c. Beide erscheinen in verschiedenen Schattierungen, z. B. als g a h *c'* (Vers 2/5 und 13) oder *c'*—ag (Vers 8 und 13) oder *c*—efg (Vers 9 und 11) usw. An einigen Stellen wird auch nur der obere Ton dieser Motive zitiert: c' bzw. g (Vers 14 bzw. 7, 10—12); als Zeilenschlüsse fungieren namentlich die unteren Rahmentöne g und c. Das tonartliche Grundgerüst c—g—c', das diese Melodie vorwiegend bestimmt, wird durch Modulationen in den D- oder G-Modus belebt, wie wir noch sehen werden[20].

Der Stollen stellt eine klar gefugte Melodiegruppe dar. Eine Zeile fügt sich nahtlos an die andere. Vor allem sind die beiden einleitenden Zeilen motivisch eng miteinander verknüpft: die erste schwingt im Quartraum c'—g hinab und wieder hinauf und ver-

[18] Im Kapitel ›Studien zur Formbildung ... mittelalterlicher weltlicher Monodie‹ meiner Diss. Die Singweisen des Blondel de Nesle, Frankfurt 1946 (Masch.), S. 392 ff. wurde hierauf näher eingegangen.

[19] Vergleiche mit dem Formelmaterial anderer Lieder brachten für die Stollenmelodie: Wustmann, S. 459 f. (Z. 1/4), 458 f. (Z. 2/5 bzw. 13), 460 (Z. 3/6); F. Eberth, Die Liedweisen der Kolmarer Handschrift, Diss. Göttingen 1933 (auch Detmold 1939), 96 f. u. 100 und W. Salmen, Zur Melodik des späthöfisch-bürgerlichen Minnegesangs. Rhein.-Westf. Zs. f. Volkskunde 1, 106 u. 110. Wustmann stellte außerdem noch für Z. 8 u. 9 (S. 457), 7 u. 10 (S. 453 ff.), 11 u. 12 (S. 456) u. 15 (S. 460 f.) Parallelen zusammen, die vorwiegend aus Liedern älterer Sänger stammen (Spervogel, Wizlav, Frauenlob, Bruder Wernher). Natürlich kann er damit nicht beweisen, daß die Hofweise besonders alt sei, denn auch diese Melodien können genau wie vielleicht auch Walthers Weise in Hs. t modernisiert worden sein. — Beziehungen zum gregorianischen Choral stellte Wustmann ebenfalls schon fest (S. 455 und 457).

[20] Die Gesetzmäßigkeiten der Modulation im mittelalterlichen Lied erwähnt mein Referat im Kongreßbericht Lüneburg 1950, 62 ff.

harrt auf h, eine typische apertum-Klausel, deren Tonfolge umakzentuiert vom folgenden Vers wieder aufgenommen und dem Spitzenton c' zugeführt wird. Von hier aus erweitert sich der Tonraum über das g hinab. Er wird jedoch nicht zum erwarteten Finalton c geführt, sondern hält auf e inne. Diese zwischen den g- und c-Kadenzen vermittelnden Durchgangskadenzen auf e, für Melodien dieser Art typisch, erfüllen eine wichtige Funktion: sie halten den Melodiegang in der Schwebe und erwecken so das Verlangen nach endgültigem Abschluß auf dem Grundton c. Der phrygische, d. h. e-modale Charakter dieser Zeilen ist nur ein scheinbarer — innerhalb einer c-modalen Struktur handelt es sich hier um echte apertum-Kadenzen. Der stollenschließende Melodievers ist nun bemerkenswert, weil er Tonmaterial verwendet, das nicht der c—g—c'-Struktur zugehört. Schon sein Initium f—d—a—c' ist dorisch und auch die Kadenzformel f—c gehört zum D-Modus oder zum ihm verwandten F-Modus. Eine ausgeprägte C-Modus-Kadenz bringt nur der Liedschluß mit der Tonfolge g—e—c. *Dorische* C-Kadenzen aber sind stets *Halb*schlüsse. Es ist denkbar, daß der Komponist diese dorische C-Kadenz hier einsetzte, um die Vorläufigkeit des Stollenabschlusses zu unterstreichen. — So wie der syntaktische Zusammenhang der Stollen vom Dichter in allen Strophen beachtet wurde, so sind also auch die melodischen Stollenzeilen zu einem geschlossenen Komplex zusammengefügt.

Der Initialvers des Abgesangs betont nun gegenüber dem dorischen Stollenschluß sehr dezidiert die c-modalen Gerüsttöne c und g. Dieser Vers hebt rezitierend an und steht so im Kontrast zu dem weiten melodischen Schwung des Aufgesangs, ähnlich wie der Text nun mit einem neuen syntaktischen Ansatz neue Gedanken bringt. Auf diese textlich-musikalische Kongruenz wies schon Huisman l. c. 134 ff. eingehend hin. Sein Schluß jedoch, daß „der epische Hintergrund des Abgesangs" (l. c. 136) durch das Rezitativ auf der g-Stufe ausgedrückt wird, scheint mir zu weit zu gehen. Einmal ist im Abgesang durchaus nicht „fast überall der althergebrachte rezitativische Vortrag" zu registrieren, wie Huisman S. 134 behauptet, sondern nur vier von insgesamt neun Abgesangzeilen rezitieren die g-Stufe. Außerdem könnte man gegen die Kolmarer Überlieferung der eintönig rezitierenden Zeilen 10 bis 12 Bedenken anmelden; denn die Beobachtung an mehrfach überlieferten Trouvèreliedern lehrt, daß die Liedmitte häufig nicht so einheitlich wie Anfang und Schluß, die sich ihrer exponierten Stellung wegen dem Gedächtnis besser einprägten, bewahrt wurde[21]. Ein Sänger, der seinen Part nicht voll beherrscht, bedient sich eben am bequemsten des Rezitativs. „Zum Teil aber ist diese Psalmodie erst durch Verflachung des melodischen Bogens bei den handwerklichen Sängern entstanden, wie aus älteren Handschriften hervorgeht", bemerkt E. Jammers[22]. Zu Huismans Unterscheidung eines „in melodischer Hinsicht modernen Strophenteils" (S. 135), wie er die Stollen bezeichnet, vom einheimisch-altertümlichen Rezitativ wäre noch anzuführen, daß diese Stilkontraste vielfach in mittelalterlichen Liedern zu beobachten und gewiß als Kunstmittel zu bewerten sind. So werden in Kanzonenstrophen die Mittelzeilen nach den Stollen gern mehr oder minder rezitierend komponiert. Sie bilden auf diese Weise einen Kontrast und doch wieder eine Überleitung zum Schlußteil[23]. Die Kolmarer Handschrift nennt diese Zwischenteile *steyg* (s. Gennrich ZfdA. 80, 37 f.). Ich möchte annehmen, daß auch Zeile 7 der Hofweise als ein solcher Steg gemeint ist, der zu einem quasi-Melodieschluß überleitet. Aus der mehrfachen Wiederholung des g in Zeile 7 wird zunächst eine neue Modulation entwickelt, die mit dem typisch g-modalen Initium g—hc'd' einsetzt. Auch die Kadenz der Zeile 8 beginnt scheinbar g-modal; sie setzt auf c' ein und strebt zum g, eine Wendung, die so gut wie in jedem g-modalen Liede des Mittelalters bis Luther und Schütz als Kadenzfloskel vorkommt. Aber hier verharrt die Melodie nicht auf g, sondern strebt weiter zum e hinab, so daß die scheinbare g-modale Kadenz eine Umdeutung als c-modales Quartraummotiv c'—g erfährt, das seiner Ergänzung durch den Quintraum g—c bedarf. Durch das anschließende Initium c—efg der Zeile 9 wird die vorangegangene Kadenz in ihrer Zugehörigkeit zum C-Modus bestätigt; das Inne-

[21] S. meinen Beitrag ›Muster für die Edition mittelalterlicher Liedmelodien‹, Musikforschung 10 (1957) 212.

[22] Zum Rezitativ in Volkslied und Choral, Jb. f. Volksliedforschung 8 (1951) 106.

[23] S. den genannten Beitrag in Musikforschung 10, S. 213.

halten auf e erinnert an die gleiche Durchgangskadenz der Stollenmitte. Die Kadenz der Melodiegruppe III wiederum erinnert an die Stollenkadenz; sie führt über f nach c und besitzt so nicht die starke Abschlußkraft der später folgenden Liedkadenz. Diese Melodiegruppe erhält durch die Ausweitung zum G-Modus und durch die Rückkehr zum C-Modus eine bogenförmige Gestalt. Der runde, abgeschlossene Eindruck entsteht vor allem durch die quintversetzte Wiederholung der 8. Zeile durch die 9. Zeile, ein beliebtes Variations- und Modulationsmittel alter Liedmusik, das für die Hofweise schon Wustmann (S. 547) vor Gennrich feststellte. Entsprechend der musikalischen Formung ist auch der Text als geschlossener Komplex gebildet, der mit Zeile 9 einen vorläufigen Abschluß erhält; ein leichtes Enjambement zur nächsten Gruppe hinüber haben nur Strophe 22, 18 und 24, 18.

Melodiegruppe IV knüpft mit ihrem Initium an den vorangegangenen Vers und mit ihrer ausgedehnten Reperkussion des Tones g an den einleitenden Vers der gerade verklungenen Gruppe an. Daß diese dreizeilige Rezitation möglicherweise unecht ist, erwähnte ich bereits. Zeile 11 u. 12 des Meisterliedes wurden mit Textfehlern überliefert, die offensichtlich eine Abänderung des Notenbildes bewirkten (man vergleiche den kritischen Bericht S. 513 unter 7 u. 10). Die heute immer abgedruckte Notenfassung der Zeilen 11 u. 12 stellt eine Redaktion Wustmanns dar, die zwar viel Wahrscheinlichkeit, aber niemals absolute Richtigkeit beanspruchen kann. Eine andere Lesung der in Hs. t veränderten Kadenzen wäre durchaus möglich. ZfdA. 85 zitiert Gennrich nun diese beiden Zeilen auf S. 205 in der Wustmannschen Redaktion und in modaler Lesung und stellt fest: „Beim ersten Hören hält man beide für verschiedene Distinktionen; bei wiederholtem Hören merkt man eine gewisse Ähnlichkeit heraus: man empfindet eine Wiederholung“ (Ich bin allerdings gewiß, daß ein musikalischer Mensch auch beim ersten Hören schon die Ähnlichkeit beider Zeilen bemerkt). Gennrich erklärt das ihn eigentümlich anmutende Phänomen: „die Töne, die in I [= Z. 11] lang und schwer (betont) sind, werden in II [= Z. 12] kurz und leicht (unbetont) und umgekehrt . . . Die rhythmische Verschiebung ist keine unbekannte Erscheinung; die Art und Weise, wie sie hier . . . zum fein abgestimmten Gestaltungsmittel wird, ist schlechthin genial." Gennrichs Schlußfolgerung steht auf schwankendem Boden: erstens ist nicht sicher, ob die Wustmannsche Lesung, deren er sich bedient, überhaupt dem Original nahekommt und zweitens ist die rhythmische Lesung „lang und schwer" und „kurz und leicht" ebenfalls ungesichert; schließlich ist diese „fast amorphe Melodiestrecke", wie Mohr sie l. c. S. 40 bezeichnet, nicht gerade genial zu nennen. Gennrichs Überlegungen dienen dem Beweis, daß Roethes Beobachtung eines Sinneseinschnitts nach Zeile 11 auch für die Melodie zutrifft. Mohr versuchte l. c. 40 einen ähnlichen Nachweis. Er meint, „es kann auch sein, daß diese scheinbar stagnierende Melodiestrecke ... vom Text ... gegliedert und ausgelegt wird". Dies scheint mir ein wichtiger Gesichtspunkt zu sein, der auch aus entgegengesetzter Richtung eingenommen werden kann: die Melodieformung könnte dem Textinhalt eine bestimmte Ausdeutung geben. Ich wähle als Beispiel den von Mohr und auch mir unterlegten Text 23, 5 ff.:

> Wilt aber dû daz guot ze sêre minnen,
> dû maht verliesen sêle unt êre —
> dâ von volge mîner lêre,
> leg ûf die wâge ein rehtez lôt

v. Kraus setzt hinter *êre* einen Punkt, Maurer ein Semikolon; die Melodie verharrt auf der Confinalis g und zeigt an, daß der Gedankengang hier noch nicht zu unterbrechen ist. So wäre im Text ein Gedankenstrich angebracht. Aber ein gewichtigerer Beweis für die formale Geschlossenheit der Gruppe IV als die hier unsichere Melodieführung ist der metrische Bau, der durch die Textgestaltung des Meisterliedes gestützt wird (s. o.). Die Reime g' g' sind sicher als zusammengehöriges Paar aufzufassen, wenn dies, wie Gennrich l. c. 204 bemerkt, in anderen Bauformeln auch nicht immer der Fall zu sein braucht. Ein weiterer Beweis ist die inkonsequente Anwendung des syntaktischen Einschnitts nach Zeile 11. Er ist in nur sechs von vierzehn Strophen deutlich, während die Haupteinschnitte der musikalischen Form sonst sicher erkennbar in der Textgestaltung nachvollzogen werden.

Mit Zeile 13 wird der rezitierende Stil aufgegeben. Sie setzt wie Zeile 2/5 ein und schließt scheinbar auch wie diese. Hören wir jedoch den Schlußvers der Strophe, so stellt sich eine deutliche Relation zwischen beiden Kadenzen her: die Schlußtakte von Vers 13 sind eine unfertige c-Kadenz, es fehlt ihnen nur noch der beschließende Grundton. Das hat formale Gründe. Gerade diese Gruppe bildet ja den Vorhof zu der letzten textlich und melodisch gestrafften Aussage der Strophe: die Melodie setzt unvermittelt mit dem hohen c ein und rezitiert diesen Ton eindringlich, um sodann mit einer gerafften Reprise des Liedbeginns fortzufahren und sehr nachdrücklich mit dem mehrfach erklingenden Grundton c zu schließen. Walthers Strophen rekapitulieren hier den vorangegangenen Textgehalt in sentenzartiger Zusammenfassung und mit oft emphatischer Prägung (25, 14; 23, 24; 21, 24; 22, 1). Auch in Str. 1 des Meisterliedes ist diese Tendenz bemerkbar: die Schlußgruppe krönt die zuvor genannten Marien-Attribute mit dem Ausruf *Mary, du bist die crone herliche, die david trug biß in sin grab.* Die beiden melodischen Schlußzeilen gehören eng zusammen — die Durchgangskadenz auf e knüpft sie unüberhörbar aneinander. So scheint es mir dringend geboten, die Interpunktion am Ende von Zeile 14 dem Melodiegang anzupassen und nicht die beiden Schlußzeilen durch Punkt, Semikolon oder Ausrufungszeichen voneinander zu trennen. Denn auch inhaltlich gehören diese Verse eng zusammen. Der „wesentliche Sinneseinschnitt" vor der Schlußzeile, den Roethe ZfdA. 57, 130 erwähnt, ist allenfalls in Str. 23, 26 und 25, 26 gegeben. Die übrigen Schlußsätze hängen durchaus nicht selbständig in der Luft, wie es nach Roethes Bezeichnung scheinen mag.

Der ganze Habitus dieser vorwiegend syllabisch deklamierten Melodie zeigt, daß hier die Weise völlig hinter den Text, dessen Deklamation sie nur stilisiert und steigert, zurücktritt. In starkem Gegensatz zu diesem Melodiestil steht Walthers berühmte Palästinaweise. Jede Zeile der Hofweise ist folgerichtig in den Strophenplan eingefügt, wie wir sahen. Wenn Bützler jedoch meint, daß die Melodik der „grunddeutschen individualistischen Spruchlyrik" sich auszeichne durch „die Selbständigkeit der Zeilenmelodien, die sich nicht reibungslos zur Strophenmelodie zusammenschließen, sondern in ungestörtem Eigenleben sich voneinander durch Fermaten absondern" (l. c. S. 88 f.), so ist dies ein Irrtum, den schon Wustmann beging: „Jede Zeile dieser Kunst ist musikalisch ein in sich abgeschlossenes Glied" (S. 477), und den, nach H. Rosenberg[24], neuerdings auch Bert Nagel wiederholte: „Jede Zeile ist darum eine kleine Melodie für sich[25]". Dieser Irrtum entstand dadurch, daß man gleiche Melodiezeilen in ganz verschiedenen Singweisen beobachtete und von hier aus auf die prinzipielle Selbständigkeit der einzelnen Zeilen schloß. Daß aber diese Zeilentypen in verschiedenen Melodien ganz unterschiedliche melodische und auch tonale Funktionen haben können, wurde nicht bemerkt. So kann z. B. unsere auf e endende Mittelzeile 2/5, 8 u. 13 in phrygischen Melodien durchaus Abschlußcharakter haben; oder die Stollenschlußzeile kann in dorischen Melodien mit ihrer f—c-Kadenz als offener Schluß fungieren, der nach einer endgültigen Kadenzierung verlangt (man vergleiche Zeile 1/3 der Palästinaweise). Die Annahme selbständiger Melodiezeilen führt zwangsläufig zu Fehlinterpretationen, und die Germanistik muß dann mit Recht folgern, daß die musikalische Form „jene sprachlich-rhythmischen Feinheiten der Gliederung und des Baues der Strophen nicht beachtet oder sogar zerstört", ja, sie muß mit Maurer weiterhin zu dem Fehlschluß gelangen, daß diese Lieder, deren Diskrepanz von sprachlicher und musikalischer Form scheinbar offensichtlich ist, „nicht nur gesungen, sondern auch gesprochen gelebt haben, daß sie ... auch für den gesangfreien Vortrag bestimmt waren"[26]. Hier hat die Musikwissenschaft durch sorgfältige und differenzierte Analysen noch mancherlei Irrtümer zu beseitigen. Ihre wichtigste Aufgabe aber wäre vorerst, „eine musikalische Syntax für das mittelalterliche Lied zu ermitteln", wie W. Mohr (ZfdA. 85, 43) es treffend formuliert hat.

Die Frage nach der Echtheit der Hofweise läßt sich weitgehend positiv beantworten. Sie paßt in ihrer melodisch-formalen Anlage ausgezeichnet zu Walthers Spruchstrophen. Sie folgt der metrischen und reimlichen Gliederung genau, knüpft aber die enger zusammengehörenden Gruppen I und II und vor allem IV und V aneinander,

[24] Untersuchungen über die deutsche Liedweise im 15. Jahrhundert, Diss. Berlin 1931, S. 44.

[25] Der deutsche Meistersang, Heidelb. 1952, 81.

[26] Über das Verhältnis von rhythmischer Gliederung und Gedankenführung in den Strophen Heinrichs von Morungen, Festschr. Jost Trier 1954, 172. Vgl. auch H. Thomas' Bedenken in Wirk. Wort 7 (1957) 278.

ähnlich wie hier die Textaussage verknüpft und aufeinander bezogen bleibt. Es ist denkbar, daß die Kolmarer Lesart Abweichungen vom Urtext, vielleicht auch Modernisierungen enthält. Dies müßte ein gründlicher Vergleich mit dem Melodiestil der sonst in Hs. t aufbewahrten Lieder nachzuweisen versuchen. Aber es ist anzunehmen, daß die Abänderungen der Originalmelodie nur akzidenteller, nicht grundsätzlicher Art sind.

Bemerkungen zu meiner Melodieausgabe

Ms. t fol. 734 a/b, Faks. bei Bützler nach L. 40. P. Runge. Die Sangesweisen der Colmarer Hs., Lpz. 1896, bringt S. 162 f. eine Art diplomatischen, jedoch teilweise fehlerhaften Abdruck des Originals.

Ich unterlege der Melodie die Strophe 22, 33, da sie am meisten Auftakte enthält und klar gegliedert ist. Maurers Ausrufezeichen nach *lôt* (Z. 13) ist zu streichen und an das Ende der Strophe zu setzen, denn syntaktisch und musikalisch besteht eine Verbindung zwischen Gruppe IV und V (s. o. S. 508). Die nebenstehende Melodie enthält folgende Abweichungen von der Handschrift bzw. von den bisherigen Ausgaben, die hier gleich begründet seien (eine vollständige Sparte der von t überlieferten Melodie und ihrer kritischen bzw. unkritischen Abdrucke befindet sich im ›Archiv ungedruckter wissenschaftlicher Schriften‹ bei der Deutschen Bibliothek in Frankfurt/M. unter dem Titel: A. Aarburg, Überlieferung und Ausgaben der Hofweise Walthers von der Vogelweide, 1957):

1. t notiert hier 2 Einzelnoten f und d, die als Auftakt ganz ungewöhnlich sind. Ich möchte annehmen, daß hier ein Schreibfehler vorliegt, den ich durch Streichung des f korrigiere. Eine andere Korrektur wäre ebenfalls möglich: f d a c′, also unter Auslassung eines a. Wustmann änderte seine Vorlage ganz ähnlich, ließ jedoch nicht ein a fallen, sondern zog die Töne a und g (über *wê sîn*) zusammen. Diese Korrektur hat den Nachteil, daß der melodische Gipfelton auf eine Nebensilbe fällt.
2. Der Auftakt fehlt dem Text entsprechend bei Gennrich, Troubadours, Trouvères, Minne- u. Meistersang, Köln 1951, 53 (= Troub.).
3. In t besitzt diese Zeile zwei Silben mehr. Es sind also 2 Noten zu streichen. Ich nehme an, daß der Notator die Töne a und g einfügte, nachdem er die Melodie bis dahin richtig schrieb, da auch die Initialzeile der Gruppe IV (Z. 10) ähnlich angelegt ist (vgl. auch Zeile 12). Wustmann korrigierte, indem er diese Töne a-g strich; Bützler zog je

HOF- und WENDELWEISE

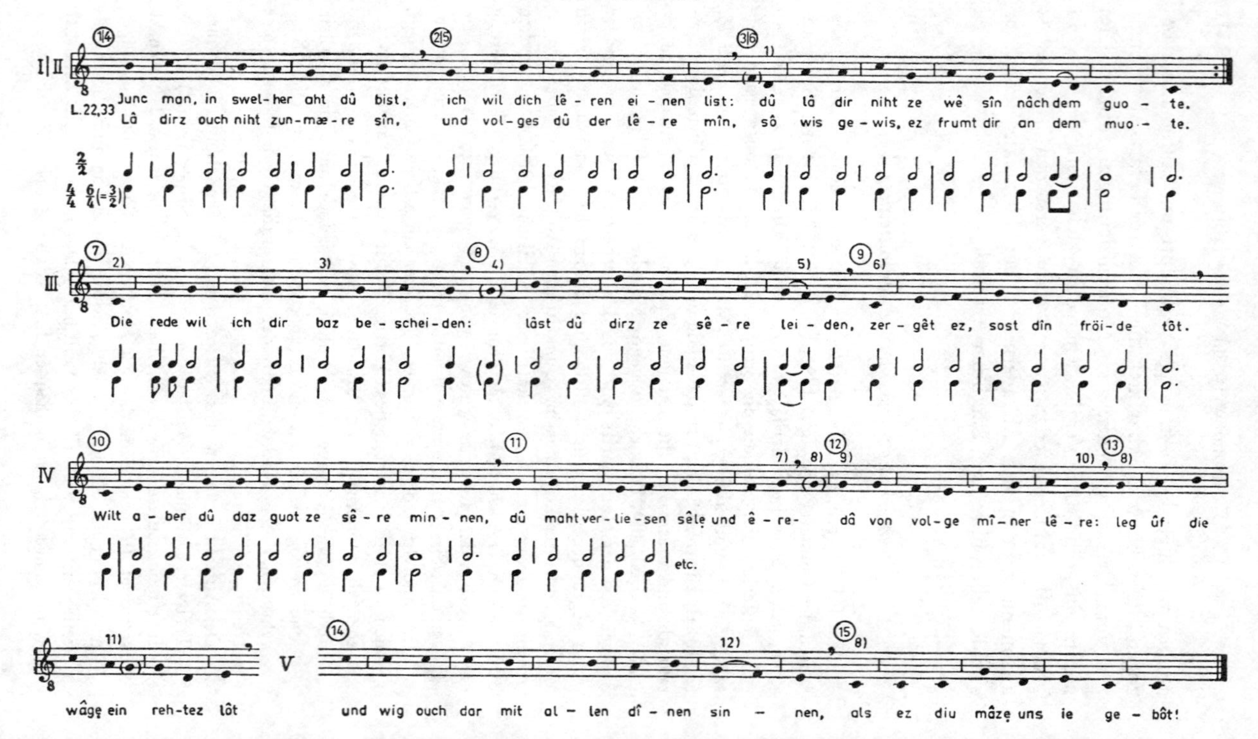

zwei Noten über der 6. und 7. Silbe zusammen; Gennrich, ZfdA. 79 (= Walther) S. 34, ließ die Töne g g ausfallen, Jede Emendation hat etwas für sich — Wustmanns und mein Vorschlag können sich jedoch auf die melodischen Entsprechungen zwischen Zeile 7 und 10 (und 12) stützen.

4. Der Auftakt fehlt bei Gennrich, Troub. 53.
5. Bei Gennrich (ZfdA. 79, 36) eine Sekunde zu hoch gedruckt; bei Gennrich, Troub., eine Sekunde zu tief gedruckt, dgl. die folgende Note.
6. Der Auftakt fehlt bei Gennrich, Troub. 53. Birkner gibt ihn durch einen Buchstaben an und zeigt S. V, wie er rhythmisch einzuordnen ist.
7. In t fehlt die Schlußsilbe, was Gennrich ZfdA. 79, 35 richtig nachwies, doch scheint die Melodie vollständig erhalten. Alle Autoren besserten die Stelle wie hier angegeben.
8. Birkner gibt den Auftakt durch einen Buchstaben an.
9. Wustmann u. Birkner lesen hier a, obwohl die Handschrift eindeutig g hat.
10. In t fehlt die Schlußsilbe, s. Gennrich S. 35. Alle Autoren besserten einheitlich. Bützlers Unterlegung des Walthertextes an dieser Stelle ist sinnlos. Er geht hier rein silbenzählend vor und berücksichtigt nicht die natürliche Betonung der Worte (S. 47).
11. Die Zeile hat eine Note zuviel. Gennrich liest irrtümlich das Wort *moyseß* dreisilbig und zieht für den Walthertext die Noten a-h zusammen. So verliert der Gipfelton c′ seine exponierte Stelle, wie Birkner S. V richtig bemerkt. Alle anderen Autoren wie auch Birkner fassen die Töne a g in t als Ligatur auf, was mir nicht einleuchtet. Es scheint mir vielmehr, als habe der Notator, der die Noten zuvor recht ungeschickt verteilte, in der Befürchtung, daß ihm eine Note fehle, dieses g zusätzlich eingeschoben. Ich halte eine Streichung für berechtigt.
12. Dem Text fehlt in t eine Silbe, während der Notenbestand sicher vollständig ist. Wustmann löste das Problem nicht glücklich und fand auch keine Nachfolger. Die Auflösung der Schlußternaria in t in eine Binaria und Simplex scheint mir dagegen richtig, denn so entsteht eine deutliche Beziehung zur Kadenz von Vers 8.

Deutsche Vierteljahresschrift für Literaturwissenschaft und Geistesgeschichte 32, 1958, S. 372—390.

WALTHERS ABSCHIED

Von Günther Jungbluth

Von den wundersamen Gebilden der Waltherschen Altersdichtung, in denen sich in einer im deutschen Mittelalter so nie wieder vernommenen Sprache die seelische Spannung und Bewegung des weltmüde Gewordenen erstaunlich unmittelbar und intensiv kundtun, stehen die fünf Strophen des sogenannten 'Alterstons' wegen schwankender Beurteilung ihres gegenseitigen Verhältnisses immer noch ein wenig im Schatten. Da die Inhaltsanalyse eine Kluft zwischen einigen von ihnen aufzureißen schien, die jedweden Gedanken an ihre liedhafte Einheit illusorisch vorkommen lassen mußte, hat die ältere Forschung den Ton entweder überhaupt nur als lose Folge unverbundener Einzelstrophen gedeutet oder doch höchstens kleinere, zwei- bis dreistrophige Zusammenhänge gelten lassen wollen. Demgegenüber glaubte C. von Kraus dartun zu können, daß auch die fünf Strophen des 'Alterstons' in Wirklichkeit ein zusammenhängendes, unteilbares Lied bilden, von einem einheitlichen Gedanken durchzogen [1]. Seine Darlegungen sind indessen nicht unwidersprochen geblieben. So hat sich H. Brinkmann wiederum entschieden für eine Aufteilung in zwei Lieder eingesetzt [2],

[1] Über Walthers Lied *Ir reinen wîp, ir werden man* (66, 21—68, 7). Germanistische Forschungen. Festschrift anläßlich des 60semestrigen Stiftungsfestes des Wiener Akademischen Germanistenvereins. Wien 1925, S. 105 ff. — Dort auch Hinweise auf die ältere Forschung.

[2] Studien zu Walther von der Vogelweide, PBB 63, 1939, S. 346 ff. (S. 374 f.). — Ferner: H. Brinkmann, Liebeslyrik der deutschen Frühe, Düsseldorf 1952. Der 'Alterston' ist hier in zwei zeitlich getrennte Lieder zerlegt: Nr. 65 'Rückblick' (66, 21 + 66, 33) und Nr. 68 'Der Lohn der Welt' (67, 8 + 67, 32 + 67, 20).

und Paul/Leitzmann[3] sowie H. Böhm[4] lassen zumindest durchblicken, daß sie v. Kraus nur zögernd Gefolge leisten. Allein F. Maurer stimmt ihm ausdrücklich zu[5]. L. Kerstiens hingegen, der sich zuletzt mit der Frage auseinandergesetzt hat[6], hält zwar an der liedhaften Einheit fest, strebt sie jedoch durch eine zwischen Brinkmann und v. Kraus vermittelnde Auslegung zu sichern.

Wir betrachten zunächst die neueste Ansicht und ihre unmittelbaren Voraussetzungen. Was einem Begreifen der Strophen als liedhafter Einheit entgegenzustehen scheint, hat Brinkmann noch einmal kategorisch zum Ausdruck gebracht: „Walther kann nicht in einem Atem in Liedern irdischer Minne die Tat ethischer Bewährung sehen (wie in den Strophen 66, 21 und 66, 33) und irdische Minne überhaupt verwerfen (wie in 67, 20)“[7], und ich neige mit ihm und Kerstiens der Auffassung zu, daß die hier spürbare Widersprüchlichkeit durch v. Kraus' Interpretation bloß „übersprungen“[8], jedoch nicht behoben worden ist. Zieht aber Brinkmann nun aus seiner Feststellung die oben erwähnte radikale Folgerung, die ihn auf einen Standort hinter v. Kraus zurückführt, so sucht Kerstiens demgegenüber dem Problem mit dem Vorschlag zu einer neuen Auslegung der Strophe 66, 21 und insbesondere der Verse 25—32 beizukommen. Er meint, 66, 31 *mîn minnesanc* sei nicht als Bezeichnung für Walthers bisherige weltliche Minnedichtung aufzufassen, sondern gehe bereits auf seinen neuen Minnesang von der wahren Minne, den er jetzt anzustimmen gedenke. Dieser neue Minnesang

[3] Altdeutsche Textbibliothek Nr. 1 (1953[8]); vgl. die Anm. zu 67, 8.

[4] Die Gedichte Walthers von der Vogelweide. Urtext mit Prosaübertragung. Berlin 1944, S. 264 ff.; im Druckbild sind 67, 8, 67, 32 und 67, 20 von den beiden anderen Strophen distanziert. Vgl. auch H. Böhm: Walther von der Vogelweide, Stuttgart 1949, S. 141 ff.

[5] Die politischen Lieder Walthers von der Vogelweide, Tübingen 1954, S. 7. Demgemäß schließt sich Maurer auch in seinem Abdruck des Liedes, Altdeutsche Textbibliothek Nr. 43, 1955, S. 22 ff. an v. Kraus an, unter gelegentlicher Veränderung der Zeichensetzung.

[6] Walthers Lied von der wahren Minne. Wirkendes Wort 5, 1954/55, S. 129 ff.

[7] a. a. O. S. 375 (Klammerzusätze von mir).

[8] Kerstiens a. a. O. S. 130.

solle der 66, 21 angesprochenen höfischen Gesellschaft, deren Streben noch im Irdischen verstrickt sei wie früher auch sein eigenes, dienen, damit auch sie aus der Verwirrung herausfinde. Mit diesem Vorschlag wäre in der Tat Brinkmanns Einwand die Spitze abgebrochen: von einer „unüberbrückbaren Kluft“ [9] zwischen 66, 21 + 66, 33 und 67, 20, von einem jähen Wechsel der Wertung [10] könnte nicht mehr die Rede sein — die Einheit des Gedichtes wäre „bruchlos“ [11]. Jedoch ist Kerstiens' Deutung zweifellos unhaltbar; der Wortlaut gibt in keiner Weise her, was Kerstiens aus ihm herauszulesen sich erkühnt [12], und der Annahme, Walther könne mit *mîn minnesanc* etwas anderes meinen als seine weltlichen Lieder, widerstreiten sowohl der generelle Sinn des Begriffs als auch der Zusammenhang, in dem er hier verwendet ist [13].

Es könnte somit scheinen, als ob uns Kerstiens' wohlmeinender Versuch einer Rettung der liedhaften Einheit just durch sein Scheitern noch einmal ausdrücklich bestätige, daß der 'Bruch' tatsächlich unüberwindlich sei. Dennoch wird man sich angesichts unzweifelhafter, wenn gleich zunächst eher erfühlbarer als beweisbarer innerer Beziehungen zwischen den Strophen auch jetzt noch gegen einen solchen Schluß verwahren wollen. Bereits vor der Lektüre von Kerstiens' Studie hat mir eine bestimmte andere Lösung des Problems vorgeschwebt, und trotz ihrer erheblichen Irrtümer [14]

[9] Brinkmann a. a. O. S. 374.

[10] Vgl. Böhm 1949, S. 142.

[11] Kerstiens a. a. O. S. 132.

[12] Wie willkürlich er damit umspringt, zeigt seine Paraphrase von 66, 30 *nu enwirt mirs niht, ez wirt iu gar* „Jetzt aber bin ich nicht mehr darin (d. h. in irdischer Freude) verstrickt, nur ihr noch seid darin verfangen“ (S. 132)!

[13] Wenn es v. 27 f. heißt: *wol vierzec jâr hab ich gesungen oder mê/ von minnen und als iemen sol*, kann v. 31 natürlicherweise nur auf eben diesen hier erwähnten Minnesang bezogen werden, und es ist durchaus unzulässig, wenn Kerstiens S. 132 in seiner Paraphrase von 27 f. diese Beziehung dadurch zu verdunkeln trachtet, daß er *von minnen* ganz einfach unterschlägt.

[14] die durch die obigen Ausstellungen noch nicht erschöpft sind; so ist z. B. 66, 33 mißverstanden: Walther führt in dieser Strophe keineswegs

bietet doch auch diese Studie zumindest in ihrer Grundkonzeption einen wichtigen Ansatz in einer neuen Richtung. In einem Punkt nämlich hat Kerstiens, wie ich glaube, schärfer gesehen als die bisherige Forschung: er hat erkannt, daß die Strophe 66, 21 bereits die „innere Umkehr"[15] Walthers voraussetzt. Mit Recht weist er auf das Seltsame hin, „wenn Walther nun höhere Ehre fordern würde, weil er den Sang aufgibt, durch den er sich die Ehre verdient hat"[16], und macht im gleichen Zusammenhang darauf aufmerksam, daß in der Strophe ja gleich eingangs ein „jetzt" und ein „früher" gegenübergestellt sind[17]; beides kombiniert läßt aber den sinnreichen Gedanken vermuten, daß Walther die höhere Ehre jetzt nach der Umkehr für sich beansprucht. Es ist bedauerlich, daß sich Kerstiens im Hinblick auf seine Folgerungen dann nicht aus dem Bann der Anschauungen v. Kraus' zu lösen vermocht hat; un-

Klage darüber, daß die Gesellschaft ihn nicht verstehe, wie Kerstiens S. 131 unter in diesem Zusammenhang nicht gerechtfertigter Berufung auf Brinkmann ausführt.

[15] a. a. O. S. 131.

[16] a. a. O. S. 131. Wenn v. Kraus a. a. O. S. 112 meint: „dafür, daß der Dichter für seine Lieder keinen Minnelohn mehr erhält, sondern alles der Gesellschaft zuteil wird, sollen sie ihm als Ersatz ihre Huld noch reichlicher spenden, weil sie ihm noch mehr zu Dank verpflichtet sind als zuvor", so ist darin weder rechte Raison (die Kunst des Minnesangs dient ja doch immer allein und ausschließlich der Gesellschaft!) noch wird diese Auslegung dem Wortlaut gerecht: von früherem 'Minnelohn' steht hier nichts.

[17] Weshalb Kerstiens S. 131 Anm. 2 an der Stelle 66, 24 mit BCw *nu vollclîcher* (*Noch volleclichen* A und Brinkmann, *noch volleclîcher* v. Kraus) zu lesen erwägt, womit sicher das Richtige getroffen ist; wenn v. Kraus a. a. O. S. 112 *noch* A für „ausdrucksvoller" erklärt als *nu* BCw, gewährt er hier nichtsdestoweniger der *lectio facilior* Einlaß: eine Veränderung von *nu* zu *noch* erscheint im Zusammenhang wesentlich eher begreiflich als der umgekehrte Vorgang! *volleclichen* A statt *volleclîcher* wird hingegen einer der gerade für diese Hs. so typischen Schreibfehler sein. — Mit der Anerkennung der Lesart von BCw wird im übrigen v. Kraus' Schluß auf eine Beziehung zwischen w und BC hinfällig, denn 67, 18 *swaz* A *daz* BCw ist hierfür kaum beweisend, und *daz* könnte sehr wohl richtig sein.

heilvoll hat sich hier vor allem dessen Annahme ausgewirkt, Walther unterscheide in diesem Liede zwischen seinem bisherigen weltlichen Sang und einem neuen, dem er „die Richtung auf die himmlische Liebe gibt“[18]. Wo aber ist in diesen Strophen von einem neuen Sang, einem Sang der wahren Minne die Rede? Mich dünkt, Walther tue im 'Alterston' einen ganz anderen Entschluß kund als den, dem weltlichen Minnesang zugunsten eines geistlichen zu entsagen. Das kann indessen erst deutlich werden, wenn die philologischen Fragen, zumal das ausschlaggebende Problem der Strophenfolge, noch einmal durchgesprochen worden sind.

Die unterschiedliche Reihung der Strophen in der Einzelüberlieferung mag aus folgendem Schema erhellen:

A	BC	w^x [19]	v. Kraus
67, 20	66, 21	66, 21	66, 21
67, 32	66, 33	66, 33	66, 33
66, 21	67, 8	67, 20	67, 8
66, 33	67, 20	67, 32	67, 32
67, 8	67, 32	67, 8	67, 20

Aus diesem Schema geht zunächst hervor, daß in der gesamten, außer B und C miteinander nicht näher verwandten Überlieferung die Folge 67, 20—67, 32 gilt; sie darf also keinesfalls mit v. Kraus umgekehrt werden[20]. Ferner ergibt sich, daß für die übrigen Strophen mit der Reihenfolge 66, 21—66, 33—67, 8 gerechnet werden muß; dem gemeinsamen Zeugnis von A und BC gegenüber kann w^x nicht ins Gewicht fallen, zumal auch hier jene Reihenfolge im Grunde gewahrt zu sein scheint — nur ist sie durch Einschub der Gruppe 67, 20 + 67, 32 unterbrochen worden[21]. Diese Gruppe stellt aber nun überhaupt in unserem Zusammenhang das entscheidende Problem dar: in A bildet sie den Eingang, in BC den Ausgang der

[18] v. Kraus a. a. O. S. 111.

[19] In v. Kraus' Angaben über die Strophenfolge in w^x hat sich a. a. O. S. 107 ein Fehler eingeschlichen, der ›Untersuchungen‹ (1935) S. 279 Anm. 2 berichtigt ist.

[20] Auch Kerstiens tritt a. a. O. S. 133 für die hs.liche Folge ein.

[21] Somit dürfte sich die Überlieferung jedenfalls deutlich einer solchen Zweiteilung widersetzen, wie sie Brinkmann vorgenommen hat, vgl. oben Anm. 2. 67, 8 darf nicht aus dem Zusammenhang mit 66, 21 und 66, 33

Strophenreihe, während sie, wie eben bemerkt, in w^x zwischen 66, 33 und 67, 8 getreten ist. Wo hat sie ursprünglich ihren Platz gehabt? Daß diese Frage angesichts des vorliegenden Befundes nicht mit Hilfe äußerer Argumente entschieden werden kann, dürfte auf der Hand liegen; hier müssen innere Gründe den Ausschlag geben.

Da nach den vorstehenden Erörterungen die Stellung der Gruppe in w^x durchaus willkürlich zu sein scheint[22], spitzt sich die Frage dahin zu, ob A oder BC die richtige, alte Ordnung bewahren, und seit v. Kraus — der allerdings grundsätzlich zu diesem Problem nicht Stellung genommen und seine Entscheidung für BC allein durch eine praktische Beweisführung zu erhärten versucht hat — gilt als feststehend, daß die Reihung von A keinen Glauben verdient[23]. Man geht wohl kaum fehl in der Annahme, daß die Anordnung von BC nicht zuletzt auch darum vorgezogen worden ist, weil v. 66, 21 *Ir reinen wîp, ir werden man* ganz vortrefflich den Vorstellungen zu entsprechen schien, die man sich von einem passenden Liedeingang zu machen gewöhnt ist; überdies würde die einleitende Anrede an die höfische Gesellschaft eine Anknüpfung an Walthers Preislied vergönnen, das im gleichen Kreise vorgetragen worden sein mag. Aber könnte nicht andererseits auch der Wunsch v. 67, 20 *Mîn sêle müeze wol gevarn!*, der in A an der Spitze steht, als überaus sinnreiche und ansprechende Eröffnung eines Liedes angesehen werden, das nach allgemeiner Ansicht den Dichter um ein

gelöst und den beiden anderen Strophen beigesellt werden! Recht betrachtet schließt indessen gerade diese Feststellung eine kräftige Aufforderung ein, die l i e d h a f t e Einheit des Tons in Betracht zu ziehen.

[22] Wobei man erwägen könnte, ob einem Schreiber eine nähere Verbindung zwischen 67, 20 *Mîn sêle müeze wol gevarn* und dem Gedanken 67, 6 f. vorgeschwebt hat.

[23] So sieht auch Kerstiens — trotz seiner Kritik an v. Kraus — a. a. O. S. 131 Anm. 2 die Reihung in A als „willkürlich" an und vertritt darüber hinaus — teils mit Stütze in einer Bemerkung Brinkmanns zu 67, 6 *hovelicher* A — die Annahme, A habe die Strophen 66, 21 und 66, 33 „von den anderen gelöst verstanden"; weder er noch Brinkmann tragen hier indessen den allgemeinen Verhältnissen in A hinreichend Rechnung, vgl. oben Anm. 17.

„eschatologisch richtiges Handeln“ [24] bemüht zeigt? Welches Kriterium ist ausschlaggebend und welche ‘inneren’ Kriterien besitzen wir überhaupt, um in derartigen Zweifelsfällen zu einer verläßlichen Entscheidung zu gelangen? Von der Frage nach dem passenden Eingang — ebensowenig wie von derjenigen nach dem passenden Ausgang [25] — her läßt sich das vorliegende Problem kaum lösen. Es besteht indessen um so mehr Veranlassung, die Brauchbarkeit der Anordnung in A durchzuprüfen, als v. Kraus’ Deutung — die mit einer praktischen Beweisführung für BC identisch ist — ja doch eben als nicht geglückt bezeichnet werden muß [26]. Für einen solchen Versuch mit A spricht aber nun auch ferner noch die obige Erkenntnis, wonach bereits die Strophe 66, 21 Walthers „innere Umkehr“ zur Voraussetzung hat — sollte das nicht zu bedeuten haben, daß 66, 21 schon andere Strophen vorausgegangen sind, die uns diese Voraussetzung selbst ins Licht rücken? Wirklich erweisen lassen könnte sich das Vorrecht von A freilich nur auf dem gleichen Wege, auf dem v. Kraus den Beweis für die Richtigkeit und Liedhaftigkeit der Strophenfolge von BC erbringen zu können glaubte: nämlich durch eine Darlegung des Gedankengangs, aus der dann die sinn-

[24] Kerstiens a. a. O. S. 131.

[25] Wobei v. Kraus sich sogar, auch um eine passende „Schlußpointe“ zu gewinnen, über die Strophenfolge von BC hinwegsetzt, vgl. a. a. O. S. 111 und dort Anm. 3. Ich würde nicht einmal ohne weiteres zu behaupten wagen, daß der Schluß von A, v. 67, 17 ff., so vortrefflich er als das letzte Wort des Dichters in diesem Zusammenhang geeignet erscheint, unbedingt den Vorzug vor v. 68, 4 ff. verdiene, worin Kerstiens a. a. O. S. 133 mit BC den Abschluß erblickt. Man darf sich in dieser Hinsicht gewiß nicht von bestimmten apriorischen Vorstellungen — Walthers oft beobachtete Neigung zu „Schlußpointen“ — leiten lassen; die Wirklichkeit ist reicher und mannigfaltiger, und es dürfte im übrigen keineswegs immer einfach sein, überzeugend darüber zu befinden, was nun als passende „Schlußpointe“ gelten kann und was nicht.

[26] Wobei auch schwer ins Gewicht fällt, daß v. Kraus sich veranlaßt sieht, eine bloße Konjektur — 67, 4: *diu wernde wirde* — zum „Angelpunkt seiner Deutung“ (Kerstiens a. a. O. S. 129) zu machen; eine ‘liedhafte Einheit’, die auf so fragwürdiger Grundlage ruht, kann nicht sonderlich stabil vorkommen. Vgl. zu dieser Konjektur unten Anm. 35.

volle Folge der hier vorliegenden Ordnung erhellen müßte[27]. Dies wird daher unser nächster Schritt sein.

Die somit an die erste Stelle gerückte Strophe 67, 20 wird durch den nachdrücklichen Wunsch des Dichters für das Heil seiner Seele eröffnet[28], und die folgenden Verse stellen das Problem vor Augen. Viele, *man unde wîp,* hat er durch seinen Preis von *des lîbes minne,* also durch seinen Minnesang, froh gemacht; hätte er dabei nur auch für sich selbst Vorsorge treffen können! Die Seele will von *des lîbes minne* nichts wissen, sie bezichtigt den Dichter der Torheit, weist ihn auf die *wâre minne* als das einzig Werthafte und Beständige hin und fordert ihn auf, jene unbeständige und unverläßliche Minne fahren zu lassen und sich der *stæten minne* zuzuwenden[29]. — An diese Auseinandersetzung knüpft die nunmehrige zweite Strophe unmittelbar an: nachsinnend bestätigt der Dichter auf Grund seines Erlebens die Wahrheit dessen, was die Seele ihm mahnend zuraunt, beklagt seinen Irrtum und zieht daraus die Lehre: das *schœne bilde,* das er sich erkoren hatte, hat sich als nicht beständig erwiesen — Schönheit und Sprache schwanden dahin, als ein ihm innewohnendes Wunderbares entschwebt war; und so wendet er sich denn an sein eigenes *bilde* und spricht den Wunsch aus, es möge ihn aus seinem Kerker so entlassen, daß beide — *bilde* und er — froh wieder zusammenfinden können, denn er muß ja abermals — am Jüngsten Tage — wieder hineinschlüpfen! (Diese Strophe hat der Deutung viel Kopfzerbrechen bereitet und scheint mir bis heute

[27] Gern würde man sich in diesem Zusammenhang auf eine ‘Unterstellung’ Maurers: Die politischen Lieder (s. o. Anm. 5) S. 10 berufen, wonach grundsätzlich außer in D gerade auch in der Strophenfolge von A ehestens Ursprüngliches bewahrt sein sollte. Die Berechtigung dieser Unterstellung ist indessen zweifelhaft, vgl. dazu zuletzt A. Kracher: Beiträge zur Waltherkritik, PBB (West) 78, 1956, S. 201 ff. (insbes. S. 203). Jedoch bedürfte das ganze Problem einer neuen umfassenden Untersuchung; die vorliegende Studie mag als eine kleine Vorarbeit dazu angesehen werden.

[28] Zu 67, 20 vgl. in der Totenklage um Reinmar 83, 13 *dîn sêle müeze wol gevarn.*

[29] Ich fasse also v. 67, 28—31 im Gegensatz zu der bisherigen Forschung als Zitat dessen auf, was die Seele sagt: die Verse wären somit in Anführungszeichen zu setzen.

nicht ganz befriedigend erklärt zu sein; ich glaube sie — in Anknüpfung an den Gedankengang der ersten Strophe 67, 20 — klar als Walthers Klage darüber verstehen zu dürfen, daß er bisher vergänglichen Werten, vergänglicher schöner Gestalt angehangen hat, und als Ausdruck seiner Besinnung auf das Ewige. Vom Erlebnis der Vergänglichkeit handeln 67, 32—68, 3: die Schönheit, die er gepriesen hat, war plötzlich nicht mehr, war unwiederbringlich dahin, und der Dichter sucht sich das Unfaßliche dieser Verwandlung, das Unbegreifliche der Vergänglichkeit tiefsinnig dadurch zu erläutern, indem er von einem Wunderbaren spricht, das dem *bilde,* der Hülle entschwebt — er weiß nicht wohin — und sie armselig zurückläßt. Über der Klage 67, 33 f. dürfen wir indessen nicht überhören, daß er das *schœne bilde*, dem er angehangen hat, nicht schlechterdings abwertet: solange jenes Wunderbare drinnen steckte, besaß das *bilde* wirkliche Schönheit, war kein bloßes Trugbild — aber die Schönheit, die es sein eigen nannte, war der Vergänglichkeit unterworfen, sie erwies sich nicht als beständiger Wert[30]. Darauf allein aber richtet der von dieser Erfahrung Ergriffene nun v. 68, 4—7 den Blick: so bittet er sein vergängliches

[30] Man sollte bei dieser Strophe nicht zu handfest zugreifen und bestimmte Gleichungen aufstellen, sondern das Schwebende des Ausdrucks (z. B. 67, 36 *wunder!*) stärker in Betracht ziehen. So mutet die Annahme, mit *ein schœnez bilde* sei „der *schœne lîp* der Geliebten" (v. Kraus a. a. O. S. 110, vgl. auch Kerstiens S. 133) gemeint, dem Dichter nicht bloß einen sehr ungalanten, sondern auch angesichts des Zusammenhangs ungereimten Gedanken zu: es wäre doch sehr sonderbar, wenn Walther die Jenseitshoffnungen, die er sich selber zubilligt, ausgerechnet der Geliebten nicht einräumen und hier bloß rettungslosen Verfall sehen sollte! Diese Ungereimtheit verschwindet, wenn man das *schœne bilde* nicht persönlich, sondern unbestimmt auf schöne irdische — und somit vergängliche — Erscheinung überhaupt bezieht. Dann aber kann natürlich auch *wunder* nicht gleich „Seele" sein; eine Gleichung, der im übrigen bereits Walthers Bemerkung 67, 36 *daz fuor ine weiz war* zuwiderläuft — so würde er sich wohl über den Verbleib der Seele nach dem Tode nicht geäußert haben. Man hat sich das Verständnis dieser Strophe versperrt, indem man das Gegensatzpaar *lîp* — *sêle* aus 67, 20 ff. ohne weiteres hierauf übertragen hat.

Teil — *mîn bilde* — ihn freizugeben für einen Dienst[31], der ihn über die Vergänglichkeit erhebt und Gewähr für ein unvergängliches Heil bietet.

Wir verweilen einen Augenblick. Der enge Zusammenhang der Gruppe 67, 20—67, 32 (in dieser Folge der Strophen!) scheint evident zu sein. Den Dichter hat die Angst um sein Seelenheil ergriffen. Die Seele weist den in höfischem Sang *des lîbes minne* Huldigenden auf die *wâre minne* als das Erstrebenswerte, da einzig Beständige hin, und in tiefsinniger Gleichnisrede verleiht er nun selbst der schmerzlichen Erfahrung von der Vergänglichkeit des Wertes Ausdruck, in dessen Dienst er sich gestellt hatte, und kündigt eine 'Umkehr' an, wonach sein künftiges Tun allein noch durch den Gedanken an die letzten Dinge bestimmt sein wird. Aber damit ist der Gedankengang natürlich nicht abgeschlossen. Wir erwarten eine Erklärung darüber, *was* Walther fürder zu tun gedenkt. Er leistet sie, indem er sich unmittelbar an jene wendet, zu deren Freude er durch vierzigjährigen Minnesang — Sang von *des lîbes minne* — unverdrossen und wie es sich gehört beigetragen hat.

So hebt die dritte Strophe 66, 21 mit einer respektvollen und preisenden Anrede an die höfische Gesellschaft an und richtet dann sofort — wie allein durch das vorher Gesagte recht motiviert — an sie die Forderung, dem Dichter j e t z t *êr unde minneclîchen gruoz* in höherem Maße zu gewähren als zuvor, und die weitere Begründung — 'ich werde euch sagen, warum ihr mir dies mehr als früher schuldig seid' — macht nicht an der Strophengrenze halt, sondern schließt auch 66, 33 ein[32]. Zunächst tut Walther seine Absicht kund, nach vierzigjährigem Minnesang für sich persönlich solcher Sanges-

[31] v. Kraus ergänzt in seiner Paraphrase a. a. O. S. 110 ein „e i n s t": „so gib mich einst so frei"; ich möchte indessen — im Sinne des Obigen — glauben, daß Walther an den j e t z i g e n Augenblick denkt.

[32] In diesem Zusammenhang ist der wohlweisliche Aufbau des 'Alterstons' und die hier waltende Fiktion zu beachten. Die Strophen 67, 20 und 67, 32 tragen scheinbar ganz privaten Charakter, geben sich als Monologe, in denen dem Dichter im Zeichen des Seelenheils ein bestimmter Entschluß reift. Mit 66, 21 aber begibt er sich dem inneren Vorgang des Tons nach an die Öffentlichkeit, tritt vor die — bisher als nicht eingeweiht gedachte — Gesellschaft, um ihr den gefaßten Entschluß mitzuteilen — was zunächst

freude zu entsagen; „jetzt habe ich nichts mehr davon, es fällt euch ganz zu"[33]. Er bestellt die Gesellschaft zur Hüterin seines Werks und erhofft sich als sein Teil nichts weiter mehr als ihre *hulde*. Was er selber indessen fortan zu tun gedenkt, muß allem Vermuten nach im ersten Vers der nächsten Strophe 66, 33 ausgesprochen sein; darauf werde ich gleich zurückkommen. Dies sein künftiges Tun aber wird im Zeichen desselben strebenden Bemühens stehen wie sein bisheriges, wird nichts anderes sein als die Fortsetzung jenes *werben umbe werdekeit*, dessen er sich von früh an befleißigt hat und wodurch er sich, obgleich niedriggeboren, Aufnahme in den Kreis der *werden* zu verschaffen vermochte — einen nach seinem Maßstab sehr hohen Platz. Ärgern sich die Niedriggeborenen darüber, so kann ihn das nicht herabsetzen: die *werden* schätzen ihn nur um so höher[34]. Denn die echte, die wahre *wirde* ist es, der das höchste Lob gebührt[35]. Die beiden letzten Verse der Strophe,

eine Wiederholung der 67, 20 und 67, 32 entwickelten Gründe zu erfordern scheint. In Wirklichkeit setzt Walther jedoch das bereits Gesagte voraus (die Gesellschaft hat es ja mit angehört!), enthüllt jetzt den Entschluß und rückt ihn in den ganzen Zusammenhang seines Lebens. Die Verzahnung der Gruppe 67, 20 + 67, 32 mit 66, 21 wird hier noch einmal sehr deutlich.

[33] So nach Wilmanns-Michels[4], 1924, S. 259; ähnlich Böhm 1944, S. 264.

[34] Als die Beweggründe für die Unzufriedenheit der *nideren* dürfen wir wohl ehestens Mißgunst und Neid voraussetzen, doch läßt sich darüber nichts Sicheres ausmachen. Die bestimmte Form der Äußerung 67, 2 *daz müet di nideren* führt jedoch auf die Annahme hin, daß sie auf wirkliche Verhältnisse — Anfeindungen — zielt.

[35] Mir scheint, Wackernagels geistreicher Besserungsvorschlag zu 67, 4 *diu wernde wirde* (*Dú werde wirde* BC *Der werden wirde* A) lasse sich nicht aufrechterhalten. Einmal vermag ich schwerlich zu glauben, daß Walther in einen Zusammenhang, der durch das teils mehrfache Auftreten der Wörter *werdekeit, die werden, wirde* geprägt ist, eine Form wie *wernde* eingeführt und dadurch ein Mißverständnis geradezu mutwillig heraufbeschworen haben sollte. Dann aber ist mir vor allem auch zweifelhaft, ob der Begriff *diu wernde wirde* wirklich den Sinn des Abschnitts befriedigt. Sehr fein bemerkt H. de Boor (Gesch. d. dt. Lit. 1955[2], S. 309): „Das Wertbewußtsein des inneren Adels aus dem Streben zu höfisch-edlem Menschentum ist selten mit schönerer Würde ausgesprochen worden" — in der

67, 6 f. *ezn wart nie lobelîcher leben, / swer sô dem ende rehte tuot* aber spielen wieder unmittelbar darauf an, was er jetzt zu tun beabsichtigt: ein Tun, das einem preiswürdigen, strebendem Bemühen gewidmeten Leben die Krone aufsetzt durch einen Akt, der auch das Ende vollkommen macht.

Die entscheidende Frage lautet nun: worin wird Walthers künftiges Tun — das gerade dem Ende Rechnung tragen soll — bestehen?, und die Antwort muß, wie bemerkt, in dem Vers stecken, der die Strophe 66, 33 eröffnet: *Lât mich an eime stabe gân*[36]. Um ihn hat sich eine rege Diskussion entsponnen, aus der bisher K. Bur-

Tat stellt ja Walther hier, gewiß nicht ganz unpolemisch, auf leidvolle Lebenserfahrung anspielend, den durch strebendes Bemühen erworbenen i n n e r e n Adel dem Geburtsadel als das Wertgleiche gegenüber, mehr noch: als das Wertvollere, indem er ihm das höchste Lob zuerkennt. In diese Gedankenverbindung aber paßt der Begriff *wernde wirde* nicht hinein, sehr wohl indessen würde ihr eine Lesung *diu w â r e wirde* gerecht, womit jener Adel bezeichnet wäre, der *mit unverzageter arebeit* (66, 35) errungen den Vorrang vor dem bloßen Geburtsadel beanspruchen darf. Ausgangspunkt für den Fehler in der Überlieferung wird eine Form *were* statt *ware* gewesen sein (vgl. in unserem Liede 67, 26 *wâren] weren* C!); im Rahmen der Strophe 66, 33 lag jedoch eine Änderung zu *werde* BC näher als die Herstellung des Richtigen, und A — worauf Brinkmann vertraut — hat den Fehler noch vergröbert. — Im Hinblick auf das zweimalige Vorkommen von *nider* (66, 37 und 67, 2) aber sollte man nicht auf das „geistreiche Spiel mit den Bedeutungen 'innerlich' und 'äußerlich'" (v. Kraus a. a. O. S. 113) bauen, geschweige denn mit A. Wallner (Zu Walther von der Vogelweide, PBB 33, 1908, S. 28) 67, 2 *nîdære* einsetzen. Gute Methode stellt vielmehr dar, in beiden Fällen mit der gleichen Bedeutung: „niedriggeboren" zu rechnen; daß — falls die hier Anm. 34 geäußerte Vermutung zutrifft — sozial Niedrigstehende scheel auf einen der Ihren zu sehen geneigt sind, der „vornehm" geworden ist, dürfte doch keineswegs ein ungewöhnliches Phänomen sein. Damit entfällt auch jeder Anlaß, die A-Lesart *biderben* (67, 3) ernstzunehmen, der Wallner a. a. O. und Brinkmann a. a. O. S. 375 f. sowie Liebeslyrik S. 352 den Vorzug geben.

[36] Der Interpret wird guttun, auch das Rhythmische des Verses zu berücksichtigen: die Hauptakzente ruhen auf *mich* und *stabe* und dienen sicherlich zugleich der Akzentuierung des Sinnes. Walther 91, 1 f. darf

dachs Auffassung siegreich hervorgegangen ist, dem *an eime stabe gân* als „der äußerst denkbare Grad der Erniedrigung“, „das Zeichen des supponierten höchsten Grades seiner (Walthers) Besitz- und Heimathlosigkeit“ erscheint und der eine Beziehung auf Walthers Greisenalter ausdrücklich abweist[37]; der Zusammenhang müßte demnach so verstanden werden, daß 66, 33 „ein fingierter Fall“ gesetzt wäre, „dem Walther die Tatsache *sô bin ich doch der werden ein* entgegenstellt“[38]. Es kann jedoch nicht zweifelhaft sein, daß bei dieser Auffassung — die allerdings den Bemühungen um den Nachweis einer liedhaften Einheit des ‘Alterstons’ noch vorausliegt[39] — die Strophe ganz isoliert dastünde; man würde jede vernünftige Erklärung dafür vermissen, warum die Gesellschaft dem Dichter jetzt mehr Ehre schulde als zuvor, und auch die letzten beiden Verse 67, 6 f. schwebten gedanklich in der Luft. Sonderbarerweise scheint indessen bislang nicht beachtet worden zu sein, daß der Stab zwar Symbol der Erniedrigung und Bettlerhaftigkeit, aber doch auch allgemeines, typisches Kennzeichen des Pilgers ist[40]. Kann man sich für die Annahme entscheiden —

somit schwerlich — wie zuletzt durch v. Kraus a. a. O. S. 108 Anm. 2 — zum Vergleich und zur Erhellung des Syntaktischen herangezogen werden; die rhythmische Gestaltung ist dort durchaus anders.

[37] Walther von der Vogelweide I, 1900, S. 275 ff.; ferner vgl. Wallner a. a. O. S. 29 ff. und v. Kraus a. a. O. S. 108 Anm. 2.

[38] So Michels bei Wilmanns-Michels a. a. O. S. 259. — Burdach übersetzt a. a. O. S. 276: „setzt einmal den (unmöglichen) Fall, daß ich aller Mittel beraubt zu Fuß einherziehen muß, wie der elendeste Bänkelsänger, so werde ich, vorausgesetzt, daß ich fortfahre nach werdekeit zu streben, wie niedrig an äußerem Rang ich dann auch sei, immer zu den Edlen gehören“.

[39] Weshalb es überraschen muß, daß v. Kraus sie ohne weiteres übernommen hat; die Erklärung hierfür ist jedoch, daß er dem von Wackernagel konjizierten Begriff *diu wernde wirde* eine so zentrale Bedeutung im Sinnzusammenhang beimaß.

[40] Vgl. DWb X, 2, 1, 336 f.: der Stab insbesondere „die typische Ausrüstung und das Kennzeichen des Pilgers, Wallfahrers“. — Unsere Waltherstelle ist hier Sp. 337 der Rubrik: Stab als Stab des Bettlers einverleibt und mit folgendem Kommentar versehen: „so vom armen fahrenden Spielmann“.

und ich glaube, wir dürfen es tun[41] —, daß Walther als das, wozu er sich nun entschlossen hat, der Gesellschaft eine Pilgerfahrt ankündigt, so wäre, wie mir scheint, die Klammer gefunden, welche die fünf Strophen des 'Alterstons' zusammenhält und ihre liedhafte Einheit wahrhaft begründet: in diesem Entschluß würde die Wendung weg von *des lîbes minne* zur *wâren minne* hin unmißverständlich zutage treten; man könnte verstehen, warum Walther jetzt auf mehr Ehre Anspruch erhebt als früher, und die Bemerkung 67, 6 f. schlösse sinnvoll an das vorher Gesagte an. Besonders gut begreifen ließe sich weiterhin, warum auf 66, 33 — und zwar mit dieser und der ihr vorausgehenden Strophe 66, 21 durch die Überlieferung, wie oben dargetan, untrennbar verbunden — nun gerade noch die Weltabsagestrophe 67, 8 folgt[42]: der um seines Seelenheils willen zur Pilgerfahrt Rüstende und sich somit der Welt Begebende beschließt seinen Sang sinnreich durch eine bittersüße Abrechnung mit eben dieser Welt[43] und mit dem Hinweis auf ihren bevorstehen-

[41] Hier fällt vor allem auch ins Gewicht, daß Wilmanns mit seiner syntaktischen Beurteilung der Stelle — wonach in 66, 33 die Angabe einer Tatsache und nicht bloß eine Unterstellung liege — im Recht gewesen sein wird (siehe Wilmanns-Michels S. 259 Anm. zu 66, 33). Burdach a. a. O. S. 276 hat denn auch weniger nachgewiesen, daß dies unmöglich sei als daß die andere Auffassung rein syntaktisch ebensowohl vertretbar erscheint. Zieht man freilich auch — vgl. oben Anm. 34 — das Rhythmische und den ganzen Zusammenhang in Betracht, erweist sich Burdachs Auslegung jedoch als unhaltbar: die Hervorhebung von *mich* kann nur die Bedeutung haben, daß hier mitgeteilt wird, was Walther für sein Teil jetzt faktisch zu tun gedenkt, und durch *stabe* muß der Inhalt dieses geplanten faktischen Tuns angezeigt sein; eine bloße 'Unterstellung' wäre im Gedankengefüge völlig sinnlos. Geirrt hat Wilmanns, indem er den Stab als „Stab des hilflosen Alters" deutete; das wäre im Rahmen des Ganzen nicht minder sinnlos. Die obige Auslegung indessen darf vielleicht beanspruchen, sowohl den Winken des Verses als auch dem Gedankengang gerecht zu werden.

[42] Mit *Welt* ist hier zweifellos — wie grundsätzlich auch im Alterslied 100, 24 — *Frô Welt* gemeint, nicht die 'Gesellschaft', wie verschiedentlich angenommen worden ist.

[43] Ich kann nicht umhin, in Walthers Worten in diesem Zusammenhang, zumal in v. 68, 11—16, Spuren eines weisen Humors, ja sogar eine Art

den *jâmertac* (67, 17) — den er im Hinblick auf sich selbst durch sein beabsichtigtes Tun nun in einen Freudentag zu verwandeln hofft[44].

Ich fasse den erschlossenen Gedankengang noch einmal kurz zusammen. Von ernstlichen Mahnungen der Seele beunruhigt und eigener Erfahrung eingedenk willens, ihnen Gehör zu leisten, tritt der Dichter vor sein höfisches Publikum, vor dem er vierzig Jahre lang vergänglich-irdischer Schönheit in seinem Sang gehuldigt hat, tut seine Absicht dar, fürder diesem Sang zu entsagen, vertraut sein Werk der Obhut der Gesellschaft an und kündigt an, was er nun zu tun sich entschlossen hat: nämlich sein lebenslanges strebendes Bemühen durch einen Akt zu krönen, der auf ein unvergängliches und himmlisches Ziel ausgerichtet sein wird — durch eine Pilgerfahrt. Diese Handlung soll ihm eine Gewähr dafür bieten, daß er für sein Teil der allgemeinen und rettungslosen Vernichtung der unbeständigen und unverläßlichen Welt entgehen und eine frohe Auferstehung erleben wird.

Mich dünkt, an der liedhaften Einheit der Strophen des 'Alterstons' lasse sich demnach nicht mehr rütteln, und prinzipiell hätte sich v. Kraus also auf der richtigen Fährte befunden. Was er — und Kerstiens — hingegen verkannt haben, ist, daß diese Einheit allein durch die Strophenfolge in A gewährleistet wird — schließt man sich der Reihung in BC an, „so wird die Ordnung der Gedanken ver-

zärtlicher Wärme zu verspüren. Gewiß sagt er der unbeständigen Welt ab — aber nicht ohne dankbares Erinnern. Das Verhältnis scheint demjenigen zu entsprechen, auf das ich oben in Verbindung mit der Analyse von 67, 32 aufmerksam machen zu dürfen glaubte. (Am gründlichsten hat wohl Wallner a. a. O. S. 29 diese Nuance mißverstanden, indem er 67, 16 *uns* für sinnlos erklärt und durch *unz* ersetzen will; v. Kraus a. a. O. S. 109 geht — bezeichnenderweise — gerade über diesen Vers ganz hinweg.)

[44] Die gedankliche Beziehung zwischen 67, 17 ff. und 68, 5 ff., also zwischen letzter und erster Strophe, ist evident und sicherlich wohlerwogen; aber auch sonst stehen die Strophen gedanklich einander nahe — das 67, 32 als persönliche Erfahrung Mitgeteilte wird 67, 8 in höherem Grade als allgemeines Verhältnis vor Augen gestellt (neben 'ich' tritt 67, 8 verschiedentlich 'wir').

wirrt“ [45], ein wirklicher, folgerichtiger Zusammenhang ist nicht ersichtlich, und das Band, durch das v. Kraus das Zusammenhanglose zu verknüpfen strebte, die Konjektur *diu wernde wirde*, ist weder — ihres unsicheren Charakters wegen — zu einer solchen Aufgabe berufen noch vermag sie — wollte man sie einmal als vertretbar und gelungen ansehen — eine solche Aufgabe zu leisten. Zwanglos stellen sich der Zusammenhang und die Einheit nur in A vor Augen.

Damit ist nun freilich auch der Weg zu einem wirklichen Gesamtverständnis, zu einem Verständnis Waltherschen Geistes in diesem Liede frei geworden. Ich habe diesem Aufsatz den Titel ‘Walthers Abschied’ gegeben und glaube dadurch Sinn und Funktion des vorliegenden Liedes zutreffend zum Ausdruck gebracht zu haben: diese Strophen stellen nichts anderes als des alternden Dichters Abschied von seinem Publikum, der höfischen Gesellschaft, stellen seinen Abschied vom höfischen Singen überhaupt dar. In großartiger, seiner großen Vergangenheit würdigen Offenheit enthüllt er, wie angesichts der Vergänglichkeit des Irdischen das Verlangen nach der unvergänglichen *wâren minne* in seiner Seele wach geworden ist, wie die Seele mit warnenden Worten in ihn dringt, ihr Heil nicht zu versäumen, und daß er ihren Mahnungen Folge zu leisten gedenkt. Bis hier stehen wir noch in Gedankengängen, die man als traditionell empfinden könnte, wenn gleich die Abwesenheit eines eigentlichen Ausdrucks für Sündenbewußtsein auffällig vorkommen mag. Besonders charakteristisch gerade für Walther ist indessen das Weitere. Zwar leiht er den Warnungen der Seele in bezug auf die *unstæte* der irdischen Minne willig Gehör, bekräftigt ihre Wahrheit aus eigener Erfahrung und sagt dieser Minne jetzt den Dienst auf, aber spezifisch waltherisch an dieser ‘Umkehr’ scheint gerade zu sein, daß er sein bisheriges Tun deswegen nicht schlechterdings abwertet, sondern Gewesenes und Künftiges auf einen gemeinsamen Nenner bringt: sein Minnesang, sein Singen von *des lîbes minne* im Dienst der Gesellschaft ist kein wahnhaftes Tun gewesen, auch dieser Dienst hat vielmehr bereits im Zeichen jenes Strebens nach ethischer Bewährung, nach wahrem, innerem Adel gestanden, das er sich jetzt durch einen neuen Dienst, die Hingabe an die *wâre*

[45] v. Kraus a. a. O. S. 111 (in anderer Verbindung).

minne, zu krönen anschickt. Er braucht sich des Vergangenen nicht zu schämen, dieses Lied bringt keinen Widerruf[46]! Er hatte sich ein *schœnez bilde* erwählt, das sich als unbeständig, als flüchtiger Wert erwies, und der *wâren minne* eingedenk kann er beklagen, daß er es je gesehen und je zu ihm gesprochen hat; aber dieser Irrtum tut dem strebenden Bemühen *umbe werdekeit* keinen Abbruch, das er daran gesetzt hatte und das auch das Leitmotiv für sein künftiges, nun dem Ende zugewandtes Handeln sein wird.

Man mißversteht Walther in diesem Liede, wenn man — wie Brinkmann es zu 67, 20 tut[47] — an Hartmanns Lied 218, 5 erinnert, das ich einmal an anderer Stelle als 'Rollenlied', als „Barbarossas Ausfahrtslied" zu erweisen mich bemüht habe[48]. Bei Hartmann liegt zweckbestimmte Kreuzzugspropaganda vor, der zuliebe der Minnesang gerade in seiner ethischen Bedeutung angefochten und statt dessen ethische Bewährung allein im Dienst der Gottesminne anerkannt und gefordert wird. Hartmanns Lied tut einen Dualismus dar, den Walther, keinen Zwecken verpflichtend und tieferschauend, gerade überbrückt — durch den Gedanken vom strebenden Bemühen. Zweifellos darf man hier jedoch eine andere Dichtung des deutschen Mittelalters zum Vergleich heranziehen: Wolframs Parzival. In den Schlußversen dieses Werks finden sich in konzentrierter Form eben die Gedanken ausgesprochen, die auch Walthers Lied im 'Alterston' das Gepräge geben und in denen uns seine Altersweisheit bewegend entgegentritt; ich denke an die Stelle 827[19] ff.:

swes leben sich sô verendet,
daz got niht wirt gepfendet
der sêle durch des lîbes schulde,
und der doch der werlde hulde
behalten kan mit werdekeit,
daz ist ein nützìu arbeit.

[46] Anders Böhm 1949, S. 144: „Mit weit mehr Recht als die Elegie wäre daher dieses Werk als Palinodie, als Widerruf zu bezeichnen, Widerruf eines Teils seines Lebenswerkes ..."

[47] a. a. O. S. 375. Es ist Brinkmann jedoch zuzugeben, daß die Strophe isoliert betrachtet diesen Vergleich nahelegen könnte.

[48] Das dritte Kreuzlied Hartmanns. Ein Baustein zu einem neuen Hartmannbild. Euphorion 49, 1955, S. 145 ff.

Ganz in diesem Sinne nimmt in unserem Liede der Minnesinger Walther ehrerbietig Sänger-Abschied von seinem Publikum, der höfisch-ritterlichen Gesellschaft, als deren würdiges Glied er sich auf Grund seines lebenslangen *werben umbe werdekeit* ansieht, mit der Bitte um die weitere *hulde* dieser Gesellschaft angesichts des Vermächtnisses, das er ihr anvertraut, seiner Lebensleistung als unverdrossener Sänger von *des lîbes minne*, die Ankündigung des Entschlusses verbindend, sein Leben durch ein für das Heil der Seele nützliches Tun nun auch preiswürdig zu beenden. Ja, er übertrumpft Wolfram anscheinend noch — und das wäre echter, selbstgewisser Walther! —, indem er gerade in diesem Augenblick von der Gesellschaft mehr Ehre fordert als zuvor[49].

Es bleibt übrig, noch ein paar Bemerkungen an obige Interpretation von v. 66, 33 zu knüpfen, wo Walther, wie ich glaube, die Absicht kund tut, sich auf eine Pilgerreise zu begeben. Man wird wohl in Anbetracht der Zeitumstände, zahlreicher Parallelfälle (Berühmte und Obskure betreffend) und von Winken bei Walther selbst (ich denke in dieser Verbindung zunächst an das Lied 13, 5—13, 32) getrost davon ausgehen können, daß als Ziel der geplanten Reise nur das Heilige Land in Frage kommt. Kann diese Voraussetzung anerkannt werden, so vermöchte sie uns allerdings vielleicht zu einer Entscheidung in jener vielbesprochenen und

[49] Im übrigen möchte ich es als sehr wahrscheinlich, ja nachgerade als sicher ansehen, daß Walther die Parzivalstelle gekannt und hier — wissentlich oder unwissentlich — verwertet hat. Mit Ausnahme von v. 827[20] bietet jede Zeile Parallelen zu Walthers Lied, und man wird sie um so weniger als zufällig ansehen können, als es sich dabei jeweils um die tragenden Begriffe handelt. Vielleicht fassen wir somit hier endlich einmal in Walthers Werk eine sichere Spur seiner Kenntnis Wolframs, indes uns bislang nur das Umgekehrte vor Augen getreten ist. Denn auch die Arbeiten T. A. Rompelmans (Walther und Wolfram, Neophilologus 27, 1942, S. 186 ff. und Zu Walther 79, 33, ebenda Bd. 34, 1950, S. 15 ff.) haben in dieser Hinsicht trotz scharfsinniger Bemühungen kaum wirklich Handgreifliches erbracht. Möglicherweise würde die Ernte reicher ausfallen, wenn man sich nicht immer darauf versteifte, nach 'Polemik' zu forschen. — Der Versuch H. Böhms 1949, S. 145 ff., Walther und Wolfram voneinander abzurücken, bedarf im Lichte obiger Darlegungen zumindest einer Modifizierung.

unterschiedlich beantworteten Frage zu verhelfen, vor die uns das sogenannte 'Palästinalied'[50] Walthers stellt: liegt hier bloß ein 'Rollenlied' vor oder haben wir es mit 'Erlebnisdichtung' zu tun? Wie wohl die allermeisten heute habe auch ich bisher die erstere Annahme für das wahrscheinlichere gehalten; die Prüfung des 'Alterstons' scheint indessen nun eine neuerliche Erwägung des Problems nahezulegen. Das Argument 'dagegen', also gegen die Auffassung des Liedes als 'Erlebnisdichtung', hat F. Maurer zuletzt in Kürze formuliert, indem er feststellt, Thema des Liedes sei „'Das heilige Land' in den großen Stationen des Lebens Jesu. Dieses Thema war gegeben, es ist ein 'Topos' mittelalterlicher abendländischer Dichtung"[51]. Zugleich aber weist Maurer mit feinem Empfinden darauf hin, wie Walther jenes Thema „in einer großartigen Weise 'subjektiviert' (hat), damit die früheren Behandlungen weit überbietend und den 'Topos' sich ganz persönlich aneignend"[52]. Das Problem als ein prinzipielles ist der Literaturgeschichte wohlvertraut, und wo es empirisch in Erscheinung tritt, stehen wir gemeinhin recht ratlos da. Nur allzu berechtigt muß eine Bemerkung von E. Lunding vorkommen, welche lautet: „Über ein sicheres Mittel, zwischen persönlicher Ausdruckskunst und rhetorisch-gekonnter Gestaltungskunst scharf zu unterscheiden, verfügen wir nicht"[53]. Wo aber innere Kriterien versagen, müssen wir in all den Fällen im Rätselraten steckenbleiben, in denen nicht äußere Indizien eine Klärung ermöglichen[54] oder kombinierendes Zusammendenken einzeln für sich betrachtet noch zweifelhafter Momente

[50] Dieser Titel nach Wilmanns und jetzt wieder F. Maurer: Zu den religiösen Liedern Walthers von der Vogelweide, Euphorion 49, 1955, S. 46; ich halte ihn gerade auch im Hinblick auf die von mir hier begründete Auffassung für sehr glücklich, denn dies Lied ist eben „gar kein Kreuzlied" (Maurer).

[51] Zu den religiösen Liedern S. 46. Vgl. auch v. Kraus, Untersuchungen S. 42, wo die „buchmäßig-gelehrte, also lateinische Herkunft" betont und als Beweisgrund 'dagegen' ins Feld geführt wird.

[52] a. a. O. S. 46.

[53] Wege zur Kunstinterpretation. Acta Jutlandica. Aarsskrift for Aarhus Universitet XXV, 3. Humanistisk Serie 38. 1953, S. 92.

[54] Wie das etwa im Falle des von Lunding glücklich herangezogenen

eine Wahrscheinlichkeit zu begründen vermag. Der letztere Weg scheint sich indessen in unserem Fall als gangbar zu erweisen. Wenn Walther eine Pilgerfahrt ankündigt, als deren Ziel mit Fug das Heilige Land angesehen werden darf, und wenn wir dann weiter bei ihm auf ein Lied stoßen, das ihn als im Heiligen Lande anwesend vorstellt, so wird man sich daraus doch wohl zusammenreimen dürfen, daß er die Reise wirklich angetreten und vollendet hat — daß wir es somit im 'Palästinalied' trotz allem mit „persönlicher Ausdruckskunst", mit Erlebnisdichtung zu tun haben. Maurers Feststellung, wonach Walther hier „ein bis in die Einzelheiten vorgegebenes Thema sich subjektiv angeeignet und zu einer ganz persönlich und individuell wirkenden Aussage gestaltet"[55] habe, kommt demnach eine ganz andere Bedeutung zu, als der Beobachter angenommen hat: nicht *wie* ein persönliches Erlebnis, sondern *als* sein persönliches Erlebnis trägt der Dichter sein Thema vor[56]. So besehen erfüllen sich aber gerade auch die

schwedischen Barockdichters Lars Wivallius statthaben kann, wo das Biographische erweist, daß die Rhetorik nichtsdestoweniger wirkliches Erleben ausdrückt.

[55] a. a. O. S. 46.

[56] Im Hinblick auf die bisherige Auffassung darf nun auch auf eine grundsätzliche Bemerkung von H. Naumann in seinem Aufsatz: Ein Meister las, Traum unde Spiegelglas, Euphorion Bd. 43, 1943, S. 223 verwiesen werden: „Seit wann überhaupt ist ein Topos erwiesenermaßen ein Beweis für die Unechtheit des Gefühls? Auch in Formeln können sich tiefste Erlebnisse kleiden." Ich fürchte in der Tat, wir wären gezwungen, in allergrößtem Umfang den Erlebnischarakter von Dichtung zu verneinen, falls die Feststellung von 'Topoi' für eine Entscheidung ausschlaggebend sein sollte — was bleibt vom Erlebnis in der Dichtung (auch in der neueren), wenn man die 'Topoi' abziehen wollte? Das bloße Vorkommen eines 'Topos' kann nie ein Argument 'dagegen' sein — erst recht nicht in der die normative Bedeutung der Tradition bejahenden mittelalterlichen Dichtung. — Als persönlich bestimmt wird man natürlich jetzt vor allem auch den Eingang der zweiten Strophe, 15, 6 f. *Schœniu lant rîch unde hêre, / swaz ich der noch hân gesehen* ... ansehen wollen, wie dies im Hinblick auf die sehr ähnliche Bekundung im 'Preislied', v. 56, 30, immer schon geschehen ist.

Eingangsworte des 'Palästinaliedes' vielleicht mit neuem Sinn[57]:

Allerêrst lebe ich mir werde

— sollte darin nicht eine Anspielung auf den Gedankengang des Abschiedsliedes stecken? Das *werben umbe werdekeit* hat nun wirklich seine Krönung erfahren, ja mehr noch: das überwältigende Bewußtsein, an geheiligter Stätte zu stehen, läßt Walther sein früheres Bemühen und seinen früheren Stolz nichtig erscheinen; jetzt erst lebt er sich, im Gefühl von *werdekeit*, „nach Gefallen"[58]. Als an diejenigen gerichtet, wie wir annehmen dürfen, denen die Strophen des 'Alterstons' noch im Ohr lagen, muß dieser Eingangsvers besonders fein und beziehungsreich gewählt vorkommen.

Wir spinnen den Faden noch ein wenig weiter. Stellt das 'Palästinalied' somit das letzte dichterische Wort Walthers dar oder hat der Heimkehrer aus dem Heiligen Lande noch einmal seine Stimme erhoben? Ich möchte die zweite Frage entschieden bejahen und meinen, ein Zeugnis für sein Dichten nach der Rückkehr aus Palästina liege in jenem allgemein als Altersdichtung anerkannten Liede 100, 24 vor. Soweit ich sehe, ist bisher nirgendwo der Versuch unternommen worden, die ersten Verse dieses Liedes auf den Sinn ihrer Aussage hin zu prüfen:

Frô Welt, ir sult dem wirte sagen
daz ich im gar vergolten habe:
mîn grôziu gülte ist abe geslagen;
daz er mich von dem brieve schabe.

Im Lichte des oben Ausgeführten erscheint es indessen sehr naheliegend anzunehmen, daß sie eben einen Hinweis auf die vollbrachte Pilgerfahrt enthalten. Mit welchem Recht wäre Walther sonst wohl dazu imstande, zu erklären, seine „große Rechnung", seine Sündenschuld, sei beglichen, obendrein ganz beglichen *(gar vergolten)*? Mich dünkt, die Gewißheit, die hier zum Ausdruck

[57] Der Text hier nach Lachmann-Kraus.

[58] Vgl. die Wiedergabe des Verses bei Wilmanns-Michels S. 95 „nach Gefallen und in frohem Bewußtsein dessen, was man kann und soll"; dabei ist indessen dem Anklang *(werde)* an Lied 66, 21 nicht Rechnung getragen.

gelangt, müsse sich auf einen positiven Akt, ein sündentilgendes Tun berufen können, wie es eine Pilgerfahrt ins Heilige Land nach zeitgenössischer Auffassung gerade darstellt.

Auch in anderer Weise noch ist das Lied 100, 24 in unserem Zusammenhang von Interesse. Ist der 'Alterston' richtig als Walthers Abschied gedeutet, so beläßt uns 100, 24 zwar nicht im Zweifel darüber, daß der getroffene Entschluß von seiner Seite aus endgültig gewesen ist — aber ob die Gesellschaft ihn — und damit den Verzicht auf ihren über alle Mitstrebenden hinaus begnadeten Freudebringer — als endgültig hat anerkennen wollen? Gewiß hält Walther hier Zwiesprache mit der wohlbekannten *Frô Welt*, dem Sinnbild irdischer Unbeständigkeit, Sündhaftigkeit und Vergänglichkeit, aber gelegentlich in diesem Liede scheint jene ihre Gestalt zu verschwimmen und dann die bestimmten Züge der Gesellschaft anzunehmen, die ihm im Ohr liegt, weiter bei ihr zu verweilen, und einen Zweifel daran laut werden läßt, ob er sie überhaupt zu entbehren vermag[59]. Zwar bleibt Walther diesen Überredungsversuchen gegenüber, im Sinne seiner Stellungnahme im Abschiedsliede[60], standhaft; aber es sieht doch unstreitig danach aus, als habe er besondere Ursache gehabt, seinen Standpunkt noch einmal ausdrücklich zu wiederholen. Mochte sich die Gesellschaft nach dem früheren Liede noch insgeheim der Hoffnung hingegeben haben,

[59] Das kommt insbesondere in der zweiten Strophe, 100, 33, zum Ausdruck, in der die Welt, um ihn zurückzulocken, die Befürchtung laut werden läßt, mit seiner Freude sei es vorbei, falls er sich wirklich von ihr lossage, und ihn daran erinnert, wie gut er es bei ihr gehabt habe. Nicht ohne weiteres ersichtlich ist, was v. 100, 36—101, 1 gemeint sein könnte. Ist Walthers Entschluß in dem Sinne ausgelegt worden, er sei mit dem Verhalten der Gesellschaft ihm gegenüber nicht zufrieden gewesen, und will man ihm nun versichern, man sei zur Erfüllung aller seiner Wünsche bereit?

[60] Auch hier ist nämlich zu beobachten, daß er trotz seiner Absage die in der Vergangenheit genossenen, von *Frô Welt* bescherten Freuden nicht schlechterdings abwertet; auch im Rahmen dieses Liedes ist im Hinblick auf die *Welt* ein Hauch jener zärtlichen Wärme verspürbar, die wir oben — vgl. die Anm. 43 — in den Aussagen der Strophe 67, 8 wahrnehmen zu können glaubten.

das Weltkind Walther werde nach der Heimkehr von der Fahrt für sein Seelenheil den Weg zu ihr zurückfinden, so wird ihr jetzt klargemacht, daß sie sich getäuscht hat — der Dichter wünscht der ihn umwerbenden *Frô Welt* eine gute Nacht und fügt unmißverständlich hinzu:

ich wil ze hereberge varn.

Unauflösbar miteinander verflochten erscheint in diesem Liede, was in Walthers eigener Seele vor sich geht und was als Lockung von außen an ihn herantritt; als Empfänger des Liedes hat indessen sicherlich der Kreis zu gelten, von dem er sich 66, 21 als Sänger von *des lîbes minne* verabschiedet hatte[61].

Trotz des vielsagenden Schlusses — auch 100, 24 ist wohl noch nicht das letzte Lied Walthers gewesen; jedoch wird es das letzte Mal gewesen sein, daß er direkt zu seinem eigentlichen Publikum gesprochen hat. Denn die 'Elegie', die nach allgemeiner Ansicht den Abschluß von Walthers Dichten überhaupt bildet[62], weist über den höfischen Kreis hinaus, der seine Minnelyrik ans Herz genommen hatte; als Aufforderung zur Teilnahme am Kreuzzug Friedrichs II. richtet sie sich an das Rittertum schlechthin, ist ihrer Tendenz nach — so viel auch an ganz Persönlichem darein eingegangen ist — öffentlich-politische Dichtung, kein Werk für einen gesellig-gesellschaftlichen Rahmen. Somit bleibt geistig für sie auch nach 100, 24 immer noch Raum. Selber hat Walther an der *lieben*

[61] In diesem Zusammenhang ist natürlich maßgeblich in Betracht zu ziehen, daß der mittelalterliche Dichter ja nicht 'für sich selbst' dichtet, in monologischem Bekenntnis. Sein Lied setzt immer ein Wechselspiel zwischen Dichter und Publikum voraus, darin erfüllt sich seine Funktion. Das legt in unserem Fall die Annahme nahe, daß in den Worten der *Frô Welt* teils wirkliche Einwürfe von seiten der Gesellschaft wiedergegeben sind.

[62] Das Lied 13, 5 lasse ich hier außer Betracht. Daß es noch nach der 'Elegie' entstanden sein sollte, halte ich nicht für sehr glaubhaft, und es scheint mir auch fraglich zu sein, daß wir es hier überhaupt mit einer Aufforderung speziell zu einem Kreuzzug zu tun haben. Als Altersdichtung wird man dies Lied jedoch jedenfalls ansehen müssen, weshalb eine Datierung auf 1226/27 die größte Wahrscheinlichkeit für sich hat.

reise (Heereszug!), wozu sie aufruft, jedoch sicher nicht teilgenommen; für ein solches Unternehmen war er jetzt zumindest längst zu alt, und es ist wohl recht zweifelhaft, ob er überhaupt je zur Leistung ritterlichen Waffendienstes imstande gewesen wäre[63]. Anders hingegen steht es um die vermutete Pilgerfahrt: nicht nur würde man ihm die Durchführung eines derartigen Vorhabens bedenkenlos zutrauen dürfen, sondern auch die Möglichkeit anerkennen, daß sich der Dichter noch in bereits vorgeschrittenen Jahren ins Heilige Land begeben haben könnte.

Die 'Elegie' und die oben behandelten Lieder (außer dem Palästinalied) nun werden nahezu allgemein ins Jahr 1227 verlegt, die 'Elegie' mit guten Gründen ins Spätjahr (Oktober), die beiden anderen Lieder somit wohl in etwas frühere Zeit[64]. Die obigen Darlegungen begründen jetzt darüber hinaus die Notwendigkeit, 66, 21 und 100, 24 noch ein wenig auseinanderzurücken, so daß dazwischen Raum für die Pilgerfahrt bleibt. Das Lied 66, 21 — oder, wie man fortan vielleicht zitieren darf: 67, 20 — wäre also möglicherweise noch im Jahre 1226 entstanden[65]. — Umstritten ist die Datierung des 'Palästinaliedes'. C. v. Kraus hat es resignierend der Gruppe 'Zeitlich unbestimmbare Lieder' eingereiht[66], Maurer in-

[63] Auf diesen Fragenkomplex gedenke ich an anderer Stelle einzugehen, wobei auch die jüngsten, nahezu sensationellen Thesen in bezug auf Walthers Herkunft und Stand geprüft werden müssen, über die — mit sehr spürbarem eigenem Vorbehalt — K. K. Klein in dem Artikel: Waltherus Fugelwedere. Zur Frage nach der Herkunft Walthers von der Vogelweide. Schlern-Schriften 140, 1955, S. 279 ff. kurz referiert. [Sie sind inzwischen schon hinfällig geworden.]

[64] „Etwa ins Jahr 1227" rückt v. Kraus, Untersuchungen S. 270 Anm. 5, mit Lachmann das Lied 66, 21, unter berechtigtem Abweis von Halbachs sehr viel späterer Datierung.

[65] Falls die Angabe über einen vierzigjährigen Minnesang wortwörtlich genommen werden kann, kämen wir dann für Walthers Anfänge auf einen Zeitpunkt bald nach 1185, was vielen als zu früh erscheinen wird. Setzt man indessen einen späteren Zeitpunkt dafür an („um 1190", nach de Boor a. a. O. S. 429 'Zeittafel'), gerät die Chronologie nach vorne zu ins Wanken. Das Problem der vierzig Jahre harrt somit noch seiner Lösung.

[66] a. a. O. S. 493. Andere Zeitansätze sind dort S. 41 Anm. 4 und S. 42 Anm. 1 verzeichnet.

dessen glaubt es ehestens, auch auf Grund einer Formanalyse, „in die frühere Zeit Walthers“ verlegen zu müssen[67]. Entscheidende Argumente zugunsten dieser Annahme hat er jedoch, wie er sich selber nicht zu verhehlen scheint, nicht beigebracht. Einer Spätdatierung — und zwar unter den in diesem Aufsatz erwogenen Voraussetzungen auf 1226/27 — steht demnach nichts im Wege.

Die kleine Studie hat, so scheint es, in ihrem Fortgang das zuerst gesetzte Ziel: den Erweis liedhafter Einheit des ‘Alterstons’ auf einer neuen Grundlage ein gut Stück hinter sich gelassen. Es hat mich bei der Arbeit selbst verwundert, wenn auch kaum zu Recht. Denn es ist wohl immer so: der ins Wasser geworfene Stein zieht weitere und weitere Kreise um sich — doch hoffe ich vorläufig, es sei mir an dieser Stelle mehr vergönnt gewesen als bloß *in daz mer ein slac*.

[67] Zu den religiösen Liedern S. 47.

Innsbrucker Beiträge zur Kulturwissenschaft, Bd. 6: Germanistische Abhandlungen, Innsbruck 1959, S. 63—91 (gekürzt).

ZUM DICHTERISCHEN SPÄTWERK WALTHERS VON DER VOGELWEIDE

Der Streit mit Thomasin von Zerclaere

Von Karl Kurt Klein

Thomasins Schelte

Ich gliedere die Schelte Thomasins gegen Walther nach drei Gesichtspunkten in die politische, moralische und die Berufsschelte (soziale Herabsetzung Walthers).

Was Burdach in seinen verschiedenen Schriften, vor allem in der nachgelassenen großen Abhandlung ›Der Kampf Walthers von der Vogelweide gegen Innozenz III. und gegen das Vierte Lateranische Konzil‹ (Zs. f. Kirchengesch. 1936, Jg. 55, 445—522), Schönbach (Die Anfänge des deutschen Minnesangs, 1898, 56 ff.) und Hugo Roesing in dem Thomasin-Kapitel seiner Dissertation (Die Einwirkung Walthers von der Vogelweide auf die lyrische und didaktische Poesie des Mittelalters. Straßburger Diss., Borna-Leipzig 1910, 124 ff.) über die politischen Ausfälle Thomasins gegen Walther geschrieben haben, muß hier als bekannt vorausgesetzt werden. Schönbach ist es zu danken, daß die ‚Heptade' in ihrer Gesamtheit als Gegenstand des Angriffs Thom.s erkannt wurde. Er wies darauf hin, daß wir nicht einzelne Sätze herausgreifen dürfen, ohne den Gesamtzusammenhang zu erwägen. „Vor allem muß bemerkt werden, daß diese eine Stelle gegen Walther viel umfangreicher ist, als man gemeinhin annimmt, sie erstreckt sich von 11.091 bis 11.268" (a. a. O., 63. Ähnlich zuletzt Maurer, Die pol. Lieder Ws., 83). Ergänzend muß hervorgehoben werden, daß schon Walthers Heptade im Grunde genommen eine Entgegnung darstellt. Sie antwortet auf die Enzyklika ‚Quia major' vom 19. April 1213. Es ist für die Beurteilung von Walthers polemischer Kunstübung aufschlußreich, wie er Satz für Satz Thesen der Bulle zerpflückt und in ihr Gegenteil verkehrt. Auch Thomasin hat das im Auge, wenn er im Anschluß an die unten, Seite 543, wiedergegebenen Verse, die den aus guter Absicht, aber menschlicher Schwachheit *(ân bœsen list)* irrenden Papst entschuldigen, tadelnd bemerkt: *des enwell wir aver niht, wan swie ez im ze tuon geschiht, wir wellen daz er zaller vrist habe gekêrt daran bœsen list. nu lât daz er halt rehte tuo, wir kêren bœse rede darzuo* (11.157 ff.). Das *wir* bezieht sich an dieser Stelle eindeutig auf Walther (und Konsorten).

Nun hat — obschon in einer als Ganzes zweifellos unzulänglichen Arbeit — Justus Grion bereits vor Jahrzehnten die Aufmerksamkeit der Forschung darauf gelenkt, daß „Thomasin auch in Hinsicht des Wappens Ottos sich zu Walther in gesuchten Widerstreit setzte" (Zs. f. dt. Phil. 1870, Band 2, 435). Schönbach a. a. O., Seite 59, Teske, Seite 195, und Maurer, Die pol. Lieder Ws., Seite 83, lassen Grions Feststellung zwar gelten, daß Thomasin 10.480 ff. „fast hämisch Walthers Bild aufgreift" (Teske), ohne den Gedanken indessen weiter zu verfolgen. Auch dieses Bild — L 12, 25 — darf aber aus dem Zusammenhang nicht herausgerissen werden. Beläßt man es da, dann stellt sich heraus, daß Thomasins *unmâze-* und *superbia-Polemik* gegen Otto W. G. 10.471 ff. im 5. Abschnitt des 8. Buches auf Walthers berühmten drei Kaisersprüchen vom Jahre 1212 aufbaut: L 12, 18 ff., 12, 6 ff., 11, 30 ff. Ganz sinnfällig ist das in bezug auf die auch von Teske bemerkten Ausfälle Thom.s gegen das Wappenbild im Schild und Kaisersiegel Ottos: „Im senkrecht geteilten roten Schilde rechts drei halbe, nach rechts schreitende Löwen, links ein halber schwarzer Adler" (so als Randminiatur auch in der Handschrift der Historia minor des Mattheus Parisiensis: zum Ganzen Winkelmann II 498 f.). Im *Her-keiser*-Spruch 12, 18 ff., der dem aus Italien eilend heimgekehrten Otto, sobald er den *Tiuschen fride gemachet staete bi der wide*, als Rechtfertigung seines vom Papst und dem Gegenkönig Friedrich angefochtenen Kaisertums die lockende Aufgabe der Entsühnung der Christenheit durch Befreiung des Heiligen Landes zugewiesen hatte, hieß es: *ir tragt zwei keisers ellen: des aren tugent, des lewen kraft, die sint des herren zeichen an dem schilte. Die zwene hergesellen: wan woltens an die heidenschaft! waz widerstüende ir manheit und ir milte?* (L 12, 24 ff.). Thomasin widerspricht. *An drin lewen was ze vil ... gebresten hât ein halber ar* (10.483; 10.488); *dâ was an lützel und an vil unmâze* (10.491 f.). Es folgen umfangreiche Darlegungen über *unmâze* und *übermuot*, Grundlaster der mittelalterlichen Tugendlehre, die nach Thom. den kaiserlichen Anspruch Ottos zu Fall brachten und durch Beispiele aus der heiligen und profanen Geschichte belegt werden. Stets mit einem halben Blick auf Walther nimmt diese Auseinandersetzung (mit kurzen Zwischenreden, etwa 10.569 ff. für *„unser kint"*, Friedrich, *puer Apuliae*): *dô man gewis sîn wolde, daz er Püllen vliezen solde, dô gap im got tiuschiu lant dannoch derzuo in sîne hant!*), rechnet man Ths. Erörterungen über das Wesen von *übermuot* — *diemuot, mâze* — *unmâze* (und ihrer Schwester, der *unstæte*) hinzu, rund die Hälfte des politischen Abschweifs im VIII. Buch ein. Die umfangreiche Stelle geht dem großen Walther-Exkurs 11.091 ff. fast unmittelbar voran. Als diese Teile gedichtet wurden (Frühjahr 1216), war Kaiser Otto politisch bereits ein toter Mann; sein Abtreten von der Bühne der Weltpolitik war nach dem Vierten Laterankonzil endgültig. Auch in Italien war seine Anhängerschaft bedeutungslos geworden (Winkelmann II, 399), Walther hatte sich um diese Zeit von ihm ebenfalls losgesagt und den *unmilten* Herrn mit ätzendem Spott übergossen (L 26, 23 ff. *Ich han hern Otten triuwe, er welle mich noch richen;* L 26, 33 ff. *Ich wolt hern Otten milte nach der lenge mezzen*). Von Otto, dem ‚bösesten' Mann, der eine Voraussetzung mittelalterlichen Herrschertums, die Ausübung der *milte,* infolge des nach Bouvines bei ihm ständig gewordenen Geldmangels nicht mehr zu erfüllen vermochte, versuchte sich der Dichter dem *künec Friderichen* zu nähern, in der Erwartung, daß der *der alten sprüche waere fro*:

> ein vater lerte wilent sinen sun also:
> „sun, diene manne boestem, daz dir manne beste lone".
> Her Otte, ich binz der sun, ir sit der boeste man,
> wand ich so rehte boesen herren nie gewan:
> her künec, sit irz der beste, sit iu got des lones gan.
>
> L 26, 28 ff.

Was sollte aber die Welt — auch Walther selbst — denken, wenn man bei Thomasin dagegen las:

Ich weiz daz ez geschriben ist	si suln in schelten niht,
daz man zetlîcher vrist	sît ez von ir sunden geschiht ...
durch sîn selbes missetât	man sol sîn dultec alle wîl:
einen bœsen herren hât:	der bœse rihtære ist gotes phîl
wîse liut suln zaller stunde	und gotes besem ist der guot.
merken dâ bî ir selber sunde.	swer wider si bêde tuot,
ist ir herre ein bœse man,	der tuot ein teil wider got ...
der si niht wol rihten kan,	W. G. 11.039 ff.

Weder Walthers noch Ottos oder Friedrichs Namen sind genannt. Hinter der allgemeinen Sentenz, wie sie einer Tugendlehre wohl anstand, ist der besondere Fall verborgen. Konnte er den Kennern des geschichtlichen Ablaufs und der Sprüche Walthers fremd sein? Die — mit gemeinte — *inconstantia* eines sehr bekannten Dichters unverständlich? Gewiß nicht. Erst recht ist der mit so grobem Geschütz schießende *pfaffe* nicht zu fassen. Auch nicht in seiner Abwertung Ottos mit den drei Löwen und dem halben Aar im Wappenschild. Mögen *sumelîche* auch behaupten, Otto *sî vom rîche gescheiden durch sîn übermuot* (10.506 f.). Er, Thomasin, zeihe ihn nicht etwa des *übermuotes*: *tæte ichs, ez diuhte mich niht guot* (10.514). Er spreche es bloß anderen nach und stelle es als ein warnendes Exempel hin, *daz ein ieglîcher merken sol und neme bilde derbî* (10.523 f.). Man kann es Walther nicht verübeln, wenn er in seiner Entgegnung diesen Gegner *slipfic als ein is* nannte (79, 33) und noch einiges mehr. Vgl. unten Seite 558 ff.

Wurde von Thom. der Vorwurf der *unmâze, unstæte* und des *übermuotes* gegen Walther bisher gewissermaßen im Schatten der Brandmarkung von Ottos *superbia* und *inconstantia* erhoben, so treffen ihn Vorwürfe dann auch ganz unmittelbar. Wir treten aus dem Feld des Politischen in das des Ethischen. Hier liegen die gewichtigsten Anwürfe, die Thomasin gegen Walther schleudert. Unter dem Mantel vornehmer Zurückhaltung, hinter diplomatischen Winkelzügen und Feinheiten versteckt, sind es für mittelalterliche Ohren Bedenken schwerster Art, die Thomasin gegen Walthers sittliche Persönlichkeit äußert. Wir stellen den Vorwurf des *übermuotes*, der *superbia* an die Spitze, weil *übermuot* nach mittelalterlicher Auffassung, die Thomasin 10.937 ff. u. ö. ohne Erbarmen vertritt, keine Verzeihung findet, zur Hölle führt. Durch seinen *übermuot* hat Walther die Christenheit geschändet, als er (L 33, 1 ff. und in der Heptade immer wieder) verkündete, *daz der bâbest sî ein übel man* (11.098 ff., 11.114 f.). Noch böser wird die Sache für Walther, weil — nach Thom. 11.861 bis 11.906 — *übermuot* und *hôhvart* miteinander gekoppelt sind und der Hoffart (in fünffachem Fallen 1. in Schuld, 2. aus Gottes Huld [Walthers idealem Hauptstreben], 3. in der Hölle Grund, 4. von Leib und Ehren, 5. an alle Untugend, W. G. 11.863 ff.) auch derjenige verfallen erscheint, der über seinen Stand hinaus strebt. *Swer die hôhvart schiuhen wil, der sol dar an gedenken vil waz er was und waz er sî* ... (12.041 ff.). Wie der niedrig geborene Walther, der *vil hêrsche man*, der sich nur *bî den tiursten* finden lassen wollte und finden lassen konnte, weil nur die großen Höfe und hohen Herren ihm die Möglichkeit der Entfaltung und Ausübung seiner Kunst boten (vgl. ZfdA. 1955/56, Bd. 86, 221 f.), diesen Vorwurf auf sich bezog und entschieden zurückwies, werden wir noch hören.

Zum Vorwurf der *superbia* und Hoffart *(arrogantia)* fügt Thomasin den der Schmähsucht und Verleumdung. *der phlegt sîner zunge* (Walther L 33, 25) *bœslîchen, der sînen vater geistlîchen* (Walther L 33, 12) *übel handelt âne schulde; der verworht ouch gotes hulde* (W. G. 11.107 ff.). Er — Thomasin — würde lieber ohne Zunge w o h l sprechen als *mit zunge w i d e r got und êre* (11.105). Verleumder *(swer ze lange zungen hât)* — gleich Walther — sollen ihre Zungen kürzen (11.103). Die Ausrede, man erfinde nichts, sondern gebe nur bekannte Tatsachen weiter (11.123 ff.), läßt Thomasin nicht gelten: *sô ist der lîhte ein lügenære, der im geseit hât solhiu mære* (11.125 f.).

Damit schneidet er ein neues, böses Kapitel an, in dem Walther vor ihm wiederum nicht besteht: *dem tihter mac ouch niht wol zemen, wil er sîn ein lügenære* (11.212 ff.). Daß Walther mindestens in einem Fall, dem des im Jahre 1211 von Kaiser Otto abgefallenen, vom Dichter auf dem Frankfurter Hoftag 1212 ‚treu wie ein Engel‘ (L 12, 5) dargestellten Markgrafen Dietrich von Meißen — aus der Verpflichtung des Gefolgsmannes heraus, dem über Recht und Unrecht seines Herrn zu urteilen nicht zusteht — wider besseres Wissen gehandelt und gesungen, hat er in den zwei Sprüchen des Meißnertons (L 105, 27 ff; 106, 3 ff.) selbst zugegeben.

Thomasin legt seinen grundsätzlichen Ausführungen über die Verpflichtung der Herren, Prediger und Dichter zur Wahrhaftigkeit (11.201 — 11.250) nicht einmal diesen krassesten Fall einer Wahrheitsverletzung zugrunde, sondern wiederum die Papstsprüche Walthers (siehe bes. 12.216 f., 11.225). Daß dabei aber an Walther und, bei aller Grundsätzlichkeit der Aussage, ausschließlich an Walther gedacht ist, wird zu den bisherigen Argumenten zusätzlich durch eine in jüngster Zeit gemachte Wiederentdeckung bewiesen: der ‚*gesanc, beide kurz unde lanc*' (11.219 f.) meint eine besondere, Walther eigentümliche und von ihm mit Vorliebe und Meisterschaft angewandte Technik des Komponierens und Singens, die uns erst in allerletzter Zeit wieder erschlossen worden ist (siehe Wolfgang Mohr, Zs. f. dt. Altertum 1954/55, Band 85, 38—43).

Unter so bewandten Umständen ist der Vorwurf der Unwahrhaftigkeit — nicht nur in Thomasins Augen — ein schwerer Einwand gegen Walthers sittliche Persönlichkeit (siehe dazu das 4. Kapitel von Burdachs Walther I 1900, 89 ff.). Thomasin unterstreicht ihn nachdrücklich. Im Kaiserspruch (12, 18 ff.) hatte Walther sich in der Apotheose eines *nuntius Dei* dargestellt: *Her keiser, ich bin fronebote und bring iu boteschaft von gote!* Thomasin bemerkt dazu sarkastisch: *uns komen boten unde bot beide von himel und von der helle. swar man nu varn welle* (gegen Walther L 33, 2; 33, 35; 33, 24) *dâ enphæhet man uns wol dâr nach als man tuon sol* (W. G. 11.226 ff.). Wie Thomasin das *tuon* seines *lieben vriundes* beurteilt, darüber läßt er gerade in dieser Stelle keinen Zweifel (11.223 ff.). Gäbe Walther, was er *mit al dem sîn bî allem sînem leben* erwerbe, als Almosen — das wohl zu L 10, 25 ff. —, so machte er damit doch nicht gut, was er *verirrt in kurzer zît in der werlde harte wît* (W. G. 11.235 f., zugleich Zurückweisung von L 33, 11 ff.). Daß der Papst *mit sînen witzen tuo daz er dem tiuvel kome zuo* (W. G. 11.141 f. gegen Walther L 33, 24) und die Frage des Opferstocks (W. G. 11.191 ff. gegen Walther L 34, 4 ff.), die Walther nach Thomasins Überzeugung gegen besseres Wissen (W. G. 11.181 ff.) *verkêrt* hatte, beschwert noch das Sündenregister des Dichters, dem wie dem Prediger die Mahnung gilt, er solle *rinclîchen sprechen und bediuteclîchen, daz man sîn rede müg niht verkêren (der übele geist phlegt des ze lêren)* (W. G. 11.207 ff.).

Nimmt man Thomasins allgemeine Ausführungen über Lügenhaftigkeit und Lüge hinzu (Abschnitt III des Zweiten Buches, 1981 ff.), die als Ausfluß der *inconstantia* — *unstæte* erscheinen (*unstæte der lüge muoter ist*, 2029), dann kann man sich über die Schlußfolgerung, die er allgemein und für den Sonderfall daraus zieht, nicht wundern. Sie lautet allgemein:

ja hât sîn schande ein lîhter man,
der sich vor lüge niht hüeten kan.
W. G. 1987 f.

Im besondern, Walther zugewendet:

kanstu dich verstên, nâch mînem wân,
du muost sîn grôze schame hân.
W. G. 11.237 f.

War Walthers aus *übermuot* fließendes Verhalten schon 11.117 f. gerügt worden *(er tuot übel, swer ez tuot, des offen ich im wol mînen muot)*, so klang hier noch das Verdikt der kurz vorher geschriebenen Verse nach

. . . swer übel tuot,
der muoz ze helle varn nider
unde kumt niht her wider.
W. G. 10.938 ff.

Der Milderungsgrund, daß Walther *hât erzeigt zuht unde sin an maniger sîner rede guot* 11.240 f., verwandelt sich in Thomasins Sicht in sein Gegenteil. Denn was ein *tœrscher man* spricht, wird nicht auf die Goldwaage gelegt. Das hat keine schweren Folgen. *Anders dem wîsen man geschiht, wan swaz er spriht, des nimt man war. da von sol er sich hüeten gar, daz man niht spreche daz er ist worden tobende zuo der vrist* (W. G. 11.246 ff.). Wiederum will zweierlei beachtet sein. Der Gesamtzusammenhang. *Nerrescheit* und *tœrescheit* sind nach Thomasin Ausfluß von *übermuot* und *zorn* (W. G. 10.105 ff., dazu 10.079 ff.: *zorn ist ein untugende grôz, er machet einn man sinnes blôz . . . zorn ist der tobesühte kint*). Das andere: Thomasin salviert sich auch hier. Nicht e r nennt Walther *tobende,* auch die Welt urteilt noch nicht so hart; er gibt dem Freund bloß zu bedenken,

> sô mag er niht ân vorht bestân
> daz er bœse bilde gît,
> wan man geloubet zaller zît
> daz bœse schierre dan daz guot:
> doch ist unsælec swer daz tuot.
> W. G. 11.255 ff.

Es sind bittere Wahrheiten, die sich Walther von dem Friauler unter dem Deckmantel der Freundschaft und Besorgnis für seine Ehre und sein Seelenheil sagen lassen mußte. Auch daß Thomasin in seiner Moralrede über die Pflicht der bedingungslosen Wahrhaftigkeit 11.201 ff. die *herren,* die *tihtære* und die *predigære* als drei verschiedene Kategorien behandelt, die Dichter also nicht zu den Herren rechnet, kann Walther nicht gleichgültig gewesen sein. Er legt Gewicht darauf, als *herscher man* (L 49, 18) zu gelten und aufzutreten (Verf. Zur Spruchdichtung, Seite 82 ff.). Thomasins Dolchstich drang noch tiefer. Er zog nicht nur Walthers Berufsethos in Zweifel. Er suchte seinen Dichterberuf selbst in Frage zu stellen. Ich beziehe mich auf die Verse 10.383 — 10.424 des Welschen Gastes, einen Teil der Tugendlehre von der *mâze*; es ist darüber hinaus ein Ausfall gegen Walthers Auffassung vom Dichten und Beruf des Dichters. Das Thema ist fast unerschöpflich; es kann hier nur eben gestreift werden. Wir müssen es bei aller gebotenen Kürze aber doch anschneiden. Entgegen dem Typus des ‚Dichters als Prophet', des gegen seine Zeit vom Gott Besessenen, der seine Kassandra-Rufe in die Niedrigkeit und Verständnislosigkeit einer Welt hineinruft, mit deren Gemeinheit ihn kaum etwas verbindet (in edelster Ausprägung etwa der Typus Hölderlin, Rilke, Trakl, George, Kafka), hat Walther sich als der Begnadete gefühlt, dem — als einem Sprachrohr der Welt in ihren besten, edelsten Vertretern — ein Gott gegeben, zu sagen, was er leide (Typus Goethe, Weinheber, Carossa). *Durch die liute bin ich fro, durch die liute wil ich sorgen* singt W. in einem seiner großen programmatischen Lieder (*Zwo fuoge han ich doch* 47, 36 ff.); *Fröide und sorge erkenne ich beide: da von singe ich swaz ich soll* (*Wer kan nu ze danke singen* 110, 27 ff.); *doch schat ez guoten liuten, waere ich tot, die nach fröiden rungen und die gerne tanzten unde sungen* (*Der rîfe tet den kleinen vogelen we*, 114, 23 ff., bzw. 114, 34 f.). Man müßte viele Verse und Lieder unseres Dichters heranziehen, wollte man die Weltoffenheit seiner Kunst und das Ethos ihres Schöpfers kennzeichnen. Der Minnesänger Walther ist ja einer der begnadeten Träger des ‚hohen Mutes', in dem die Weltzugewandtheit der höfischen Schicht der staufischen Zeit einen so prägnanten Ausdruck gefunden hat. In der *vröide* erfüllte sich der Auftrag des höfischen Dichters.

Von solchem Auftrag und Ethos setzt sich Thomasin auf das bestimmteste ab.

sumelîche hânt einen site
und wænent sîn volkomen dâ mite,
daz si sich vlîzent wie si machen
die liute zannen unde lachen
zallen zîten: si sint gar
in und uns unnütz vür wâr.

swenn man wol gelachet hât,
ist dâ iemen der sich verstât,
der hât in doch vür einen tôren.
ir sult wizzen daz mîn ôren
wendent wol dicke ane ganc
von sô getânem vrosche sanc.
W. G. 10.391 ff.

Was hat der Dichter (*der arme man*, siehe später L 10, 17 ff.) von solchem Tun? Gewinnt er das Himmelreich? Entrinnt er dem Teufel? Im Gegenteil! Er belacht, was er beweinen sollte, beklafft alles und verführt *(verirret)* die Leute *daz sie mugen niht vernemen dâ von si guot bilde nemen.* So wird er *des tiuvels goukelære.* Mit seinem *mære* bringt er es dahin, daß Toren den Nachstellungen des Teufels erliegen. Gewißlich hat er, Thomasin, nichts gegen *schœniu spil*: *man sol sîn doch niht tuon ze vil* (10.403 bis 10.420).

Mußte Walther sich durch die dem Schein nach allgemein gehaltenen, im Wesen auf ihn abgestellten Formulierungen getroffen fühlen — und wir werden (S. 554 ff., 568 ff. u. ö.) sehen, wie leidenschaftlich er sich dagegen wehrte —, so erfuhr sein Stolz in Thomasins Werk noch eine weitere, empfindliche Demütigung. Walther war, wie man weiß, niederer Herkunft. Aber in seinem nie ermattenden Streben nach *werdekeit* (L 66, 33 ff.) hatte er es erreicht, mit den Großen dieser Welt gleichwertig an einem Tische zu sitzen (vgl. Verf., Zur Spruchdichtung, Seite 31 ff.) und ihnen mit seinem

Rat dienen zu dürfen (L 10, 17; 12, 6 ff.; 12, 18 ff.; 29, 24; 85, 1 ff.; 84, 22 ff., bes. Vers 29). Nun hat Thomasin im 3. Buch des Welschen Gastes einen ganzen Abschnitt (den VI.), darin er — nach den Worten seiner Inhaltsangabe, Rückert, Seite 406 — davon handelt: *Daz dem volche baz sie denne dem herren, und daz ez ein torscheit sie daz ein iegliher wolde ein herre sin, und wie sie sprechent, waz sie denne tuon woelden, und daz herschaft niht si guot, und daz man niht ze hohe muoten sol* (W. G. 2981 ff.). Thomasins Weisheit letzter Schluß ist, daß *der arme behalten sol sînn orden gern und ouch der rîche* (3056 f.). Solche Töne mußten Walther (L 49, 18) tief verletzen. Noch mehr mußte ihn der 7. Abschnitt des 3. Buches aufsässig machen (W. G. 3135 ff.), darin vom Wesen der *hêrschaft* an sich gehandelt wird. Herrschaft gibt Kummer (3222); ihr Herren, hütet euch vor dem Rat des *arm mannes,* der *driu hüebel, die er hât* nicht wohl berichten kann! *Tœrschez volc, gedenc dar an, swer ein schef niht richten kan und kumt vür einen vergen drin, daz er nien hât guoten sin!* (W. G. 3141 ff.). Sollte Walther hier nicht mitgemeint gewesen sein, so mußte er es in dem Augenblick, da seine Beratung Ottos (die drei Her-Keiser-Sprüche L 11, 30 — 12, 39) so sichtbarlich Schiffbruch gelitten hatte, doch peinlich empfinden, an seine mindere Stellung gemahnt zu werden, aus deren Unsicherheit er im Augenblick überdies gewissermaßen ins Nichts abgesunken war (siehe oben, Seite 541). So wäre es zu erwägen, ob der gewaltige Spruch L 13, 5 ff., den die Forschung als Kreuzzugsmahnung in Walthers Spätzeit, wohl 1227/28 zu setzen pflegt, nicht etwa schon mit der Kreuzzugsstimmung um 1215 in Verbindung zu bringen sei. An sprachlichen und sachlichen Berührungen mit Thomasins im Herbst 1215 entstandenen 3. Buch des Welschen Gastes fehlt es nicht (W. G. 3200 ff. gegen L 13, 12 ff.). Wobei Thomasins Aussagen freilich auch noch nach Jahren nachgewirkt haben können.

Der Gegensang Walthers. Sprüche und Lieder

Hören nun schon unsere Ohren aus Thomasins Werk so arge Schelte gegen Walther heraus — Walther der *unmâze, inconstantia / arrogantia* und *superbia* bezichtigt; ein Verleumder und *lügenære*; *tobende*; *ein tœrscher man*, böser Ratgeber, ‚unnützer' Dichter (zur Begriffsbestimmung des ‚unnütz' ist W. G. 7245 ff. zu vergleichen[1]): Um wieviel mehr muß der reizbare, feinnervige Dichter, dessen empfindlichen Stolz man so leicht verwunden und in Abwehrstellung drängen konnte, in seiner schlimmen Lage aus dem Werk des ungetreuen Freundes herausgelesen und auf sich bezogen haben! Welch *swinden widerswanc* (L 32, 35) mag der allezeit Kampfbereite geschwungen, wie muß er sich gegen die Verkennung seines Tuns, gegen unzulängliche, falsche, böswillige Auslegung seiner Dichtung und Lieder zur Wehr gesetzt haben! Tief und schmerzlich wird er den Bruch einer zehnjährigen Freundschaft empfunden, unendlich muß er unter dem böswilligen Angriff in einem der bewegtesten Wendepunkte seines Lebens gelitten haben. Das sagt der gemeine Menschenverstand und sucht in Walthers Werk und Leben Spuren und Folgen solcher bitteren Erfahrung, wie sie ein unruhevolles Künstlerdasein ihm in seinem bisherigen Leben schon mehr als einmal beschert hatte.

Allein die Forschung, die Walthers Jugendfehden mit Eifer und Erfolg nachgegangen ist, hat das Werk des reifen Mannes der gleichen liebevollen Versenkung und Ausdeutung bisher nicht gewürdigt; zumindest nicht im Hinblick auf den Angriff Thomasins. Helmut de Boors inhaltsreiches Thomasin-Kapitel (Die höf. Lit. 1170—1250, 403 ff.) begnügt sich mit der Feststellung, Thomasin wie Walther sei die ‚staufische Ordnung', „die letzte große Ordnung vor den Gärungen des späten Mittelalters" gültig und heilig. Dem Friauler sei sie aber nur Gegenstand vernünftiger Betrachtung, „nicht wie für Walther Ziel des kämpferischen Eingreifens. Das ist es, was er an Walther zu tadeln hat; nicht umsonst steht seine berühmte Invektive gegen Walther im VIII. Buch, das von der *mâze* handelt. Sein Temperament und eine abweichende Grenzziehung der päpstlichen Geltungsansprüche trennen ihn von Walther, nicht eine grundsätzliche Verschiedenheit im Ordnungsdenken selber" (a. a. O., 405). Noch kategorischer ist Roesing (Die Einwirkung

[1] *Swer unnütze ist, der ist gar überic, daz geloubt vür wâr. so ist er ze nihte anders guot niwan daz man in ûf die gluot ze helle, da er brinne, tuo: dâ wermet sich der tiuvel zuo* (W. G. 7245 ff.).

Walthers usw., 1910). Ihm scheint Thomasin über Walthers Wesen und das Gehaltvolle seiner Persönlichkeit wenig unterrichtet gewesen zu sein, „sonst hätte er sein Genie höher achten müssen und ihm gegenüber nicht einen so überlegenen Ton anschlagen können. Die ganze Stelle klingt, als ob ein Lehrer zu seinem Schüler spräche, während im Gegenteil doch Thomasin von Walthers überlegenem Können nur Nutzen ziehen konnte". Als Ausländer, der mit dem Deutschen zu ringen hatte, hätte er sich Walther zum Vorbild nehmen müssen (Seite 126).

Geistige Beziehungen zwischen den beiden Dichtern seien gewiß vorhanden gewesen. „Dieses Verhältnis muß indessen einseitig gewesen sein. Denn während Thomasin mit Walther als einem bedeutsamen Gegner polemisiert, finden wir umgekehrt bei Walther nirgends den geringsten Hinweis auf Thomasin. Das läßt darauf schließen, daß, wenn er überhaupt von diesen Angriffen erfuhr, er seine Poesie nicht so hoch einschätzte, sonst hätte er wohl irgendwo Notiz von ihm genommen, sei es auch nur, um ein Wort der Erwiderung auf Thomasins Beschuldigungen auszusprechen. Thomasins Persönlichkeit hat also wenig Eindruck auf Walther gemacht — wohl einfach aus dem Grunde, weil er ihn nicht näher kannte ... Walther findet ja auch für geringere Geister, die ihm einmal zu nahe getreten sind, wie Stolle, ein Wort des Tadels oder Spottes. Da hätte er Thomasins gewichtigere Anklagen erst recht zurückweisen müssen, wenn er ihn etwa als ernsthaften Gegner betrachtet hätte" (S. 133).

Roesings Urteil erklärt sich aus dem Fehlen jeder Namensnennung Thomasins durch Walther. Daß auch Walthers Name bei Thomasin nicht genannt ist, hinderte ihn allerdings nicht an der Feststellung massiver Angriffe des Friaulers gegen unseren Sänger. Dazu kam die Scheu der älteren Forschung, über das schwarz auf weiß Vorliegende hinauszugehen. Die Gefahr des Irrens immer zugegeben, wird man die Kunst modernen Urkundenlesens, d. h. des Lesens in, aber auch zwischen den Zeilen, doch und vor allem auch auf die Dichtung zu übertragen haben, und die Richtigstellung zu weit gehender oder falscher Annahmen dem prüfenden Blick der Mitforscher anvertrauen dürfen. Wir wissen heute, in welch gedämpftem Klima höfischer Wohlerzogenheit, zu der *fuoge* und *mâze* die Partner verpflichteten, die literarischen Fehden unserer mittelalterlichen Dichtung ausgetragen worden sind, glauben aber trotzdem den Strom tiefer Leidenschaftlichkeit und bewegter Anteilnahme einer breiteren, künstlerisch, sittlich, weltanschaulich daran mitbeteiligten Hörerschaft zu spüren (vgl. Ammann-Festgabe I 1953, 75—94, bes. 79 ff., 85 ff., 92 ff.; ZfdA. 85,150 ff., 162; Festschrift für Dietrich Kralik 1954, 151 ff.). Die formalen Kennzeichen solcher Dichterfehden sind Wort- und Reimresponsionen, zitierendes (halb aufgreifendes, halb verhüllendes) Wiedergeben von Worten und Wendungen des Partners, ihr Umspielen, Entkräften, Widerlegen, *verkêren* u. a. m. Für Walthers Technik des Entgegnens ist neben der Zuspitzung und schlagend-geistvollen Ausrichtung seiner Sprüche auf den literarischen Gegner noch eine Besonderheit kennzeichnend: das Streben, den Gegner mit dessen eigenen Waffen zu schlagen, seine Worte und Anspielungen gewissermaßen zum Bumerang zu machen, mit dem er sich selbst in Grund und Boden schlägt (vgl. Verf., Zur Spruchdichtung, Seite 35 ff., 83 ff.). Möglicherweise wäre diese Beobachtung in ihrem Geltungsanspruch zu verbreitern und als eine allgemeine Form der damaligen Polemik anzusehen. Friedrich Vehse hat in seiner Dissertation über die Politische Propaganda in der Staatskunst Friedrichs II., 1924, festgestellt, daß Friedrich in den zu maßloser Schärfe gediehenen publizistischen Auseinandersetzungen mit der Kurie diese mit ihren eigenen Worten, Waffen und Beweisgründen zu schlagen trachtete. So wurden die päpstlichen Kundgebungen gegen Markward von Anweiler von ihm stilistisch und phraseologisch gegen Innozenz selbst gewendet, die konstantinische Schenkung, das Sonne-Mond-Gleichnis u. a. m. gegen den Papst ausgebeutet. Das gleiche Verhalten läßt sich bei dem jahrelang am Hof des Patriarchen Wolfger nachweisbaren Rhetor und Rechtsgelehrten Buoncompagno aufzeigen. Und schließlich hat auch Thomasin selbst sich vielfach der Ausdrücke und Bilder seiner Gewährsmänner bedient (vgl. Teske, Seite 200 f.). Walthers ‚Retourkutschen-Technik' der Polemik ist also vielleicht gar keine individuelle Stilform des Dichters, sondern eine Zeiterscheinung. Sie stünde dann in einem größeren literarischen Zusammenhang. Uns ist sie als ein formales Kennzeichen der Bezugnahmen und Entgegnungen Walthers wichtig.

Man täte ihm aber unrecht, sähe man ihn bloß formale und geistige Überlegenheiten über den Gegner ausnützen, um literarische

(Schein-)Siege zu ernten und vor der Welt ‚das Gesicht zu wahren'. Es ging um Meinungsverschiedenheiten nicht nur politischer Art, sondern doch wohl um ein tiefgehend verschiedenes Ordnungsdenken beider Gegner. Sie kamen aus zu verschiedenen Welten, als daß sie sich auf einen Nenner hätten bringen lassen. Das im einzelnen nachzuweisen, muß einer umfassenden Untersuchung vorbehalten bleiben. Soviel läßt aber auch eine erste Zusammenschau des W. Gs. mit Walthers dichterischem Werk erkennen, daß auf beiden Seiten Grundanliegen der Zeit in künstlerischer, sittlicher und allerdings auch weltanschaulich-politischer Hinsicht ausgetragen wurden. Sie wurden in dem Ringen um die Gestaltung von Lebensformen und -institutionen, von Gegenwart und Zukunft von weltweiten Parteien vertreten (man vgl. z. B. Burdachs Hinordnung der Kaiser- und Papstsprüche Walthers auf den Kampf der deutschen Episkopalkirche um ihre Bestehensgrundlage gegenüber dem römischen Zentralismus und Universalismus). Die Nachwirkungen, die wir vom Thomasin-Zwist auf Walthers Kunstübung und sein Lebensschicksal ausgehen sehen, erweisen die tiefe seelische Verwurzelung des Zwistes, sein Hineinreichen bis in den Lebensbereich des Unbewußten. Es ist nicht zufällig, daß Walther in seiner *Summa vitae*, der Lebensabrechnung seines ‚Alterstones', dem gewaltigen Lied 66, 21 ff. *Ir reinen wip, ir werden man*, wie nach fernhin verhallendem Donner noch immer auf den Zwist mit Thomasin zurückblickt.

Unserem Versuch einer Deutung von Strophen aus Walthers mittlerer und später Schaffenszeit kommen die Liedanordnungen, die Böhm-Kraus und zuletzt Friedrich Maurer in ihren Untersuchungen und Ausgaben gemacht haben, vielfach zugute, auch wo wir ihnen in Einzelheiten nicht folgen. Zum Methodischen sei folgender Hinweis gestattet. Während ich diese Zeilen schreibe, bringt mir die Post ein schmales Büchlein. Es trägt den Titel ›Vierter Österreichischer Bibliothekartag / Innsbruck / Geselliger Abend / 7. September 1956. Texte von Dr. Oswald Stranzinger und Hans Schiesstl. Illustrationen von Oswald Corazza. Gstetner-Druck der Universitätsbibliothek Innsbruck‹ (1956), es enthält die damals und dort gesprochenen und gesungenen Texte, darunter eine Reihe witziger ‚Gstanzeln'. Sie wurden, wie das Bild auf Seite 11 ausweist, nicht wie üblich zur Harfe oder Laute, sondern zum Schifferklavier vorgetragen. Ich glaube, daß diese Gstanzeln uns einen Weg zeigen können, wie — mutatis mutandis — auch Minnelieder und Spruchtöne des Mittelalters, deren säkularisierte Nachfahren diese anspruchslosen Vierzeiler sind, nach einer ganz bestimmten Richtung hin beurteilt sein wollen. Unsere Gstanzeln sind ihrem Wesen nach nichts anderes als — gesungene Spruchlyrik, zum Vortrag gebracht in einem festlich erhöhten Kreis aufnahmebereiter, empfänglich gestimmter, durch ein gemeinsames Standes-, Berufs- und Bildungsethos zusammengeschlossener ‚Eingeweihter'. Dem Hörerkreis sind die Geschehnisse, auf die meist ohne Namensnennung, manchmal zart durch die Blume, manchmal auch derber angespielt wird, durchwegs bekannt (wo sie es nicht sind, hilft rasche Umfrage unter den nächsten Nachbarn). Sie üben im Kleid der ‚Kunst' an Dingen, Ereignissen und Menschen — hier, dem geselligen Zweck der Veranstaltung entsprechend: wohlwollend-lachende — Kritik. Die Verse werden von dem ‚Dichtersänger' selbst mit Musikbegleitung vorgebracht; die Hörerschaft quittiert sie mit verständnisvollem Dank. Später gibt man sie als ‚Textbüchlein' gesammelt heraus und schmückt sie mit Bildern und Noten (man vgl. Konrad Burdachs Darlegungen über die illustrierten Ausgaben des Welschen Gastes, Vorspiel I 2 (1925), 116 ff., bzw. Adolf v. Oechelshäusers verdienstvolle Arbeit über den Bilderkreis zum W. G. des Thomasin von Zerclaere. Heidelberg 1890). Über den Gleichheiten wollen wir die Unterschiede nicht verkennen. Hier ist es ein bürgerlicher Berufskreis, dort die oberste Schicht der höfisch-ritterlichen Gesellschaft, die die Hörerschaft stellen (beiden gemeinsam ist aber der Besitz bester zeitgenössischer Bildung). Unsere Gstanzeln wenden sich an Hunderte anwesender Hörer, sie sind auf die Enge eines gesellschaftlichen Ereignisses beschränkt, in der Form primitiv, die musikalische und metrische Erfindung ist wenig bedeutend; in ihrem Spott sind sie gutmütig, nie verletzend, aber geistvoll pointiert gleich den Spruchstrophen des mittelalterlichen Dichters. Der spricht mit vollendeter Kunst, in wechselnden, höchsten metrischen und musikalischen Ansprüchen genügenden Formen zu einem die sachlichen und künstlerischen Reize auskostenden Hörerkreis, der sich auch über existentielle Fragen der Lebensgestaltung und des Geistes belehren lassen will.

Für den Philologen, der „Textbüchlein" in die Hand bekommt, bleibt die Aufgabe hier wie dort dieselbe: Aus den Texten durch Interpretation herauszufinden, ‚wie es eigentlich gewesen'. Das heißt, nicht nur die künstlerische Gestaltung und Form der Texte erkennen und erklären, sondern auch die Inhalte vor einem der Hörerschaft bekannt gewesenen, für das Verständnis in der Regel unumgänglich notwendigen Ereignishintergrund rekonstruieren. Anders sind die Verse meist unverständlich, in jedem Fall aber witzlos. Mögen Ort und Zeit, Weltsicht, sittliche und künstlerische Ausformung, Technik der Gestaltung und Darbietung also auch immer verschieden sein, die philologische Aufgabe bleibt die gleiche.

Die als Erwiderung Walthers an Thomasin in Betracht kommenden Strophen verteilen sich vorwiegend auf den Bognerton, den König-Friedrich-Ton, Unmutton (2. Ottenton) und auf einige Liedtöne, die man unbedenklich zur Minnedichtung Walthers gerechnet hat und rechnen darf. Ich beginne den Versuch meiner Erklärung mit dem Bognerton, den Maurer (Die pol. Lieder Ws., Seite 95 ff.; Ausgabe I 66 ff.) zeitlich nach dem Unmuts- und König-Friedrich-Ton um 1220 ansetzt. Da Wirkungen des Thomasin-Schocks in ihm besonders lebhaft spürbar sind, wird man seine Entstehung, mindestens die Erfindung der Weise und Strophenform, wohl um Jahre früher anzusetzen haben. Was im folgenden gegeben wird, sind nicht erschöpfende Interpretationen, sondern Versuche, in einzelnen Strophen Thomasins Bezüge und Walthers Stellung dazu zu erkennen. Sollten sie der Überprüfung standhalten, müßte weitergegriffen und eine Darstellung des Thomasin-Walther-Zwistes im Zusammenhang versucht werden. Die Texte, für deren Verständnis stets auch auf Wilmanns/Michels (zitiert in der 4. Auflage ²I 1916, ⁴II 1924) und Carls v. Kraus Untersuchungen zu Walther (= WU, 1935) verwiesen sei, werden aus Raumgründen als bekannt vorausgesetzt. Sie müssen zum Zweck der Vergleichung jeweils nachgelesen werden. Die Erläuterungen dazu können sich hier nur im Telegrammstil halten.

L 80, 3—10. *Sich wolte ein ses gesibent han* . . . (Bognerton). Die allen Auslegern — zuletzt von Kraus WU 31, f. — unverständliche Strophe wird durchsichtig, wenn man sie auf Thomasin bezieht. Er ist der Meister klassifizierender Zahlenordnung mit Bevorzugung der Sechs. Buch III des W. Gs. 2529 ff. handelt auf Grund der *stæte* als der *lex aeterna* von den sechs irdischen Gütern, deren Ambivalenz die menschlichen Ordnungen je nachdem trägt oder stört, nämlich Reichtum (2677 ff.), Herrschaft (3067 ff.), Macht (3285 ff.), Ruhm (3522 ff.), Adel (3855 ff.) und *gelust* (3927 ff.). Die sechs Güter werden in Buch IV (4147 ff.) von der negativen Seite als Untugenden betrachtet: *ob uns an den sehs dingen von den ich seit iht solde gelingen und daz an in stæte wære, si wæren uns dan vil unmære: sus ist untugent dar an, dâ von strebt dernâch ein ieglich man* (4169 ff.). Buch V (5693 ff.) stellt die positive Ergänzung der sechs Güter dar und zeigt, wie die *tugende vüeget daz, daz man ze himel komen sol* (5699 f.), denn *wizzet daz von den sehs dingen mag einem tôren misselingen* (5931 f.). Ihre Ambivalenz *zweier slahte guot und zweier slahte übel* (5705) wird 5905 ff. im Bild von zwei Leitern[2] veranschaulicht, auf deren Sprossen *(haken)* das Gute den *man* aufwärts, das Übel abwärts ziehen (*swenn ein guot man varn wil ûf die stiege diu von vil tugenden gemachet ist, die haken sint dâ zaller vrist und wellent in ziehen wider daz er zer andern stiege valle nider,* 5941 ff.). Walthers boshafte Behauptung, die Sechs habe sich *gesibent* wissen wollen, weist auf Buch VII des W. Gs. hin, darin die *septem artes,* die *siben liste,* als Grundlage der Erkenntnis von *übel unde guot* gepriesen werden; Thomasin, der Lehrer der *mâze,* der sich *uf einen hohvertigen wan* (L 80, 4) zum Überlehrer der Weisheit und Tugend aufspielen möchte (*sus strebte er sere nach der übermaze* L 80, 5). Allein, wer der Maße ihre Straße brechen will, dem *gevellet lihte ein enger pfat*: die hoffärtige Sechs ist *gedriet* worden (L 80, 7 f.). Es ist die 3. Staffel der Tugendleiter, auf die Walther seinen Gegner damit zurückfallen läßt — die Untugend hat den Übermenschen übermocht und niedergezogen; sie ist für die Beurteilung Thomasins durch unseren Dichter höchst aufschlußreich. Ich setze die einschlägige Stelle hierher: *swer wil zer dritten staffel komen, daz hân ich ouch wol vernomen daz in adel ziuhet dan, wan ir sult wizzen, swelich man gedenket wie edel er sî, er gewinnet einen nît dâbî daz einem andern man sî baz denn im erboten, wizzet daz. alsô ziuht in zaller zît adel von liebe hin zem nît. der kan sich bœslîch versinnen, der daz nîdet daz er solde minnen* (5961-72). Darauf spielt Walther im Spruch L 80, 3 ff. an. Er wirft dem treulosen Freund vor, aus Standesdünkel brotneidig geworden zu sein. Der adelsstolze Domherr konnte es, meint er, nicht ertragen, daß einem *andern man* (Walther) *baz denn im erboten* war. So hat er sich verleiten lassen, zu schmähen, wo er

[2] Eine ausführliche Erörterung der für die mittelalterliche Denkweise und Ethik so aufschlußreichen Vorstellung des *ze got varn,* der *ascensio* oder *descensio* in der Form einer Tugend- oder Höllenleiter findet sich auf Seite 140 ff. von Jürgen Müllers ›Studien zur Ethik und Metaphysik des Thomasin von Circlaere‹ (1935).

minnen sollte! (Man vgl. hierzu Roesings etwas naive Bemerkung über Thomasins künstlerische Unterlegenheit gegenüber Walther, von dem er — nach Roesings Meinung — hätte lernen sollen. Oben Seite 550.) Im Raum der sechs irdischen Güter war für Thomasin ein ehrenvoller Platz bereitet *(ein velt gefriet)*. Nun muß er sich an *der drien stat* verweisen lassen: entlarvt als hoffärtiger, standesstolzer, brotneidiger gescheiterter Tugendlehrer und Übermensch!

L 80, 19—26. *Unmaze, nim dich beidiu an* ... (Bognerton). Mit Recht hat v. Kraus diese Strophe zu der vorhin behandelten L 80, 3 ff. gestellt. Dort war der Tugendlehrer der *mâze*, Thomasin, der *übermâze* beschuldigt worden. Hier wird ihm — mit Bezug etwa auf 9885 ff. — *unmâze*[3] als das wahre Maß seines Tuns vorgeworfen. Mit *manlichen wip, wiplichen man, pfafflichen rittern, ritterlichen pfaffen* schafft sie ihren Willen: Das zielt nicht nur auf den Gegensatz von Thomasins ‚pfäffischem' Beruf als Kleriker und seiner Verfasserschaft einer ritterlichen Tugendlehre, sondern zugleich auf die von ihm unverhohlen bekannte ‚Vermischung der Ordnungen'. Der junge Thomasin war zwar Kleriker, aber kein Asket. Ihn *luste harte wol ze schouwen beidiu rîter unde vrouwen* (12.319 f.). Das Zwiegespräch zwischen dem Autor und seiner Schreibfeder, mit dem er das 9. Buch des W. Gs. einleitet, ist das Kronzeugnis solcher Vermischung. Der zum *klôsenære* gewordene Verfasser, der in täglich zehnstündiger *arebeit* seine Helferin, die Schreibfeder, plagt, läßt sich gerne der Zeiten gemahnen, da er

[3] Wie spitz Walthers Bemerkung ist, wird deutlich, wenn man sie an Thomasins eigener Begriffsbestimmung der *unmâze* mißt, die der *unstaete swester ist*. Aus dem langen Katalog des 8. Buches (das unsern Walther der *tœrscheit* usw. bezichtigt) sei zum Preise Thomasins einiges ausgehoben: *Unmâze ist der Nerrescheit bote, und der Trunkenheit gespil, unde der Übermuot niftel, swer sîn war tuot. Unmâze ist des Zornes kraft, Unmâze hât niht meisterschaft. Unmâze ist des Vrâzes munt, der Erge slôz, der Girde hunt, ... si ist ouch zunge der Leckerheit, Unmâze ist des Nîds vergift ... Unmâze diu ist âne zil, si heizet ze lützel und ze vil. Der ist verfluochet und verwâzen der sîn dinc niht kan gemâzen ... der ist ein gar unsælec man der sîn gevert niht mezzen kan* usw.

(W. G. 9895—9934)

wollte *ze hove sîn under den liuten,* da er *mit rîtern und mit vrouwen phlæge buhurt und tanz schouwen,* da er *phlæge guoter site* und *wolde ze hove sîn under den liuten* (W. G. 12.239 ff.). Der Tugendlehrer und Domherr ist eben auch ein Weltkind gewesen (Teske, Seite 158, 181 f.), und nicht allein Walther wird diese Mischung (W. G. 12.711 ff.) von Pfaffentum und Ritterschaft, von Männlichkeit und Weibischem (W. G. 12.751 ff.) übel vermerkt haben. Die ‚alten Jungherrn' und ‚jungen Altherrn' meinen Thomasins jugendliches Alter — er war bei der Abfassung seines Werkes weniger als 30 Jahre alt (W. G. 2445, Teske, Seite 44), Walther etwa fünfzigjährig, legte aber das Gehabe eines aus reifer Weltkenntnis urteilenden alten Weisheitslehrers an den Tag, wofür füglich der ganze Welsche Gast als Beleg angezogen werden könnte. Walthers Schlußzeile vom *twerhes leben* der *jungen altherren* scheint anzudeuten, daß Lebensführung und Altersmiene des Domherrn sich nicht deckten, auch das ein Beitrag zur gerügten ‚Vermischung der Ordnungen'.

L 81, 15—22. *Wolveile unwirdet manegen lip ...* (Bognerton). Schon Wilm./Mich. Waltherausg. 302 z. St. erkennen die dreifache Steigerung, in der sich der Spruch aufbaut, als Warnung, sich zu billig (*wolveile* und *durch kranke miete veile*), umsonst *(vergeben)* oder gar für Undank *(zundanke)* hinzugeben. v. Kraus fährt fort: Diese Steigerung erstreckt sich auch auf die Wirkungen. Wer sich zu billig hingibt, der mindert sein Ansehen *(unwirdet).* Wer sich umsonst hingibt, macht sich unglücklich. Wer sich aber zu Undank hingibt, *swachet* seine *ere* und setzt sich selbst herab *(ziuhet uf smaehen wan)*, „indem er das Opfer einer schnöden, trügerischen Hoffnung geworden ist, da er nicht einmal das bekam, was er erwartet hatte, den Dank" (WU 320). — Ihren vollen Sinn erhält diese — richtige — Auslegung, wenn man sie an der Thomasin-Walther-Situation mißt. Wir haben oben (Seite 540 ff.) gesehen, wie Thomasin unserem Walther das Verhalten gegenüber Kaiser Otto (L 26, 23 ff.; 26, 33 ff.) und gegen Dietrich von Meißen (L 105, 27 ff.; 106, 3 ff.) verdachte. Ebenso ausfällig ist Thomasin in dem VIII., Walther gewidmeten Buch, gegen Leute, die sich *tiwer* dünken und *tiwer* verkaufen statt sich zu *diemüeten* (W. G. 12.049 ff.,

12.071 ff.); das erklärt er für *hôhvart* und *übermuot* (W. G. 12.041 ff.). Walther hingegen wollte sich — über seinen ‚Orden' hinausstrebend (siehe dazu oben, Seite 547 f.) — stets nur *bi den tiursten* finden lassen (L 35, 8). Ob das Lied L 91, 17 ff. *(Junger man, wis hohes muotes)* echt sei, ist umstritten; zweifellos waltherisch ist aber der zum Ausdruck kommende Gedanke, daß *hoher muot* durch Lebensgenuß und angemessenen Aufwand zu den Pflichten adliger Jugend gehört und daß die Minne als Antrieb eines solchen Lebens zu betrachten sei, in dem sich die *werdekeit* erfüllt (vgl. Wilm./Mich. Waltherausg. 328 z. St.): *Dar an gedenke, junger man, und wirp nach herzeliebe: da gewinnest an. ob dus danne niht erwirbest, du muost (doch) iemer deste tiurre sin* (L 91, 27 ff.). In dem für Walthers Welt- und Minneauffassung so bezeichnenden ‚Gespräch' L 43, 9 ff. *Ich hoere iu so vil tugende jehen . . .* (vgl. zuletzt Theodor Frings in der Festschrift für Dietrich Kralik 1954, 154 ff.) sagt der Dichter zu seiner Partnerin: *Enhaet ich iuwer niht gesehen, daz schatte mir an miner werdekeit. Nu wil ich deste tiurre sin, und bite iuch, frouwe, daz ir iuch underwindet min* (L 43, 11 ff.). Beides — *tiwerheit (tiurunge)* in der Minne wie im Leben — widersagt Thomasin 3855 ff. und 12.041 ff. dem *adel* erträumenden *nideren* Dichter, der sich in unserer Strophe hier gegen seine Herabsetzung wehrt und seine *werdekeit* wahrt. Die wörtliche Wiederkehr der Zeile 81, 16 *(ir werden man, ir reiniu wip)*, wenn auch mit umgekehrten Gliedern, in Walthers *Summa vitae* L 66, 21 *(Ir reinen wip, ir werden man)* hat schon v. Kraus WU 320 hervorgehoben.

Ich sehe in dieser Strophe eine Abwehr Walthers gegen den Versuch Thomasins, ihn zu *nidern*.

L 79, 33—80, 2. *Wer mir ist slipfic als ein is* (Bognerton). Von Kraus, auf Krausens Spuren von Böhm, Ausgabe, Seite 165, mit Recht an das Ende einer Strophengruppe im Bognerton gestellt, die sich mit dem Problem der Freundschaft auseinandersetzt. v. Kraus WU 317 gibt den Inhalt der Strophe zutreffend wieder. Tom Rompelman bezieht sie im Neophilologus 1942, Jg. 27, 204 auf Walthers Freundschaftserfahrung mit Wolfram. Es ist wohl eher an Thomasin zu denken. Auf Thomasin (W. G. 2130 ff., 1965 ff.,

1836 ff. u. ö.) führt die Zurückweisung des Vorwurfs der *unstæte*, den Walther nicht auf sich sitzen lassen wollte. Liest man das II. Buch des W. Gs. (1707—2528), das die Frage der *stæte* und *unstæte* erörtert, mit dem Klang von Walthers Versen in den Ohren, dann brechen in der unschuldigen Glätte von Thomasins scheinbar allgemein gehaltenen Erörterungen Spitzen auf, die an Walther, seinem Verhalten und seinem Dichten Kritik zu üben scheinen. Wie hat man sich bösen Herren gegenüber zu verhalten? Auch ihnen hat man, sagt Thomasin, die Treue zu wahren, man *sol an tugent stæte sîn, daz was ie der rât mîn* (W. G. 1794 f. mit einer anschließenden dialektischen Erörterung, wie Tugend des *stæten* die Untugend des *bœsen* wandelt und überwindet). *ein bœser herre ân bœse bilde niht ze wol gesîn mac* (W. G. 1749 f.): Es kommt auf uns an, ihm einen *‚gelîchen‘, liehten, ganzen, ‚sinewellen‘* Spiegel der Stäte vorzuhalten (1761 ff., 1785 ff.). *Ist der spiegel ungelîche, man siht sich selben wunderlîche: man dunkt ze kurz sich od ze lanc* (1763 ff.) — so wie Walther in seinen Absagesprüchen an *der manne bœsten* (Otto) (L 26, 23 ff. und 26, 33 ff.) und mit dem Messen von *êre, triuwe* und *milte* an *herrn otten lenge* sein Spiel getrieben; der blieb dabei *miltes muotes minre vil dan ein getwerc.* Das gleiche Maß an König Friedrich angelegt, ließ den hoch aufschießen: *sin junger lip wart beide michel unde groz!* (L 27, 1 ff. Vgl. auch W. G. 10.576 ff.) Wir hörten schon, wie unnachsichtig Thomasin den Parteiwechsel Walthers beurteilte (oben, S. 541 f.). Er brandmarkt ihn unter dem Deckmantel allgemeiner Erörterungen in diesem II. Buch aufs neue und führt *herren schande, irresal in allem lande* (1836 f.), Untugend und alles Übel auf die *unstæte* zurück.

unstækeit verkêret snelle
daz vierekke an sinewelle.
daz sinwel si niht verlât,
wan ez baz an vier ekken stât . . .
der wandelung si nie bedrôz:
daz wênege machet si ze grôz,
daz grôze macht si aver kleine.
nu loufet si, nu gêt si seine,
nu stîget si, nu vellt si nider,
hiut vert si hin, morgen wider,
nu hin ze gebirg, nu hin ze mer,
hiut ist sie eine, morgn mit her,
nu hin ze holz, nu in der stat:
dort und dâ ist ir mat,
wan si ez in ir herzen treit
daz si dâ allenthalben jeit.
von stat ze stat si varn mac,
ave von ir herzn niht einen tac.

W. G. 1855—1874

Der *unstæte man* ist, wie wenn man einem *wolf zem zagel bindet ein schelln*, von deren Klang er ruhelos hin und her getrieben wird: *sam ist umb den unstæten man der da enweiz noch enkan waz im werr* (W. G. 1875 ff.). Das *wirren* gesagt wohl mit Bezug auf Walther L. 33, 11. Thomasins Schilderung geht erbarmungslos weiter, zeigt, wie schlecht *unstæte* sich auszahlt, *wer driu vür eines lât: seht, waz er erworven hât! swer in der werlde umb varn wil, der gewinnt herberge vil, und vriuntschaft ninder deheine* (W. G. 1896 ff.).

Ob die Schilderung, die noch härtere Töne anschlägt, die das Loben und Schelten aus *unstætekeit* anprangert (W. G. 1973 ff.); den Mann, *des rede und herz sîn ungelîche* (1016), in *der lüge vart* (1990) sieht, der

gît uns der lüge bilde gar,
wan er seit selbe selten wâr.
ez ist deheiner der sô gerne liege
oder mit lüge die liute triege,
ez ensî im dannoch swære,
swer in heizet lügenære . . .
W. G. 10.391 ff.

— ich will dahingestellt sein lassen, ob diese Schilderung auf Walther zielte (siehe oben, S. 544 f.) und wirklich ihn vor Augen hatte. Walther hat es jedenfalls so empfunden. Der fahrende Mann, der unter der Unrast seines Lebens so schwer litt (L 31, 23 ff., L 28, 1 ff.), so spät zur Ruhe kam (L 28, 31 ff.), der so bitter über die Welt aburteilte (L 21, 10 ff.) und sich ihrem Zwang doch nicht zu entziehen vermochte (26, 3 ff.): Walther hat den Angriff auf sich bezogen. Das besagt der Spruch 79, 33 ff. Dem treuen Freund *einloetic* und *wol gevieret* — gegen W. G. 1894, 1965, 1969 ff. —, fühlt er sich von dem eiskalten, aalglatten Thomasin, der sich nach Friedrich Rankes Charakteristik (Palästra 68, Berlin 1908) „nirgends auf stärkeren seelischen Erregungen ertappen läßt" (über das Eis als Urbild der Schlüpfrigkeit und Glätte vgl. Gustav Roethes Anmerkung zu Reimar von Zweter 64, 9. Leipzig 1887, Seite 590), verkauft und verraten, gleich einem Ball durch die Luft gewirbelt. *Sinewell ich dem in sinen handen, daz sol zunstaete nieman an mir anden!* Das Schlußwort, wessen Gesinnung gegen ihn so bunt schillernd *(vech)* sei, den ‚*walge*' er hin, ist ebenfalls aus Thomasin geholt: *die grôzen steine ûf dem berge walgent mit krefte herab zer erde* (W. G. 3205 f.). Es ist die Kraft, mit der Walther, wenn er könnte — unchristlichen Gemütes —, den alten Freund Thomasin am liebsten zerschmettern würde (L 26, 10).

Sollte Wolfram, Willehalm 187, 26 ff. sich auf den Thomasin-Walther-Zwist beziehen — die Gedankenverbindung könnte über Willehalm 187, 12 zustande gekommen sein: dort sich *zweien*, hier sich *vieren* —, dann fänden wir Wolfram auf Thomasins Seite, und es würde Walther in dem ‚*ungefriunt gebur*' ein zusätzlicher Schlag versetzt (Zs. 86, 221 f.).

L 79, 25—32. *Swer sich ze friunde gewinnen lat* . . . (Bognerton). Wehrt mit der vorher behandelten Strophe den Vorwurf der *inconstantia* ab. Die Unterstellung, *sinewel an siner staete zu* sein, wird an den treulosen Freund zurückgegeben und bedauert: *swie gerne ich in behalden haete, daz ich in muoste han verlorn*. Wilm./Mich. Ausg. 296 z. St. sehen richtig, daß Walther sich hier und im Spruch 79, 33 rechtfertige, sich von einem Mann, dem er früher als Freund zur Seite gestanden, losgesagt zu haben. „Eine bestimmte Beziehung ist aus den vorliegenden Angaben nicht zu gewinnen." Thomasins Welscher Gast liefert sie. Siehe unsere bisherigen Ausführungen zu Walthers Sprüchen im Bognerton.

L 79, 17—79, 24. *Man hochgemac, an friunden kranc* . . . (Bognerton). Daß auch diese dritte, von Wilmanns/Michels, Kraus und Böhm unter dem Stichwort ‚Freundschaft' mit den beiden vorigen vereinigte Strophe des Bognertones nicht bloß allgemeine Ausführung eines sprichwörtlichen Gedankens ist, der Freundschaft über Verwandtschaft stellt (*Vir amabilis ad societatem magis amicus erit quam frater*. Sprüche Salomonis 18, 24), sondern ebenfalls auf den Bruch mit Thomasin zurückzubeziehen sei, ist nicht unwahrscheinlich. Die Anknüpfungspunkte sind hier weniger deutlich. Die Fragestellung unserer Verse betrifft den Gegensatz *man hochgemac* (‚mit hochgestellter Blutsverwandtschaft'), aber freundlos, gegen: *friuntschaft ane sippe*, wofür wir realiter den adligen Domherrn Thomasin mit seiner reichen Verwandtschaft von Reedern und Großkaufleuten in Cividale und Friaul (Teske, Seite 42 ff. und 48) gegen den bestenfalls einschildigen, ritterbürtigen, aber anhanglosen Walther setzen wollen (Verf., Zur Spruchdichtung, Seite 56 ff., 59 ff., 82 ff., 87 f. Gamper-Festschrift 1955, 279 ff.). Blutsverwandtschaft ist *selbwahsen ere* (Böhm: Ansehen, das einem ohne eigenes Zutun zufällt); Freunde muß man sich verdienen. (Wir fügen hinzu: Thomasin hat, wie wir sahen, einen verdienten Freund verspielt.) Mag einer aber auch aus *küneges rippe* stammen: was nutzt es, wenn er freundlos dasteht? *mac hilfet wol, friunt verre baz.* — Die Bezugspunkte scheinen im 6. Abschnitt des II. Buches des W. Gs. 3067—3134 zu liegen, nach Thomasins Inhaltsangabe (Rückert, Seite 406): *Daz dem volche baz sie denne dem herren, und daz ez ein torscheit sie daz ein ieglicher wolde ein herre sin . . . und daz man niht ze hohe muoten sol.* Das *hohe muoten,* das Hinausstreben aus niedrigem Stand zu herrischer *werdekeit,* worum Walther sein Leben lang mit *unverzageter arebeit* (L 66, 33 ff.) gerungen, findet Thomasin verwerflich. Vgl. auch oben, S. 547 f. *Tœrschez volc, nu sage mir, von welhen schulden wünschstu dir daz du woldest herre wesen?* (3097 ff.) Thomasin hat gehört und gelesen, wenn einer *ûz sînr natûre komen wil, daz ez im schadet dicke vil* (3100 ff.). Schuster, bleib bei deinem Leisten! ist seine Meinung, für Walthers empfindliche Ohren noch böser gefaßt: *wâ von wünschet ein gebûr daz er sî herre und gwinnt ein sûr leben, daz erz niht enist?* (3103 ff.) *Gebûr!* Das vermaledeite Wort, das Walther so unerträglich verfolgte! (Verf., Zur Spruchdichtung, Seite 59 ff., Zs. 86, 221 f.). Der Kragen ging ihm hoch. Er meint: Freundschaft gilt mehr als Verwandtschaft. Wahre Freundschaft allerdings, die durch dick und dünn geht — anders als der W. G. 3129 f. moralgeschwängert behauptet: *man sol dem vriunde wider got niht helfen, daz ist sîn gebot.* Von solch bedingter Freundschaft setzt Walther seine Meinung auf das bestimmteste ab. Vielleicht dachte er dabei auch an Thomasins am Schluß des Welschen Gastes geäußerten Wunsch, sich mit diesem seinem Werk dauerhafte, tugendvolle, feste Freundschaft zu erwerben (W. G. 14.625, 14.629 ff., 14.670 ff.). Zeile 17 und 18 unseres Spruchs würde dann bedeuten: Dann hätte der hochgeborne Herr Thom. seine Freunde besser festhalten sollen: *an friunden kranc, daz ist ein swacher habedanc!* Vielleicht hätte man auch die Verse L 38, 10—19 hierher zu ziehen, doch hält v. Kraus WU 128 sie für unecht.

L 81, 23—30. *Swelch man wirt ane muot ze rich* ... (Bognerton). Setzt den Gedankengang des vorhin erörterten Spruchs fort. Dort war es die ohne eigenes Zutun erworbene Verwandtschaft, hier ist's der ohne eigenes Streben erworbene (ererbte) Reichtum. Es ist immer noch das 3. Buch des W. Gs., gegen das sich Walthers Abwehr richtet, und die dort gepredigte Grundwahrheit, daß niemand aus seinem ‚Orden' herausstreben solle, *daz ûz sîm orden welle bestân wan alterseine der tœrsche man* (W. G. 2627 f.). Seinen *orden* (Stand) und sein Leben ändern — im Sinne des ‚Bewegungstyps' Walther: verbessern — wollen, das ist dem Thomasin *ein grôz unstætekeit* (2634 ff.). Thomasins Tugendlehre ist stoizistisch und der *moralis philosophia* des Wilhelm von Conches verpflichtet (Gust. Ehrismann, Zs. 49, 406 f.). Die *inconstantia* jeder Art ist ihm ein *vitium.* Ihm ist der Begriff der ruhenden Ordnung für den einzelnen und für die Gemeinschaft wesentlich. „Der vorbildliche Mensch ist ihm der Mensch der geordneten Lebensführung" (de Boor, Seite 407). Spricht Thomasin von dem *manne der namehaft gerne wære,* verfehlt er nicht, hinzuzusetzen: *daz ist wâr, der dunket mich ein tôre gar* (3522 ff.). Er wendet das auch auf die Verteilung von Armut und Reichtum an: *der arm hât müe und ouch der rîche: ez ist allez geteilt gelîche. derz wol mit sinne ersehen kan, jâ hât niht wirs der arme man* (2677 ff.). Diese stoizistische Ethik lief Walthers Lebensauffassung und Bemühen stracks zuwider; kannte er doch keinen heißeren Wunsch als *bi eigenem fiure erwarmen* (L 28, 3). Er war sich schon längst *ze arm gewesen an sinen danc* (L 29, 1), Ottos Versprechen, er *welle in noch richen* (L 26, 33), hatte er gläubig und hoffnungsvoll aufgenommen. Thomasins Haltung ist für ihn die eines Mannes, der *âne muot ze rîch* geworden ist; nun tut er groß damit und wird *ze hêre* (was Walther selbst an *edelen frouwen* mißfiel). Weder zu reich, noch zu arm sein, dieses Wunschbild setzt er der Stoik Thomasins entgegen. Daß *übric armuot sinne slucket* geht auf W. G. 2731 ff., 2752 ff., 2765 ff. (das Elefantenbeispiel mag ihn besonders aufgebracht haben). Sah Thomasin in dem Bemühen, der *undurft* zu entrinnen, bloß den Ausfluß von *erge* (2784) und *unstætekeit* (2821 ff.), so hatte damit die *überic richheit* — nach Walther — die Grenze des Zumutbaren überschritten, *zühte (ge)slucket.* Ihn *bi richer kunst also armen* zu lassen (L 28, 2), wie Thomasin das in philosophischer Verbrämung mit erbaulichen Sprüchen und Exempeln guthieß, erschien Walther unsittlich. Die Verse 81, 23 ff. sagten das einem jeden, am vernehmlichsten aber dem reichen Thomasin. —

Anklänge an Thomasin finden wir auch in anderen Strophen des Bognertons. Wir lassen sie hier beiseite. Auch den Unmutston tun wir kurz ab. Maurer, Die pol. Lieder Ws., 81 ff., läßt ihn zur Gänze in den Jahren 1213/14 entstanden sein. Wir müssen uns unten mit der Frage des Parteiwechsels Walthers beschäftigen und kommen dort auf die Zeitansätze auch Maurers zu sprechen. Als sicher kann gelten, daß die ‚Heptade', die den Kern des Unmutstones bildet, nach dem 19. April 1213 (der Bulle *Quia major*) entstand, andere Strophen teils früher, teils später. Zu den späten, aber noch in Walthers ‚welfischer' Zeit entstandenen Versen dieses Tones rechne ich L 34, 34 ff. *Die wile ich weiz dri hofe . . .* Noch hat Walther sich vom Welfenkaiser nicht losgesagt, denn er rühmt vor dem österreichischen Leopold (VI. Seit Anfang 1213 auf staufischer Seite) und vor dem *biderben patriarken* Wolfger (neuerdings staufisch bezeugt im Februar 1214) den *milten* Welf (VI. Gest. 1190). Sein Verhältnis zu beiden Fürsten (Leopold und Wolfger) ist gut. Das ergibt sich nicht nur aus dem Ton der *biderbe,* auf den der Spruch gestimmt ist, sondern aus der Freiheit, die sich der Dichter nimmt, vor Parteigängern des Staufers den Welfen zu rühmen. All das scheint auf Zustände der ersten Jahreshälfte 1214, die Zeit der Unentschiedenheit vor Bouvines, hinzudeuten. Wenn das stimmt, trifft der Zeitansatz Maurers für diese Strophe zu.

Die Strophen des König-Friedrich-Tones setzt Maurer, Seite 69 ff., in die Wende des Jahres 1212/13. Die von der Forschung unserer Zeit mehr oder minder übereinstimmend in das Jahr 1220 verwiesenen Belehnungsverse L 28, 31 ff. *(Ich han min lehen, al die werlt, ich han min lehen)* müßten unter diesen Umständen als später Nachklang erklärt werden, Maurer meint: als der Dank für die Erfüllung einer Herzensbitte, der absichtlich in die gleiche Strophenform und Weise gekleidet ist wie die Bittstrophen. Die Strophe L 28, 11 ff., die den vom Kreuzzug zurückkehrenden Herzog von Österreich bewillkommnet, gilt nach Maurer nicht dessen Kreuzfahrt 1217/18, sondern der — kurzen und ruhmlosen — Teilnahme am Albigenserkrieg 1212/13; die Strophe 29, 15 ff. *(Ir fürsten, die des küneges gerne waeren ane ...)*, Walthers ‚diplomatisches Meisterstück', das ihm (1220) möglicherweise sein bejubeltes *lehen* eintrug, muß Maurer als unecht überhaupt streichen. In der Ausgabe hat sie nicht einmal unter den ‚Zusatzstrophen zu den echten Liedern' Aufnahme gefunden, wohin Maurer von dem handschriftlich überlieferten Gesamtbestand von 21 Strophen des Tones nicht weniger als zehn verweist (Seite 84 ff.). Nach so durchgreifend vorgenommener Säuberung „rundet sich" — nicht ohne Schwierigkeiten — auch dieses ‚Lied'. So richtig gesehen und gewichtig die von Maurer herangezogenen formalen (metrischen, strophischen) Merkmale, auf die einzugehen wir uns in dieser rein inhaltsbezogenen Untersuchung versagen müssen, oft sind, so scheint die von Wilm./Mich. Ausgabe, Seite 149, vertretene Ansicht doch richtiger, daß König-Friedrichs-Ton und Unmutston wohl in zeitlichem Nebeneinander verwendet wurden. Ich halte mich aus diesem Grunde für berechtigt, auch die ‚unechten' und Zusatzstrophen Maurers auf Thomasin-Klänge abzuhorchen.

L 26, 13—23. *Die wisen ratent, swer ze himelriche welle ...* (König-Friedrichs-Ton). Es ist dies das Thema des W. Gs. (2523 und immer wieder, so bes. 3704 ff., 11.591 ff.). Die sittlichen Gefahren, die den Menschen bedrohen, sind — ganz auf der Linie des dritten, vierten und fünften Buches des „Welschen Gastes" von Thomasin — im Bilde *wegewerender,* d. i. von Wegelagerern, Straßenräubern dargestellt. v. Kraus hat gemeint, hier sei nicht Anschauung und Phantasie am Werk, wie sonst bei Walther, sondern eine „durch keinerlei stilistische Anmut verzierte Aufzählung, die ein nüchterner Verstand schleppend zuwege bringt" (WU 79). Darf man in der ‚unwaltherischen Art' eine Wirkung des Urbildes sehen, das dem Dichter im Sinne lag? Es ist Thomasins Art und Stilkunst, die Friedrich Ranke mit ähnlichen Worten wie v. Kraus umriß; und daß er nicht falsch gesehen, erweist jeder Blick in den W. G.! Mord — Brand — Wucher und die anderen *wegewerenden aehter,* zu denen Gegenstücke sich im W. G. reichlich finden, scheinen von Walther mehrsten Teils um der Schlußzeilen willen aufgeboten: *N i t unde h a z die hant sich uf den wec geleit, und diu verschampt unmaze gitekeit* (siehe oben, Seite 556). *dannoch so rennet maneger für, des ich niht han geseit.* Thomasins Name wird nicht genannt. Er drängt sich von selbst auf.

L 30, 19—28. *Sit got ein rehter rihter heizet an den buohen . . .* (König-Friedrichs-Ton). Der Spruch handelt wohl mit dem Blick auf W. G. 10.635 ff., 10.675 ff. davon, daß Gott *die getriuwen uz den valschen hiez suochen.* Zuletzt, im Jüngsten Gericht werden sie gesondert. Walther sähe die Scheidung am liebsten schon hienieden auf Erden vollzogen. Er sähe *an ir eteslichem gerne ein schanden mal, der uz der hant dem man sich windet als ein al* (im Bognerton — oben, Seite 558 ff. — hieß es: der glatt und schlüpfrig ist und Walthers zupackender Hand entgleitet „wie irisierendes Eis und ein bunter Ball", Kraus WU 317) — *owe daz got niht zorneclichen sere an dem wundert.* v. Kraus WU 99 findet den Ausdruck „reichlich ungeschickt und unklar". Er erklärt sich, glaube ich, aus dem Meerwunder-Spruch, der zweifellos auf Thomasin zielt (siehe unten, Seite 567). Wenn unsere Verse nur allgemeine Lehre wären, dann wäre — mit Kraus WU 99 — in der Tat nicht einzusehen, warum Gott gerade aus seiner *milte* heraus die Falschen schon auf Erden brandmarken sollte. Anders, wenn Thomasin gemeint ist (vgl. Abschnitt IX des 4. Buches W. G. 5643 ff. *Ob man in iener werlde sine vriunt erchennen sol* [Inhaltsangabe, Rückert, Seite 408]). Aus dem Thomasinspruch L 79, 33 ff. im Bognerton kehrt auch das Bild vom (dort *wol gevierten,* hier) *vesten* Stein wieder, dem echter Mannesmut verglichen wird. Die zunächst aus dem Zusammenhang fallende Zeile *swer sant mir var von hus, der var ouch mit mir hein* erhält, wenn die Deutung des Spruchs auf Thomasin zutrifft, möglicherweise einen besonderen Sinn, der sich uns im Zusammenhang mit anderen auf Thomasin gemünzten Aussagen Walthers erschließen wird.

L 29, 4—13. *Ich han gesehen in der werlte ein michel wunder . . .* (König-Friedrichs-Ton). Wilm./Mich. Waltherausg. 141 überschreiben den Spruch ‚Das Meerwunder' = Monstrum *(kunder)* und treffen, meine ich, damit ins Schwarze. (*diu merwunder* als ‚sprechende Sinnbilder' im Wappen siehe W. G. 10.455). Dem Dichter verschlägt es beim Anblick dieses seltsamen Monstrums — ich wage zu behaupten: Thomasins — die *fröide;* sein *truren (ist) worden munder.* „Warum war der Dichter *frô*?" fragt v. Kraus WU 95 und findet keine Antwort. Ich meine, weil *fröide bringen* und *künden* der — von Thomasin bestrittene — gottgegebene Auftrag des Dichters ist (siehe oben, Seite 546 f., dazu andere Sprüche Walthers, z. B. L 41, 13 ff.; 117, 29 ff.; 42, 15 ff. u. ö.). Ob in der Zeile 29, 7 mit Z *guotem* oder mit C *bœsem man* zu lesen sei, worüber die Textkritiker streiten (WU 94 f.), ist wenig wichtig, wenn man den Spruch auf Thom. hinvisiert. Es ist die Ambivalenz des *übel unde guot,* die zu erkennen und zu trennen der W. G. sich in langen Auseinandersetzungen bemüht (vgl. insbes. das 4. und 5. Buch W. G. 4117 ff., 5693 ff.). Gerade die Duplizität Thomasins wird ja von Walther angeprangert. Wer dessen Lachen *strichet an der triuwen stein,* dem grinst das Gegenteil entgegen: er *bizet da sin grinen niht hat widerseit* „er beißt, ohne daß er durch Knurren die Fehde vorher angekündigt hätte" (Wilm./Mich. z. St.). Seine Falschheit hat manchem Leid zugefügt. *zwo zungen habent kalt und warm, die ligent in sinem rachen* (Walthersche ‚Retourkutsche' zu W. G. 6443 ff., 11.101 ff., siehe oben Seite 551). Im süßen Honig seiner Rede — gemeint sind Stellen wie W. G. 11.241 ff., 11.252 ff. — liegt ein giftiger Widerhaken, sein ‚wolkenloses' Lachen ist in Wirklichkeit Schelte (siehe oben) und bringt *scharpfen hagel.* Die vielumstrittene letzte Zeile *(swa man daz spürt, ez kert sin hant und wirt ein swalwen zagel),* über deren Sinn die Erklärer des — auch von Kraus WU 95 — zu Unrecht verkannten und herabgesetzten Spruchs sich nicht einigen können, wird in der Sicht auf Thomasin den *pfaffen* geradezu zum Schlüssel des Verständnisses: Hebt er scheinheilig-wohlwollend lächelnd die Hand zum Segnen, dann kehrt er sie wie einen *swalwen zagel* (= die zum Segnen gespreizten zwei Finger) zugleich um, d. h. er ‚verkehrt' sie zugleich. ad vocem *verkêren* siehe W. G. 11.161 ff. u. ö. Daß „die Bilder erdacht, nicht geschaut" sind (WU 95), gilt, wenn man den Spruch als allgemeine Lehre nimmt. Das Gegenteil ist wahr, wenn man ihn auf Thomasins W. G. bezieht, zumal, wenn man von Rotraut

Ruck, Walther von der Vogelweide (1954), hört, daß sich der Gedankenaufbau in den Sprüchen Walthers nicht so sehr logisch durch Folgerungen als psychologisch durch Assoziationen vollziehe (Seite 20). Auch der Meerwunder-Spruch ist in der Welt der Assoziationen beheimatet.

L 30, 3—19. *Got weiz wol, daz min lop waer iemer hovestaete...* (König-Friedrichs-Ton). Einer der von Thom. gegen Walther erhobenen Vorwürfe betraf, wie wir auf Seite 541 f. hörten, in *inconstantia* seines ‚Lobens'. Ich komme bei der Behandlung des nächsten Spruchs (L 37, 34 ff.) darauf zurück. Hier weist Walther den Vorwurf als Verleumdung eines doppelzüngigen Freundes zurück. Man könne nicht wissen, bemerkten Wilm./Mich., Waltherausg. 145 z. St., was die Verse meinen. Man kann es, sobald man sie mit anderen Strophen dieses Tones auf Thomasin bezieht. Sie werden dann hell, sinnvoll und witzig.

L 37, 34—38, 9. *Genuoge herren sind gelich den gougelaeren.* — Von Maurer als ‚Herren und Gaukler' I, Seite 91, zum ‚Zweifelhaften' gestellt, von Pfeiffer, Bartsch, Paul, Plenio ebenfalls verneint oder angezweifelt, von Kraus WU 128 „trotz seiner strophischen Form" (über die Heusler, Versgesch. II. Band, Seite 312, § 799 handelt) für wahrscheinlich echt erklärt. Ist er es, dann haben wir in diesem Spruch eines der lebendigsten Erzeugnisse der Waltherischen Muse. Die Inhaltsangabe „Herren, die ihr Wort nicht halten, werden mit Taschenspielern verglichen" (Wilm./Michels, Waltherausgabe 173), schöpft den Inhalt nicht aus. Das *merwunder* der Zeile 38, 2 und der *kunder* 38, 9 binden den Spruch formal an 29, 4 ff. Sie enthalten eine Verurteilung Thomasins (siehe oben, Seite 566 f.). Auch für die Erklärung der Gauklertricks („die Verwandlungen unter dem Hut waren ein beliebtes Kunststück" Wilm./Mich. z. St.) ist auf Thomasin zurückzugehen. Wir müssen hier etwas ausgreifen. Das 3. Buch des W. Gs. bringt im Abschn. X, Vers 3517 ff. eine groß aufgemachte Zurückweisung ‚lügenhaften Lobens'. Es gibt Herren, die *namehaft gerne wæren* (3535 ff. Polemik gegen den Iwein-Eingang Hartmanns). Sie *gerent vaste in ir muot daz man jehe si sîn guot und hövesch unde tugendhaft, et daz si werden namehaft* (3547 ff.). Sie lassen sich loben, ohne zu untersuchen, ob das gezollte Lob Wahrheit oder Lüge sei (W. G. 4569 ff. deutlich gegen Walther L 105, 27 ff.). *Ein biderbe herre gedenken sol, swenne man im sprichet wol ‚ist daz wâr daz ener seit?‘ liugt aver er, sô sî im leit daz in der lôser triegen wil mit sô getânem tocken spil* (W. G. 3601 ff.). Folgt die Darstellung des ‚Dockenspiels‘. So wie man eine Puppe für ein Kind ausgibt und sie nach Bedarf hervorholt oder verschwinden läßt, so hält der *losære* ‚Lauser‘ es mit seinem Lob. Uneingedenk dessen, daß er jemanden eben noch (lügnerisch) gelobt hat, nennt er ihn gleich darauf (der Wahrheit gemäß) einen Bösewicht (*swenner von im komen ist, sô erzeiget er vil wol daz man niht wænen sol daz ein tocke ein kint sî, daz erzeigt er wol dâ bî daz er die tocken birget gar und saget danne vür wâr daz ener sî ein bœsewiht: des vorlobes gedenkt er danne niht.* W. G. 3607 ff.). Thom. faßt das in seiner Inhaltsangabe so zusammen, *daz ein herre zûrnen sol, der in zû unrehte lobet, und daz er gedenchen sol ob der war sage der in da lobe, und daz diu loesere vor lobent, und hinden scheltent, und daz man den schiltet den man mit luegen lobet, und daz der ein tor ist, der baz geloubet einem loesere, denne im selben, und daz die herren die loesere und luegenere machent* (Rückert, Seite 407).

So aber und nicht anders hatte Walther an Kaiser Otto, am Markgrafen von Meißen gehandelt. Die Sprüche L 26, 23—27, 6 und L 105, 27—16 waren, als Thomasin dies schrieb, frisch in aller Munde. So mußte Walther sich belehren lassen, daß *man mac nimmer schelten baz danne loben vaste daz daz niht lobelîch enist,* sonst sprechen *diu liute* „Geselle, dein Lob ist nicht wahr!“ Auch der Gepriesene selbst ist *niht wol geêret zuo der vrist swenn lop mit lüge gemischet ist* (W. G. 3616 — 26).

Thomasin hat den Gegenstand noch weiter ausgesponnen und einen zweiten Vergleich (Spiegel und Kind) angefügt, auf den wir Walther ebenfalls noch werden zurückkommen sehen (siehe unten, Seite 577). Er äußert sich auch zu den angeführten Versen Thomasins, und zwar in unserem Spruch 37, 34 ff. Es ist — neben dem Atzespruch 82, 11 f. und dabei gleich diesem in der Unmittelbarkeit seiner dialogischen Rede schon leicht vulgär gefärbt — die lebendigste, wirkungsvollste ‚Retourkutsche‘, die Walther je geschaffen.

Dockenspiel? Gaukelspiel? Ihm wird das vorgeworfen? Es gibt *genuoge herren* — nicht etwa Sänger niedrigen Standes, deren Kunst nach Brot gehn muß und die sich dem Auftrag des Gefolgsherrn zu fügen haben —, die schlimmer *triegen* und *vaeren* (= nachstellen, im Hinterhalt liegen, lat. insidiantur) als Gaukler. Sie zücken den Hut in die Höhe. Was ist darunter? Ein *wilder valke in sinem muote!* (*muot* = Wollen, Streben, ein Lieblingsbegriff Thomasins im W. G. 3494, 3501, 3506, 3520, 3547, 3565, u. ö.). Der Falke ist das mittelalterliche Sinnbild des Adligen und Ritters. Der Hut fliegt zum zweitenmal hoch! Ein Pfau spreizt sich darunter (Sinnbild der Eitelkeit). Zum drittenmal: *da stet ein merwunder!* (Vgl. oben Seite 566 f.). Sooft sich der Vorgang auch wiederholt, es ist zuletzt doch immer eine gemeine Krähe! (Wir nennen sie: Thomasin! Goethe: Setz' dir Perücken auf von Millionen Locken usw. Du bleibst doch immer, was du bist!)

Hier sei ein kleiner Einschub gestattet. Das ‚Traumglück' L 94, 11 ff. (Wilm./Mich. Waltherausgabe 335: „Ein allerliebstes Lied, einzig in seiner Art, aber mit dem unverkennbaren Gepräge Waltherschen Humors") hat viele Ausdeutungen erfahren. Die Erklärer haben von der klassischen Antike und der deutschen Mythologie bis zu Walther Mape, den Chinesen, Neidhart und der Hätzlerin Parallelen ohne Ende bemüht, um die Lieblichkeit dieses Liedes zu zeigen. Daß erst die Beziehung auf Thoms. Welschen Gast sein Verständnis voll macht, ist ihnen entgangen. Die Fiktion des Traumes — die er allerdings mit Motiven und reizenden Wunschbildern seiner eigenen Dichter- und Einbildungskraft ausgestaltet — entnimmt Walther diesem selben 3. Buch des W. Gs., in dem Thom. (auch gegen Walther, siehe oben, Seite 562) den *muot* nach dem ‚Heraustreten aus dem eigenen Orden', nach Reichtum, Herrschaft, Macht, Ruhm usw. als Unwirklichkeit des Träumers verspottet, W. G. 3586 ff., 3831-54 — *daz was ein troum harte guot!* —, 3855 ff. u. ö. — Es müßten m. E. auch andere ‚Traumlieder' bzw. -motive in Walthers dichterischem Werk auf Stellen des W. Gs. hin betrachtet werden. Zum *wunderalten wip* der letzten Strophe vgl. W. G. 1513. Die Schlußpointe ist nicht nur eine Verspottung des Aberglaubens und will nicht nur den „Gegensatz scharf beleuchten, der zwischen erträumtem Glück und der nüchternen, kalten Welt der Tatsachen besteht" (WU 361), sondern sie verhöhnt nicht zuletzt auch die Einfalt Thomasins als *unsælige krâ* — Sinnbild des unerwünscht Gemeinen —, die mit ihrem Krächzen die schönsten Wunschbilder zerstört. *daz alle kran gedien als ich in des günne!*

Noch wäre mit der obigen Auslegung indessen erst eine Hälfte des Spruches gedeutet. Die Zeilen 38, 4 ff. mit ihrem Hohngelächter, der *valewische* und dem *blasgesellen* bedürfen noch der Klärung. Wenn Thomasin die *krâ* ist, die trotz allem Gestaltwandel doch immer wieder in gemeiner Niedrigkeit unter dem Hut steckt, wer sind dann die ‚Herren', die *gelich den gougelaeren . . . triegen und vaeren?* Wer ist im besonderen der *friunt*, der die *gougelbühsen* handhabt, ohne Walther vor so *trügelîchem kunder* — dem ‚Monstrum' und ‚Meerwunder' Thomasin — zu bewahren? Ich wage hier die Vermutung, daß jener ‚Herr' gemeint sei, der sowohl Thomasins wie auch unseres Dichters *voget* war, nämlich Wolfger. Ich erwäge diese Möglichkeit zunächst mit allem Vorbehalt. Passen würde der Machtunterschied *(wær ich dir ebenstark)*, die Absage, sein *blasgeselle* sein zu wollen. Wolfger das Haupt, Walther der Herold der ‚Kaiserlichen' hätten, seit beide wiederum staufisch waren, im großen Zug der Politik in das gleiche Horn zu stoßen gehabt. Nicht passen will die Verwünschung, dem ehemaligen *blasgesellen* die *gougelbühse an daz houbet* zu schlagen, so daß *die valewische stiubet in die ougen min.* Wir haben keine Kunde davon, daß das Einvernehmen Walthers mit Wolfger (dem *biderben patriarken, missewende fri*, L 34, 34) gestört worden wäre. Der Spruch 37, 34 ff. scheint das aber — wenn auch erst sehr von ferne — in den Bereich des Möglichen zu rücken.

Ich fasse nun einige Strophen des König-Friedrichs-Tones zusammen und erwäge Beziehungen zum W. G., ohne diese einzeln zu belegen. Das würde den hier zur Verfügung stehenden Raum sprengen, da wir uns infolge der Mängel der Überlieferung auf textkritisch z. T. wenig gesichertem Boden bewegen. So bei den zwei Strophen L 30, 29—31, 2 *(Swer staetes friundes sich durch übermuot beheret)* und L 31, 3—12 *(Ich wil niht me den ougen volgen noch den sinnen)*. A schreibt beide dem Truchsessen von Sankt Gallen zu, C bringt die erste unter dem Namen Walthers, die zweite auch als dem St. Galler Truchsessen gehörig. v. Kraus WU 100 ff. hält beide nicht für Walthers Eigentum (Seite 104), gibt aber zu, daß wenigstens der erste „ein recht guter Spruch und in echter alter Sprache vorgetragen" sei (Seite 102); er ist s. E. mit dem zweiten äußerlich zwar „aufs engste verkettet"; innerlich stünden sie sich aber, wenn man ihren Inhalt ins Auge fasse, ferne (Seite 103). Nun sind die Strophen aber, wenn nicht näher, mindestens durch das gemeinsame Thema der treulosen Freundschaft verbunden (in der Waltherausgabe von Wilm./Mich., Seite 147 ff., sind sie unter der gemeinsamen Überschrift ‚Treulose Freunde' zusammengeschlossen). Der erste stimmt durch das Motiv des *übermuotes*, der *wenke (inconstantia)*, des *erbornen friundes* gegen die *gehalsene friuntschaft* auffällig zum Spruch L 79, 17 ff. (siehe oben, S. 561), scheint aber — soweit die unsichere Textgrundlage das erkennen läßt — im Gegensatz dazu die Blutsverwandtschaft über die erworbene Freundschaft zu stellen. Der zweite erinnert an L 79, 33 ff. (siehe oben, Seite 558 f.) und lobt gleich jenem die *gevierte constantia*: da den gewissen *friunden, versuochten swerten,* die sich hätten in der Not bewähren sollen, ein Gran *unstæte* beigemischt war, *des vielten sich ir egge, do si solten han gesniten* ... Der Dichter bedauert, daß er der *trüge ie künde an in gewan* und freut sich, daß sie zu Schaden gekommen und zu Spott geworden sind. Michels schreibt, Walther klage in den beiden Sprüchen über die Untreue zweier Freunde, die ihn aus Hochmut einem andern zu Ehren haben fallenlassen. Es seien ohne Frage „zwei bestimmte Männer gemeint, und zwar solche, die ein allgemeineres Interesse für sich in Anspruch nahmen, denn sonst würde der Dichter sich nicht öffentlich über sie ausgesprochen haben". Ferner seien es Männer gewesen, an deren Freundschaft Walther gelegen war, denn er fasse sie ganz anders an als etwa Herrn Wicman oder Herrn Gerhart Atze. Es seien vielleicht der Markgraf von Meißen und Herzog Ludwig von Baiern gemeint (Wilm./Mich., Waltherausgabe 147 f.). Nach meinem Dafürhalten läge es näher, dem Text eine Beziehung auf Thomasin und den Patriarchen zu geben. Wer wäre dann der *hoehere*, um dessen *ere* willen der Dichter von den *ungetriuwen* Freunden ge-unehrt wurde? Der Papst. Es wird davon noch zu reden sein.

Zwei bis dahin unbekannte Spruchstrophen im König-Friedrichs-Ton wuchsen der Forschung im Jahre 1912 in dem Münsterer Bruchstück (Z) zu. Es sind die Strophen L XXX, 4—10 *(Swelch man sich gerne vrijen wil von boeser sache)* und L XXIX, 19 bis XXX, 4 *(Swa nu ze hove dient der herre sinem knehte)*. v. Kraus hielt sie für unecht und hat sie als solche bezeichnet; Maurer verzeichnet sie unter den ‚Zusatzstrophen', nicht unter den ‚zweifelhaften'. Inhaltlich würden sich die Verse in unsere Zusammenhänge gut einfügen. Der erste Spruch stellt sich gegen Thomasins Meinung, daß *tugent des guoten* Ausharren auch bei böser Sache und bösen Menschen erfordere und diese zum Guten umstimmen helfe (vgl. oben, Seite 542). Wer sich, singt dagegen Walther, von einer bösen Sache löse, der solle sich auch von den Menschen, die *da sin gesezzen under schanden dache* trennen. Anders werde er an Ehren und *wirdekeit* Einbuße leiden. (Ging das auf die Trennung von Aquileja und Thomasin?) Der sei ein *saelec man* — so gegen Thomasins immer wiederholtes *‚unsaelec'* —, *den so sin muot getiuret hat* — man beachte die Wortwahl —, daß er *daz beste gerne tuot* und der Schande absagt: *der mac wol heizen guot.* Der Spruch umspielt Thomasinsche Gedanken, Worte und Begriffe und gibt Waltherische Entscheidungen. Der andere spricht von einem Hof, *da der herre sinem kneht* dient (das wäre in unserer Deutung: Wolfger das Spiel Thomasins mitmacht) und *der valke* (= Walther mit seinem Anspruch auf Ritterbürtig- und *werdekeit*) vor dem *raben* (= dem *pfaffen* Thomasin) *ze rehte* steht, d. h. sich zu verantworten hat; da spürt man *offenliche unart, unadel und ungeslehte.* Da ist es dann um das Anliegen der *werden ritterschaft* jämmerlich schlecht bestellt. Frau Ehre hat nichts mehr zu melden (ist ihrer schnellen Sprünge erwehrt), sobald der Dickbauch (Thomasin?) vor dem *schilte* (Ritter? Walther?) zu Hofe fährt. Wohlauf denn, *varen wir da heim in Osterriche*! Wird der Sänger bei Hof dort gebührlich empfangen, so wird er Leopolds Namen preisen (erhöhen). — Auffällig der — im König-Friedrichs-Ton L 28, 11 schon einmal begegnende — Appell an den Ősterreicher, ebenso dreimal in späten Strophen des ‚Unmutstons' (L 32, 5; 32, 16; 36, 1) und zweimal in frühen (L 35, 1; 35, 17). *Da heim* meint offensichtlich dasselbe wie L 32, 14 *(zOsterriche lernt ich singen unde sagen)* und erinnert an 30, 26. Dort schien es in übertragener Bedeutung zu stehen: der ungetreue Freund, mit dem wir jahrelang an ‚einem Strick gezogen' haben, bleibe beständig und teile meine Nöte. Hier scheint es ganz unbildlich auf ein wirkliches ‚Heimfahren' nach Ősterreich hinzuweisen.

Schließlich sei noch erwähnt, daß der bekannte Spruch L 26, 3—12 *(Vil wol gelobter got, wie selten ich dich prise)* phraseologische und gedankliche Bindungen an die letzten Abschnitte des 7. Buches von Thomasins W. G. verrät. Diese handeln davon, daß recht berichtete Sinne den *muot* des *wîsen* auf das wahre Christentum lenken und ihn *diu rehten werc* vollbringen lassen. Walther bekennt — mit überlegenem, liebenswürdigem Spott (der sich nicht gegen die Lehre der Christen, sondern gegen den Tugendlehrer Thomasin richtet) —, daß er die wahre Liebe zu Gott und seinen Mitmenschen noch nicht gefunden habe: *wie solt ich den geminnen der mir übele tuot?* Wilm./Michels, Waltherausg. 132 z. St., meinten, die Verse seien eine passende Einleitung der Sprüche, in denen sich Walther von Otto lossage. Sicherlich, das sind sie. In noch höherem Maß aber können sie eine Absage an Thomasin darstellen, an dessen W. G. sie sich phraseologisch und thematisch anlehnen.

Von den Reimarfehden her weiß man um die merkwürdige Verquickung von Polemik und Minnelyrik in Walthers Dichtung (siehe v. Kraus, WU 231). Wir begegnen ihr auch im Gefolge des Thomasinzwistes. Eine zureichende Erklärung von Ursachen und Einzelheiten, wie sie — mit allem Vorbehalt — bei den Spruchstrophen versucht werden konnte, ist hier ungleich schwieriger. Dies liegt wohl daran, daß den Sprüchen eine uns wenn auch vielfach nur in den groben Umrissen, so doch bekannte politische oder persönliche Lage zugrunde liegt, den Minneliedern aber eine illusionäre Wirklichkeit, in der Schein und Sein zu scheiden absonderliche Schwierigkeit bereitet (vgl. Zs. 86, 216). Auszugehen wäre nach meinem Empfinden von dem Lied 58, 21 ff. *Die zwivelaere sprechent ...* Thomasinsche Wendungen und Anspielungen erscheinen darin verbunden mit Nachklängen Reimarscher, vielleicht auch Neidhartscher Polemik. Ich gestehe aber, die ‚Gelenkwirkung' des Liedes noch nicht genügend zu durchschauen, um es würdigen zu können, und begnüge mich aus diesem Grunde mit einem bloßen Hinweis. Deutlich ist die Ausgangslage. Das Lied ist geschrieben in einer Zeit *gemeiner not, da al diu welt mit sorgen ringt* und alles still und tot scheint. *sanges tac* ist eine Hoffnung der Zukunft *(‚man kan noch wunder')*. Sinnbildlich und stellvertretend für den Sänger hört man *ein kleine vogellin* klagen *(daz tet sich under): ‚ich singe niht, ez welle tagen*'. Die Beziehung auf Walther ist deutlich. Die Ursache seines Schweigens ist: Die *losen* haben vor den *guoten wiben* seinen Sang gescholten, weil er die *guoten* von den *boesen* schied und nicht alle durch die Bank als *guot* gelten lassen wollte. Bis hierher lassen sich Thomasinbezüge gut unterbringen und weisen auch *haz* und *nit*, die als Boten und *spehere* ausgesandt sind, um den *staeten* (Walther) zu *verkeren*, auf Waltherssprüche gegen den Friauler zurück, dessen *verlogenen munt und twerhez sehen* sie anprangern (siehe oben, Seite 556 f.). Mit dem Auftreten der *frowe*, die ihrem Freunde wehtut und seinen *vinden* zu wenig (oder *niht*) schadet, verlieren wir den Boden unter den Füßen und geraten in Gefahr, bloßen Vermutungen nachzugehen.

L 44, 11—32 und 171, 1—24. *(Min frowe ist underwilent hie,* und *Noch dulde ich tougenlichen haz).* Auch in diesem Lied überschneiden sich Reimarfehde und Thomasinstreit. Die textkritischen Probleme, die es stellt, und die Frage der Strophenreihung sind Gegenstand vieler Erörterungen gewesen (vgl. Wilm./Mich., Waltherausg. 431 f., v. Kraus, WU 148 ff., Maurer, Ausgabe II 128). Da eine Klärung nicht erreicht wurde, schließe ich mich in der Anordnung der Strophen keinem der neueren Herausgeber (Kraus, Maurer, Brinkmann), sondern der älteren Übung etwa von Pfeiffer/Bartsch (Nr. 41—44) an. Sie druckten die Strophen selbständig. Ich bemerke dazu, daß die von Lachmann als zweifelhaft noch in die Anmerkungen verwiesenen Strophen 171, 1 ff. hier ebenfalls als vollwertig und echt genommen werden (dazu v. Kraus, Zs. 70, 81—120, bes. Seite 89 f.). Nimmt man die Strophe 44, 23 ff. voraus *(Ich lepte wol und ane nit)*, dann begegnen an Thomasin-Erinnerungen der *nît* (siehe oben, Seite 555), die *lügenære* (oben, Seite 543), das *wirren* (unten, Seite 576); *unstæte* und *schande, sünde, unêre* sind Fachausdrücke Thomasins, die auf Schritt und Tritt wiederkehren. Die Verse sind, als Ganzes genommen, eine ‚Retourkutsche'. Daß *lügenaere,* d. h. Leute vom Schlag Thomasins, die Walthers Worte verkehren, obenauf sind und das Ansehen der Welt *(werdekeit)* genießen, öffentlich *nieman guoten unverworren lant:* das ist Walthers Kummer. Die Auseinandersetzung wird von langer Dauer sein (Zeile 4). Daß man ihnen nicht aus dem Wege geht, wird *herren und frowen* — für die Thomasins Lehren ja durchwegs bestimmt sind (siehe Burdach im Vorspiel I 2, 1925, 108 darüber, daß sich Thoms. „Lehrbuch ritterlicher Moral durchaus an höfische Kreise" wendet) — Schaden und Verderben bringen.

Jene Strophe, die den nach Obigem noch unsicheren Bezug auf Thomasin als möglich erhärtet, ist 171, 13 *(mac ieman deste wiser sin).* W. G. 11.246 ff. hatte Thomasin Walther mit doppelter Verantwortung beladen, weil er als *wîser man* einen großen Hörerkreis anspreche; *sô mag er niht ân vorht bestân daz er bœse bilde gît* (gegen Walther L 34, 21). Man glaube zu allen Zeiten leichter das Böse als das Gute (Fortsetzung des Vorwurfes von W. G. 11.123 ff.); doch *ist unsælec swer daz tuot*! (Wiederum die Verwerfung als *unsælic,* die Walther L 73, 28 so überlegen abtut). *missesprichet ein man der sich niht verstên kan* (W. G. 12.243 ff.), so mag das noch hingehn; *man acht drûf lützel ode niht.* Dies ist die erste Bezugstelle Walthers in 117, 13 ff. Da heißt es, *Mac ieman deste wîser sîn daz er an sîner rede vil liute hat:* An ihm, Walther, habe sich das noch nicht erwiesen. Denn *ez gat diu werlt wol halbe an mînen rat,* trotzdem scheine er (gewissen Leuten, Thomasin) doch so *verirret daz ich lützel hie zuo kan* (siehe oben, Seite 545). „Obgleich wohl die halbe Welt sich von mir belehren läßt, so weiß ich mir (angeblich!) doch selbst kaum zu raten", Übersetzung Pfeiffers. Die Aussage meint W. G. 11.235 ff. und 1723 ff.: *ist daz houbet zaller stunt einem manne ungesunt, ez wirret den geliden vaste!* (Wir erinnern uns: Thomasin erwog 11.250, ob Walther nicht etwa *tobende* sei: *ist daz houbet ungesunt* . . .). Dagegen erfolgt Walthers *widerswanc*:

> . . . ich merke wol daz ez mir wirret,
> und wil die friunt erkennen iemer me
> die guote maere niht verkerent.
> wil ieman loser mit mir reden, in mac, mir tuot daz houbet we.
> (L 171, 19 ff.)

Schon aus dem Bisherigen kennen wir einige der Bezugspunkte (*wirren*; die treulosen *friunt*; das *verkeren* der *guoten maere*). Für das Verstehen der Pointe muß aber weiter ausgeholt werden. Wir denken zurück an Thomasins „Klaffen" gegen Walthers „Loben" im III. Buch des W. Gs. (siehe oben, Seite 569); da tadelte Thomasin diejenigen, die bedenkenlos falsches Lob spenden, um es morgen zurückzunehmen; so ist *der herre nibt wol geêret zuo der vrist, swenn lop mit lüge gemischet ist* (3624 ff.). An dieser Stelle nun setzt Thomasin, an das Dockenspiel-Gleichnis (siehe oben, Seite 569) anknüpfend, fort: Wenn Kinder ihr Spiegelbild für echt halten (*si wænent daz dar inne ein kint sî daz mit in spil*, 3630 f.), so sei das nicht närrischer, als wenn einer *einem andern geloubet daz im niht werre an sîm houbet, ob im wê daz houbet tuot.* Wie könne ein vernünftiger Mensch sich von einem *lôsære* so hinters Licht führen, so *triegen* lassen, *swenn zuo im spricht der lôsære, er tuo vil wol, sô waenet der daz ez reht sî ...* (W. G. 3643 ff. Anlaß zu der Bemerkung gab und u. a. sicherlich auch L 11, 30 ff.). Auch das folgende Bild Thomasins von der *croiæren* beim Turnier (den Schreichorführern der Fußballwettspiele in unseren Tagen), die den *rîtern* laut zurufen: *„zâh schewaliers, rîter guot, edel und ouh hôh gemuot: so dunkt sich der ein lewe gar, der ein schande ist der vrumen schar“* (W. G. 3647 ff., dazu Walthers *Her-keiser-sprüche* und Thomasins Polemik gegen Löwen und Adler im Schilde Ottos, siehe oben, Seite 540 f.), muß Walther peinlich berührt haben. Vor allem war es aber die Beschimpfung, ein *lôsære,* ein *trieger* und Heuchler zu sein. So faßt er denn diese Bilder, Gedankenverbindungen, Schmähungen, seine ganze Erbitterung über den treulosen, ihm das Wort im Munde verdrehenden Freund in der Abfuhr zusammen, die wir oben wörtlich anführten: *wil ieman loser mit mir reden, in mac, mir tuot das houbet we!* (L 171, 22).

Die Strophen L 44, 11 ff. und L 171, 1 ff. spielen die bisher spruchartig gehandhabte Verteidigung Walthers in das Gebiet der Minne- und *frowen*-Dichtung hinüber *(Min frowe ist underwilent hie)*; sie greifen Streitpunkte der Reimarfehden auf (siehe v. Kraus, Die Lieder Reimars des Alten. I—III. 1919). Sie knüpfen durch Wort- und Reimresponsionen an Reimars ‚Preislied‘ an (ebda. I 38 f., II 7, III 51 f.; vgl. dazu v. Kraus, WU 148 ff., 152), aber auch an ältere Strophen Walthers (L 127, 10 — *heren walters zanch*). Dabei schwingen im Untergrund Thomasin-Anklänge mit. Die Zusammenhänge ganz aufzulösen und zu deuten muß kommenden

Untersuchungen vorbehalten bleiben. Schon Simrock hatte seine Weigerung, die vier sichtlich zusammengehörenden Strophen zu einem Lied zusammenzufassen, mit der Undichte der Gedankenführung begründet (siehe Wilh./Mich. Waltherausg. z. St., Seite 432): Diese vier Strophen, die der Gedanke nicht verbinde, seien eher Sprüchen eines Tones zu vergleichen. Bei Beachtung der Thomasin-Anklänge wird der Zusammenhang gedanklich zweifellos dichter und verständlicher. Indessen erschwert die Einbeziehung der Minneproblematik mit ihrem Schwanken zwischen Illusion und Wirklichkeit die Auslegung. Ich klammere diese Teile daher aus. Das gilt auch für Waltherlieder wie L 57, 23 ff. *(Minne diu hat einen site)* und L 59, 37 *(Wie sol man gewarten dir)*, in denen Thomasin- und Neidhart-Abwehr gemischt in Erscheinung zu treten scheinen.

L 116, 33—117, 28. *Bi den liuten nieman hat* ... Die Thomasinbezüge stehen hier W. G. 10.391 ff., 10.394 ff., 10.399 und 11.212 ff. Es sind die Stellen, an denen der Welsche Gast — mit deutlicher Wendung gegen Walther — das Amt des Dichters teils herabsetzt (siehe oben, Seite 546), teils die sittliche Verantwortung des Dichters für die volle Wahrheit der des Predigers gleichsetzt und den Dichter verwarnt, *wil er sîn ein lügenære* (11.201 ff.). Solcher moralischen Belehrung setzt Walther im Gefühl sittlicher Überlegenheit, die ihn seiner Verpflichtung, *der werlde ze dienen,* eingedenk sein und sie über alle Alltagsmoral stellen läßt, die Erfahrung seines Künstlertums entgegen: daß das Frohsein eine höhere Verpflichtung darstellt — man könnte Schillers Rezension über Bürgers Gedichte zitieren oder Morungens *sanc ist âne fröide kranc* (MF 123, 37), im weiteren Sinn die *fröide* überhaupt als ein als konstitutives Element der Hohen Minne — und gleichzeitig, daß sie die Quelle seines Künstlertums ist:

> also han ich dicke mich betrogen
> unde durch die werlt mir manege fröide erlogen:
> daz liegen was ab lobelich!
>
> (L 116, 37 ff.)

Das ist klärlich eine Antwort auch an Thomasin.

L 46, 32—47, 15. *Aller werdekeit ein füegerinne.* Es ist das programmatische Lied, mit dem Walther *mâze* und *unmâze*, Grundanliegen Thomasins im W. G. (siehe oben, Seite 541 f.; Teske Seite 179 ff.) in Beziehung setzt zu den Begriffen *nideriu minne* und *hôhiu minne.* Es ist hier nicht der Ort, Walthers Minnelehre — die von Maurer, Ausgabe II 24 ff., 26 ff. in ihrer Entwicklung mit Recht als ausschlaggebend erkannt worden ist auch für die zeitliche Ansetzung von Liedern Walthers — in ihrer Gänze aufzurollen und sie derjenigen Thomasins gegenüberzustellen (eine Aufgabe, die ihrer Bearbeitung noch harrt). Daß Walther sich in diesem Lied aber auch auf den W. G. bezieht, ist zweifellos. Auch *minne* und *herzeliebe* werden von Thomasin nach dem Gesetz der *mâze* und *unmâze* als ambivalente Begriffe behandelt. Seine Grundüberzeugung ist: Kein Ding *mac wesen guot daz man mit unmâze tuot. Swie guot ein dinc sî, ist diu unmâze derbî, ez enmac niht wesen guot* (W. G. 10.181 ff.). *mâze* wendet alles zur Tugend, sie bändigt sogar die zerstörerische Kraft der Minne (W. G. 1179 ff.). Wer aber *âne sinne wænt spiln mit der vrouwen minne* und sie nicht mit des *sinnes zoume* zu zügeln versteht, den reißt sie in wilder Fahrt *über die boume* hin; wie unbehütete Überkraft des Feuers vernichtet und zerstört sie; sie blendet des *wîses mannes muot,* schändet ihn an Seele, Leib, Ehre und *guot. swer zem viwer nâht ze hart der besengt dick sînen bart* (1199 f.). Dazu W. G. 10.013 ff.: *swelich man sich vor unmâz niht kan bewarn mac wol unsæleclîchen varn.* Und 10.143 ff.: Rechte *mâze* wendet Untugend zur Tugend, sie dämpft Übermut durch des *sinnes mâze* unter Gottes Gebot und Furcht; *swerz niht entuot, der hât verworht gotes hulde und sîn sælekeit* (10.154 f.). — Von dieser Lehre aus muß Walther 46, 36 ff. betrachtet werden. Auch Walther erkennt an, daß die *Frowe Maze aller werdekeit ein füegerinne,* der ein *sælic man* ist, der ihrer Lehre folgt. Darum sucht er bei ihr Hilfe, um das Ebenmaß zu finden. Ob er aber nieder oder hoch wirbt — das heißt zunächst ganz allgemein: nieder oder hoch strebt, tut, handelt —, er kommt auf alle Fälle zu Schaden; *ich was vil nach ze nidere tot,* das kann in diesem Zusammenhang nur heißen: als Walther *nidere* warb (etwa seine ‚Mädchenlieder' sang), da machte man ihn (durch *verkeren siner rede*) unmöglich. *nu bin ich aber ze hohe siech:* seine neuen Lieder der hohen Minne läßt man auch nicht gelten. „Maßlosigkeit *(unmaze)* erspart mir keine Drangsal" (vgl. dazu etwa noch den Eingang des 6. Buches W. G. 6799—6816).

Walthers Begriffsbestimmungen der niederen und der hohen Minne, welch letzterer der Dichter sich nun neuerdings zuwenden will, sind durch v. Kraus, WU 159 gründlich erhellt worden. In unserem Zusammenhang ist Walthers Bekenntnis zur *herzeliebe* (Herzensneigung. Zu Maurer II, 27 vgl. Gruenter Anz. 69, 66 f.) bedeutsam, von der er sich — als Dichter, im Sinn des gleichen höheren Auftrages, der ihm das *erliegen* der *fröide* zur Pflicht machte — verführen läßt. Ihn wundert *wes diu maze beitet,* wenn *herzeliebe* ihn antritt. Thomasins *armer man,* der die Gesellschaft vorgeblich bloß *zannen unde lachen* machen kann, um von ihr doch für einen *tôren* — einen *gampelman* — gehalten zu werden, erweist sich hier als unerschrockene, aufrechte Persönlichkeit, die von der sittlichen Größe ihrer dichterischen Sendung durchdrungen ist und sich trotz der Drohung mit Tod und Teufel zu ihr bekennt. *(unsaelec? Neina, daz waer alzesere . . .).*

L 43, 9—44, 11. *Ich hoere iu so vil tugende jehen (Heren walters zanch).* Über dieses dritte ‚Zwiegespräch' Walthers — Über edlen Anstand (Maurer) — hat Theodor Frings in der Festschrift für Dietrich Kralik, 1954, 158 ff. gehandelt. Walthers untergründige Auseinandersetzung mit Thomasin ist ihm entgangen. Mir scheint es sicher, daß die unmittelbare Herausforderung, sich mit bestimmten Fragen zu befassen und sie geistig zu durchdringen, für Walther auch in diesem Lied von Thomasin gekommen ist. In jeder der vier Strophen des Gesprächs zwischen Ritter und Fraue wird je eines der Themata angeschlagen, um die Walthers *strît* mit Thomasin (und der höfischen Mitwelt) ging: I. Die Frage der *werdekeit*; um ihretwillen erbittet sich Walther den Rat der *frowe*; *nu wil ich deste tiurre sin* (vgl. Thom. 12.049 ff., oben, Seite 557 f.). II. *diu mâze,* gemeint in doppeltem Sinn, als ‚Maß' des *manne muotes* und als Grundbegriff der höfischen Tugendlehre, wie er im Mittelpunkt auch der Thomasinschen Minneauffassung steht (siehe oben, Seite 579). III. *diu staetekeit,* den *guoten wiben* von Walther als *ein krone* zugesprochen. Das wird von ihm gegen Thomasins

Klaffen durch das Selbstzitat gehäufter Motive aus der eigenen Minnedichtung untermalt. IV. Das Erkennen von *übel unde guot* — unserem Dichter W. G. 11.113 von Thomasin abgesprochen — und das *tragen gemüete ze maze nider unde ho,* Thomasin als die Kunst, *die liute* zum *zannen* oder *lachen* zu bringen, ein Dorn im Auge (W. G. 10.391 ff.). Walther hält daran fest. Sollte der vielumstrittene Pointe-Satz des letzten Verses *guot man ist guoter siden wert* nicht auf die *werdekeit* der ersten Strophe zurückzubeziehen sein und im Sinne mittelalterlich-ständischer Kleider- und Rangordnung einfach die Anerkennung der inneren und äußeren Vollrangigkeit *(werdekeit)* des werbenden Mannes (Walthers) zum Ausdruck bringen?

L 62, 6—63, 7. *Ob ich mich selben rüemen sol.* Das vielberufene Lied vom Kaiser als Spielmann erhält vor dem Hintergrund des Thomasinzwistes einen besonderen Sinn. Schon die ersten Zeilen sind als Antwort an Thomasin aufzufassen. Denn ein Mann mit *rüemigen muot,* der *vellet wider an übermuot* (7531 ff.). Wenn er sich also selbst rühmen dürfte, dann schreibt er gegen Thomasins Meinung, *daz man niht werben sol scheltend iemer oder sich lobende* (Inhaltsangabe, Rückert, Seite 405) und *daz man sich niht rüemen soll* (W. G. 248 ff.), weil sich selbst rühmen *wider zühte lêre* ist (268): *swelich man sich rüemen wil, der erwirvet lasters harte vil den wîben und im kleine êre* (265 ff. Vgl. W. G. 7531 ff.). Dem entgegnet Walther: Er erweise sein höfisches Benehmen schon dadurch, daß er sich Anflegelungen bieten lasse, obwohl er sie ahnden könnte. Für *manege unfuoge,* die Walther von seiten des Friaulers hinzunehmen hatte, glaube ich in unseren Darlegungen beweiskräftige Belege in genügender Zahl gegeben zu haben. Der *hübesche man* spielt etwa auf Thomasins W. G. 12.767 ff. an *(ein ieglich man wær hüfsch genuoc wær er sô vrum und sô gevuoc daz er erkant sîn unhüfscheit, sîn unzuht, sîn unstætekeit . . .).* Hat Walther den Vorwurf der *unfuoge* aber nicht auch von anderer Seite, etwa im Reimarstreit, immer wieder zu hören bekommen? Muß hier unbedingt oder auch nur vornehmlich an Thomasin gedacht werden? Ich glaube ja. Hier der Beweis. Walther fährt fort: *Ein klosenaere, ob erz vertrüege? ich waene, er nein. haet er die stat als ich si han, bestüende in danne ein zörnelin, ez wurde unsanfte widertan.* Der *klôsenære* ist nicht etwa der Klausener des dritten Reichstonspruchs, den Walther — mit Burdach gesprochen — als Urbild der unpolitischen weltlichen Frömmigkeit beschwört (siehe Zeitschr. f. dt. Phil. 1935, Bd. 60, 314 ff.) und dessen bitterernst mahnende Stimme wir auch in den späten Liedern Walthers vernehmen. Hier verrät der witzig-leichte, graziös-ironisierende Ton unserer Strophe, daß wir es mit einem anderen *klôsenære* zu tun haben, nämlich Thomasin. Als solchen stellt der Friauler sich im Eingangsdialog des 9. Buches, dem witzigen Gespräch mit seiner Feder, W. G. 12.255 ff., selber vor. Dieser *klôsenære* war mit gewaltigem Pathos gegen das Laster des Zornes zu Feld gezogen (von dem Walther sich durchaus nicht frei wußte, vgl. L 32, 12 f.), man vgl. etwa W. G. 3469 ff. (der zorngemute Herr, der von Macht träumt, geht gegen seine Feinde vor: dem einen läßt er das Haus brechen, den andern henken, *einn sleht man dort, den andern dâ ... Dem herrn ist dann harte zorn: die vînde die sint gar verlorn* ... So hatte Walther dem Kaiser Otto geraten, den *tiuschen fride ze machen staete bi der wide* L 12, 18 f.) oder W. G. 12.559 ff.: der Richter darf sich vom Zorn nicht leiten lassen, aber auch nicht der Gerichtete, *swer sich richet amme geriht, der ist gar ein bœsewiht* (12.567 f.). (Ein solcher ‚Bösewicht' war Walther gewesen, als er sich nach der verlorenen Klage vor dem thüringischen Landgrafengericht an Herrn Gerhart Atze rächte und dem Landgrafen den Dienst aufsagte. Vf. Zur Spruchdichtung, Seite 87 ff.). Auch an anderen Stellen des W. Gs. wird die *unsælecheit* des Zürnens verworfen.

Mit der spöttischen Unterstellung eines *zörnelîns,* das den *klôsenære* Thomasin *bestât,* zieht Walther den Gegner durch die Hechel. Verfügte der über die Möglichkeiten (das literarische Können) Walthers, er zahlte die erlittene Unbill *unsanfte* heim! Er, Walther, läßt sie *sanft* hingehn — und entschärft Thom. W. G. 12.711 ff. und alle die Vorwürfe, die von *pfaffen* Seite gegen seine, wenn Burdach, Zeitschr. f. Kirchengesch. 1936, Jg. 55, 480 ff., 488 ff., 517 ff. und Walther I 1900, 74 ff. richtig sieht, auf eine im Sinne der Kirchenpolitik Ottos IV. tiefgreifende Reform des Kirchenwesens gehenden Vorschläge erhoben worden waren.

Einer Auslegung der II. und III. Strophe des Liedes enthalte ich mich hier aus den gleichen Gründen, aus denen oben die minnepolemisch ausgerichteten Lieder am Rand unserer Betrachtung blieben. Die Verbindung von Frauendienst und persönlicher Polemik ist noch zuwenig durchsichtig, als daß befriedigende Erklärungen möglich wären. — Die abschließende IV. Strophe hingegen ist in ihrer Meinung klar. Thomasin hatte sich im W. G. 1482 ff. gegen *den valschen man* gewandt, der sich *minne nimet an,* nur um sich damit zu brüsten, und die *wîp getadelt,* die sich — wie das zum Wesen des Minnegesangs gehört — mit *biten* unablässig bestürmen lassen (*ist ein man ein petelære, daz sint kleiniu hovemære,* W. G. 1511 f.); im Abschnitt vorher, W. G. 1304 ff., tadelt Thomasin den *tœrschen man der siht ein wîp waz si gezierd hab an ir lîp* (so Walther L 46, 11 ff.: *swa ein edeliu schoene frowe reine, wol gekleidet unde wol gebunden, durch kurzewile zuo vil liuten gat . . .*). Ein Tor sieht, sagt Thomasin, *waz gezierdes ein wip uzzen an dem libe hat, der wise man siht wie si dar inne gezieret* (Inhaltsangabe, Rückert, Seite 405). Walthers *frowe* nun hat den *reinen lip* als *werdez tach an ir geslouft* und bleibt ein *wol bekleidet wip, sin unde saelde sint gesteppet wol darin.* Und jetzt holt der *armman,* der von Thomasin herabgesetzte *spileman* Walther zum Gegenschlag aus. *getragene wat* hat er niemals als Lohn genommen. Diese hier aber nähme nicht nur er gerne: *der keiser wurde ir spileman umb also wünneliche gebe. da, keiser spil!* Aber nicht bei Walthers *frowe, nein, herre keiser, anderswa*! Der „Kaiser als Spielmann" rehabilitiert das Gewerbe, das ein Thomasin verachten zu dürfen meinte! (Siehe oben, Seite 546 f.).

Jahrbuch für fränkische Landesforschung 19, 1959, S. 377—388.

WALTHER VON DER VOGELWEIDE UND DIE PFALZ DER BABENBERGER

(WALTHERS SCHEIDEN VON WIEN)

Ein Diskussionsbeitrag

Von Siegfried Beyschlag

In seinem Vortrag über Klosterneuburg als Dynastenpfalz der Babenberger hat Karl Oettinger das Ergebnis seiner Untersuchungen in den MIÖG 55[1] erneut bestätigt: daß in den anderthalb Jahrzehnten von 1198, dem Regierungsantritt Leopolds VI., ab in Klosterneuburg eine zweite Pfalz neben oder — wie es Oettinger vertritt — anstatt der Pfalz „am Hofe" zu Wien existiert habe: „daß damals für einige Zeit Klosterneuburg noch einmal der normale Aufenthalt des Landesherrn gewesen ist und Wien als Residenz völlig zurücktritt" [2].

Diese Feststellung ist für die Geschichte Walthers von der Vogelweide, soweit sie diese eineinhalb Jahrzehnte und sein Verhältnis zu Leopold VI. betrifft, bedeutsam. Reizvoll erscheint es vor allem, unter dem Blickpunkt der Forschungen Oettingers gerade jene beiden Wiener Sprüche Walthers neu zu interpretieren, die sich bisher, vor Kenntnis der Existenz eines zweiten Hofes neben Wien, einer befriedigenden Deutung entzogen haben. Das sind der Spruch vom Verfall Wiens L. 24, 33 und von der „Verbannung Walthers in den Wald" L. 35, 17.

Andeutungen eines Bezuges der beiden Sprüche auf die Pfalzverlegung machte ich spontan in der anschließenden Diskussion des-

[1] Karl Oettinger, Die Babenberger Pfalz in Klosterneuburg, MIÖG 55 (1944) S. 147 ff.

[2] A. a. O. S. 165.

selben Abends. Die Bitte des Veranstalters und Diskussionsleiters, Karl Hauck, sie als Beitrag dem Jahrbuch zur Verfügung zu stellen, führt mich nun zu einer (ungewollten) Auseinandersetzung mit K. K. Klein, der einen gleichen Bezug der genannten Sprüche zur Pfalzverlegung 1955/56 hergestellt hat[3].

Ich glaube, daß von dem neuen Gesichtspunkt der zwei Pfalzen aus eine noch entschiedenere Loslösung von den bisherigen Interpretationsversuchen möglich und auch notwendig ist und daß sie dadurch zu noch präziseren Einsichten vor allem für Walthers Entlassung zu führen vermag.

Zweckmäßig ist es hierbei, die Sprüche mit direkter Nennung Wiens zusammenzusehen und ihre Sachangaben mit dem Nachweis der Aufenthalte Leopolds und Walthers, soweit dies möglich ist, zu kombinieren. Es sind die Sprüche im Wiener Hofton L. 25, 26 *(Ob iemen spreche, der nû lebe)* und L. 24, 33 *(Der hof ze Wiene sprach ze mir)*, im Leopoldston L. 84, 1 *(Drî sorge habe ich mir genomen)*. Hinzu kommen im Wiener Hofton L. 20, 31 *(Mir ist verspart der sælden tor)* und, wie oben erwähnt, im Unmutston L. 35, 17 *(Liupolt ûz Ôsterrîche, lâ mich bî den liuten)*.

Von diesen ersten dreien setzt L. 84, 1 die Entlassung Walthers vom Wiener Hof eindeutig voraus: er lebt aus der Erinnerung an den *wünneclîchen hof ze Wiene*, wo auch die Freigebigkeit Leopolds geradezu grenzenlos gewesen: *man sach Liupoldes hant dâ geben, daz si des niht erschrac.* Und die Folgerung: *in gehirme niemer unz ich den verdiene.* Er schließt ein, daß — natürlich — der Dichter ebenso Anteil an der *milte* gehabt wie die anderen. Solche Teilhabe bezeugt Walther aber — im Umkreis der hier einschlägigen Sprüche — nur ein einziges Mal: in L. 25, 26, und zugleich, daß dies in Wien geschehen: *als wir ze Wiene haben dur êre enpfangen.* Das ist das Wien, wonach sich Walther dort zurücksehnt; er hat den Hof in seinem vollen Glanze (auch für ihn selbst) in ungetrübter Erinnerung. Deshalb sein ganzes Streben, ihn wieder zu *verdienen* (L. 84, 11).

[3] K. K. Klein, Walthers Scheiden aus Österreich, ZfdA 86 (1955/56) S. 215 ff.

Die dritte Nennung Wiens zeigt ein ganz anderes Bild: den Hof in Verödung, bar allen höfischen, geselligen Lebens, baulich in Verfall.

Setzt man seinen vieldiskutierten Wortlaut in bezug zu Oettingers Feststellungen einer zeitweiligen Aufgabe Wiens als Residenzort, so bietet sein Verständnis keinerlei Schwierigkeiten mehr. Walther schildert den Zustand einer aufgelassenen Pfalz ohne Leben, deren Baulichkeiten ihm dem Untergang preisgegeben scheinen. Erlebt hat dies Walther als Veränderung zum Schlechten gegen früher: *mîn wirde diu was wîlent grôz — seht wie jæmerlîch ich stê:* Walther gestaltet den Augenblick des niederschlagenden Bewußtwerdens der Veränderung, wo der Gegensatz von einst und jetzt kraß in die Augen springt[4].

In der Dreiheit der genannten Sprüche muß dieser der zeitlich letzte sein: die Ernüchterung und Enttäuschung auf die Sehnsucht, die 84, 1 ausdrückt, und die auf den Erlebnissen von 25, 26 beruht.

So weit gehen also die Aussagen Walthers parallel den archivalisch-kunsthistorischen Beobachtungen Oettingers, daß Wien als Residenz zurückgetreten oder vielleicht sogar zeitweilig ausgeschaltet gewesen sei. Jedoch in der Klage des Ernüchterten steckt mehr als nur der Schmerz über die Verödung der Örtlichkeit; das beklagte Fehlen von *rittern, frouwen, tanz* und reichen Gaben sagt: das höfische *Leben* ist dahin, das, was Glanz und Freude war — *der wünneclîche hof ze Wiene* existiert nicht mehr!

Nun zeigen aber gerade die archivalischen Befunde, daß von einer Verarmung des höfischen Lebens der Babenberger in jenem ersten Jahrzehnt des 13. Jahrhunderts keine Rede sein kann; sie zeugen nur von einer Verlagerung von Wien nach Klosterneuburg. Während noch in Wien die beiden glanzvollen Feste der Schwertleite Leopolds (Pfingsten 1200) und seiner Vermählung mit Theodora (1203) gefeiert wurden[5], berichten Urkunden und Annalen

[4] Es ist eine Folgerung, die Klein a. a. O. S. 227 in gleicher Weise zieht. Für die an sich wichtige Feststellung der Verwendung der Pfalzgebäude als Münzhof und für die herzoglichen Kammerknechte führt Klein (S. 228) leider keinen Beleg an. Karl Oettinger, Das Werden Wiens (Wien 1951) S. 195, spricht lediglich von einer Münzstätte spätestens seit dem 14. Jh.

[5] Die Belege unten Anmerkung 57—62.

von der Anwesenheit des Salzburger Erzbischofs 1207[6], von der feierlichen Kreuznahme Leopolds und seiner Ministerialen 1208[7] und von der „glanzvollsten Versammlung seiner Ministerialen zum Gründungsakt von Kloster Lilienfeld“[8] im April 1209[9] in Klosterneuburg. Hier war also die neue Pfalz anstelle Wiens der Repräsentationsort Babenbergischer Macht und Kultur geworden — aber die Repräsentation war da: die Feste und die *milte*, die *ritter* und *die frouwen zeinem tanze, silber, golt, ros unde kleider* — Gelegenheit zu Spruch und Minnelied.

Es ist das Ausgeschlossensein von all dem, was in Walthers bitterer Klage mitschwingt, und wovon wir ja an sich wissen. Mit anderen Worten: der herzogliche *hof ze Niwenburc* ist Walther verschlossen, der Hof, wo nun die *wunne* des alten zu finden wäre. Angesichts der verlassenen Pfalz zu Wien wird Walther der Verlust schmerzvoll bewußt und bildhaftes Wort.

Fragt man, wo Walther solches Ausgeschlossensein, das Übergangenwerden durch den Herzog aussagt, so stellt sich der Spruch L. 20, 31 ein: *Mir ist verspart der sælden tor.* Hier ist, wie in dem oben genannten Spruch L. 25, 26, die reiche Spendefreudigkeit Leopolds in blühenden Bildern geschildert — allein der Dichter ist davon ausgenommen; nur ganz bescheiden wagt er um ein Blatt aus der Fülle zu bitten. Ich möchte daher diesen Spruch in der relativen Abfolge zwischen L. 84, 1, der Sehnsucht und der Hoffnung, und 24, 33, der Enttäuschung, stellen, als die Ursache zu dieser.

[6] Als Zeuge in einer 1207 zu *Neunburch* ausgestellten Urkunde Leopolds: *Eberhardus archiepiscopus et apostolice sedis legatus,* Urkundenbuch zur Geschichte der Babenberger in Österreich I (Wien 1950) (weiterhin als UB) Nr. 155; Regesten zur Geschichte der Markgrafen und Herzöge Österreichs aus dem Hause Babenberg, von Andreas von Meiller (Wien 1850) Nr. 60 (weiterhin als: Meiller).

[7] *Liupoldus ... zelo fidei accensus cum pluribus nobilibus terre sue in Niwenburch signo sancte crucis insignitur:* Continuatio claustroneoburgensis secunda (MGH SS IX, S. 621); *Leopoldus gloriosus ... signo sancte crucis ... signitur apud Neumburch:* Cont. Praedicatorum Vindobonensium (ebda. S. 726).

[8] Oettinger, MIÖG 55, S. 165.

[9] UB 167 (Meiller 74) und 168 (Meiller 75).

Damit bin ich zu einem von Klein und der von ihm vertretenen bisherigen Forschung abweichenden Ergebnis gekommen[10]: diese stellt seit Lachmann den Spruch ins Jahr 1198; in ihm drücke sich der Verlust der Gunst des neuen Herzogs Leopold aus, der Anlaß, von Wien zu scheiden. Das *versparte sælden tor,* die *porta paradisi* der Dome und Pfalzen, beziehe sich auf die herzogliche Curie in Wien. Ihr Sinn: Walther sieht sich als Waise aus der *familia ducis* ausgeschlossen.

Seit Wood (1890) und Kraus[11] bringt man den Spruch mit 35, 17 in Bezug, als Reaktion Walthers auf die Antwort Leopolds, mit der der Herzog das Anklopfen Walthers an dem *sælden tor* abgewiesen habe. Diese Kombination setzt sehr viel Ungesagtes in Walthers Worten voraus und zeigt, daß man die eigentliche Deutung des Spruches noch nicht gefunden hat. Sie liegt vor der Feststellung, die erst Oettinger gelungen ist, daß Herzog Leopold eine zweite Pfalz großen Ausmaßes neben Wien errichtet hat, und dorthin, wie gezeigt, auch die großen Repräsentationsfeierlichkeiten und Staatsakte verlegt.

Diesen Sachverhalt muß man auch für die Deutung des Spruches 35, 17 im Auge behalten, und gerade hier komme ich zu ganz anderem Ergebnis und anderer Folgerung als K. K. Klein[12].

In diesem Spruch ist von einer Ansiedlung im Walde die Rede. Die zweite Zeile besagt: wünsche meine Anwesenheit bei dir im Gefilde (*ze velde* — ich lasse offen, ob und wie *velde* zu konjezieren wäre)[13] und nicht im Wald, denn ich verstehe nichts von Rodungsarbeit. Der Begriff „Anwesenheit" ist aus der Setzung *wünsche mîn* zu entnehmen, wie das auch Kraus[14] interpretiert, und er ist auch — das ist wesentlich — auf den Herzog und auf das Leben im Walde zu beziehen: der Herzog wünscht die Anwesenheit des Dichters bei sich im Walde *(wünsche mîn . . . (niht) ze walde!).*

[10] K. K. Klein, ZfdA 86, S. 216 ff., vgl. Kraus, Walther von der Vogelweide. Untersuchungen (Bln. u. Lpz. 1935, 2. unveränderte Auflage Bln. 1966) S. 61 ff. (weiterhin WU).

[11] WU. S. 119; s. a. Brinkmann, PBB 63 (1939) S. 357 ff.

[12] ZfdA 86, S. 221 ff.

[13] S. v. Kraus, WU. S. 119 ff., Klein, ZfdA 86, S. 219 ff.

[14] WU. S. 121.

Und zwar zu einer dauernden Niederlassung, die ein *riuten* voraussetzt. Walther lehnt dieses Ansinnen als eine kränkende Zumutung ab *(sô tuost dû mir leide)*, wünscht aber umgekehrt dem Herzog alles Gute für solche Niederlassung draußen in *walt* und *heide* (sowohl nach der von Kraus und den Folgenden anerkannten La. A, wie noch deutlicher nach C: *Da muessest du mit fröiden leben*). Entscheidend ist der Schluß: *wis dû von dan*, nämlich von den Menschen im Gefilde; das meint, verbunden mit *riuten* und *gezemen* bzw. *leben* in Z. 23, einen Daueraufenthalt des Herzogs „draußen".

Das alles heißt m. E. klar und eindeutig: der Herzog beabsichtigt seinen Sitz aus dem Gefilde, d. h. aus dem Wohnbereich und damit aus dem Umgang mit Menschen *(lâ mich bî den liuten, lâ mich bî in)* in den Wald zu verlegen und wünscht hiebei den Dichter bei sich zu haben. Er soll bereits während der Errichtung des neuen Ansitzes zugegen sein. Von einer Zurückweisung Walthers: „an den Hof kommt er mir nicht!", wie Kraus[15] interpretiert und Klein dem zustimmt[16], kann ich nichts erkennen und damit auch keine vorausgehende Bitte Walthers um Aufnahme. Der Spruch L. 20, 31 kann m. E. nicht vorausgehen. Der Ablehnende ist vielmehr ganz im Gegenteil Walther: entrüstet weist er die „Zumutung" seines Herzogs ab und trägt es sogar auf eine Trennung an: *wis dû von dan, lâ mich bî in, sô leben wir sanfte beide* (nach C sogar: *sô hân wir wunne beide.*)

Der Sachbezug ist seit Oettinger ebenso eindeutig gegeben: der Herzog errichtet ja in der Tat einen zweiten Wohnsitz neben Wien in Klosterneuburg[17].

Der Spruch Walthers redet nun ebenso deutlich von einem Vorhaben: Walther wünscht den Herzog an sein *gemach*; die Konjunk-

[15] WU. S. 120.

[16] ZfdA 86, S. 221.

[17] Auch Klein sieht diesen Bezug: „Heide und Wald (d. i. das ländlich unerschlossene Klosterneuburg)", ZfdA 86, S. 221. Trotzdem konstruiert er eine damit verbundene Trennung Walthers vom Herzog in dem Sinn: Er habe Walther, weil unerwünscht am Hof, ein bäuerliches Anwesen — etwa in der Form des im österreichischen Dienstrecht damals üblichen und möglichen *beneficium* eines „Inwärts-Eigens" — in der weiteren oder

tive *müezen* und *muessest* Z. 23 nach A und C sowie der Imperativ *wis* weisen auf Künftiges, und der Ausdruck *riuten* sagt, daß die Bedingungen des Wohnens überhaupt erst zu schaffen sind. Zeitlich liegt der Spruch also noch während des Planens oder spätestens des ersten Beginns der Bauarbeiten. So verstanden findet auch der Ausdruck *riuten* aus dem Spruch selbst und seinem Bezug auf Klosterneuburg volle Erklärung, ohne Nötigung zu irgendeiner Hilfskonstruktion.

Oettinger weist nach (und auch Klein spricht ja von „ländlich unerschlossen"), daß die um 1100 errichtete Klosterneuburger Pfalz ab 1140 durch sechs Jahrzehnte neben der Regensburger und dann der neuen Wiener Residenz „am Hof" kaum mehr mitspielt[18]. Wien blüht auf und wird zu dem *wünneclîchen hof*, der Walthers geistige Heimat und unvergeßbare Sehnsucht geworden ist.

Jetzt, unter Leopold VI., soll Klosterneuburg wiederum Pfalz werden, neben oder sogar anstelle Wiens. Der archäologische Befund erweist nach Oettinger eine völlige Umgestaltung der alten Pfalz von 1100, die im Jahr 1172 von einem Besucher, Arnold von Lübeck, lediglich als *castrum* bezeichnet wird[19]. Das besagt, daß zunächst einmal, auf Jahre, dort ein Bauplatz großen Ausmaßes entsteht: eine vorläufige Instandsetzung der alten Pfalz von 1100, Baubeginn der neuen, deren Palas mit einer „für die Zeit um 1200 typischen" Konstruktion zu erstehen beginnt, samt neuer Palastkapelle, neuem Kaplanshaus, *turris marmorea* (als Schatz- und Archivturm) und einem folgenden Umbau des alten Palas in repräsentative Wohnräume[20]. Solches Bauvorhaben samt der Neuerschließung des dazu benötigten Baugeländes schafft mit all den Provisorien, Planierungen, Lärm der Arbeiter und Handwerker

näheren Umgebung von Klosterneuburg angeboten oder zugewiesen („gewünscht"), ebda. Klein sieht sich zu einer solchen im Wortlaut überhaupt nicht fundierten und die Konstruktion *wünsche mîn* sogar übergehenden Kombination genötigt, weil er sich von der Krausschen Verbindung des Spruches mit L. 20, 31 nicht hat lösen können.

[18] MIÖG 55, S. 164.

[19] Ebda.

[20] Oettinger ebda. S. 166.

einen Zustand, den man durchaus, wie Oettinger in der Diskussion bestätigte, wenn auch verschärfend übertrieben, als *riuten* bezeichnen kann, und der für den, der nicht von der Leidenschaft des Neugestaltens gepackt ist wie der planende Herzog, höchstens *ungemach* bedeutet.

Der urkundliche Befund läßt auch für die ersten Jahre den Zustand eines Provisoriums durchaus erkennen. Abgesehen von den beiden der Unechtheit verdächtigen Beurkundungen in Klosterneuburg von 1198 und dem 5. 1. 1199[21] urkundet Leopold VI. (undatiert, von Meiller S. 83 No. 12 nach 1199 gesetzt) in Wien und am 28. 2. 1200 in Heimburg[22], dann währt es bis zum 13. 12. 1202, daß Leopold überhaupt wieder in der Wiener Gegend urkundet, und zwar an diesem Tag in Wien selbst[23], am 15. 12. in Klosterneuburg[24]. Von da ab ist Klosterneuburg alleiniger Ausstellungsort von Urkunden bis zum 26. 4. 1204[25], soweit Leopold überhaupt in der unmittelbaren Nähe Wiens weilt[26]. Das Fest seiner Schwertleite (1200) und seiner Vermählung (1203) findet im gleichen Zeitraum demgegenüber in Wien statt[27] — trotz der Existenz der Stiftskirche (seit 1114)[28] in Klosterneuburg. Man darf wohl annehmen, daß die baulichen Neuerungen repräsentative Feste in diesem Zeitraum noch nicht gestatteten.

Das ist das für Walther Ausschlaggebende: keine Feste, dafür Bauarbeiten größten Ausmaßes — das ist in der Tat ein Leben fern der *liute*, eine Umgebung, wo der hohe Sang im *ungemach* des *riutens* zu ersticken droht. Unter solchem Gesichtswinkel läßt sich das Nein Walthers, dem Herzog zu folgen, aus sich heraus

[21] UB 108 (Meiller, ohne einschränkende Bemerkung, Nr. 8) u. Meiller 10 (als Fälschung bezeichnet).

[22] UB 113 (Meiller 13).

[23] UB 130 (Meiller 35); UB 131: Fälschung (Meiller 36, hier: (Wien?)).

[24] UB 132 (Meiller 37).

[25] 1203: UB o. Tagesdatum 134 (Meiller 41); März 9. Nr. 135 (Meiller 40); April 7. Nr.138 (Meiller 44); 1204: April 22. Nr. 144 (Meiller 50): *in cena domini apud Niwenburc;* April 26. Nr. 145 (Meiller 51).

[26] Vgl. die chronologische Übersicht Meiller S. 276.

[27] Belege unten Anm. 57—62.

[28] Oettinger, MIÖG 55, S. 162.

verstehen. Ja, es eröffnet sich noch eine weitere Perspektive. Denn was sollte Walther, zurückbleibend, allein in der verlassenen Wiener Pfalz?

Die entschiedene, ja geradezu schroffe Opposition, die Walther dem Plan der Pfalzverlegung entgegenstellt, läßt vermuten, daß Walther nicht ausschließlich für seine eigene Person gesprochen hat. Wie seine spätere politische Dichtung, ja wie wohl auch seine Dichter-Fehde mit Reinmar[29] zugleich Stimme einer Gruppe, einer Partei ist, die Ansicht vieler, Auftraggeber wie Gesinnungsgleicher, wiedergibt, so mag das auch hier der Fall gewesen sein. Walther kann mit seinem Spruch Stimme einer Opposition sein, die sich gegen die „Zumutung" des neuen Herzogs wendet, den Hof von der blühenden, lebendurchpulsten Hauptstadt Wien, der größten im damaligen Deutschland neben Köln, in die Waldeinöde der verlassenen (und verfallenden) *Niwenburc* zurückzuverlegen.

Der Wunsch für guten Aufenthalt des Herzogs „im Wald" wäre dann so zu verstehen, daß der Herzog für sich gerne einen Ansitz in der alten *Niwenburc* erstellen mag, daß aber der Hof als Zentrum gesellschaftlichen und politischen Lebens unbedingt in Wien zu bleiben habe. Der Satz Z. 20: *dû wünschest underwîlent biderbem man dun weist niht wie* kann durchaus kollektiv gemeint sein und setzt zudem die Erfahrung öfteren rigorosen Vorgehens des Herzogs ungeschminkt voraus.

Solche Opposition schließt auch ein Politikum in sich. Und bedenkt man das Ausmaß der Bauten in Klosterneuburg, die Errichtung einer repräsentativen und typischen Herrscherpfalz, wie das Oettinger in seinem Vortrag dargetan, in unmittelbarer Nähe einer ebensolch repräsentativen in der Hauptstadt, dann muß man Oettinger recht geben, daß es sich doch wohl um eine Wohnsitzverlegung und zugleich „um eine bewußte und beabsichtigte Trennung von Wohnsitz und Hauptstadt gehandelt haben"[30] wird (die freilich auf die Dauer undurchführbar war)[31].

[29] Dies vermute ich trotz jüngster gegenteiliger Meinung Kraliks: Walther gegen Reinmar, Öst. Ak. d. Wiss. 230 (1955) 1. Abh. S. 82.

[30] Oettinger, MIÖG 55, S. 165.

[31] Ebda.

Bezüglich Walther ist festzustellen: bis zum Vortrag des Spruches L. 35, 17 ist entgegen der bisherigen Forschung noch kein Bruch zwischen Herzog Leopold und Walther zu erkennen. Leopold wünscht vielmehr die Übersiedlung Walters nach Klosterneuburg; er zeigt durchaus die Absicht, ihn an seinem neuen Hof zu behalten. Wohl aber ist der aus dem Wortlaut erkennbare Widerspruch Walthers ein genügender Grund, diesen unbequemen Ministerialensohn unterster — und vielleicht doch auch landesfremder[32] — Herkunft aus der unmittelbaren Umgebung zu entfernen. Er ist es ganz besonders dann, wenn der Widerspruch im Namen einer Opposition erfolgt und damit Ausdruck einer auch politischen Gegnerschaft zum Landesherrn gewesen ist. Die Fehde mit dem in seiner Stellung am Hof seit seiner „Witwenklage" sicher gestärkten Reinmar mag durchaus mit von Gewicht gewesen sein[33].

Mit solcher in sich ruhender und auf die historische Tatsache einer neuen Pfalzgründung außerhalb des städtischen Bereiches Wiens, „im Wald" bezogener Interpretation ist man imstande, den konkreten Anstoß zur Entlassung Walthers vom Hofe Herzog Leopolds zu fassen. Es liegt keine dichterfeindliche Haltung des neuen Herzogs hinter ihr (darin hat Klein vollkommen recht)[34], sondern Walther hat sich durch sein Verhalten zur persona ingrata in den Augen Leopolds gemacht[35].

[32] Es ist im Zusammenhang mit dem (im vollständigen Wortlaut noch unveröffentlichten) Nachweis eines *guotes „die Vogelweid"*, offenbar mit Ansitz, von 1326 inmitten einstigen staufischen Reichsministerialen-Gebietes bei Feuchtwangen und angesichts der Erhebung Walthers in den Stand der Reichsunmittelbarkeit durch sein kaiserliches Lehen die Herkunft Walthers aus eben dieser Reichsministerialität Ostfrankens ernsthaft zu diskutieren. Publikation hierüber zu gegebener Zeit behalte ich mir vor. [Inzwischen Karl Bosl, Feuchtwangen und Walther von der Vogelweide, Zsfbay. Landesgesch. 32 (1969) S. 832 ff.; zurückhaltend Vf. in Fränkische Klassiker, hrsg. v. Wolfgang Buhl (Nbg. 1971) S. 51 ff.] Vgl. auch unten Anm. 50.

[33] S. hierüber Klein, ZfdA 86, S. 224 ff., ohne daß ich Kleins Folgerung auf die Herzoginwitwe mitvollziehen würde.

[34] ZfdA 86, S. 227.

[35] Das die, anders begründete, Schlußfolgerung auch Kleins.

Zeitlich muß dadurch der Spruch in das Jahr 1198 fallen, das als das Jahr des Abschieds von Wien gilt. Es muß dann auch das Jahr der Planung oder des ersten Baubeginns für Klosterneuburg sein. Oettinger datiert diesen auch auf 1198, als dem Jahr des Regierungsantrittes Leopolds VI.[36].

Der urkundliche Befund ist hierfür nicht so eindeutig, als es wünschenswert wäre. Immerhin, Leopold ist spätestens seit 9. 12. 1197 in Österreich, wo er in Wien urkundet[37], wohl 1198 hat er Wien ein Stadtrecht[38] verliehen, bei Philipps Wahl am 8. März 1198 in Mühlhausen[39] ist er laut Zeugnis Ottos von Sankt Blasien[40] nicht anwesend. Dagegen zeigen ihn auf alle Fälle zwei Urkunden vom 17. 8. 1198 in Plattling[41], worin er (zum ersten Mal) als *dux Austriae et Stiriae* bezeichnet wird. Meiller vermutet Leopold deshalb in Plattling auf der Rückreise von Philipp, zumal, als er „nicht lange nach dessen Wahl die Nachricht von dem am 16. April 1198 auf der Heimreise erfolgten Tode seines Bruders Friedrich ... erfahren hatte". Eduard Winkelmann dagegen hält die Urkunden als auf der Hinreise zu Philipp ausgestellt[42]. Trotz der (zeitlich fraglichen) Urkunde in Plattling vom 1. Sept. 1198 (s. Anm. 41) erscheint mir dies fast wahrscheinlicher, da Leopold dann auf dem Weg zur Krönung Philipps in Mainz gewesen sein könnte, vorausgesetzt, daß diese am 8. Sept. (und nicht am 15. August) stattgefunden hat. In diesem Fall dürfte sich Leopold ein gutes halbes Jahr durchgehend in Österreich aufgehalten haben. — Von den unsicheren Urkunden Meiller No. 10 und 12 abgesehen (die den Aussteller für den 5. 1. 1199 in Klosterneuburg

[36] MIÖG 55, S. 165.

[37] UB 101 (Meiller 3).

[38] UB 109.

[39] E. Winkelmann, Philipp von Schwaben und Otto IV. (Jahrbücher der deutschen Geschichte) 1, S. 69.

[40] S. Meiller S. 245, Nr. 305.

[41] UB 110 u. 111 (Meiller 5 u. 6). Die Datierung einer dritten Urkunde vom 1. 9. in Plattling (UB 112, bei Meiller fehlend) sei (UB S. 147) mit Vorsicht aufzunehmen.

[42] Phil. v. Schwaben, S. 138, Anm. 2.

und ohne Datum in Wien zeigen)[43], ist Leopolds Aufenthalt erst wieder für den 28. 2. 1200, und zwar in Heimburg erweisbar, wo er eine Urkunde das Schottenkloster in Wien betreffend ausstellt[44]. Mitte März ds. Js. ist Leopold sodann bei Philipp[45], an Pfingsten des gleichen Jahres (28. Mai) feiert er die Schwertleite in Wien[46]. Nachdem aber vom 15. 12. 1202 ab die dichte Belegreihe seiner Aufenthalte in Klosterneuburg einsetzt[47] — von der Schwertleite ab ist er bis zum 13. 12. 1202 nur außerhalb Wiens und Klosterneuburgs bezeugt[48] —, müssen die dortigen Baulichkeiten immerhin wenigstens in bewohnbaren Zustand versetzt worden sein. Ein Teil des *„riutens"* wäre also bereits geschafft. Die Planung der Erhebung Neuburgs zur Pfalz muß somit früher liegen.

Wenn man nun diese Planung mit dem Bruch zwischen Leopold und Walther gemäß der neuen Interpretation des Spruches L. 35, 17 in Beziehung setzen darf, dann müßte der endgültige Entschluß des Herzogs zur Pfalzerhebung Klosterneuburgs in die Zeit zwischen dem Erhalt der Todesnachricht Friedrichs I. (d. i. nach dem 16. April 1198) und der Entlassung Walthers fallen. Allgemein bezieht man Walthers Reichsspruch L. 8, 28 auf die Zeit zwischen Ottos IV. Wahl und Krönung am 9. und 12. Juni und der obengenannten Krönung Philipps in Mainz spätestens am 8. September. Für diesen Spruch und diese Zeit sucht man Walther bereits an Philipps Hof. Bei solcher verhältnismäßig knapper Zeitspanne muß man annehmen, daß Leopold, der die österreichischen Verhältnisse bereits seit Jahresbeginn aus eigenem Augenschein kennt[49], von vorneherein entschlossen war, als herzogliche Pfalz nicht den Hof seiner Vorgänger in Wien zu wählen, sondern die benachbarte *Niwenburc* hierfür auszubauen. Eine Reaktion der Hofministerialität gegen eine derart einschneidende Veränderung des Tradition Gewordenen ist im Stadium der ersten Entschlußfassung auch am

[43] S. die Anm. Meiller Nr. 310 und 312 (S. 245 f.).

[44] UB 113 (Meiller 13).

[45] Winkelmann 1, S. 171.

[46] S. Anm. 57.

[47] S. o. Anm. 24 und 25.

[48] S. Meiller, chronol. Übers. S. 275.

[49] S. o. S. 594 f.

wahrscheinlichsten annehmbar. Walther hätte sich dabei zur Stimme dieser Reaktion dem neuen Herzog gegenüber gemacht und dies Eintreten für seinen *wünneclichen hof ze Wiene* mit dem Ausschluß aus der neu zu konstituierenden *familia ducis* bezahlen müssen[50].

Ein gewisses Licht auf eine frühe Konzeption Leopolds vermögen zwei einschlägige, jedoch der Unechtheit verdächtigte Urkunden immerhin zu werfen. Die eine ist die schon genannte No. 108 des Urkundenbuches[51], zu *Niwenburch* 1198 datiert, die andere steht bei Meiller S. 140 f. als No. 220 unter dem 7. 11. zu Marburg. Auch sie ist für *Niwenburch*, und zwar 1212 datiert. Gegen Meil-

[50] Es wäre diesen Schlußfolgerungen gegenüber auch ein späterer Zeitpunkt des Bruches zwischen dem Herzog und Walther erwägbar. Wenn man ihn meiner Deutung entsprechend entstanden denkt, erschiene es immerhin nicht unmöglich, daß Walther im Sommer 1198 im Gefolge Herzog Leopolds — vor dem Spruch L. 35, 17 und dem Bruch — an den Hof König Philipps gekommen sei und dort, vor oder zum Krönungstag, die beiden ersten Reichssprüche und den Kronspruch L. 18, 29 vorgetragen habe. Mit dem Herzog nach Wien zurückgekehrt wäre es dann über die Pfalzplanung zum Bruch, zum Ausschluß aus der jetzt neu zu konstituierenden Hofhaltung und zum Scheiden Walthers aus Wien gekommen. Dies würde zu der Annahme Kleins stimmen, daß Umbildung des Hofstaates, Belehnungen und Gaben erst nach erfolgter Belehnung durch den König, also vor oder nach dem 17. August (s. o. S. 594) vor sich gegangen wären: ZfdA 86, S. 218. Solche Annahme würde erklären, wieso Walther so unvermittelt, d. h. nach dem 16. April 1198 und vor dem 15. August oder 8. September, Aufnahme beim König selbst gefunden habe — als ein vom Babenberger Hof kürzlich in Ungnaden Entlassener! Eine vorangegangene Einführung noch durch den Babenberger selbst würde dies leichter verstehbar machen. Es ließe sich auch mit Walthers Spruch L. 19, 29 *(Dô Friderich ûz Ôsterrîch alsô gewarp)* vereinbaren, da auf jeden Fall bis zur endgültigen Konstituierung der *familia* des neuen Herzogs (also nach der Belehnung) für Walther eine Zeit ungewissen und bedrückenden Wartens bestanden hat. Eine eventuelle Geburtszugehörigkeit Walthers zur ostfränkischen Reichsministerialität [wie sie jetzt K. Bosl — Anm. 32 — entschieden vertritt] würde ebenfalls die rasche Aufnahme am Königshof verständlicher erscheinen lassen.

[51] Oben Anm. 21.

lers Bedenken[52] macht Oettinger immerhin einen beachtenswerten Einwand[53] geltend; die Urkunde von 1198 läßt das Urkundenbuch[54] zwar inhaltlich echt sein, bezweifelt aber wegen formaler Gleichheit mit einer Urkunde vom 23. 8. 1219 Ort und Datum. Beide Urkunden enthalten die hier zumal für 1198 interessierende Bemerkung: *in domo nostra Niwenburch*[55]. Selbst bei Unechtheit können sie mit ihrer Wendung eine gewisse Tradition einer von Anfang an gegebenen besonderen Verbundenheit Leopolds VI. mit Klosterneuburg bezeugen.

Als letzte Frage steht nun noch Einordnung und Bezug des Spruches L. 25, 26 zu erörtern.

Ihm zufolge hat Walther *ze Wiene* an der reichen *milte* des *jungen fürsten* vollen Anteil gehabt (vgl. o. S. 585). Er setzt ein glanzvolles Fest Leopolds voraus. Für ein solches fehlen zwischen der Regierungsübernahme nach dem 16. April 1198 und dem Scheiden Walthers von Wien sowohl Zeit wie alle Nachricht. Den Spruch zudem vor dem Pfalzspruch L. 35, 17, und damit vor dem Bruch mit dem Herzog zu datieren, verbietet die vorletzte Zeile: *ezn galt dâ niemen sîner alten schulde*. Denn sie findet erst ihre befriedigende Deutung, wenn man sie mit Kraus[56] auf eine Schuld Walthers dem Herzog gegenüber bezieht. Diese ist jetzt eindeutig gegeben: es ist die Opposition gegen die neue Pfalzgründung. Trotzdem ist Walther bei diesem Fest nicht von der Freigebigkeit Leopolds ausgenommen worden.

Überliefert sind für Leopold nun zwei derartige Feste; sie sind bereits genannt: die Schwertleite zu Pfingsten 1200 und die Vermählung 1203. Beide werden ausdrücklich als zu Wien gehalten bezeugt (und entsprechen damit der Angabe Walthers): *apud Wiennam*, bzw. *Wien* mehrmals für die Schwertleite[57], einmal dar-

[52] S. 262 Nr. 419.

[53] MIÖG 55, S. 165, Anm. 59.

[54] S. 141.

[55] Vgl. Oettinger, MIÖG 55, S. 165.

[56] WU. S. 75, auch Klein, ZfdA 86, S. 226.

[57] Cont. Lambacenis (Dieser wie alle folgenden annalistischen Belege aus MGH SS IX, S. 556); Cont. Admuntensis (S. 589); Cont. Garstensis (S. 595).

unter ausdrücklich als im Schottenkloster geschehen[58]; ebenso für die Hochzeitsfeierlichkeiten als *apud Wien* und *Wienne*[59]. Für beide Feste wird auch die größte Pracht hervorgehoben; für die Schwertleite ist schon des öfteren in der Literatur darauf hingewiesen[60], für die Hochzeit heißt es das eine Mal *magnifice*[61], das andere Mal *multis principibus ibidem* (d. i. Wien) *convenientibus pomposissime*[62] *nuptias celebravit.*

So hat man denn in der Forschung beide Feste für den Spruch L. 25, 26 in Erwägung gezogen.

Gegen die Teilnahme Walthers an der Schwertleite hat man vor allem seine Anwesenheit beim Weihnachtsfest in Magdeburg 1199 und eine hier und folgend wohl schon bestehende erste Verbindung mit dem Thüringer Hof sowie die Datierung des dritten Reichsspruches für die Zeit nach Philipps Bannung am 3. Juli 1201 geltend gemacht[63]. Weder sachlich noch zeitlich[64] würde dies einen Besuch des Festes in Gemeinschaft mit den *invitatis quam plurimis diversarum regionum principibus*[65], vielleicht auch im Gefolge eines dieser Fürsten, ausschließen. Es sei nicht vergessen, daß E. Winkelmann die Angaben der Reiserechnungen Wolfgers auf Winter und Frühjahr 1199/1200 bezog[66] und Wolfger nach derselben Quelle, die das Schottenkloster als Ort nennt, die Schwertweihe vollzogen habe[67]. In der germanistischen Forschung haben sich demgegenüber

[58] Cont. Claustr. sec. (S. 620).

[59] Cod. Novimontensis (S. 590); Cont. Claustro. sec. (S. 620), allerdings für 1202; mit anderen Worten, knapper u. ohne Ort für 1203 wiederholt.

[60] Die Belege sind: Cont. Lambac. (S. 556); Cod. Novimontensis (S. 589); Cont. Claustro. sec. (S. 620).

[61] Cod. Novimontensis (S. 590).

[62] Cont. Claustro. sec. (S. 620).

[63] S. Wilmanns-Michels 1, S. 113 u. Anm. 142 und 145; S. 169 u. Anm. 319; ebda. 2, S. 129; H. de Boor, Die höfische Literatur (München 1953) S. 293; A. Höfer, PBB 17 (1893), S. 545.

[64] So ist Leopold Mitte März des Js. bei Philipp in Nürnberg (Winkelmann 1, 171), Ende Mai zur Schwertleite in Wien.

[65] Cont. Lambac. (S. 556).

[66] Germ. 23 (1878), S. 236 ff.

[67] Cont. Claustro. sec. (S. 620).

die späteren exakten Untersuchungen A. Höfers bezüglich der Reiserechnungen[68] durchgesetzt und seitdem bevorzugt man, gerade wegen der hier belegten Verbindung Walthers mit Wolfger und aus literarhistorischen Erwägungen, das Fest der Vermählung Leopolds 1203 als Bezug für den Spruch L. 25, 26[69]. Die (einzige) Schwierigkeit, die Höfer allerdings sieht[70], ist, daß man bei Anwesenheit Wolfgers das jahreszeitlich in den Quellen nicht fixierte Hochzeitsfest gemäß den Reiserechnungen in den unüblichen Spätherbst Ende Oktober bis Anfang November setzen muß; angesichts der obwaltenden besonderen politischen Verhältnisse nach Höfer immerhin verstehbar.

Jedenfalls, Walther im Gefolge eines angesehenen und befreundeten hohen Gastes des Herzogs an dessen Fest teilnehmen zu lassen[71], erklärt den Wortlaut des Spruches und das Übersehen einer alten Schuld durch den Gastgeber. Walther ist in diesem Fall ja selbst Gast, geschützt und eingeführt durch seinen augenblicklichen Schirmherrn: er gehört nicht zu den auf eigene Faust erschienenen „Gehrenden“ (Z. 35), von denen sich Walther durch das ihn einschließende *wir* (Z. 28) zu scheiden scheint. So wird Walther hier, am Ort der altvertrauten Pfalz *ze Wiene* und als angesehener Schützling des dem Herzog befreundeten Bischofs, noch einmal das Erlebnis des *wünneclîchen hoves* zuteil, wie er ihn kannte und wie er Sehnsucht geblieben ist, bis zu jener Ernüchterung des Spruches L. 24, 33.

Wann man diese Ernüchterung auch zeitlich ansetzen mag — jedenfalls nach dem Besuch Wiens im Gefolge Wolfgers —, ihr geht ein Versuch voraus oder parallel, in die *familia ducis* wieder aufgenommen zu werden, und zwar diesmal allein, als „Gehrender“ ohne Rückhalt an einem schirmenden hohen Herrn. Das lehrt das Bild, in welchem sich Walther in dem oben (S. 587) angezogenen Spruch L. 20, 31 als vergeblich anklopfende Waise vor dem *ver-*

[68] Die Reiserechnungen des Bischofs Wolfger von Passau, PBB 17 (1893), S. 441 ff.; s. bes. S. 545 [s. u. Nachtrag 1968, Anm. 83].

[69] S. d. Anm. 63; für 1203 Fr. Neumann, Der Deutschunterricht 2 (1953), S. 44.

[70] PBB 17, S. 546.

[71] Auch Klein läßt, ZfdA 86, S. 226, offen, ob 1200 oder 1203.

sparten sælden tor sieht. Ich glaube, der Spruch gründet auf einem Erleben des neuen Hofes *ze Niwenburc*, daß auch dort inzwischen höfischer Glanz und *hoher muot* eingekehrt sind. Ich entnehme das aus den Parallelen zu dem „Pfalzspruch“ L. 35, 17, die Kraus durchaus richtig gesehen hat[72], die aber nur anders zu deuten sind. In jenen Bildern vom Regen und der blühenden Heide dürfte ein verhüllter Widerruf der einstigen Opposition gegen *walt* und *heide* zu Klosterneuburg verborgen sein: wenn Walther jetzt wenigstens ein kleines Blättchen aus all der dortigen Pracht erhält, *sô möhte ich loben die liehten ougenweide*[73]; dann sind *walt* und *heide* nicht nur dem Herzog, sondern auch dem Hof, allen, auch dem Dichter, wohl bekommen — *sô leben wir sanfte beide*, nicht getrennt, wie damals Walther aufgetrotzt hat (und was ihm unwillkommen zuteil geworden ist), sondern gemeinsam am *wünneclichen hof ze Niwenburc*. Solches ist man versucht, zwischen den Zeilen zu lesen.

Leopold nimmt jedoch die *revocatio* Herrn Walthers nicht zur Kenntnis; eine Aufnahme in die *familia ducis* — daß dies der Sinn des Klopfens an der *porta paradisi* ist, hat Klein, auf Schönbach fußend, sehr schön gezeigt[74], nur also auf Klosterneuburg zu beziehen — kommt nicht mehr in Frage. So fällt über Walther die ganze Bitterkeit des Verlustes; schwarz in schwarz sieht er nur Öde und Verfall jenes Ortes *ze Wiene*, wo er einst geborgen und voll *hôhen muotes* sogar dem Landesherrn glaubte trotzen zu dürfen.

Entstehung und erster Vortrag dieser Sprüche verschiedenen Tones: Unmutston L. 35, 17 vor dem Sommer 1198, Wiener Hofton L. 25, 26 entweder Pfingsten 1200 oder Spätherbst 1203; unbestimmt hernach, aber wohl vor 1207, dem Beginn der thüringisch-meißnischen Zeit Walthers[75], Leopoldston L. 84, 1, Wiener Hofton L. 20, 31 und 24, 33 — das widerspricht gewiß alles der Theorie

[72] WU. S. 120 ff.

[73] Gedeutet nach der Textkritik Alfred Krachers, Tüb. PBB 78 (1956), S. 211 f.: *ez* statt *er* in L. 21, 4; sie geht mit Brinkmann, PBB 63 (1939), S. 349, und Wallner (s. Brinkmann) parallel.

[74] ZfdA 86, S. 216 f.

[75] S. Hugo Kuhn, Annalen der deutschen Literatur, S. 141.

Friedrich Maurers von der Liedkomposition der Spruchdichtung und deren zeitlichem Ansatz. Die historischen Bezüge scheinen mir jedoch gewichtiger zu sein als die Forderung einer auch zeitlich einheitlichen Komposition ein und desselben Tones. Die erkennbare Rundung und gewisse Geschlossenheit dürfte m. E. Ergebnis erst einer Redigierung vielleicht letzter Hand sein, zum Zweck weiteren Vortrages, nicht vorgegebene Konzeption[76].

Gesteht man der hier vorgetragenen Interpretation Berechtigung zu, dann werden die betreffenden Sprüche Walthers zugleich zu einem Zeugnis für die tatsächliche Funktion von Klosterneuburg als die eine anstelle Wiens erwählte Pfalz Herzog Leopolds VI.

Nachtrag 1968

Zu den oben behandelten Fragen eines Sachbezuges bestimmter Spruchstrophen Walthers auf die Residenzverlegung Leopolds VI. von Wien nach Klosterneuburg hat Friedrich Maurer in seinem Aufsatz ›Walthers 'Sprüche'‹[77] Stellung genommen. Die Gewinnung einer thematischen und zeitlichen Einheit der jeweiligen Spruchtöne Walthers als „Lied" und der kontinuierlichen Entwicklung ihrer Bauformen mit fortschreitender künstlerischer Reife des Dichters habe methodische Priorität vor der Herstellung von historischen Bezügen, die vielfach widersprechend und unbestimmbar seien. Deshalb lehnt Maurer die oben vorgetragene Reihung und Bezugsetzung ab.

[76] Zu diesen Fragen und Gedankengängen vgl. Friedrich Maurer, Die politischen Lieder Walthers von der Vogelweide (Tübingen 1954), hierzu AfdA 69 (1956), S. 60 ff., ZfdPh 76 (1957), S. 107 ff.; H. de Boor Tüb. PBB 78 (1956) 160 ff.; A. Kracher, Beiträge zur Waltherkritik, Tüb. PBB 78 (1956), S. 194 ff., bes. S. 224 f.; H. Furstner, Spruch, Zyklos oder Lied? Neophil. 38 (1954), S. 303; Fr. R. Schröder, GRM 37 (1956), S. 405 ff.; H. Thomas, Wirkendes Wort 7 (1956/57), bes. S. 281; G. Jungbluth, Euphorion 51 (1957), bes. S. 212 ff.; H. Moser, „Sprüche" oder „politische Lieder" Walthers, Euphorion 52 (1958) 229 ff.

[77] Wirkendes Wort, Sonderheft 3 (1961) 51 ff., jetzt in Dichtung und Sprache (Bern, Mchn. 1963) S. 137 ff.

Nun besitzen aber die Spruchstrophen Walthers gemäß ihrer Aussage ganz bestimmte Bezüge auf Ereignisse ihrer Zeit. Hieraus bleibt es ein legales wissenschaftliches Anliegen, sie zu suchen, genau wie das ihrer Kompositions- und Formanalyse. Daraus ergibt sich die Aufgabe, einen dritten Weg zu finden, der in einem Auswägen der verschiedenen Positionen besteht[77a].

Nun, bei den betreffenden drei Strophen des Wiener Tones scheint mir das gar nicht so schwierig zu sein. Auch Maurer stellt sie, die Strophen 6, 7 und 8 seiner Ausgabe[78] — L. 25, 26; 20, 31 und 24, 33 —, in die gleiche Abfolge wie bei mir und gesteht diesem Block auf Grund seines Inhaltes eine Sonderstellung innerhalb des Tones zu, die er im „Sinne jener Geleitstrophen etwa" verstehen will[79]. Der Bezug auf ein glänzendes Fest Leopolds zu Wien, an dem Walther als Gast unter Gästen teilgenommen, die Feststellung des Verfalls eben dieses Hofes nach einem (vergeblichen) Versuch der Aufnahme an diesen, zusamt der Datierung Maurers „in den ersten Jahren nach 1200"[80] zwingen zu einer Parallelsetzung mit dem urkundlichen Befund eben jenes ersten Jahrzehntes, daß zwar noch Schwertleite (1200) und Hochzeit Leopolds (1203) *ze Wiene,* aber weitere staatspolitische glanzvolle Akte auf der *Niwenburc* veranstaltet worden sind (und seitdem Wien vorerst nicht mehr als Zentrum höfischen Lebens fungiert hat).

[77a] Diesen dritten Weg geht Erich Zettl in seiner Münchener Dissertation von 1963 ›Spruch, Zyklus oder Lied? Eine Untersuchung zu den politischen Gedichten Walthers von der Vogelweide.‹ Sein Ergebnis ist: „Walther hat stets die Form eines Zusammenhanges gefunden, die dem, was er aussagen will, am besten entspricht. Ganze ‚Töne' ... spielten ... im Leben und Wirken der politischen Dichtung Walthers die geringste Rolle ... Eine Melodie" [und damit die Strophenform] „war für Walther ein Kunstmittel, das er bei ganz verschiedenen Anlässen, vor verschiedenem Publikum, in verschiedenen Zeiten und an verschiedenen Orten verwendete" (S. 126).

[78] Die Lieder Walthers von der Vogelweide, 1. Bd. Die religiösen und politischen Lieder. Altdeutsche Textbibliothek 43[3] (Tüb. 1967) S. 46 u. 53.

[79] A. a. O. S. 61.

[80] Ebda.

Im Leopoldston, der nach Maurer zeitlich jünger als der Wiener Hofton ist, aber nach ihm noch demselben ersten Jahrzehnt angehört,[81] beschwört die Strophe 4 (L. 84, 1) ebenfalls den *wünneclichen hof ze Wiene* und die Erinnerung an „das“ glanzvolle Fest dort, mit dem Entschluß, ihn um jeden Preis wieder zu *verdienen*. Gemäß dem Zeugnis der Urkunden kann Walther spätestens das letzte Fest in Wien, die Hochzeit von 1203, gemeint haben und nach seiner Feststellung vom Verfall des höfischen Lebens dort kann er schlechthin nicht mehr den aufgelassenen Hof *ze Wiene verdienen* wollen. Das nötigt, diese Strophe 4 als zeitlich mindestens vor der Strophe 8 des Wiener Tones entstanden anzusetzen. Das bedeutet, daß man anstelle eines ausschließlichen Nacheinanders der Töne, wie es Maurer vertritt, auch ein (kürzeres oder längeres) zeitliches Nebeneinander, d. h. ein gleichzeitiges Benutzen verschiedener Töne, in Rechnung zu stellen hat. Zumal, wenn sie zeitlich einander so nahe liegen, wie Wiener Hofton und Leopoldston gerade nach Maurers Datierung: der eine „zwischen 1203 und 1206“ [82] (was sich übrigens mit meiner Datierung deckt[83]), der Leopoldston nach Reinmars Tod und vor 1210, „eher auf die Jahre 1207/08“ [84].

In der Bauform sind die beiden Töne sehr verwandt. Hierin gehe ich mit Maurer konform. Sie entfalten sich auf dem Schweifreim; er ist mit Vierern und Sechsern im Aufgesang beider Töne identisch. Im Abgesang verschränkt der Hofton die beiden letzten Schweifreime ineinander (ffe — gge > fgge — fe[85]), der Leopoldston differenziert dort mittels Achter und Schlußzusatz zum Schweif. In beiden Fällen eine Formverwandlung des (leichmäßigen) Versikelbaus in

[81] S. u. Anmerkung 84.

[82] A. a. O. S. 62.

[83] O. S. 600. Vgl. nun die mit mir übereinstimmenden Ausführungen von Hedwig Heger, Das Lebenszeugnis Walthers von der Vogelweide, Forschungen u. Fortschritte 39 (1965) S. 336 ff., bes. S. 339.

[84] Friedrich Maurer, Die politischen Lieder Walthers von der Vogelweide, Tüb.[2] (1964) S. 54.

[85] S. Beyschlag, Formverwandlung in Walthers Spruchdichtung. Vortrag auf dem 3. Internationalen Germanistenkongreß in Amsterdam 1965; Kurzreferat in Tradition und Ursprünglichkeit, Bern u. München o. J. [1966] S. 166 f. [Demnächst im Wortlaut erscheinend.]

Richtung zur Kanzone, beides eine souveräne Formgestaltung Walthers, die den Meister zeigt[86]. Darf man da (im Sinne Maurers) sagen: z. Z. des Wiener Hoftons war Walther noch nicht imstande, mit Achtern zu bauen (aber 1207 war er es dann)? Zudem gibt es Achttakter aus einem Stück nach Heusler § 795 seit Johannsdorf, Reinmar und Morungen, Walther also kaum unbekannt. Er selbst hat Siebenheber bzw. Achttakter in Liedern, die Kraus der frühen Epoche zuweist: L. 13, 33; 113, 31, jedenfalls in die Auseinandersetzung mit Reinmar 72, 31, also spätestens z. Z. des Wiener Hoftons[87]. Mir scheint, man muß von differenziertem Formwillen bei Walther sprechen, nicht von sich erst allmählich einstellendem Formkönnen. Das ermöglicht aber auch ein wenigstens zeitweiliges Nebeneinander verschiedener Töne. So halte ich es für berechtigt, Leopoldston Strophe 4 mit gleichem Sachbezug auf ein (oder das letzte) große Fest noch in Wien selbst zeitlich vor Walthers Versuch, in *Niwenburc* Aufnahme zu finden (Hofton 7) und die Verfallsschilderung des Hoflebens in Wien (Hofton 8) zu belassen.

Erheblich schwieriger ist es bei dem anderen Anstoß, den Maurer nimmt, den Unmutston L. 35, 17 (Maurers Nr. 17): *Liupold uz Osterriche* ... zu plazieren.

Maurer stellt den Unmutston mit den beiden Friedrichstönen (und der Aufforderung zum Kreuzzug) als eine späte Gruppe zusammen und konstatiert engste Formverwandtschaft aus gleichen Bausteinen, von „sechs- und achthebigen Langzeilen" [88]. Er reiht in „Politischen Liedern" und Ausgabe den Unmutston (Sommer 1213) vor den König-Friedrichs-Ton (bald nach 1214). Einen Widerspruch hierzu bedeutet es, wenn er in ›Walthers 'Sprüche'‹ [89] die Konstruktion des Unmutstones so schildert, als wäre sie eine Abwandlung aus dem nachfolgenden König-Friedrichs-Ton. Abgesehen davon kann ich keineswegs eine derartige Abhängigkeit des Unmutstones vom König-Friedrichs-Ton sehen.

[86] Für Wiener Hofton (und Ottenton) Beyschlag a. a. O.

[87] S. C. v. Kraus, Walther von der Vogelweide. Untersuchungen, Register 2.

[88] Walthers ‚Sprüche' S. 63 f., jetzt a. a. O. S. 152 f.

[89] S. 64, bzw. S. 153.

Der König-Friedrichs-Ton ist eine „*gespalten wis*" aus Dreireimen und umarmendem Reim, der Unmutston kombiniert Paarreim im Aufgesang mit Schweifreim im Abgesang (ccd/ddc; man könnte dabei von Umkehr-Schweif sprechen). Reimpaar und Schweifreim sind aber hergebrachte Bauformen (auch musikalischer Natur) über den frühen Walther zurück zur donauländischen Lyrik, zu Herger und Spervogel, und für den Schweifreim zu Pseudo-Dietmar (MF 40, 19), Veldeke, Rugge (im Leich!) und Morungen. (Walther hat den Schweifreim nur, aber häufig, im Spruch bis in die Alterstöne und in seinem Leich). Doch die Kombination von Sechs- und Achttaktern? Achttakter entstehen hier nur bei Ansatz klingenden (bzw. stumpfen) Ausgangs und führen zu unebenen Bindungen von weiblich auf klingend, was mir jedenfalls (auch trotz Heusler § 799) nicht unbedenklich erscheint, jedenfalls eine Interpretationsfrage ist. Hält man sich an die realisierten Hebungszahlen, bekommt man die Kombination von weiblichen und männlichen Sechsern und Siebenern bzw. Fünfern (in Zeile 6 und in Zeile 9 bei v statt s), wobei Fugung und Trennung ebenfalls erhalten bleiben. Hier muß ich wieder sagen: solche Sechs-Siebener- bzw. Sechs-Fünfer-Kombination braucht dem jungen Walther keineswegs unbekannt gewesen zu sein. Sie begegnet z. B. in dem einstrophigen Lied Bliggers v. Steinach MF 119, 13, das seinem Inhalt nach als „Spruch" benennbar ist. Es steht gattungsmäßig und zeitlich dem Walther in Wien sehr nahe. Im Aufgesang ist hier, durch Fugung eindeutig gesichert, die Kombination Siebener mit Sechser gegeben, m. M. nach auch mit Fugung in der Schlußterzine als Siebener-Vierer-Sechser. Dazu liegt im Aufgesang Schweifreim, und zwar mit doppeltem Schweif (aabc/ddbc) vor, im Ganzen also eine Strukturähnlichkeit mit dem Unmutston. Eine Erfindung dieses Tones noch in der Wiener Zeit Walthers erscheint mir vom Formalen her keineswegs ausgeschlossen.

Vom Inhalt des Unmutstones als Ganzem kann außerdem Verschiedenes nicht primär, im Sinne einer gezielten Komposition als thematische Einheit, gedichtet und in Maurers Sinn gereiht gewesen sein. Ist es wirklich vorstellbar, daß Walther in Maurers Strophe 14 (L. 34, 34) Leopold als unvergleichlich preist und erklärt, *mirst vil unnot daz ich durch handelunge iht verre striche*, also den Eindruck erweckt, an Ort und Stelle zu sein und (von ihm aus) bleiben zu können; daß in der nächsten Strophe 15 (L. 35, 7) Walther sich gleichzeitig *(ich bin!)* als *man* des Landgrafen vorstellt und diesem höchstes Lob spendet? Maurer mag dies als auswechselbare Geleitstrophe verstehen; doch dieser Ausweg spricht nicht sehr für vorgegebene Konzeption eines einzigen Liedzusammenhangs. Desgleichen ist es wenig überzeugend, daß Walther als einen einheitlichen Wurf Strophen verfaßt habe, worin er einerseits diesen Leopold als Schirmherrn und *hövschen trost* anspricht (Strophe 1, 2 und 14), andererseits sich hart mit ihm auseinandersetzt, in der hier zur Debatte stehenden Strophe 17 (L. 35, 17): *Liupold uz Osterriche* ... Das drängt doch alles (und Weiteres dazu) zu einer Auffassung, daß die Konzeption des Tones in verschiedenen Blöcken, mit zeitlich und örtlich verschiedenen Anlässen und Bezügen vor sich gegangen ist[90], bestenfalls mit einer Redigierung letzter Hand. Vereinigt man diese Erwägungen mit den obigen zur Formanalyse, dann kann ich es nicht für abwegig halten, die Strophe 35, 17 schon für die erste Wiener Zeit Walthers zu beanspruchen, zumal wenn sich hierbei ein belegbarer Sachbezug und eine daraus mögliche Interpretation jeder einzelnen Zeile ergibt, wie oben (S. 588 ff.) dargelegt (und was durch Maurers Ausspielen der älteren Meinung K. K. Kleins nicht aufgehoben wird[91]).

Die Strophe ist dann Walthers erster Spruch. Gut verstehbar, daß er, eben der Schule Reinmars sich entziehend, mit einem Wurf, der aber schon die Klaue des Löwen verrät, gerade die z. Z. modernsten Formen des Strophenbaues: Kanzone mit Sechsern und Siebenern samt Schweifreim, wählt. Dann, in der anderen Welt des staufischen Königsdienstes, ergreift er die mit dem Schweifreim verbindbare Versikelform des Leiches im 1. Philippston, möglicherweise den Strophenleich im Reichston; über Verwandlungen solchen „Leichspruches", wie sie in den mit Wiener Hofton und Ottenton verbindbaren Melodien besonders deutlich werden, biegt er wieder in die Kanzone ein[92]. Es gibt keinen stichhaltigen Gegen-

[90] Ähnlich H. Moser, Euphorion 52, S. 241.

[91] Walthers ‚Sprüche' S. 58 ff., bzw. S. 145 ff.

[92] Beyschlag, Formverwandlung a. a. O.

grund, daß Walther auf diesem Weg zum Kanzonenton nicht auch einmal auf eine geglückte Form früherer Zeit zurückgegriffen habe[93] und sie nun, blockweise, zu verschiedenen Anlässen, an verschiedenen Orten und Zeiten benutzt. Mit einem Tenor, der — das gestehe ich Maurer gerne zu — überwiegend eine Härte der Auseinandersetzung zeigt, deren Keim in jener Erstlingsstrophe des Tones schon angelegt war.

Ich stelle also die Datierung der Strophe L. 35, 17 auf 1198 weiterhin zur Diskussion.

[93] Zum Rückgriff auf älteres Formgut vgl. Helmuth Thomas, Wirkendes Wort 7 (1956/57) S. 282, und seine Warnung vor „der Konstruktion vereinfachender Entwicklungslinien".

Der Deutschunterricht 11, 1959, S. 35—59.

ZUM AUFBAU DES HOCHMITTELALTERLICHEN DEUTSCHEN STROPHENLIEDES*

Von Karl-Heinz Schirmer

Nach den grundlegenden Arbeiten Friedrich Gennrichs[1] über Formentypen und musikalische Struktur des mittelalterlichen Liedes sind etwa in den letzten acht Jahren auch mehrere germanistische Arbeiten erschienen, die für die Erforschung des Strophenbaus die gemeinsame Berücksichtigung von textlicher und musikalischer Überlieferung gefordert und verwirklicht haben[2]. Wie unumstritten fruchtbar sich die komplexe Zusammenschau von textlicher und melodischer Gestaltung dieser meist gesungen vorgetragenen Ge-

* Zusätze und geringfügige Ergänzungen zur ursprünglichen Fassung sind durch eckige Klammern gekennzeichnet.

[1] Neben den von Wolfgang Mohr im D.U. '53/Heft 2, S. 64, Anm. 3, 4, 6 und 9 zitierten Arbeiten vgl. noch FGennrich: Mittelhochdeutsche Liedkunst, Darmstadt '54. — FGennrich: Zur Liedkunst Walthers von der Vogelweide. ZfdA 85 ('54/55), 203—209.

[2] Die wichtigsten Arbeiten sind: JAHuisman: Neue Wege zur dichterischen und musikalischen Technik Walthers von der Vogelweide. Studia litteraria Rheno-traiectina 1. Utrecht '50. — HKuhn: Minnesangs Wende. Hermaea, N.F. 1, Tübingen '52. — HBrinkmann: Liebeslyrik der deutschen Frühe in zeitlicher Folge. Düsseldorf '52. Erhaltene Melodien dazu hat herausgegeben Ursula Aarburg: Singweisen zur Liebeslyrik der deutschen Frühe. Düsseldorf '56. — WMohr: Zur Form des mittelalterlichen Deutschen Strophenliedes. D.U. '53/Heft 2, 62—82. — Ders.: Zu Walthers ‚Hofweise' und ‚Feinem Ton'. ZfdA 85 ('54/55), 38—43. — FrMaurer: Die Politischen Lieder Walthers von der Vogelweide (mit Übertragung der vorhandenen Melodien durch Günter Birkner). Tübingen '54. Eine Zusammenschau von Text und überlieferter Melodie ermöglicht auch die neue Waltherausgabe Friedrich Maurers: Die Lieder Walthers von der Vogelweide unter Beifügung erhaltener und erschlossener Melodien, 2 Bändchen, Altdeutsche Textbibliothek, Nr. 43 ('55) und 47 ('56). — Vgl. ferner den

dichte erwiesen hat (vor allem, wo Germanisten und Musikwissenschaftler zusammengearbeitet haben; Brinkmann und Aarburg, Maurer und Birkner)[3] — man wird dennoch von der Musikwissenschaft oder von der Überlieferung der Melodie nicht die Lösung aller für den Strophenbau noch offenen Fragen erwarten dürfen[4]: die Arbeit des Germanisten am ma. Gedicht als sprachlichem Kunstwerk hat noch immer ihre Berechtigung, schon wegen der äußerst lückenhaften Überlieferung der Melodien oder -bruchstücke. Rechnet man den unter Walthers eigenem Namen überlieferten Melodien die freilich noch nicht ganz als echt gesicherten Kontrafakturen hinzu[5], so macht das Gesamt der uns bekannten Walthermelodien nur etwa 13 Prozent der in den Textsammlungen erhaltenen Töne aus. Für die musikalische Überlieferung von Minnesangs Frühling liegt es kaum besser. In den wenigen Fällen, wo uns die Melodie bekannt ist, ergibt sich eine weitere Schwierigkeit: die in ihrer rhythmischen Quantität unbestimmten Neumen müssen in moderne Mensuralnoten transskribiert werden. Zwar ist man sich heute, namentlich seit Gennrichs Forschungen, ziemlich einig darin, daß die Neumen modal übertragen werden müssen[6]; aber in den für den

Beitrag über altdeutsche Strophik von Helmut Thomas in: UPretzel: Deutsche Verskunst. Deutsche Philologie im Aufriß, hrsg. von WStammler, III. Bd., '57, Sp. 2327—2466; der Beitrag von Thomas in den Sp. 2393 bis 2427 [in der 2. Aufl. von 1962 Sp. 2357—2546 bzw. 2438—2477].

[3] Vgl. auch die neue Ausgabe von Neidhart-Liedern mit Melodien von ATHatto und RJTaylor: The Songs of Neidhart von Reuental, London, Manchester University Press '58.

[4] Daß selbst in der Musikwissenschaft noch keineswegs Einigkeit in den Fragen der Transkription der Melodien besteht, hat RJTaylor, ZfdA 87 ('56/57, 132—147), besonders am Beispiel von Walthers Palästinalied eindrucksvoll gezeigt.

[5] Ursula Aarburg, Melodien zum frühen deutschen Minnesang, ZfdA 87, '56/57, vgl. dort S. 24—27. [Der ganze Aufsatz ist in wesentlich neugestalteter Fassung und mit einem Nachtrag wiederabgedruckt in: Der deutsche Minnesang, Aufsätze zu seiner Erforschung, hrsg. von HFromm, in: Wege der Forschung, Band XV, Darmstadt 1963, S. 378—421.]

[6] Nicht sicher läßt sich dagegen die Frage entscheiden, in welchem Modus eine Melodie rhythmisch übertragen werden muß. Vgl. Aarburg, Singweisen, 7.

Strophenbau so wichtigen Fragen der Kadenzwertung, die ja die Grundlage für die Zählung der Takte bildet, versagen uns die Melodien ihre Hilfe. Wie etwa ist die klingende Kadenz, der Versschluß mit Betonung und Länge der vorletzten Silbe, also *(steine)*, aufzufassen: füllt sie, wie in der höfischen Epik, stets zwei Takte (Heusler: kl) oder, als ‚weiblich-voller' Schluß (wv), nur einen? Dürfen an bestimmten Versschlüssen Pausen angesetzt und in das metrische Schema der Strophe eingerechnet werden? Daran schließen sich weitere Fragen wie die der Fugung oder Synaphie, der rhythmischen Brechung und die über die Wechselbeziehung von strophischer Gliederung und gedanklich-syntaktischem Aufbau eines Gedichts. Daß diese schwierigen Fragen wohl nur vom Text her gelöst werden können, hat F. Maurer in seinem oben zitierten Werk gezeigt: hier sind, vor allem in der Kadenzwertung, zum ersten Male Textgestalt und melodische Übertragung höchst sinnvoll aufeinander abgestimmt[7], ohne daß sich die Melodie als Sklavin langer oder kurzer Vokale hätte mißbrauchen lassen müssen (vgl. F. Gennrich, ZfdA 79, 27). Es erhebt sich die Frage, ob sich bestimmte Gesetzmäßigkeiten, zumindest Tendenzen zu geregelter Taktwertung der Versausgänge an der textlichen Überlieferung der Lieder erkennen lassen.

Durch den Ansatz von acht verschiedenen Kadenzformen, vor allem durch die stumpfe Kadenz (s), die nach vollem Schluß eine Pause mitzählt, wie durch die dreifache Staffelung der klingenden (wv = eintaktig, kl = zweitaktig, ü. s. = zweitaktig mit Pause) hat A. Heusler (§ 583) eine Freizügigkeit für die Taktzählung der einzelnen Verse geschaffen, die, da er keine Bedingungen für die eine oder andere Wertung anführt, dem Ermessen des einzelnen Bearbeiters allzu großen Spielraum läßt. So haben dann in letzter Zeit etwa Hugo Kuhn[8] und Wolfgang Mohr[9] gefordert, für die metrische Umschrift rein „beschreibende" Symbole zu wählen, die den Taktwert einer Kadenz nicht festlegen, sondern nur zwischen ein- und zweisilbigem Zeilenschluß ohne Rücksicht auf das Taktgeschlecht unterscheiden; dieser Praxis hat sich auch H. Thomas in der zitierten Darstellung

[7] S. das Vorwort Birkners in Maurers ‚Politischen Liedern Walthers v. d. Vogelweide', S. IV.

[8] HKuhn: Minnesangs Wende, 47, Anm. 10.

[9] in: D.U. '53/Heft 2, 69. [Im Wiederabdruck dieses Aufsatzes in dem Anm. 5 genannten Werk S. 241 und Anm. 26.]

angeschlossen. So sehr man dieser Mahnung zu vorsichtiger Zurückhaltung zunächst wird zustimmen müssen, so harrt doch die für die Musikwissenschaft wie für die Verskunde gleichermaßen wichtige Frage der Lösung: nur dann wird sich die Zahl der „realisierten Takte“ (Kuhn, S. 47, Anm. 10) feststellen und der Strophengrundriß in echter Gestalt rekonstruieren lassen. Auf dieses wichtige Problem ist vor allem von H. Thomas (Wirk. Wort 4, S. 173 und Aufriß III, Sp. 2394) und erfreulicherweise auch von musikwissenschaftlicher Seite durch G. Birkner (in Maurers ‚Politischen Liedern Walthers v. d. Vogelweide‘, S. IV) nachdrücklich aufmerksam gemacht worden; vgl. auch R. J. Taylor, ZfdA 87, S. 133.

In der Tat zeigt sich bei näherem Zusehen, daß die rhythmische Behandlung der Kadenzen etwa bei Walther als dem bedeutendsten und daher für diese Zeit überhaupt typischen Repräsentanten der hochmittelalterlichen Lyrik an ganz bestimmte Bedingungen gebunden war, an die sich anscheinend auch andere Lyriker des Hochmittelalters hielten (es fehlen hier noch genaue Einzeluntersuchungen). Da die Kenntnis dieser metrischen Bedingungen die Voraussetzung für das Folgende ist, seien sie hier in freilich etwas vergröbernder Kürze zusammengefaßt[10]:

Die acht Typen von Zeilenschlüsseln, die Heusler § 583[10a] ansetzt, lassen sich auf drei zusammenrücken[11]: die weiblichen füllen entweder 2 Takte (schwerklingend: Typus *síngèn* |$\underline{\acute{}}$|× ∧| mit pausiertem Halbtakt; bei Heusler: kl) oder nur einen (leichtklingend: Typus *síngen* |×́ ×| mit vollem, pausenlosem Schluß; bei Heusler: wv = weiblich voll). Alle anderen Ausgänge sind männlich oder stumpf, wobei also ‚stumpf‘ umfassendere Bedeutung hat als Heuslers s (männlicher Ausgang mit ganztaktiger Pause): alle männlichen Kadenzen fallen darunter, gleichgültig, ob sie einsilbig (*stéin* |×́ ∧) oder zweisilbig (*háben* |◡́ × ∧) sind, was für die Taktwertung des Verses oder seine mögliche Fugung mit dem folgenden

[10] Ausführliche Darstellung bei K.-H. Schirmer: Die Strophik Walthers von der Vogelweide, Halle ’56, 163—172. Im Folgenden als ‚Strophik‘ zitiert.

[10a] AHeusler, Deutsche Versgeschichte, 2. Band: Der altdeutsche Vers. Berlin 1927 (2. Aufl. 1956).

[11] Eine ähnliche Einschränkung nimmt auch UPretzel vor in: Deutsche Verskunst. Deutsche Philologie im Aufriß III, Sp. 2380—2381 [in der 2. Aufl. Sp. 2440].

wegen der stets verbleibenden Halbtaktpause irrelevant ist. [Zur Kennzeichnung ganztaktiger Pausen nach stumpfer Kadenz vgl. Anm. 12.] Die selteneren dreisilbig-klingenden Schlüsse (*lébeté* |x́ x|x́ ∧) sind, wie UPretzel, a. a. O. Sp. 2381, überzeugend gezeigt hat, metrisch mit stumpfen oder männlichen Kadenzen gleichzusetzen.

Bei Walther läßt sich folgende Regelung erkennen:

1. Klingende Ausgänge

Bei der Frage, ob eine solche Kadenz schwer (Heusler: kl) oder leicht (wv) ausklingt, d. h. ob ihr zwei Takte oder nur ein Takt zugestanden werden dürfen, müssen zunächst die von Lachmann sogenannten ‚dreihebig-klingenden' Verse (Verse mit drei Haupthebungen und einer Nebenhebung) von Versen mit vier oder mehr Haupthebungen gesondert werden: nur die letzte Gruppe nämlich hat die Möglichkeit dieser verschiedenen Taktwertung.

Für die *sogenannten ‚dreihebig-klingenden' Verse* gilt allgemein die schwere, zwei Takte füllende Kadenzwertung; sie zählen also, da mit der Nebenhebung auf der letzten Silbe der vierte Takt begonnen hat, insgesamt vier Takte und tragen daher besser die Bezeichnung ‚schwere weibliche Viertakter' (z. B. 8, 4 *Ich sáz ûf éime stéinè:* x|x́ x|x́ x|⊥|x̀ ∧). Die Gründe für diese Kadenzbehandlung, die auch für die epische Dichtung des Mittelalters verbindlich ist, dürften darin zu suchen sein, daß das germanische rhythmische Gefühl stark an das Vierheberprinzip gebunden ist. An diese Gesetzmäßigkeit haben sich offenbar nicht nur Walther, sondern auch die anderen Dichter des frühen und klassischen Minnesangs gehalten. Als Beispiele vgl. Walthers Reichston 8, 4 sowie 94, 11 mit durchgehend viertaktigen Versen, 74, 28 und 114, 23, in denen diese Viertakter gemischt mit anderen Verslängen stehen[12].

[12] Zeichenerklärung für die Grundrisse: Taktzahlen; Buchstaben = Reimbindung, x = Waise. A = Auftakt, fehlendes A also Auftaktlosigkeit. + = Fugung (Synaphie), ∧ = Halbtaktpause. Ganze Pause wird dadurch ausgedrückt, daß die Zahl der textlich tatsächlich gefüllten Takte in Klammern der eigentlichen Taktzahl, die die Pause mitzählt, vorangestellt wird, z. B. (3) 4. Kadenzen: ' = stumpf (Heusler: v); '` = schwerklingend, zweitaktig (Heusler: kl); ` = leichtklingend, eintaktig (Heusler: wv). Doppelstrich = Haupteinschnitt des Strophenschemas, der Auf- und Abgesang trennt; einfacher Strich = Nebeneinschnitt im Schema, im Auf-

94, 11:	Do der sumer komen was,	4a'∧	8	16
	und die bluomen dur daz gras	4a'∧		
	wünneclichen sprungen,	4b'`+	8	
	alda die vogele sungen,	A4b'`∧		
5	do kom ich gegangen	4c'`+	8	16
	an einen anger langen.	A4c'`∧		
	Da ein luter brunne entspranc:	4d'∧	8	
	vor dem walde was sin ganc,	4d'∧		
	da diu nahtegale sanc.	4d'∧	4	4
		32+4 Takte[13]		

74, 20:	„Nemt, frowe, disen kranz“,	A3a'∧	9
	also sprach ich zeiner wol getanen maget.	6b'+	
	„So zieret ir den tanz	A3a'∧	9
	mit den schœnen bluomen, als irs uffe traget.	6b'+	
5	Het ich vil edele gesteine,	A4c`+	16
	daz müest uf iur houbet,	4d'`∧	
	obe ir mirs geloubet:	4d'`+	
	seht mine triuwe, daz ichz meine.“	A4c`	
		34 Takte	

114, 23:	Der rife tet den kleinen vogelen we,	A5a'∧	9
	daz si niht ensungen.	4b'`+	
	Nu hœre ichs aber wünneclich als e,	A5a'∧	9
	nust die heide entsprungen.	4b'`+	
5	Da sach ich bluomen striten wider den kle,	A5a'∧	14
	weder ir lenger waere.	4c'`∧	
	miner frowen seit ich disiu maere.	5c`	
		32 Takte	

---

gesang die Stollen trennend. Bogen über zwei Verssymbolen (4x'` + 4f') = beide Verse schließen sich zu einem (oft langen Vers) zusammen. Walthers Töne und Textbeispiele, die der S. 608, Anm. 2 zitierten Ausgabe FMaurers entnommen sind, werden nach der Lachmannschen Zählung ohne weiteren Zusatz zitiert; bei Tönen, die Minnesangs Frühling entnommen sind, wird der Zählung Lachmanns ein 'MF' vorangestellt.

[13] Über die Struktur solcher Bauform mit ‚Achtergewicht‘ vgl. S. 626 ff.

In 74, 20 enden erster und letzter Vers des Abgesangs leichtklingend: sie haben nicht drei, sondern vier Haupthebungen; über ihre Taktwertung gelten folgende Gesichtspunkte:

Bei *Versen von vier und mehr Haupthebungen* kann die weibliche Kadenz schwer oder leicht ausklingen, d. h. ein oder zwei Takte beanspruchen. Einen Anhaltspunkt für die metrische Beurteilung dieser Kadenz bietet nicht selten die *Auftaktregelung* des folgenden Verses. Es zeigt sich nämlich, daß mehr als zwei Drittel aller Töne Walthers, die solche Verse enthalten, ein harmonisches Verhältnis von Auftaktregelung und Kadenzwertung insofern erkennen lassen, als einem Auftakt schwere (′`), einer Auftaktpause dagegen leichte (`) klingende Kadenz vorausgeht, so daß sich Fugung ergibt:

Der erste Philippston 18, 92:

	Diu krone ist elter danne der künec Philippes si,	A6a′+	18
	da mugent ir alle schouwen wol ein wunder bi,	A6a′+	
	wies ime der smit so ebene habe gemachet.	A6b′`+	
	Sin keiserlichez houbet zimt ir also wol,	A6c′+	18
5	daz sie ze rehte nieman guoter scheiden sol:	A6c′+	
	ir dewerderz da daz ander niht enswachet.	A6b′`+	
	Si liuhtent beide ein ander an,	A4d′+	16
	daz edel gesteine wider den jungen süezen man:	A6d′+	
	die ougenweide sehent die fürsten gerne.	A6e′`+	
10	Swer nu des riches irre ge,	A4f′+	16
	der schouwe wem der weise ob sime nacke ste:	A6f′+	
	der stein ist aller fürsten leitesterne.	A6e′`∧	
		68 Takte	

112, 35:	Frow(e), vernemt dur got von mir diz maere,	5a`+	9
	ich bin ein bote und sol iu sagen:	4b′∧	
	Ir sünt wenden einem ritter swaere,	5a`+	9
	der si lange hat getragen.	4b′∧	
5	Daz sol ich iu künden so:	4c′∧	14
	ob ir in welt fröiden richen,	4d`+	
	sicherlichen	2d`+	
	des wirt manic herze fro.	4c′∧	

8 Verse; **32** Takte
4 Strophen = **32** Verse!

Daneben gibt es Töne, in denen die Auftaktfolge auf die Kadenzwertung keinen Einfluß ausübt, was sich aber aus der Wirksamkeit anderer metrischer Grundsätze erklärt, z. B. aus der beherrschenden Stellung des Viertakterrhythmus in der ganzen Strophe, etwa in 100, 24 oder 119, 17. Die Tendenz, Versausgänge und -einsätze durch Fugung zu verbinden, ist kein Gesetz, das den Dichter in jedem Falle bände; vielmehr läßt sie seinem Gestaltungswillen immer einigen Spielraum.

Zum andern hängt die Bewertung einer klingenden Kadenz von ihrer *Stellung innerhalb einer Periode,* eines Stollens oder, musikalisch ausgedrückt, eines Versikels ab. Im Aufgesang finden sich die schweren Ausgänge fast ausnahmslos am Ende einer Periode, an einem Einschnitt also, der sich durch die Gliederung des Strophenschemas und durch die syntaktischen Einschnitte ergibt, während die leichten, nur einen Takt füllenden Schlüsse meist im Periodeninnern stehen und sich mit dem auftaktlos einsetzenden Folgevers synaphisch verbinden. Diese Regel gilt oft auch für den Abgesang, wenn schon hier freier verfahren zu sein scheint; die Tendenz, Kadenzen und Auftaktfolge zu harmonisieren [zum Teil auch asynaphisch gegeneinander abzusetzen], ist im Abgesang noch stärker als die Rücksicht auf die Position der Kadenz innerhalb dieses Strophenteils. Die schwerklingende Wertung der 'dreihebig-klingenden' (4'') Verse ist natürlich, wie aus den Ausführungen S. 612 hervorgeht, unabhängig von ihrer Position innerhalb einer Periode.

Schwerklingende ('' = kl) Schlüsse am Periodenende haben z. B.:

Der Ottenton 11, 6[14]:

	Her babest, ich mac wol genesen,	A4a'+	14	28
	wan ich wil iu gehorsam wesen:	A4a'+		
	wir horten iuch der kristenheit gebieten	A6b''+		
	wes wir dem keiser solten pflegen,	A4c'+	14	
5	do ir im gabent gotes segen,	A4c'+		
	daz wir in hiezen herre und vor im knieten.	A6b''+		
	Ouch sult ir niht vergezzen:	A4d''+	14	28
	ir sprachent „swer dich segene der si	A4e'+		
	gesegent; swer dir fluoche, der si verfluochet	A6f''+		
10	mit fluoche volmezzen.“	A4d''+	14	
	durch got bedenkent iuch da bi,	A4e'+		
	ob ir der pfaffen ere iht geruochet.	A6f''∧		

56 Takte

47, 36:	Zwo fuoge han ich doch, swie ungefüege ich si,	A6a' +	12
	der han ich mich von kinde her vereinet.	A6b'' +	
	Ich bin den fron bescheidenlicher fröide bi,	A6a' +	12
	und lache ungerne so man bi mir weinet.	A6b'' +	
5	Durch die liute bin ich fro,	4c' ∧	12
	durch die liute wil ich sorgen.	4d` +	
	Ist mir anders danne also,	4c' ∧	
	waz dar umbe? ich wil doch borgen.	4d` +	12
	Swie si sint, so wil ich sin,	4e' ∧	
10	daz si niht verdrieze min.	4e' ∧	
	Manegem ist unmaere	4f'' +	12
	swaz einem andern werre: der si ouch bi [den liuten swaere.	A4x'' + 4f` [15]	
		48 + 12 Takte	

Leichtklingende (` = wv) Schlüsse im Periodeninnern stehen in:

109, 1:	Ganzer fröiden wart mir nie so wol ze muote:	6a` +	11
	mirst geboten, daz ich singen muoz.	5b' ∧	
	Saelic si diu mir daz wol verste ze guote!	6a` +	11
	mich mant singen ir vil werder gruoz.	5b' ∧	
5	Diu min iemer hat gewalt,	4c' ∧	13
	diu mac mir wol truren wenden	4d` +	
	unde senden fröide manicvalt.	2d` + 3c'	
		7 Verse; 35 Takte; 5 Strophen = 35 Verse	

112, 3:	Müeste ich noch geleben daz ich die rosen	5a` +	10
	mit der minneclichen solde lesen,	5b' ∧	
	so wold ich mich so mit ir erkosen,	5a` +	10
	daz wir iemer friunde müesten wesen.	5b' ∧	
5	Wurde mir ein kus noch zeiner stunde	5c` +	14
	von ir roten munde,	4c'' ∧	
	so waer ich an fröiden wol genesen.	5b' ∧	
		34 Takte	

[14] Die Melodie bei FMaurer: Die politischen Lieder Walthers v. d. Vogelweide, 62, und in der Altdt. Textbibl. 43, Nr. 7. Die Einschnitte in der Melodienführung liegen hinter Vers 7 und 10; vgl. dazu WMohr, ZfdA 85, 43 und FGennrich, ebda., S. 206 f.

[15] Waise und folgender Reimvers bilden eine Verseinheit; vgl. dazu S. 629.

In 109, 1 ist die Taktzahl einer Strophe mit der Verszahl des ganzen Liedes identisch: 2 d' + 3 c' sind e i n Vers mit Binnenreim. Man beachte auch die vollendete Kunst der Fugung in den letzten zwei Beispielen: die beiden Verse eines Stollens verbinden sich miteinander; z w i s c h e n den Stollen wie zwischen Aufgesang und Abgesang liegt eine halbtaktige Pause. In 112,3 sind die ersten beiden Abgesangsverse, die den Nebensatz bilden, gefugt und durch Halbtaktpause vom letzten Abgesangsvers abgesetzt, der den Hauptsatz darstellt: Verskunst und Satzbau wie Strophengliederung sind bis ins Feinste miteinander verwoben.

Beide Grundsätze für die Kadenzwertung vereint:

118, 24:	Ich bin nu so rehte fro,	4a' +	10
	daz ich vil schiere wunder tuon beginne.	A6b'`∧	
	Lihte ez sich gefüeget so,	4a' +	10
	daz ich erwirbe miner frowen minne.	A6b'`∧	
5	Seht so stigent mir die sinne	4b` +	12
	wol hoher danne der sunnenschin:	A8b'`	
	[genade, ein küniginne!	32 Takte	

Diese Regelung steht in engem Zusammenhang mit dem einheitlichen Charakter der Stollenmelodie und der lebendigen Praxis des Vortrags. Während der melodische Rhythmus infolge der leichtklingenden Kadenz im Periodeninnern kontinuierlich über das Ende der ersten Periodenverse hinwegläuft, tritt am Stollenende eine sinnvolle rhythmische Stauung in Gestalt einer metrischen Beschwerung oder musikalischen Dehnung der Schlußkadenz ein.

Ausnahmen gibt es nur bei Versen, die sich [durch Systemzwang] deshalb als Viertakter erweisen, weil ihnen andere Viertakter vorausgehen; vgl. etwa 59, 37, wo der letzte Vers, obgleich er am Strophenschluß steht, vierhebig leichtklingend endet, weil alle anderen Verse dieses Tons ebenfalls Viertakter sind.

Zweihebig klingende Verse haben ausnahmslos leichtklingenden Ausgang; ihre Kadenzen füllen also zusammen mit dem ersten Takt immer nur zwei, niemals drei Takte. Als Beispiele vgl. 112, 35 (auf S. 614), 39, 11 (auf S. 631) und

13, 33:	Maneger fraget waz ich klage	4a'∧	11
	unde giht des einen daz ez iht von herzen ge.	7b'∧	
	Der verliuset sine tage,	4a'∧	11
	wand im wart von rehter liebe weder wol [noch we.	7b'∧	

5	Des ist sin geloube kranc.	4c'∧	13
	swer gedaehte waz diu minne braehte,	2d`+3d`+	
	der vertrüege minen sanc.	4c'∧	

7 Verse; **35** Takte;
5 Strophen = **35** Verse

Überstumpfe Ausgänge (Heusler ü. s.), die nach schwerklingender Kadenz — die an sich schon eine Halbtaktpause bedingt! — eine zusätzliche Pause von einem ganzen Takt ansetzen, hat es [bei Walther] nicht gegeben.

2. *Stumpfe Ausgänge*

Bei diesen in der Taktwertung an sich eindeutigen Kadenzen ist lediglich den Bedingungen nachzugehen, unter denen der Dichter eine Pause in den strophischen Grundriß eingerechnet hat.

Eine *Pause* wird *nach dreitaktig stumpfen Versen* mitgewertet, wenn diese in unmittelbarer Nachbarschaft von Viertaktern stehen: das Viertakterprinzip übt eine Analogiewirkung auf die metrisch unterfüllten Dreitakter aus; Beispiel

51, 13:	Muget ir schouwen waz dem meien	4a`+	8
	wunders ist beschwert?	(3) 4b'∧ S	
	Seht an pfaffen, seht an leien,	4a`	8
	wie daz allez vert.	(3) 4b'∧ S	
5	Groz ist sin gewalt.	(3) 4c`∧ S	8
	Ine weiz obe er zouber künne;	4d`+	
	swar er vert in siner wünne,	4d`+	8
	dan ist niemen alt.	(3) 4c'∧ S	

Die syntaktischen Einschnitte (durch S angedeutet) fallen mit den Pausen zusammen; die in Klammern vorangestellte Zahl bezeichnet die sprachlich ausgefüllten Takte. Auch in 76, 22 ist jeweils der letzte Vers eines Stollens (A4a'`+A4a'`+A4a'`+A (3) 4b') unterfüllt.

Pausenzählung bei Kadenzumkehr. Strophenformen, deren zueinandergehörige Stollen durch Kadenzumkehr (Wechsel von stumpf und klingend) variiert werden, zeigen an ihren stumpfen Stollenenden eine Unterfüllungspause; sie wird durch eine entsprechende schwere Kadenzwertung der klingenden Stollenausgänge, die sich aus der Auftaktregelung ableitet, gesichert:

Der König-Friedrichs-Ton 26, 3:

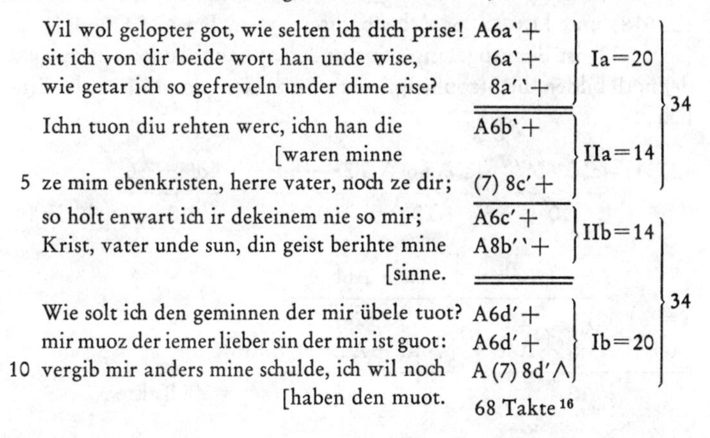

	Vers	Schema	Teil	
	Vil wol gelopter got, wie selten ich dich prise!	A6a'+	Ia=20	34
	sit ich von dir beide wort han unde wise,	6a'+		
	wie getar ich so gefreveln under dime rise?	8a''+		
	Ichn tuon diu rehten werc, ichn han die [waren minne	A6b'+	IIa=14	
5	ze mim ebenkristen, herre vater, noch ze dir;	(7) 8c'+		
	so holt enwart ich ir dekeinem nie so mir;	A6c'+	IIb=14	34
	Krist, vater unde sun, din geist berihte mine [sinne.	A8b''+		
	Wie solt ich den geminnen der mir übele tuot?	A6d'+	Ib=20	
	mir muoz der iemer lieber sin der mir ist guot:	A6d'+		
10	vergib mir anders mine schulde, ich wil noch [haben den muot.	A (7) 8d'∧		
		68 Takte[16]		

Über die *Unterfüllungspause im Abgesang als Mittel der Formauflockerung* vgl. S. 622 ff.

Berücksichtigt man diese metrischen Gesetzmäßigkeiten bei der Kadenzbeurteilung, so stellt sich bei einer Auszählung der Strophen nach Takten meist heraus, daß die Strophenteile in ihrem Umfang oft aufeinander oder auf die größere Einheit der Strophe oder gar des ganzen Liedes abgestimmt sind, m. a. W.: der Aufbau vieler Strophen ist zahlenkompositorisch durchdacht und gegliedert.

Nur selten ergibt sich eine zahlenkompositorische Übereinstimmung von Strophenteilen dadurch, daß sie alle den gleichen Bau aufweisen (Periodenwiederholung in der zahlenkompositorischen

[16] Dieser Strophengliederung entsprechen Taktzahlenfolge, Reimbindung und die 'antithetische' Kadenzregelung in den einander entsprechenden Versikeln; auch das zu I b überlieferte Münstersche Melodienbruchstück (Z) fügt sich ohne Schwierigkeit den Versen von I a. Die Meistersinger nannten diesen Ton in der Kolmarer Liederhandschrift des 15. Jh. *Her Walthers von der Vogelweyde gespalten wys*: die beiden Hauptstollen I a und I b sind durch das zentrale Zwischenglied II a und II b (das sonst als Abgesang steht!) auseinandergespalten. Die in der Gesamtkonzeption symmetrische Gestaltung läßt sich in ihrer Form einem gotischen Flügelaltar vergleichen.

Struktur, nicht in der Melodie), wie wir es beispielsweise bei 51, 13 (S. 618) und 11,6 (S. 615) beobachtet haben. Bei 42,31 und 184,1 (= 61,32) ist der Abgesang ganz anders gebaut als der Aufgesang; dennoch bilden die Strophenglieder eine zahlenkompositorische Einheit:

42, 31: $\underbrace{4a'\wedge 6b'\wedge}_{10} \mid \underbrace{4a'\wedge 6b'\wedge}_{10} \parallel \underbrace{5c`+5d`+}_{10} \quad \underbrace{4d'`+A6c'}_{10}$ = 40 Takte

184, 1: $\underbrace{A6a'+A6b'+}_{12} \mid \underbrace{A6a'+A6b'+}_{12} \parallel$
(= 61,32)
$\underbrace{A4c'+A4x_1'+A4c'+}_{12} \mid \underbrace{A4d`+A4x_2`+A4d`}_{12}$ = 48 Takte

Schon an diesen beiden Formen spürt man, wie der Dichter die einfache Wiederholung der Periodenstruktur meidet: die Taktzahlen treten in variierter Reihenfolge auf; auch rhythmisch ist das Bild variationsfreudiger. Während in 42, 31 die Verse 1—6 in einer halbtaktigen Pause enden, schließen sich die beiden letzten Verse durch Fugung enger zusammen; umgekehrt nehmen die drei Verse des letzten Zwölferblocks[17] in 184, 1 gegen alle anderen der Strophe, die normal ineinanderfugen, insofern eine Sonderstellung ein, als sie nur bei Umschrift im 1. Modus fugen könnten (leichtklingend + Auftakt: ♩♩+♩ gegen 𝅗𝅥+♩ in den anderen Versen); so entstünde an den Nahtstellen eine rhythmische Beschleunigung. [Es ist aber auch möglich, daß die weiblich-vollen Schlüsse ohne diese Beschleunigung normal rhythmisiert wurden (𝅗𝅥 ♩) und die Fugung durch die nachfolgenden Auftakte bewußt gebrochen wurde: man spricht dann von Asynaphie oder Brechung. Die mehrfachen syntaktischen und gedanklichen Einschnitte nach dem drittletzten Vers, in Strophe 185, 31 gegen mehrere vorausgehende Enjambements,

[17] Die Verse sind (trotz des folgenden Auftakts!) leichtklingend, also Viertakter wie alle anderen des Abgesangs, da sie im Innern der Periode stehen (vgl. S. 616), der letzte Vers ist natürlich aus Analogie ebenso ein Viertakter.

machen eine solche Asynaphie wahrscheinlicher, weil sie die Zeilen auch rhythmisch voneinander isoliert.]

Bei 41, 13 sind nur noch beide Strophenhälften durch gleiche Taktzahlen aufeinander zugeschnitten:

41, 13: 5a′+A4b′∧ | 5a′+A4b′∧ ‖ 6c′∧ 4d′∧ 4d′+A4c′
18 18 = 36 Takte

Die Stollen sind in sich gefugt, beide jedoch voneinander (und der zweite vom Abgesang!) durch Halbtaktpause abgesetzt; die beiden ersten Abg.-verse stehen mehr für sich, während die Schlußverse rhythmisch wie meist auch inhaltlich wieder eng zusammenrücken. Auch andere Dichter aus Minnesangs Frühling kennen Strophen, bei denen sich die Taktzahl des Aufgesangs im Abgesang wiederholt, obgleich dieser eine andere Bauweise hat; vgl. z. B. Morungen.

MF 145, 1: 5a‵+6b′∧ | 5a‵+6b′∧ ‖ 6b′∧ 5a‵+5a‵+6b′∧
22 22 = 44 Takte

Die wunderbare Kunst der Fugung verrät sich nicht nur in der rhythmischen Bindung dessen, was der strophischen Gliederung und dem inhaltlichen Aufbau nach zusammengehört, sondern auch in den Halbtaktpausen, die Stollen- und Strophenenden markieren und den ersten Abgangsvers sinnvoll isolieren: er stellt seinem Gehalt nach die Kernzeile der Strophe dar. Der zahlenkompositorische Einklang der beiden Strophenhälften läßt natürlich keinerlei Rückschlüsse auf die melodische Gestaltung zu. Das zeigt beispielsweise die Melodie zu Husen MF 49, 13 (s. Aarburg, Singweisen, S. 17); die melodischen Zeilen sind durch griechische Buchstaben wiedergegeben:

α β α β γ δ ε β
MF 49, 13: A3a′+A4b‵ | A3a′+A4b‵ ‖ A4b‵ A3a′+A3a′+A4b‵
14 14 = 28 Takte

Überschaut man das Gesamtwerk Walthers, so zeigt sich deutlich, daß er diese Strukturen, die ja durch das ihnen gemeinsame Prinzip der Wiederholung von Perioden oder zumindest von Taktzahlen immer irgendwie auf einem Gleichmaß der Proportionen gründen, wie übrigens auch streng symmetrische Bauweisen (mit dem Prinzip spiegelbildlicher Wiederholung der Struktur) nicht eben häufig verwendet hat (etwa 12 Prozent des Gesamtwerks). Aber auch hier hat der Dichter die sorgsam abgewogene Struktur durch rhythmische Feinheiten und durch Variation in der Reihenfolge der Verslängen vielfältig belebt.

Bei einer anderen Gruppe von Walthertönen freilich will es mit den wohlabgewogenen Proportionen der Strophenhälften nicht ganz stimmen: zählt man die Takte der Strophen von 40,19, 85,34, 115,6, 56,14 u. a. genau durch, so scheint im Abgesang immer ein Takt zu fehlen, z. B.

40, 19:	Ich han ir so wol gesprochen	4a`+	18
	daz si maneger in der welte lobet.	5b'∧	
	Hat sie daz an mir gerochen,	4a`+	
	owe danne, so han ich getobet:	5b'∧	
5	Daz ich die getiuret han	4c'∧	17
	und mit lobe gekrœnet,	4d'`∧	
	diu mich wider hœnet.	4d'`∧	
	frowe Minne, daz si iu getan.	5c'∧	

Gegenüber den jeweils 18 Takten des Aufgesangs füllt der Text des Abgesangs stets nur 17 Takte. Daß hier kein Zufall vorliegt, sondern bewußte Absicht am Werke ist, wird überraschend deutlich, wenn man in der reichen Überlieferung Walthers Umschau hält und Lieder aus Minnesangs Frühling nach dieser Eigentümlichkeit durchmustert. 115, 30 hat, läßt man Pausen unberücksichtigt, im Aufgesang 16, im Abgesang 17 Takte, 50, 19 zählt 16 Takte in der ersten Strophenhälfte gegenüber 15 in der zweiten. Bei Johansdorf MF 89, 21 stellt sich das Verhältnis von Aufgesang und Abgesang in den Taktzahlen 28 : 27 dar, bei Morungen MF 124,32 zählt man 22 und 21, bei Rugge MF 101,7 18 und 17 Takte.

Bei der Lösung dieses Problems hilft einmal ein vergleichender Blick auf andere Strophengrundrisse Walthers, die hier nicht dargestellt werden können. Wenn man die eingangs entwickelten Gesetzmäßigkeiten in der Kadenzbehandlung bei der Auszählung der Takte berücksichtigt, so erscheinen bestimmte Zahlen als Gesamttaktzahlen oder — je nach Umfang eines Tons — als Taktzahlen von Strophenzeilen immer wieder, während andere als Kompositionszahlen überhaupt nicht oder nur selten zu belegen sind[18]. Dazu gehören etwa die 21, die 27, die 29 und im allgemeinen auch die 15 und 17. Da diese Zahlen also gegen den Befund stehen, wie ihn das Gesamtbild der Strophik Walthers erkennen läßt, während die Zahlen 22, 28, 30 wie auch 16 und 18 häufig begegnen, ist es sehr wahrscheinlich, daß der im Abgesang „fehlende" Takt in eine Pause fällt, die in den Bauriß der Strophe eingerechnet werden muß; sie würde naturgemäß am Ende eines solchen Verses liegen, mit dem ein Sinneseinschnitt zusammenfällt. In den Grundrissen der folgenden Beispiele ist die Zahl der tatsächlich gefüllten Takte wieder der Kompositionszahl, die die Pause einschließt, vorangestellt:

85, 34: 4a`+5b'∧ | 4a`+5b'∧ ‖ (4) 5c'∧ 4d`+4d`+5c'∧
18 (17) 18 = 36 Takte

56, 14: 4a'∧ 5b'∧ | 4a'∧ 5b'∧ ‖ 4c'`∧ (3) 4d'∧ 6d'∧ 4c`
18 (17) 18 = 36 Takte

Von Johansdorf MF 89, 21 führe ich, da die Auftakte nicht in allen Strophen einheitlich stehen, das Schema ohne Berücksichtigung der Fugung usw. an:

MF 89, 21: 4a'6b`4c' | 4a'6b`4c' ‖ 6d'6d' (5) 6x'6e`4e`
28 (27) 28 = 56 Takte

MF 101, 7: 5a'+4b'+ | 5a'+4b'+ ‖ 4c'+4c'+ (4) 5d'+5d'∧
(Rugge) 18 (17) 18 = 36 Takte

[Der Ansatz von Pausen gehört naturgemäß zu den am meisten umstrittenen Problemen der mittelhochdeutschen Strophik. Ich würde heute daneben die Möglichkeit erwägen, ob nicht beim gesanglichen Vortrag die 'Pause' musikalisch durch Zerdehnung des letzten Taktes auf zwei 'aufgefüllt' werden konnte, gelegentlich vielleicht in der Art eines Melismas. Syntaktische Einschnitte, wie

[18] Vgl. dazu die Übersicht über die Kompositionszahlen bei Walther in ‚Strophik', S. 173—174.

sie z. B. bei 51, 13 (S. 618) festgestellt wurden, könnten auf diese Weise akustisch ebenso wirksam wie durch eine Pause betont worden sein. Jedenfalls ist bei Strophenformen nach Art der 'gespaltenen Weise' (vgl. Anm. 16), wo den klingenden Kadenzen der a-Stollen unterfüllte stumpfe Kadenzen in den b-Stollen entsprechen (also 8 ´` : 7´), eine solche Zerdehnung der 7´-Verse auf 8 Takte sehr wahrscheinlich, weil die Melodie in den einander zugehörigen, aber verschieden kadenzierten Stollen die gleiche gewesen sein dürfte. So hat G. Birkner bei der Transskription des Melodienfragments zu 26, 3 (in der Anm. 2 genannten Ausgabe FMaurers, ATB 43, Lied Nr. 16) das letzte Wort *muot* auf zwei volle Takte zerdehnt.]

Möge man nun dem Ansatz einer Unterfüllungspause [oder der Zerdehnung des stumpfen Reimworts an solchen Stellen], die das Gleichmaß des Strukturschemas herstellen würden, zustimmen oder nicht: die merkwürdige Disproportion in der Textgestaltung bleibt bestehen, und so erhebt sich die Frage, ob dieser Unterfüllung eine besondere künstlerische Funktion zukommt.

Eine Deutung dieses Befundes drängt sich geradezu auf, wenn wir einen vergleichenden Blick auf eine besondere Gestaltungsweise in der bildenden Kunst der frühen Gotik werfen. An den Bogenfeldern über den Portalen deutscher Kirchen aus dieser Zeit sind die Figuren, die die Felder auffüllen, oft in ausgesprochen asymmetrischem Verhältnis um die Mittelachse des Tympanons herum gruppiert: die asymmetrische Anordnung geht bis in den „zahlenkompositorischen" Aufbau. Es können wieder nur einige Beispiele angeführt werden.

Beim Kolmarer Münster St. Martin stellen sich unter dem unteren Bogen des Tympanons am Nikolausportal (um 1270) 7 Figuren in dem ungleichen Verhältnis 4 : 3 um den Herrn herum. Im Bogenfeld der Goldenen Pforte des Freiburger Doms (um 1235—40) bezeugen links 3, rechts nur 2 Gestalten der Maria mit dem Kinde, die in der Mitte steht, ihre Verehrung. Ein besonders eindrucksvolles Beispiel für die asymmetrische Figurenanordnung bietet das Bogenfeld der Baseler Kathedrale (Ende des 12. Jh.). Um die mittlere Figur der oberen Reihe stehen 5 Gestalten im Verhältnis 2 : 3; die untere Reihe zeigt zwei Gruppen von 6 und 5 Personen, die durch eine aus der Symmetrieachse um ein Stück nach rechts herausgerückte Pforte getrennt werden.

Diese Auflockerung einer symmetrischen Konzeption, wie sie ein Bogenfeld darstellt, durch leicht voneinander abweichende Figurenverteilung beiderseits der Symmetrieachse findet sich in kunstgeschichtlichem Bereich nicht nur auf Bogenfeldern. Es sei hier nur noch auf die Wandmalerei in der Westapsis der Kirche von Knechtsteden bei Köln (nach 1150) hingewiesen, auf der die Apostel auf 4 unter sich streng symmetrisch geordneten Flächen zwischen den Fenstern verteilt sind. Während die 3 rechten Flächen jeweils 3 Apostel aufnehmen, scheint auf der linken, die nur 2 zeigt, einer zu fehlen. Bei dieser asymmetrischen Kompositionstechnik trifft für unseren Zusammenhang die ikonographische Frage, ob der Künstler hier die Gestalt des Judas aus der Zwölfergruppe ausgeschlossen hat, nicht den Kern; wichtig ist, daß er eine so auffällige Unterbrechung des Gleichmaßes als ästhetisch befriedigend empfunden hat. Nach einem ähnlichen Prinzip ist die Malerei im Ostchor zu Nideggen (etwa 1225) angelegt: auf den Zwischenräumen zwischen den Fenstern steht jeweils eine Gestalt, auf der linken Eckfläche sind dagegen 2 abgebildet. Abbildungen aller dieser Beispiele, die hier leider nicht beigefügt werden konnten, im Bilderanhang der ‚Strophik‹; dort sind auch weitere Belege zusammengestellt.

Von solchen Beobachtungen in der bildenden Kunst fällt ein ungemein erhellendes Licht auf die bei den Strophenformen so häufig festgestellte leicht asymmetrische Gestaltung der beiden Strophenhälften durch Verkürzung des Abgesangs um einen Takt. In beiden Erscheinungen: der textlichen Unterfüllung eines zahlenkompositorisch wohlproportionierten Strukturplanes einer Strophe wie der leicht disharmonischen Abstimmung der Figurenanordnung bei den Bogenfeldern vor Portalen wirkt sich ein Formwollen aus, dem die straffe Durchgestaltung einer streng symmetrischen Komposition nicht gemäß erscheint. Vergleiche sowohl mit dem romanischen Strophenbau wie mit der romanischen bildenden Kunst dieser Zeit (vgl. das Bogenfeld St. Pierre in Moissac oder das Tympanon der Kathedrale zu Chartres, Abb. ‚Strophik', S. 181), bei denen das strenge Gleichmaß der formalen, oft symmetrischen Komposition stets gewahrt ist, machen offenbar, daß diese Neigung zur Formauflockerung, zum variierenden Abheben eines strukturgleichen Teils gegen den andern tief im germanischen und deutschen Formempfinden verwurzelt ist[19]. Während romanisches Wesen „auf

[19] Auch der altgermanische Stabreimvers verrät eine eigentümliche Diskrepanz zwischen der Verteilung von 4 Hebungen und nur 3 Stäben auf eine Langzeile.

Festigkeit und Ordnung"[20] gründet und auf Klarheit der Formgebung gerichtet ist, zielt deutsches Formwollen mehr auf Bewegtheit als auf Statik in der Gestaltung: es sucht das Ebenmaß genau abgewogener Strukturen immer wieder zu durchbrechen und abzuwandeln. Das Streben nach Variation, das sich als Widerspiel von Formstrenge in der architektonischen Planung und ihrer Auflockerung in der praktischen Durchgestaltung äußert, offenbart sich als eine entscheidende Gestaltungskraft für den deutschen Strophenbau des Hochmittelalters[21].

Die Neigung zu auflockernder Belebung einer formstrengen Struktur bestimmt auch die Gestalt einer reich überlieferten Gruppe von Tönen, bei denen das zahlenkompositorische Gleichmaß beider Strophenteile durch ein zusätzliches Achtergewicht belastet ist.

Der ‚Sommertraum' Walthers (94, 11), dessen Strophen bis in die Kadenzregelung hinein streng symmetrisch gebaut sind, hat im Aufgesang 4, im Abgesang 5 Verse, dessen letzten wir als Achtergewicht betrachten (vgl. das Schema auf S. 613). In ähnlicher Weise bilden die letzten beiden Verse in 53, 25 zahlenkompositorisch ein Achtergewicht (der vorletzte Vers ist um einen Takt unterfüllt; der Ansatz einer Pause ergibt sich aus der Analogie sämtlicher anderen Verse, die Viertakter sind). Weitere Formen mit Achtergewicht sind z. B. 105, 13, 104, 33 und 47, 16.

Der Meissner-Ton 105, 13:

	Nu sol der keiser here	A4a'`+	
	versprechen dur sin ere	A4a'`+	12
	des lantgraven missetat.	A4b'+	
	Want er was doch zeware	A4c'`+	
5	sin vient offenbare:	A4c'`+	12
	die zagen truogen stillen rat.	A4b'+	
	Si swuoren hie, si swuoren dort	A4d'+	
	und pruoften ungetriuwen mort,	A4d'+	12
	von Rome fuor ir schelden.	A4e'`+	

[20] VKlemperer: Geschichte der französischen Literatur im 19. und 20. Jh. I, Bln '56, 67.

[21] Auf andere Erscheinungsformen der Variation im Strophenbau hat FMaurer in seinem Buch, S. 133, hingewiesen.

10	Ir duf enmohte sich niht heln,	A4f′+	12
	si begonden under zwischen steln	A4f′+	
	und alle ein ander melden.	A4e′`∧	
	Seht, diep stal diebe,	4g′`∧	8
	dro tet diebe liebe.	4g′`∧	
		48+8 Takte	

Das Achtergewicht ist nicht nur durch Unterbrechung der sonst durchgehenden Fugung, sondern auch inhaltlich durch einen sentenzartigen Charakter deutlich gegen den eigentlichen Strophenkörper abgesetzt.

104, 33:

A4a′+A4a′+A4b′+A4c′`+ | A4d′+A4d′+A4b′+A4c′`+ ‖
16 16

A2e′+A2e′+A4f′`+A4g′+A4g′+ | A2g′+A4f′`
16 6 =48+6 Takte

47, 16:[22]

A4a′+A3b′∧ 5c′+ | A4a′+A3b′∧ 5c′∧ ‖
12 12

4d`+3e′∧ 5f`+ | 4d`+3e′∧ 5f`+ | 4g′+A4g′∧ 5h′+A5h′∧
12 12 18 =48+18 Takte

Daß das Achtergewicht in der Komposition der Töne tatsächlich eine Sonderstellung einnimmt (musikalisch handelt es sich meist um eine abschließende Cauda), zeigen gerade diese drei Schemata durch ihren zahlenkompositorischen Aufbau. Die Unterschiedlichkeit ihrer Gesamttaktzahlen (56, 54 und 66 sind keine wichtigen Kompositionszahlen) beruht auf dem verschiedenen Umfang des Achtergewichts: in allen drei Tönen bestimmt die Kompositionszahl 48 den Umfang des eigentlichen Strophenkörpers. Die gleiche Kompositionsweise zeigt auch

47, 36: A6a′+A6b′`+ | A6a′+A6b′`+ ‖
12 12

[22] Nach der Textherstellung durch Huisman (s. Anm. 2), S. 40.

4c'∧ 4d' + 4c'∧ 4d' + 4e'∧ 4e'∧ | 4f'' + A4x'' + 4f'

12 12 12

= 48 + 12 (60) Takte;

12 Verse; 5 Strophen = 60 Verse

Die einzelnen Strophenteile sind rhythmisch eindrucksvoll voneinander abgehoben: die Verse des Aufgesangs setzen stets mit Auftakt ein und sind ineinander gefugt; die so entstehenden Jamben werden im Abgesang von Trochäen abgelöst, die, bis auf Vers 6 und 8, durch eine am Ende entstehende Halbtaktpause rhythmisch nicht ineinanderlaufen. Die Schlußverse des Achtergewichts schließen sich dagegen wieder synaphisch zusammen und sind dadurch rhythmisch wie durch die starken syntaktischen Einschnitte nach Vers 10 auch inhaltlich von dem wieder 48 Takte zählenden Hauptteil der Strophe gesondert.

Wie die Unterfüllungspause im Abgesang hat auch das Achtergewicht die Funktion, die Formstrenge der Struktur zu überwinden; man wird nicht fehlgehen, auch hierin eine Ausprägung des gleichen germanischen Formempfindens zu sehen.

Der zahlenkompositorische Aufbau, den die bisher behandelten Töne in zunehmendem Maße haben erkennen lassen, tritt meist von selbst deutlich hervor, wenn man die Verse nach den eingangs dargestellten metrischen Regeln auszählt. Oft wird die Zahl nicht nur für den Umfang der Strophe oder der Strophenteile, sondern für das ganze Lied zum beherrschenden Aufbauprinzip. So sind in den folgenden Liedern Umfang der Strophe wie des Liedes in einer übergreifenden Einheit, die durch die Zahl konstituiert wird, aufeinander abgestimmt: die Taktzahl der Strophe ist identisch mit der Verszahl des ganzen Liedes. Wenn eine zwölfversige Strophe von 92, 9, die aus durchgehenden Viertaktern gebaut ist, 48 Takte zählt, so das vierstrophige Lied 48 Verse. In 112, 35 hat eine Strophe 32 Takte, das Lied 32 Verse.

112, 35: 5a' + 4b'∧ | 5a' + 4b'∧ || 4c'∧ (+) 4d' + 2d' + 4c'∧

= 8 Verse; **32** Takte;

4 Strophen = **32** Verse

Auch in 76, 22, dessen Stollen (Versikel) jeweils aus drei schwerklingenden Viertaktern und einem unterfüllten stumpfen Dreitakter mit Pause gebaut sind, ist der Umfang des Liedes (80 Verse) von der Taktzahl einer Strophe — 80 — bestimmt. Da sämtliche fünf Versikel gleich gebaut sind, sei nur die Struktur des ersten angeführt:

76, 22: A4a'`+A4a'`+A4a'`+A (3) 4b'∧

5 vierversige Versikel zu 16 Takten;

die Strophe hat also 80 Takte und 20 Verse, das vierstrophige Lied 80 Verse.

Bei anderen Liedern tritt dieses Kompositionsprinzip nicht so offensichtlich zutage, weil die Herausgeber die ursprüngliche Zeilenteilung beim Abdruck der Lieder oft verwischt haben. Es ist nämlich zu beachten, daß sich zwei- und dreitaktige Kurzverse für gewöhnlich zu e i n e m Vers mit einer Reimbindung im Innern zusammenschließen. So hat die siebenversige Strophe des Liedes 109, 1 35 Takte, das ganze Lied 35 Verse (vgl. das Schema auf S. 616). Ebenso ist 13, 33 gebaut (Schema auf S. 617 f.).

Bei Strophen mit einer Waise legt schon die Interpunktion in den Handschriften A und C[23] die Vermutung nahe, daß ein in der Strophe alleinstehender Waisenvers keine selbständige Zeile darstellt, sondern sich mit dem folgenden Reimvers zu einer Langzeile zusammenschließt. Diese Vermutung wird dadurch gestützt, daß die Waise — nach dem herkömmlichen Druckbild in unseren Ausgaben — meist den vorletzten Vers der Strophe bildet: im Verein mit dem folgenden Reimvers stellt sie also formal wie meist auch gehaltlich und syntaktisch einen durch den Langzeilencharakter wirkungsvoll hervorgehobenen Strophenschluß dar. Die Zahlenkomposition bestätigt diese Beobachtung: die Strophen von 54, 37 und ebenso die zum Ton 120, 16 gehörenden Strophen eines — wie v. Kraus in den Waltheruntersuchungen, S. 439 ff. gezeigt hat — einheitlichen Liedes haben, wenn man die Verseinheit von Waise und folgendem Reimvers berücksichtigt, 40 Takte, und entsprechend zählen beide Lieder 40 Verse.

$$54, 37: \underbrace{A4a'+A4b'}_{8} + \underbrace{|\,A4a'+A4b'}_{8}\,\|$$

[23] Die Versschlußpunkte sind von den Schreibern meist nicht gesetzt; die genaue Übersicht über diesen Befund in ‚Strophik', 81.

A4c' + A6c' + A4d' + A6x' + A4d'∧
24
= 40 Takte; 8 Verse; 5 Strophen = 40 Verse

120, 16: A4a' + A4b' + | A4a' + A4b' + ‖
8 8
A6c' + A6c' + A4x' + A4d' + A4d'∧
24
= 40 Takte; 8 Verse; 5 Strophen = 40 Verse

Die Strophen des schon auf S. 627 f. angeführten Liedes 47,36, deren Abschluß eine achttaktige Langzeile mit Zäsur bildet, bestimmen mit ihren insgesamt 48 + 12 = 60 Takten den Umfang des Liedes auf 60 Verse. Auch in 72, 31 und 113, 31 sind die Taktzahl der einzelnen Strophe und die Verszahl des Liedes jeweils identisch (30).

Die Eigenart einer Waise liegt gerade darin, daß der Dichter mit ihr im Gegensatz zu den Reimpaarversen einen Ausgang gewählt hat, der in der ganzen Strophe ohne Entsprechung bleibt. Wenn es demgegenüber Strophen gibt, die zwei ungereimte Verse im Abgesang aufweisen, so bedeutet solche Verdoppelung im Grunde die Aufhebung des eigentlichen Waisencharakters: der alleinstehende Vers hat einen Partner gefunden und ist an diesen in ähnlicher Weise gebunden wie die Glieder einer Reimbildung unter sich. Von daher verwundert es nicht allzu sehr, wenn in den Handschriften nach den ‚Doppelwaisen' meist die üblichen Versschlußpunkte stehen[24].

Die Doppelwaisen gelten auch zahlenkompositorisch als selbständige Verse. Daher hat 57, 23, in dessen Schema wegen des für die ganze Strophe gültigen Vierheberrhythmus nach den textlichen Dreitaktern (Vers 3, 6 und 9) übereinstimmend mit den anfangs entwickelten metrischen Grundsätzen eine Pause anzusetzen ist, 40 Verse, jede seiner Strophen 40 Takte. Dieselbe Zahl erscheint bei 43, 9, 100, 24 und 119, 7 als Taktzahl der Strophe und Verszahl des Liedes.

Auch das wohl bekannteste Lied Walthers *Under der linden an der heide* (39, 11), das mit seiner schlichten volkstümlichen Sprach-

[24] Vgl. dazu ‚Strophik', 88.

gebung und der Unmittelbarkeit seines Gefühlsausdrucks auf jenen uns freilich nicht faßbaren, aber in der mündlichen Tradition auch des Mittelalters zweifellos lebendigen Unterstrom volksliedhafter Überlieferung (an den auch der frühe deutsche Minnesang in Oesterreich um den Kürenberger herum anknüpft) zu weisen scheint, erweist sich durch seinen zahlenkompositorisch gegliederten Aufbau als ausgesprochenes Kunstlied. — Damit die echte Struktur der Strophe deutlich wird, müssen wir lediglich beachten, daß sich die (nach Kraus' Ausgabe) scheinbaren Kurzverse in Wahrheit zu einem Viertakter mit Reimbindung im Versinnern zusammenschließen (vgl. zu 109, 1, S. 616 f. und zu 13, 33, S. 617 f.), so wie F. Maurer das Lied unter Nr. 68 gedruckt hat [bei Maurer ist wie bei von Kraus im 3. Vers das *e* von *muget* gegen handschriftliches *mugent* getilgt, um Alternation zu gewinnen].

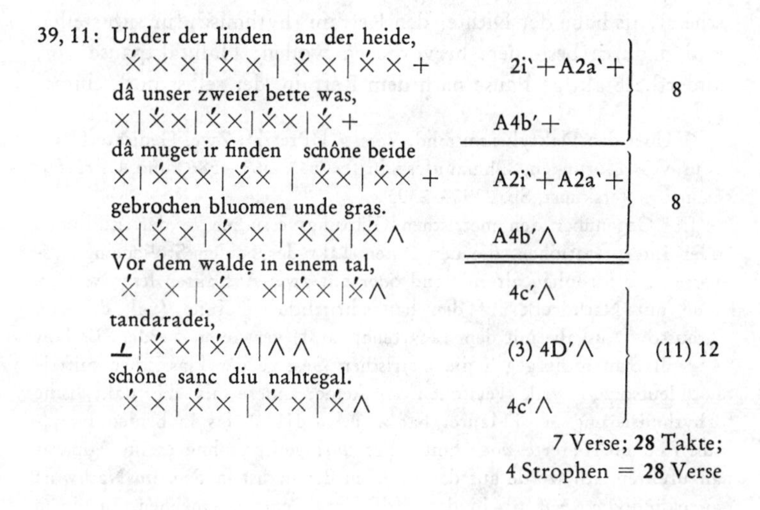

Von besonderem Reiz ist die in allen Strophen wiederkehrende rhythmische Gliederung der Verse, die sich den Sinneseinschnitten wie der strophischen Tektonik sinnvoll einfügt. Während wir aus anderen Liedern des Minnesangs durchgehend daktylischen Rhythmus oder die Kombination von alternierenden und daktylischen

Versen[25] kennen, hat Walther diese Kunst der rhythmischen Variation in diesem Liede zu besonderer und wohl einmaliger Feinheit gesteigert: den alternierenden Versen sind an ganz bestimmten und in allen Strophen wiederkehrenden Stellen einzelne daktylische Takte einverwoben. Daktylisch ist jeweils der erste Takt des Stollens[25a] und der letzte der ersten Stollenzeile, der den Auftakt der zweiten Stollenzeile in sich einschließt (*heide dâ* und *beide ge-*): der Rhythmus beschleunigt sich am Zeilenende, wodurch beide Verse besonders eng miteinander verbunden erscheinen. Während auch der strophische Einschnitt zwischen beiden Stollen durch gefugten Zusammenschluß der Verse 2 und 3 (*wás* + *da:* $\acute{\times}$ + $\times$) in kontinuierlichem rhythmischen Fluß übersungen wird, endet der zweite Stollen und damit der Aufgesang sinnvoll auf eine Halbtaktpause. Im Abgesang dagegen ist die Fugung der Verse ganz vermieden. Der pausierte halbe Takt nach Vers 7 (*tál* $\wedge$) bleibt unausgefüllt; es scheint, als habe der Dichter den Refrain rhythmisch für sich stellen und dadurch besonders hervorheben wollen: Halbtaktpause vor, anderthalbtaktige Pause nach dem Refrain, der selbst noch einmal

[25] Über den Daktylus im mhd. Vers. s. UPretzel: Zwei Gedichte Heinrichs von Morungen, Öhmannfestschrift ('54), 569—586, und UPretzel: Deutsche Verskunst, Sp. 2390—2393.

[[25a] Gegenüber den metrischen Glättungsversuchen in den Editionen oder Interpretationen, die den ersten Takt der beiden Stolleneingangsverse aller Strophen alternierend oder mit zwei Auftakten lesen wollen, muß mit Nachdruck auf den handschriftlichen Befund (vgl. die von Krausche Ausgabe mit dem Lesartenapparat) verwiesen werden. Er läßt — will man nicht gegen die metrischen Gesetze der klassischen mittelhochdeutschen Lyrik verstoßen — keine andere als die daktylische Rhythmisierung zu. FMaurer hat z. B. in III, 2 das in beiden Handschriften überlieferte *noch* hinter *des wirt* getilgt, ohne es im Apparat anzuführen. Ich werde auf das Problem demnächst in dem im Nachwort angekündigten Aufsatz in der ZfdPh noch einmal eingehen. In einem Aufsatz ›Zu Walthers Mädchenliedern‹, der in der Festschrift für Helmut de Boor, Tübingen 1966, 33 ff., erschienen ist, setzt sich jetzt auch UPretzel für den Daktylus an dieser Stelle ein und sucht außerdem die auffallende Auftaktlosigkeit der ersten Verse von Strophe I und II (gegen sonst regelmäßig vorhandenen Auftakt) durch eine Emendation zu beseitigen.]

durch beschwerte Hebung auf der ersten, positionslangen Silbe ausgezeichnet ist. Bei dieser Rhythmisierung der Verse tritt auch der zahlenkompositorische Aufbau überzeugend hervor: die Strophe hat, da wir die Pause hinter *tandaradei* wegen der Analogie, die von den benachbarten Viertaktern ausgeht, mitzählen müssen, 28 Takte; entsprechend besteht das vierstrophige Lied aus 28 Versen[26].

Zu der bisher aufgewiesenen zahlenkompositorischen Proportionstechnik, die stets auf harmonische Ausgewogenheit größerer oder kleinerer Strophenteile unter sich oder auf eine von der Taktzahl der Strophe her bestimmte Umfangsbemessung des Liedes zielte (wobei der Dichter das äußere Gleichmaß der Struktur in bewußter künstlerischer Absicht nicht selten verletzte), gesellt sich ein weiteres, auf ursprünglicher Symbolkraft verschiedener Zahlen beruhendes Gestaltungsprinzip. Untersucht man nämlich das Gesamtwerk Walthers, so stellt sich überraschend heraus, daß bestimmte Zahlen als Gesamttaktzahlen einer Strophe häufig wiederkehren. Nicht selten sind es Rundzahlen: die Strophen von 63, 8 und 100, 3 haben (mit jeweils einer Unterfüllungspause im Abgesang) 30 Takte, der Reichston 8, 4 zählt, was schon Kurt Plenio (PBB 42, S. 447, Anm. 2) gesehen hat, genau 100 Takte; 13,5 und 65,3, die im Abgesang wieder einen Takt textlich unausgefüllt lassen, haben Töne mit 40 Takten. Es wäre aber falsch, von daher nur den Rundzahlen, die für unser modernes Gefühl wohl irgendwie befriedigend wirken mögen, zahlenkompositorische Bedeutung zuzumessen. Das Zahlenempfinden des mittelalterlichen Menschen war komplizierter und mehrschichtiger, was sich schon äußerlich an dem Befund offenbart, daß in mittelalterlicher Dichtung Rundzahlen als zahlenkompositorische Werte allgemein seltener begegnen als andere. Die Lyrik kennt zahlreiche Töne mit 32, 36 und 44 Takten; ebenso bevorzugt sind 28-Takter und Strophen von 34 oder 68 Takten. Die Beliebtheit bestimmter Zahlen gründet in der ihnen ursprünglich innewohnenden, oft vielfältigen Symbolbedeutung. Nur weniges kann davon angedeutet werden:

[26] Der Vers *tandaradei* stellt keine echte Waise dar, weil er als Refrain in allen Strophen wiederkehrt. Er bildet daher einen selbständigen Vers, der bei der Zählung zu berücksichtigen ist.

Die 28 ist, wie Huisman, S. 65, gezeigt hat, die Symbolzahl des Mondes (ihrerseits hervorgehoben als die Vervierfachung der heiligen Zahl 7), der in $4 \times 7 = 28$ Tagen die Erde umkreist; der Mond wiederum gilt als Sinnbild der Maria, der Mittlerin zwischen Gott und den sündigen Menschen[27]: daher weist die Zahl 28 zugleich auf Maria (Huisman, S. 28). — Besonderen Symbolgehalt hat im Mittelalter die Zahl 34 als die Zahl der angeblichen Lebensjahre Jesu: nach mittelalterlicher Auffassung stand Jesus im 34. Lebensjahr, als er den Kreuzestod auf sich nahm. Von daher kommt auch der 68 als der Verdoppelung der 34 zahlenkompositorische Bedeutung zu.

Durch häufigen Gebrauch haben diese Zahlen jedoch weithin ihren symbolischen Sinn verloren und sind zu bloßen Kompositionszahlen geworden; aus diesem Grunde ist die Symbolbeziehung längst nicht mehr immer vorhanden, wo die Zahlen als formgestaltende Elemente in der Konzeption des Dichtungsumfangs in Erscheinung treten. Wohl aber hat immer ursprünglicher Symbolsinn[28] sie zu

[27] Vgl. Huisman, 62: „... wie dieser das von der Sonne erhaltene Licht auf die Erde reflektiert, so gibt Maria die von Gott ausstrahlende Gnade an die Menschheit weiter."

[28] Auf diese hochinteressanten Symbolbedeutungen kann hier nicht näher eingegangen werden, zumal darüber Arbeiten aus berufenerer Feder vorliegen; über Symbolzahlen in mittelalterlicher Dichtung vgl. vor allem die Arbeiten FTschirchs am Ende der Anmerkung. Nur am Beispiel 34 sei mit wenigen Belegen kurz gezeigt, wie die hintergründige Bedeutung dieser Zahl mit dem Geschehen oder dem Gehalt der Dichtung beziehungsreich verknüpft wird. FTschirch hat gezeigt, daß die beiden letzten Verse (33/34) der lateinischen Heliand-Präfatio, die 34 (!) Verse umfaßt, auf Ankunft und „Erlösungstat des Heilands" weisen (Magonfestschrift S. 34), daß Christus im 34. Kapitel des „Ackermanns aus Böhmen", der wiederum aus 34 Kapiteln besteht, „in der letzten Bitte unmittelbar angerufen" wird (S. 40). Walther spielt im 34. Vers seines Kreuzliedes 14, 38 mit den Worten *und man in sît lebendec sach* auf die Auferstehung Christi an (vgl. ‚Strophik', 144). In Walthers Leich ist, wie Huisman überzeugend ausgeführt hat, eine ähnliche Verbindung zwischen innerem Gehalt und äußerer Verszählung geschaffen, wenn in dem 28 Verse zählenden Mittelstück des Leichs dessen Grundgedanke: Maria als fürbittende Mittlerin zwischen Gott und den Menschen, am unmittelbarsten ausgesprochen wird. — Arbeiten zur Zahlensymbolik: neben der schon Anm. 2 zitierten von Huisman

kompositorisch bedeutsamen Zahlen geprägt. So hat Walther für den Umfang vieler Töne diese alten Symbolzahlen, z. B. die 28, die 34 und die 68, zugrunde gelegt; ein Symbolbezug zwischen der Taktzahl einer Strophe und ihrem Inhalt oder dem des Liedes läßt sich aber nicht feststellen.

Die 28, die schon als Taktzahl von Strophenteilen wie im Lied 39,11 (S. 631) und MF 49,13 (S. 621) begegnete, erscheint auch in Walthers Kreuzlied 14,38 als Gesamttaktzahl.

α β α β γ δ β
14, 38: 4a'+4b'∧ | 4a'+4b'∧ || 4c'∧ 4c'∧ 4c'∧ = 28 Takte

Musikalisch stellt die Form eine Rundkanzone dar: die Melodie der Stollenschlußverse bildet auch den Abschluß der Strophe[29]. — Die heilige Zahl 7 erweist sich als die für die Strophen- und Liedkomposition entscheidende Grundzahl: die Strophe hat 7 Verse zu 4 Takten, zählt also 4 × 7 = 28 Takte; die Gesamtverszahl des Liedes, das 7 echte Strophen hat, ergibt sich aus der Potenzierung der 7 : 49.

Die Strophen der Lieder 75,25, 49,25, 59,37, 117,29, 110,13 und 110,27, das im Abgesang eine Unterfüllungspause hat, sind neben der schon dargestellten von 39,11 ebenfalls auf den Umfang von 28 Takten bemessen. — 34 Takte haben die Töne von 112,3, 90,15, 116,33 und 74,20.

Zahlenkompositorisch interessant und zugleich metrisch aufschlußreich sind die großförmigen Sprüche Walthers, deren Gesamt-

vgl. FTschirch: Der Umfang der Stauferpartien in Veldekes ‚Eneide‘. PBB 71 ('49), 480—482. — FTschirch: Schlüsselzahlen. Festschrift für Leopold Magon, Bln '58, 30—53. — FTschirch: Zum symbolbestimmten Umfang mittelalterlicher Dichtung. Stil- und Formprobleme in der Literatur. Hdlbg '58, 145—153. — Vgl. weiter den Aufsatz von HEggers in diesem Heft des D.U. — WKnopf: Zur Geschichte der typischen Zahlen in der deutschen Literatur des Mittelalters. Diss. Lpz '02. — JSauer: Zahlensymbolik. Lexikon für Theologie und Kirche, hrsg. von MBuchberger, Bd. X ('38), Sp. 1025—30. — UGroßmann: Studien zur Zahlensymbolik des Frühmittelalters. Diss. Freiburg i. B. '48 (maschinengeschr.). FKEndres: Mystik und Magie der Zahlen. Zürich [3]'51.

[29] Vgl. Huisman, 148 f. Die Melodie bei Maurer, Altdt. Textbibliothek 43, 15.

taktzahl als die Verdoppelung der auf die Lebensjahre Jesu gedeuteten Symbolzahl 34 aufzufassen ist: die 68-Takter. Sie rücken im Bau ihrer Töne dadurch besonders eng zusammen, daß in ihnen allen die gleichen metrischen Grundsätze für die Beurteilung ihrer Kadenzen verwirklicht sind: die Wertung der klingenden Ausgänge hängt ohne Rücksicht auf ihre Position innerhalb der Strophe von der Auftaktregelung der Folgeverse ab; nach stumpfen Versen treten, zumal bei Kadenzumkehr, verschiedentlich Pausen oder Dehnungen auf.

Der in seinem Bau wohl komplizierteste, in der Klarheit seines zahlenkompositorischen Aufbaus aber zugleich eindrucksvollste Ton mit 68 Takten ist der Wiener Hofton 20,16, dessen Melodie uns durch eine Kontrafaktur erhalten ist[30]. Leider bietet die Auftaktfolge in den überlieferten Strophen auf den ersten Blick ein wenig einheitliches Bild, und es bleibt offen, ob schlechte Überlieferung, deren Unebenheiten unsere Ausgaben noch nicht völlig geglättet haben, die ursprünglichen Verhältnisse verdeckt oder ob sich der Dichter eine gewisse Freiheit in der Textgestaltung bewahrt hat: wahrscheinlich trifft beides zusammen. Bei einer vergleichenden Untersuchung aller Strophen dieses Tons stellt sich aber überzeugend genug[31] heraus, daß in seiner ursprünglichen Konzeption der 8., 9., 12. und 13. Vers gegen alle andern auftaktlos einsetzen. Daher müssen die klingenden Kadenzen der ihnen vorausgehenden Verse leicht, die andern schwer (zweitaktig) enden. So verbinden sich alle Verse durch Fugung miteinander. Der Ablauf der Melodie[32] dagegen folgt, wie die griechischen Buchstaben (nach Gennrich, S. 36) zeigen, wieder einem eigenen Gliederungsprinzip. Die echten Auftaktverhältnisse bewahrt beispielsweise die Strophe 20, 31 des Wiener Hoftons:

[30] Vgl. Gennrich, ZfdA 79, 36; dort auch die Gliederung der Melodie, die mit griechischen Buchstaben angedeutet ist.

[31] Die genaue Einzeluntersuchung in ‚Strophik', 130.

[32] Die Melodie jetzt bei Maurer: Die politischen Lieder Walthers von der Vogelweide, 33, und in der Altdt. Textbibl. 43, Nr. 15. Dazu AKracher in PBB 78 (Tübingen '56), 218 f. Über die Melodie zuletzt: WMohr, ZfdA 85, 38 ff., und FGennrich, ebda., 203 ff.

	Mir ist verspart der saelden tor,	α	A4a'+	14	28
	da sten ich als ein weise vor:	β	A4a'+		
	mich hilfet niht swaz ich dar an geklopfe.	γ	A6b'`+		
	Wie möht ein wunder grœzer sin:	α	A4c'+	14	
5	ez regent bedenhalben min,	β	A4c'+		
	daz mir des alles niht enwirt ein tropfe.	γ	A6b'`+		
	Des fürsten milte uz Osterriche	δ_1	A4d`+	12	12
	fröit dem süezen regen geliche	ε_1	4d`+		
	beidiu liute und ouch daz lant.	ε_2	4e'+		
10	Er ist ein schœne wol gezieret heide	δ_2	A6f'`+	14	28
	dar abe man bluomen brichet wunder:	ζ	A4g`+		
	braeche mir ein blat dar under	η	4g`+		
	sin vil milte richiu hant,	ϑ	4e'+	14	
	so möhte ich loben die liehten ougenweide.	ι	A6f'`+		
15	hie bi sie er an mich gemant.	$\varkappa$	A4e'∧		
			68 Takte		

Die symmetrische Anordnung zweier sechsversiger Gruppen um ein dreiversiges Mittelstück herum mag als Hineinspielen des Aufbauprinzips der gespaltenen Weise (Anm. 16) gedeutet werden, wennschon sich dieser Einfluß auf die Zahlenkomposition beschränkt. Eine ähnliche Bauweise hat Reinmar MF 154, 32. Da die Auftakte nicht einheitlich stehen, sind sie im Schema nicht berücksichtigt.

MF 154, 32: 4a' 5b' | 4a' 5b' ‖ 5b' 4c'` 3b' | 4c'` 4d' 4x'+6d'

18 — 12 — 18 =48 Takte

Um ein 12taktiges Mittelstück herum lagern zwei Abteilungen, die in sich ganz verschieden gebaut sind, in ihrer Taktzahl jedoch übereinstimmen.

Auch der zweite Ottenton 31, 13 fügt sich in den Eigenarten seiner strophischen Gestalt, die mit der Struktur von 26, 3 (S. 619) verwandt ist, zwanglos den Tönen mit 68 Takten.

A6a`+8a'`+ | A6b'+A (7) 8b'∧

14 — 14

6c`+6c'`+A (7) 8d'∧ | 6d'+A (5) 6d' A8c'`∧ ‖

20 — 20 = 68 Takte

Die Doppelversikel, die in 26, 3 durch das der 'gespaltenen Weise' eigentümliche Bauprinzip auseinandergerückt erschienen, stehen hier nach der herkömmlichen Ordnung zusammen: der Aufgesang entspricht dem Mittelglied in 26, 3, der Abgesang den umrahmenden und durch das Mittelstück gespaltenen Doppelversikel I (a und b). Mit 26, 3 verbindet den Ottenton gleiche Taktzahl der strophischen Glieder, die Wechselbeziehung zwischen Auftaktfolge[33] und Wertung der klingenden Kadenzen, die variierend gegensätzliche Gestaltung der Kadenzen in den zueinandergehörigen Stollen und die infolge dieser Kadenzumkehr (vgl. S. 618 f.) notwendigen Pausen oder Zerdehnungen am Schluß der Verse 4, 7 und 9.

Andere Struktur im Einzelnen, aber eine ähnliche zahlenkompositorische Anlage der Strophenglieder auf die gleiche Gesamttaktzahl hin hat der Rügeton.

101, 23: $\underbrace{\text{A4a}' + \text{A4b}' + \text{A5c}' + \text{A3d}` + \text{4e}' +}_{20} |$

$\underbrace{\text{A4a}' + \text{A4b}' + \text{A5c}' + \text{A3d}` + \text{4e}' +}_{20} \|$

$\underbrace{\text{A8f}' + \text{A8f}' + \text{A6x}' + \text{A (5) 6e}'\wedge}_{28} = 68 \text{ Takte}$

Wie für die anderen 68-Takter Walthers gilt auch hier die völlige Harmonisierung von Kadenzwertung und Auftaktfolge als dominierendes metrisches Prinzip: daher gehen die Verse 4 und 9 im Gegensatz zu sonst üblicher Bewertung der 'dreihebig-klingenden' Verse leicht aus, ihre Kadenz füllt also nur einen Takt. Zu dieser Konsequenz zwingt geradezu der auffallende Sachverhalt, daß Vers 5 und 10 als einzige Verse der Strophe auftaktlos beginnen: so fugen auch die beiden letzten Stollenzeilen mit allen übrigen der Strophe ineinander.

[33] Wie bei 20, 16 lassen sich die echten Auftaktverhältnisse durch vergleichende Analyse aller in diesem Ton überlieferten Sprüche ermitteln (‚Strophik', 134): die Verse 2, 5, 6 und 8 sind in der Regel auftaktlos.

Der Leopoldston 82, 11, in dem die bekannte Totenklage auf Reinmar verfaßt ist, offenbart sich als 68-Takter mit Achtergewicht.

82, 11:
A4a' + A4a' + A6b'' + | A4c' + A4c' + A6b'' + ‖

14 14

A6d'' + A6d'' + A (7) 8e' | A6f'' + A6f'' + A (7) 8e' | A (7) e'

20 20 8

= 68 + 8 Takte

Da in der Regel alle Verse mit Auftakt beginnen, gehen die klingenden Verse schwer aus. Bei einer Einzelbetrachtung der Verse 9, 12 und 13 stellt sich heraus, daß diese Verse ausnahmslos eine deutliche Zäsur nach ihrem vierten Takt und mit fast gleicher Regelmäßigkeit einen syntaktischen Einschnitt an ihrem Ende haben. Damit erweisen sie sich aber in ihrer Struktur, wenn auch nicht in ihrem modernen alternierenden Rhythmus, als Restbestände der durch Zäsur zerlegten germanischen Langzeile mit unterfülltem letztem Takt (vgl. die Nibelungenzeile): sogar die Einheit des Zeilenstils ist bei diesen Versen gewahrt. Man wird daher diese Verse als unterfüllte Achttakter aufzufassen haben. Das Achtergewicht ist durch deutlichen Sinneseinschnitt vom eigentlichen Strophenkörper getrennt.

Die Gruppe der 68-Takter mit schwerklingenden Versen auch im *Innern* der Strophe zeigt, daß die eingangs dargestellten metrischen 'Regeln' für die Kadenzwertung nicht in allen Tönen uneingeschränkt gelten, sondern daß bisweilen andere Gesichtspunkte dominieren: ebensowenig wie bei anderen metrischen Gesetzen der klassischen mittelhochdeutschen Zeit — man denke etwa an die Bedingungen für die beschwerte und aufgelöste Hebung — dürfen wir hier erwarten, daß ihnen die Dichter bis ins Letzte gefolgt sind. Die Regeln sind in ihrem Wesen nicht so starr, in ihrer Anwendbarkeit nicht immer eng umgrenzt, sondern wie alle geistigen Begriffe flexibel und flüssig. Die schwere Kadenzwertung weiblicher Verse in den 68-Taktern sollte man aber nicht als 'Ausnahmen' oder 'Unregelmäßigkeiten' des Regelfalls bezeichnen, der weiblichen Kadenzen im Periodeninnern nur einen Takt zubilligt und zweitaktigschwere Wertung für Ausgänge am Periodenschluß oder entsprechenden Stellen vorsieht (so wenig wir heute in der Grammatik noch von Unregelmäßigkeiten sprechen sollten). Denn diese 'Unregelmäßigkeiten' sind in Wahrheit nichts anderes als Niederschläge anderer Regeln, hier: anderer metrischer Gesichtspunkte für die Taktwertung, die durch eine genaue Abstimmung von Kadenzwert und Auftaktfolge auf die nahtlose Fugung aller Verse untereinander zielt. Aus demselben Grunde ist etwa in dem 68-Takter 101, 23 (S. 638) das Prinzip schwerer Kadenzmessung 'dreihebig-klingender' Verse (S. 612) aufgegeben. Andere solcher Sonderfälle sind nicht selten in der Handschrift C durch besonderen Hinweis gekennzeichnet[34]. Gelegentliche Freiheiten in der praktischen Anwendbarkeit dieser Regeln können niemals besagen, daß diese nicht tatsächlich bestanden und dem Dichter als Richtweiser gedient hätten.

Bei der weiteren Erforschung des Strophenbaus gälte es, die besonderen metrischen Gesichtspunkte, nach denen die Dichter verfahren sind, jedem ihrer Gedichte vorsichtig abzuhorchen, daraus Allgemeingültiges zu gewinnen und dessen Evidenz möglichst durch verschiedene Beobachtungen zu erhärten. Denn wir müssen damit rechnen, daß sich diese Gesetzmäßigkeiten in den Dichtergenerationen gewandelt haben; sie müßten zunächst für jeden einzelnen Dichter oder für einander zeitlich oder landschaftlich nahestehende Gruppen erforscht werden, bevor sich Zusammenhängendes über einen möglichen Wandel, eine mögliche Geschichte der Versausgänge aussagen ließe, die für die Geschichte der altdeutschen Strophik eine nur schwer entbehrliche Voraussetzung schüfe.

Zusammenfassend läßt sich sagen: viele Einzelerkenntnisse, die von anderen Gesichtspunkten her erarbeitet worden sind (wie Taktzählung und Kadenzwertung, Fugung oder Pausentechnik, Gliederung des inhaltlich-syntaktischen Aufbaus), erfahren durch die Beobachtung eines auf diese Weise sich enthüllenden zahlenkompositorischen Aufbaus eine willkommene Stütze. Daß die Zahlenkomposition über die Bestätigung rein metrischer Kriterien hinaus oft zum wichtigen Prüfstein für die Entscheidung von textkritischen Fragen, besonders Echtheitsproblemen werden kann und ihr neben

[34] Vgl. ‚Strophik', 167 und 151—162.

dem wissenschaftlich-praktischen Wert auch gerade methodische Bedeutung zukommt, liegt auf der Hand. Doch die Anwendung der zahlenkompositorischen Methode birgt die Gefahren der Überanstrengung in sich; gerade bei der Taktzählung im Strophenbau sollte möglichst nicht primär nach zahlenkompositorischen Gesichtspunkten über die Wertung von Kadenzen oder Pausen entschieden werden; der methodisch sichere Weg beginnt zweifellos besser bei metrischen Erwägungen, bei Fragen des inhaltlichen Aufbaus oder der Untersuchung überlieferungsbedingter handschriftlicher Einzelheiten und führt *über* sie zu zahlenkompositorischen Ergebnissen. Sind diese durch mehrere Einzelbeobachtungen gesichert, so wird man von ihnen aus ohne die Gefahr zu großer Willkür mit einiger Sicherheit in Einzelfällen auch dort Entscheidungen treffen können, wo methodisch andere Ansatzpunkte versagen.

Eine bisweilen unzureichende methodische Fundierung oder Überanstrengung der zahlenkompositorischen Betrachtungsweise mag schuld daran sein, daß ihre Ergebnisse von manchen Forschern betont skeptisch beurteilt, zum Teil gar nicht ernst genommen werden. Der Haupteinwand, daß selbst das geschulteste mittelalterliche Publikum einen derartigen, bis ins Einzelne genau durchdachten zahlenkompositorischen Aufbau beim Vortrag der Dichtung niemals hätte aufnehmen oder durchschauen können, geht an einem wichtigen, von der modernen Zeit sehr unterschiedlichen Wesenszug mittelalterlicher Kunstauffassung und mittelalterlichen Kunstschaffens vorbei. Alle künstlerische Tätigkeit ist im Mittelalter unmittelbar auf Gott bezogen. Dichter, bildender Künstler und Architekt suchen mit ihrem Werk nicht nur ein — wenn auch unvollkommenes — Abbild der göttlichen *creatio* zu geben; sondern wie Gott bei der Schöpfung des Universums alles auf Maß, Zahl und Gewicht abgestimmt hat[35], trachtet der Mensch danach, mit der Zahl, die nach mittelalterlichem Glauben göttlichen Ursprungs ist und durch ihre ursprüngliche Symbolkraft noch stets ins Überirdische hinaufweist, das von ihm geschaffene Kunstwerk nicht nur schön zu gestalten, sondern, auch wenn es weltlichen Inhalts ist, im Göttlich-

[35] Vgl. Sapientia Salomonis 11, 21: *omnia in mensura et numero et pondere disposuisti.*

Transzendenten zu verankern und dadurch über das Zeitlich-Vergängliche hinauszuheben [36]. Der Künstler schafft *auch* für das Publikum; sein Blick ist dabei aber zu Gott emporgerichtet: daher gestaltet er die Ornamentik und die Plastiken hoch an den Kirchtürmen mit besonderer Sorgfalt [37], obgleich sie durch ihren Standort dem Blick des irdischen Beschauers entrückt sind, daher webt der Dichter die Fäden *seines* Werks nach einer auf Gott weisenden und allein ihm zugedachten zahlenkompositorischen Ordnung, die dem Zuhörer zwar verschlossen ist, Gott in seiner Allwissenheit und Allgegenwart aber nicht verborgen bleiben kann. So fällt es nicht weiter auf, daß sich die kunsttheoretischen Schriften des Mittelalters über Zahlenkomposition [38] nicht aussprechen, sondern vielleicht ganz bewußt darüber schweigen.

Fritz Tschirch hat auf den gottesdienstähnlichen Charakter solchen Bemühens [39] hingewiesen; und so mag hinter diesem geheimnisvoll-verborgenen Wirken wohl auch die Hoffnung auf einstige Teilhabe an Gottes Gnade lebendig sein. Dieser Blickrichtung könnte man den Sinn vergleichen, der hinter der Namensnennung des Dichters, etwa Hartmanns im ›Armen Heinrich‹ (Vers, 18—25) waltet: es ist nicht Rücksicht auf das Publikum, die ihn dazu veranlaßte, sondern der Wunsch, sich dessen Zuneigung allein deshalb zu gewinnen, damit es bei Gott Fürbitte für des Dichters Seelenheil leiste.

[36] Vgl. FTschirch, Magonfestschrift, S. 45.

[37] Vgl. auch KHHalbach: Waltherstudien II. Festschrift für WStammler, '53, 46, Anm.

[38] Über Zahlenkomposition und -symbolik bei JSBach vgl. FrSmend: Luther und Bach. Der Anfang, Heft 2, Bln '47. Ders.: JSBach, Kirchenkantaten IV, Bln-Dahlem '47. Zahlenkomposition bei Grimmelshausen hat neuerdings entdeckt SStreller: Zahlenkomposition in den simplizianischen Schriften Grimmelshausens und ihre Bedeutung. Weimarer Beiträge II, '57.

[39] Ebda., S. 45: „Es ist ein heiliges Beginnen, das gesammelte Anstrengung und volle Hingabe erfordert, ein Stück Gottesdienst, wenn er (der Dichter) durch die Einbeziehung heiliger Zahlen sein irdisches Werk mit der Unvergänglichkeit des ewigen Gottes verknüpft.“

Nachwort

Dieser Aufsatz ist aus einer Zusammenfassung und Erweiterung des in Anm. 10 genannten Buches entstanden. Es hat neben Zustimmung zu einzelnen Ansätzen und Ergebnissen[40] auch Skepsis, die nicht weiter begründet wurde, und mancherlei mit Gegenargumenten vorgebrachte Kritik, in einem Falle sogar völlige Ablehnung der angewandten Methode, erfahren. Das Nachwort zum Wiederabdruck dieses Aufsatzes böte mir daher zum ersten Male willkommene Gelegenheit, zu der vorgebrachten Kritik Stellung zu nehmen. Doch leider war es mir nicht möglich, meine Erwiderung auf einen hier vertretbaren Umfang von zwei bis drei Seiten zu begrenzen, da zu jedem der mitunter sehr verschiedenen Gegenargumente oder -vorschläge eine Replik erforderlich war. Meine Stellungnahme hat deshalb den Umfang eines selbständigen Aufsatzes angenommen. Er wird im Sonderheft „Neue Arbeiten zum mittelalterlichen Lied“ der Zeitschrift für deutsche Philologie, Band 90 (1971), erscheinen.

Auf eines möchte ich jedoch schon hier hinweisen. Mancherlei Skepsis oder gar die Auffassung, ich bewege mich beim Nachweis eines zahlenkompositorischen Aufbaus der Strophen in einem Zirkelschluß, ist, wie ich heute meine, auf die in einem Punkte unglückliche Gliederung des Buches zurückzuführen. Der Abschnitt über ‘Gesetzmäßigkeiten in der Taktwertung der Kadenzen’ (Strophik, 163 ff.) gibt nähere Auskunft darüber, unter welchen Bedingungen eine weibliche Kadenz ein- oder zweitaktig zu werten ist, wann eine Pause angesetzt werden kann, usw. Obwohl er für den Nachweis der Zahlenkomposition unentbehrlich ist, habe ich ihn aber, um mir den wichtigsten Schritt für den Schluß aufzusparen, leider an das Ende des Buches gesetzt, ihn noch dazu wenig passend als ‘Exkurs B’ bezeichnet und bei den Einzelinterpretationen nicht auf die dort entwickelten metrischen Gesichtspunkte, die Willkür weithin ausschließen, verwiesen, sondern den zahlenkompositorischen Gesichtspunkt in den Vordergrund gerückt. Wer diesen ‘Exkurs B’ nur ober-

[40] So hat George F. Jones die Ergebnisse der ‘Strophik’ in sein Buch: Walther von der Vogelweide (Twayne’s World Authors Series 46), New York 1968, eingearbeitet.

flächlich gelesen oder sich lediglich einzelne Strophenschemata und die Interpretation dazu angesehen hat, dem konnte sich daher der Verdacht einstellen, ich hätte die Zahlenkomposition mit dem bewiesen, was ich beweisen wollte.

Einem solchen Mißverständnis suchte dieser Aufsatz vorzubeugen, indem er die verschiedenen metrischen Gesichtspunkte für die Taktwertung der Kadenzen und den Ansatz von Pausen in gedrängter Form an den Anfang der Ausführungen stellte.

Ansonsten stehe ich nach wie vor zu den Gedanken, die dieser Aufsatz entwickelt. Er faßt die m. E. gesichertsten Ergebnisse und Beispiele zusammen. Zum Ansatz von Pausen verweise ich auf die Ergänzung S. 623 f.

Wenn in dem Aufsatz wie in der 1956 erschienenen ›Strophik‹ der eine Grundgedanke des zahlenkompositorischen Aufbaus vieler Walther-Strophen und -Lieder so sehr in den Vordergrund gestellt wurde, so erklärt sich dies daraus, daß er bis dahin auf das Werk eines Lyrikers noch nicht konsequent angewendet worden war und man sich mit zahlenkompositorischen Untersuchungen damals — die ›Strophik‹ entstand 1952/53 — auf forschungsgeschichtlichem Neuland bewegte. Insofern hatte meine Studie zum Ziel, einen neuen Aspekt in die Erforschung des Strophenbaus einzuführen, seine Anwendung zugleich aber durch metrische Überlegungen methodisch abzusichern. Dabei konnten natürlich nicht alle Probleme der Strophik, deren noch viele offen sind, behandelt werden. Auch wird man sich stets dessen bewußt bleiben, daß der zahlenkompositorische Gesichtspunkt niemals den Schlüssel zum Gesamtverständnis einer Dichtung liefern kann. Er öffnet aber von einer Seite her einen möglichen Zugang zum Formverständnis. Daß Zahlenkomposition und Zahlensymbolik in Dichtung[41], Musik und bildender Kunst des Mittelalters als Formprinzip Bedeutung gehabt haben, darf heute als gesicherte Erkenntnis gelten, so skeptisch man einzelnen Untersuchungen und Ergebnissen gegenüberstehen mag.

[41] Es sei hier noch auf das bedeutsame Buch von JRathofer, Der Heliand, in: Niederdeutsche Studien 9, Köln und Graz 1962, sowie auf die Aufsatzsammlung ›Spiegelungen‹ von FTschirch (Berlin 1966) hingewiesen, in deren III. Kapitel seine wichtigsten Beiträge zu diesem Thema wiederabgedruckt sind.

H. Bernard Willson, The ordo of love in Walthers Minnesang, in: Deutsche Vierteljahrsschrift 39 (1965), S. 523—541. Aus dem Englischen übersetzt von Josefa Nünning.

DER ORDO DER LIEBE IN WALTHERS MINNESANG

Von H. Bernard Willson

sie verwîzent mir daz ich sô nidere wende mînen sanc.
(49, 31—32)[1]

Wie dieses Zitat deutlich zum Ausdruck bringt, müssen Walthers Zuhörer Anstoß an den Liedern genommen haben, in denen er seinen Minnedienst auf Personen von verhältnismäßig niederem Rang in der höfischen Hierarchie übertrug; wir bezeichnen sie in der modernen Terminologie als Lieder der 'Niederen' oder 'Ebenen Minne'. Diesen Vorwürfen seiner Zuhörer und seiner höfischen Freunde gegenüber zeigt sich der Dichter besonders empfindlich: Er hält es für notwendig, seine Haltung zu rechtfertigen und seinen Kritikern ein wenig bissig zu antworten:

daz si niht versinnent sich
waz liebe sî, des haben undanc!
sie getraf diu liebe nie,
die nâch dem guote und nâch der schoene minnent; wê wie minnent die?
(49, 33 f.)

Es ist kaum verwunderlich, daß seine Zuhörerschaft sich dagegen verwahrte. Eines der typischen Gedichte beginnt folgendermaßen:

‚Nemt, frowe, disen kranz.‘
alsô sprach ich zeiner wol getânen maget.
(74, 20—21)[2]

Dies muß wie ein großer Schock auf sie gewirkt haben. Eine *maget* als *frowe* anzureden, verstieß gegen die Anstandsregeln einer

[1] Die Walther-Zitate stammen aus der Ausgabe von Lachmann-Kraus (11. Aufl. Berlin 1950), wenn nicht anders angegeben.

[2] Ich würde einen Punkt nach *kranz* und *maget* vorziehen an Stelle der beiden Doppelpunkte in der von Krausschen Version.

hierarchischen Ordnung. Es galt als allgemein anerkannt, daß nur eine große Dame von edler Herkunft und hohem Rang würdig sei, die Huldigung eines höfischen Dichters im Lied zu empfangen. Walther benahm sich unziemlich und verfälschte die Prägung des Minnedienstes. Er machte sich der *unzuht* und *unfuoge* schuldig. Die Erhöhung einer *maget,* und sei sie noch so *wol getân,* zu der Würde einer *frowe* war offensichtlich eine Verkehrung des hierarchischen *ordo.*[3] Solche poetische Liebe war wider die Ordnung und mußte den Dichter in Konflikt mit denen bringen, welche die allgemein anerkannte Ordnung respektierten und ihr huldigten. Eine sorgfältig gestufte Hierarchie war die Hauptstütze der höfischen Gesellschaft, geradezu ihr Eckpfeiler. Die Beziehung zwischen der *frowe* und dem höfischen Dichter, die auf dem Felsen der festen ständischen Ordnung ruhte, war sakrosankt oder hätte es sein sollen. Es war eine von Grund auf ungleiche Beziehung, in welcher der Niedrigere dem Höheren in gebührender und angemessener Weise untergeordnet war; und es gehörte nicht zu den Funktionen eines Vasallen, noch hatte er irgendwie innere Berechtigung dazu, die Stellung einer adligen Dame anzugreifen, genau so wenig wie er berechtigt gewesen wäre, die Autorität seines Lehnsherrn in Frage zu stellen. Er war der Diener und sollte eigentlich wissen, was sich für ihn schickte, er sollte seinen *ordo* und seine *mâze*[4]

[3] Ich kann hier unmöglich eine ausführliche Erklärung dessen geben, was mit der mittelalterlichen *ordo*-Auffassung gemeint ist. Eine ausgezeichnete Darstellung darüber findet man bei: H. Krings, Ordo. Philosophisch-historische Grundlegung einer abendländischen Idee, Halle a. d. Saale 1941. In einem neueren Aufsatz habe ich ausführlich den Einfluß des *ordo* auf das Nibelungenlied erörtert (*Ordo* and *inordinatio* in the Nibelungenlied, Beiträge 85, 1963, S. 83—101 und 325—351); vieles, das dort dargelegt wurde, trifft auch auf diesen Artikel zu, was aus dem fortlaufenden Text und aus den Fußnoten ersichtlich wird.

[4] Mhd. *mâze* und lateinisch *mensura* und *modus* sind gleichbedeutend im weitesten Sinne. Da dies eine Tatsache ist und *mensura* eine Komponente der *ordo*-Konzeption (die andern beiden sind *numerus* und *pondus,* vgl. die Weisheit Salomons XI, 21) bringt *maze* häufig einen Aspekt des *ordo* zum Ausdruck oder steht sogar für *ordo* selbst. Vgl. Krings, op. cit. S. 92: „Mit dem Maß ist — in einem Wort zusammengefaßt — die 'Stand-

kennen, was gleichzeitig hieß, daß er auch wissen müßte, was sich für die anderen schickte, ob sie nun auf seiner eigenen Stufe oder unter ihm standen, und daß er sie nicht über ihren Rang erheben sollte. Er hatte ein Recht auf eine gelegentliche Geste der Achtung oder Freundlichkeit von seiten der Dame; aber es stand ihm nicht zu, eine Belohnung für seine dichterische Huldigung zu fordern oder sich anderswo auf einer niedrigeren Stufe nach Ersatz umzusehen, wenn er kein Zeichen der Anerkennung erhielt. Das waren die Form, der *ordo* und das *reht* der *Hohen Minne,* ihre 'Gerechtigkeit', Billigkeit und Schicklichkeit, ihre *fuoge, mâze* und *zuht.*[5] Da die höfische Ordnung unter allen Umständen gewahrt bleiben muß, wie konnte Walther, der das größte Interesse an der *hövescheit* hatte, es da wagen, sie zu verkehren? Er selbst sagt: *dâ von ist mir vil wê* (49, 30), was man nur so interpretieren kann, daß er die Kritik seiner Zuhörer bitter fühlt, weil er weiß, daß sie nicht ganz unberechtigt ist.

Aber er weiß auch, daß es noch eine andere Seite des Problems gibt. Seiner Meinung nach war diese 'ungleiche' Beziehung eine Travestie der echten Liebe. Er hat das Lob der Frauen gesungen und bat um nichts anderes als einen freundlichen Gruß, aber nicht einmal diese kleine Gunst wurde ihm gewährt:

> Ich sanc hie vor den frowen umbe ir blôzen gruoz:
> den nam ich wider mîme lobe ze lône.
> swâ ich des geltes nû vergebene warten muoz,
> dâ lobe ein ander, den si gruezen schône.
>
> (49, 12 ff.)

---

ortanweisung' vollzogen. Das Maß gibt die volle und endgültige Bestimmung der Stufe, der Seins- und Wertstufe, welche das Seiende einnehmen wird." Vgl. auch Freidank, Bescheidenheit 45—46: *Got hat allen dingen gegeben die mâze wie si sulen leben* und Parzival 171, 13: *gebt rehter mâze ir orden.*

[5] *reht, fuoge* und *zuht*, wie auch *mâze*, sind Worte, die den Sinn von Ordnung wiedergeben. *Ordo* bedeutet von Grund auf richtig, gerecht, geziemend und billig. Vgl. Krings, op. cit. S. 156: „Um dieser Allgeordnetheit der Dinge willen wird der 'Ordo' des Alls zu einem *decentissimus ordo*; d. h. daß in dieser Eigenschaft der Dinge jene obere Grenze der

Ist das nicht auch ein Verstoß gegen die Ordnung? Trotz, oder vielmehr gerade wegen des Rangunterschieds besteht ein ungeschriebenes Gesetz zwischen der Dame und dem Dichter, sozusagen ein Vertrag, der auf ihrer Seite gebrochen wurde. Was könnte in höherem Maße *unreht* und ordnungswidrig[6] sein? Da sie ihr Versprechen nicht gehalten hat, bleibt ihm nichts anderes übrig, als ihrem Beispiel zu folgen:

> swâ ich niht verdienen kan
> einen gruoz mit mîme sange,
> dar kêr ich vil hêrscher man
> mînen nac ode ein mîn wange.
> (49, 16 ff.)

Er hat auch seinen Stolz.

Die ironische Verdrehung der Ordnung der christlichen Ethik, die klar in diesen Zeilen enthalten ist, verleiht Walthers Argument besonderen Nachdruck: Er wird denen, die ihm gegenüber gleichgültig sind, seinen Nacken oder seine Wange zukehren.[7] Im christlichen Sinne heißt „die andere Wange hinhalten" seine Feinde

'Wohlgestalt' und 'Angemessenheit' (wie man wohl für *decens* sagen könnte) erreicht wird, die für diese Welt möglich ist." Vgl. auch Walther 65, 1—2: *der uns fröide wider braehte, diu reht und gefüege waere* ...

[6] Die *inordinatio* des Verhaltens seiner Herrin resultiert aus der Verkehrung der vertraglich festgelegten Ordnung. Die 'Ko-ordination' zwischen den beiden Parteien ist gestört, weil sie die 'hierarchischen Verhaltensregeln' nicht beachtet hat. Er erwartet, daß sie ihn so behandelt, wie ein ergebener Vasall behandelt werden sollte.

[7] Weil die Ironie häufig eine Kluft oder eine Nicht-Übereinstimmung aufdeckt, d. h. einen Mangel an Ko-ordination zwischen Schein und Sein oder Ideal und Wirklichkeit, kann sie häufig ein Hinweis auf die *inordinatio* sein. Die Dinge sind nicht so, wie sie sein sollten oder wie sie zu sein scheinen. Vgl. Krings, op. cit. S. 134—135: „Ordnung ist die vollzogene Gerechtigkeit in der Welt. Sie ist Übereinstimmung zwischen der Wirklichkeit eines Seienden und dem, was es seiner Natur nach sein sollte ... Jene Ungerechtigkeit (ganz im ontologischen, nicht im ethischen Sinne), jene Diskrepanz zwischen dem, was mir natürlich wäre, und dem, was ich bin, ist das Übel *(malum)* ... Die *corruptio* ist ein Abweichen von dem Wesen, von dem diesen Seienden Naturgemäßen."

lieben; Walther meint das jedoch durchaus nicht, wenn er erklärt, er werde seiner Dame die Wange zukehren. „Die andere Wange hinhalten“, das bringt er gerade nicht fertig. Ihr den Nacken oder seine Wange zuwenden bedeutet, daß er den ungnädigen *frowen* keine Beachtung mehr schenken wird.[8] Der von ihm beabsichtigte Sinn wird vollkommen klar in den Worten:

> daz kît ‚mir ist umbe dich
> rehte als dir ist umbe mich.‘
> ich wil mîn lop kêren
> an wîp die kunnen danken
> waz hân ich von den überhêren?
> (49, 20 ff.)

Mit anderen Worten, er wird nicht Böses mit Gutem vergelten, sondern mit Bösem. Da die Damen ihm gegenüber keine zärtlichen Gefühle hegen, will er ihnen gegenüber auch keine zeigen. Sie haben kein Gefühl der Dankbarkeit, weil sie zu stolz sind. Wieder einmal wird deutlich, daß Walthers Kummer eine Rechtfertigung in der christlichen Ethik findet: die *frowen* machen sich der *superbia* schuldig und treiben ihn dazu, die gleiche Sünde zu begehen. *Superbia,* das Gegenteil von *caritas,* ist ein im Tiefsten ordnungswidriges Verhalten.[9] Das Wort *rehte* — gerecht — hat ironische Untertöne: die ‘Gleichheit’ und Gerechtigkeit, die Walther zwischen sich und den undankbaren Damen schaffen will, ist weit davon entfernt, ethisch richtig und ordnungsgemäß zu sein. Er ist sich

[8] In 26, 9 ff. spricht Walther deutlich aus, daß es ihm schwer fällt, seine Feinde zu lieben.

[9] *Superbia,* die Ur-Sünde, durch die der Mensch die Gnade verlor, war die erste menschliche Verkehrung oder Zerstörung der göttlichen Schöpfungsordnung, als nämlich der Mensch sich über Gott erheben wollte. *Ordo* ist die Unterordnung des Niederen unter den Höheren: *Non enim rectus, aut ordo appellandus est omnio, ubi deterioribus subjiciuntur.* (Augustinus, De Libero Arbitro I, 8, 18; P. L. 32, 1231.) Der Dichter spielt natürlich mit diesen grundlegenden christlichen Ideen auf seine für ihn charakteristische Weise und nützt sie zum dichterischen Vorteil für sich; das besagt jedoch nicht notwendig, daß die Anspielungen nicht einen tieferen Sinn haben. Sie sollen seinen Zuhörern eine grundlegende ethische Forde-

völlig im klaren darüber, daß Stolz Sünde ist, ja der Ursprung der Sünde überhaupt, aber wenn seine Dame darauf besteht, solchen Stolz ihm gegenüber zu zeigen, muß er ihr auf gleiche Weise zurückzahlen. Eine Liebesgemeinschaft kann man nicht auf einer solchen Grundlage aufbauen.

In ihrer *superbia* will Walthers Dame ihm keine *genâde — compassio* — gewähren. Wie kann sie es auch, wenn die beiden diametral entgegengesetzt sind.[10] Dennoch sind die Begriffe *frowe* und *genâde* nicht voneinander zu trennen oder sollten es nicht sein:

> Daz mich, frowe, an fröiden irret,
> daz ist iuwer lîp.
> an iu einer ez mir wirret,
> ungenaedic wîp.
> wâ nemt ir den muot?
> ir sît doch genâden rîche:
> tuot ir mir ungenaediclîche,
> sô sît ir niht guot.
>
> (52, 7 ff.)

Höfische hierarchische Ordnung und Schicklichkeit verlangen, daß eine Dame *genaedic* ist gegenüber ihrem Vasallen. Es ist widersprüchlich und unlogisch, wenn sie gnädig und ungnädig zugleich ist:

> genâde und ungenâde, dise zwêne namen
> hât mîn frowe beide, die sint ungelîch . . .
>
> (63, 36—37)

---

rung klarmachen, daß eine große Dame nicht auf ihren Rang pocht. So hoch sie auch stehen mag, sie hat mit ihrem Nächsten eine allgemeine christliche Humanität gemeinsam, und Walther ist einer von diesen Nächsten.

[10] *genâde* — Gnade, Erbarmen, Mitleid — und *compassio* sind in der Bedeutung eng verwandt, und *superbia* und *compassio (caritas)* sind Gegensätze. *Superbia* verkehrt die christliche Ordnung: *caritas* dagegen ist das ewige Gesetz und die ewige Ordnung des Alls (Bernhard, De Diligendo Deo 12, 35; P. L. 182, 996). Walther 55, 7 beweist einwandfrei die Affinität von *genâde* und *compassio*.

Das Wort *ungelîch* drückt klar die Verkehrung der Ordnung aus, die Ungleichheit zwischen dem, was ist, und dem, was sein sollte.[11] Eine Dame, die ungnädig ist, verfehlt die Verwirklichung ihres Seins (*esse*), des tiefsten Wesens und des *ordo* einer *frowe*, nämlich gnädig zu sein. Aus diesem Grunde ist sie nicht gut. Walthers ethische Verdammung ist einfach und direkt.[12]

In der Tat benehmen sich die edlen Damen ihm gegenüber so, daß der Dichter bezweifelt, die Bezeichnung *frowe* enthalte noch irgendetwas Tugendhaftes und Würdevolles. Demgegenüber ist er der Meinung, *wîp* sei eine passendere Bezeichnung, um den wesenhaften Adel zum Ausdruck zu bringen, der zweifellos den Tugendhaftesten des weiblichen Geschlechts innewohnt. Damen, die zu stolz sind, gnädig zu sein, bringen nicht nur den *ordo* der *frowe* in Verruf, d. h. sie 'de-gradieren' ihn nicht nur, sondern sie sind auch unfraulich, d. h. *unwîplîch*:

under frowen sint unwîp,
under wîben sint si tiure.
(49, 3—4)

[11] Diese Ungleichheit oder Disparität, mit der sich zwei Gegensätze versöhnungslos gegenüberstehen und die Wirkung des Widerspruchs hervorrufen, ist die *unmâze*. Vgl. Thomasin, Welscher Gast 9953 ff.: *mâze mizzet aller slaht unmâze hât die maht, daz si mezze ihtes iht. si ist gestraht und gesmogen, si ist diu senewe und der bogen und mac râmen niht.* Siehe auch Walther 80, 19—21: *unmâze nim dich beidiu an, manlîchiu wîp, wîplîchiu man, pfaflîche ritter, ritterlîche pfaffen.*

[12] Eine ähnliche Gegenüberstellung der Gegensätze *genâde* und *ungenâde* kann man in NL 2103 finden. Hier handelt es sich auch um eine Spiegelung der *inordinatio*, d. h. um die Unordnung, die durch das unziemliche Verhalten der Burgunder und Kriemhilts hervorgerufen wird. Vgl. meinen Aufsatz ›Ordo and inordinatio in the NL‹, S. 340. Obwohl Walther in dem hier betreffenden Zusammenhang allein das Opfer der *ungenâde* seiner Dame zu sein scheint, bleibt die Parallele gültig. Er sieht sich als einen ihrer Vasallen an, von dem sie den Minnedienst annehmen und ihn entsprechend belohnen sollte. Warum sollte sie bei ihm eine Ausnahme machen und ihn ungnädig behandeln? Eine gnädige Dame sollte all denen gegenüber gnädig sein, die ihr Ehre erweisen und sich danach sehnen, ihr zu dienen.

Solche Damen stehen nicht in Einklang mit ihrer Fraulichkeit, sie verwirklichen nicht das Sein ihrer *wîpheit*, welches eine umfassendere Ordnung als die der *frowe* ist.[13] Gewiß sind nicht alle Damen *wîplîch*, d. h. sie erreichen nicht alle das Ideal weiblichen Benehmens, welches freundlich, mitfühlend und liebevoll sein heißt. Andererseits sind alle Frauen, wenn sie dem Namen *wîp* Gerechtigkeit widerfahren lassen und echte weibliche Tugenden zeigen, 'damenhaft' (lady-like). Sie verdienen die Bezeichnung Dame, da sie das Ideal der *frowe* besser verwirklichen als manche sogenannte Damen, die undamenhaft (*unfrowelîch*) und unfraulich (*unwîplîch*) zugleich sind:

swiez umb alle frowen var,
wîp sint alle frowen gar.
(49, 7—8)[14]

Im Sinne des Ideals und der Ordnung sollten beide Bezeichnungen, *wîp* und *frowe*, die ehren, die diese Bezeichnung tragen, aber da viele der *frowen* unfraulich sind, zieht Walther die Bezeichnung *wîp* vor; es ist die einzige Bezeichnung, die all diejenigen krönt (d. h. ehrt), die so genannt werden, während es manchmal ein zweifelhaftes Lob ist, eine Frau *frowe* zu nennen, was kaum zur Hebung ihres Rufes beiträgt:

zwîfellop daz hoenet,
als under wîlen frowe:
wîp dêst ein name ders alle kroenet.
(49, 9—11)[15]

Walthers hintergründiges dialektisches Spiel, gespiegelt in dem Wort *zwîfel*, das Gegensatz und Polarität in sich schließt, und in dem Parallelismus und der Antithese, die in 48, 38 ff. vorherrschen, ist hier völlig von der zugrundeliegenden *ordo*-Auffassung ab-

[13] Wolfram nennt *wîpheit* „*wîbes orden*" (Parz. 172, 30), Hartmann spricht von „*frowen reht*", wobei *reht* synonym zu *orden* ist (Erec 3445).

[14] *sint* (ACe) ergibt viel besseren Sinn als das von Kraussche *sîn*.

[15] Walthers Auffassung des Namens als Bezeichnung der Ordnung hat eine Parallele bei Parzival 269, 8: *des namen ordentlichiu kraft*.

hängig, deren Kern die Beziehung zwischen Idealität und Realität bildet. Wenn die beiden übereinstimmen, ist das Ergebnis *ordo*, aber wenn zwischen ihnen die Diskrepanz der Ungleichheit besteht, herrscht *inordinatio*. Solche Ungleichheit ist eindeutig vorhanden zwischen dem idealen *ordo* der *frowen*, ihrem wesenhaften Adel, der sich in ihrem Charakter und Verhalten wahrhaft zeigen sollte und nicht nur dem Namen nach in ihrer Stellung, und einigen einzelnen Vertreterinnen der Ordnung. Das ist jedoch nicht alles, was der Dichter zu sagen hat. Die Zeile: *wîp sint alle frowen gar* ist absichtlich mehrdeutig, entsprechend der dialektischen Tiefgründigkeit der ganzen Strophe. Sie kann nicht nur bedeuten, alle Frauen sind Damen, sondern auch, alle Damen sind Frauen.[16] In einer Hinsicht ist das eine Binsenwahrheit; natürlich sind alle Frauen weiblich, aber darin liegt auch ausgedrückt, daß alle, die Damen zu sein verdienen und so genannt werden, die den Rang einer *frowe* haben und auch dem Ideal der *frowe* gerecht werden (nicht aber diejenigen, die es nicht tun), auch den Namen *wîp* verdienen, da sie auch das Ideal der *wîpheit* verwirklichen.[17] Mit anderen Worten, eine Frau *frowe* zu nennen, ist nicht immer ein zweifelhaftes Lob; einige Damen machen ihrem Namen alle Ehre, und der *ordo* der *frowen* wie der *wîp* ist unverletzlich als *ordo*, so sehr er auch von einigen Vertreterinnen in Unordnung gebracht werden mag. Es besteht kein Zweifel, daß Walther diese Zeile in diesem doppelten Sinne verstanden wissen will. Er war entschlossen, die Integrität beider Ordnungen, *wîp* und *frowe*, zu bewahren,

[16] Es ist klar, daß *alle* ein natürliches Geschlecht, im Gegensatz zum grammatischen ist. *wîp* würde normalerweise *alliu* erfordern. Aber *alle* kann sich nicht nur auf *wîp* und *frowen* beziehen, was bei *alliu* nicht möglich wäre, sondern es ermöglicht es dem Dichter auch, einen erweiterten Reim zu *alle vrouwen gar* zu schaffen, was angesichts der stilistischen Spielerei in dieser Strophe kein unbedeutender Gesichtspunkt ist. Aus diesen beiden Gründen zieht Walther es dem *alliu* vor, das weder die erwünschte Mehrdeutigkeit, noch den erweiterten Reim zuläßt.

[17] Wiederum finden wir eine eng verwandte Stelle bei Wolfram, der ordnungsgemäßes Verhalten der Frauen als *rehten wîbes muot* bezeichnet und weiter sagt: *diu ir wîpheit rehte tuot, dâne sol ich varwe prüeven niht, noch ir herzen dach, daz man siht* (Parz. 3, 19 ff.).

obwohl er *wîp* wegen seines allumfassenden Charakters vorzieht.[18] Er möchte sich nicht dem Vorwurf ordnungswidrigen Verhaltens aussetzen, in dem Sinne, daß er über die Gesamtheit der Frauen oder Damen als Ordnung schlecht rede. Durch diese beabsichtigte Mehrdeutigkeit hofft er dem Vorwurf der *unfuoge* zu entgehen.

Daß der Dichter den Namen und die Ordnung der *frowe* nicht 'de-gradieren' wollte, beweist die Tatsache, daß er das Wort auf seine *maget* anwendet, deren tugendhafte Eigenschaften er stark hervorhebt.[19] Dadurch daß er sein Mädchen mit *frowe* anredet, gibt er ihm zu verstehen, daß ihm durch sein Geschenk des Blumenkranzes soviel Ehre erwiesen werden solle wie durch eine Krone von Edelsteinen:

het ich vil edele gesteine
daz müest ûf iur houbet,
obe ir mirs geloubet.
sêt mîne triuwe, daz ichz meine.
(74, 24 ff.)

Wenn er solch eine Krone hätte, würde er sie ihm aufs Haupt setzen. Mit anderen Worten, das Mädchen ist für ihn eine Königin und gehört dem höchsten Stand der *frowen* an, wenigstens in seiner

[18] Es erübrigt sich die Feststellung, daß die beiden Ideale oder Ordnungen letztlich auf derselben Auffassung vom beispielhaften weiblichen Benehmen beruhen. Alle Frauen sind Frauen, welchem Stand sie auch angehören, und ihr Benehmen sollte mit dem Ideal der Fraulichkeit übereinstimmen, d. h. ihrer Gattung gerecht werden, so wie der Mann, gleich welchen Standes, das Ideal der Männlichkeit verwirklichen sollte. Wenn Frauen edler Herkunft sind (d. h. *frowen*) und auch Frauen im natürlichen Sinne (d. h. *wîp*), dann sollte ihr Stand sie nicht daran hindern, sich wie ideale Frauen zu benehmen, vielmehr sollte ihr Stand und die damit verbundenen Vorteile ihnen helfen, das Ideal zu verwirklichen. Auf diese Weise werden sie fraulich *und* damenhaft sein.

[19] 'De-gradieren' ist hier im wörtlichen Sinne gemeint: 'den Grad oder Stand herabsetzen'. In Begriffen der *ordo*-Konzeption heißt das, alles in der Schöpfung hat den ihm bestimmten Grad oder die ihm bestimmte Ordnung, und jede Änderung in dieser Anordnung ist Verkehrung. Vgl. Krings, op. cit. S. 74: „*gradus* ist ein für das Verständnis von Ordnung sehr bedeutsamer Begriff, da in ihm zwei Grundelemente von Ordnung

Vorstellung. Er freut sich so sehr, ihm seinen Kranz aus Blumen zu schenken, weil es so *wol getân* ist:

> Ir sît sô wol getân,
> daz ich iu mîn schapel gerne geben wil,
> daz aller beste daz ich hân.
>
> (75, 9—11)[20]

Aber außer seiner Anmut und äußeren Schönheit hat es feines höfisches Benehmen und Adel, oder es benimmt sich zumindest auf eine Weise, die mit Walthers Vorstellung von *êre* übereinstimmt:

> Si nam daz ich ir bôt,
> einem kinde vil gelîch daz êre hât.
> ir wangen wurden rôt,
> same diu rôse, dâ si bî der liljen stât.
> do erschampten sich ir liehten ougen:
> do neic si mir vil schône.
>
> (74, 28 ff.)

Das Mädchen nimmt das Geschenk bescheiden und demütig an und verneigt sich zum Dank tief vor ihm, wie ein junger Mensch es tut, der sich höfisch zu benehmen weiß, und das ist es.[21] Hier ist *gelîch* wiederum ein Zeichen der untergründigen *ordo*-Auffassung. Das Mädchen benimmt sich nicht nur so ähnlich wie ein junger

ihre Einheit finden: die auseinanderstrebende *distinctio*, ohne die zwei reale Dinge keine Ordnung haben können, und die verbindende *unitas*, welche nachzuahmen Wesen der Ordnung ist. Jede Stufe ist nur Stufe, wenn vor ihr eine niedere liegt und nach ihr eine höhere folgt, oder wenigstens eine von beiden zutrifft . . . !"

[20] A und C haben für 75, 11: *daz aller beste daz ich hân*, das der von Krausschen Lesart *sô ichz aller beste hân*, welche sicherlich recht ungeschliffenes Mhd. ist, vorzuziehen ist.

[21] Es stimmt natürlich, daß *daz êre hât* auch heißen kann „das geehrt worden ist", aber das ändert kaum etwas an der Grundbedeutung der Zeile, da die erwiesene Ehre nur ein äußeres Zeichen dafür ist, daß die Person, die so geehrt wird, die erwiesene Ehre verdient. Walther erweist seiner *maget* Ehre dadurch, daß er ihr den Kranz gibt, weil sie *êre* besitzt, was sie durch ihr höfisches Verhalten beweist, mit dem sie ihn annimmt.

Mensch, der *êre* hat, sondern genau so wie es in Übereinstimmung mit dem idealen Benehmen nach dem *ordo,* zu dem es gehört, sollte, d. h. wie ein *kint,* das in einer höfischen Umgebung aufwuchs. Es besteht keine Diskrepanz zwischen seinem Verhalten und dem Ideal. *kint* ist deshalb ein anderer gleichbedeutender Ausdruck für *maget* und bezieht sich nicht auf eine andere Person in einer anderen jüngeren Ordnung. Aber wie alt es auch sein mag und welchen Rang es auch innehaben mag, in seinen Augen ist es adelig; denn Demut ist ein Zeichen edlen Charakters und eine der höchsten christlichen Tugenden. Der Gegensatz zwischen der *superbia* einiger *frowen* und der *humilitas* dieses Mädchens könnte nicht deutlicher hervorgehoben werden. Und weil Walther die *humilitas* des Mädchens der *superbia* der *frowe* vorzieht, hat er einige Mühe auf sich genommen, Blumen zu pflücken, um ihm einen Kranz daraus zu winden; das ist das Beste, was er ihm bieten kann, und das Mädchen soll diesen daher als Zeichen seiner Hochachtung werten, als einen mehr als gleichwertigen Ersatz für eine Krone aus Edelsteinen.[22]

Obwohl es für Walthers Publikum so aussehen mag, als wenn die Erhöhung der *maget* gegen die Ordnung verstieße und in dem Sinne *ungefüege* sei, daß er anscheinend den Grundsatz der *Hohen Minne* verletze, lautet die Antwort des Dichters, daß er sich im Sinne der Ordnung verhalte. Weit davon entfernt, die Ordnung zu verkehren, stellte er seiner Meinung nach die Würde der *frowen* wieder her durch solche nachdrückliche Betonung des edlen Charakters im Gegensatz zu der alleinigen Hervorhebung des Ranges. Alle Frauen

[22] Ich kann der Umordnung der Strophen durch von Kraus nicht zustimmen und ziehe die Reihenfolge bei Simrock, Pfeiffer und Michels vor, nämlich: 74, 20; 75, 9; 74, 28; 75, 17 und 75, 1. P. Wapnewskis Versuch, von Kraus' Anordnung zu rechtfertigen und den Beweis zu erbringen, daß das Gedicht eine mhd. Form der Pastourelle ist (Euph. 51, 1957, 111—150), überzeugt mich ebenfalls nicht. *kranz* (74, 20) und *schapel* (75, 10) sind offensichtlich Synonyme, und das Mädchen, das der Dichter in 75, 9 ff. anspricht, ist dasselbe wie in 74, 20 ff. Der Dichter spricht zwei Strophen lang, indem er immer wieder das Mädchen anspricht, das seinerseits überhaupt nicht spricht. Für eine ausführlichere Erörterung dieses Gedichts siehe Verfassers Aufsatz ›*Nemt, frowe, disen kranz*‹, Medium Aevum 34 (1965), S. 189—202.

können in diesem Sinne nach dem 'Rang' einer *frowe* streben, so wie alle Damen sich des Namens Frau würdig erweisen können und sollen. Er ist daher von der Berechtigung und der Richtigkeit seiner Argumentation überzeugt und bereit, die Kritik seiner Zuhörer zu erdulden:

Ich vertrage als ich vertruoc
und als ich iemer wil vertragen.
(50, 7—8)

Was sie auch über ihn sagen, er liebt sein *herzeliebez frowelîn* und möchte lieber ihren gläsernen Ring als alle Schätze einer Königin besitzen; denn in seinen Augen ist es schön und besitzt genug, um ihn zufriedenzustellen:

dû bist schoene und hâst genuoc:
waz mugen si mir dâ von gesagen?
swaz si sagen, ich bin dir holt,
und nim dîn glesîn vingerlîn für einer küneginne golt.
(50, 9 ff.)

Walthers Dialektik tritt in diesem Gedicht so deutlich hervor wie kaum sonstwo. Nach dem *ordo* der *Hohen Minne* muß seine *frowe*, der Gegenstand der Bewunderung und Liebe des Dichters, laut Definition, materielle Güter und eine äußere Erscheinung haben, die mit ihrem hohen Stand in Einklang stehen. Ja, ihre *schoene* und ihr *guot* sind komplementär. Sie muß über verfeinerte Manieren, höfisches Benehmen, Glanz und Pracht verfügen, die den Betrachter einfach blenden. Diese Auffassung von *schoene* findet lebhaften bildlichen Ausdruck in folgenden Zeilen:

Swâ ein edeliu schoene frowe reine
wol gekleidet unde wol gebunden,
dur kurzwîle zuo vil liuten gât,
hovelîchen hôchgemuot, niht eine,
umbe sehende ein wênic under stunden,
alsam der sunne gegen den sternen stât, —
der meie bringe uns al sîn wunder,
waz ist dâ sô wünneclîches under,
als ir vil minneclîcher lîp?
(46, 10 ff.)

Aber Walther weiß aus eigener Erfahrung, daß diese Art Schönheit, obwohl sie im Betrachter ein Gefühl wecken kann, das er und die Gesellschaft für Liebe halten mögen, nicht notwendig ein harmonisches Verhältnis mit sich bringt. Jeder, der Damen den Hof macht, deren Schönheit sich hauptsächlich aus ihrem Stand und Reichtum und den damit verbundenen feinen Sitten herleitet, kann in die Situation kommen, in der er feststellen muß, daß er nicht liebevoll, sondern feindselig empfangen wird, was gerade das Gegenteil ist:

Bî der schoene ist dicke haz:
zer schoenen niemen sî ze gâch.
(50, 1—2)

Da also *schoene* in diesem Sinne oft mit Feindseligkeit verbunden ist, muß man nach anderen Eigenschaften der Dame oder Frau — ganz gleich welche Bezeichnung man wählen will — suchen. Der Liebende muß erst einmal sicher sein, daß seine Geliebte Liebe wecken und erwidern kann, nicht daß sie schön ist in diesem oder jenem Sinne. Wenn sie es kann und auch tut, dann mag er erwägen, ob sie im herkömmlichen Sinne schön ist oder nicht; wenn sie liebevoll und liebenswert ist, wird sie in jedem Falle auch schön sein; denn die gegenseitige Liebe zwischen zwei Menschen macht sie füreinander schön:

liebe tuot dem herzen baz:
der liebe gêt diu schoene nâch.
liebe machet schoene wîp:
desn mac diu schoene niht getuon, sin machet niemer lieben lîp.
(50, 3 ff.)

Solche erwiderte Liebe tut dem Herzen wohler als die ihr entgegengesetzte Feindseligkeit, die prachtvoll gekleidete, schöne Damen oft zeigen; an dieser Liebe erfreuen sich diejenigen nie, die nur die mit Reichtum und hohem Rang verbundene Schönheit 'lieben':

si getraf diu liebe nie,
die nâch dem guote und nâch der schoene minnent; wê wie minnent die?
(49, 35—36)

Wiederum denkt Walther in *ordo*-Kategorien. Alles hängt von der Hierarchie der Werte ab. Er spricht es ganz offen aus in den Worten: *der liebe gêt diu schoene nâch:* Schönheit 'kommt nach' der Liebe, sie ist ihr untergeordnet. Das ist zumindest eine Art, wie die Zeile verstanden werden kann. Eine andere Interpretation heißt: Schönheit 'folgt' der Liebe 'auf dem Fuße', d. h. daß die Liebenden einander schön finden. Welcher Deutung wir uns auch anschließen, es kommt auf das gleiche heraus. Liebe hat den Vorrang vor Schönheit, steht also in der Rangliste der Werte vor Schönheit. Der gleiche Gedanke ist in 49, 36 ausgedrückt. Diejenigen, die *nâch dem guote und nâch der schoene* lieben, setzen *guot* und *schoene* vor *liebe*, was eine klare Verkehrung der Wertordnung ist. Sie machen Liebe vom Besitz der Schönheit und der Güter abhängig und 'de-gradieren' sie damit. In jedem annehmbaren System müssen jedoch *schoene* und *guot* der *liebe* untergeordnet sein.

Die Auffassung des Dichters von einer idealen Liebesbeziehung tritt deutlich zutage. Sein *herzeliebez frowelîn* verkörpert für ihn all das, was ihn vollkommen befriedigt. Weil es seine Liebe weckt, ist es schön und besitzt genügend Güter: *dû bist schoene und hâst genuoc* (50, 9). Der 'Reichtum' seiner Geliebten besteht in ihrer *triuwe* und *staetekeit*, d. h. in ihren Tugenden, die sie liebenswert und deshalb schön machen. Das sind die 'Güter', die sie in Fülle hat, und aus diesem Grunde braucht er nicht zu fürchten, daß sie ihm willentlich je ein *herzeleit* zufügt. Besäße sie diese Eigenschaften nicht, könnte er sie niemals sein nennen:

> Hâst du triuwe und staetekeit,
> sô bin ich sîn ân angest gar
> daz mir iemer herzeleit
> mit dînem willen widervar.
> hâst ab dû der zweier niht,
> sôn müezest dû mîn niemer werden, ôwê danne, ob daz geschiht!
> (50, 13 ff.)

Die Liebe, die sie verbindet, kommt aus dem Herzen. Dadurch daß er sie *frowelîn* nennt, betont er den Adel ihres Charakters *(frowe)*, und durch die Verkleinerungsendung weist er zugleich auf ihr reizendes und zärtliches Wesen hin, was einwandfrei beweisen dürfte, daß ihr Verhältnis zueinander auf gegenseitiger Zuneigung beruhen wird. Denn Walther ist davon überzeugt, daß Ungleichheit in einem Liebesverhältnis automatisch die Gegenseitigkeit ausschließt, die für ihn die wichtigste Voraussetzung der Liebe ist. Obwohl er das Wort selbst nicht wirklich gebraucht (außer in der Anredeform *herzeliebez frowelîn*), besteht kein Zweifel, daß Walther hier eine Form der Liebe beschreibt, die wir am besten mit *herzeliebe* bezeichnen, zumal er ihr Gegenteil *herzeleit* 50, 15 gebraucht. Echte Liebe ist *herzeliebe*, die *herzeleit* völlig ausschließt; es ist die Liebe, die zwei Herzen miteinander teilen:

minne entouc niht eine,
si sol sîn gemeine,
sô gemeine daz si gê
dur zwei herze und dur dekeinez mê.
(51, 9 ff.)

Sie müssen völlig gleich miteinander teilen:

minne ist zweier herzen wünne:
teilent sie gelîche, sôst diu minne dâ:
sol abe ungeteilet sîn,
sô enkans ein herze alleine niht enthalten.
(69, 10 ff.)

Im Gegensatz hierzu hat die Dame, die Freuden vergällt und *liep* in Erwiderung für *leit* erwartet, die geehrt werden möchte, aber selbst niemanden ehren will, kein Gefühl dafür, was recht und billig ist:

Kan mîn frowe sueze siuren?
waenet si daz ich ir liep gebe umbe leit?
sol ich si dar umbe tiuren,
daz si wider kêre an mîne unwerdekeit?
(69, 22 ff.)

Mit anderen Worten, sie hat keine Vorstellung von der richtigen Ordnung, denn *ordo* ist das, was billig und recht ist, und in der Liebe entsprechen diese beiden der Gegenseitigkeit und der Erwiderung. Die ständige Wiederholung von *rehte* in 69, 1 ff. (69, 6; 69, 8; 69,20; wie auch der Gebrauch von *unrehte* in 69, 26 und *berihte* in 69, 4) beweist die enge Beziehung der dargelegten Vorstellungen zur *ordo*-Auffassung. Für Walther ist offenkundig nur die *herzeliebe,* d. h. die gegenseitige Liebe, in der Ordnung und recht.

Hier scheint der Dichter von der Richtigkeit seiner Argumentation überzeugt zu sein, daß er nämlich nicht die Ordnung verkehrt, sondern sie bewahrt. Er ist der Meinung, daß seine Auffassung von der echten Liebe als höchstem Grade eines *ordo* von Werten, die untereinander auf gebührende und richtige Weise gestuft sind, höher steht als die *Hohe Minne,* die nur auf einer Graduierung des Ranges beruht und tatsächlich die Werteordnung umkehrt und die Liebe der Schönheit und den Gütern unterordnet. Doch an anderer Stelle zeigt sich, daß er nicht ganz frei von Zweifeln und Ungewißheit ist. Ist diese neue Ordnung in jeder Hinsicht vertretbar? Welches ist die *mâze* der Liebe? Er weiß, daß zumindest im politischen Bereich Unordnung das unvermeidliche Ergebnis ist, wenn die hierarchische Ordnung verkehrt wird, wenn hoch und niedrig ihre Plätze tauschen:

Swâ der hôhe nider gât
und ouch der nider an hôhen rât
gezucket wirt, dâ ist der hof verirret.
(83, 14 ff.)

Vielleicht haben seine Zuhörer recht. Vielleicht sollte er die bestehende Ordnung nicht umzustoßen suchen. Das scheint in seinen Gedanken vorzugehen, wenn er *frou mâze* selbst um Rat bittet (46, 32 ff.). Sie ist schließlich *aller werdekeit ein vüegerinne,* die Ordnerin jeglicher Ehre und Würdigkeit in der höfischen Gesellschaft.[23] Sie sollte wissen, was 'geordnete' Liebe ist. Bei ihr beklagt er sich, daß er nur Kummer als Lohn erntet, ob er seine Liebe nun Damen hohen Standes oder niederen Standes zuwendet. Anders

[23] Das Verb *disponere* in der *ordo*-Konzeption (Weisheit Salomos XI, 21) und das mhd. Verb *füegen* entsprechen sich genau. P. Wapnewski übersetzt hier exakt „Ordner aller Werte", obwohl man vielleicht 'Werte' durch 'Ehre' ersetzen könnte (vgl. Walther von der Vogelweide, Gedichte, 1962, S. 87).

ausgedrückt, er wird von den Hochgebornen zurückgewiesen und zugleich beschimpft, daß er die niederen Standes liebt. Wenn *frou mâze* ihn doch lehren könnte, einen Mittelweg zwischen diesen beiden Extremen zu finden:

> dur daz sô suoche ich, frowe, iuwern rât,
> daz ir mîch ebene werben lêret.
> wirbe ich nidere, wirbe ich hôhe, ich bin versêret.
> (46, 37 ff.)

D. h. wenn er doch nur seine Liebe in Ordnung bringen könnte! Denn Ordnung bedeutet *mâze*, und *ebene werben* kann nur heißen, zwischen den beiden Extremen von hoch und niedrig liebend zu werben, nämlich mit *mâze*. Aber das ist keine leichte Aufgabe. Meinen seine Zuhörer und er das gleiche, wenn sie von *hôch* und *nider* sprechen? Das muß man erst einmal fragen. Für ihn enthalten die folgenden Verse eine klare Definition:

> Nideriu minne heizet diu sô swachet
> daz der lîp nâch kranker liebe ringet:
> diu liebe tuot unlobelîche wê.
> (47, 5 ff.)

nideriu minne befaßt sich nur mit sinnlichen Freuden. Das meint Walther damit, wenn er den Begriff gebraucht, obwohl seine Hörer sie als Gegensatz zu *hôhiu minne* im rein hierarchischen Sinn auffassen mögen. *nider* sollte seines Erachtens nicht auf den Stand der Geliebten hinweisen, sondern auf die Art der Liebe selbst. Das Niedere daran liegt darin begründet, daß die Freude, die sie gibt *(liebe)*, unwürdig *(kranc)* ist und Unehre einbringt *(swachet)*. In der gleichen Weise schlägt er weiter vor, *hohiu minne* solle im ethischen Sinne verstanden werden, d. h. im Sinne der Liebe, die durch edle Motive hervorgerufen wurde:

> hôhiu minne reizet unde machet
> daz der muot nâch werder liebe ûf swinget:
> diu winket mir nû, daz ich mit ir gê.
> mich wundert wes diu mâze beitet.
> (47, 8 ff.)

In diesem Falle scheint er jedoch auch sagen zu wollen, das Adjektiv *hôch* könne im ethischen und auch im hierarchischen Sinne verstanden werden; denn gerade der ergebene Dienst im herkömmlichen Sinne (d. h. *hôhiu minne*) ist es, der *hôhen muot* gibt (*der muot ... ûf swinget*) durch eine würdige Liebe und damit *werdekeit* einbringt, nämlich Ehre, die die Belohnung für eine würdige Lebensführung in der höfischen Gesellschaft ist.[24] Diese Liebe steht nach der konventionellen Auffassung vollkommen in Einklang mit *mâze, fuoge* und *reht,* da diese Begriffe von der höfischen *werdekeit* und *êre* nicht zu trennen sind. Warum zögert dann *frou mâze* mit dem Rat, er solle der *hôhen minne* folgen, wenn sie ihm winkt? Was fehlt der *hôhen minne* an ihrer *mâze?* Die Antwort lautet einfach, daß sie ein Extrem ist und deshalb nicht richtig geordnet sein kann, wenigstens nicht im formalen Sinne.[25] *mâze* ist weder hoch noch niedrig, sie liegt zwischen beiden — im formalen Sinne. Offensichtlich spielt der Dichter hier mit den Worten *hôch, nider* und *mâze* (oder *ebene*), und damit will er seine Unzufriedenheit

[24] Die Lesarten *liebe* (BCF) und *werder liebe* (BCF) in 47, 7 und 47, 9 sind offensichtlich besser als diejenigen, die von Kraus übernahm, weil sie den intendierten Parallelismus von 47, 5—6 und 47, 8—9 viel deutlicher zum Ausdruck bringen. *nideriu minne* bildet den Gegensatz zu *hohiu minne*, *heizet* und *reizet* bilden im Grunde einen Binnenreim, während *swachet* und *machet* normal reimen. *lîp* und *muot* bilden einen Gegensatz, wie auch *kranker liebe* und *werder liebe*, während *ringet* und *swinget* wiederum normal reimen. Vom Sinn der Verse 47, 5—9 her andererseits scheint wenig Unterschied zwischen den beiden Versionen zu bestehen, denn *minne* und *liebe* decken sich in der Bedeutung zum großen Teil. *minne* ist mehr ein terminus technicus, der oft auf *minedienest* hinweist; *liebe* hingegen bedeutet Freude und meint in solch einem Zusammenhang natürlich die Freude, die aus der Liebesbeziehung erwächst. Sie sind jedoch häufig austauschbar und scheinen von Gottfried in seinem Prolog zum ›Tristan‹ so gebraucht worden zu sein.

[25] G. Schweikle (*Minne* und *Mâze*, DVjS 37, 1963, 498—528) bemerkt: „Die Verse können isoliert betrachtet tatsächlich besagen, daß die *unmâze* des Dichters darin liege, daß er in den Bereichen der niederen und der hohen Minne sich jeweils zu sehr in Extremen bewege“ (S. 505). Darin steckt etwas Wahres: Es geht Walther tatsächlich um Extreme, wenn auch nur um die Extreme hoch und niedrig als Extreme und nicht um extremes

mit der *hôhen minne* zum Ausdruck bringen, ganz gleich wie hoch diese Liebe im konventionellen höfischen Sinne auch eingeschätzt werden mag. Wie sehr *hôhiu minne* auch mit *mâze* als Vertreterin idealen höfischen Benehmens übereinzustimmen scheinen mag, sie ist *hôch* und daher extrem und kann aus diesem Grunde genausowenig wie *nider* mit *mâze* übereinstimmen.

In den letzten vier Zeilen dieses tiefgründigen Gedichts gebraucht der Dichter das Wort *herzeliebe;* man kann kaum bezweifeln, daß er sie als dritte Art der Liebe auffaßt, die sich von *nideriu minne* und *hôhiu minne* unterscheidet:

> kumet diu herzeliebe, ich bin iedoch verleitet:
> mîn ougen hânt ein wîp ersehen,
> swie minneclîch ir rede sî,
> mir mac wol schade von ir geschehen.
> (47, 12 ff.)

Da *herzeliebe* weder *hôch* noch *nider* ist, insofern sie weder Liebe zu einer Person hohen Standes nur um des Standes willen noch Liebe aus niederen Motiven ist (d. h. weder *werdiu liebe* noch *krankiu liebe*, da diese, wie wir gesehen haben, jeweils der *hôhen* oder *nideren minne* entsprechen), könnte es so aussehen, als sei *herzeliebe* mit *ebene werben* gleichzusetzen.[26] Aber selbst diese

Verhalten innerhalb dieser Extreme, was Schweikles Behauptung mitzumeinen scheint. Andererseits hat Schweikle natürlich völlig recht, wenn er die Möglichkeit in Erwägung zieht, daß das Gedicht ein „dialektisches Spiel" (S. 510) ist. Genau das ist es.

[26] von Kraus' Auffassung, daß *herzeliebe* die Ursache für die Neigung des Dichters zu *hôch* und *nider* (WU. S. 160) ist, überzeugt durchaus nicht und auch nicht seine Meinung, das Gedicht sei ein Abschied an die *Niedere Minne* und eine Rückkehr zur *Hohen Minne*. Walther konzipiert *herzeliebe* hier als dritte Alternative zu *hôhiu minne* (die es mit dem *muot* zu tun hat) und *nideriu minne* (zu der *lîp* gehört). *lîp, muot* und *herze* (das offensichtlich zu *herze-liebe* gehört, wie *lîp* zu *krankiu liebe* und *muot* zu *werdiu liebe*) sind drei streng voneinander unterschiedene Begriffe, aber sie sind auch dadurch miteinander verknüpft, daß sie alle körperliche „Eigenschaften" des Menschen sind, so wie die drei entsprechenden Begriffe *herzeliebe, krankiu liebe* und *werdiu liebe* alle *liebe* gemeinsam haben.

herzeliebe ist nach seinen Worten weder gleichmäßig noch maßvoll. Im Gegenteil, sie führt vom Weg der *mâze* ab (*verleitet*). Er hat ein *wîp* gesehen (nicht eine *frowe*) und sich in es verliebt; dafür könnte er sehr wohl leiden müssen *(schade)*, womit er nur auf andere Weise ausdrückt, seine *herzeliebe* könne ihm *herzeleit* bringen. Warum sagt er das? Weil Liebe, die von Herzen kommt, von Natur aus intensiv und leidenschaftlich ist und aus diesem Grunde über die *mâze* hinausgehen kann, ja muß und in diesem Sinne gegen die Ordnung verstößt. Wegen ihres Intensitätsgrades, der die Ordnung verletzt, kann sie Leid verursachen, wenn die Liebe nicht erwidert wird.[27] So liebevoll *(minneclîch)* die Worte seiner Geliebten ihm gegenüber auch sein mögen, sie könnte sich doch weigern, alle seine Bitten zu erfüllen, was ihm unausweichlich Leid bringen würde. So kann *herzeliebe* trotz der Tatsache ordnungswidrig sein, daß sie weder *hôch* noch *nider* ist und deshalb als *ebene* und im Einklang mit der *mâze* stehend betrachtet werden könnte. Wie kann man dann *mâze* in der Liebe haben, wie kann Liebe geordnet werden? Gibt es so etwas wie *ebene werben?*[28]

Wie wir schon so oft festgestellt haben, hat Walther seine Freude an dem tiefsinnigen dialektischen Spiel mit Worten und Ideen; in diesem Gedicht hat er besonders die Antithese von *mâze* und *un-*

[27] Man sollte Walthers Wortspiel hier keinesfalls unberücksichtigt lassen. Obwohl die Bedeutungen von *versêret* und *verleitet* (47, 1 und 47, 12) völlig verschieden sind, sind sie doch parallel zu setzen. Beide stehen in der gleichen Position, in der gleichen Zeile in den beiden Strophen, beide haben die Vorsilbe *ver-*, beiden geht *ich bin* voran, und was am bedeutsamsten ist, das eine Wort hat die Wurzel *leit*, das andere die Wurzel *sêr*, wenn auch *leit* in *ver-leit-et* mit *leit* im Sinne von Leid, Trauer nur dem Klang nach gleich ist! So bringen *sêr* (in *versêret*), *leit* (durch Klangspiel in *verleitet*) *nôt* und *schade* Leid zum Ausdruck, das nicht von Liebe zu trennen ist. Hierin stimmt Walther mit Gottfried überein, für den Liebe *süeze sûr, liebez leit, herzeliep, senede nôt* (Tristan 60 ff.) ist und nur edlen Herzen zuteil wird. Für die korrekte Interpretation von *iedoch* (47, 12) im Gegensatz zu von Kraus vgl. Schweikle, op. cit. S. 502.

[28] Vgl. Schweikle, der von der „Irrealität des *ebene werben*" (op. cit. S. 510) spricht.

mâze im Sinn, die der von *ordo - inordinatio* entspricht. Es hat den Anschein, daß er keine zufriedenstellende Lösung für das Problem der Beziehungen zwischen Liebe einerseits und Ordnung und Maß andererseits finden kann. Aber die unverkennbare Mehrdeutigkeit und Ungewißheit sind an sich bedeutsam, da sie berechnet und beabsichtigt sind. Er möchte aufzeigen, daß Liebe sich nicht 'messen' läßt, weder formal noch in bezug auf Rang und Hierarchie.[29] Echte Liebe — *herzeliebe* — ist weder *hôch* noch *nider* oder *ebene*, da es sich hierbei um formale Kategorien handelt, die Liebe hingegen zuviel Gehalt und Substanz hat. Obwohl sie nicht *hôch* und nicht *nider* ist, ist sie deshalb noch nicht geordnet, zumindest nicht, wenn geordnet als Mittel zwischen zwei Extremen verstanden wird. Die *inordinatio* oder die *unmâze* liegt im Wesen der Liebe. Sie kann nicht fein säuberlich in Kategorien oder in die Zwangsjacke konventioneller höfischer Ordnung eingepaßt werden. Liebe ist und muß leidenschaftlich, intensiv und heftig sein, oder es ist keine Liebe. Sie nimmt keine Rücksicht auf Personen oder Rang. Die ihr eigene Natur ist für sie Ordnung und Maß; diese Ordnung und dieses Maß gehen über die strengen formalen Richtlinien dialektischer Unterscheidungen hinaus. Sie ist eine Ordnung, die im Sinne jeglicher Ordnung, die niedriger als sie selbst ist oder außerhalb steht, Unordnung bedeutet. Sie will nicht in ein Schema oder System eingeordnet werden, sie ist darüber erhaben und sich selbst Gesetz und Ordnung. So sieht das Paradox aus: *inordinatio* ist der *ordo* der Liebe, ihre *mâze* besteht in dem Mangel an *mâze*. Zu diesem Schluß kommt Walther. Und weil das so ist, kann *frou mâze*, insofern sie die Ordnerin höfischer Ehre ist, die eng mit der Hierarchie und dem Ethos verknüpft ist, ihm nicht helfen.[30] Aber hat er ihre Hilfe wirklich nötig? Sind nicht *schade* und *leit*, welche die *herzeliebe* mit sich bringen kann, vollständig wettgemacht durch die Freude, die sie schenkt, durch die *Liebe*, die ihr den Namen gibt?[31]

[29] Vgl. Schweikle (op. cit. S. 504), der sagt, das Herz sei eine „Instanz, die über der sozialen Struktur steht".

[30] Vgl. Schweikle (op. cit. S. 513): „*Minne* und *Mâze* schließen sich gegenseitig aus."

[31] Vgl. Gottfrieds Tristan 201 ff. und passim.

Das 'Unermeßliche' an Walthers *herzeliebe,* ihre Zurückweisung dessen, daß sie begrenzt, formalisiert und hierarchisch eingeordnet sei, findet eine deutliche Analogie in einem anderen Bereich. Das Maß für die Liebe zu Gott ist, ihn 'unermeßlich' lieben: So charakterisiert Bernhard von Clairvaux *caritas, amor* und *dilectio,* drei Begriffe, die er häufig im Sinne von Liebe gebraucht. Die beiden letzteren haben natürlich eine allgemeinere Bedeutung als der erstere, aber sie werden synonym zu *caritas* gebraucht, manchmal mit einer näheren Charakterisierung, so wie bei *amor Dei.*[32] Wie Bernhard es ausdrückt, liegt das Wesen der bräutlichen Liebe, d. h. die der menschlichen Seele, für den himmlischen Bräutigam darin, daß es sich um Zuneigung handelt, und nicht um einen Vertrag.[33] Zwischen Gott und Mensch besteht die größtmögliche Ungleichheit und Unähnlichkeit, aber die Liebe transzendiert diesen Unterschied der 'Ordnung':

> Nec verendum ne disparitas personarum claudicare in aliquo faciat convenientiam voluntatum, quia amor reverentiam nescit. Ab amando quippe amor, non ab honorando denominantur.[34]

Gott ist Liebe, sagt Bernhard, aber er hat nie gehört oder nirgendwo gelesen, daß Gott Ehre oder Würde ist.[35] Durch das Transzendieren der Ungleichheit kann das Geschöpf die Liebe des Schöpfers erwidern:

> Solus est amor ex omnibus animae motibus, sensibus et affectibus, in quo potest creatura, etsi non ex aequo, respondere auctori, vel de simili mutuam rependere vicem.[36]

Die Hierarchie, in der Gott und Mensch durch die über- und untergeordnete Stellung unterschieden sind, wird durch die mysti-

[32] *Causa diligendum Deum, Deus est; modus, sine modo diligere* (De Dilig. Deo 1, 1; P. L. 182, 974).

[33] De Dilig. Deo 7, 17; P. L. 182, 984.

[34] Serm. in Cant. Cant. 83, 3; P. L. 183, 1182.

[35] In Cant. Cant. 83, 4; P. L. 183, 1183.

[36] In Cant. Cant. 83, 4; P. L. 183, 1183.

sche Liebesgemeinschaft überwunden. Liebe bringt Ordnungen durcheinander und ignoriert Maß:

> O amor praeceps, vehemens, flagrans, impetuose, qui praeter te aliud cogitare non sinis, fastidis caetera, contemnis omnia praeter te, te contentus! Confundis ordines, dissimulas usum, modum ignoras; totum quod opportunitatis, quod rationis, quod pudoris, quod consilii judiciive esse videtur, triumphas in temetipso, et redigis in captivitatem.[37]

Weil Liebe nicht durch Vertrag bedingt ist, ist sie auch nicht gewinnsüchtig:

> Purus amor mercenarius non est. Purus amor de spe vires non sumit, nec tamen diffidentiae damna sentit. Sponsae hic est, quia hoc sponsa est quaecunque est. Sponsae res et spes unus est amor. Hoc sponsa abundat, hoc contentus et sponsus.[38]

Das erinnert stark an Walthers *herzeliebez frowelîn*. Wir haben schon gesehen, wie sehr der Dichter diejenigen herabwürdigt, die nur *nâch dem guote und nâch der schoene* (49, 36) lieben, und den Vorrang der Liebe vor diesen beiden betont. Aber erst in der Schlußstrophe desselben Gedichts wird die Parallele zu Bernhard besonders augenscheinlich. Er bekräftigt die Wechselseitigkeit von Liebe und Treue:

> ... sed sponsi amor, imo sponsus Amor solam amoris vicem requirit et fidem.[39]

In dem Wort *fidem* kann man das Echo von Walthers *triuwe* und *staetekeit* hören. Außerdem können wir in derselben Schlußstrophe feststellen, daß Walther das Wort *angest* (50, 14) gebraucht, die nach seiner Behauptung in der *herzeliebe*, in dem Vertrauen zu seiner Geliebten vollkommen fehlt. Nach Bernhard ist die Liebe über Furcht erhaben, sie überwindet sie:

> Exigit ergo Deus timeri ut Dominus, honorari ut pater, et ut sponsus amari. Quid in his praestat, quid eminet? Nempe amor. Absque hoc et

[37] In Cant. Cant. 79, 1; P. L. 183, 1163.
[38] In Cant. Cant. 83, 5; P. L. 183, 1183.
[39] In Cant. Cant. 83, 5; P. L. 183, 1184.

> timor poenam habet, et honor non habet gratiam. Servilis est timor, quandiu de amore non manumittitur. Et qui de amore non venit honor, non honor, sed adulatio.[40]

Ohne Liebe trägt die Furcht die Strafe in sich und hat die Ehre keine Belohnung *(gratiam)*. Ebenso ist in Walthers *herzeliebe* kein Platz für knechtische Furcht. Wenn er sich auf die aufrichtige und ergebene Liebe seiner Geliebten verlassen kann, braucht er nicht zu befürchten, daß er durch ihre Schuld Kummer erleiden wird. Vollkommene Liebe weist Furcht von sich.

Kann es reiner Zufall sein, daß in der ersten Strophe (49, 28) desselben Gedichts *willeclîchen* und in der letzten (50, 16) *wille* vorkommt? Im ersten Fall geht es dem Dichter um seinen eigenen Willen, im letzten um den seiner Geliebten. Wenn die *herzeliebe* zwischen ihnen besteht, ist ihr beider Wille in Harmonie. Sein Wille ist, sie zu lieben, so sehr er kann, und noch mehr, wenn er es vermöchte; zugleich ist er überzeugt, daß es ihr Wille sein wird, ihm *herzeliebe* zu schenken und nicht das Gegenteil, nämlich *herzeleit*, wenn sie ihn wirklich aufrichtig liebt. Hier können wir eine deutliche Parallele zu der Übereinstimmung des Willens finden, mit der die Seele mit Christus vermählt ist:

> Talis conformitas maritat animam Verbo, cum cui videlicet similis est per naturam, similem nihilominus ipsi se exhibet per voluntatem, diligens sicut dilecta est. Ergo, si perfecte diligit, nupsit. Quid hac conformitate jucundius?[41]

Sogar Walthers Behauptung, daß er seine Geliebte bis an die Grenzen seiner Kräfte liebt, daß er sie mehr lieben würde, wenn er könnte, findet eine klare Parallele bei Bernhard: Gott hat den Menschen zuerst geliebt, und zwar uneigennützig; daher ist es des Menschen Pflicht, ihn ohne Maßen zu lieben. Aber der Mensch ist begrenzt in seinen Möglichkeiten, während Gott unendlich ist. Deshalb kann der Mensch Gott nicht über die Grenzen seiner Kraft hinaus lieben, da diese Kraft sein Maß ist. Nur wenn Gott ihm

[40] In Cant. Cant. 83, 4; P. L. 183, 1183.

[41] In Cant. Cant 83, 3; P. L. 183, 1182.

die Kraft zu größerer Liebe gäbe, könnte er die Grenzen überschreiten:

> Deus meus, adjutor meus, diligam te pro dono tuo, et modo meo, minus quidem justo, sed plane non minus posse meo: qui etsi quantum debeo non possum, non possum tamen ultra quam possum. Potero vero plus, cum plus donare dignaberis: nunquam tamen prout dignus haberis.[42]

Für Bernhard und für Walther ist die Liebe sich selbst Gesetz. Es ist das ewige Gesetz, welches das All schuf und regiert, das alle Dinge gemacht hat nach Zahl, Maß und Gewicht. Deshalb ist sie ihre eigene Ordnung:

> Haec est lex aeterna, creatrix et gubernatrix universitatis. Siquidem in pondere, et mensura, et numero per eam facta sunt universa, et nihil sine lege relinquitur, cum ipsa quoque lex omnium sine lege non sit. Non tamen alia quam se ipsa: qua et seipsam etsi non creavit, regit tamen.[43]

Unermeßlich, und doch begrenzt innerhalb der Grenzen der Kräfte und Anlagen des menschlichen Wesens, gleich, gegenseitig und wechselseitig, nicht knechtisch und nicht gewinnsüchtig, durch die Übereinstimmung des Willens in völliger Harmonie, leidenschaftlich und heftig, sich selber Gesetz und Ordnung, das ist die Liebe der *unio mystica* und das ist Walthers *herzeliebe*. Ja, Bernhard bestätigt auch für die religiöse Sphäre die Existenz einer Herzensneigung, die er *amor cordis* nennt, mehr noch, er sagt ausdrücklich, daß sie analog zum *amor carnalis* ist:

> Siquidem amor cordis simile quiddam habet carnali amori; nam affectiones proprie cordis esse dicuntur.[44]

Diese Herzensliebe wird folgendermaßen charakterisiert:

> Sane ad affectuosum illum, quem dicimus, cordis amorem plurimum valet Incarnationis Christi cogitatio, sed et totius dispensationis quam gessit in carne, et maxime passionis. Videns enim Deus homines omnino carnales affectos, tantam eis dulcedinem exhibuit in carne, ut durissimi cordis sit quisquis eum totu affectu non diligat.[45]

[42] De Dilig. Deo 6, 16; P. L. 182, 984.

[43] De Dilig. Deo 12, 35; P. L. 182, 996.

[44] Serm. de Diversis 29, 1; P. L. 183, 620.

[45] Serm. de Diversis 29, 2; P. L. 183, 620.

Wie weit diese Liebe zu Christus, dem Mann der Schmerzen, von der sexuellen Liebe zwischen Menschen sein mag, diese Tatsache bleibt bestehen, daß Bernhard auf ihrer Analogie zur 'fleischlichen Liebe' besteht, womit er die Neigungen meint und in die er deshalb die gegenseitigen Neigungen zweier Menschen entgegengesetzten Geschlechts miteinbezieht, wenn der Begriff auch im Gegensatz zu dem modernen Begriff 'fleischliche Liebe' nicht ausschließlich diese Art der Liebe meint. Wie hinlänglich bekannt ist, hat J. Schwietering auf den religiösen Hintergrund von Walthers *herzeliebe* aufmerksam gemacht. Er spricht von dem „Wunderreich des Herzens", das durch die mystische Liebe oder Laienfrömmigkeit entdeckt und geschaffen wurde und das den ›Armen Heinrich‹, ›Parzival‹ und ›Willehalm‹, die Lieder Morungens und besonders Gottfrieds ›Tristan‹ inspiriert hat. Er sagt weiter: „Walthers Mädchenlieder, die Nibelungenszenen von Kriemhilds Witwentrauer, denen der Nibelungendichter nach 1200 solch zentrale Bedeutung beimißt, haben die Welt des Herzens weiter erschlossen."[46]

So kommt es, daß Walther, der im allgemeinen eifersüchtig über die höfischen Maßstäbe und Werte wacht und ein strenger und entschiedener Anwalt für Maß und Ordnung ist, sich gezwungen sieht, bei der Liebe eine Ausnahme zu machen und ihre *unmâze* im Angesicht der Kritik seiner Zuhörer zu bekräftigen. Seine geistige Ehrlichkeit und Rechtschaffenheit lassen ihm keine andere Wahl als zu bekennen, daß die Liebe alle Grenzen oder Schranken, die der Mensch ihr aufzuzwingen suchen mag, übersteigt, daß sie tatsächlich göttlichen Ursprungs und Wesens ist und über den weltlichen Bereich hinausgeht. Sie hat ein fremdartiges *(wilde)* Element, etwas 'Außerweltliches' an sich. Niemand kann ohne sie *gotes hulde* erlangen, und niemals kehrte sie in ein Herz voll Falschheit ein (81, 31). Aber obwohl sie *wilde* und daher

[46] Der Tristan Gottfrieds von Straßburg und die bernhardische Mystik, in: Mystik und höfische Dichtung im Hochmittelalter, Tübingen 1960, S. 33 ff. (erstmals erschienen in: Abhandlungen der Preußischen Akademie der Wissenschaften, Philosophisch-historische Klasse 1943, Nr. 5, Berlin 1943).

ungefüege ist, wird niemand, der ihr folgt, der *unfuoge* zum Opfer fallen. Ihre *fuoge* kommt nicht von dieser Welt, sondern vom Himmel:

> Ez ist in unsern kurzen tagen
> nâch minne valsches vil geslagen:
> swer aber ir insigel rehte erkande,
> dem setze ich mîne wârheit des ze pfande,
> wolt er ir geleite volgen mite,
> daz in unfuoge niht erslüege.
> minn ist ze himele sô gefüege,
> daz ich si dar geleites bite.
>
> (82, 3 ff.)

Hier gebraucht Walther das Wort *minne* ohne nähere Bestimmung, ein deutliches Zeichen dafür, daß er von der Liebe im weitesten Sinne redet, von der Liebe als etwas Absolutem und Universalem.

Der starke Einfluß der *ordo*-Auffassung und des religiös-mystischen Hintergrundes, mit dem Nachdruck auf der von Herzen kommenden Liebe, den man in Walthers Liedern feststellt, läßt dem Zweifel daran wenig Raum, daß die *herzeliebe* letztlich ihre Wurzel im Religiösen hat, so analog ihre Beziehungen zur mystischen Liebe im strengen Sinne auch sein mögen.[47] In keinem anderen geistigen Bereich der damaligen Zeit ist die fehlende *mâze* der Liebe, d. h. ihr sich selbst genügender *ordo*, ihre *inordinatio* — wenn man sie mit Begriffen belegt, die nicht aus ihr selbst stammen —, so klar und unmißverständlich geltend gemacht worden wie im Religiösen. Wie Schwietering darlegt, kann man den Einfluß der Laienfrömmigkeit schon in den Liedern Morungens feststellen. Die meisten sind orthodox, d. h. sie handeln von der *Hohen*

[47] Das Wort *Analogie* muß natürlich stark hervorgehoben werden. Die beiden Sphären, die religiöse und die weltliche, dürfen nicht miteinander verwechselt werden. Aber sie sind tatsächlich eng miteinander verbunden durch ein analoges Denkmuster, das durch das ihm eigene Wesen die Unterscheidung transzendiert. Durch Analogie als eine Art der Konzipierung können deutlich unterschiedene Sphären, so klar sie auch bestimmt und voneinander abgegrenzt sind, zusammengebracht werden. Dies aus dem Grunde zu unterlassen, weil analytische Abgrenzungen streng eingehalten werden müssen, kann nur zu steriler Spaltung führen.

Minne (im hierarchischen Sinne), aber dennoch können wir bei Morungen und Hartmann von Aue die ersten zaghaften Versuche einer Auflehnung gegen die konventionelle *Hohe Minne* bemerken.[48] Es blieb jedoch Walthers Verdienst, die Verkehrung der Ordnung, die bei seinen Vorgängern begann, zum logischen Schluß geführt zu haben. Er nimmt die dichterischen Möglichkeiten der *herzeliebe* zutiefst wahr, bekräftigt sie entschlossen und errichtet dadurch eine neue Ordnung in der mhd. höfischen Liebesdichtung.

[48] Vgl. MF 134, 14 ff. und 216, 29 ff. Morungen gebraucht *herzeliebe* tatsächlich mehr als einmal (MF 132, 19 und 21; 138, 12) und spricht von der *unmâze* seiner *sorge*. Walthers Hinweis auf *schade*, als mögliche Folge von *herzeliebe*, könnte Ähnlichkeit hiermit vermuten lassen. Aber Morungen geht bekanntlich, trotz der großen Verpflichtung, die er der mystischen Liebes-Auffassung gegenüber hat, nicht weit über den Rahmen der konventionellen Auffassung von der *Hohen Minne* hinaus; er zieht es vor, diese Form mit feurigem, leidenschaftlichem Gehalt zu füllen.

[illegible]

[illegible]

[illegible]